LITTÉRATURE FRANÇAISE

TOME PREMIER

LITTÉRATURE FRANÇAISE

Publiée sous la direction de

JOSEPH BÉDIER
de l'Académie française

PAUL HAZARD
de l'Académie française

Nouvelle édition refondue et augmentée
sous la direction de

PIERRE MARTINO
Inspecteur général de l'Enseignement supérieur

TOME PREMIER

565 GRAVURES
6 HORS-TEXTE EN COULEURS

LIBRAIRIE LAROUSSE — PARIS
13 à 21, rue Montparnasse, et boulevard Raspail, 114 (VIe)

ONT COLLABORÉ A CET OUVRAGE :

† Georges ASCOLI, professeur à la Sorbonne.

Jean BAILLOU, chef des services de l'Enseignement français à l'étranger.

† André BEAUNIER, de l'Académie française.

† Joseph BÉDIER, de l'Académie française.

† Henry BIDOU, homme de lettres.

Jean BOUDOUT, professeur de première supérieure au lycée Henri-IV.

Gustave CHARLIER, professeur à l'Université de Bruxelles.

André CHAUMEIX, de l'Académie française.

Charly CLERC, professeur à l'école Polytechnique fédérale de Zurich.

Joseph DEDIEU, ancien professeur à la Faculté libre des lettres de Paris.

Edmond FARAL, membre de l'Institut, administrateur du Collège de France.

Lucien FOULET.

Max FUCHS, agrégé des lettres, secrétaire de la Société des historiens du théâtre.

René GAUTHERON, professeur à l'Université de Halifax, Canada.

Jean GIRAUD, maître de conférences auxiliaire à la Sorbonne.

† Paul HAZARD, de l'Académie française.

Jean HYTIER, ancien directeur des Lettres au ministère de l'Éducation nationale, professeur à l'Université d'Alger, détaché à l'Université Columbia, New York.

Pierre JOURDA, professeur à l'Université de Montpellier.

Jacques LAVAUD, professeur à l'Université de Poitiers.

Raymond LEBÈGUE, professeur à la Sorbonne.

Pierre MARTINO, recteur d'Université, inspecteur général de l'Enseignement supérieur.

Pierre MOREAU, professeur à l'Université de Lyon

Daniel MORNET, professeur à la Sorbonne.

René PINTARD, professeur à la Sorbonne.

† Jean PLATTARD, professeur à la Sorbonne.

† Désiré ROUSTAN, inspecteur général de l'Instruction publique.

† Joseph VIANEY, doyen de la Faculté des lettres de l'Université de Montpellier.

† Pierre VILLEY, professeur à l'Université de Caen.

LE PARNASSE. Peinture de Nicolas Poussin (musée du Prado, à Madrid). — CL. ANDERSON.

AVANT-PROPOS

*Il y a vingt-cinq ans paraissait l'*Histoire de la littérature française illustrée *de Joseph Bédier et Paul Hazard, le* Bédier-Hazard, *comme on s'accoutuma vite à dire. Deux beaux volumes qui obtinrent, dès les premières semaines, le succès, un grand succès. La volonté des deux directeurs avait été d'offrir une histoire de notre littérature informée, documentée, mais agréable à lire et plaisante à regarder grâce à son abondante illustration ; ils avaient recruté une équipe de collaborateurs, universitaires et hommes de lettres, connaisseurs des temps dont ils avaient à écrire et qui de bon cœur consentaient à l'esprit si exactement défini de l'œuvre.*

Le grand public fut séduit ; les étudiants et les professeurs, plus exigeants, se rendirent vite compte de la qualité de l'information et de la sûreté des vues. Le Bédier-Hazard s'offrait dès alors, et il a continué de s'offrir comme le meilleur des guides pour les promenades dans notre passé littéraire. Il suffit de prendre en main aujourd'hui les exemplaires, plusieurs fois remplacés pourtant, des bibliothèques universitaires ou publiques pour constater leur état de fatigue, marque de lectures assidues. L'édition était depuis longtemps épuisée et beaucoup s'en plaignaient.

Joseph Bédier est mort en 1938 ; dès avant la guerre, Paul Hazard avait décidé de remettre l'œuvre sur le métier. Plusieurs des collaborateurs étaient morts ; il avait recruté une nouvelle équipe, tracé le plan de la future édition, décidé la méthode de cette refonte ainsi que les nouveautés désirables. Il est mort en 1944, alors que l'entreprise commençait à peine. On a suivi aussi fidèlement qu'on a pu cette route qu'il avait marquée et que des conversations intimes, inspirées par une très ancienne amitié, avaient depuis longtemps permis de bien connaître.

Paul Hazard s'était rendu compte qu'une simple mise à jour de l'édition première n'aurait point suffi. On travaille beaucoup parmi les historiens de la littérature française et notre information s'est, en un quart de siècle, considérablement rectifiée et accrue. La connaissance de certaines périodes a été vraiment renouvelée : la Renaissance, la Pléiade, l'époque pré-classique, l'époque classique elle-même, le romantisme... Toute une nouvelle génération littéraire s'est produite depuis trente ans et les œuvres ont poussé avec une vigueur et une richesse qui rendent nécessaires une enquête et un classement... Un gros travail a donc été entrepris et mené à bien : pas un chapitre qui n'ait été revu et mis à jour; quelques-uns ont été vraiment refondus; d'autres ont été complètement refaits.

L'illustration elle-même, malgré son excellence première, a été en partie renouvelée; on a amélioré sa valeur documentaire; on lui a donné plus de variété. Les progrès de l'édition dans ces dernières années ont permis des procédés d'impression qui la mettent mieux en valeur.

Telle quelle, cette Littérature française, *qui a toujours pour pavillons les grands noms de Joseph Bédier et de Paul Hazard, et qui est restée fidèle aux principes dont elle s'inspira sous sa première forme, s'offre aux lecteurs du nouveau quart de siècle qui commence. On a bien des raisons d'espérer qu'elle rendra les mêmes services que le premier Bédier-Hazard et qu'elle connaîtra le même succès.*

Pierre MARTINO

DÉTAIL d'un panneau de la tenture de la galerie François Ier, à Fontainebleau (musée de Vienne). — CL. ARCH. PHOT.

LE MOYEN AGE

L'ÉVOLUTION POLITIQUE ET SOCIALE AU MOYEN AGE

Il est presque superflu d'avertir que le développement et les caractères de la littérature française au moyen âge ont étroitement dépendu, autant que pour n'importe quelle autre période, de conditions politiques, économiques, sociales et religieuses. En tout cas, il ne saurait être ici question de le montrer : car l'histoire de sept siècles ne se résume pas en une page. La décomposition de l'empire carolingien, l'avènement de la royauté capétienne, la lente et laborieuse constitution d'un pouvoir royal obéi et respecté, les changements de dynasties, les luttes persévérantes de la royauté pour assurer son autorité à l'intérieur, de la nation pour défendre son existence contre l'étranger ; — les profondes transformations de la société, l'affranchissement progressif des serfs (de fait, sinon de droit), l'institution des communes, le fougueux essor d'une bourgeoisie de plus en plus riche et puissante ; — un peuple qui, sous ce nom de « peuple », prend petit à petit conscience de lui-même, en opposant les intérêts de la masse à ceux des privilégiés, cependant que, devant l'étranger, naît l'idée de nation ; — les alliances matrimoniales des princes et les influences qui en ont résulté de province à province, de pays à pays ; — le prodigieux brassage de races, de richesses et d'idées opéré par le mouvement des croisades ; — les formes nouvelles d'un commerce de plus en plus prospère par la multiplicité des échanges et par l'ouverture de marchés lointains ; — de profondes modifications dans la distribution de la propriété foncière ; — les crises traversées par l'Eglise, dont le corps, devenu gigantesque, est du même coup menacé de redoutables atteintes ; une évolution qui met en cause non seulement ses rapports avec les puissances laïques, mais aussi, en son sein même, le statut du clergé séculier, quand les Ordres se mettent à pulluler ; — les controverses doctrinales et l'épanouissement du sentiment chrétien en une exubérante floraison d'aspirations, de symboles et de cultes ; — la lente et irrésistible progression de l'esprit critique qui se manifeste de plus en plus hardiment dans tous les domaines de l'action et de la pensée : tout le monde connaît les faits innombrables qui peuvent être rangés sous ces titres de chapitres, et sous d'autres encore ; et tout le monde comprendra qu'il suffise ici d'en rappeler l'existence.

Quiconque lira nos vieux auteurs saura qu'il faut toujours, en examinant leurs textes, se tenir attentif à en découvrir les attaches avec les réalités historiques qui en ont été le support, aussi bien qu'à y recueillir les témoignages qu'ils portent sur ces réalités. Car il n'y a pas de littérature plus riche d'intentions et de significations que cette littérature d'autrefois, prétendument si naïve.

SCÈNES DE LA VIE DES ÉCOLIERS PARISIENS. Médaillons du portail Sud de Notre-Dame de Paris (XIII⁰ siècle). — CL. ALINARI.

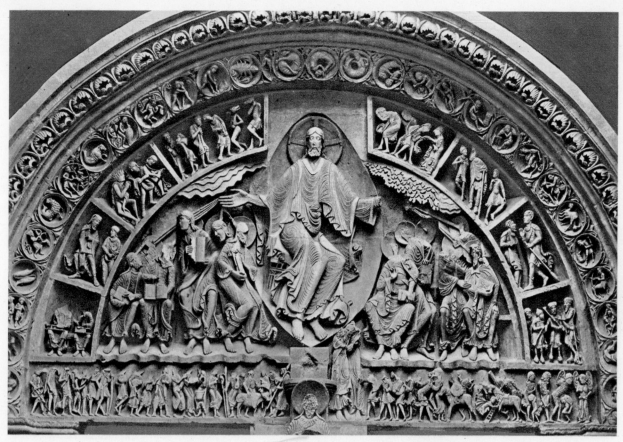

TYMPAN DE L'ÉGLISE DE LA MADELEINE, A VÉZELAY.

PREMIÈRE PARTIE

DES ORIGINES A LA QUATRIÈME CROISADE (1202)

I. — LES ORIGINES

*Nos plus anciens textes, ceux des IX*e *et X*e *siècles, ont été, pour la plupart, souvent publiés. On les trouve réunis dans les deux recueils suivants :*
Les plus anciens monuments de la langue française, p. p. G. Paris, album de neuf planches, exécutées par la photogravure, *1875.*
Les plus anciens monuments de la langue française, p. p. Ed. Koschwitz (édition paléographique), Leipzig, 9e édit., *1920.*

LITTÉRATURE EN LANGUE LATINE ET LITTÉRATURE EN LANGUE VULGAIRE

Le 14 février 842, à Strasbourg, Charles le Chauve et son frère Louis le Germanique conclurent un traité, qu'ils scellèrent par des serments. Charles et les fidèles de Louis jurèrent en allemand, Louis et les fidèles de Charles jurèrent en français. L'historien Nithard inséra dans sa chronique les formules de ces serments. Un manuscrit du Xe siècle nous les a conservées : elles constituent le monument le plus ancien de notre langue. Puis, à descendre le cours des temps, on trouve, en l'an 881, un chant d'église en quatorze versets, simple décalque d'une « séquence » latine en l'honneur de sainte Eulalie; — vers l'an mille, le brouillon d'une homélie sur Jonas; — au Xe et au XIe siècle, un poème sur la Passion et quelques rares Vies de saints dont il sera bientôt reparlé plus explicitement : et c'est tout. Il est assuré que le XIe siècle, qui, dans tous les ordres de la pensée, de l'art et de l'action, fut un âge puissamment créateur, produisit aussi de grandes œuvres en français et constitua plusieurs des principaux genres de notre poésie. Mais ces antiques poèmes ont péri et nous ne les connaissons guère que sous la forme de tardifs renouvellements. C'est seulement à partir des premières années du XIIe siècle que nous disposons de textes nombreux. Par suite, l'histoire des lettres françaises ne commence qu'aux approches de la première croisade.

Jusqu'alors la littérature en langue latine règne seule. Elle conservera d'ailleurs, durant tout le moyen âge, une magnifique prospérité : le trésor de ses œuvres, prodigieux d'abondance et de variété, est l'un des titres de gloire de notre nation. Les écrits philosophiques et scientifiques qui commencent, à partir de l'extrême fin du XIIe siècle, à paraître en langue vulgaire ne sont que des traductions ou des dérivés d'originaux latins. C'est en latin qu'écrivent des maîtres fameux, versés dans la théologie, la philosophie, la morale : au Xe siècle, un Gerbert d'Aurillac; au XIe, Fulbert, saint Anselme; au XIIe, Guillaume de Champeaux, Abélard, saint Bernard; au XIIIe, un Pierre

Présentation d'une bible latine à Charles le Chauve, par Vivien, abbé de Saint-Martin de Tours (B. N., miniature d'une bible de Charles le Chauve, IXe siècle). Nous ne connaissons pas de traductions et paraphrases de la Bible en langue vulgaire antérieures au XIIe siècle.

l'*Architrenius* de Jean de Hanville; les poèmes de Marbode, d'Hildebert, de Baudri de Bourgueil, de Bernard Silvestre, de Pierre de Blois; des contes dévots et des contes à rire; des sermons et des facéties; des méditations et des arts d'aimer; une profusion de Vies de saints, d'annales, de chroniques : bref, un trésor inépuisable d'œuvres les plus diverses.

A cela doivent s'ajouter toutes les productions de cette poésie fertile, fondée non plus sur la mesure, mais sur le rythme, et soutenue par la rime, qui a brillé d'un éclat singulier, étonnante par les ressources de l'invention autant que par la richesse de ses formes, et passant des sujets les plus graves aux fictions les plus frivoles : car, si elle a tendu ses voiles aux inspirations les plus hautes du sentiment religieux, elle s'est également abandonnée aux tentations de l'esprit profane, et elle s'est passé le plaisir non seulement des gentillesses de l'idylle fleurie, des libertés de la satire, mais aussi celui d'un naturalisme brutal, presque païen, hardi jusqu'à la provocation.

Ce n'est que par une sorte de dessaisissement lent et progressif que le latin cédera peu à peu devant le français. Au XIIIe siècle, alors que la littérature en langue vulgaire s'épanouit le plus richement, le latin reste plein d'une vie exubérante.

Dans une histoire de notre littérature, il peut donc paraître regrettable que l'on ne fasse pas aux œuvres latines une large place. Elles procèdent, en partie, du même esprit que celui qui anime la littérature en langue française; et, d'autre part, c'est à l'étude du latin que se sont formés la plupart des auteurs en langue vulgaire, par un effort lent et consciencieux.

Pourtant, notre parti pris de ne traiter ici que des œuvres en français peut en quelque mesure se justifier. D'abord par le fait que les écrivains, selon qu'ils usaient de l'une ou de l'autre langue, visaient des publics différents. Les lecteurs des ouvrages en latin ne se privaient pas de goûter aussi les ouvrages en langue vulgaire; mais la réciproque n'est pas vraie : pour la plupart des lecteurs ou des auditeurs de nos écrivains français, la lettre latine restait lettre morte. Les deux littératures ont rayonné dans des sphères distinctes : tandis que l'une se propageait dans le peuple entier, l'autre, la latine, demeurait confinée dans le monde des clercs. D'autre part, ce monde des clercs, catholique au sens propre du mot, participait, par-delà les frontières, à une sorte d'esprit européen, universel. Notre littérature écrite en latin dépasse l'idéal national. On ne saurait en séparer l'histoire de l'histoire de la philosophie et des lettres allemandes, anglaises, italiennes. Seule, notre littérature écrite en français est toute nôtre.

Elle sera donc seule étudiée en cet ouvrage.

de Maricourt; au XIVe, un Jean Buridan. C'est en latin qu'écrivent les encyclopédistes, comme Hugues de Saint-Victor au XIIe siècle, ou Vincent de Beauvais au XIIIe. Tout ce qui intéresse la grammaire et la rhétorique, la philosophie et la théologie, les sciences et les arts, l'histoire et le droit, est en latin.

Mais c'est en latin aussi que furent écrites une foule d'œuvres de caractère purement littéraire : des épopées comme le *Karolus magnus et Leo papa* d'Angilbert, et le poème d'Ermold le Noir sur Louis le Pieux au IXe siècle, les *Bella Parisiaca* d'Abbon de Saint-Germain au Xe, l'*Alexandréide* de Gautier de Lille au XIIe; des poèmes bibliques, comme le *Tobias* de Mathieu de Vendôme et l'*Aurora* de Pierre Riga au XIIe siècle; des compositions allégoriques fameuses, comme l'*Anticlaudianus* d'Alain de Lille et

Pro dõ amur & pxpi an poblo & nro comun saluament · dist di en auant · inquant dr sauir & podir medunat · sisaluarai eo · cist meon fradre karlo · & in ad iudha · & in cad huna cosa · sicu om p dreit son fradra saluar dist · In o quid il mi altre si fazet · Et ab Ludher nul plaid nunquam prindrai qui meon uol cist meon fradre karle in damno sit · Quod cu Lodhuuic explesset · karolus audis ca lingua sictet eade uerba testatus est ·

Le plus ancien monument de la langue française. Serment de Strasbourg (B. N., ms. latin 9768). — Cl. Larousse.

GROUPE DE MUSICIENS. Développement, d'après un dessin de la Bibliothèque nationale, d'un chapiteau de l'église Saint-Georges, à Boscherville (Seine-Inférieure). — CL. LAROUSSE.

LE FRANÇAIS, LANGUE LITTÉRAIRE
UNITÉ DE LA LITTÉRATURE FRANÇAISE

Aux approches de la première croisade (1096), le territoire de la France actuelle, politiquement morcelé, l'était aussi linguistiquement. Au sud, dans le Limousin et en Auvergne, dans le bassin de la Garonne et dans le bassin du Rhône en aval de Lyon, se parlaient les dialectes que l'on groupe sous le nom de langue d'oc; sur ce domaine devait fleurir une littérature distincte, qui eut pour organe le provençal des troubadours et que nous n'étudierons que dans ses relations avec la littérature française proprement dite. Au nord, le territoire de langue d'oui se divisait en une infinité de dialectes : dialecte de l'Ile-de-France, dialectes normand, champenois, picard, wallon, lorrain, franc-comtois, bourguignon, poitevin, angevin.

Pourtant un grand fait doit être mis en plein relief dès le début de cette histoire : c'est que, aussi haut que nous remontions dans le passé, nos textes nous apparaissent, linguistiquement et littérairement, marqués d'une empreinte nationale.

De très bonne heure, notre nation a su constituer, par-dessus la diversité des dialectes et des patois, cet instrument merveilleux, une langue commune, une langue de l'élite, qui était principalement celle de la cour des rois de France, et dont le prestige devint vite très grand : dès la seconde moitié du XIIe siècle, un Guernes de Pont-Sainte-Maxence, écrivant pour un public cosmopolite, se fera gloire de l'écrire purement; un Champenois, Chrétien de Troyes, sera loué par ses contemporains pour avoir excellé à la manier; un Conon de Béthune, grand seigneur picard, s'excusera avec humilité de n'en pas posséder toutes les finesses.

Pour ce qui est des thèmes d'inspiration, on ne saurait distinguer une littérature picarde d'une littérature lorraine ou d'une littérature normande. Dès l'origine on est en présence de cette grande et réelle entité : la littérature française. Sans doute, l'examen philologique décèle çà et là, dans telle œuvre, des particularités locales; mais le plus souvent elles n'ont pas de correspondances, ou n'en ont que d'insignifiantes, dans l'invention des idées et des sentiments. Certes, nous aurons à marquer qu'il se forme, au XIIe siècle et au XIIIe, quelques groupes régionaux : une école de poètes artésiens, autour de la confrérie des jongleurs d'Arras; une école de poètes champenois, à la cour de Thibaut le chansonnier. Mais ces petits cénacles se sentent solidaires de groupements plus vastes, qui ne sont pas régionaux, mais français. Sans doute, ces œuvres-ci ont été composées en terre d'Empire, celles-là en Normandie, celles-là en Angleterre; et dans les seigneuries, dans les cours normandes ou anglaises, on voit paraître des écrits plus ou moins hostiles à la France; mais il n'en reste pas moins que l'unité du sentiment français crée presque partout, et jusque dans l'Angleterre des Plantagenets, une littérature qu'on peut étudier dès le XIIe siècle comme celle du siècle de Louis XIV, sans avoir à tenir compte, sinon pour ce qui est de certaines nuances, de la provenance régionale de telle ou telle œuvre. Or, le *oui* a sonné très loin au-delà des limites de la France continentale; le français s'est parlé et s'est écrit dans l'Orient latin, dans le sud de l'Italie et en Sicile, en Lombardie, en Angleterre; et ainsi s'est constitué, au-dessus des frontières d'États, un empire littéraire d'une magnifique ampleur.

POÈTE ET MUSICIENS. D'après un manuscrit du XIe siècle (B. N., ms. latin 7211) du « De Universo » de Raban Maur (IXe s.). — CL. LAROUSSE.

LES PUBLICS ET LES AUTEURS

Sur les caractères généraux de notre ancienne littérature, voir l'Introduction au volume Moyen âge *du Dictionnaire des Lettres françaises, publié sous la direction de Mgr Georges Grente (1939).*

Un autre fait, considérable, doit être noté : la pénétration profonde de notre littérature, dès ses origines, dans toutes les couches, hautes et basses, de la société.

Il va sans dire que les amateurs les plus fervents et les plus délicats se rencontraient surtout dans les cours seigneuriales. Là vivaient des hommes riches et de loisir, qui, appelés par leur état aux soins de la guerre et de l'administration, trouvaient le temps, néanmoins, de s'intéresser aux arts libéraux. L'usage s'était établi que les fils de chevaliers s'en fussent, loin de chez eux s'il était nécessaire, faire des études soignées, accourant, par exemple, du fond de l'Angleterre, de la Picardie et de la Lorraine aux écoles ou aux cours de la France. Parfois poètes eux-mêmes, ils se plaisaient en tout cas à protéger les poètes. Leurs femmes pareillement. Dès la seconde moitié du XIIe siècle, en partie sous des influences venues du Midi, celles-ci ont pris dans la société une place honorée, et c'est, dans une certaine mesure, autour d'elles que s'est organisé l'idéal dont la littérature va devenir le miroir. Mieux encore que par cette puissance attractive, et plus directement, elles ont agi sur les lettres par leur culture personnelle. Leur goût a été suffisamment vif et sûr pour que de nombreux écrivains aient trouvé en elles des protectrices, et même des inspiratrices.

Pourtant, quoique la littérature ait prospéré surtout dans les cercles aristocratiques, elle n'a pas laissé indifférentes les autres classes de la société. Les bourgeois, dont le rôle a été tellement élargi par le mouvement communal du XIIe siècle, manifestent, vers la fin de ce siècle, une féconde activité ; c'est en milieu bourgeois, à Arras, que la poésie courtoise elle-même a produit quelques-unes de ses œuvres les plus raffinées, et, d'autre part, c'est spécialement à un public bourgeois, d'instinct à la fois spéculatif, critique et pratique, que s'adressent tant d'ouvrages, dont le type est fourni par les poèmes de Rutebeuf, par le *Roman de Renart*,

JONGLERESSES. D'après un manuscrit du « Roman d'Alexandre ». (XIIIe siècle.) CL. LAROUSSE.

par le *Roman de la Rose* de Jean de Meung. Même le menu peuple se plut à certains régals littéraires. Attroupée à l'occasion de fêtes religieuses, de foires ou de pèlerinages, la foule des chalands, des marchands et des voyageurs formait une clientèle excellente, que se disputaient les jongleurs, en particulier ceux qui colportaient des poèmes de propagande, des Vies de saints, et des chansons de geste. Il est vrai que ces deux derniers genres ont obtenu une faveur aussi éclatante auprès des grands qu'auprès des petits, dans les châteaux que sur les places publiques ; mais il est visible que les poètes, en y travaillant, se sont constamment préoccupés d'atteindre le cœur des simples. Ce fut là le secret de leur force, l'effort suprême de leur art.

Cet art, on l'a souvent méconnu. Il est pourtant très conscient de ses procédés, et bien plus réfléchi que « spontané ». Dût-on s'interdire désormais cette admiration, d'ailleurs assez dédaigneuse, qu'on a volontiers prodiguée à la « naïveté » et à l' « ingénuité » de nos plus anciens poètes, il faut constater bien plutôt que ces primitifs furent souvent des hommes instruits et qui avaient appris à bonne école leur métier. Il est impossible de ne pas voir que beaucoup d'entre eux furent des clercs : non pas seulement de ces clercs qui s'étaient préparés à l'état ecclésiastique et qui, dans la tranquillité d'une existence assurée par les menses et les prébendes, employaient leurs loisirs à mettre à la portée des laïcs des livres de science, comme Barthélemy l'Anglais, ou à composer des contes édifiants, comme Gautier de Coincy ; non pas ceux-là seuls, mais aussi ces clercs très nombreux qui, sans s'être destinés à la prêtrise, avaient étudié aux écoles épiscopales ou abbatiales, puis étaient revenus à la vie séculière.

Les uns et les autres, à des degrés divers, avaient puisé aux sources de la culture antique, s'étaient initiés plus ou moins à l'histoire, à la musique, à l'interprétation des Pères de l'Église et des auteurs païens, et aux principes de l'art d'écrire.

A la vérité, on est mal renseigné, en général, sur la personnalité de nos vieux écrivains. Ce qu'on sait d'eux se réduit parfois à des bribes de biographie ou, la plupart du temps, à un simple nom ; et très souvent aussi, leur nom même nous reste inconnu. Dans la mesure où l'on est informé, on voit figurer parmi eux tantôt des amateurs appartenant au monde seigneurial, comme Conon de Béthune, Thibaut de Champagne, ou les auteurs des romans de *Joufroi* ou de *Partenopeu* ; tantôt des bourgeois, comme Geoffroy de Paris ou Jean de Meung ; tantôt des jongleurs, enfin. Ces derniers formaient une vaste tribu, où voisinaient, sous une appellation unique, des amuseurs de toute espèce, acrobates, montreurs de bêtes, musiciens, pitres, colporteurs d'œuvres littéraires. On les trouvait

JONGLEURS ET JONGLERESSES JOUANT DE DIVERS INSTRUMENTS. D'après un manuscrit du « Roman d'Alexandre » (B. N., ms. franç. 24364, XIIIe siècle). — CL. LAROUSSE.

aux carrefours des villes et dans les châteaux, surtout aux jours de fête, fêtes de l'Église ou cérémonies d'adcubement et de mariage. Les uns menaient une vie errante, au gré de l'aventure quotidienne; les autres trouvaient le moyen de s'installer auprès d'un protecteur, qu'ils avaient pour fonction de divertir, et, fiers de cet emploi, ils prenaient alors le titre de ménestrel. Outre des exécutants, il y eut certainement, dans leur troupe bigarrée, des auteurs auxquels on doit une foule de petits poèmes, des complaintes, des satires et des fabliaux, comme en composa Rutebeuf, des chansons, comme celles de Colin Muset, et aussi des chansons de geste. Et ici, il faut signaler le rôle des corporations où se groupaient ces jongleurs, des « ménestrandies », qui élaborèrent, en de véritables ateliers littéraires, ces grandes œuvres cycliques, dont la geste de Guillaume d'Orange est l'exemple le plus remarquable.

Mais, à regarder les choses de près, on s'aperçoit bientôt que, dans ce monde d'auteurs, les clercs sont nombreux, plus nombreux que les autres et de beaucoup, et que, par surcroît, ces mondains, ces bourgeois, ces jongleurs ont reçu sensiblement la même formation intellectuelle que les clercs. Pour éviter des confusions, n'employons pas l'appellation de clercs. Ne parlons que d'hommes cultivés : la littérature du moyen âge est très souvent l'œuvre d'écrivains cultivés, très cultivés. Ne restons pas les dupes de ces théories qui prétendent attribuer à des auteurs presque illettrés, au « génie populaire », le pouvoir de créer les grandes œuvres de la pensée et de la poésie. Ces théories, héritées du romantisme allemand, n'ont que trop longtemps prévalu : sachons les répudier enfin. Bien qu'on puisse citer des auteurs dont l'instruction fut médiocre, il faut tenir que toutes les œuvres de premier plan du moyen âge ont été le fruit d'un art savant, et que tous les grands genres ont dû leur premier éclat à des lettrés fort avertis : l'auteur de la *Vie de saint Alexis* en témoigne pour les Vies de saints, l'auteur de la *Chanson de Roland* pour les chansons de geste, Pierre de Saint-Cloud pour les contes de Renart, l'auteur de *Richeut* pour les fabliaux.

Il va de soi que des différences se sont produites d'une époque à une autre, et qu'au cours de plusieurs siècles d'histoire, ni la composition des publics ni la condition des auteurs ne sont restées les mêmes. Il n'est guère possible de le montrer en un rapide exposé, mais tout lecteur attentif constatera, d'abord l'existence d'une technique qui a toujours été, au moins initialement, l'effet d'un souci d'art, ensuite la présence, jusque dans des écrits apparemment superficiels, de notions impliquées et de sentiments sous-jacents, qui engagent l'homme et le dénoncent comme à son insu. Cette double remarque invite à ne pas considérer les publics comme de passifs auditoires, et les auteurs comme des esprits légers, incultes et irréfléchis.

II. — LES POÈMES BIBLIQUES ET ÉVANGÉLIQUES, ET LES VIES DE SAINTS

Ouvrages d'ensemble : Samuel Berger, la Bible française au moyen âge, 1884 ; Jean Bonnard, les Traductions de la Bible en vers français au moyen âge, 1884 (cf. le compte rendu de ces deux livres p. p. Paul Meyer, dans la Romania, tome XVII, 1888, p. 121). Pour ce qui est de l'hagiographie en prose française et en vers français, on consultera surtout la très importante étude de P. Meyer, au tome XXXIII de l'Histoire littéraire de la France.

Les traductions partielles de la Bible en prose et en vers, les paraphrases, les poèmes tirés de tel ou tel récit de l'Écriture abondent dès le XIIe siècle. Traductions des Psaumes, dont la plus ancienne date de la première moitié de ce siècle ; version en vers de la Genèse, composée par Everat pour la comtesse Marie de Champagne, vers 1190 ; à la même date, l'Ancien et le Nouveau Testament mis en vers par Herman de Valenciennes, entreprise que renouvelleront, au XIIIe siècle, Jean Malkaraume, puis Macé de La Charité-sur-Loire ; poèmes inspirés des évangiles apocryphes, de l'Évangile de l'Enfance, de l'Évangile de Nicodème, des légendes du Bois de la Croix, de Pilate, de la Vengeance du Sauveur, etc. ; traductions des Vies des Pères, et, sans compter les recueils de Vies de saints en prose, plus de deux cents Vies de saints en vers : c'est une immense bibliothèque, dont on ne saurait songer à dresser ici le catalogue. G. Paris, en sa Littérature française au moyen âge, a énuméré un grand nombre de ces ouvrages : le lecteur pourra se référer à cet ingénieux recensement. Nous nous en tiendrons à désigner quelques éditions des principaux textes dont il sera parlé en ce chapitre. Ce sont : la Vie de saint Alexis, poème du XIe siècle et renouvellements des XIIe, XIIIe et XIVe siècles, publiés par G. Paris et L. Pannier, 1872 (le poème du XIe siècle a été édité à nouveau par G. Paris en 1903, et cette édition de 1903 a été réimprimée en 1911 dans la collection des Classiques français du moyen âge ; autres éditions de W. Forster et Marg. Rösler, 1928, et de J.-M. Meunier, Paris, 1933) ; — la Vie de saint Gilles, par Guillaume de Berneville, p. p. G. Paris et A. Bos, S. A. T. (par les lettres S. A. T., nous désignerons les Publications de la Société des anciens textes français), 1881 ; — les Voyages merveilleux de saint Brendan, p. p. Fran-

SCÈNE DE L'APOCALYPSE. D'après le manuscrit latin 8878 de la Bibliothèque nationale, dit « Apocalypse de Saint-Sever » (milieu du XIe siècle). CL. CATALA.

*cisque Michel, 1878 ; texte anglo-normand de Benoit, p. p. E. G. R. Waters, Oxford, 1928 ; — la Vie de saint Thomas le martyr, p. p. E. Walberg, Lund et Paris, 1922 (et Classiques français du moyen âge, 1936.) — On trouvera dans l'*Altfranzosisches Uebungsbuch, p. p. W. Forster et Ed. Koschwitz, 6e édition, Leipzig, 1921, une édition du très ancien poème de la* Passion *(Xe siècle), dit la Passion de Clermont.*

Le christianisme a su de bonne heure substituer sa poésie aux mythes épuisés des païens. L'*Historia evangelica* de Juvencus au IVe siècle, le *Paschale Carmen* de Sedulius et les poèmes bibliques de saint Avit au Ve, sont de véritables épopées, et dès le même temps, saint Jérôme, traduisant des Vies de saints d'origine hellénique, puis Rufin, compilant les *Vies des Pères*, introduisaient l'hagiographie dans la littérature latine. Un saint de France, saint Martin, le premier saint d'Occident qui ait été célébré par des lettrés, trouva tour à tour chez nous comme biographes Sulpice Sévère et Paulin de Périgueux au Ve siècle, Fortunat au VIe. A leur suite, une foule de prosateurs et de poètes exaltèrent une foule de saints.

Dans l'Église des Gaules, à mesure que le latin devenait moins intelligible au peuple, le clergé sentit plus impérieusement la nécessité de rester en contact avec les fidèles, et c'est pourquoi, dès l'an 812, les évêques réunis en concile à Tours avaient ordonné de « transposer les homélies en langue romane rustique ». Tout au long de l'âge carolingien, tandis que se développait sur notre sol et par toute la chrétienté une ample littérature liturgique et hagiographique en latin, une part de cette littérature fut communiquée en langue vulgaire à la « sainte plèbe de Dieu », et, le temps venu, des poèmes français se grefferont sur le robuste tronc latin.

Les plus anciens qui soient parvenus jusqu'à nous sont un récit de la *Passion* (en quatrains de vers de huit syllabes), une *Vie de saint Léger* (en quarante sixains du même mètre), poèmes composés tous deux, semble-t-il, dans la seconde moitié du Xe siècle. C'est à la première moitié du XIe qu'appartiennent une *Vie de sainte Foy* (593 vers) et une *Vie de Boèce* (258 vers), écrites en des dialectes méridionaux, et la *Vie de saint Alexis*, texte français que l'on date de l'an 1040 environ. Ce sont des vestiges de genres fortement constitués dès ces hautes époques, et dont la destination populaire est chose manifeste. Ces poèmes étaient récités sur le parvis des églises, aux jours solennels de l'année liturgique ou aux vigiles des saints, auprès des reliques, devant les paroissiens ou les pèlerins assemblés. Arrêtons-nous au plus expressif d'entre eux, à ce poème où, s'inspirant d'un modèle en prose latine, un conteur français retrace en cent vingt-cinq strophes, chacune de cinq décasyllabes unis par la même assonance, les actes d'un ascète du IVe siècle, saint Alexis.

Alexis est le fils unique, longtemps désiré, d'un haut

SAINTE FOY. Statue en bois plaquée d'or, de la fin du Xe siècle (trésor de Conques).
CL. ARCH. PHOT.

seigneur de Rome, Euphémien. Après avoir été bien « garni de lettres », il entre au service de l'empereur, et son père le marie à la fille d'un autre seigneur, un « comte de Rome-la-cité ». Alexis a consenti ou semble consentir. Mais son cœur est tout à Dieu et, au soir de ses noces, resté seul avec l'épousée, il lui dit le néant de la vie mortelle :

« Oz mei, pulcele ? Celui tien a espus
Ki nus raenst *(racheta)* de sun sanc precius.
An ices secle nen at parfite amur ;
La vie est fraisle, n'i at durable honur ;
Ceste leece *(joie)* revert a grant tristur. »

Quant sa raisun li a tute mustree,
Dunc li cumandet les renges de s'espee
E un anel dunt il l'ot espusee.
Dunc en ist fors de la cambre sun pere,
En mie nuit s'en fuit de la contree...

Il l'a laissée, il vient au rivage de la mer, prend passage sur une nef, vogue à la volonté de Dieu, aborde à Laodicée. De là, il gagne Édesse, pour avoir appris qu'on y vénère une image de Notre-Dame sculptée par les anges. Il fait largesse aux pauvres de la ville de tout ce qu'il possède encore, et, devenu plus pauvre qu'eux, mendie comme eux. Cependant, ses parents le font chercher par les pays : ceux qui le cherchent viennent jusqu'à Édesse, où ils lui font l'aumône, sans le reconnaître et sans qu'il se fasse reconnaître. A Rome, dans la maison paternelle, sa femme et sa mère vivent ensemble, pour le pleurer ensemble :

Del duel* s'asist la mere jus a terre,	*en sa douleur.
Si* fist la spuse danz** Alexis a certes :	*ainsi **messire.
« Dame, dist ele, jo ai fait si grant perte !	
Ore* vivrai an guise de turtrele :	*désormais.
Quant n'ai tun filz, ansemble o tei* voil estre. »	*avec toi.

Respont la mere : « S'a mei te vols tenir,	
Sit guardarai* pur amur Alexis.	*je te garderai.
Ja n'avras mal dunt te puisse guarir.	
Plaignoms ansemble le deuil de nostre ami,	
Tu del seignur, jol ferai pur mun filz. »	

Dix-sept années durant, Alexis peine à Édesse. Un jour, par la volonté de Dieu, l'image de Notre-Dame parle à un serviteur de son autel. Elle lui révèle qu'un saint est là, ce mendiant :

« Près est de Deu e del regne del ciel. »

La nouvelle court, et tous, grands et petits, viennent vénérer l'homme de Dieu. Alors il se dérobe, s'enfuit à nouveau dans la nuit, à nouveau s'embarque, espérant atterrir au port de Tarse ; mais le vent pousse sa nef jusqu'à un port voisin de Rome. Il revoit sa ville, erre par les rues, les parcourt l'une après l'autre, rencontre son père qui ne le reconnaît pas, et le conjure, au nom du fils que jadis il a perdu, de l'héberger dans sa maison : il ne lui faut rien qu'un grabat sous l'escalier. Là, « sous le degré », il vit dix-sept ans encore, honni des valets, misérablement, saintement. Puis, sentant venir la mort, il demande un feuillet de parchemin ; il y écrit en secret l'histoire de sa vie. Une voix, sortie d'une église, annonce par la ville qu'un saint homme va bientôt entrer dans la gloire de Dieu et qu'il faut le chercher dans la maison d'Euphémien. On y découvre le mendiant, comme il vient de

PORTAIL DE L'ÉGLISE DE SAINT-GILLES-EN-PROVENCE (seconde moitié du XIIᵉ siècle). Saint Gilles, souvent célébré par les poètes, joue un rôle dans la légende de Roland. — CL. NEURDEIN.

mourir sur son grabat. Son poing fermé retient la charte de parchemin et nul ne peut l'en retirer. Mais le pape Innocent approche, et la main s'ouvre. Alors le père d'Alexis, sa mère, sa femme le reconnaissent, et tandis que les miracles éclatent autour du corps saint, leur tendre lamentation s'élève. Des années passent encore. Enfin, l'époux et l'épouse se sont retrouvés :

Sainz Alexis est el ciel senz doutance,	
Ansembl' ot* Deu en la cumpaignie as angeles**,	*avec **anges.
Od* la pulcele dunt se fist si estranges :	*avec.
Or l'at od sei, ensemble sunt lur anemes*;	*âmes.
Ne vus sai dire com lur leece* est grande...	*liesse.

Ce poème est tout baigné de pathétique et vibre de cette émotion rude et âpre qui touche les cœurs simples. Le contraste entre l'inflexible ascétisme du héros et les sentiments nobles, mais imprégnés d'humaine faiblesse, de sa femme et de ses parents, y est marqué avec une poignante vigueur. Justesse, force expressive du vocabulaire, ordre et mouvement d'un style plein, sobre et pur, ce sont les traits d'un art déjà sûr de lui-même. Ainsi l'on voit s'allier, dans l'un des plus antiques poèmes de notre littérature, les deux éléments dont l'union fera la beauté de tant d'œuvres du moyen âge : une science à la fois approfondie et discrète du métier d'écrivain, et le pouvoir de peindre les âmes avec simplicité.

On aimerait à savoir le nom de ce poète. Plusieurs ont proposé, mais sans preuves, de l'identifier à un chanoine de Vernon, nommé Thibaut, dont il est rapporté que, vers l'an 1040, il avait composé plusieurs Vies de saints en vers français. Le nom de ce Thibaut de Vernon est en tout cas bien digne de mémoire : il est le plus ancien d'une belle lignée. Ils foisonnent, les poèmes hagiographiques : c'est la vie de saint Remi par Richer, de saint Georges par Simon de Freine, de saint Patrice par Béroul, de saint Edmond par Denis Pyramus, pour ne citer que quelques noms du XIIᵉ siècle. D'autres, en plus grand nombre encore, nous sont parvenus sans que les auteurs aient pris la peine de dire leur nom : « mais Dieu les sçait. » Ils doivent peu compter, dit-on, dans l'histoire des lettres, car ils ne furent guère que des traducteurs. Il n'en est pas moins vrai que, sans eux, la physionomie de la vieille France ne serait pas tout à fait ce qu'elle est : il est facile de le montrer.

« Le culte des saints, a dit excellemment Émile Mâle,

répand sur tous les siècles du moyen âge son grand charme poétique. Les saints étaient partout. Sculptés aux portes de la ville, ils regardaient du côté de l'ennemi et veillaient sur la cité. Les façades de nos vieilles maisons ont souvent plus de saints qu'un retable d'autel. Dans nos grandes villes gothiques, Paris, Rouen, Troyes, la rue avait un aspect surprenant. Non seulement chaque maison montrait aux passants sa galerie de saints, mais les enseignes qui se balançaient au vent multipliaient encore les saint Martin, les saint Georges, les saint Éloi. La cathédrale, qui montait au-dessus des toits, n'emportait pas plus de bienheureux vers le ciel. » Or, comprenons bien que ces multiples et tendres dévotions n'auraient pu se développer si des hagiographes écrivant en latin et des sermonnaires prêchant au prône s'étaient seuls chargés de les provoquer et de les répandre. Mais des poètes s'y sont employés. A l'intention des pèlerins attirés vers les reliques, ou des seigneurs dans les châteaux, ou des artisans dans les confréries de métiers, pour entretenir l'amitié des grands et des petits à l'égard de leurs patrons célestes, ils ont voulu que les saints fussent traités aussi bien et selon les mêmes procédés que les héros des romans en vogue, et ils ont employé à leur service les ressources de l'art profane.

Il est rare qu'ils aient fait office de simples traducteurs. Ils s'appliquent bien plutôt à transposer leurs modèles, à les adapter au goût et au sentiment de leur temps. Quand, vers l'an 1190, un Guillaume de Berneville, par exemple, entreprend de célébrer en vers l'ermite saint Gilles, il ne veut que remémorer les actes du « bon baron », afin que celui-ci, par son intercession précieuse, l'en récompense : il s'en tiendra, semble-t-il, à translater fidèlement une Vie latine du Xᵉ siècle. Pourtant, avec quelle innocente hardiesse il traite ce texte, l'égaye, l'embellit ; saint Gilles ne lui apparaît pas dans le lointain des temps, figé en une pose hiératique, mais tout proche de lui, semblable à lui, bien que meilleur. Il entend les dialogues du saint, aux jours de sa jeunesse, avec ses « chevaliers », les rapporte vivement, et ce sont les propos d'aimables seigneurs du XIIᵉ siècle. Il accompagne son héros sur la nef qui le porte d'Athènes aux rivages de la Provence, et dont il sait décrire la cargaison : draps d'Alexandrie, «pailes» de Russie, cannelle, azur et sinople de Grèce. Il se plaît à joncher d'herbes fraîches, à parer de lumière son ermitage : la biche familière paît à la porte, des églantiers fleurissent; une cressonnière s'épand à l'entour. S'il en vient aux miracles relatés par la Vie latine, il ne se fait pas faute de supprimer ceux qui le choquent, l'histoire par exemple du « prince de Nîmes » ressuscité, de développer ceux qui lui plaisent mieux, avec force détails de son invention. Avec la même liberté, l'auteur de la *Vie de sainte Thaïs* s'amusera à mettre en scène des coquettes, ses contemporaines, parées à la mode du jour.

Pourtant, gardons-nous de trop insister sur ces transpositions, sur ces anachronismes charmants. Il serait exagéré de dire, comme on l'a fait parfois, que, dépourvus de sens historique, nos poètes n'avaient pas senti la différence des pays et des temps. Au contraire, en certains cas du moins, c'est l'attrait de cette différence qui paraît les avoir séduits. Dans le trésor immense de l'hagiographie, parmi les légendes byzantines ou anglo-saxonnes, mérovingiennes ou carolingiennes, il semble que parfois ils aient choisi leur sujet moins par dévotion que par instinct de romanciers soucieux de sortir de leur temps, par un certain goût d'exotisme, et le fait est sensible surtout quand ils se font les biographes des saints celtiques, quand ils suivent, par exemple, le chevalier Owen au purgatoire merveilleux de saint Patrice ou quand ils célèbrent saint Brendan. Il ne paraît pas que ce saint irlandais ait jamais été vénéré en France, ni même peut-être en Grande-Bretagne, dans aucun sanctuaire particulier : pourquoi donc ce poème à sa gloire, que le moine Benoît dédia en 1121 à la reine d'Angleterre Aelis ? C'est que, sur la mer, plus blanche que le lait, une barque enchantée emporte Brendan et ses compagnons vers l'Ouest inconnu, à la recherche de la terre de promission des Saints. C'est qu'elle touche l'Ile Rocheuse, où la table est servie par des mains invisibles; puis l'Ile Plongeante, qui n'est autre que l'échine d'un monstre marin; puis l'Ile aux Oiseaux, et ces oiseaux sont des âmes qui disent, empennées de blanc, les louanges de Dieu; puis l'Ile du Silence, où des flambeaux, qu'un trait de feu dardé du ciel alluma, brillent et jamais ne se consument; puis l'Ile aux Trois Chœurs, où chantent les enfants vêtus de blanc, les jeunes hommes vêtus d'or, les vieillards vêtus de pourpre; puis l'Ile aux Raisins, puis l'Ile aux Forgerons...; et le vieux rimeur français a dû aimer pour les mêmes raisons que nous, pour son charme d'étrangeté et de féerie, cette prodigieuse odyssée celtique, cet *imrama* vers le Pays d'Éternelle Jeunesse.

Cette légende lui ouvrait les sources du merveilleux septentrional, et par elle quelque chose du génie celtique s'est infiltré en France : les « contes de Bretagne », les fictions de la Table Ronde s'en ressentiront. Il en fut de même en d'autres domaines de la poésie : les Vies de saints de toute provenance, traduites en langue vulgaire, auront contribué à élargir le champ des imaginations. Nos romans d'aventure emprunteront des motifs aux légendes de l'hagiographie orientale, telles que la Vie de saint Eustache. Nos chansons de geste devront une part de leur inspiration héroïque aux actes des martyrs ou des saints cavaliers, saint Georges, saint Maurice; et la légende de saint Joseph d'Arimathie, passant, à la faveur de poèmes français, de l'*Évangile* apocryphe *de Nicodème* à nos romanciers, suscitera la légende du saint Graal.

Pour faire contraste à tant de poèmes d'inspiration romanesque, il faut mettre en relief ceux qui visent surtout à la vérité historique : au premier rang de ceux-là, la *Vie de saint Thomas Becket*, qu'acheva en 1174, quatre ans seulement après la mort de son héros, Guernes de Pont-Sainte-Maxence.

Durant sept ans, Thomas, archevêque de Cantorbéry, avait défendu les droits de son Église contre le roi Henri II; le 29 décembre 1170, des affidés du roi l'avaient assassiné à l'autel majeur de sa cathédrale. Aussitôt il fut réputé martyr et honoré d'un culte. Guernes de Pont-Sainte-Maxence l'avait connu lorsqu'il vivait réfugié en France : il entreprit, comme plusieurs autres trouvères, de propager son culte.

Guernes était de ces clercs formés aux écoles, mais qui n'avaient pas trouvé d'emploi dans l'Église, et qui menaient une vie errante, colportant des poèmes, et payés ou d'un dîner, ou d'un manteau, ou d'un cheval. Cette existence de « clerc vagant » comportait sans doute bien des compromissions; mais — Guernes nous en est un garant — elle ne tuait pas toujours le talent et n'abaissait pas nécessairement le caractère. Il avait ébauché, nous dit-il, son poème sur le nouveau saint, puis, sentant son information insuffisante, il avait fait le voyage de Cantorbéry pour recueillir d'autres documents : il remit son ouvrage sur le métier, le polissant avec un zèle passionné. Longtemps, on a attribué à sa biographie une grande valeur documentaire, l'autorité d'une source originale. Il faut en rabattre : Guernes a tiré à peu près toutes ses connaissances de deux *Vies* en latin, composées dès 1172. Du moins il s'est ingénié, par un effort personnel, à compléter ses modèles, à les concilier. La jeunesse de saint Thomas, son entrée à la cour du roi, sa conduite dans la charge de chancelier, son élévation au siège de Cantorbéry, les péripéties de son âpre conflit avec Henri II : le poète raconte toutes les scènes de sa vie avec un sens de l'enchaînement des faits, un art de poser les caractères, une intensité de coloris qui sont les signes d'un esprit vigoureux. On sent aussi dans son ouvrage la présence d'une âme ardente. Il est un panégyriste passionné plutôt qu'un historien : mais sa partialité l'élève jusqu'à la poésie. Il fut bon écrivain :

Mes languages est buens, car en France fui nez,

dit-il avec fierté; mais ce bon langage de l'Ile-de-France, il le manie avec un génie tout personnel. Son style plein de verve, solidement moulé dans la strophe monorime de cinq alexandrins, est d'une extrême pureté. Souple et varié, il garde son aisance jusque dans l'expression des idées abstraites, dans l'analyse de pièces de chancellerie ou la discussion de points de droit ecclésiastique.

Guernes lut souvent son poème à Cantorbéry, auprès de la tombe du martyr, devant les pèlerins accourus pour la vénérer. L'œuvre de ce clerc érudit était faite pour eux : si savante qu'elle soit, elle a aussi la simplicité, le naturel qui touche les foules. Ainsi, cent cinquante ans après la *Vie de saint Léger*, plus d'un siècle après la *Vie de saint Alexis*, le genre reste fidèle à lui-même : certains poèmes hagiographiques gardent, comme aux hautes époques, leur destination populaire.

L'ASSASSINAT DE SAINT THOMAS BECKET. Bas-relief de la cathédrale de Chartres, portail sud (XIIIᵉ siècle). — CL. HOUVET.

III. — LES CHANSONS DE GESTE

On appelait au moyen âge chansons de geste (du latin gesta *pris au sens de « récit historique ») des romans de chevalerie en vers, dont l'action se déroule au temps de Charlemagne ou de son fils Louis, exceptionnellement au temps de Clovis, ou de Charles Martel, ou de Charles le Chauve. Nous en avons conservé un très grand nombre, quatre-vingts environ, la plupart en deux, trois, voire quatre versions. Les plus courts (le Pèlerinage de Charlemagne à Jérusalem, le Charroi de Nîmes, la Prise d'Orange) tiennent en un millier de vers ou deux ; d'autres sont beaucoup plus développés, comme Renaud de Montauban (18 488 vers), qui n'est pas le plus long : en moyenne, un roman compte de 8 000 à 10 000 vers. Pour ne considérer ici que les textes du XIIe et du XIIIe siècle, ils forment une masse de sept à huit centaines de milliers de vers. Le mètre de beaucoup le plus usité est le vers de dix syllabes, coupé 4/6 ; pourtant, plusieurs chansons (Aiol, entre autres) emploient le décasyllabe coupé 6/4 ; et parmi les plus anciennes, Gormond est en octosyllabes ; le Pèlerinage de Charlemagne à Jérusalem, en alexandrins : l'octosyllabe ou l'alexandrin se retrouveront en d'autres chansons plus récentes. Quel que soit le mètre, les vers sont groupés en strophes (ou « laisses »), que constitue l'emploi, à la fin de chaque vers, d'une même assonance ou d'une même rime. Le nombre des vers de chaque strophe varie au gré du poète : il est de quinze en moyenne dans la Chanson de Roland ; d'autres versificateurs s'amusent à frapper jusqu'à cent ou cent cinquante fois de suite la même assonance ou la même rime. Certains, par une recherche curieuse de virtuosité, s'attachent à une assonance privilégiée : des centaines de strophes, formant ensemble des milliers de vers, sont bâties sur l'assonance en o fermé dans Renaud de Montauban, sur l'assonance en i dans Garin le Lorrain. Ces poèmes étaient « chantés », c'est-à-dire déclamés, avec accompagnement de vielle, comme des sortes de mélopées, sur des thèmes de récitatifs. Des jongleurs forains les colportaient par les châteaux, les villes et les bourgs, partout où une fête ecclésiastique ou seigneuriale, une foire, un adoubement de chevaliers, une exhibition de reliques, leur promettait un auditoire.*

Les chansons de geste sont aujourd'hui presque toutes publiées. Nous signalerons plus loin un certain nombre d'éditions. Qu'il nous suffise pour l'instant d'indiquer les principaux ouvrages d'ensemble qui les concernent. Voir les études, dispersées en plusieurs tomes, de l'Histoire littéraire de la France, notamment aux tomes XVIII, XXII, XXVI et XXVIII ; — le grand livre de Léon Gautier, les Épopées françaises, 4 vol., 2e édit., 1878-1882, et son Complément, Bibliographie des chansons de geste, 1 vol., 1897 ; — la Storia dell' epopea francese, par C. Nyrop (ouvrage traduit du danois par Egidio Gorra, Florence, 1884). — Trois ouvrages considèrent plus particulièrement le problème des origines du genre. Ce sont : l'Histoire poétique de Charlemagne, par Gaston Paris, 1865 (2e édition, conforme à la première, 1905) ; — le Origini dell' epopea francese, indagate da Pio Rajna, Florence, 1884 ; — les Légendes épiques, recherches sur la formation des chansons de geste, par Joseph Bédier, 4 vol., 1908-1913 (3e édition, 1926-1929). Sur le problème des origines, consulter aussi Ferdinand Lot, Études sur les légendes épiques françaises (Romania, 1926 et 1927).

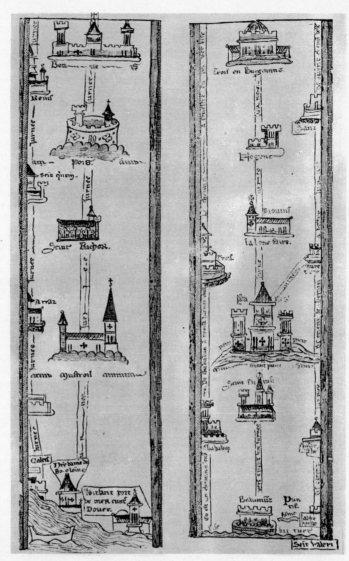

ITINÉRAIRE D'UN PÈLERIN DE LONDRES A JÉRUSALEM (d'après un manuscrit de la « Chronique de Mathieu de Paris », conservée au British Museum, XIIIe siècle). Le fragment reproduit à gauche conduit le pèlerin de Douvres à Wissant, Boulogne, Montreuil-sur-Mer, Saint-Riquier, Poix, Beauvais. Le fragment de droite le mène de Beaumont-sur-Oise à Saint-Denis en France, Paris, Provins « la bonne foire », Nogent-sur-Seine, Troyes. En bordure, d'autres itinéraires, au choix du voyageur.
CL. LAROUSSE.

LE PROBLÈME DE L'ORIGINE DES CHANSONS DE GESTE

Les poèmes sur les vies de saints portaient en eux le germe d'un autre genre littéraire : la chanson de geste. Plusieurs des traits de versification et des procédés narratifs de la *Vie de saint Alexis* se retrouveront dans la *Chanson de Roland*; et si l'Église, qui fut sévère aux jongleurs, a excepté de ses condamnations « ceux qui colportaient les vies de saints et les chansons de geste », ce fut pour avoir justement reconnu, entre les poèmes de l'un et de l'autre type, une parenté, la communauté d'un même esprit : les chansons de geste ne célèbrent-elles pas, elles aussi, des saints, ceux qui en France, surtout au temps de Charlemagne, ont travaillé par l'épée au triomphe de la chrétienté ?

Longtemps, les critiques modernes ont moins vivement senti cette parenté; parfois même, ils l'ont tout à fait méconnue, et cela pour avoir accordé trop de crédit à des théories selon lesquelles nos romans, tous composés, sous les formes que nous avons, à l'époque capétienne, représenteraient l'aboutissement d'un travail poétique commencé des siècles plus tôt, du vivant même des personnages qu'ils mettent en scène, c'est-à-dire dès l'époque de Charlemagne, de Charles Martel ou de Clovis.

Ces théories semblent aujourd'hui à jamais condamnées. Il n'est pas vrai que les chansons de geste se soient formées comme on voulait, aux temps du romantisme allemand, sous l'empire des idées de Wolf, de Herder, de Lachmann, que se fussent formés l'*Iliade*, les *Nibelungen*, le *Ramayana*, et tant d'autres épopées, dites «primitives» et «populaires». Il n'est pas vrai qu'elles relèvent de cette ample et mystique doctrine qui, des frères Grimm à Renan et à Gaston Paris, a rempli tout le XIXe siècle de son bruit et de ses prestiges, celle qui prête au génie populaire une puissance créatrice immanente; et c'est bien vainement que les érudits ont essayé de peupler de « poètes populaires » les siècles de notre haut moyen âge. De ce que nos romans du XIIe siècle mettent en scène un Roland ou un Eudes de Gascogne, un Ogier ou un Charles Martel, il ne s'ensuit pas que les romanciers du XIIe siècle aient dû emprunter leurs raisons de s'intéresser à ces personnages à d'antiques chants carolingiens ou mérovingiens, dérivés eux-mêmes d'une plus ancienne épopée germanique. La célèbre formule d'Uhland, trop souvent répétée chez nous : « L'épopée française, c'est l'esprit germanique dans une forme romane, » n'exprime qu'une erreur. Ceux qui ont voulu voir dans les chansons de geste le produit final d'une tradition littéraire remontant au temps même des événements devraient, à défaut de faits ou de témoignages probants, expliquer du moins, même à titre de simple hypothèse, mais de façon claire et satisfaisante pour l'esprit, comment des poèmes profondément imbus de l'esprit du XIIe ou du XIIIe siècle auraient pu sortir de poèmes du VIIIe ou du IXe : tâche impossible, parce que de telles transformations sont littérairement inconcevables.

Pour rendre compte de l'élément historique des chansons de geste et pour comprendre qu'elles célèbrent des personnages des âges carolingiens ou mérovingiens, un principe d'explication plus efficace a été proposé. Dès le XVIIe siècle, Félibien, Mabillon et d'autres érudits avaient reconnu que la mémoire de plusieurs de ces lointains personnages vivait à l'époque capétienne en certaines églises. Bien d'autres critiques depuis, étudiant telle ou telle légende épique, en ont reconnu les attaches à tel ou à tel sanctuaire. Mais, parce que ces faits de localisation ne se constatent qu'à partir du XIe siècle au plus tôt, ceux-là même qui les notaient n'y voulaient voir que des efforts négligeables de clercs, pour s'annexer et pour exploiter sur le tard des légendes, des poèmes accrédités depuis des siècles. C'est seulement du jour où furent ruinés les arguments qui semblaient soutenir l'hypothèse de l'origine très ancienne et toute populaire des chansons de geste, que ces faits reprirent leur vrai sens.

Au XIe siècle et au XIIe, la tombe de Richard de Normandie était vénérée en l'église de la Trinité de Fécamp, celle d'Ogier le Danois en l'église Saint-Faron de Meaux, celle de Roland en l'église Saint-Romain de Blaye. La mémoire de Charles Martel et d'Eudes de Gascogne était liée aux traditions domestiques de l'abbaye de Stavelot. Girart de Roussillon était le *genius loci* de Vézelay, Guillaume d'Orange celui de Saint-Guilhem-le-Désert. On a pu dresser une liste de plus de cinquante églises qui gardaient la tombe ou des reliques de héros de chansons de geste ou des documents les concernant. Or, ces églises, qui forment le paysage de nos romans, jalonnent à l'ordinaire les routes qui menaient aux sanctuaires les plus célèbres : Saint-Denis, Aix-la-Chapelle, Vézelay, Saint-Gilles de Provence, Saint-Jacques-de-Compostelle, Saint-Pierre de Rome. Toutes les grandes légendes épiques, toutes celles qui ont quelque fondement historique ou quelque ancienneté, sont en relation avec l'un de ces sanctuaires, que hantaient des pèlerins, et, attirés par les pèlerins, des jongleurs. Les clercs du lieu et les jongleurs s'employaient de concert à édifier et à récréer ces pèlerins : ainsi se sont formées les chansons de geste. La preuve est délicate à faire que les relations des chansons de geste avec certains sanctuaires ne se sont pas établies seulement une fois les chansons nées et à partir d'un certain moment de leur histoire, mais qu'elles doivent être tenues pour un fait primitif. Les chansons les plus anciennes parvenues jusqu'à nous ne représentent pas nécessairement le premier état de la légende poétique, le premier état du texte : en sorte que certains traits qu'on y relève, et qui sont l'indice d'une attache topographique, pourraient avoir manqué dans la version originale. D'autre part, les monuments archéologiques ou historiques auxquels se réfèrent parfois les poètes ne sont pas à considérer d'emblée comme authentiques et sincères; et ainsi les possibilités de raisonnement s'écroulent. Mais les attaches d'une légende ou d'une chanson à un sanctuaire ne consistent pas toujours en une simple allusion de détail : c'est parfois le corps tout entier du récit qui en est le signe ou la preuve; et, dans ce cas, l'intervention des remanieurs, s'il faut la supposer, ne change rien aux choses. Quant aux monuments et aux récits historiques, on est souvent en droit d'en suspecter l'authenticité ou la véracité, car on sait combien ont abondé, en ces temps-là, les faux et les forgeries; mais, qu'ils soient authentiques et vrais, ou

MAUSOLÉE D'OGIER ET DE SON ÉCUYER dans l'église abbatiale, aujourd'hui détruite, de Saint-Faron à Meaux (1175 environ). Les statues avoisinantes représentent Charlemagne, Roland, la belle Aude, etc.; devant le tombeau, un bas-relief figure l'entrée d'Ogier au couvent. (D'après un dessin publié par Mabillon.)
CL. LAROUSSE.

faux et mensongers, leur témoignage (qui en reste toujours un) porte sensiblement dans le même sens.

On montrait à Saint-Romain de Blaye la tombe de Roland, et les moines de Gellone avaient écrit en latin une Vie de saint Guillaume : si la *Chanson de Roland*, si la *Chanson de Guillaume*, ont été composées alors que cette tombe, alors que cette Vie, répondant à une certaine réalité historique, étaient déjà existantes, il est significatif que leurs auteurs aient renvoyé à ce monument et à ce texte; et si le monument, si le texte ont été fabriqués pour s'accorder au récit des poètes, on pourrait bien dire sans doute qu'il y a eu, de la part de clercs ou de moines, un effort après coup pour profiter du succès des chansons; mais alors il fallait bien que ces chansons s'y prêtassent par certains côtés, qui les désignaient pour cette exploitation : et comment cette convenance aurait-elle existé si, en fin de compte, il n'y avait pas eu entente initiale entre religieux et jongleurs ?

En tout cas, les chansons de geste ne se sont formées qu'au XIe siècle au plus tôt, durant la période où le personnage de Charlemagne, que, depuis des générations, les clercs ne cessaient d'idéaliser toujours davantage, prit tout à fait sa figure de chevalier de Dieu, de champion de la chrétienté, durant la période où se préparèrent les *Gesta Dei per Francos*, croisades en Espagne, croisades en Terre Sainte. Ce fut le temps des grandes initiatives françaises.

Les partisans de la théorie germanique d'une longue préparation antérieure des poèmes objectaient que l'apparition subite d'une œuvre comme la *Chanson de Roland* serait un miracle. Soit, a répondu Joseph Bédier, mais « miracle comme la croisade elle-même, comme la poésie des plus anciens troubadours, comme les premiers essais de peinture sur verre, comme les premiers tournois, comme les premiers arcs d'ogive, comme toutes les créations françaises de ce grand XIe siècle ». « Et voici, a dit Ernest Lavisse, d'autres miracles synchroniques que l'on pourrait ajouter : la fondation du royaume français d'Angleterre, des établissements français de l'Italie méridionale, du royaume français de Jérusalem, l'établissement d'une dynastie française en Portugal, les premières chartes de libertés communales, la vogue des grandes foires où se marque la prospérité économique, la fondation d'ordres nouveaux, Fontevrault, Cîteaux, Prémontré, où s'atteste la vigueur luxuriante de la vie religieuse, l'enseignement de saint Anselme, de Roscelin, d'Abélard, qui porte à un si haut degré de richesse intellectuelle les écoles de Chartres et de Paris. »

En sorte que les chansons de geste doivent être considérées, en leur origine, comme une adaptation à l'esprit de ce temps, et comme un élargissement, sous les auspices de l'Église, du genre plus archaïque des Vies de saints.

LES TROIS GRANDES « GESTES »

Le plus ancien témoignage sûrement daté qui concerne les chansons de geste est un passage de la *Chronique de Saint-Riquier*, en Ponthieu, écrite en l'an 1088, d'où il résulte qu'on chantait alors une chanson de *Gormond et Isembard* aux abords de ce monastère. La plus ancienne chanson de geste conservée est la *Chanson de Roland*, que l'on doit attribuer aux premières années du XIIe siècle, au plus tôt. A ces dates, les poèmes de ce genre devaient abonder déjà. Mais nous ne les connaissons que sous des formes rajeunies, en des renouvellements de la seconde moitié du XIIe siècle ou plus récents encore, et que ne nous ont seules conservés des copies du XIIIe ou du XIVe siècle, voire du XVe. Or, au début du XIIIe siècle, au moment où tout l'essentiel de ce grand travail de création ou de remaniement était accompli, les trouvères avaient pris coutume de répartir l'immense matière, tous leurs poèmes héroïques,

SAINT-JACQUES-DE-COMPOSTELLE, EN GALICE. « Porche de la Gloire » (fin du XIIe siècle); adossée au trumeau, statue de saint Jacques en pèlerin. — Rome, Jérusalem et Compostelle étaient les trois « pèlerinages majeurs ». — CL. ENLART.

en trois cycles ou « gestes » : geste du Roi, geste de Garin de Monglane, geste de Doon de Mayence. C'est le classement que nous propose Bertrand de Bar-sur-Aube, en ces vers célèbres :

N'ot que* trois gestes en France la garnie** :   *il n'y eut   ** riche.
Du roi de France est la plus seignorie*,   *honorée.
Et l'autre après, bien est droiz que gel die,
Est de Doon a la barbe florie...
La tierce geste, qui molt fait a proisier,
Fu de Garin de Monglane le fier.

Ce classement repose sur la distinction, juste et essentielle, de trois idées inspiratrices, dont procèdent les divers poèmes. C'est la définition de ces trois idées qui nous guidera dans notre revue sommaire des principaux d'entre eux.

LA GESTE DU ROI

Nous commençons par la Geste du roi Charlemagne, « la plus seignorie ». La chanson la plus illustre de ce groupe est la Chanson de Roland *: on en possède diverses formes rajeunies, de la seconde moitié du XIIe siècle (sur ces renouvellements, voir Léon Gautier, les Épopées françaises, tomes II et III). La version la plus archaïque et de beaucoup la plus belle est celle du manuscrit d'Oxford, qui est signée « Turoldus » : l'auteur de ce manuscrit, un scribe anglo-normand, écrivait vers l'an 1170; mais le poème qu'il copiait date d'un demi-siècle plus tôt. Ce poème a souvent été édité, et d'abord en 1837 : la Chanson de Roland ou de Roncevaux, publiée pour la première fois par Francisque Michel.*

Autres éditions : de Th. Müller (1851, 1863, 1878), de Léon Gautier (à partir de 1872), de Léon Clédat (1886), de Gaston Paris (Extraits, 1887), de J. Bédier, 2 vol. (1922-1927), de T. Atkinson Jenkins (1921), de

G. Bertoni *(1936), et de R. Mortier (1939). — Reproduction phototypique du manuscrit d'Oxford, par A. de Laborde et Ch. Samaran (S. A. T., 1933).*

Etudes historiques de R. Fawtier (1933, cf. Revue critique, *1933, pp. 63 ss), d'Edm. Faral, 1933, de R. Mortier, 1939, de L. Mireaux, 1943, cf. A. Pauphilet* (Romania, *1933, p. 131).*

On groupe dans la Geste du Roi une vingtaine d'autres poèmes, dont nous énumérerons les principaux (dans l'ordre des événements de la biographie légendaire de Charlemagne) : Mainet *(fragments publiés par G. Paris, dans la* Romania, *tome IV, p. 305) ; —* Aspremont *(édition L. Brandin, dans les* Classiques français du moyen âge *(2e édition, 1928) ; —* le Pèlerinage de Charlemagne à Jérusalem *(édit. Ed. Koschwitz, Bonn, 6e édition, 1913) ; —* Aiquin ou la Conquête de la Bretagne *(édition Joüon des Longrais, Nantes, 1880) ; —* la Chanson des Saisnes, *par Jean Bodel (édit. Francisque Michel, 2 vol., 1839) ; —* Otinel *(édit. Guessard et Michelant, 1859) ; —* Fierabras *(édit. Guessard, 1860) ; —* Anseïs de Cartage *(édition J. Alton, Stuttgart, 1892). Toutes les chansons énumérées ici datent de la seconde moitié du XIIe siècle ou des premières années du XIIIe. Seule la* Chanson du Pèlerinage *peut avoir été écrite dans le second quart du XIIe siècle.*

Ce que racontent les chansons de la geste du roi, ce sont les guerres de Charlemagne en Espagne, en Saxe, en Italie, en Bretagne, en Palestine : guerres contre l'infidèle, guerres saintes. Charles, porte-étendard de saint Pierre, a reçu de Dieu la mission de défendre la chrétienté, et toute son histoire légendaire est faite des labeurs qui lui sont imposés. Il mène à travers le monde ses armées victorieuses; mais, s'il est le roi puissant dont la force se déploie, s'il est le roi magnifique dont les camps et le palais d'Aix rayonnent de splendeur, il porte sur sa grande figure de vieillard centenaire les marques de sa dure destinée. Nul ne peut égaler ses exploits ni son faste; mais sa vraie noblesse, celle qui le distingue entre tous, il la tient de l'idée mystique à laquelle, sans répit, parfois avec une ombre de lassitude au front, il consacre l'effort de sa sagesse. Les preux qu'il commande le suivent avec le généreux élan de la vaillance, amoureux de la bataille, du fracas des armes, de la gloire; mais au fond de leurs cœurs règne aussi une autre passion : l'enthousiasme de la foi, et leurs grandes actions sont autant de sacrifices qu'ils offrent à Dieu.

La haute conception où se sont ainsi fondus en une synthèse intime l'idéal national et l'idéal religieux se développe dès la plus ancienne chanson du cycle, dans la *Chanson de Roland*. La plus ancienne du moins que nous possé-

dions. D'autres l'ont précédée, car elle nous introduit d'emblée dans un monde de héros que l'auteur suppose familier à ses lecteurs ou à ses auditeurs : déjà, quand il écrivait, la poésie s'était emparée du personnage de Charlemagne et l'avait transformé à son gré; déjà les douze pairs possédaient leur histoire, celle que leur avaient forgée, à eux aussi, de bons poètes : et l'auteur de la chanson conservée dans le manuscrit d'Oxford traitait après d'autres une légende illustre.

S'il ne l'avait pas créée, comment s'était-elle donc formée? On pourrait penser qu'elle fut le résultat d'un travail d'élaboration, lent et continu, opéré au cours des siècles sur les faits historiques par l'imagination populaire. Mais l'idée de cette continuité géniale d'une tradition anonyme est bien décevante. Les éléments historiques que contient la légende de Roland se réduisent à fort peu de chose : un nom, celui de Roland, qui fut un authentique compagnon d'armes de Charlemagne; un fait, la donnée d'une expédition en Espagne, heureusement menée par Charlemagne, mais qui s'achevait par un revers de ses troupes, tandis que, revenant de Saragosse, il franchissait les Pyrénées pour rentrer en France. Pour expliquer la survivance de ces souvenirs, relatifs à des événements de l'an 778, point n'est besoin de recourir à l'hypothèse d'antiques poèmes de l'époque carolingienne qui se seraient transmis de génération en génération; il suffit de faire remarquer qu'une seule page de la *Vita Caroli*, composée par Éginhard très peu de temps après la mort de l'empereur, œuvre très répandue pendant tout le moyen âge, les fournissait à n'importe lequel des clercs du XIe siècle. Or, il y avait alors un groupe d'hommes pour lesquels, entre tous, cette page offrait un intérêt particulier : c'étaient les religieux dont les monastères et les églises jalonnaient la grande route qui, du nord et de l'ouest de la France, conduisait en Espagne, et qui passait par Bordeaux, Dax, Saint-Jean-Pied-de-Port, Roncevaux et Pampelune. Pendant tout le XIe siècle, cette route a été battue par des gens de guerre, ceux qui, venant d'Aquitaine, de Normandie, de Champagne, de Bourgogne, se rendaient par grandes troupes en Espagne pour y combattre les Sarrasins. Charlemagne les y avait précédés, et, sous leurs pas, ils voyaient se dresser le souvenir de l'empereur et de ses compagnons, leurs grands devanciers, dont la gloire rejaillissait sur leurs propres entreprises. Peut-être est-ce d'abord pour ces guerriers, dont ils voulaient stimuler l'enthousiasme, que des clercs évoquèrent les exploits du meilleur serviteur que l'Église eût jamais connu, exaltant son rôle et celui de ses barons, et composant avec des débris d'histoire une légende enivrante, où brillait moins une image fidèle du passé que la flamme d'un idéal nouveau. C'était pour ces guerriers, et ce fut aussi, un peu plus tard, pour des voyageurs d'une autre

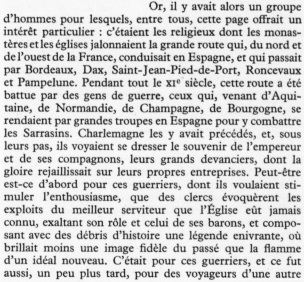

Le pape Léon III et Charlemagne agenouillés devant saint Pierre. L'apôtre confie à Charlemagne l'étendard (*vexillum*) qui deviendra l'oriflamme. Mosaïque de Saint-Jean-de-Latran à Rome (VIIIe siècle). — Cl. Alinari.

sorte, pacifiques ceux-là, mais animés de la même foi et du même zèle sacré; ce fut pour les pèlerins qui, en foule, s'acheminaient par la même voie et, au-delà de Pampelune, par Burgos et Léon, allaient vénérer à Compostelle le tombeau de l'apôtre Jacques. Dès avant la fin du XIe siècle, on montrait en un point culminant des Pyrénées, au col de Cize, qui domine Roncevaux, une croix de pierre, dite Croix de Charlemagne; à Saint-Seurin de Bordeaux, une relique de Roland; à Saint-Romain de Blaye, le tombeau du même Roland. Étaient-ce là des monuments authentiques auxquels s'est attachée la légende naissante de Roland? Peut-être. Ce qui est sûr, c'est qu'à les regarder on voit cette légende pousser ses racines, pour ainsi dire, dans des sanctuaires.

Elle est simple, cette histoire presque banale d'une arrière-garde traîtreusement exterminée par l'ennemi. Mais de quelle beauté l'art d'un poète a pu la revêtir!

La *Chanson de Roland* emprunte une partie de sa noblesse à l'idée qui domine la geste du Roi, l'apostolat guerrier de Charlemagne, la domination de ses armes sur le monde; et, par ses armes, la domination de la foi. En un sens, il est bien vrai que « la journée de Roncevaux n'est qu'un épisode dans la longue croisade d'Espagne, qui n'est elle-même qu'un épisode dans la vie du croisé deux fois centenaire ». Et c'est d'un chapitre de la vaste histoire impériale que le poème déroule les péripéties en la noble ordonnance de ses trois parties. D'abord le tableau d'une victoire récente de Charles: l'adversaire païen, le roi Marsile, réduit à s'enfermer dans Saragosse et à demander merci, le camp brillant des Français dressé devant Cordres démantelée, une nuée de chevaliers pressés autour de leur roi, et lui au milieu d'eux, assis sur un trône d'or pur; — puis la tourmente qui s'abat sur l'armée, vingt mille barons qui s'offrent en sacrifice, la douleur de Charles quand il voit ainsi fauchée la «fleur de France», et Olivier, et Turpin, et Roland son neveu; — mais bientôt aussi, et enfin, le jour qui revient pour éclairer tout ensemble, après une nouvelle victoire, l'autorité restaurée du roi chrétien, la gloire des barons tués, le châtiment du traître Ganelon.

Cependant, cette chanson n'est pas la chanson de Charlemagne. Les épreuves de l'empereur prédestiné, si poignant qu'en soit le récit, ne forment que le cadre du véritable drame, et c'est sur Roland que se concentre l'intérêt: Roland, dont le personnage poétique ne saurait se concevoir si n'était partout présente dans le poème l'idée de la mission dévolue à l'empereur qu'il sert; Roland, sans lequel la chanson ne serait pas. C'est lui le principal personnage; c'est en lui que s'incarne cette vertu de prouesse qui est le ressort de toute l'action, mère de sacrifice et de gloire. Dès le début du poème, Roland est déjà au premier plan. Quand se sont présentés les messagers du roi Marsile, porteurs d'offres de paix, il a le premier déconseillé l'accord: « Malheur, s'est-il écrié, si vous en croyez Marsile!... », et dès ce moment, parce qu'il est allé tout droit au conseil le plus hardi, son sort est engagé, car, à son tour, Ganelon se lève et parle en faveur de la paix:

« Qui ço vos lodet* que cest plait** degetuns,   *conseille. **accord.
Ne li chalt, sire, de quel mort nus muriums.
Conseil d'orguill n'est dreiz que a plus munt*.   *ne doit pas prévaloir.
Laïssun les fols, as sages nus tenuns. »

Et cet avis a prévalu. Il faut donc qu'un ambassadeur aille à Saragosse porter la réponse de Charles: et comment Roland ne s'offrirait-il pas le premier pour remplir cette mission périlleuse? Dans son exhortation à continuer la guerre, il avait rappelé les félonies anciennes du païen, comment le roi Marsile avait déjà pris la tête de deux envoyés français, de Basan, de Basille: pouvait-il, taxé d'orgueil par Ganelon, accusé d'avoir en mépris la vie d'autrui, ne pas revendiquer l'honneur du danger? Pourtant, l'empereur l'a rebuté, lui et les autres pairs, et l'arche-

L'ÉGLISE SAINT-SEURIN, A BORDEAUX. C'est là, d'après la chanson de geste, que Charlemagne déposa, comme une relique, l'olifant qu'avait fendu le souffle de Roland. — CL. NEURDEIN.

vêque Turpin, qui tour à tour se sont offerts. Alors, à la question: « Qui fera le message? », Roland répond: « Ce sera Ganelon, mon parâtre »: parole sage, puisque Ganelon a le premier parlé pour la paix; parole fatale, car Ganelon y voit une intention mauvaise et jure de se venger. Lorsqu'il s'est acquitté du voyage de Saragosse, qu'il a promis au roi Marsile de livrer Roland à ses coups dans les gorges de Roncevaux, et que Charlemagne, prêt à reprendre la route de France, demande: « Qui commandera l'arrière-garde? » — « Ce sera Roland, mon fillâtre », répond Ganelon.

Tout le monde sait bien que cette réponse cache de mauvais desseins, et Charles, que des rêves de mauvais augure ont averti, ne voudrait point consentir à ce choix, souffrir que son neveu restât à Roncevaux. Mais comment Roland ne dirait-il pas: « Je resterai »? Il soupçonne le guet-apens; mais il s'en rit et il sait ce que l'honneur lui commande:

« Deus me confunde, se la geste en desment! »

Roland reste donc à l'arrière-garde; avec lui, en volontaires, les pairs et vingt mille « Français de France ». Contre eux, l'assaut se prépare: cent mille ennemis, que commandent douze pairs sarrasins. Olivier, monté sur un tertre, les découvre et ils sont tant qu'il ne peut dénombrer même les corps de bataille: « Les païens sont très forts, dit-il, et nos Français, ce me semble, sont bien peu. Roland, mon compagnon, sonnez donc votre cor: Charles l'entendra et l'armée reviendra. »

Roland ne veut, ne peut y consentir:

« Je fereie que fols !
En dulce France en perdreie mun los ! »

Et trois fois Olivier insiste, et trois fois Roland refuse: Olivier est sage, Roland est preux, dit le poète. Et qui blâmerait Roland d'être preux, mais qui ne se demanderait aussi, à ce moment de l'action, si sa prouesse n'est pas

ROLAND ET OLIVIER. Hauts-reliefs de la cathédrale de Vérone (milieu du XIIᵉ siècle). — CL. ALINARI.

démesurée, si son cœur « pesme et fier » ne le pousse pas jusqu'à l'orgueil, jusqu'à la folie ? Et désormais le poème éveille cette âpre et angoissante curiosité : « Prouesse vaut-elle sagesse ? ».

Or, les Sarrasins attaquent, et Roland reçoit ce premier assaut avec l'allégresse du chef assuré de vaincre : les païens tombent « par troupeaux », et les douze pairs sarrasins sont abattus l'un après l'autre. Mais les Français aussi ont souffert, et lorsque commence une deuxième bataille contre une nouvelle armée que commande Marsile en personne, Roland, toujours aussi résolu, n'est pourtant plus aussi confiant. Maintenant qu'il ne lui reste plus qu'une poignée d'hommes, il voudrait bien enfin sonner de son olifant, rappeler l'empereur.

Trois fois à son tour, Olivier, avec une ironie amère, lui déconseille de le rappeler ; il sait, comme Roland d'ailleurs, qu'il est trop tard et il raille « la folie » où s'est obstiné son compagnon :

> « Quant jel vos dis, n'en feïstes nient ;
> Mais* nel ferez par le men loement** :   *plus. **conseil.
> Si vos cornez, n'er mie hardement !...* »   *ce ne sera pas d'un preux.

Roland a sonné : sa grande âme a-t-elle donc fléchi ? Nous faut-il reconnaître que sa prouesse n'était que « folie » ? Mais non : quand, tous les autres Français étant morts, Olivier lui aussi tombé, et qu'auprès de Turpin expirant Roland n'a plus qu'un souffle de vie, Roland est

vainqueur ! Le fils de Marsile a péri de sa main ; Marsile a fui, le poing droit tranché ; et l'armée sarrasine tout entière, saisie de terreur, a disparu. Du champ de carnage et d'honneur, il est resté le maître et Turpin l'a proclamé :

> « Cist champ est vostre, la mercit Deu, e mien ! »

Ce seront les dernières paroles de l'archevêque. Roland, sur le point de le suivre dans la mort, s'étend face contre terre, en avant de tous les autres pairs, dont il a rangé les corps en un seul rang, la tête tournée vers la gent païenne, « afin que Charles dise, et tous les siens, qu'il est mort en vainqueur, le gentil comte ». Les anges du ciel descendent vers lui. Il tend vers Dieu son gant droit ; saint Gabriel l'a pris de sa main :

> « Morz est Rollant, Deus en ad l'ame es cels. »

L'empereur viendra et verra. Trop tard. Mais il détruira en leur repaire les légions sarrasines, vengeant ainsi son neveu de l'ennemi ; puis, à Aix-la-Chapelle, le châtiment terrible de Ganelon servira de leçon aux traîtres et sanctifiera le sacrifice des vassaux fidèles pour la gloire de leur impérial suzerain. Car ce poème, en son apparente simplicité, est tout nourri d'intentions. Le pathétique humain y est intensifié par la présence d'une mystique active. Tout y a été inventé pour émouvoir, mais aussi pour promouvoir une idée.

Aux vingt mille Français tombés à Roncevaux, seuls survivront, pour un instant, trois héros : Olivier, Turpin, Roland. Ils succomberont à leur tour, et dans cet ordre : Olivier, dont Marsile n'aura raison que par la traîtrise d'un coup frappé dans le dos ; Turpin, qui ne tombera que sous une grêle de traits lancés de loin ; Roland, qu'aucun païen ne pourra se vanter d'avoir atteint de ses armes, ni de près ni de loin, et qui ne mourra que de son propre effort, pour s'être rompu une veine en soufflant dans son olifant. C'est que, dans la pensée du poète, la vaillance du sage Olivier le cède en mérite à la foi agissante de l'archevêque Turpin, mais qu'à son tour la foi de l'homme d'Église, même employée à des œuvres éclatantes dans le siècle, le cède à la bravoure de Roland, qui, même follement, n'a jamais pris la mesure du péril, du moment qu'il s'agissait de Charles, son empereur. Et Dieu a fait connaître qu'il en était bien ainsi, en agréant le geste profane du chevalier qui lui tendait son gant en rendant le dernier soupir.

La nuit qui précéda la bataille d'Hastings fut consacrée par l'armée normande à la prière. A l'aube, les troupes, ayant entendu la messe, furent bénies par Robert, évêque de Bayeux, qui avait revêtu un haubert sous son rochet. Puis, au dire du chroniqueur Guillaume de Malmesbury, tandis que le duc s'armait, on chanta devant lui, pour proposer à ses barons l'exemple d'un vaillant *(martium viri exemplum)*, la *Chanson de Roland*. Ce n'est, il est vrai, qu'une légende, dont Wace s'est inspiré pour imaginer une autre : celle du jongleur, Taillefer, qui, en avant des troupes, à l'instant même où elles se jetaient sur l'ennemi, aurait chanté :

> De Karlemainne et de Rollant,
> Et d'Olivier et des vassals
> Qui morurent en Raincesvals.

Mais ces légendes sont « plus vraies que l'histoire ». Quel poème pouvait mieux répondre à l'enthousiasme de ces gens de guerre, animés d'une confiance égale en leur prince et en Dieu ? D'où pouvait leur venir une exaltation plus noble que de ce sublime paradoxe qui proclame la primauté de la folle prouesse ?

PARTIE SUPÉRIEURE DU VITRAIL DE CHARLEMAGNE A LA CATHÉDRALE DE CHARTRES. — Cl. Houvet.

Cette verrière, offerte vers 1200 par la corporation des pelletiers, compte vingt et un panneaux ; ceux qui sont ici reproduits commémorent les expéditions menées par Charlemagne en Espagne pour délivrer le tombeau de saint Jacques ; les verriers se sont inspirés de la « Chronique de Turpin », composée par les moines de Cluny vers 1140 pour propager le culte de l'apôtre et pour inciter les fidèles à entreprendre le pèlerinage de Compostelle. — De bas en haut et de gauche à droite : bataille devant Pampelune ; près de Sahagun, le miracle des lances qui fleurissent ; combat entre chrétien et sarrasin ; Roland tue le roi sarrasin Ferragu ; Charlemagne repasse les Pyrénées ; à Roncevaux, Roland essaie de briser son épée et sonne du cor ; Roland meurt assisté par son frère Baudoin ; Baudoin annonce à Charlemagne la mort de Roland ; saint Gilles célèbre la messe en présence de Charlemagne.

COMBAT DE CHEVALIERS AU XIIᵉ SIÈCLE. Linteau de la cathédrale d'Angoulême. — CL. GIRAUDON.

LA GESTE DE GARIN DE MONGLANE

Les principales chansons de ce cycle sont :

Girart de Viane, *par Bertrand de Bar-sur-Aube, p. p. Tarbé (Collection des* Poètes de Champagne, *1850) et par F. G. Yeandle (New York, 1930) ;* — Aymeri de Narbonne, *p. p. Demaison (S. A. T., 2 vol., 1887) ;* — les Narbonnais, *p. p. H. Suchier (S. A. T., 2 vol., 1898) ;* — le Couronnement de Louis, *p. p. E. Langlois (S. A. T., 1888), et* Classiques français du moyen âge, *2ᵉ éd., 1925) ;* — le Charroi de Nîmes *et la* Prise d'Orange, *p. p. Jonckbloet,* Guillaume d'Orange *(La Haye, 2 vol., 1854) ;* — le Charroi, *publié aussi par J.-L. Perrier, dans les* Classiques français du moyen âge *(1931) et par E. Lange-Kowal (Berlin, 1934) ;* — la Chevalerie Vivien, *p. p. Jonckbloet, ouvrage cité, et par A. Terracher, 1909 ;* — Aliscans, *p. p. Jonckbloet, ouvrage cité, par Guessard et de Montaiglon (Anciens poètes de la France, 1870), et par E. Wienbeck, W. Hartnacke, P. Rasch (Halle, 1903) ;* — la Chanson de Guillaume, *publiée par la Chiswick Press, 1903, (rééditée partiellement par H. Suchier dans la* Bibliotheca normannica, *tome VIII, 1911) ;* — les Enfances Guillaume, *p. p. Patrice Henry (S. A. T., 1935) et par J.-L. Perrier (New York, 1933) ;* — Folque de Candie *(vers 1170), p. p. Schultz-Gora (3 vol., 1909-1936) ;* — le Moniage Guillaume, *p. p. W. Cloetta (S. A. T., 1911) ;* — le Siège de Barbastre, *p. p. J.-L. Perrier (Classiques français du moyen âge, 1926).*

La Chanson de Guillaume *semble appartenir à la première moitié du XIIᵉ siècle. Toutes les autres chansons ont dû être écrites dans la seconde moitié du même siècle ou dans les premières années du XIIIᵉ.*

Voir, sur la Chanson de Guillaume, *la série des articles publiés par J.-J. Salverda de Grave, au t. I de la revue néerlandaise* Neophilologus *(1915-1916).*

Les vingt-quatre chansons qui se groupent, selon l'ordre généalogique, autour des noms de Garin de Monglane, d'Hernaut de Baulande, son fils, d'Aymeri de Narbonne, son petit-fils, et de Guillaume d'Orange, son arrière-petit-fils, constituent un cycle dont l'unité est particulièrement nette. Contenue dans des manuscrits qui, tous sauf un, sont des manuscrits « cycliques », la geste se développe comme une vaste histoire dont toutes les parties sont solidaires les unes des autres. Les légendes qu'elles mettent en œuvre se laissent pour la plupart localiser en des sanctuaires qui, de Saint-Julien de Brioude à l'église de Martres-Tolosanes, marquaient des étapes sur l'une des principales routes du pèlerinage de Compostelle, la *Via Tolosana.* Toutes ces chansons enfin procèdent d'une même idée qui circule de l'une à l'autre.

Aux temps anciens, un petit seigneur sans terre, Garin, s'était taillé un fief en s'emparant du château sarrasin de Monglane; puis, ayant élevé ses quatre fils : Girart, Hernaut, Milon, Renier, il les avait chassés de chez lui pour les animer à conquérir, eux aussi, leurs fiefs sur l'ennemi.

De même, Aymeri, fils d'Hernaut, a conquis à son tour le fief de Narbonne, puis a chassé ses sept fils : Guillaume, Bernard, Bovon, Hernaut, Garin, Guibert, Aïmer, lesquels, selon l'usage héréditaire, se taillent à leur tour chacun leur fief par l'épée : les fiefs d'Orange, de Brusban, de Commarcis, de Gérone, d'Anseüne, d'Andrenas, à l'exception toutefois d'Aïmer, qui ne joint à son nom celui d'aucune cité, parce qu'il a juré de ne jamais coucher sous un toit tant que les Sarrasins occuperont la terre chrétienne.

La destinée de tous ces héros est, comme celle de Charlemagne et de ses pairs, de lutter contre les païens; toutefois, il s'agit pour eux, non seulement d'exalter la chrétienté, mais de se faire leur place au soleil; et s'ils sont, comme les Roland et les Olivier, les champions de Dieu, ils portent cependant en leur cœur un nouveau principe d'honneur : le souci de la tradition familiale. Donnée moins grande que celle de la geste du Roi, mais qui n'a pas abouti à des effets moins beaux et qui n'a pas atteint, malgré des brutalités, à une moindre pureté héroïque.

Les caractères de tous les personnages qu'on rencontre ici se ressemblent étrangement, tous faits de hardiesse, de brusquerie, de sincérité farouche, de droiture; mais cette absence de variété, qui, dans la geste du Roi, a nui à plusieurs chansons, s'est chargée, dans la geste de Monglane, d'une signification hautement poétique : c'est un air de famille, par lequel s'exprime l'immuable vertu héritée des ancêtres.

Une fois posée l'idée du « lignage », dont la voix dicte à tous ses enfants la même loi, les poètes la développent et la nuancent sans fin. Les épisodes se pressent, imaginés avec fertilité, et d'un relief énergique. Il arrive qu'ils se répètent en plusieurs chansons; mais souvent le retour du même thème, d'ailleurs ingénieusement renouvelé, est par lui-même un élément de beauté; ainsi dans les scènes qui mettent le lignage aux prises avec le roi de France : la capture de Charlemagne par les fils de Garin dans la forêt de Vienne *(Girart de Viane),* l'octroi du fief de Narbonne à Aymeri *(Aymeri de Narbonne),* l'arrivée des fils d'Aymeri à la cour de Charles *(les Narbonnais),* le couronnement de l'enfant Louis par Guillaume *(le Couronnement de Louis),* les reproches de Guillaume au roi ingrat *(le Charroi de Nîmes, Aliscans).*

Entre tous les membres du lignage brille Guillaume d'Orange, Guillaume « au courb nez », dont le prototype historique fut un personnage du VIIIᵉ siècle, ce Guillaume que Charlemagne nomma comte de Toulouse

ABSIDE DE L'ÉGLISE DE SAINT-GUILHEM-LE-DÉSERT (HÉRAULT). On y vénérait la tombe du fondateur, le Guillaume d'Orange des chansons de geste. — CL. ARCH. PHOT.

en 790, qui combattit les Sarrasins non loin de Narbonne en 793, puis en Catalogne en 803. Peu après, vers l'an 804, il s'était rendu moine dans une abbaye du diocèse de Lodève, Aniane. A deux lieues de là, il avait édifié et doté richement une autre maison religieuse, Gellone. Il y mourut quelques années plus tard sous la robe bénédictine, et y fut enseveli. Nous avons conservé, grâce aux moines d'Aniane et de Gellone, l'acte, dicté par lui-même en décembre 804, par lequel il dispose de ses biens en leur faveur, pour son propre salut et pour le salut de ses proches, au nombre desquels il mentionne sa femme, *Witburgis*. En cette *Witburgis*, chacun reconnaît la *Guibour* des chansons de geste. Mais le nom de cette femme, comme il est naturel, ne se rencontre dans aucune chronique des temps carolingiens. Seuls, les moines d'Aniane et de Gellone le conservaient dans leurs archives : c'est donc eux, nécessairement, qui ont renseigné sur elle, plusieurs siècles après sa mort, les poètes. De fait, les fils de saint Benoît, établis par Guillaume dans cette région, avaient commencé de bonne heure à vénérer la tombe de celui-ci : dès le début du Xe siècle, son nom figure, comme celui d'un saint, dans la titulature du monastère. Son culte se développa si bien que le nom de Gellone disparut de l'usage : au temps des chansons de geste, ces lieux s'appelaient, ils s'appellent encore Saint-Guilhem-le-Désert. Pour entretenir le souvenir de leur fondateur, les moines, rassemblant leurs traditions domestiques, combinant les documents de l'abbaye avec les récits des chroniques relatifs à la vie guerrière menée par Guillaume au temps de Charlemagne et du roi Louis, avaient composé, vers l'an 1124, un ample recueil de ses actes, la *Vita sancti Wilhelmi*. Or, les chansons de geste du cycle de Garin de Monglane arrêtent leurs héros à Aniane, à Saint-Guilhem et en bien d'autres lieux encore, tels que Brioude, le Puy-en-Velay, Nîmes, Saint-Gilles, les Aliscamps d'Arles, Narbonne, Ensérune près Béziers : et tous ces lieux jalonnent une même route, la *Via Tolosana*. Les pèlerins qui se suivaient dans la direction de l'Espagne entendaient donc, dans tous les sanctuaires où ils s'arrêtaient, des récits où saint Guillaume était loué. Venus à Montpellier, ils avaient pris coutume de visiter, aux environs de la ville, les deux monastères qui se disputaient

l'honneur d'avoir reçu ses bienfaits et qui gardaient ses reliques. Sans doute est-ce en ces lieux, familiers aux jongleurs, que sa légende a d'abord germé; et sans doute est-ce sur cette légende que sont venues fleurir à leur tour les autres légendes de la geste, celles des pères et des aïeux, la légende d'Aymeri, la légende de Garin, celles aussi des fils et des petits-fils, la légende de Vivien, la légende de Fouque de Candie. Certainement, en tout cas, c'est Guillaume qui domine la Geste de Monglane, comme Charlemagne domine la Geste du Roi. C'est son entrée en scène que préparent douze chansons, ce sont ses exploits que tant d'autres chansons exaltent.

La plus ancienne que nous ayons, la *Chanson de Guillaume*, dont la chanson des *Aliscans* n'est qu'un rajeunissement, est d'une simplicité fruste, mais puissante.

Elle commence par le récit d'une bataille douloureuse, où un faible parti de chrétiens, commandé par Vivien, neveu et fils adoptif de Guillaume, lutte contre une armée sarrasine dans la plaine de Larchamp (ou des Aliscamps, près d'Arles).

Dès le début de l'action, Vivien aurait souhaité près de lui celui que jamais on n'appelle en vain, son oncle Guillaume. Il a conseillé à ses compagnons de le mander :

« Mandum, seignurs, Willame le marchis* ;   *le marquis.
Sages hom est por bataille tenir :
Se li i vient, nus veintrum* Arabiz. »   *nous vaincrons.

Mais Guillaume est au loin, il ignore le péril des siens. Vivien combat seul, avec une petite troupe de vaillants : naguère, au jour où il a été armé chevalier devant Guillaume et le lignage assemblé des Narbonnais, il a fait le serment de ne jamais fuir de la longueur d'un arpent devant l'ennemi. Il fait donc avec ses compagnons de belles chevaleries : mais le nombre les accable. Alors, quand leurs forces déclinent, il dépêche vers son père d'adoption son cousin, « l'enfant » Girart, qui a tant peiné déjà dans la bataille. Le jeune messager va, épuisé, à demi mort de faim et de soif. Il chevauche vers le château lointain de Guillaume. Son cheval crève sous lui. Il va toujours.

Dunc li comencent ses armes a peser,
Et il les prist durement a blamer.

« Ohi! grosse hanste*, comme peises al braz !   *gros épieu.
N'en aiderai a Vivien en Larchamp,
Qui se combat a dolerus ahan ! »
Dunc la lançat Girard en mi le champ.

« Ohi! grant targe*, comme peises al col !   *bouclier.
N'en aiderai a Vivien a la mort ! »
El champ la getat, si la tolid* de sun dos.   *enleva.

« Ohi! bon healme, com m'estones* la teste !   *heurtes.
N'en aiderai a Vivien en la presse,
Ki se cumbat en Larchamp desur l'herbe ! »
Il le lançat e jetad cuntre terre.

Il n'a gardé que son épée sanglante, et marche, s'appuyant sur elle comme sur un bâton. Il arrive enfin et fait son message : « Hâtez-vous, sire Guillaume! » Guillaume rassemble en hâte trente mille hommes et les entraîne vers Larchamp. Il y parvient trop tard : Vivien meurt entre ses bras. Et que peut-il lui-même contre tant d'ennemis ? Toute sa belle armée succombe. Sa femme, Guibour, lui avait confié un sien neveu, un tout jeune homme, Guichard, autrefois païen comme elle et comme elle converti. L'enfant a été tué; en mourant, il a renié Dieu; et c'est avec le corps du petit renégat, qu'il porte sur son arçon, que Guillaume revient à son château. En son absence, Guibour la vaillante, pressentant la défaite, a levé une autre armée : car elle est l'animatrice qui souvent a excité les Narbonnais à bien faire. Il repart, emmenant cette fois avec lui un jeune frère de Vivien, Guiot. Un nouveau désastre l'attend. Tous les siens maintenant sont morts, et Vivien, et Bertrand, et Guiot, et Gautier, et Guielin, et Renier; et, quand il reparaît seul, en vaincu, presque en fuyard, déguisé sous des armes sarrasines, à la porte de sa cité d'Orange, Guibour refuse de lui ouvrir : « Tu mens, tu n'es pas Guillaume, car, quand mon seigneur Guillaume revient de bataille, des barons joyeux l'environnent et des jongleurs viellent devant lui! » Elle cède enfin, lève la herse et prosternée à ses pieds :

ÉGLISE ROMANE DE SAINT-HONORAT DES ALISCAMPS, PRÈS D'ARLES, élevée sur l'emplacement du champ de bataille légendaire. — CL. NEURDEIN.

« Sire, dist ele, qu'as tu fait de ta gent ? »

Il lui dit la lutte inégale, le désastre; et tous deux, pleins de douleur, en silence, montent vers la grande salle du palais, où les tables sont dressées, comme naguère, pour de nombreux convives, et qui désormais restera déserte : « O bonne salle », s'écrie Guillaume,

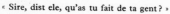

> « O bone sale, cum estes lungue et lee*!   *large.
> De tutes parz vus vei si aornee!
> O, haltes tables, cum vus estes levees*!   *dressées.
> Napes de lin vei desur vus getees,
> Cez escueles emplies et rasees...
> N'i mangerunt les filz des franches meres
> Qui en Larchamp unt les testes colpees! »

Il pleure, et maintenant que tout est consommé : « Je m'enfuirai, dit-il, dans un désert où nul ne me retrouvera; je me ferai ermite, et toi, Guibour, prends le voile en quelque couvent. — Sire, répond-elle, oui, nous le ferons un jour, quand d'abord nous aurons achevé dans le siècle notre tâche :

> « Sire, dist ele, ço ferum nus assez,
> Quant nus avrum nostre siecle mené... »

Elle le réconforte : il faut qu'il aille à Laon réclamer le secours du roi de France. Il part, nouvelle épreuve. Humble est son équipage, et si chétif son écuyer, un enfant, qu'il doit se charger lui-même de ses armes et qu'il ne les lui donne à porter qu'à la traversée des villes, pour faire figure honorable. A Laon, en voyant sa pauvre mine, les jeunes chevaliers de la cour, jadis accoutumés à recevoir de ses mains l'or d'Espagne, lui tournent le dos; et le roi accueille mal la demande du vaincu. Cependant, devant tant d'ingratitude, Guillaume s'indigne, il laisse déborder sa colère et obtient une armée de vingt mille chevaliers. Pour la troisième fois il revient à l'ennemi, et dans une décisive bataille, les Sarrasins sont enfin taillés en pièces. Ainsi s'achève sur une victoire la douloureuse épopée, belle comme une passion de martyrs. La *Chanson de Guillaume* n'a pas la perfection de la *Chanson de Roland*; elle n'en a pas la noblesse égale et soutenue. Le style est dépourvu d'art; le récit est brusque, abrupt même, au point que la suite des faits n'y est pas toujours facile à

saisir; parfois des scènes se répètent; on regrette aussi des invraisemblances trop fortes, un mélange inattendu du tragique et du comique. Pourtant, l'idée profonde du poème, ces coups redoublés du destin qui martèlent les cœurs indomptables de Vivien, de Guibour, de Guillaume, se traduit en des scènes d'une grande force pathétique. Et même dans celles de ces scènes qui traitent des thèmes moins sublimes, les reproches véhéments de Guillaume au roi ingrat ou les exploits étranges du géant Rainoart, on admire la puissance du souffle héroïque et cette fougue qui anime la Geste.

LA GESTE DE DOON DE MAYENCE

Les principales chansons de ce cycle sont : Gormond et Isembard *(composé vers l'année 1130), édit. A. Bayot* (Classiques français du moyen âge) [3e édit., 1931], *(voir E. Faral, dans la* Romania, *1925, p. 481) ;* — Doon de Mayence, *édit. A. Pey (Anciens poètes de la France), 1859;* — *la* Chevalerie Ogier, *par Raimbert, p. p. Barrois (Romans des douze pairs), 1843 (sur la légende, voir F. Lot, dans la* Romania, *t. LXVI, 1940, p. 238);* — Renaud de Montauban, *p. p. Tarbé (Reims, 1862), par H. Michelant (Bibliothek des literarischen Vereins in Stuttgart), 1862, et par Ferdinand Castets (Montpellier, 1909);* — Raoul de Cambrai, *édit. P. Meyer et A. Longnon (S. A. T., 1882) ;* — Girart de Roussillon, *p. p. K. Hoffmann (Berlin, 1855), puis par Francisque Michel, 1856, traduit par P. Meyer, 1884, réédité par Edw. Billings Ham (New Haven, 1939) ; sur la légende et le poème, voir René Louis,* Girart, comte de Vienne, *1947.*

Tous ces poèmes, sauf Raoul de Cambrai, *qui paraît un peu plus ancien, ont été vraisemblablement composés pendant le troisième tiers du XIIe siècle ou les premières années du XIIIe.*

*Un certain nombre de chansons n'entrent pas dans la classification ci-dessus indiquée des trois grandes gestes. Les plus célèbres sont celles d'*Ami et Amile, *p. p. K. Hoffmann, 2e éd., 1882, et d'*Aiol, *p. p. J. Normand et G. Raynaud (S. A. T., 1878).*

L'abbaye de Saint-Riquier en Ponthieu, jadis fondée par Angilbert, neveu de Charlemagne, était, à l'époque féodale, riche et puissante entre les abbayes de France.

On y célébrait, au neuvième jour d'octobre, une fête religieuse qui attirait grande affluence de marchands, de pèlerins, de chevaliers, de menu peuple; et la foire qui se tenait à cette occasion aux portes de l'abbaye étalait ses boutiques et ses tréteaux sur un champ où l'on voit encore de nos jours la « tombe d'Isembard ». Cet Isembard, selon une tradition répandue parmi les clercs anglais et certainement connue des moines de Saint-Riquier, qui possédaient des biens importants dans le Norfolk, avait été le compagnon du roi Gormond; et Gormond était le chef de ces Scandinaves envahisseurs qui, en 881, — comment les moines l'auraient-ils oublié ? — avaient cinglé d'Angleterre en France, ravagé le Ponthieu et le Vimeu, et incendié le monastère, avant d'être battus à Saucourt par le roi de France Louis III. C'est sur ces souvenirs, livrés par l'histoire, qu'a été bâtie à Saint-Riquier, pour être racontée au peuple, la légende de Gormond et Isembard.

Le poème qui retrace cette légende est le plus ancien de la geste de Doon de Mayence. Il ne nous a pas été conservé en entier, mais des versions postérieures permettent d'en reconstituer le scénario. Isembard, jeune chevalier français, traité injustement par le roi Louis et condamné à quitter le royaume, est passé en terre païenne, s'est attaché au roi Gormond, l'a suivi en Angleterre, a abjuré la foi chrétienne (d'où son surnom de Margari, le « renégat »), et a décidé son nouveau seigneur à envahir la France. Il guide la flotte et l'armée païennes vers les terres et les

ÉGLISE DE SAINT-RIQUIER EN PONTHIEU (SOMME), bâtie sur l'emplacement d'une ancienne église carolingienne, qui fut le foyer de la légende de Gormond. — Cl. Arch. Phot.

châteaux qui naguère étaient siens; le Ponthieu est saccagé, l'abbaye de Saint-Riquier incendiée. Mais une grande bataille est livrée par le roi Louis aux barbares, et c'est au récit de cette bataille que commence le fragment de la chanson qui est parvenu jusqu'à nous.

Gormond, après avoir semé la mort dans les rangs des Français, est abattu par Louis en personne; Isembard, ralliant les païens déconcertés par la mort de leur chef, se déchaîne et en vient, dans sa fureur, à combattre son propre père, le vieux Bernard, qu'il désarçonne. Enfin, ses troupes épuisées cèdent et fuient; cruellement blessé, le renégat revient à Dieu, se recommande à Notre-Dame et meurt sur le champ de bataille.

Les débris de ce poème — six cent soixante vers en un seul fragment — suffisent à donner une haute idée de l'édifice primitif. Assurément, celui qui l'a élevé connaissait des chansons antérieures : la *Chanson de Roland*, la *Chanson de Guillaume*, et il s'en est inspiré; mais, s'il avait des connaissances, il avait aussi une manière de génie. Par l'étroit conduit des petits vers de huit syllabes, dont sont faites ses laisses, son souffle s'enfle puissamment, et son personnage d'Isembard est d'une grandeur vraiment digne de l'épopée. La détresse de ce jeune baron que l'injustice du roi a poussé vers l'apostasie, sa rancune qui lui fait machiner une invasion sacrilège, son cruel destin une fois la guerre commencée, ses exploits au service d'une cause détestable, la rencontre horrible qui lui fait lever l'épée sur son père, le mélange tumultueux de ses sentiments qui lui inspirent tout ensemble l'ardeur de se battre et le secret désir d'être vaincu, sa fureur contre la terre de France et son amour pour ces mêmes contrées qu'il foule, sa haine du roi Louis et son admiration pour lui, sa mort enfin, qui le ramène à Dieu : c'est vraiment là une magnifique invention de poète, une sublime légende d'orgueil et de pénitence, trop belle pour ne pas avoir ressuscité sous d'autres formes.

C'est, en effet, d'une conception analogue que procèdent plusieurs autres chansons. Des assembleurs, conscients de leur ressemblance, ont relié les personnages qui en sont les héros par des liens généalogiques : d'où le nom de Geste de Doon de Mayence. Elles sont toutes consacrées à des révoltés dont les exploits inspirent à la fois l'horreur et la pitié, et que le regret de leur orgueil amène finalement à la pénitence. Ogier le Danois, ayant juré de venger son fils, tué par le fils de Charlemagne, déclare à l'empereur une guerre implacable, où il est tour à tour vainqueur et vaincu. Puis, repenti, il revêt à Saint-Faron de Meaux la robe bénédictine *(la Chevalerie Ogier)*. — Renaud de Montauban, injurié par Bertolai, neveu de Charlemagne, le tue, s'enfuit avec ses trois frères, et, traqué, s'obstine dans une longue rébellion; puis, venu à résipiscence, se fait le valet des maçons qui bâtissent Saint-Pierre de Cologne, et meurt en odeur de sainteté *(Renaud de Montauban)*. — Raoul de Cambrai, déshérité du fief paternel, se rue sur le Vermandois et, jusqu'à sa mort impénitente, porte partout le fer et le feu, tandis qu'Ybert de Ribemont, son ennemi, conscient des torts qui lui reviennent dans les horreurs de cette lutte, fonde « sept monastères, monuments de son humilité, sur l'emplacement de ses sept châteaux, monuments de son orgueil » *(Raoul de Cambrai)*. — Girart de Roussillon, offensé par le roi Charles, lui tient tête les armes à la main, puis, après les épreuves multipliées que Dieu lui inflige, il élève à Vézelay le sanctuaire de la Madeleine et monte le sable et la chaux en haut de la colline où l'église se dressera *(Girart de Roussillon)*. — Ainsi, en tous ces drames, comme dans celui de *Gormond et Isembard*, l'orgueil forcené prend fin dans un acte de repentance et d'humilité. Toujours, le héros de la chanson est d'abord jeté dans la violence par un tort qui n'est pas le sien; le ressentiment qu'il en éprouve, l'acharnement qu'il met à défendre son droit déchaînent en lui la « déme-

VÉZELAY. On y vénérait Girart de Roussillon et sa femme Berthe, fondateurs de l'église de la Madeleine. — CL. NEURDEIN.

sure », qui l'affole jusqu'au jour où Dieu le courbe, repenti, sous sa main.

C'est là l'idée propre de la geste, grande idée chrétienne elle aussi, où la croix n'est plus le signe qui conduit la chevalerie à la guerre contre l'infidèle, mais l'abri qui s'offre aux violents, après que les armes ont été posées. Par cette idée, les chansons de ce cycle vont rejoindre, dans une étroite parenté spirituelle, celles de la Geste du Roi et de la Geste de Garin de Monglane.

IV. — LES ROMANS COURTOIS

DÉFINITION DU GENRE

Le XIIe siècle nous a légué une profusion de romans en vers, bien différents des chansons de geste. Les uns, dont les héros se nomment Alexandre de Macédoine ou Hector de Troie, Énée ou Étéocle, renouvellent des fictions illustres de l'antiquité gréco-latine.

D'autres forment un amas composite d'œuvres très dissemblables : ici, les « lais », courts poèmes qui narrent de menues légendes de féerie et d'amour; là, le groupe des romans de Tristan et Iseut; là, les romans qui célèbrent le roi Arthur et ses chevaliers. Si divers d'inspiration, de ton, de coloris que soient ces poèmes, ils se déroulent tous sur un même théâtre : Cornouaille ou Galles, Irlande ou Armorique, dans la même « Bretagne » fabuleuse. Ils s'empruntent fréquemment des personnages les uns aux autres, et c'est pourquoi la terminologie de nos vieux écrivains les rassemble tous sous un même nom : contes et romans bretons.

D'autres enfin, tels que *Partenopeu, Guillaume de Dole, Ipomedon*, sont des romans de chevalerie analogues à ceux qui mettent en scène les chevaliers d'Arthur; mais, parce que le théâtre de l'action, qui n'est plus la Bretagne, change pour chacun d'eux, et parce que chacun d'eux, au rebours des romans arthuriens, anime des personnages qui, leur histoire terminée, s'évanouissent aux yeux et ne reparaissent nulle part ailleurs, on peut en former une troisième catégorie, celle des romans d'aventure.

Contes et romans imités de l'Antiquité, contes et romans de Bretagne, contes et romans d'aventure : cette répartition traditionnelle s'impose nécessairement à la critique.

Elle est sommaire, d'ailleurs, autant que nécessaire, et nous devrons bientôt distinguer, à l'intérieur de ces trois groupes, mainte variété et sous-variété. Mais il faudra nous appliquer aussi, par un effort contraire, à montrer que, d'un groupe à l'autre, ces œuvres si diverses soutiennent entre elles certains rapports d'affinité, voire de filiation; et c'est cette ressemblance générale, cette parenté foncière, qu'il convient de mettre dès maintenant en relief. Pour la reconnaître, il suffit d'opposer tous ces romans aux chansons de geste. Sans méconnaître que le roman naissant a pu retenir quelque chose de la formule épique, ni que, plus tard, il a parfois déteint à son tour sur l'épopée, on peut bien dire que le contraste est frappant. Il se marque d'abord au fait que presque tous délaissent l'antique système de versification des chansons de geste, le groupement de vers de dix ou douze syllabes en strophes monorimes. La tradition de ce système ne subsiste que dans un petit groupe de romans appartenant au cycle d'Alexandre; mais — des indices et des témoignages nombreux le prouvent — ces romans (sauf peut-être le plus ancien) ne sont plus destinés, comme les chansons de geste, à être chantés au son des vielles : ils sont faits pour être lus, et c'est la destination, encore plus immédiatement évidente, des romans des autres cycles : car, tous sans exception, ils emploient, au lieu des longs vers et du système strophique des chansons de geste, le mètre cher à la *Musa pedestris*, l'octosyllabe rimant à rimes plates. C'en est fait, du même coup, de toute la technique narrative, de toute la poétique qu'imposaient aux chanteurs de geste les conditions foraines de leur art. Leurs confrères, les romanciers, ne composent pas, comme eux, leurs ouvrages en vue de larges auditoires attroupés au hasard dans des salles de festin, ou sur des parvis d'église, ou sur des champs de foire. Leurs romans seront lus à haute voix dans des cercles restreints. Ils écrivent pour une élite d'auditeurs choisis; et ce qu'ils peignent de préférence, ce sont des tableaux de la vie élégante, de ses cérémonies et de ses fêtes, de son luxe; ce sont les préoccupations sentimentales de ces raffinés. Comparés aux chanteurs de geste, ils sont, si l'on peut dire, des écrivains plus écrivains, plus « hommes de lettres », qui exploitent et parfois étalent, non sans une sorte de satisfaction un peu pédante, des connaissances apprises dans les écoles. Si on les oppose aux chansons de geste, tous ces romans — romans du cycle antique, romans bretons, romans d'aventure — composés pour des publics plus aristocratiques par des auteurs plus savants, peuvent donc être groupés sous une dénomination commune, comme les espèces d'un genre unique : le roman courtois.

SOUS QUELLES INFLUENCES LE GENRE S'EST CONSTITUÉ

Comment comprendre que se soient formés, au XIIe siècle, de tels publics, de tels auteurs ? Ce fut le résultat d'un jeu complexe d'influences diverses, dont les unes ont tenu à une certaine évolution de la société, les autres à la mise en honneur d'études littéraires largement conçues.

Une plus grande aisance de vie, plus de loisirs, plus de culture, une place plus honorable accordée aux femmes dans les relations de cour, de perfides invitations venues d'un Orient récemment découvert par les croisés, de séduisants exemples proposés par la France méridionale : tout cela a, vers le milieu du XIIe siècle, profondément transformé l'esprit des hautes classes et préparé, pour les plaisirs littéraires, des publics animés de curiosités nouvelles. Les goûts se sont modifiés. Les passions sublimes ou brutales dépeintes par les chansons de geste — mystique de la guerre sainte, exaltation de la fidélité féodale, fureurs de l'apostasie ou de la rébellion seigneuriale — ont cédé de leur empire à des préoccupations jusque-là contraintes ou restreintes, et d'abord à des rêveries de luxe et d'amour. Fini le règne exclusif de l'idéal héroïque : l'idéal chevaleresque apparaît, qui ne se satisfait plus des seuls dévouements au service de la chrétienté et à celui du prince, et qui se plaît maintenant à célébrer dans la bravoure l'effort du mérite personnel pour rendre hommage à la femme, devenue l'inspiratrice et l'appréciatrice souveraine des belles actions : thème inépuisable et, s'il se situe moins

haut dans l'échelle des valeurs morales, riche toutefois d'infinies possibilités.

D'autre part, vers le même temps, s'est produit un renouveau des études classiques, une véritable Renaissance, aussi vive en son élan, aussi zélée, aussi ardente que la Renaissance du XVe siècle. Ce n'est pas un humaniste du XVe siècle, mais du XIIe, c'est Pierre de Blois, vers l'an 1180, qui a dit à la louange des Anciens la parole célèbre : « Nous sommes des nains hissés sur les épaules de ces géants, et si nous voyons plus loin qu'eux, c'est grâce à eux, lorsque, appliqués à lire leurs ouvrages, nous ressuscitons pour une vie nouvelle leurs pensées éminentes, que les siècles et la négligence des hommes avaient, pour ainsi dire, laissé choir dans la mort. » Entre la Loire et la Somme, rayonnaient des écoles nombreuses, les unes récemment fondées, les autres plus anciennes, mais qui n'avaient pas connu dans le passé pareille prospérité : Angers, Tours, Blois, Fleury-sur-Loire, Chartres, Beauvais, Laon, Reims, Orléans, Paris. Des provinces lointaines ou des pays étrangers, des étudiants y venaient en foule s'initier aux Sept Arts, aux arts du *trivium*, grammaire, rhétorique, dialectique, qui formaient le cycle des études littéraires; aux arts du *quadrivium*, arithmétique, musique, géométrie, astronomie, qui formaient le cycle des études scientifiques.

Le vaste programme du *trivium* comportait surtout l'étude des écrivains de l'Antiquité profane, que, par une ellipse significative, on appelait tout court « les auteurs ». Nulle part on ne les étudiait mieux qu'à Orléans, qui devint aussi célèbre comme école de poésie que Salerne comme école de médecine, que Bologne comme école de droit, que Paris comme école de philosophie. Mais la flamme qui brûlait à ce foyer gagna toute la France. Les nombreuses copies d'ouvrages antiques qui furent exécutées au XIIe siècle, les commentaires d'auteurs latins qui se multiplièrent alors, l'œuvre toute pénétrée d'humanisme d'un prosateur comme Jean de Salisbury, d'un poète comme Jean de Hanville, montrent la curiosité et la docile admiration de tout le siècle tournées vers Virgile, Horace, Ovide, Lucain, Juvénal, Cicéron, Sénèque, vers tous les classiques.

Or, c'est dans ces écoles que les auteurs de nos romans courtois ont fait leur apprentissage et ils trouvèrent dans les cours royales et seigneuriales, où la culture avait plus ou moins profondément pénétré, un large accueil. Une demande importante, si l'on peut ainsi dire, venait des cours des diverses régions de la France, mais particulièrement des cours de l'Angleterre, où la curiosité et la générosité des seigneurs drainaient une foule d'écrivains français. L'offre, de son côté, était abondante : les charges et offices de l'Église ne suffisaient plus à absorber tous les clercs à leur sortie des écoles épiscopales ou abbatiales. Il y eut, semble-t-il, pléthore et crise. Beaucoup de ces clercs inemployés cherchèrent dans le monde laïque des moyens de tirer parti de leur savoir.

Aux écoles, on leur avait révélé des maîtres, on leur avait enseigné des procédés, des recettes pour les imiter, pour les égaler peut-être. Ils s'y essaieront. Pillant Virgile, Ovide, Lucain, ils adapteront au goût de publics mondains les œuvres latines naguère inscrites à leurs programmes d'étudiants. Et ce sera — l'image est de cette époque — festin de rois.

LES ROMANS IMITÉS DE L'ANTIQUITÉ

Romans du cycle d'Alexandre. *Le fragment qui nous reste du plus ancien de ces romans, celui d'Albéric, a été publié par Paul Meyer,* Alexandre le Grand dans la littérature française du moyen âge *(2 vol., 1886). On trouvera dans cet ouvrage*

LES SEPT ARTS LIBÉRAUX. D'après l' « Hortus Deliciarum » de la religieuse alsacienne Herrade de Landsberg, abbesse de Sainte-Odile (fin du XIIe siècle). — CL. LAROUSSE.

des analyses, des extraits et un classement de tous ces romans, dont plusieurs sont encore inédits. Celui de Lambert le Tort et de ses continuateurs a été publié par H. Michelant, Li Romans d'Alixandre (t. XIII de la Bibliothek des literarischen Vereins in Stuttgart), 1846, par M. R. James (fac-similé du manuscrit 264 de la Bodléienne), Oxford, 1933, et par E. C. Armstrong (Elliott Monographs), 1937. Cette dernière édition fait partie d'un programme dressé et suivi par l'université Princeton pour l'édition du cycle dans son ensemble.

Contes en vers tirés des *Métamorphoses d'Ovide :* Piramus et Tisbé, *p. p. C. de Boer (collection des Classiques français du moyen âge), 1921 ;* — Narcissus, *p. au t. IV, p. 143 du Recueil de fabliaux et contes de Barbazan et Méon, 1808 ;* — Philomena, *poème de Chrétien de Troyes, p. p. C. de Boer, 1909. Ces poèmes appartiennent tous trois à la seconde moitié du XIIe siècle ; on peut dater avec plus de précision, vers l'an 1165, le conte de* Philomena.

Le Roman de Thèbes, *p. p. Léopold Constans, 2 vol. (S. A. T.), 1890.*

Le Roman d'Eneas, *p. p. J.-J. Salverda de Grave (Classiques français du moyen âge), 1925-1929.*

Le Roman de Troie, *p. p. Léopold Constans, 6 vol. (S. A. T.), 1904-1912.*

Voir Edmond Faral, Recherches sur les sources latines des contes et romans courtois du moyen âge, *1913.*

LE CYCLE D'ALEXANDRE LE GRAND

Au IIe siècle de notre ère, un romancier grec, le pseudo-Callisthène, avait composé une histoire fabuleuse d'Alexandre le Grand. Elle fut traduite en latin, au IVe siècle, par un certain Julius Valerius, et cette traduction fut, à l'époque carolingienne, résumée en un *Epitome.* Quelque trois siècles plus tard, cet *Epitome* fut exploité par un poète, le premier, à notre connaissance, qui ait imaginé de célébrer en langue vulgaire des héros de l'Antiquité profane, comme d'autres autour de lui célébraient Charlemagne et les douze pairs.

Son poème sur Alexandre rappelle à bien des égards les chansons de geste : il est écrit, comme la *Chanson de Gormond,* en vers de huit syllabes, groupés par laisses monorimes. Le *minnesinger* Lamprecht, qui le traduisit en allemand vers l'an 1132, dit que l'auteur s'appelait Albéric de Besançon : cependant, vu les caractères méridionaux de son langage, que l'on croit être un dialecte dauphinois, on a conjecturé que son vrai nom devait être Albéric de Briançon.

Albéric dut composer son ouvrage à la fin du XIe siècle, dans les premières années du XIIe au plus tard : l'ancêtre de nos romanciers courtois et l'auteur de la *Chanson de Roland* furent donc à peu près contemporains. Nous n'avons, par malheur, conservé qu'un fragment de son poème. Mais il se rencontra bientôt un rimeur poitevin pour le remanier en vers de dix syllabes ; puis, plusieurs rimeurs de la fin du XIIe siècle et du début du XIIIe, entre autres Lambert le Tort de Châteaudun, Alexandre de Bernay (surnommé de Paris), Pierre de Saint-Cloud, entreprirent de renouveler et d'amplifier la version poitevine, tous choisissant, pour célébrer Alexandre, le vers de douze syllabes (qui, par l'effet de leur prédilection, reçut le nom d' « alexandrin »). « Cet exemple sert à nous montrer la circulation facile et rapide que pouvaient avoir dès lors certaines œuvres littéraires : un poème composé en Dauphiné est refait et continué, dans l'espace d'un siècle environ, en Poitou, en pays chartrain, à Paris, en Beauvaisis, en Champagne ; il est célèbre au XIIe siècle par toute la France ; enfin, au XIVe siècle, des poètes wallons viendront encore y ajouter de nouvelles branches. » (G. Paris.)

Dans cette suite de romans, Alexandre est représenté

LE ROMAN D'ALEXANDRE. Prise de Thèbes (B. N., ms. franç. 24366, XIIIe siècle). — CL. LAROUSSE.

surtout comme le type exemplaire d'une vertu, la largesse, que le moyen âge a exaltée presque à l'égal de la prouesse : il est le roi magnifique, prodigue envers ses barons, « large donneur ». Il est ainsi travesti, sans souci de la différence des temps, en seigneur féodal, par un jeu d'anachronismes qui reparaîtra dans tous les autres romans imités de l'antique et que c'est un contresens d'imputer, comme on le fait souvent, à l'ignorance et à la naïveté. Ce sont bien plutôt de spirituels procédés de transposition auxquels les excellents latinistes qui rimèrent ces romans recouraient à très bon escient : et quiconque prend plaisir au *Troïlus et Cressida* de Shakespeare doit aussi en goûter chez eux la saveur.

Ce que les romans du cycle d'Alexandre ont fait pénétrer dans les imaginations françaises, c'est la lumière du merveilleux oriental, l'éblouissement des fables de l'hellénisme décadent. Pays étranges, terres où par magie les vaillants deviennent couards et les couards vaillants ; palais de la reine Candace où resplendissent la pourpre, la soie, l'ivoire, les gemmes ; palais du roi Porus, que parent une vigne d'or et d'émeraudes et des platanes d'or chargés de mélodieux oiseaux d'or et de rubis ; flore et faune monstrueuses de l'Inde, sirènes, cynocéphales, amazones, filles-fleurs qui, au printemps, germent en foule de la terre, fontaine de Jouvence, pluies de feu, arbres dont le feuillage rend des oracles : toutes ces merveilles, ce sont les romans d'Alexandre qui les ont introduites chez nous. L'*Historia de prœliis,* l'*Iter ad Paradisum,* le *Liber monstrorum,* la *Lettre à l'empereur Adrien,* la *Lettre du Prêtre Jean,* d'autres récits encore décrivaient la beauté et les prodiges de l'Orient : tous ces écrits latins furent exploités par nos romanciers et suscitèrent cent inventions rivales. La légende du héros macédonien, enrichie d'une foule de fictions éclatantes, agira sur les autres productions de la littérature narrative, chansons de geste de la seconde époque et romans d'aventure.

Au XIVe siècle encore, de longs romans, les *Vœux du Paon* de Jacques de Longuyon (1315), puis le *Restor du Paon* de Jean Brisebarbe de Douai, puis le *Parfait du Paon* de Jean de le Mote viendront enrichir le cycle et célébreront en Alexandre l'un des Neuf Preux, le plus somptueux des neuf et le plus digne de symboliser l'esprit de magnificence qui régnait alors dans les cours.

LES ROMANS DE THÈBES, D'ENEAS, DE TROIE

Après le poème d'Albéric, le plus ancien des poèmes imités de l'Antiquité est le *Roman de Thèbes*. Il date de l'an 1150 environ. L'auteur, dont le nom nous est inconnu, a pris pour modèle la *Thébaïde* de Stace, livre très lu dans les écoles. Il l'a d'ailleurs interprétée librement, taillant et rognant selon sa fantaisie, et l'enrichissant aussi par des procédés qui feront fortune après lui. Il l'agrémente d'épisodes, batailles, conseils de princes, ambassades, éloges funèbres, ruses de guerre, qu'il imagine à l'imitation des chansons de geste ou de certaines chroniques des croisades. Il se plaît à composer des portraits, pour lesquels il use d'une formule invariable, qui consiste à énumérer, dans un ordre constant et selon un canon établi une fois pour toutes, les perfections physiques de ses personnages : trait curieux, parce qu'il applique ici une règle d'école, à laquelle tous les autres romanciers vont désormais se soumettre. Il se plaît aussi à décrire des objets matériels ou des animaux, et à orner ses descriptions d'éléments merveilleux qu'il va chercher dans les écrits les plus divers : chez Ovide, dans l'*Ilias latina* (abrégé de l'*Iliade* dont le moyen âge fut forcé de se contenter), chez Pline, chez Solin. Surtout il s'ingénie, bien que la tragique histoire des Labdacides ne s'y prêtât guère, à parler d'amour : il invente de toutes pièces un épisode gracieux où Parthénopée s'éprend d'Antigone, la requiert d'amour et l'obtient de sa mère; il transforme la scène désolée de la *Thébaïde*, où, à la mort d'Aton, Ismène pleure avec Antigone sur l'atroce destinée de leur famille, en une conversation toute consacrée aux soucis amoureux des deux sœurs; et ainsi, souple, ingénieux, ce poète a su, dans le sombre poème latin, tailler une place pour l'aventure sentimentale.

Une dizaine d'années plus tard, vers l'an 1160, un autre poète traita Virgile comme Stace venait d'être traité. Clerc tout imbu des doctrines de l'école, habile à dessiner des portraits selon les formules enseignées, rompu à tous les procédés de la rhétorique, l'auteur du *Roman d'Eneas* imite excellemment l'auteur du *Roman de Thèbes*. Il adopte le mètre nouveau, l'octosyllabe rimant à rimes plates inauguré par son devancier; il hérite de sa poétique, il enchérit encore sur son goût de la description et sur son érudition. C'est ainsi que, avide de merveilleux, il

introduit en son renouvellement de l'*Énéide* des animaux fantastiques, comme ces oiseaux calades qui prédisent aux malades leur guérison ou leur mort; comme ces chevaux marins, nés de cavales fécondées par le vent, qu'il attelle au char de Messapus. Il a fouillé, pour les découvrir, les commentateurs de Virgile et les anciens mythologues, de même qu'il a recouru aux traités latins qui décrivent les monuments de Rome ou les Sept merveilles du monde pour bâtir le Capitole de Carthage, édifice si sonore qu'on n'y pouvait parler sans être entendu de toute la terre; ou le tombeau de Camille : ce tombeau prodigieux, qui repose sur une colonne unique, est fait d'étages qui débordent les uns sur les autres et qui s'évasent; des lampes inextinguibles y brûlent; des automates s'y meuvent et semblent vivre; un miroir magique le surmonte, qui se tourne de lui-même vers toute région où menace une révolte contre Rome, et qui reflète, de si loin qu'elles viennent, les armées des rebelles. Notre poëte suit encore, il va sans dire, son maître, l'auteur du *Roman de Thèbes*, en ce qu'il recherche avec la même prédilection les scènes d'amour. Il a largement amplifié l'histoire de Didon, et tandis que Virgile se contente d'annoncer le mariage d'Énée avec Lavinie, il n'a pas manqué de composer à ce sujet un épisode de seize cents vers. Son originalité, dans ces « farcissures », consiste à associer ingénieusement Ovide à Virgile. Avant lui déjà, l'auteur du petit poème de *Piramus et Tisbé* avait introduit Ovide dans les cercles courtois, bientôt suivi par les auteurs du poème de *Philomena* et du poème de *Narcissus* : il n'y eut pas au XIIe siècle un classique plus lu, plus admiré, plus imité, en latin et en français, que l'auteur de l'*Art d'aimer*, des *Remèdes d'Amour*, des *Métamorphoses*, des *Héroïdes*. Mais le poète d'*Eneas* l'a exploité avec une ingéniosité supérieure, et sa manière large, aisée, abondante, s'imposa. Il devint en quelque sorte le législateur d'un genre nouveau : désormais, dans tous les romans courtois, il sera de règle que les amants, inspirés par Ovide et par lui, décrivent, en de longs monologues intimes, leurs sentiments, débattent des problèmes de casuistique amoureuse, et, travaillés par l'insomnie et la fièvre, discourent sur le dieu d'Amour, sur la douceur ou sur la cruauté de ses lois, sur ses flèches d'or qui font aimer, sur ses flèches de plomb qui font haïr.

Vers 1165, Benoît de Sainte-Maure composa son *Roman de Troie*. Il utilisait le *De excidio Trojae*, attribué à un Phrygien, le pseudo-Darès, puis (à partir du vers 24 425) l'*Ephemeris belli Trojani* attribuée à un Crétois, le pseudo-Dictys : le Phrygien et le Crétois étaient censés avoir vu de leurs yeux les événements, l'un comme assiégé, l'autre comme assiégeant. Ces guides n'offraient à Benoît de Sainte-Maure qu'une courte et sèche narration : il l'a développée en 30 000 octosyllabes. Son ouvrage n'est d'ailleurs qu'une coulée de plus dans un moule déjà tout façonné, celui qu'avaient construit les auteurs des

LE ROMAN DE TROIE. Hector, blessé au visage, est soigné dans une chambre d'albâtre, dite la « chambre de beautés », que parent quatre statues animées et enchantées. Andromaque le maintient assis, tandis qu'un médecin le panse. Au pied de son lit, sa sœur Polyxène et dame Hélène : « Assez en ont souvent parlé — Laquel en tienent a plus bele — Ou dame Heleine ou la pucele ». (B. N., ms. franç. 301). — CL. LAROUSSE.

romans de *Thèbes* et d'*Eneas*. C'est à leur exemple qu'il multiplie les épisodes galants : amours de Jason et de Médée, de Diomède et de Briséis, d'Achille et de Polyxène; à leur exemple aussi qu'il emprunte à toutes sortes de livres des ingrédients pour ses descriptions. Il rêvait, il nous l'a confié quelque part, d'écrire un jour une *Image du monde* en vers, où il eût dénombré toutes les curiosités de la terre. En attendant, il a déversé dans son roman une masse de renseignements géographiques, zoologiques, cosmologiques, minéralogiques, ethnographiques. On s'étonne que cette ivresse d'érudition fermente dans l'esprit de romanciers qui visent des publics mondains : et pourtant l'infusion violente du savoir clérical dans la littérature courtoise est l'un des traits constitutifs de cette littérature.

Par la place qu'ils avaient ménagée au merveilleux, par l'insertion qu'ils avaient faite de l'histoire d'amour dans la trame de l'aventure chevaleresque, les romans imités de l'Antiquité avaient établi une formule d'art nouvelle : c'est cette formule qu'appliqueront un grand nombre de trouvères, et, en premier lieu, ceux qui mettront en œuvre la « matière de Bretagne ».

LES ROMANS BRETONS

Les poèmes où cette matière a été traitée sont tantôt des romans assez amples, tantôt des compositions plus brèves, qu'on appelle des lais. Les romans communément qualifiés de bretons sont consacrés, les uns au roi Arthur et aux chevaliers de sa cour (on les dénomme romans arthuriens ou romans de la Table ronde), les autres à la légende de Tristan et Iseut. Les plus anciens des romans arthuriens que nous possédions sont dus à Chrétien de Troyes.

CHRÉTIEN DE TROYES ET LES ROMANS ARTHURIENS

Le poème de Philomena *excepté (p. p. C. De Boer, 1909), ainsi que celui de* Perceval *(dont il ne sera question que dans la seconde partie de cette étude), tous les romans de Chrétien, y compris celui de* Guillaume d'Angleterre, *dont l'attribution n'est pas certaine, ont été publiés par W. Foerster, Halle, 4 vol., 1884-1899 (editio minor dans la* Romanische Bibliothek, *t. I, V, XII, XX et XXI) et par A. Hilka (5ᵉ volume de la même série), 1932.*

*L'*Historia regum Britanniæ *a été publiée par San Marte (Halle, 1854), et par E. Faral, la* Légende arthurienne, *1929.*

Voir les Mabinogion *traduits par J. Loth, 2ᵉ édit., 1913 ; — J. D. Bruce,* the Evolution of Arthurian romance, *1923; — E. K. Chambers,* Arthur of Britain, *1927 ; — E. Faral, la* Légende arthurienne, *3 vol., 1929. — Sur Chrétien de Troyes, voir G. Paris,* Mélanges de littérature française, *1910, p. 224, et G. Cohen,* Chrétien de Troyes, *1932.*

LE ROMAN DE TROIE. Pâris et Hélène font leur entrée à Troie (B. N., ms. franç. 301). — CL. LAROUSSE.

On sait fort peu de chose, pour ne pas dire rien, sur la vie de Chrétien. Selon toute apparence, il était né à Troyes et il avait reçu l'instruction minutieuse des clercs de son temps. Il voyagea, vit probablement l'Angleterre, et fréquenta les cours de Champagne et de Flandres. Il dut commencer à écrire aux alentours de l'an 1160. C'est en ces quelques faits, qui ne sont pas tous assurés, que tient toute notre information sur son compte.

Les premiers ouvrages qu'il composa sont aujourd'hui perdus; mais nous savons que c'étaient des imitations de poèmes antiques : un *Mors de l'épaule*, où devait être racontée, d'après Ovide, l'histoire de Pélops; un *Art d'amour*, également inspiré d'Ovide; et peut-être aussi, sous le titre *les Commandements d'Ovide*, une adaptation des *Remedia Amoris*. De cette période des débuts, un seul ouvrage nous a été conservé : c'est, sous le titre de *Philomena*, l'histoire de Procné et Philomèle, traitée d'après les *Métamorphoses*.

Ainsi, les premières manifestations littéraires de Chrétien sont un hommage à la mode littéraire inaugurée par les romans imités de l'antiquité; et c'est à l'école de l'antiquité, spécialement à l'école d'Ovide, qu'il s'est composé la manière qui le rendra célèbre.

Mais il lui parut d'assez bonne heure que les sujets empruntés aux Anciens avaient été trop rebattus pour ne pas lasser le public, et il se mit à la recherche de thèmes plus neufs. Dès les environs de l'année 1165, il composait un poème sur le roi Marc et Iseut la Blonde. Ce poème est aujourd'hui perdu et on ignore s'il avait retracé tout au long les aventures des amants de Cornouaille ou traité seulement quelque épisode de leur légende. Quoi qu'il en soit, ce fut son premier emprunt à la « matière de Bretagne » et une orientation toute nouvelle de son génie. Désormais il avait trouvé sa voie. Exception faite du roman de *Guillaume d'Angleterre*, qu'on lui a attribué sans raisons décisives et dont le thème central a été emprunté à la légende de saint Eustache, exception faite aussi de certains épisodes de *Cligès*, venus de la tradition gréco-latine, tout le reste de son œuvre ne comprend que des romans « bretons » : *Erec, Lancelot, Yvain, Perceval*.

C'est une question de savoir ce que représentait au juste l'initiative de Chrétien et ce qu'était la « matière de Bretagne » lorsqu'il commença à s'y appliquer. Ce problème n'est pas autre chose que celui de l'origine des « romans bretons », problème important, complexe, et qui a reçu des solutions diverses.

La plus naturelle consiste à considérer les romans bretons composés en France comme des dérivés de modèles celtiques : cette solution a longtemps prévalu. Mais, pour raisonnable qu'elle paraisse, elle ne rencontre pas dans les faits la confirmation nécessaire : les littératures celtiques (galloise et irlandaise) ne fournissent aucun de ces prétendus modèles qui auraient servi aux romanciers français. S'il est certain qu'il existe une relation de parenté entre les romans de Chrétien de Troyes et ces contes gallois qu'on appelle des *mabinogion*, entre *Erec* et *Geraint*,

UN CHEVALIER. Bronze; art français du XIIIe siècle (Musée National de Florence). — CL. ALINARI.

entre *Yvain* et *Owen*, entre *Perceval* et *Peredur*, il est aujourd'hui avéré que les imitations ne sont pas du côté français, mais du côté gallois, et que les *mabinogion, Geraint, Owen, Peredur*, ne sont que des refaçons et des malfaçons des romans de Chrétien, d'*Erec*, d'*Yvain*, de *Perceval*. On peut donc imaginer à son aise l'existence de poèmes celtiques qui auraient été la source des romans français; mais le fait est que nous ne connaissons absolument rien de ces poèmes hypothétiques, que rien n'en subsiste, et que nul auteur n'en fait mention; en sorte qu'on se demande s'il en a jamais existé un seul.

Au moment où Chrétien de Troyes composait le premier de ses romans arthuriens, que trouvait-il donc devant lui? A-t-il eu, dans ce genre, des prédécesseurs? Il en a eu au moins un et nous le nommerons. Mais ce n'était pas un romancier : il est impossible, avant que paraisse cet auteur, de citer aucun roman arthurien, ou celtique, ou français. Sans doute, les lais de Marie de France, brodés sur des lais bretons, font-ils supposer l'existence de certains thèmes poétiques originaires de Bretagne; mais ce ne sont pas des romans arthuriens. Sans doute aussi, certains indices ont-ils pu faire croire qu'il a existé avant lui de tels romans, aujourd'hui perdus. Le poème d'*Erec* est ordinairement daté de l'année 1168 environ : pour preuve que l'épopée arthurienne s'était, dès avant cette date, largement répandue, on a pu alléguer que des personnages de ce cycle ont été représentés sur le portail nord de la cathédrale de Modène (Ider, Guenloie, Mardoc, Caradoc, le sénéchal Kai). On a pu aussi alléguer que certains noms du cycle arthurien ont été portés de très bonne heure en Italie par diverses personnes, sous l'influence manifeste d'une mode littéraire et par l'effet d'un parrainage qui, en tout temps, a été le privilège des héros de

romans en vogue aussi bien que celui des hommes illustres. Mais ni l'un ni l'autre de ces deux arguments ne force la conviction. La date où ont été exécutées les figures de la cathédrale de Modène est mal définie, et si certains archéologues la reculent jusqu'à l'année 1130, il est infiniment plus probable qu'il faut l'avancer jusqu'à l'année 1180. Quant aux noms de personnes, s'il est bien vrai qu'avant l'année 1175 on rencontre des *Artus* et des *Galvanus*, il n'est pas du tout assuré qu'il faille y reconnaître une influence de la littérature : le nom d'Artus, répandu parmi les Bretons armoricains, a pu être introduit en Italie par tels ou tels d'entre eux, venus en ce pays à la suite de Tancrède, et le nom de Galvanus, qu'on trouve aussi sous les formes variées de *Galgano, Gualguano*, ne saurait être identifié de façon certaine, au moins dans les textes les plus anciens, avec le nom breton de Gauvain (*Galvaginus* sur le portail de Modène).

A qui ne tient compte que des textes conservés et de ceux dont l'existence est dûment attestée, il ne se présente qu'un seul auteur qui, avant Chrétien, ait traité de la légende arthurienne, un auteur dont le rôle paraît avoir été capital dans l'élaboration et peut-être dans la création de cette légende. C'était un clerc, pourvu d'une lecture abondante et doué d'une imagination avide de merveilleux, qui, en 1135, dédia une *Historia regum Britanniae* à Robert, duc de Gloucester. Il se nommait Gaufrei, était né à Monmouth, et mourut en 1154, évêque de Saint-Asaph.

Les plus anciens monuments littéraires que nous possédions aujourd'hui touchant l'histoire de la nation bretonne sont le *De excidio Britanniae* de Gildas (vers 540), l'*Historia ecclesiastica gentis Anglorum* de Bède (vers 730), et l'*Historia Britonum* de Nennius (976). Le propos déclaré de Gaufrei de Monmouth était de compléter l'information de Gildas et de Bède sur la période antérieure à l'ère chrétienne et, postérieurement à cette date, sur les exploits d'Arthur et de ses compagnons. Il raconte donc comment Brutus, fils d'Ascagne, petit-fils d'Énée, fonda l'empire breton, dont l'histoire se rattache ainsi à celle de Troie; puis, descendant le cours des temps, il établit dans le détail la généalogie des princes de Bretagne et raconte les événements de leurs règnes jusqu'au moment où les Saxons établirent leur domination sur le pays.

En ce récit rapide et bref, il a réservé une place relativement très large à l'énumération des prophéties de Merlin, ainsi qu'à l'histoire d'Arthur, de sa naissance merveilleuse, de ses vaillantes actions, consacrant à ce double sujet cinq livres sur douze (du septième au onzième), cinq livres où nous trouvons pour la première fois, et presque au complet, les éléments des fictions ultérieures. Or, au dire de Gaufrei, l'ouvrage serait la traduction de livres bretons : mais, en réalité, il a été forgé de toutes pièces par Gaufrei lui-même; et cette relation fabuleuse, dépourvue de tout caractère populaire et national, est la création artificielle et fantaisiste d'un lettré, qui y a réuni des éléments bigarrés et disparates, quelques-uns de provenance celtique, beaucoup de provenance gréco-latine.

Elle se propagea avec rapidité, et, dès 1155, elle était traduite en français par Wace. Elle exerça une influence considérable sur notre littérature, et c'est d'elle que procèdent la plupart des romans dits bretons. Dans la mesure où ceux-ci doivent quelque chose à une autre source que la seule imagination de leurs auteurs, ce n'est pas à des poèmes celtiques qu'ils se rattachent : c'est à une œuvre de clerc, à une sorte de mystification littéraire, par laquelle Gaufrei a « lancé » la poésie bretonne, un peu comme, huit siècles après, Macpherson devait lancer l'ossianisme. D'ailleurs, dépassant bientôt leur modèle, les poètes français ne se firent pas faute d'inventer à leur tour, ainsi que Gaufrei leur en avait donné l'exemple. Un lettré d'Angleterre avait montré comment on crée, et les romans dits bretons ont pu fleurir en France sans que la Bretagne ait

C. Martin, l'Art roman en Italie. — Édit. Albert Morancé.

Portail nord de la cathédrale de Modène, consacré au roi Arthur et a ses chevaliers (seconde moitié du XIIe siècle).

Au milieu d'une enceinte fortifiée, s'élève un donjon carré. Deux personnages se tiennent aux créneaux, Mardoc et Winlogee (Guenloie dans les romans français). Vers le château qu'ils veulent prendre, chevauchent, à gauche, Artus de Bretania, Isdernus (Ider) et un troisième assaillant; à droite, Galvagin (Gauvain), Galvarium (chevalier non identifié) et Che (le sénéchal Kai).

D'une des portes du château sort un nain armé d'une hache, Durmaltus; de l'autre, à cheval et la lance en arrêt, le seigneur de la forteresse, Caradoc. — Le linteau est consacré à messire Renart : deux coqs le portent en terre; mais il ressuscite et emporte un des coqs dans sa gueule. (Voir Émile Male, l'Art religieux du XIIe siècle, 1923, p. 269.)

jamais possédé de romans nationaux. Quand nous en parlons, il faut bien savoir qu'ils ne sont bretons que par le lieu de la scène et par le nom des personnages, bretons par l'effet d'une couleur artificiellement obtenue, comme les *Natchez* sont un roman des Florides, comme le *Roman de la momie* est un roman d'Égypte.

Les romans de Chrétien de Troyes, les plus anciens que nous ayons conservés et peut-être les premiers qui aient existé de ce genre, justifient déjà ces observations. Chrétien avait pratiqué le roman antique : c'est par une transition qui devait être féconde en conséquences, mais qui fut d'abord presque insensible, qu'il passa à des poèmes d'une nouvelle sorte. Durant toute sa carrière poétique et à quelques détails près, il resta fidèle à sa conception initiale, qui était celle de Benoît de Sainte-Maure, celle des auteurs de *Thèbes* et d'*Eneas* : une belle histoire de chevalerie et d'amour, riche en traits merveilleux, et ornée des plus belles fleurs de rhétorique. Mais, par rapport aux poèmes imités des Anciens, la série de ses romans, inaugurée par *Erec*, offre deux particularités : un merveilleux d'un ton nouveau et une étude complaisante des problèmes psychologiques et moraux relatifs à l'amour. Déjà dans les romans antiques le merveilleux abondait; mais il visait à l'éblouissement des yeux : Chrétien, sans renoncer à cette ressource, lui a préféré les effets poétiques qu'engendre le sentiment du mystère, et ce sont les mêmes effets que, par les mêmes procédés, rechercheront après lui tous les auteurs de romans arthuriens. De même, l'étude des sentiments amoureux était aussi un des éléments du roman antique, où il avait été introduit sous l'influence des ouvrages d'Ovide; mais Chrétien a eu le mérite, malgré trop d'indulgence pour les formules conventionnelles, d'y faire une place plus large que ses prédécesseurs aux mœurs de son temps, et d'avoir su exprimer les préoccupations vivantes de la société mondaine où il a vécu.

Déjà dans le roman d'*Erec*, qui fut écrit vers 1168, les principales lignes de sa manière sont arrêtées. Dans cette histoire d'un chevalier qui conquiert sa femme par sa prouesse et se met ensuite à courir en sa compagnie toutes sortes d'aventures, l'élément merveilleux se mêle aux descriptions d'objets rares et magnifiques, aux récits de combats qui mettent aux prises des chevaliers mystérieux, aux épisodes étranges, comme celui de la « Joie de la Cour », où l'on voit Érec forcer l'entrée d'un verger merveilleux, enclos d'une infranchissable muraille d'air, y combattre un chevalier, retenu là par un enchantement,

le vaincre et, à la joie de tous, relever le vaincu d'un serment qu'il avait fait à sa dame : car il lui avait juré de rester enfermé tant qu'il n'aurait pas été abattu. L'intérêt psychologique du roman réside, d'une part, en la position d'un problème qui passionnait alors les cours de dames : savoir si le chevalier parfait se devait davantage aux armes ou à l'amour; d'autre part, dans la série des épreuves imposées par Érec à Énide pour sonder les véritables sentiments qu'elle lui porte : il les connaîtra quand il verra que, s'il lui a enjoint de garder un silence absolu tout au long de leurs communes aventures, elle ne pourra s'empêcher de transgresser son ordre toutes les fois qu'un danger nouveau menacera son époux.

Erec est une œuvre dont on aperçoit bien les intentions, mais où les différents thèmes, insuffisamment dégagés, n'ont pas été très heureusement associés. Le roman de *Cligès*, écrit vers 1170, est d'une conception plus nette. Il comprend deux parties : la première raconte comment un jeune prince de Constantinople, Alexandre, venu à la cour d'Arthur de Bretagne pour y faire ses premières armes, s'y illustre et épouse la belle Soredamors, nièce du roi; la seconde raconte les amours de Cligès, né de ce mariage, et de Fénice, fille de l'empereur d'Allemagne. Fénice a été donnée comme femme à Alis, empereur de Constantinople, mais elle s'est éprise de Cligès. Pour ne rien faire contre son cœur, elle verse à son époux un breuvage par l'effet duquel il s'endort toutes les nuits avec l'illusion, mais seulement l'illusion, d'user de ses droits d'époux. Cligès, de son côté, aime Fénice, sans l'avoir jamais laissé paraître. Au retour d'un voyage à la cour du roi Arthur, il se découvre à elle et apprend par quel stratagème elle a su se conserver à lui. Grâce à une nouvelle ruse (Fénice feint d'être morte et on l'emporte dans un cercueil hors du palais), les deux amants se trouvent réunis, d'abord secrètement, puis, à la mort d'Alis qui ne tarde guère, au grand jour, en époux légitimes.

Beaucoup des éléments de cette curieuse histoire ne sont pas originaux. Tout comme celui d'*Erec*, le poème doit beaucoup aux romans antiques, notamment à l'*Eneas*. Sans parler des procédés de composition, de développement et de style, qui sont directement hérités des romans de ce genre, quelques-uns des thèmes principaux (celui du philtre, celui de la mort simulée) ne sont pas de l'invention de Chrétien et se trouvaient, pour ainsi dire, dans le domaine public. Mais l'apport personnel du poète n'en est pas moins considérable. Il a déployé dans son œuvre une grande finesse d'observation; et ce sont, par exemple, des scènes très charmantes, malgré bien des mièvreries, que celles où Cligès et Fénice découvrent la première palpitation de leur amour, s'en inquiètent, s'éprouvent l'un l'autre en des entretiens prudents, craignent, hésitent, se troublent, espèrent et désespèrent, avant d'en venir au premier aveu. L'originalité du roman résulte surtout d'une thèse morale. Par des allusions assez nombreuses, par la reprise de certains thèmes, par la conduite générale du récit, le roman de *Cligès* rappelle celui de *Tristan*. Mais il le rappelle systématiquement, par des effets de contraste. Si certaines situations de *Cligès* sont parallèles à celles de *Tristan*, l'esprit qui les domine est tout à fait différent. Iseut se partage entre son époux et son amant : le thème essentiel de *Cligès* est la fidélité absolue de Fénice à celui qu'elle aime, auquel elle se réserve et dont elle deviendra l'épouse. *Cligès* est, comme on l'a dit, une sorte d'*Anti-Tristan*.

Le roman de *Lancelot*, ou du *Chevalier à la Charrette*, a été composé vers 1172. Le sujet en avait été indiqué au poète, ainsi que le « sen », c'est-à-dire l'esprit dans lequel il devait être traité, par la comtesse Marie de Champagne, et l'œuvre tient de cette circonstance une part de son prix. Elle repose sur un principe cher entre tous aux femmes, dans les cercles courtois : il faut que l'amant

ÉREC A LA CHASSE (B. N., ms. franç. 24403). — CL. LAROUSSE.

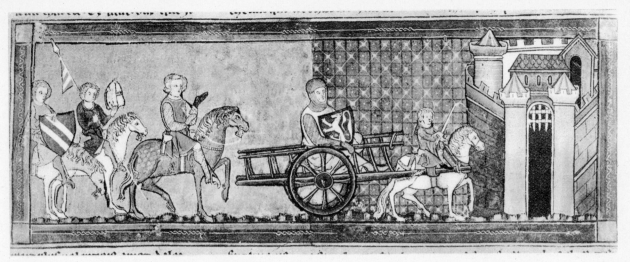

LANCELOT DANS LA CHARRETTE INFAMANTE (collection Yates Thompson; cf. Bibl. de l'Arsenal, 4º N. F. 18746). — CL. LAROUSSE.

parfait se place, à l'égard de sa dame, dans un état de sujétion absolue; il n'y a rien de lui-même dont il ne lui doive le sacrifice; pour l'amour d'elle, il est fermé à toutes les séductions, il fait bon marché de tous les périls, et il affronte d'un cœur léger, si elle le veut, jusqu'au déshonneur. Le bon plaisir de la dame est sa loi; il lui obéit aveuglément, quelque étrangement impérieuse qu'elle se fasse, — s'imposant au surplus la discrétion la plus rigoureuse, car le secret, en amour, est un devoir.

Guenièvre, femme d'Arthur, a été enlevée malgré elle par un chevalier inconnu. Lancelot, poussé par son amour, s'élance à la poursuite du ravisseur. Ayant perdu son destrier, il consent, faisant taire son orgueil, à monter sur une charrette, afin de ne pas ralentir sa course et malgré l'opprobre qui s'attache à une telle action. Fidèle sans l'ombre d'une défaillance, il résiste impassible à toutes les avances d'une jeune fille très belle qu'il a sauvée au péril de sa vie. Nul danger ne peut affaiblir sa volonté de sauver la reine : après avoir connu l'aventure du « Lit Périlleux », où une lance empennée de flammes a failli le transpercer, et bien d'autres encore, il risque la plus terrible de toutes, le passage du Pont de l'Épée, derrière lequel s'étend le « Pays d'où l'on ne revient pas », royaume de Baudemagu et de son fils Méléagant, le ravisseur de Guenièvre. Après avoir terrassé toutes sortes d'ennemis, il s'attaque au plus formidable d'entre eux, à Méléagant en personne : or il est fasciné par la vue de la reine qui vient de paraître à la fenêtre d'une tour, où on la retient prisonnière, au point qu'il oublie son adversaire, qui le presse de l'épée. Par sa prouesse, par ses vertus, il est parvenu enfin à retrouver, à rejoindre Guenièvre. Pourtant elle l'accueille avec hauteur, durement. De quoi lui en veut-elle? Serait-ce d'être monté, pour l'amour d'elle, sur la charrette infamante? Non, mais d'avoir hésité un instant avant d'y monter. Seule la fausse nouvelle de sa mort incline la reine à moins de rigueur et, par le regret de sa sévérité, l'achemine à l'abandon. Au reste, Lancelot n'est pas au terme de son servage, ni de ses épreuves. Quand il aura délivré Guenièvre de la prison où la tenait Méléagant, ce ne sera pas Lancelot, mais Gauvain qui aura l'honneur de la reconduire à la cour d'Arthur. Pour lui, il devra courir encore cent périls, et lorsque, sans avoir été

reconnu, il ralliera la cour, il lui faudra, toujours soumis avec la même docilité aux caprices de la reine, subir l'humiliation la plus cruelle pour un chevalier : au grand tournoi qui se livre, il devra se plier à l'ordre que lui donne Guenièvre de « faire au pis », c'est-à-dire de se comporter comme ferait un couard. C'est seulement au bout de trois jours que, sur un nouvel ordre, celui de « faire au mieux », il émerveillera l'assemblée par sa prodigieuse vaillance.

Ainsi s'affirme dans *Lancelot*, en un contrasté hardi avec la misogynie que respirent tant d'autres œuvres médiévales, une doctrine dont la conception et la formule sont le fruit des génies associés d'une grande dame et d'un bon poète, et qui propose comme idéal une sorte de dictature triomphante de la femme.

Ce roman, Chrétien, sans qu'on sache pourquoi, l'a laissé inachevé : la fin en a été écrite par Godefroy de Lagny. Très peu de temps après, vers 1173, Chrétien composait *Yvain*, ou le *Chevalier au Lion*. Yvain, ayant tué le chevalier préposé, dans la forêt de Brocéliande, à la

SCÈNES ROMANESQUES. Coffret d'ivoire; art français du XIVᵉ siècle (Musée National de Florence). — CL. ALINARI.

garde de la Fontaine Magique, épouse Laudine, veuve du vaincu. Il se met en quête de nouvelles aventures et, pour avoir laissé passer la date où il avait juré à sa femme de revenir, perd son amour; il le reconquiert par toute une série d'épreuves et d'exploits. *Yvain* passe pour le mieux réussi des romans de Chrétien. Il se développe, en effet, avec une harmonie de proportions qui manque aux œuvres antérieures du poète. L'action y est rapide, bien liée, émouvante. L'esprit n'y fait pas défaut, soit que l'auteur s'amuse à peindre la confusion des chevaliers de la Table ronde, qui ont trop peu estimé la vaillance d'Yvain, soit qu'il décrive les détours sentimentaux par lesquels Laudine passe de l'affliction où l'a plongée la mort de son premier mari à l'emportement d'un nouvel amour. Enfin, le merveilleux, un merveilleux puisé à des traditions de toutes provenances, mais dont les divers éléments ont été habilement fondus, donne à l'œuvre ce coloris étrange et cette saveur si particulière qui font le charme des romans bretons.

Chrétien de Troyes a obtenu parmi ses contemporains un immense succès : ses romans, très admirés en France, ont, dès le XIIIe siècle, trouvé des traducteurs dans tous les pays d'Europe. Ce fut une des plus brillantes figures littéraires de son temps. Il possédait de grands dons d'écrivain et, comme disait Huon de Meri, « il prenait le beau français tout à plein ». Son style n'est pas toujours exempt de banalité; et quand il subit l'influence de la rhétorique de l'école, il souffre d'une recherche qui va jusqu'à l'affectation. Mais il a aussi de l'aisance, et une grâce élégante. Comme conteur, Chrétien excelle à piquer la curiosité du lecteur, à la retenir, et jamais il ne la lasse. Sa manière a tellement plu que ses procédés de narrateur, notamment celui qui consiste à entrelacer les épisodes et à interrompre le développement de chacun d'eux juste au moment où on désire le plus en connaître la suite, sont devenus « de style », pendant trois siècles, dans les romans bretons. Quant à sa personnalité morale, elle n'est peut-être pas extrêmement puissante; son interprétation des thèmes manque de profondeur; sans descendre au fond des cœurs, négligeant la passion, il peint l'amour comme une simple occupation de l'esprit, assez froidement, sans chercher,

en tout cas sans réussir, à émouvoir : bref, il manque de cette sensibilité qui, dans les grands sujets, fait les grands poètes. Mais, à défaut de sensibilité, il a une imagination d'une rare originalité. Jusqu'à preuve que d'autres poètes l'ont précédé dans la composition de romans arthuriens, il sera permis de le considérer comme le créateur du genre, comme le premier inventeur de ce monde poétique où jouent des formes étranges, où l'obscur fascine l'esprit à l'égal de la lumière, où se poursuivent des destinées singulières et mystérieuses. D'autre part, il faut admirer les ressources de son ingéniosité et leur faire grâce lorsqu'elles tournent au précieux, dans les longs monologues où ses personnages dissertent et raisonnent avec une subtilité fatigante. Sa finesse, malgré son excès, fut de son temps le secret de son succès. Le même sens aiguisé qui le fait exceller dans certaines analyses psychologiques lui a permis de s'adapter avec souplesse aux goûts de son public. Il a répondu avec un rare bonheur aux souhaits de la société aristocratique pour laquelle il travaillait, décrivant ses fêtes, ses palais, ses parures, ses sentiments. C'est ainsi qu'il est devenu le peintre de l'amour courtois tel qu'on le concevait dans les cours élégantes, en particulier à la cour de Champagne.

THOMAS ET BÉROUL : LA LÉGENDE DE TRISTAN ET ISEUT

Le Roman de Tristan, *par Thomas, p. p. Joseph Bédier (S. A. T.), 2 vol., 1902-1905 (on n'a conservé de ce roman que des fragments, au total 3 144 vers, relatifs aux dernières péripéties du drame) ;* — le Roman de Tristan, *par Béroul, p. p. E. Muret (S. A. T.), 1903, réédité dans les* Classiques français du moyen âge, *1913, et 3e éd. 1928 (on ne possède plus du roman qu'un fragment d'environ 4 500 vers) ;* — les Deux Poèmes de la Folie Tristan, *p. p. Joseph Bédier (S. A. T.), 1907;* — *la* Folie Tristan de Berne *et la* Folie Tristan d'Oxford, *p. p. par E. Hoepffner, 1934 et 1938;* — le Roman en prose de Tristan, *analyse critique par E. Loeseth (Bibliothèque de l'École des Hautes Études), 1890.* — Cf. E. Vinaver, *Études sur le* Tristan en prose, *1925.*

Voir : *Joseph Bédier,* Introduction à l'édition du Tristan *de Thomas;* — *Joseph Loth,* Contribution à l'étude des Romans de la Table ronde, *1912;* — *Gertrud Schœpperle,* Tristan and Isolt, *2 vol., 1913;* — *Jakob Kelemina,* Geschichte der Tristansage, *1923.*

Comme la légende arthurienne, la légende de Tristan et Iseut appartient à la « matière de Bretagne »; comme la légende arthurienne, nous ne la connaissons que par des textes français. Ce sont : le poème du trouvère anglo-normand Thomas, composé entre 1155 et 1170; celui du trouvère normand Béroul, composé vers la fin du XIIe siècle; deux petits poèmes épisodiques de la *Folie Tristan*, écrits l'un vers 1170, l'autre au début du XIIIe siècle; le *lai du Chèvrefeuille* de Marie de France; enfin un vaste roman en prose, qui fut écrit vers l'an 1230. Toutes les versions dans les langues étrangères, le poème d'Eilhart d'Oberg, celui de Gottfried de Strasbourg, *Sir Tristrem*, etc., ne sont que des dérivés de l'un ou de l'autre de ces romans français.

Chacun le sait, c'est l'histoire de deux amants que toutes les lois humaines et divines devraient séparer, et qui, liés, ou se croyant liés par la puissance d'un philtre qu'ils ont bu par mégarde, s'aiment malgré toutes les épreuves, malgré la séparation, malgré leurs propres remords, tant qu'ils vivent.

LE ROMAN D'YVAIN. Yvain tue Escladot le Roux et rencontre Laudine; complaintes sur le corps d'Escladot (B. N., ms. franç. 1433). — CL. LAROUSSE.

TINTAGEL EN CORNOUAILLE (GRANDE-BRETAGNE). La légende place en ces lieux la naissance du roi Arthur et les amours de Tristan et Iseut. — CL. FRITH.

Le plus ancien poème parvenu jusqu'à nous où soit traité ce beau « conte d'amour et de mort » est celui de Thomas. D'autres poètes, ou tout au moins un autre, l'avaient traité avant lui. C'est ce que suffisent à prouver ses seules erreurs de goût. Thomas est un conteur qu'on écoute volontiers; et sa narration de la mort des amants, par exemple, est belle et pathétique. Mais, auteur mondain entiché de préciosité, il recherche des effets littéraires et donne à ses héros des attitudes qui jurent étrangement avec la rude simplicité impliquée par le thème. Tristan, l'amant farouche que la passion élève aux sublimes audaces, mais abaisse aussi jusqu'à le plier aux plus cruelles humiliations, perd, dans l'œuvre de Thomas, cette âpreté qui fait sa grandeur : il s'adoucit, s'affadit, et prend parfois la figure d'un beau seigneur de cour. Une telle conception de son rôle, si contraire au sens profond de la légende, ne peut être le fait que d'un remanieur.

C'est donc une légende déjà célèbre, que, selon toute apparence, Thomas racontait. Avant lui, elle a dû être traitée en un roman régulier, duquel dérivent, semble-t-il, tous les textes que nous avons conservés, et qui explique leurs éléments communs. Ce premier roman lui-même était aussi, très vraisemblablement, une œuvre de langue française. Il se peut, en effet, comme on l'a soutenu, que la légende de Tristan ait anciennement circulé chez les Pictes, qui l'auraient transmise aux Gallois; que les Gallois l'aient transmise aux Normands; et qu'ainsi elle ait vécu dans les littératures celtiques avant de passer dans la nôtre. Mais, si les Celtes lui ont peut-être consacré des lais, c'est-à-dire de petits poèmes lyriques plus ou moins nombreux, ils n'en ont certainement pas tiré le grand roman d'amour que supposent les textes conservés : tout ce qu'on sait des formes de leur poésie s'oppose à cette idée. Telle que nous la présentent les textes, la légende de Tristan n'est celtique qu'autant que peuvent la faire paraître telle un certain nombre d'éléments accessoires : quelques noms de personnages, ceux de Tristan, de Marc, de Brangien; le choix du théâtre de l'action, l'Irlande, la Cornouaille, Tintagel, Lantien; deux ou trois

traits de mœurs et deux ou trois épisodes secondaires. En revanche, par des éléments qui rappellent les légendes du Minotaure, de Jason, d'Apollonius, et d'autres encore, elle s'apparente à des traditions gréco-latines; et surtout, l'invention des thèmes essentiels, l'idée centrale d'une lutte douloureuse soutenue contre la loi sociale par une passion qui ne peut se vaincre, le sens des réalités psychologiques qui vit sous la fiction, l'art d'inventer et d'enchaîner les épisodes en vue d'une puissante impression d'ensemble, répondent à un état de civilisation et à une forme du goût littéraire qui n'ont pénétré en Angleterre qu'avec les conquérants normands. Aussi est-on incité à penser que c'est dans l'œuvre de trouvères anglo-normands, trouvères de langue française, que la légende de Tristan est née à la vie poétique, et par conséquent, c'est du génie français qu'elle a reçu la puissance dramatique qui l'impose encore à notre imagination.

Qui veut la retrouver dans sa véritable beauté et dans la plénitude, parfois sauvage et brutale, de sa force primitive, c'est le roman de Béroul qu'il doit lire, bien que Béroul soit postérieur à Thomas. On a ici affaire à une œuvre de jongleur, que révèlent comme telle les « recommencements » et les apostrophes au public, procédés familiers aux chanteurs de geste : elle est fort belle. Si l'on regrette çà et là quelques plaisanteries et traits comiques d'un effet fâcheux, on n'en est pas moins entraîné par la puissance émouvante d'une narration qui va droit à l'âme. On ne peut qu'admirer, dans cette œuvre exempte d'artifices littéraires, une intelligence merveilleusement pénétrante du cœur humain. Pour agencer les scènes où, réfugiés dans la forêt du Morois, les deux amants, d'abord insensibles à tout ce qui n'est pas leur passion, sont amenés peu à peu au regret, presque au repentir et à la séparation, il fallait un véritable génie poétique.

La vie qu'ils mènent dans la forêt est âpre et dure; mais l'épreuve leur est d'abord légère :

Aspre vie meinent et dure :
Tant s'entraiment de bone amor,
L'un por l'autre ne sent dolor.

Ils ne conçoivent pas que jamais leur amour puisse cesser. Un jour, par hasard, ils arrivent à la demeure de l'ermite Ogrin, et le vieillard les exhorte à reconnaître leur péché :

```
L'ermite Ogrins mot* les sarmone,      *beaucoup.
Du repentir consel lor done...
A Tristan dist par grant desroi* :      *en grand trouble.
« Que feras-tu ? Conselle toi.
— Sire, j'aim Yseut a mervelle,
Si que* n'en dor ne ne somelle.         *tant que.
Du tot an est li consel pris :
Mex aim o li estre mendis*              *avec elle vivre en mendiant.
Et vivre d'erbes et de glan
Qu'avoir le reigne au roi Otran... »
Iseut au pié l'ermite plore,
Mainte color mue* en poi d'ore,         *change souvent de couleur.
Mot li crie merci sovent :
« Sire, por Deu omnipotent,
Il ne m'aime pas, ne je lui,
Fors par un herbé dont je bui
Et il en but : ce fu pechiez.
Por ce nos a li rois chaciez. »
Li hermites tost li respont :
« Diva ! cil Dex qui fist le mont*,     *le monde.
Il vus donst voire repentance*!... »    *qu'il vous donne vrai repentir.
```

Ils retournent, indomptables, à leur forêt, où seule les travaille l'angoisse éprouvée par chacun d'eux. Ne se lassera-t-il pas ? ne se lassera-t-elle pas un jour ?

```
Seignors, mot fu el bois Tristrans,
Mot i out paines et ahans.
En un leu n'ose remanoir :
Dont* lieve au main ne gist au soir.    *là où.
Bien set li rois le fait querre
Et que li bans est en sa terre
Por lui prendre, quil troveroit*.        *si l'on pouvait le trouver.
Mot sont el bois del pain destroit* :    *privés.
De char vivent, el* ne menguent.         *autre chose.
Que puent il, se color muent ?
Lor dras ronpent*, rains les decirent.   *partent en loques.
Longuement par Morrois fuïrent.
Chascun d'eus soffre paine egal,
Car l'un por l'autre resent mal :
Grant poor a Yseut la gente
Tristran por lié ne se repente ;
Et a Tristran repoise* fort              *Tristan craint de son côté.
Que Yseut a por lui descort...
```

Mais ils se sentent harcelés, et, comme des bêtes traquées, ils prennent peur. Voici qu'au retour d'une chasse pénible, Tristan s'était étendu auprès d'Iseut sous une hutte de branchages ; ils dormaient :

```
Yseut fu premiere couchée ;
Tristran se couche et trait s'espée*,    *tire son épée.
Entre les deus chars l'a posée.
La roïne avoit en son doi
Un anel d'or del don le roi*             *donné par le roi.
```

O esmeraudes planteiz*.   *avec beaucoup d'émeraudes.
Mervelles fu li dois gresliz,
A poi que* li aneaus n'en chiet**.   *peu s'en faut. **ne tombe.

Averti par un forestier qui les a découverts, le roi Marc accourt, résolu à se venger ; puis, les voyant tous deux qui dorment, semblables à des innocents, et séparés par l'épée de Tristan, il se trouble, pris de pitié. Il s'attendrit à voir un rayon de soleil qui, traversant la hutte, brûle le visage amaigri d'Iseut :

```
Li rois a desliés les ganz,
Vit ensemble les deus dormanz,
Le rai* qui sor Yseut descent            *le rayon de soleil.
Covre des ganz mot bonement.
L'anel du doi de fors parut :
Souef* le traist**, qu'il ne se mut.     *doucement. **il le retire.
Primes i entra il enviz* :               *jadis l'anneau eut peine à entrer.
Or avoit tant les doiz gresliz
Qu'il s'en issi sanz force fere ;
Mot l'en sot bien li rois fors traire.
L'espée qui entre eus deus est
Souef oste, la soue i met*.              *il met la sienne à sa place.
De la loge s'en issi fors,
Vint au destrier, saut sor le dos...
```

Quand, à leur réveil, Tristan et Iseut trouvent entre eux deux l'épée du roi, ils sont pris d'épouvante : ils s'enfuient vers le pays de Galles, sans force et, pour la première fois, sans courage.

Or, selon cette version de Béroul, le philtre qu'avait préparé la mère d'Iseut devait conserver sa vertu pendant trois années, et les trois années étaient révolues : juste au terme, au lendemain de la Saint-Jean, Tristan éprouve la première atteinte du repentir, et l'idée lui vient qu'il pourrait peut-être obtenir pour Iseut son retour en grâce auprès du roi ; au même moment, les mêmes regrets assaillent Iseut, si bien que, lorsqu'il lui fait part de ses sentiments, il la trouve toute prête à les accueillir. Ils se ressouviennent de l'ermite, décident d'aller lui demander conseil. Le saint homme leur fait fête, leur promet de fléchir le roi, disant :

```
« Qant home et feme font pechié,
S'anz* se sont pris et sont quitié,      *si jamais.
Et s'ans vienent a penitance
Et aient bone repentance,
Dex lor pardone lor mesfait,
Tant ne seroit orible et lait*.          *si horrible et si laid soit-il.
Tristran, roïne, or escoutez
Un petitet, si m'entendez.
Por honte oster et mal covrir
Doit on un poi par bel mentir... »
```

Bientôt, grâce à son « bel mentir », et surtout grâce à la compassion du roi, Iseut reprendra sa place à la cour, tandis que Tristan partira pour une terre lointaine :

« Dex ! dist Tristrans, quel departie!... »

Il ne nous est parvenu du roman de Béroul qu'un court fragment : le reste est perdu et c'est une très grande perte.

MARIE DE FRANCE : LES LAIS

Poésies de Marie de France, p. p. Roquefort, 2 vol., 1820-1825 ; Die Lais der Marie de France, p. p. Karl Warnke (Bibliotheca normannica, t. III) 3e éd., 1925 ; Marie de France, les Lais, p. p. E. Hoepffner (Bibliotheca romanica), 1921 ; l'Espurgatoire saint Patriz, p. p. T. Atkinson Jenkins (Chicago, 1903). — Voir : Joseph Bédier, les Lais de Marie de France (Revue des Deux Mondes, 1891,

TRISTAN ET ISEUT (coffret d'ivoire du XIVe siècle). A gauche : le roi Marc, caché dans les branches d'un arbre, épie les amants ; son image se reflète dans une fontaine, naïvement indiquée au pied de l'arbre. A droite : le roi intercepte avec son gant le rayon de soleil qui trouble le sommeil d'Iseut. — CL. ARCH. PHOT.

t. 107); *Lucien Foulet*, Marie de France et les lais bretons (Zeitschrift für romanische Philologie, *t. XXIX, 1905, pp. 19 et 293*); *Ezio Levi*, Sulla cronologia delle opere di Maria di Francia (Nuovi Studi medievali, *1922*) *et E. Hoepffner, les Lais de Marie de France, 1935.* — Le Lai d'Ignaure, *de Renaud de Beaujeu, a été publié par Rita Lejeune, Bruxelles, 1938.*

La vie et l'œuvre de Marie de France sont enveloppées de beaucoup de mystère. Marie était née en Normandie; elle écrivit ses *Lais* et ses *Fables* en Angleterre; elle dédia ses *Lais* à un « noble rei », qui est probablement Henri au Court Mantel, et ses *Fables* à un « comte Willame » qui est peut-être Guillaume le Maréchal : tels sont les seuls faits certains ou probables de sa biographie. Même de sa condition on ne peut rien dire d'assuré; toutefois il est constant qu'elle avait beaucoup de culture. Elle savait le latin, ainsi que le prouvent ses allusions aux textes classiques, sa traduction du *Purgatoire de saint Patrice*, et aussi le dessein qu'elle avait un instant formé d'adapter quelque grande œuvre de l'antiquité classique; elle savait l'anglais, car elle a traduit de l'anglais son recueil de fables, l'*Isopet*; elle avait enfin une connaissance assez approfondie de la littérature française, surtout de la poésie courtoise.

Quelle est l'origine de ses lais? C'est une autre question obscure. On sait par divers témoignages qu'il a existé en Grande-Bretagne des compositions dénommées *lais*, que des jongleurs, bretons aussi, colportaient par leur pays et par la France, et qu'ils exécutaient en s'accompagnant d'une sorte de harpe, la *rote*. Mais,

MARIE DE FRANCE ÉCRIVANT (Bibliothèque de l'Arsenal, ms. 3142). — CL. LAROUSSE.

sauf qu'elles comportaient à la fois un élément littéraire (le *mot*) et un élément musical (la *note*), on n'a pas la moindre idée de ce qu'étaient ces œuvres. Une opinion généralement accréditée veut qu'elles aient fourni la matière de plusieurs traits légendaires insérés par Gaufrei de Monmouth dans son *Historia regum Britanniae*; elle veut aussi que ces lais aient été la source de nos plus anciens romans dits « bretons ». Marie de France déclare elle-même que c'est des lais bretons qu'elle a tiré la matière des siens. Mais quel rapport y a-t-il des uns aux autres? Quelles transformations Marie a-t-elle fait subir à ses modèles en les adaptant? C'est ce qui, en l'état actuel de notre information, ne peut être déterminé.

Une chose du moins semble sûre : Marie, qui écrivait au plus tôt vers 1175, a composé ses lais alors que la vogue des « romans bretons » était déjà un fait ancien. Elle est venue après Chrétien de Troyes, mais elle a moins de talent que lui. Les sujets de ses poèmes n'ont pas en eux-mêmes un grand intérêt dramatique. En voici quelques-uns. Une dame fait exposer l'une des deux filles jumelles qui lui naissent : elle est trop heureuse de la retrouver, plus tard, maîtresse du chevalier qui allait épouser la seconde sœur *(le Frêne)*. — Tristan, exilé, veut faire savoir à Iseut qu'il est dans son voisinage : il grave son nom sur une baguette de coudrier qu'il place sur son chemin, et Iseut comprend *(le Chèvrefeuille)*. — Un chevalier est aimé d'une fée : il perd son amour pour avoir été indiscret; pourtant la fée

le sauve des périls où il s'est précipité par fidélité à son amie *(Lanval)*. — Et voici encore le lai de *Guigemar*. Guigemar est un jeune chevalier du pays de Léon, qui dédaigne l'amour. Un jour qu'il chasse en forêt, il poursuit une biche blanche et la blesse; mais, par un enchantement, la flèche se retourne contre le chasseur, et le frappe à son tour. Et comme il gît sur l'herbe, la biche, qui est fée, jette sur lui ce sort : « Vassal, nul ne saura jamais te guérir, hormis, si tu peux la rencontrer, une femme qui souffrira pour toi et pour qui tu souffriras les pires douleurs. » Le blessé erre par la forêt, parvient au rivage de la mer. Il y trouve une barque d'ébène, qui semble abandonnée. Il s'y couche, épuisé, sur un lit d'ivoire, de cyprès et d'or, et la barque l'emporte. Elle le dépose sur une grève inconnue, au pied d'un donjon de marbre vert, où vit une recluse la jeune femme d'un vieillard jaloux. Celle-ci le recueille, le soigne, s'éprend de lui. Mais, comme ils savent qu'ils ne pourront longtemps tenir leurs amours secrètes, ils se lient l'un à l'autre par un pacte. La jeune femme fait un nœud au vêtement du chevalier, le chevalier ceint sa dame d'une ceinture; il jure de n'aimer jamais celle qui saura défaire ce nœud; elle jure de n'aimer jamais que celui qui saura détacher cette ceinture. Bientôt après, ils sont surpris et séparés. Les nœuds symboliques résistent, comme leur amour, à qui veut les défaire, jusqu'au jour où, après mille épreuves, se retrouvent les amants : « Or a trespassée lor peine. » — Les situations amoureuses, les éléments merveilleux impliqués dans ces thèmes n'ont pas de mérite intrinsèque; il fallait, pour les mettre en valeur, le talent d'un poète. Celui de Marie est modeste. Elle avait peu de personnalité et elle imitait trop docilement les maîtres. Elle retient pourtant notre curiosité. Dans sa façon grêle et frêle, il y a une tenue où la sécheresse n'est pas tellement éloignée de la sobriété, et la simplicité de l'élégance; et l'on considère avec intérêt l'effort de cet art élémentaire, de ce tempérament assez effacé, mais soutenu par une intention visiblement supérieure à l'exécution, par un zèle littéraire touchant, et par un goût de la clarté qui supplée à l'éclat du talent.

On possède de Marie de France une douzaine de lais. Un certain nombre d'autres sont anonymes, dont quelques-uns sont pleins d'un véritable charme, comme *Guingamor*. On doit citer à part — c'est plutôt un fabliau — le petit poème de Robert Biket intitulé le *Lai du Cor*, fondé sur le thème de la vertu magique d'une corne à boire, où seuls peuvent s'abreuver les maris dont les femmes sont fidèles; et aussi le très curieux *Lai d'Ignaure*, composé par Renaud de Beaujeu, l'auteur du *Bel Inconnu*, que nous rencontrerons encore un peu plus loin.

LES ROMANS GRECS ET BYZANTINS

Athis et Prophilias, *p. p. A. Hilka, 1912-1916;* Partenopeu de Blois, *p. p. Crapelet, 2 vol., 1834;* Ipomedon, *p. p. Koelbing et Koschwitz, Breslau, 1889;* Cléomadès, *p. p. A. Van Hasselt, Bruxelles, 1866;* Protesilaus, *p. p. F. Kluckow, t. I, 1924;* Florimont, *p. p. A. Hilka, 1933.*

LA STATUE DE JUSTINIEN, A CONSTANTINOPLE (B. N., ms. franç. 2810). — CL. LAROUSSE.

Gautier d'Arras : Œuvres, *p. p. Loeseth, 1890 ;* Ille et Galeron *a été aussi publié par W. Foerster* (Romanische Bibliothek, VII), *1891. Au sujet d'*Eracle, *voir E. Faral, dans la* Romania, *t. XLVI, 1920, p. 512.*

Sous le titre de romans grecs et byzantins on a coutume de ranger des poèmes français qui, par des intermédiaires latins, se rattachent à la tradition hellénique ou néo-hellénique. Pour les uns, l'histoire de cette filiation peut être faite au moyen de textes qui nous sont parvenus : c'est le cas du roman d'*Apollonius de Tyr* (dont la forme versifiée est perdue), de plusieurs Vies de saints qui sont de véritables romans (telles les Vies de saint Georges, de saint Grégoire, de sainte Marie l'Égyptienne, etc.), et du roman des *Sept Sages*. Pour les autres, nous ne possédons plus aujourd'hui les sources grecques d'où ils dérivent, ni les intermédiaires latins qu'ils ont utilisés; mais on n'en considère pas moins comme certaine leur provenance hellénique, plus ou moins directe : c'est le cas des romans de *Cligès* (par Chrétien de Troyes), d'*Athis et Prophilias* (par Alexandre), de *Partenopeu*, d'*Ipomedon*, de *Protesilaus* (par Huon de Rotelande), de *Cléomadès* (par Adenet le Roi), de *Florimont* (par Aimon de Varenne).

Parmi les poètes qui ont composé des romans de cette catégorie, un des plus anciens, un des plus remarquables, est Gautier d'Arras. Il a commencé à écrire son *Eracle* pour Thibaut V de Blois et sa femme Marie de Champagne, et l'a terminé, vers 1165, pour Baudouin IV de Hainaut.

Ce poème peut se diviser en deux parties. La première raconte la vie d'Éracle avant son accession à l'empire. Fils d'un noble Romain, ce personnage avait acquis, par l'effet d'une grâce céleste, le triple don de discerner infailliblement les mérites des pierres précieuses, des chevaux et des femmes. A la mort de son père, Cassine, sa mère, pour sauver son âme, vend tous ses biens au profit des pauvres, puis le seul bien qui lui reste, son propre fils. Celui-ci est acheté par le sénéchal de l'empereur, qui veut éprouver s'il est aussi habile devin qu'on le prétend. Mis à l'épreuve, Éracle achète une pierre, vile en apparence; mais bientôt il est reconnu qu'elle protège contre l'eau, le feu et le fer; puis il achète un poulain de pauvre mine, mais qui bientôt bat à la course les meilleurs chevaux; et quand l'empereur veut se marier, il choisit pour lui une jeune fille d'humble condition,

Athénaïs, mais qui bientôt se montre la plus digne des épouses. L'empereur part à la guerre. Malgré les conseils d'Éracle, il fait, par jalousie, enfermer sa femme dans une tour : blessée dans sa dignité, elle se venge. L'empereur, qui a surpris son rival, décide d'abord de châtier les coupables ; puis, toujours selon les avis d'Éracle, il leur fait grâce et même les marie.

C'est alors que commence la seconde partie du roman, qui tourne au roman héroïque : on y apprend comment Éracle est élu empereur de Constantinople et comment, après que le roi de Perse, Cosdroé, a enlevé la Sainte Croix de Jérusalem, il la reconquiert et la replace au Saint Sépulcre.

Cette deuxième partie d'*Eracle* est la légende de l'exaltation de la Croix, telle qu'un texte liturgique très répandu depuis le Xe siècle l'offrait au poète : elle n'est pas la plus intéressante, bien que Gautier ait peut-être entrepris son ouvrage en vue de mettre cette légende en lumière et en honneur.

La première, qu'on peut intituler les « enfances » d'Éracle, traite un thème dont on retrouve les origines en Orient et qui, au XIIe siècle, semble avoir été incorporé dans certaines légendes romaines : c'est là que l'auteur fait paraître ses dons les plus originaux. Il sait observer et il excelle, en particulier, à peindre la vie familière et populaire. A cet égard, plusieurs pages de son roman sont charmantes, telle, par exemple, la scène où Éracle achète le poulain, et qui n'est pas moins fine, ni moins spirituelle que le marchandage célèbre des moutons de Dindenault par Panurge. « Preudom, dit Éracle, s'adressant à un marchand de chevaux,

« Preudom, fait il, ça entendez :	
Cest vostre poulain me vendez.	
— Valez, par foi, mout volentiers;	
Mais il vous iert*, espoir**, trop chiers.	*sera. **peut-être.
— Trop chiers ? fait il, vaut il cent mars ?	
— Amis, nenil; mieuz fust il ars*	*brûlé.
Que il vous fust sourapelez*.	*surfait.
Jel vous vendrai, se vous volez,	
Com a voisin et a ami :	
Deus mars en donrez et demi,	
S'avoir en voulez le saisine*,	*la propriété.
Mais jel vous vendrai en plevine*.	*à crédit.
— Preudom, je voi a vostre dit	
Que vos le conissiez petit,	
Ne que vous veez qui jou sui,	
Ne savez vous qu'il a en lui.	
— Tant je sai bien, fait li vilains,	
Que quatre denz tient li poulains;	
Mais il n'a un seul plus isnel*	*rapide.
De touz ceus qui sont el prael.	
Del pris qu'il est, çou sai je bien.	
Mais cist marchiez ne monte rien* :	* ne vaut rien...
Trop estes juenes, çou m'est vis,	
Pour tant acheter sanz amis... »	

Gautier d'Arras ne semble pas avoir été célèbre de son vivant; auprès de la postérité, sa réputation n'est pas grande. Il était le contemporain de Chrétien de Troyes : on a supposé, en se fondant sur certains épisodes d'*Eracle* où la peinture de l'amour tient une large place, qu'il a dû exercer de l'influence sur la formation de ce poète.

C'est une gloire hypothétique, et il est plus probable que Gautier s'est contenté de suivre une mode déjà lancée par d'autres. Ce fut, d'ailleurs, à son détriment : son génie naturel ne le poussait pas vers le goût courtois, auquel il

TRIPOLI DE SYRIE. Le château vers lequel cingla Jaufré Rudel, prince de Blaye, en quête de « l'amour lointaine ». — CL. ENLART.

a cru devoir sacrifier dans *Eracle* et aussi dans le roman « breton » d'*Ille et Galeron*, qu'il composa un peu plus tard, vers 1167, et dont le sujet, voisin de celui d'*Eliduc*, lai de Marie de France, a été traité par lui de façon assez froide. Mieux eût valu qu'il suivît la pente de son goût personnel, qui le portait vers le réalisme.

On ne le lit plus guère : on se montre rétif devant l'effort qu'il impose, devant son langage plein et vigoureux, mais un peu dur et difficile.

V. — LA POÉSIE LYRIQUE

I. POÉSIE PROVENÇALE. — *Alfred Jeanroy*, Bibliographie sommaire des chansonniers provençaux (*dans la collection des* Classiques français du moyen âge), *1916, et la Poésie lyrique des troubadours, 2 vol., 1934 ; Clovis Brunel*, Bibliographie des manuscrits littéraires en ancien provençal, *1935*.

Jean Beck, Corpus cantilenarum medii aevi, *t. I et II, 1928*.

Les recueils les plus amples sont celui de Raynouard, Choix des poésies originales des troubadours, *6 vol., 1816-1821, et ceux de F. Mahn*, Werke der Troubadours, *4 vol., Berlin, 1846-1853 ;* Gedichte der Troubadours, *4 vol., Berlin, 1856-1873*.

A. Restori, Letteratura provenzale, *Milan, 1891 ; Joseph Anglade*, les Troubadours, *1908, et* Histoire sommaire de la littérature méridionale au moyen âge, *1921*.

(*On prendra garde que nous ne parlerons ici de la poésie provençale que dans la mesure où elle intéresse directement notre propos, et que ce. n'est pas sur ce que nous en dirons qu'il conviendra de se faire une idée de sa variété et de ses mérites.*)

II. POÉSIE DU NORD DE LA FRANCE. — *Gaston Raynaud*, Bibliographie des chansonniers français des XIIIe et XIVe siècles, *2 vol., 1884 ; A. Jeanroy*, Bibliographie sommaire des chansonniers français du moyen

âge (*collection des* Classiques français du moyen âge), *1918*.

Alfred Jeanroy, les Origines de la poésie lyrique en France, *1889, 3e éd., 1925 ; G. Paris*, Mélanges de littérature française, *1912 ; Paul Meyer*, Des rapports de la poésie des trouvères avec celle des troubadours (Romania, *t. XIX, 1890*); *R. Bezzola*, Guillaume IX et les origines de l'amour courtois (Romania, *t. LXVI, 1940, p. 145*) ; *J.-B. Beck*, die Melodien der Troubadours, *Strasbourg, 1908 ; Pierre Aubry*, Trouvères et troubadours, *1910 ; Amédée Gastoué*, les Primitifs de la musique française, *1922 ; Th. Gerold*, la Musique au moyen âge (*collection des* Classiques français du moyen âge), *1932*.

Voici une chanson courtoise, prise presque au hasard entre tant d'autres.

Elle a été composée en l'année 1191, par Guy, châtelain de Coucy, l'un de nos plus anciens chansonniers. Demandons à ce poète de nous orienter.

A vos, Amors, plus qu'a nule autre gent,	
Est bien raison que ma dolor complaigne,	
Car il m'estuet* partir outreement	*il me faut.
Et dessevrer de ma loial compaigne.	
Et quant la pert, n'est riens qui me remaigne*,	*reste.
Et sachiez bien, Amors, seürement,	
S'onc nus moru por avoir cuer dolent,	
Jamais par moi n'iert meüz vers ne lais.	
Beaus sire Dieus, qu'iert il* donc, et coment ?	*qu'en sera-t-il ?
Convenra il qu'en la fin congié preigne ?	
Oïl, par Dieu, ne puet estre autrement :	
Senz li m'estuet aler en terre estraigne.	
Or ne cuit nus* que granz maus me sofraigne**,	*que nul ne croie
Quant de li n'ai confort n'alegement,	[**me manque.
Ne de nule autre amor joie n'atent,	
Fors que de li ; ne sai se c'iert ja mais.	
Beaus sire Dieus, qu'iert il del consirrer*	*me priver.
Del grant solaz et de là compaignie	
Et des deduiz que me soloit mostrer	
Cele qui m'est dame, compaigne, amie ?	
Et quant recort* sa simple cortoisie,	*je me remémore.
Et les douz moz que sueut* a moi parler,	*elle a coutume.
Coment me puet li cuers el cors durer ?	
Quant ne s'en part, certes, mout est mauvais.	

Ne me vueut pas Dieus por noient doner
Toz les deduiz qu'ai eüz en ma vie,
Ainz les me fait chierement comparer*,   *acheter.
S'ai grant peor cist loiers ne m'ocie.
Merci, Amors, s'onc dieus fist vilenie,
Com vilains fais bone amor dessevrer;
Ne ja ne puis l'amor de moi oster,
Et si m'estuet que je ma dame lais.

Or seront lié* li faus losengeor**,   *joyeux. **rivaux
Cui tant pesoit des biens qu'avoir soloie;   [flatteurs.
Mais ja de ce n'iere pelerins jor
Que je vers eus bone volenté aie.
Por tant porrai perdre tote ma voie*;   *le bénéfice de mon
Que tant m'ont fait de mal li traïtor,   [pèlerinage.
Se Dieus voloit qu'il eüssent m'amor,
Ne me porroit chargier plus pesant fais.

Je m'en vois, dame; a Dieu le creator
Comant* vo** cors, en quel lieu que je soie; *je recommande.
Ne sai se ja verrez mais mon retor :   [**votre.
Aventure est que ja mais vos revoie.
Por Dieu vos pri, quel part que li cors traie,
Que voz convenz* tenez, vieigne o demor,   *vos promesses.
Et je pri Dieu qu'ensi me doinst onor
Com je vos ai esté amis verais.

Transcription de la mélodie en notation moderne.

Cette chanson est composée, on le voit, de six strophes de huit vers, chacune sur trois rimes.

Ces strophes sont liées deux à deux par la répétition des mêmes rimes, liées en outre toutes les six par le retour de la même rime au dernier vers. Elles sont liées aussi par la symétrie de leur construction, car chacune d'elles se divise en deux périodes de quatre vers et les rimes se distribuent dans toutes les six selon un dessin uniforme.

Rien qu'à remarquer ces traits de versification, on se sent en présence d'un art savant, d'une école qui requiert d'abord du poète qu'il soit un virtuose.

Mais à cette élégance subtile de la technique répond aussi le tour de l'inspiration. Cette chanson est l'adieu d'un chevalier à sa dame au moment où il part pour la croisade. Il l'aime, il la quitte avec douleur; cependant sa plainte reste noble et mesurée, s'interdit l'âpre mouvement de la passion. Qu'on écoute la musique qui l'accompagne :

Point d'élan : rien qu'une tendre gravité. Est-ce le cœur qui parle ?

Certes, mais en un langage convenu, presque hermétique. Pour le comprendre, pour le goûter, il faut une initiation.

Or, voici d'autre part une chanson célèbre du poète provençal Jaufré Rudel :

Lanquan li jorn son lonc en may
M'es belhs dous chans d'auzelhs de lonh,
E quan mi suy partitz de lay,
Remembra'm d'un amor de lonh :
Vau de talan embroncx e clis
Si que chans ni flors d'albespis
No'm platz plus que l'yverns gelatz.

Be tenc lo senhor per veray
Per qu'ieu veirai l'amor de lonh;
Mas per un ben que m'en eschay
N'ai dos mals, quar tant m'es de lonh.
Ai! car me fos lai pelegris,
Si que mos fustz e mos tapis
Fos pels sieus belhs huelhs remiratz!

Be'm parra joys quan li querray,
Per amor Dieu, l'alberc de lonh,
E, s'a lieys platz, alberguarai
Pres de lieys, si be'm suy de lonh :
Adonc parra'l parlamens fis
Quan drutz lonhdas er tan vezis
Qu'ab bels digz jauzira solatz.

Iratz e gauzens m'en partray,
S'ieu ja la vey, l'amor de lonh :
Mais non sai quoras la veyrai,
Car trop son nostras terras lonh :
Assatz hi a pas e camis,
E per aisso no'n suy devis...
Mas tot sia cum a Dieu platz!

Ja mais d'amor no'm jauziray
Si no'm jau d'est'amor de lonh,
Que gensor ni melhor no'n sai
Ves nulha part, ni pres ni lonh;
Tant es sos pretz verais e fis,
Que lay el reng dels Sarrazis
Fos hieu per lieys chaitius clamatz!

Dieus, que fetz tot quant ve ni vai
E formet sest'amor de lonh,
Mi don poder, que cor ieu n'ai,
Qu'ieu veya sest'amor de lonh,
Verayamen, en tals aizis,
Si que la cambra e'l jardis
Mi resembles tos temps palatz!

Ver ditz qui m'apella lechay
Ni deziron d'amor de lonh;
Car nulhs autres joys tan no'm play
Cum jauzimens d'amor de lonh.
Mas so qu'ieu vuelh m'es atahis;
Qu'enaissi'm fadet mos pairis
Qu'ieu ames e no fos amatz.

Mas so qu'ieu vuoill m'es atahis
Totz sia mauditz lo pairis
Qe'm fadet qu'ieu non fos amatz!

Quand les jours sont longs en mai, il me plaît d'entendre le doux chant des oiseaux, lointain; et quand je me suis éloigné, il me ressouvient d'un amour lointain. Je m'en vais tristement, front bas; et ni chant, ni fleur d'aubépine ne me fait plus de plaisir que l'hiver glacial.

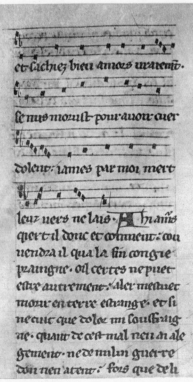

PREMIÈRE STROPHE DE LA CHANSON DU CHATELAIN DE COUCY. Fac-similé du manuscrit 5198 de la Bibliothèque de l'Arsenal, folio 107, recto et verso. Le texte imprimé ci-dessus, emprunté à un autre manuscrit, en diffère légèrement.

Je tiens le seigneur pour vrai, qui me fera voir l'amour lointain; mais pour un bien que j'en reçois, j'en ressens deux maux, car il est si lointain! Ah! puissé-je être pèlerin là-bas, que mon bourdon et mon esclavine puissent être regardés de ses beaux yeux!

Je connaîtrai bien de la joie quand je lui demanderai, pour l'amour de Dieu, le gîte lointain; et, s'il lui plaît, je me logerai près d'elle, quoique aujourd'hui je sois lointain: alors quels beaux entretiens, quand l'amant de là-bas sera si voisin qu'il jouira des propos doux et suaves!

Je m'en séparerai triste et joyeux, si je le vois, l'amour lointain; mais je ne sais quand je le verrai, car nos pays sont trop lointains: il y a tant de chemins et de sentiers que je n'ose prédire... A la grâce de Dieu!

Jamais plus je ne jouirai d'amour si je ne jouis de cet amour lointain; car je ne connais plus noble ni meilleur objet, ni proche, ni lointain. Si parfaite et si pure est sa valeur, que je voudrais là-bas, au pays des Sarrasins, être captif pour elle.

Que Dieu, qui a créé tout ce qui va et vient et qui a formé cet amour lointain, me donne le pouvoir (car j'en ai la volonté) de voir cet amour lointain, véritablement, en ces lieux si beaux que la chambre et le jardin me semblent toujours un palais!

Il dit vrai, celui qui m'appelle avide et désireux d'amour lointain, car nulle autre joie ne me plaît autant que la possession de l'amour lointain. Mais ce que je veux m'est refusé; car mon parrain m'a voué ce sort d'aimer et de ne pas être aimé.

Mais ce que je veux m'est refusé. Ah! maudit soit le parrain qui m'a voué ce sort de n'être pas aimé!

Il est visible que cette chanson relève de la même école savante, applique les mêmes principes métriques que la chanson du Châtelain de Coucy: sept couplets de sept vers, suivis d'un envoi, tous divisés en périodes de quatre et de trois vers, et tous « unissonans », c'est-à-dire construits sur les mêmes rimes, avec répétition du même mot *(lonh)* au deuxième et au quatrième vers de chaque couplet, tous liés entre eux par la rime *esparsa* du dernier vers, et l'envoi reprend à la rime les trois mots qui terminent les trois derniers vers du dernier couplet.

On retrouve aussi dans cette chanson la même gravité de ton, la même subtilité d'inspiration que dans la chanson du Châtelain. C'est elle qui a suggéré la légende célèbre: Jaufré Rudel se serait épris, sans l'avoir jamais vue, d'une Princesse lointaine, et aurait, selon l'expression de Pétrarque, « usé de la voile et de la rame pour chercher sa mort ».

Bien des poètes, de Swinburne à Carducci et à Rostand, ont rappelé cette légende, mais jamais elle n'eut tant de charme qu'en cette antique biographie, composée au XIIIᵉ siècle:

Jaufré Rudel fut de haut lignage, prince de Blaye, et s'enamoura de la comtesse de Tripoli, sans l'avoir jamais vue, pour le grand bien qu'il ouït dire d'elle aux pèlerins qui venaient d'Antioche, et il fit sur elle mainte poésie, dont les mélodies sont belles, mais les mots pauvres. Et, voulant la voir, il se croisa et s'embarqua: et la maladie le prit sur la nef, et il fut déposé en une auberge à Tripoli, comme mort. On le fit savoir à la comtesse, et elle vint à son lit, et le prit entre ses bras. Et il connut qu'elle était la comtesse, et recouvra le voir, l'ouïr et le sentir; et il loua Dieu d'avoir soutenu sa vie jusque-là. Et ainsi il mourut entre ses bras; et elle le fit ensevelir à grand honneur dans la maison des Templiers. Et puis, le même jour, elle se rendit nonne, pour la douleur qu'elle eut de sa mort.

L'inventeur de cette fiction n'en savait guère plus sur Jaufré Rudel que les critiques d'aujourd'hui. Il savait seulement que ce seigneur avait pris la croix en 1146, et il voyait revenir dans ses poésies des vers tels que ceux-ci:

> Amors de terra lonhdana,
> Per vos totz lo cors mi dol...

« Amours de terre lointaine, c'est par vous que souffre tout mon cœur... »

et, dans la pièce ci-dessus transcrite, il était frappé par l'obstination que mettait le poète à insister sur ses *lointaines amours*. Sur quoi il a construit la belle histoire: elle ne représente (comme il arrive si souvent dans les biographies des troubadours) rien qu'un commentaire de cette pièce, rien qu'un effort pour interpréter l'obscur. La chanson de l'*amor de lonh* a provoqué la biographie légendaire, et pourtant elle ne l'autorise pas. Il y a d'autres manières de lire ces vers, et le vieux biographe le savait

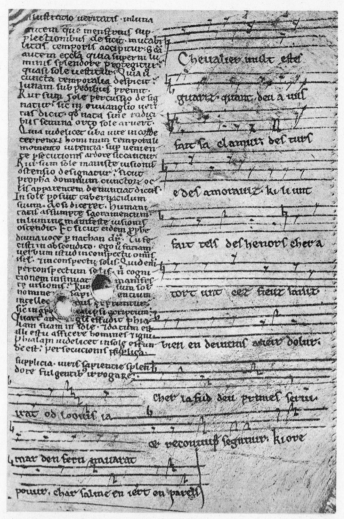

LA PLUS ANCIENNE CHANSON FRANÇAISE. Écrite en 1146, elle est une exhortation à prendre la croix. Voici la transcription du premier couplet (le dialecte est l'anglo-normand): « Chevalier, mult estes guariz *(privilégiés)* — Quant Deu a vus fait sa clamur — Des Turs e des Amoraviz — Ki li unt fait tels deshenors; — Cher *(car)* a tort unt cez fieuz saisiz *(ils ont saisi ses fiefs)*; — Bien en devums aveir dolur; — Cher la fud Deu primes servi — E reconu pur segnuur. — Ki ore irat od *(avec)* Loouis *(Louis VII)* — Ja mar d'Enfern n'avarat pouur *(n'aura pas à redouter l'enfer)*. — Char s'alme en iert *(car son âme sera)* en Pareïs — Od les angles Nostre Seignor. » (Ms. latin de la Bibliothèque d'Erfurt.)

bien. Il nous proposait son explication sans y croire lui-même. Il nous enseignait, avant Musset, que « dans tout vers remarquable d'un vrai poète, il y a deux ou trois fois plus qu'il n'est dit ». La pièce de Jaufré Rudel est belle, parce qu'elle appelle un commentaire et que pourtant nul commentaire n'en saurait épuiser le sens. Comme le Châtelain de Coucy, Jaufré Rudel, prince de Blaye, nous introduit dans un monde à part, où seuls les initiés ont accès.

Mais la chanson du prince de Blaye est antérieure d'une cinquantaine d'années à celle du Châtelain, et c'est un fait certain que les troubadours furent les devanciers des trouvères. L'Aquitaine et la Gascogne avaient connu dès le XIᵉ siècle une grande prospérité matérielle. Derrière les murs des châteaux du Midi, dont les imposants vestiges se dressent encore à nos yeux, s'était organisée une opulente vie de cour. L'art y trouva son compte, et la poésie ne resta pas le privilège des seuls poètes de métier. Le plus ancien des troubadours, à notre connaissance, est Guillaume, septième comte de Poitiers, neuvième duc

TROUBADOURS. Guillaume IX d'Aquitaine et Folquet de Marseille (B. N., ms. franç. 854).
CL. LAROUSSE.

d'Aquitaine, qui, à quinze ans, était plus riche en terres que le roi de France. Il vécut de 1071 à 1127. C'était un gai compagnon, bon bourdeur, railleur et sarcastique. Vraies ou fausses, ses facéties défrayaient la chronique. Des onze pièces de son œuvre poétique qui nous sont parvenues, plusieurs procèdent d'un esprit à la fois burlesque et gaillard. Mais il est très remarquable qu'en certaines autres le sentiment ne laisse pas de se hausser à un idéalisme qui suppose déjà élaborée toute une théorie de l'amour, tout un ensemble de thèmes : la timidité de l'amant devant sa dame, la crainte de ses rigueurs, la soumission à sa volonté, la vertu ennoblissante de l'amour loyal. Quelle qu'ait pu être la part de l'invention individuelle chez Guillaume IX, il est certain que les idées exprimées dans ses chansons se rattachent à une tradition déjà constituée et que son génie assez positif n'aurait pas suffi à créer : aussi bien les retrouve-t-on chez d'autres poètes qui furent sensiblement ses contemporains, comme Cercamon et Marcabrun. Dès leur temps a donc fleuri cette poésie courtoise qui devait connaître son plus riche épanouissement une cinquantaine d'années plus tard, à partir de 1140 ou de 1150, avec les Raimbaut d'Orange, les Peire d'Auvergne, les Jaufré Rudel, les Arnaut Daniel, les Peire Vidal, les Giraut de Bornelh, et avec le plus célèbre d'eux tous, Bernard de Ventadour, le poète par excellence de l'amour, qui chante l'enthousiasme de l'esprit ravi, les douceurs et les tourments de la passion, l'harmonie ou le désaccord des saisons et des mouvements de l'âme, les découragements, les espoirs renaissants.

Or tous ces chansonniers du Midi sont antérieurs d'une ou de plusieurs générations à nos plus anciens chansonniers du nord de la France. Sans doute, il se peut que nous ayons perdu les œuvres de trouvères français qui auraient été les contemporains de Jaufré Rudel, de Bernard de Ventadour. C'est même une hypothèse probable, car l'auteur du *Roman de Thèbes* et Wace, qui écrivent vers 1160, emploient couramment des mots comme *rotrouenge*, *sonet*, *serventois*, lesquels semblent désigner des genres littéraires cultivés dès cette époque dans la France du Nord. Mais c'est de la Provence qu'est en tout cas venue l'initiation. La formule

d'art et la doctrine sentimentale qui caractérisent la poésie lyrique de cour étaient déjà fixées chez les troubadours lorsque se produisit un événement dont les conséquences devaient être importantes : ce fut, en 1137, le mariage du roi de France, Louis VII, avec Éléonore d'Aquitaine. Très cultivée, indulgente au plaisir jusqu'à passer pour légère, Éléonore était l'amie des poètes : petite-fille de Guillaume IX le Troubadour, elle avait de qui tenir. Elle fut la protectrice de Bernard de Ventadour et d'autres poètes. Reine de France, puis, par son mariage avec Henri II, duchesse de Normandie et reine d'Angleterre, elle persévéra dans ses goûts et les répandit autour d'elle. Ses filles, Marie de Champagne et Aelis de Blois; ses petites-filles, dont l'une épousa Guillaume V de Mâcon, l'autre Oton de Bourgogne, compteront parmi les plus actives inspiratrices de la poésie française. Il se peut que d'obscurs hasards, voyages de jongleurs, relations entre gens du Nord et gens du Sud pendant la croisade de 1147, aient contribué pour leur part à propager les germes de la poésie provençale; mais aucun ne semble avoir eu d'importance comparable à l'action personnelle d'Éléonore.

Troubadours et trouvères forment ainsi une même école, dont l'activité s'est prolongée, au Midi et au Nord, jusqu'à la fin du XIIIᵉ siècle et au-delà. Mais il convient de remarquer que, parmi les poètes du nord de la France, les plus anciens n'ont commencé à écrire qu'aux alentours de la troisième ou de la quatrième croisade, c'est-à-dire dans les dix ou vingt dernières années du XIIᵉ siècle : tels Huon d'Oisy, Conon de Béthune, Blondel de Nesle, Gace Brulé, le Châtelain de Coucy, Gautier d'Épinal, Huon de Berzé, Gautier de Dargies, Guillaume de Ferrière, quelques autres encore, au total une vingtaine.

Pour ne pas morceler arbitrairement l'exposé d'un mouvement de poésie continu, nous nous tenons, en ce chapitre préliminaire, aux brèves indications qui précèdent. Plus tard, quand nous en viendrons au XIIIᵉ siècle, ce sera le lieu d'étudier plus au long l'école des chansonniers courtois.

TROUBADOURS. Bernard de Ventadour et Aimeric de Peguilhan (B. N., ms. franç. 12473). — CL. LAROUSSE.

SCÈNES D'ANIMAUX. Tympan du portail de l'église Saint-Ursin, à Bourges (XIIe siècle). — CL. GIRAUDON.

VI. — LES FABLES ET LE ROMAN DE RENART

LES FABLES

Divers Isopets *ont été publiés par Ulysse Robert,* Fables inédites des XIIe, XIIIe et XIVe siècles, *2 vol., 1825; l'*Isopet *de Lyon, par W. Foerster (Altfranzoesische Bibliothek, t. V); les* Fables *de Marie de France, par Roquefort, 1825, et par Warnke,* die Fabeln der Marie de France (Bibliotheca normannica), *1898 ; un* Recueil général des Isopets, *par Julia Bastin (S. A. T., 2 vol., 1929-1930).*

Voir Léopold Hervieux, les Fabulistes latins depuis le siècle d'Auguste jusqu'à la fin du moyen âge, *2e éd., 5 vol., 1883-1898.*

On a beaucoup cultivé la fable en France, à partir du XIe siècle. Elle plaisait aux clercs, parce que son caractère allégorique répondait à deux tendances de leur esprit : le besoin de moraliser, et le goût d'interpréter les choses selon leur « segnifiance » spirituelle. Elle a obtenu un vif succès dans les milieux ecclésiastiques; et les sermons des prédicateurs, qui en faisaient grand usage, ont assuré sa diffusion.

C'était un héritage des Anciens : un héritage de Phèdre, et d'un autre fabuliste latin, celui-là de basse époque, nommé Avianus, lequel devait beaucoup à Ésope.

Du recueil d'Avianus nous possédons quatre remaniements en latin exécutés au moyen âge, ainsi qu'une traduction française. Le recueil de Phèdre a eu d'innombrables dérivés; un remaniement en prose, composé au Ve ou au VIe siècle par un écrivain qui s'est paré du pseudonyme bizarre de *Romulus Imperator*, a supplanté l'original et a donné naissance à une foule d'autres recueils latins, dont plusieurs ont été traduits en français sous le titre d'Isopets — hommage rendu à l'ancêtre lointain de toute la lignée. L'un de ces recueils dérivés, que l'on désigne sous le nom de *Romulus Nilantii*, s'est enrichi, au XIe siècle, d'une grande quantité de fables de provenances diverses, et pour une part orientales. Grossi de la sorte, il fut traduit en anglais, et faussement attribué au roi Alfred. C'est d'après cette traduction anglaise que Marie de France a composé son *Isopet* français.

Il y aurait quelque injustice à évoquer, à propos de ce timide essai, l'œuvre de La Fontaine; au contraire, nous

SCÈNES D'ANIMAUX. Cathédrale de Reims, chapiteau d'un pilier de la nef. — CL. NEURDEIN.

RENART PRÊCHANT AUX POULES. Dans sa capuce est une de ses victimes. Accoudoir d'une stalle du chœur, à la cathédrale d'Amiens. — CL. CARON, NEURDEIN.

devons écarter de notre mémoire le souvenir de « l'ample comédie aux cent actes divers », si nous voulons garder notre liberté de jugement. Les personnages que Marie de France met en scène ont peu de vie; et ses enseignements, même quand ils lui donnent l'occasion d'évoquer les mœurs contemporaines, n'ont guère de force expressive. Mais faut-il tant lui demander ? Elle a le mérite de conter clairement; elle formule ses leçons avec netteté; ses récits ne manquent pas d'une élégance un peu sèche; et ses gaucheries même ont leur charme : comme on aime, pour l'effort qu'ils traduisent, les tableaux des primitifs.

LE ROMAN DE RENART

Le Roman de Renart *a été publié par Méon, 4 vol., 1826 (Supplément, p. p. Chabaille, 1835), puis par E. Martin, Strasbourg, 4 vol., 1882-1887. — Voir Sainte-Beuve,* Causeries du lundi, *t. VIII; Léopold Sudre, les* Sources du Roman de Renart, *1893 (cf. Gaston Paris, dans le* Journal des savants, *1894-1895 : réimpression dans ses* Mélanges de littérature française, *1912, p. 337), et Lucien Foulet, le* Roman de Renart, *1914.*

Les « branches » dont se compose le roman seront désignées ci-après par les numéros qu'elles portent dans l'édition Martin. M. Lucien Foulet en a établi la chronologie approximative, de la manière suivante : Premier groupe : branches II, Vᵃ, composées entre 1174 et 1177 ; branches III, IV, XIV, composées vers 1178 ; branche I, vers 1179. — Deuxième groupe : branche X, composée entre 1180 et 1190 ; branches VI, VIII, XII, vers 1190. — Troisième groupe : branches VII, XI, composées entre 1195 et 1200 ; branche IX, vers 1200 ; branche XVI, vers 1202 ; branche XVII, vers 1205.

La branche XIII est l'œuvre de Richard de Lison ; la branche IX est l'œuvre d'un prêtre de La Croix-en-Brie. Les branches II et Vᵃ sont très vraisemblablement de Pierre de Saint-Cloud, auquel, en revanche, la branche XVI paraît avoir été attribuée par erreur. Voilà tout ce que nous savons sur les auteurs de ces contes.

Il y a de nombreuses versions du Renart *en des langues étrangères : l'une, de l'Alsacien Heinrich der Glichesaere, date de l'extrême fin du XIIᵉ siècle ; l'autre, en flamand,* due à un certain Willem, et fort remarquable par l'invention comme par la langue, est du milieu du XIIIᵉ.

Renart revendique ici sa place, Renart le très illustre et le très facétieux. Il faut la lui accorder, toute grande. Car elles sont bien dignes de retenir notre attention, les gaies histoires qui rapportent ses exploits. Les vieux auteurs auxquels nous les devons content pour le plaisir de conter : rare aubaine qui nous permet de rire pour le plaisir de rire, sans préoccupation d'aucune espèce, sans arrière-pensée. Il est vrai qu'ils sont malicieux quelquefois, et satiriques : mais cette malice n'est pas méchante; et cette satire se satisfait à peu de frais. Une allusion transparente, un trait au passage, une boutade prestement lancée contre les puissants du jour, et le récit reprend sa vive allure, insouciant, joyeux. Le fin compère, dont tant de plaisants conteurs nous ont redit sans se lasser les aventures, méritait bien d'avoir son monument : et c'est, tout justement, le *Roman de Renart.*

Prenons garde à ce mot de « roman » : il ne s'agit pas, en effet, d'une composition organique, mais d'une grande variété de poèmes indépendants que domine un même personnage. Comme un arbre ramu qui multiplie sa frondaison, cette abondante matière se divise en « branches »; le terme est employé par les contemporains : « C'est la branche de Renart si comme il fut mires », annonçaient-ils en manière de titre. Avant d'examiner quelques-unes de ces branches vivaces, voyons comment le genre s'est formé, et par quel chemin Renart nous est venu.

LES ORIGINES

Que le *Roman de Renart* soit uni par un lien de parenté très étroit aux fables issues d'Ésope, voilà qui est certain. Faut-il lui chercher ailleurs d'autres origines, en Orient, dans les pays du Nord? Plusieurs l'ont soutenu. A les en croire, des récits d'animaux répandus parmi les peuples les plus divers seraient arrivés jusqu'à nos rimeurs français par voie de tradition orale, et leur auraient fourni une partie de leurs sujets : une fois de plus les œuvres de la littérature ne seraient que l'écho tardif des créations du « génie populaire ». Mais cette hypothèse, jadis proposée par les frères Grimm, et qui longtemps fit fortune, ne semble pas devoir être retenue. Ces récits d'animaux qu'elle suppose, nous ne les possédons pas. Tout ce que nous possédons, ce sont des contes recueillis d'hier chez les paysans de la Gascogne, de la Finlande ou de l'Ukraine, et qui semblent bien descendre en droite ligne de notre *Roman de Renart* lui-même, n'être que de lointains dérivés de nos vieux contes du XIIᵉ siècle; et c'est très gratuitement que nos « folkloristes » supposent le rapport inverse. Aussi, nous en tenant aux réalités que nous pouvons atteindre, nous nous bornerons, pour expliquer les origines du *Roman de Renart*, à rappeler que nous possédons des poèmes latins, qui en sont les authentiques précurseurs : l'*Ecbasis captivi*, entre autres, et l'*Ysengrimus.*

Le premier date du Xᵉ siècle; il est l'œuvre d'un religieux de Saint-Èvre, à Toul. Ce religieux s'était échappé de son couvent et avait fini par y rentrer : il raconte cette aventure dans une composition touffue, qui tient à la fois de l'allégorie et de la fable. Un Veau échappé de l'étable tombe entre les griffes du Loup, qui le conduit dans son antre. Le Loup, rejoint par ses serviteurs, le Hérisson et la Loutre, se dispose à le dévorer, quand survient le troupeau, guidé par le Chien, et qui prétend délivrer le Veau. Dans l'antre, on s'apprête à la résistance. Le Loup explique aux siens qu'il ne craint personne, excepté le Renard, son ennemi juré : un jour que le Lion malade avait réuni son conseil, il s'était fort irrité de n'y point voir le Renard; mais celui-ci, averti par la Panthère, avait feint de revenir d'un long voyage, entrepris pour le service du roi, et avait obtenu qu'on écorchât le Loup pour envelopper le monarque de sa peau; après quoi, nommé comte palatin, il avait réparti à sa fantaisie les charges de la cour entre les divers animaux, obligé le Hérisson, quoique descendant de Caton, margrave des Rutules et porte-enseigne de Rome, à transporter des pommes et des amandes; nommé la Panthère choriste, pour chanter les psaumes, la Licorne lectrice, le Merle et le Rossignol chantres; et, finalement, il avait obtenu que le Lion lui donnât en fief le château du Loup. Or, tandis que le Loup achève ce récit, on signale l'arrivée du Renard, qui vient à l'attaque de l'antre, porteur de son titre de donation : le Hérisson et la Loutre s'enfuient; le Loup est attaché à un arbre; le Veau est délivré. Cette *Ecbasis captivi* renferme bien des obscurités et des gaucheries de toute espèce; mais il est curieux de rencontrer, deux siècles avant le *Roman de Renart*, un thème qui l'annonce déjà, voire une manière qu'il ne laissera pas d'imiter : quand le Hérisson prend la cithare pour chanter les « Triomphes de Rome », ou quand le Loup voit en un songe prophétique l'annonce de ses malheurs, nous croyons reconnaître une lointaine ébauche des parties achevées de nos poèmes français.

Quant à l'*Ysengrimus*, il fut terminé à Gand en l'année 1148; son auteur s'appelait Nivard. On y observe, par rapport à l'*Ecbasis captivi*, un certain nombre de nouveautés, telles que l'attribution de noms d'hommes à des animaux, l'abondance et la variété des épisodes, l'intention satirique. C'est à ce poème que se rattache directement, par l'esprit général et souvent aussi par l'emprunt de tel ou tel épisode, le *Roman de Renart*.

LES PLUS ANCIENNES BRANCHES DU POÈME

Comme elles sont fraîches et vives, les histoires qui composent les « branches » reconnues aujourd'hui pour être les plus anciennes parmi celles que nous possédons, la branche II et la branche V[a]! Quelle gaieté sans prétention! quelle naïveté sans fadeur! quelle malice sans fiel! Feuilletons-les, comme on feuillette un beau livre d'images

hautes en couleur. — Voici le poulailler, les poules craintives, et Chantecler, le coq qui

> Moult fierement lor vint devant,
> La plume el pié, le col tendant.

C'est une belle proie pour Renart qui, ne pouvant le happer par surprise, s'applique à le prendre par ruse. Chantecler chante-t-il aussi bien que Chanteclin son père? Chantecler se pique au jeu, chante en fermant un œil, chante en fermant les deux yeux : et Renart de lui sauter au col. Les valets de ferme poursuivent le ravisseur en l'accablant d'injures. « N'entends-tu pas, lui dit Chantecler, qu'il emporte, quelle honte te disent ces vilains? Réponds-leur donc! » Renart suit le conseil, ouvre la bouche, et Chantecler s'échappe, de façon que

> Renard qui tot le mont deçoit
> Fu deceüz a ceste fois.

Tournons la page : voici une autre histoire, non moins vivement enluminée, non moins plaisante. Renart, qui a toujours faim, se mettrait volontiers la Mésange sous la dent. Noble le Lion, lui raconte-t-il, a établi le règne de la paix entre tous les animaux : qu'elle lui donne donc le baiser de paix! La Mésange, « sa commère », se méfie d'un compère qui a fort mauvaise réputation. Elle veut bien l'embrasser, mais à condition qu'il ferme les yeux. Renart ferme les yeux; et dès que la Mésange s'est approchée, il lance son coup de dents. Mais elle avait eu soin de prendre, la rusée,

> Plein son poing de mousse et de foille...

De la mousse et des feuilles, voilà tout ce que Renart saisit. Il s'enfuit tout penaud, tandis que la Mésange, du haut du chêne où elle s'est perchée, lance vers le ciel un chant joyeux. — Or, tandis que Renart se sauve, il rencontre Tibert le Chat : infatigable, le voici lancé dans une nouvelle aventure. Tibert le Chat est un voisin qu'il n'est pas prudent d'attaquer de face, car il a des griffes; il est difficile aussi de le duper. Tous deux chevauchent côte à côte, fins matois qui se surveillent en se prodiguant des protestations d'amitié. Renart propose à Tibert une course sur un sentier où il sait que les paysans ont tendu un piège. Mais l'autre devine la ruse; et quand Renart passe près du piège à son tour, il le pousse un peu : Renart est pris. — Ce n'est pas fini; quand il s'agit de Renart, l'histoire n'est jamais finie : elle va rebondir. Délivré non sans peine, qui voit-il, sur un arbre perché, tenant dans son bec un fromage? Tiercelin le Corbeau. Demander à Tiercelin sa plus belle chanson, et faire en sorte qu'il laisse tomber le fromage n'est qu'un jeu :

BAS DE PAGE D'UN PSAUTIER conservé à la Bibliothèque royale de Belgique, à Bruxelles. — CL. LAROUSSE.

mais Renart est un virtuose qu'un premier succès ne satisfait pas ; c'est Tiercelin lui-même qu'il veut prendre.

Comme l'odeur de ce fromage tombé à ses pieds l'incommode, il s'en plaint à Tiercelin. Tout écorché, fort mal en point, il n'a pas la force de s'éloigner lui-même : le bon Tiercelin voudrait-il l'aider ?

> « Ha ! Tiercelin, car descendez
> Et de cest mal me delivrez ! »

Tiercelin descend : Renart bondit, mais n'arrive à saisir que quatre de ses plumes.

Remarquons que toutes ces aventures finissent mal pour lui. Nous allons le voir prendre sa revanche dans ses démêlés avec Isengrin, le Loup : mais jusqu'ici il a été gabé par Chantecler, gabé par la Mésange, gabé par Tibert le Chat, déçu par Tiercelin lui-même. En montrant la défaite de Renart quand il s'attaque aux plus faibles, et sa victoire quand il s'attaque aux plus forts, Pierre de Saint-Cloud, l'auteur de ces poèmes, a-t-il obéi à une préoccupation morale ? Peut-être. Ce serait alors la seule de ce genre, car de moralité proprement dite, il n'a point souci : et c'est justement un des traits qui séparent le *Roman de Renart* de la fable, qui traîne toujours après elle un enseignement formel.

Renart, un peu las de ses exploits et cherchant une caverne où dormir, entre dans le repaire de son ennemi Isengrin. Périlleuse affaire : Isengrin n'est pas là ; mais Hersent la Louve et quatre louveteaux occupent le logis. Renart est mal à son aise et se fait tout petit. Heureusement dame Hersent a pour lui tendresse de cœur, et le lui prouve aussitôt. Renart passe de la crainte à l'impudence et profite de l'aubaine pour malmener les louveteaux et vider le garde-manger : après quoi il s'éclipse. Colère et jalousie d'Isengrin, quand il rentre ; dame Hersent, pour l'apaiser, jure qu'elle poursuivra Renart avec lui, jusqu'à ce qu'on ait tiré du coquin une éclatante vengeance. Ils le rencontrent, en effet, quelques jours plus tard, et s'élancent sur ses traces. Renart rentre dans son terrier ; dame Hersent s'y précipite après lui, et s'y enfonce tête basse. Mais, engagée à mi-corps — étrange et ridicule aventure ! — elle ne peut ni s'avancer davantage, ni reculer : elle est prisonnière..... Nous arrêtons ici la facétieuse histoire, mais Pierre de Saint-Cloud ne craint pas de la pousser plus loin, forçant le rire par la verdeur et la bizarrerie de ses inventions.

Tels sont les épisodes de la deuxième branche ; la branche V[a], qui semble bien être du même auteur, va nous en narrer la suite. Isengrin conte sa peine et porte sa plainte devant Noble le Lion. Il est un peu ridicule, en vérité :

> Ysengrin a son claim finé
> Et le Lion le chef cliné,
> Si commence un peu a sozrire.
> « Avez-vous, fet-il, plus que dire ? »

Mais un Loup, même quand il se pose en victime, sait montrer les dents.

Et Lion, pour calmer ce vassal fort en colère, prend l'avis d'un haut personnage récemment arrivé en sa cour : le chameau Musard, légat du Pape. Musard estime qu'il faut d'abord condamner avec sévérité, puis pardonner avec la plus grande indulgence. Son langage, mélange hétéroclite de latin, d'italien et de français, est tout à fait réjouissant ; d'autant plus qu'il s'agit

d'un portrait, ou mieux d'une caricature : Musard, le chameau jargonnant, rappelle un certain Pierre de Pavie, authentique légat du Pape, qui fit grand bruit en France entre 1174 et 1178. Pas plus qu'il n'aime à moraliser, pas plus qu'il n'est prude, Pierre de Saint-Cloud n'est révérencieux ; un peu d'irrespect ne lui déplaît pas, et sa malice se renforce d'une pointe de satire. Après que Brichemer le Cerf, Brun l'Ours, Beaucent le Sanglier, Cointeriau le Singe ont exprimé leur opinion, on décide qu'on ne saurait condamner un accusé sans l'entendre, qu'il convient d'appeler Renart en cour de justice, et qu'on l'ira chercher en son castel de Maupertuis.

Or, Isengrin se met d'accord avec Roonel, le Mâtin, pour saisir enfin leur commun ennemi. Renart devra prêter serment sur une relique de saint : laquelle sera, en l'espèce, un des crocs de Roonel, qui fera le mort. Dès que Renart s'approchera de la relique, le mort se réveillera et prendra le fourbe à la gorge. Sans doute, mais Renart n'est point si sot que de se laisser faire : il s'aperçoit bien vite que Roonel est en vie

> Au flanc qu'il debat et demaine.

Il demande la permission de manger un peu avant de prêter serment : il en aura le cœur plus gaillard. Il sait un endroit où se trouve certain miel..... Brun l'Ours, par ce mot alléché, cède à la prière de Renart ; et ils s'en vont avec Tibert le Chat. Vaut-il la peine de dire que Brun l'Ours et Tibert le Chat sont battus comme plâtre par les vilains, et que Renart triomphe ?

Que d'éléments, à les analyser, entrent dans la composition de ces contes ! L'observation des animaux, d'abord. Ce n'est pas que la réalité soit toujours rendue avec scrupule : heureusement, car la fantaisie y perdrait. Peu importe qu'on n'ait jamais vu goupil, ni chat se mettre en selle : l'image de Renard et de Tibert emportés par des destriers au galop est si plaisante qu'on pardonne à l'invraisemblance. Si nous mettons à part ces drôleries voulues, l'observation des animaux n'est pas si gauche, ni si superficielle, il s'en faut. Le caractère des bêtes est rarement trahi : chacune est dépeinte avec sa vraie nature, ses habitudes constantes, ses instincts profonds. — Autre travail de l'esprit, qui fut ici nécessaire : la constitution de types et l'invention de noms pittoresques propres à les caractériser tous. Tous les chats, passant de la forêt sauvage au foyer de l'homme, sont devenus Tibert le Chat ; tous les ours en quête de miel autour de ruches sont devenus Brun l'Ours, tous les goupils de tous les terriers sont devenus Renart le Roux : au point que le mot goupil est tombé, et que le mot Renard l'a supplanté dans le langage. — Il a fallu, de plus, la connaissance des hommes et l'attribution de leurs qualités essentielles à des animaux, installés à leur tour dans la dignité de personnages humains. Renart est le résultat le plus surprenant de ce travail psychologique : Renart, le Panurge des bêtes, si vrai et si naturel par sa complexité même ; dur aux petits, mais généralement dupé par eux ; cynique, trompeur invétéré, le plus souvent aux dépens des forts ; toujours prêt à nuire, mais avec une telle fertilité d'invention, un tel entrain, une telle fantaisie, une telle bonne humeur, qu'il désarme la sévérité et conquiert les sympathies secrètes des

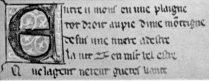

RENART APITOYANT TIERCELIN (B. N., ms. franç. 1580, XIIIe siècle). — CL. LAROUSSE.

lecteurs qu'il amuse. — Ajoutons le sens de la parodie : nous avons ici, au moins par endroits, de l'épopée à rebours. L'épopée magnifie les actions humaines, le *Roman de Renart* les rapetisse ; et l'on reconnaît bien au passage quelques-uns des procédés épiques, comme les songes avant-coureurs des catastrophes, ou la poursuite furieuse organisée par la meute des mâtins, qui sont les Barons, contre Renart. Mais par le pouvoir de la parodie, ces rêves tragiques et ces chevauchées éperdues font rire : l'héroïque est devenu de l'héroï-comique. — Il a fallu, plus que tout le reste, les qualités propres au poète, à ce Pierre de Saint-Cloud, dont nous voudrions connaître autre chose que le nom : tous les éclats de la gaieté, toutes les nuances de la malice, le sens de la forme, l'aisance à manier le vers — précieux et multiples privilèges, dont hériteront quelques-uns au moins de ses successeurs.

RENART FLATTANT CHANTECLER (B. N., ms. franç. 1580, XIIIᵉ siècle). — CL. LAROUSSE.

DEUX AUTRES BRANCHES PARMI LES PLUS ANCIENNES

Son exemple, en effet, fut vite suivi ; d'où quelques œuvres charmantes, qui le cèdent à peine aux deux plus anciennes en pittoresque et en gaieté.

Les branches III et I sont justement célèbres. S'il est vrai que les données de la branche III sont déjà pour la plupart dans l'*Ysengrimus*, le conteur français n'en fait pas moins preuve d'une agilité qui manquait au poète latin. C'est le détail de l'exécution qu'il faudrait rendre, tant sont savoureuses les menues peintures des attitudes et des gestes, et les trouvailles d'expression. Au moins est-il possible d'indiquer le mouvement général du récit. — Renart a mangé toutes les provisions qu'il tenait cachées en son terrier. Renart a faim : le voilà qui sort, avec précaution, pour chercher pitance. Passent des marchands de poisson, la charrette pleine de harengs, d'anguilles, de lamproies. Renart s'étend au milieu de la route, ferme les yeux, serre les dents, fait le mort. Un des marchands jette ce cadavre sur ses paniers : la peau de Renart le Roux vaut bien quatre sols, cinq peut-être : car elle est belle et le col en est tout blanc. Là-haut, Renart fait un festin de roi ; et, comme il songe au lendemain, il s'entoure d'un triple collier d'anguilles. Après quoi il saute à bas de la charrette, et regagne sa demeure, Maupertuis. Isengrin, qui rôdait aux alentours, hume l'odeur de la friture, se lèche les babines et frappe humblement à la porte. Renart rit à part soi et se prépare à se divertir. Isengrin est-il moine ? Sinon, qu'il passe outre ; seuls les moines ont le droit d'accéder au festin :

> « Nul, s'il n'est moines ou hermites,
> Ne puet ceans avoir ostel ! »

Le Loup donne aussitôt dans le panneau et se déclare tout prêt à se faire moine. Renart se charge, avec une complaisance extrême, de l'initier aux pratiques de l'ordre : quand Isengrin aura revêtu la robe, il n'y aura pas de plus beau moine en toute la chrétienté. Il importe d'abord de le tonsurer : aussi Renart prend-il un grand pot d'eau bouillante, qu'il vide sur la tête du malheureux.

Il faut ensuite que le nouveau tonsuré subisse une épreuve. C'est le plein de l'hiver, il gèle à pierre fendre ; au bord de l'étang voisin, les vilains ont pratiqué un trou dans la glace, afin d'abreuver leurs bestiaux. Renart installe Isengrin au bord du trou, lui attache un seau à

la queue, plonge le seau dans l'eau glacée, et recommande à sa victime de rester là jusqu'à ce que le seau soit rempli de poissons. Imagine-t-on vision plus comique que celle de ce grand loup planté au bord de l'étang, ferme à son poste malgré le froid qui le fait grelotter, depuis la nuit tombée jusqu'à l'aube ? L'eau gèle, sa queue se scelle dans la glace. Quand point le jour, Renart appelle Isengrin : « Partons, dit-il, nous avons assez pris de poisson... »

> E Ysengrin li escria :
> « Renart, fet-il, trop i en a,
> Tant en ai pris ne sai que dire ! »
> Et Renart commença a rire...

Un paysan arrive, voit ce singulier spectacle, appelle ses mâtins, brandit une épée... Heureusement pour le Loup, il ne laisse que sa queue dans l'aventure.

> Ici prent ceste branche fin,
> Mès encore i a d'Isengrin.

« Encore i a d'Isengrin », et surtout de Renart, dans la branche I, une des plus riches de tout le cycle pour ce qui concerne l'évocation des mœurs du temps, et de toute façon une des plus originales : ce fut aussi, semble-t-il, une des plus populaires. Elle a pour sujet le procès de Renart. Comme la fête de l'Ascension approche, Noble le Lion a convoqué ses barons, qui viennent tous à son appel, sauf Renart. Ses ennemis, qui sont nombreux, et Isengrin, toujours ulcéré par l'outrage fait à sa femme, profitent de son absence pour rappeler ses méfaits et demander justice. Mais Noble ne veut pas qu'un accusé soit « forjugé » ; tout ce qu'il accorde au plaignant, c'est que dame Hersent sera autorisée à se justifier elle-même. Voilà qui ne fait pas l'affaire d'Isengrin : si cette épreuve tournait à la confusion de dame Hersent et mettait le comble à son propre déshonneur ? Il déclare qu'il se fera justice lui-même et s'attire une réplique sévère de Noble, qui entend avoir la paix dans son royaume. Renart serait hors de cause, si ce début ne servait de préparation à la plus bouffonne des péripéties. Tout à coup débouche un cortège funèbre : sur un char encourtiné gît le corps de Coupée la Geline, que Renart a tuée, comme il avait tué cinq de ses frères et quatre de ses sœurs. Derrière le char marchent Chantecler et Dame Pinte, et la Noire, et la Blanche, et la Roussette. Chantecler se lamente ; dame Pinte module une complainte funèbre, que les autres poules reprennent en chœur : et dans l'excès de leur deuil, toutes tombent pâmées. On leur jette de l'eau, elles reprennent leurs sens, et à grands cris demandent vengeance au roi. Noble achève de s'émouvoir, quand il aperçoit Chantecler à genoux et les larmes aux yeux. Si ce touchant spectacle ne suffisait à le décider, il serait rappelé à son devoir par des avertissements du ciel. Sur la tombe de Dame Coupée, des miracles se produisent : c'est au point que Couard le Lièvre, s'en étant approché, est guéri de sa peur. Noble le Lion est pris d'une grande colère, et ordonne qu'on fasse venir Renart.

Seulement, Renart ne veut pas venir : c'est une nouvelle péripétie. On lui dépêche Brun l'Ours, et il le renvoie raillé et déçu. On lui dépêche Tibert le Chat, et il le renvoie fort mal en point et déconfit. C'est seulement Grimbert le Blaireau, parent et ami de Renart, porteur de lettres timbrées du sceau royal, qui réussit enfin à amener le rebelle.

Le rebelle plaide habilement sa cause. Mais c'est en

vain : tant et tant d'accusateurs se lèvent contre lui, que Noble juge inutile de les entendre. Renart, traître et larron, sera pendu. — A d'autres! Il obtient bientôt la faveur d'aller mourir en Terre Sainte pour l'expiation de ses péchés; il part en pèlerin..... Mais à peine a-t-il pris un peu de large, qu'il éreinte Couard le Lièvre, tapi dans un buisson; et puis, lâchant croix et bourdon, il lance contre l'auguste assemblée, et contre le roi lui-même, plaisanteries, insolences, injures. Ivres de fureur, tous s'élancent à sa poursuite : mais il réussit à regagner Maupertuis, son château fort. La carrière de Renart le Roux n'est pas finie.

Ce récit appartient, on le voit, à la meilleure tradition. Il y règne une franche et robuste gaieté : l'art de faire surgir tout d'un coup les visions les plus inattendues et les plus comiques, qui semble un des caractères même du genre, y est poussé à un très haut degré; l'imagination qui a conçu l'ordonnance du cortège funèbre de dame Coupée est singulièrement brillante et fantaisiste. La composition est fort habile; les épisodes s'enchaînent avec naturel; chaque fois que l'intérêt menace de languir, une péripétie nouvelle vient l'animer; et cependant, l'ensemble n'est pas surchargé : le savoir-faire ne va pas ici jusqu'à l'artifice. Mais le savoir-faire est évident : des détails utilisés déjà dans d'autres branches, comme les mésaventures de l'Ours et du Chat, s'encastrent dans le récit avec une aisance parfaite. Ajoutons que la plaisanterie ne va jamais jusqu'à l'extravagance, qu'elle est souvent moins folle qu'elle n'en a l'air, et que les droits du bon sens sont sauvegardés jusqu'au bout.

LE PRÊTRE DE LA CROIX-EN-BRIE, auteur de la branche IX du « Roman de Renart » (B. N., ms. franç. 1580, XIIIᵉ siècle). — CL. LAROUSSE.

UNE BRANCHE PARMI CELLES QUI SUIVENT

D'une façon générale, toute la floraison du roman qui appartient au XIIᵉ siècle est d'excellente venue. Les branches se multiplient, et il est bien certain que toutes, dès lors, ne sont pas d'égale valeur; quelques-unes ont à nos yeux le défaut de reprendre des thèmes déjà exploités dans les précédents poèmes, ce qui diminue notre surprise et émousse notre plaisir. Mais la sève, loin d'être épuisée, est encore abondante et riche. Nous n'en voulons prendre comme exemple que la branche VIII, qu'un espace de quinze années environ sépare des toutes premières : c'est « le pèlerinage Renard, si comme il alla à Rome ». Elle se recommande par des qualités très voisines de celles que nous avons admirées dans les branches aînées. L'allure en est aussi simple, aussi facile. L'imagination s'y montre aussi primesautière, aussi saugrenue. La gaieté n'y est ni moins pétillante, ni moins narquoise. La convention qui permet aux animaux de garder les traits essentiels de leur caractère, tout en faisant figure d'hommes, n'est pas moins bien observée; et les effets qu'on en tire ne sont pas moins plaisants. Le portrait de Renart est aussi complexe, aussi riche : le compère demeure aussi fertile en ressources devant toutes les difficultés de la vie, aussi dépourvu de scrupules, aussi friand du bien d'autrui; il n'est pas moins facétieux, pas moins provocant, pas moins hypocrite : hypocrite, il l'est même un peu davantage; au demeurant, le meilleur fils du monde.

Renart, haï par autant d'hommes qu'il y a de fêtes dans l'année, et par non moins de bêtes, trouve lourd ce fardeau de haines et veut l'alléger par le repentir. Il se met en quête d'un ermite, bat sa coulpe, et commence la confession de ses péchés : confession si longue, si chargée, et d'ailleurs si complaisante, que le bon ermite en est tout scandalisé. Seul le pape peut donner l'absolution à un tel pécheur. Docilement, Renart part pour Rome.

Ce singulier pèlerin ne suit pas les grandes routes, mais les sentiers : il rencontre bientôt Belin le Bélier, qui se repose tristement au milieu de ses brebis. Tristement, car son maître se propose de le tuer, et de transformer sa peau en houseaux pour un voyageur qui doit aller à Rome. A Rome! Voilà un compagnon tout trouvé : il vaut mieux que Belin se rende à Rome avec Renart, que de s'y rendre sous forme de houseaux. A peine se sont-ils mis en chemin, qu'ils aperçoivent Bernard l'Archiprêtre, en train de paître les chardons d'un fossé : autre compagnon que tente l'aventure. Tels sont les personnages : Belin et Bernard, condamnés d'ordinaire aux seconds rôles, passent ici au premier plan; Renart est identique à lui-même, mais son habit de pèlerin lui donne un air de nouveauté. Maintenant, que vont devenir nos trois drôles? Par quelles inventions le poète va-t-il nous égayer?

Le soir tombe, il faut chercher un logis : Belin a peur des loups, Bernard n'aime pas dormir à la belle étoile. Renart passerait volontiers la nuit dehors : mais, bon enfant, il cède à la prière de ses compagnons, et leur découvre un gîte. C'est justement le logis de Primaut, frère d'Isengrin, et de dame Hersent, qui l'ont laissé vide. Les trois pèlerins font main basse sur les provisions, s'empiffrent, s'enivrent, et chantent : Belin

a commencié a chanter,
Et l'Archeprestre a organer,
Et dan Renart chante en fausset.

A ce bruit, Primaut et Hersent accourent vers leur tanière : et Renart organise aussitôt la défense. Dès que Primaut paraîtra sur le seuil, Bernard l'Archiprêtre poussera la porte de toutes ses forces, de façon que l'adversaire ait le cou pris dans l'huis entrebâillé : Belin le Bélier n'aura plus qu'à l'assaillir :

Onques encore a nulle porte
Ne veïstes si fier assaut
Comme Belin fait a Primaut.
Tant a feru et tant hurté
Que le loup a escervelé.

C'est fort bien fait. Mais dame Hersent est allée chercher du secours, et sur la piste de nos trois fuyards, cent loups se lancent à la poursuite. La peur donne des ailes aux trois compères; pourtant ils perdent leur avance, et Renart conseille à ses compagnons de monter sur un arbre : on imagine Belin le Bélier et Bernard l'Ane dans cette ridicule posture. Au pied de l'arbre, les loups perdent la trace et se couchent pour la nuit. La situation est critique. Bernard et Belin s'empêtrent si bien dans les branches, qu'ils s'écroulent sur le sol. Or, en tombant, l'un écrase quatre loups et l'autre deux : l'épouvante est jetée dans le camp ennemi; les loups s'enfuient et Renart de crier :

« La hart! La hart!
Tien-le, Belin! pren-le, Bernard!
Tien-les, Bernard l'archeprovoire! »

Seulement, Bernard et Belin ne veulent plus entendre parler du voyage à Rome. Et Renart prend son parti en philosophe. Après tout, il y a plus d'un prud'homme qui n'est jamais allé jusqu'à la ville sainte. Sans accomplir le pèlerinage commencé, il s'amendera, vivra de son travail, et même fera du bien aux pauvres gens. Poussant le cri des pèlerins : outrée! outrée! Renart, Bernard et Belin se mettent sur la voie du retour.

On ne finirait pas de redire ces savoureuses histoires; il faut s'arrêter cependant. Aussi bien en retrouverons-nous quelques-unes, quand nous arriverons au XIIIe siècle et que nous suivrons jusqu'à son épuisement la tradition du *Roman de Renart*. Les premières, qui sont les meilleures, ont diverti des générations entières; et, aujourd'hui même, elles gardent encore leur spécifique vertu. Mises en français moderne, et élaguées comme il convient, elles font rire les petits, qui aiment voir « engeigner » les lourdauds, et aussi les malins, dès qu'ils abusent de leur malice. Mais qui les lit dans leur texte ancien, et sans coupures, ne perd pas sa peine : c'est toute la gaieté traditionnelle de la race qui, du fond des vieux âges, monte jusqu'à lui.

LA PROCESSION RENART. Le Sanglier et le Bouc le portent sur un brancard; l'Ours, le Loup et le Lièvre le précèdent. Brichemer le Cerf célèbre la messe; Bernard l'Archiprêtre lit l'Évangile sur la tête de Cointeriau le Singe. — Développement d'un chapiteau qui décorait, dans la cathédrale de Strasbourg, un pilier de la nef; c'était une illustration de la branche XVII. Le pamphlétaire alsacien Fischart, ardent luthérien, reproduisit sur bois, au XVIe siècle, ces sculptures burlesques, et les exploita contre les papistes; les catholiques les détruisirent en 1685. Nous donnons ici la gravure de Fischart (d'après le fac-similé publié par F. Reiber, 1890) [Voir G. Delahache, *la Cathédrale de Strasbourg*, 1910, p. 112]. — CL. LAROUSSE.

VII. — LES PLUS ANCIENS CHRONIQUEURS

Geffrei Gaimar, l'Estorie des Englès, *edited by... Duffus-Hardy and Charles Trice Martin* (Rerum britannicarum medii ævi scriptores), *2 vol., 1888, 1889.* — Le Roman de Brut, *par Wace, p. p. Le Roux de Lincy, 2 vol., Rouen, 1836, et par Ivor Arnold (S. A. T., 1938-1940).* — Le Roman de Rou, *par Wace, p. p. Hugo Andresen, 2 vol., Heilbronn, 1877, 1879.*—Der Münchener Brut, *herausgegeben von C. Hofmann und K. Vollmoeller, Halle, 1872.* — La *Chronique des ducs de Normandie, par Benoît de Sainte-Maure, p. p. Francisque Michel (collection des* Documents inédits pour servir à l'histoire de France), *3 vol., 1836-1844.* — La *Chronique de Jordan Fantosme a été publiée par Fr. Michel, en appendice à son édition du poème de Benoît de Sainte-Maure.* — L'Estoire de la guerre sainte, *par Ambroise, p. p. G. Paris* (Documents inédits pour servir à l'histoire de France), *1897.*

Un certain Richard le Pèlerin, qui avait pris part à la première croisade, l'avait racontée en vers. Cet antique poème a malheureusement péri, et d'ailleurs l'initiative de son auteur, n'a porté aucun fruit. Il y a là de quoi surprendre. Les croisés de 1106, de 1147, de 1189, ont assurément dû expédier de Palestine et de Syrie de nombreuses lettres en français : des lettres privées, des lettres ouvertes écrites à des fins de propagande, des « communiqués ». L'usage de ces correspondances aurait dû, semble-t-il, induire de bonne heure les laïques à composer en langue vulgaire des mémoires, des chroniques. Il n'en fut rien pourtant. La tradition l'emporta,

qui réservait aux seuls clercs écrivant en latin le haut privilège de retracer les événements de la vie nationale. Et s'il se rencontra à l'extrême fin du XIIe siècle un jongleur, Ambroise, pour écrire en vers français une relation de la troisième croisade, c'est que ce jongleur, Normand et sujet de Richard Cœur de Lion, avait trouvé, non pas en France, mais en Normandie et en Angleterre, des devanciers, des inspirateurs.

Seuls en effet, au XIIe siècle, les ducs de Normandie, rois d'Angleterre, et les hauts seigneurs de leurs domaines ont provoqué des travaux d'historiographie en français. En français et, on ne saurait ici l'omettre, en latin. C'est qu'ils avaient compris ce que pouvaient les écrits de cette sorte pour servir les intérêts de leur politique. Gaufrey de Monmouth, l'auteur de la fabuleuse *Historia regum Britanniae*, dont nous avons déjà parlé, a exploité cette disposition : au roi Henri Ier, soucieux de rehausser le prestige de la dynastie normande en la posant comme héritière de la gloire des anciens rois anglais, il a voulu montrer, au profit de l'élément breton du pays, que ce souci devait remonter plus haut encore, jusqu'aux rois indigènes détrônés par les Anglais, et dont les exploits auraient été, à son dire, merveilleusement illustres. Henri Ier étant mort en 1135, sa veuve avait fait composer, par un rimeur nommé David, une biographie de ce roi, aujourd'hui perdue. C'est peu de temps après, entre 1147 et 1151, que Geffrei Gaimar écrivit en six mille octosyllabes, à la requête d'un baron anglo-normand, son *Estoire des Englès*. Un autre rimeur d'Angleterre, Jordan Fantosme, chanta en laisses monorimes la guerre menée en 1173-1174 contre Guillaume, roi d'Écosse, par Henri II. Henri II suscita aussi, pour propager la gloire de sa maison, à la faveur d'ouvrages en langue vulgaire, deux historiographes, Wace et Benoît de Sainte-Maure.

Wace, né dans l'île de Jersey vers l'an 1100, avait étudié à Paris. Il devint à Caen « clerc lisant » (on ne sait pas au juste ce que signifie ce titre), puis, entre 1160 et 1170, chanoine à Bayeux. Il mourut vers 1175. Nous avons conservé de son œuvre, qui dut être abondante et variée, plusieurs Vies de saints en vers, et deux grandes compositions historiques, le *Roman de Brut* et le *Roman de Rou*. Il est le plus ancien littérateur de métier sur lequel on ait quelque information. Il travaillait pour de riches amateurs qui le payaient :

> « Je parol a la riche gent
> Ki unt les rentes et l'argent,
> Kar pur eus sunt li livre fait
> E bon dit fait e bien retrait... »

et souvent il exprime son souci de « gaaignier » :

> « Mult m'est dulz li travails, quant jo cuit cunquester. »

Son *Roman de Brut* (ou de Brutus, prétendu héros éponyme des Bretons) est un vaste poème de plus de 15 000 octosyllabes, qu'il dédia, en 1155, à la reine Éléonore. Il y retrace la « Geste des Bretons », depuis le siège de Troie jusqu'à la ruine de l'indépendance bretonne, en 689.

Ce n'est qu'une libre traduction d'un ouvrage latin célèbre, l'*Historia regum Britanniae* de Gaufrey de Monmouth, clerc gallois, qui mourut évêque de Saint-Asaph en 1154. Gaufrey de Monmouth avait rassemblé dans ce livre une foule de fictions, prises à des textes plus anciens, à l'*Historia Britonum* de Nennius (xe siècle) entre autres : le premier, il y avait développé, par exemple, la légende de Merlin et celle du roi Arthur. L'aisance, la vivacité, l'agrément de son traducteur Wace firent assurément beaucoup pour son succès. C'est du *Roman de Brut* principalement que dérivent une foule d'excellents contes et plusieurs beaux romans français, à commencer par ceux de Chrétien de Troyes.

Après le *Roman de Brut*, Wace composa le *Roman de Rou* (c'est-à-dire de Rollon), qui est une histoire des ducs de Normandie. Il écrit, dit-il,

> Pur remembrer des ancessurs
> Les diz e les faiz e les murs*.   *les mœurs.

Ses récits reposent sur les chroniques de Dudon de Saint-Quentin, de Guillaume de Jumièges, de Guillaume de Malmesbury, etc.; mais il apporte aussi quelques traits originaux, anecdotes et historiettes. Sa façon de conter est fort séduisante. Son style sobre, ses vers bien frappés, sa rhétorique à la latine recueillaient les suffrages des connaisseurs, qui lui répétaient (c'est lui du moins qui l'atteste) :

> « Vus devriez tuz tens escrire,
> Ki tant savez bel e bien dire... »

Pourtant, il trouvait qu'on lui ménageait moins l'éloge que l'argent. Le roi Henri II, l'ayant encouragé à entreprendre son *Roman de Rou*, lui avait donné en récompense, tandis qu'il y travaillait encore, une prébende à Bayeux.

Mais la faveur royale se détourna de lui. Vers l'an 1170, Henri II chargea l'illustre auteur du roman de Troie, Benoît de Sainte-Maure, de composer, lui aussi, une histoire des ducs normands. A la nouvelle de cette concurrence, Wace se découragea : il a laissé inachevé, l'arrêtant à la bataille de Tinchebray (1106), son *Roman de Rou*.

La *Chronique des ducs de Normandie*, de son rival Benoît de Sainte-Maure, qui ne comprend pas moins de 43 000 octosyllabes, n'est, elle aussi, qu'un exercice de traduction et d'adaptation des chroniques en latin : le roman de Wace est plus agréable.

Ambroise, auteur de l'*Histoire de la guerre sainte*, était originaire d'Évreux, donc sujet de Richard Cœur de Lion. Il fut, vraisemblablement, jongleur de profession. Il avait pris part à la troisième croisade : il l'a racontée pour faire connaître les souffrances et les déceptions des pèlerins, et pour célébrer les vaillantes actions de tant de bons chevaliers, du roi Richard principalement. Son poème, qui compte plus de 12 000 vers octosyllabiques, est une œuvre de bonne foi. On éprouve, à le lire, l'impression qu'on a sous les yeux les faits eux-mêmes, palpables, immédiats, authentiques. Il émeut par cet accent de vérité, et aussi parce qu'il retrace avec une simplicité saisissante les pensées, les sentiments des plus humbles croisés. Il était des leurs, comme eux de chétive condition. Les conseils des princes lui étaient fermés, mais il connaissait, il ressentait à merveille les passions des petits. Dans tout son poème vibrent leur foi, leur désir d'atteindre Jérusalem, et, pour l'atteindre, leur consentement à tous les sacrifices : « Qui Dieu sert, rien ne lui coste. » Cette ardeur naïve se dépite à voir le succès compromis par les rivalités entre chefs, par la lenteur de leurs calculs, et, quand il lui faut rapporter quelque scène scandaleuse où se sont heurtés des intérêts opposés, il met une sorte de pudeur à le faire et le fait au plus bref. Souvent, au contraire, cette même ardeur et cette même naïveté éclatent en transports soudains, pour une joie fugitive, pour une espérance à peine entrevue : ainsi quand un jour, à l'issue d'une assemblée de hauts barons, le bruit s'élève qu'enfin ils vont ordonner la marche vers les Lieux Saints. La nouvelle court

> E vient as genz de l'ost et conte
> Que li haut home et que li conte
> Al parlement tuit dit aveient
> Que Jersalem asejereient.
> Es vos* en l'ost joie venue   *voici.
> Et en grant gent et en menue
> Tel esperance et tel leece*,   *liesse.
> Tel luminaire et tel noblesce,
> Qu'en l'ost n'aveit nul cristien,
> Haut ne bas, joesne n'ancien,
> Qui n'esjoïst od grant desrei*,   *avec grande ardeur.
> Fors sulement le cors le rei*   *excepté le roi.
> Qui point ne s'iert esleeciez,
> Ains se chocha* tot coreciez   *se coucha.
> Des noveles qu'il ot oïes;
> Mais de l'ost les gens esjoïes
> Esteient si que tant dancierent
> Qu'après mie nuit se cochierent.

En un certain sens, Ambroise a vu les choses par le dehors, puisqu'il n'était pas en situation de découvrir les ressorts secrets des événements, et par là il est inférieur à Villehardouin, à Joinville. Mais par sa sincérité, il n'est pas moins un véritable historien, leur digne précurseur.

LE CHATEAU DE FALAISE (CALVADOS), où naquit Guillaume le Conquérant (état en 1939; tour du XIIIe siècle). — CL. ALMY.

LE COURONNEMENT DE LA VIERGE. Ivoire français de la fin du XIIIᵉ siècle (musée du Louvre)· — CL. GIRAUDON

DEUXIÈME PARTIE

DE LA QUATRIÈME CROISADE
AU DÉBUT DE LA GUERRE DE CENT ANS (1202-1337)

C'est par une transition insensible que l'on passe du XIIᵉ au XIIIᵉ siècle, et, au cours de la nouvelle période où nous entrons, ce sont encore, à quelques nouveautés près, les mêmes genres littéraires que nous aurons à considérer, chansons de geste, romans courtois, chansons courtoises, etc., toujours aussi riches en œuvres. Point de cassure, comme en produiront la guerre de Cent Ans, ou les guerres de religion, ou la Révolution. La vie se poursuit au temps de Saint Louis selon la même ligne que sous les règnes de Louis VI et de Louis VII : le système féodal se développe sans heurts, conformément à son type, et l'on peut dire que le XIIIᵉ siècle est surtout l'épanouissement du XIIᵉ.

Pourtant, sous l'apparente identité des institutions et des mœurs, des transformations se sont produites ou se préparent ; et c'est pendant le règne du souverain le plus respectueux des traditions que vont éclore des forces presque révolutionnaires. Le mouvement communal du XIIᵉ siècle aboutit, au XIIIᵉ, à de grands changements sociaux, dont le principal est l'immense progrès de la bourgeoisie. Dans l'ordre religieux et moral, on voit se manifester une indignation véhémente contre les abus du clergé, tant séculier que régulier, presque de la révolte, un trouble des intelligences, qui commencent à railler, à douter même. De ces faits, la littérature porte la marque. Les cadres, les moules littéraires restent presque tous les

mêmes ; mais l'esprit évolue, partagé entre des tendances contraires, mysticisme ou philosophie réaliste, foi ou scepticisme. L'éveil à toutes les formes de la critique peut être considéré comme le caractère dominant du XIIIᵉ siècle.

I. — TRANSFORMATIONS DES CHANSONS DE GESTE

LE CYCLE DE LA CROISADE

La Chanson d'Antioche, p. p. Paulin Paris, 2 vol., 1848 ; la Conquête de Jérusalem, p. p. Hippeau, 1868. — Le Chevalier au Cygne et le Roman de Godefroi de Bouillon, p. p. Hippeau, 2 vol., 1874-1877 ; remaniement de ces deux poèmes : le Chevalier au Cygne et Godefroi de Bouillon (XIVᵉ s.), p. p. de Reiffenberg, Bruxelles, 2 vol., 1846-1848 ; la Naissance du Chevalier au Cygne, p. p. H. A. Todd, Baltimore, 1889 ; Baudouin de Sebourg, p. p. Bocca, Valenciennes, 2 vol., 1841 ; le Bastart de Bouillon, p. p. A. Scheler, Bruxelles, 1877.

Voir A. Pigeonneau, le Cycle de la Croisade, 1877 ; — G. Paris (Romania, 1890 et 1901) ; — G. Huet (Romania, 1905, p. 206) ; — A. Hatem, les Poèmes épiques des croisades, 1932.

LE CHEVALIER AU CYGNE. Manuscrit 3139 de la Bibliothèque de l'Arsenal (daté de 1268). — CL. LAROUSSE.

Les croisades, de même qu'elles ont donné lieu à des compositions de caractère historique, ont fourni la matière de poèmes où les événements réels ont été élaborés avec plus ou moins de fantaisie. La forme littéraire qui a été adoptée dans ces poèmes est celle des chansons de geste, auxquelles les auteurs ont emprunté non seulement leur formule rythmique, mais aussi des thèmes traditionnels et le tour du style.

Un premier groupe est constitué par la *Chanson d'Antioche* et la chanson de la *Conquête de Jérusalem*, qu'écrivit Graindor de Douai au début du XIIIᵉ siècle. Dans ces deux chansons, qui traitent de la première croisade depuis ses origines jusqu'à la prise de la ville sainte, l'histoire est très profondément altérée, sans que l'auteur ait tiré d'effets heureux de la liberté d'invention qu'il s'est accordée ; il n'a peint que bien médiocrement le grand élan de foi qui anima les premiers croisés, et seuls dans son œuvre présentent un réel intérêt les passages comme le récit des sièges d'Antioche et de Jérusalem, où subsiste quelque chose de la vérité historique : encore doit-on noter qu'ici Graindor avait probablement pour modèle un poème antérieur, aujourd'hui perdu, celui de Richard le Pèlerin.

Dans un second groupe d'ouvrages, les traces d'histoire qu'on pouvait relever chez Graindor ont complètement disparu : ce sont des romans de pure imagination. Plusieurs sont consacrés au prince qui avait été le héros de la première croisade, Godefroi de Bouillon. C'est à sa personne et à l'histoire de sa famille que se rapportent les deux chansons du *Chevalier au Cygne* et de *Godefroi de Bouillon*, écrites au début du XIIIᵉ siècle, et celle d'*Elioxe* ou de la *Naissance du Chevalier au Cygne*, écrite un peu plus tard. On sait par divers témoignages que c'était une ambition des familles féodales de voir leur nom figurer dans des œuvres littéraires, chroniques ou romans : ici, sous l'influence de cette préoccupation généalogique, c'est toute une légende qui s'est échafaudée en l'honneur de la maison de Bouillon. Probablement d'origine normande, elle raconte comment Élias, chef du lignage, s'était présenté en champion de la comtesse de Bouillon dans une nacelle traînée par un cygne, puis avait épousé la fille de la comtesse : de ce mariage était née une fille, nommée Ida, qui, devenue la femme du comte Eustache de Boulogne, avait donné naissance à l'illustre Godefroi. Le poème d'*Elioxe* rattache cette première légende à une autre, d'après laquelle le Chevalier au Cygne serait le seul de six frères, métamorphosés en cygnes, qui eût recouvré la forme humaine.

Parmi les poèmes de pure fantaisie rattachés au Cycle de la croisade, un autre se présente comme une continuation de la *Chanson de Jérusalem* : c'est le roman de *Bau-*

douin de Sebourg, œuvre d'un écrivain négligé, mais plein de verve, qui n'a ni le sens épique ni le sens courtois, mais qui a de l'entrain, de l'esprit et une certaine truculence pittoresque. Ce poème ne contient absolument rien d'historique, si ce n'est le seul nom de Baudouin, qui fut, en effet, celui du troisième roi de Jérusalem. Le héros, fils du roi de Nimègue, d'abord élevé par le seigneur de Sebourg, puis pris à son service par le comte de Flandre, qui le fait sénéchal, se met à courir les aventures à travers l'Europe, s'embarque pour l'Orient où l'attendent de nouveaux hasards, rentre en France, revoit Sebourg et Nimègue, part encore pour l'Orient, puis rentre définitivement dans ses terres, où il châtie rudement son ennemi Gaufroi, qui le persécutait, lui et les siens, depuis son enfance. Le récit, d'une complexité extrême, se déroule à travers de multiples histoires entremêlées. Il est fastidieux en toutes les parties où s'étale la fantasmagorie d'un Orient conventionnel ; mais il devient très intéressant en toutes celles qui font connaître les mœurs de France et l'état de l'esprit public au temps où il fut composé, c'est-à-dire au début du XIVᵉ siècle. Il intéresse aussi par un tour plaisant et burlesque, qui n'est évidemment pas du style de l'épopée, mais qui, en lui-même, a sa valeur littéraire. Le héros, Baudouin, est un personnage singulier : redouté pour ses « poings carrés », père, dès l'âge de seize ans, de trente bâtards, et faisant l'épouvante des maris, il séduit la fille du seigneur de Sebourg, son père nourricier, il enlève la sœur du comte de Flandre qui l'avait choisi pour son sénéchal, et si, plus tard, il finit par épouser cette dernière, il prend fort aisément son parti des accidents qui la font tomber dans d'horribles prisons et la séparent de lui pendant quelque vingt années. C'est à la mesure de ce compère facétieux et goguenard que sont taillés les épisodes, parfois véritables fabliaux, dont les femmes et les prêtres font les frais : Baudouin, mis en prison à l'instigation d'un prêtre d'Allemagne qui convoitait sa femme, rossant le maire et ses sergents, étripant quelques gaillards venus à la rescousse, puis faisant jeter tout nu à la rivière le galant qui — c'était l'hiver — en mourut ; ou encore le même Baudouin, déguisé en moine et décidant le prêtre de Sebourg, par son regard terrible et par les jeux de sa musculature effroyable, à le déclarer moine authentique, en dépit de l'évidence et de son ignorance du latin.

LA DÉCADENCE DES CHANSONS DE GESTE

Le dénombrement des œuvres du XIIIᵉ siècle qui appartiennent aux anciennes « gestes » du Roi, de Doon de Mayence et de Garin de Monglane, a été fait ci-avant. Voir L. Gautier, *les Épopées françaises, 2ᵉ éd., t. III.*

— *Il faut mentionner ici la* Geste des Lorrains *dont plusieurs poèmes ont été publiés :* la Mort de Garin, *par P. Paris, 1846 ;* Hervis de Mes, *par Stengel, 1903 ;* Yon, *par S. R. Mitchneck, 1935 ;* Anseïs de Mes, *par H. J. Green, 1939.* — *Les poèmes d'Adenet le Roi,* les Enfances Ogier, Berthe aus grans piés, Bovon de Commarchis, *ont été publiés par Aug. Scheler, à Bruxelles, en 1874. Le roman de* Cléomadès, *du même Adenet, a été publié par A. Van Hasselt, 2 vol., Bruxelles, 1866.* — *Voir A. Bovy,* Adenet le Roi et son œuvre, *Bruxelles, 1898.*

Huon de Bordeaux, *p. p. F. Guessard et Charles Grandmaison (collection des* Anciens Poètes de la France*), 1860.*

Le roman de *Baudoin de Sebourg* représente une forme profondément corrompue de la chanson de geste. Bien avant l'apparition de ce roman, le genre avait commencé à s'altérer : son immense succès lui-même le voulait ainsi. Des parodies, comme *Audigier* ou le *Siège de Neuville*, sans le compromettre gravement, étaient pourtant des signes inquiétants. Mais surtout les conditions dans lesquelles les œuvres en vogue étaient exploitées par les écrivains professionnels avaient eu des conséquences très fâcheuses : elles expliquent qu'aient apparu ces remaniements innombrables et volumineux des antiques poèmes, produits d'entreprises concurrentes d'exploitation où les grandes légendes ont perdu leur force primitive; elles expliquent aussi le pullulement de ces « suites », par l'apport desquelles, selon un procédé vite généralisé, les poèmes illustres se sont lourdement amplifiés. Contrefaçons et suites, c'étaient deux grandes plaies.

A partir du XIIIe siècle, le genre épique se survit à lui-même; il y a des chansons de geste parce qu'il y en avait eu; mais la grande flamme spiritualiste, faite de l'idéal chevaleresque et de l'idéal chrétien mêlés, allait s'obscurcissant; et le poète n'était plus soutenu dans ses créations par l'âme unanime d'un peuple. D'autre part, à mesure que l'œuvre littéraire devenait marchandise de meilleur revient, les préoccupations de gain prenaient le pas sur les recherches d'art. Le public, qui payait, était un tyran impérieux; pour lui plaire, on flattait ses goûts : on lui présenta des types conventionnels au lieu de caractères; on recherchait les « gros effets » de rire et de larmes.

Il se produisit pourtant quelques innovations. On a vu comment l'esprit populaire a donné à *Baudouin de Sebourg* son caractère à la fois réaliste et frondeur; les poèmes d'Adenet, au contraire, représentent une adaptation de l'épopée aux goûts du beau monde.

Originaire du Brabant, Adenet, surnommé le Roi, avait reçu son instruction poétique grâce à la sollicitude de Henri II, qui fut duc de 1248 à 1261, et qui, amateur de lettres, était lui-même auteur à ses heures. Après 1261, il resta le protégé de Jean et de Godefroi, fils du duc Henri, puis passa au service de Gui, comte de Flandre, qu'il accompagna à Naples et en Sicile. Il était encore de la suite de ce prince en 1296; ce qui ne l'empêcha pas de faire des séjours à la cour de France, où il trouva pour protectrice la reine Marie, de

CLÉOMADÈS. En 1285, dans la chambre de la reine Marie de Brabant, femme de Philippe le Hardi, Adenet écoute Blanche, fille de Saint Louis, veuve de Ferdinand de la Cerda, infant de Castille, raconter une légende qu'elle a rapportée d'Espagne : il en tirera son roman de « Cléomadès ». Adenet porte sa couronne de roi des ménestrels (Bibl. de l'Arsenal, ms. 3142, XIIIe siècle). — CL. LAROUSSE.

la maison de Brabant, qui avait épousé Philippe en 1274.

Le seul fait que l'on possède tant de renseignements biographiques sur Adenet est une curiosité instructive. Si l'auteur prend soin de se découvrir comme le fait celui-ci, c'est un signe que le public commence à se préoccuper de chercher l'artiste derrière l'œuvre, pour le juger. D'autre part, la condition d'Adenet est assez nouvelle. C'était un ménestrel, type amélioré de jongleur. Le ménestrel, ayant trouvé une situation stable dans une maison seigneuriale, a pour métier de plaire à celui qui se l'est attaché; il est de sa compagnie habituelle et vit parfois avec lui dans une intimité dont on peut se faire une idée précisément par le portrait qu'Adenet a tracé du ménestrel Pinçonnet dans le roman de *Cléomadès*, et qui pourrait bien être le sien. Au point de vue littéraire, il en résulte que l'œuvre reflète non seulement le tempérament du poète, mais aussi, et très nettement, l'état d'esprit du milieu où il vit. Les chansons de geste d'Adenet représentent, dans l'évolution du genre, une étape qu'avait ordonnée le goût des cours, notamment celui de la cour de France, aux environs de 1275.

Il faut bien dire que ce goût, en raison même de sa finesse, était en contradiction avec le principe de l'épopée, qui commande une exécution à larges traits. Adenet a écrit *Cléomadès* à la fin de sa carrière : c'est sa meilleure œuvre, parce que c'est un roman de pure fantaisie et qui ne prétend pas à autre chose : histoire amusante où un cheval de bois d'ébène, mû par un mécanisme, vole par les airs, et emporte les personnages qui le chevauchent vers de nombreuses

C est la fins de cest livre ici

noble conte preu z sage
dartois qui a mis son usage
E ndien honnorer z servir
nuoi mon livre pour oir

ADENET LE ROI offre au comte d'Artois son roman de « Cléomadès » (Bibl. de l'Arsenal, ms. 3142, XIIIe siècle). — CL. LAROUSSE.

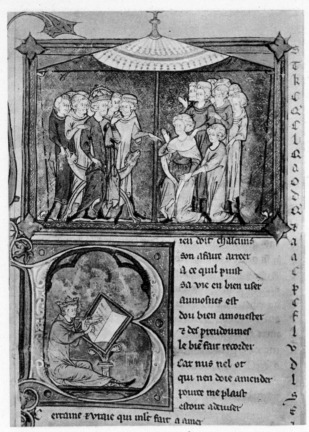

OGIER, ENFANT, EST LIVRÉ EN OTAGE A CHARLEMAGNE. Au-dessous, Adenet composant son roman des « Enfances Ogier » (Bibl. de l'Arsenal, ms. 3142, XIIIe siècle). — CL. LAROUSSE.

aventures. Les trois autres œuvres d'Adenet sont les *Enfances Ogier*, remaniement de la première partie de la *Chevalerie Ogier* de Raimbert, où le héros, amené en otage à la cour de Charlemagne, est sauvé de la mort par Mahaut, fille du châtelain de Saint-Omer, puis se couvre de gloire en Italie au profit de l'empereur; *Berthe au grand pied*, remaniement d'une plus ancienne chanson, qui raconte comment des traîtres ont substitué auprès du roi Pépin, le soir de ses noces avec Berthe de Hongrie, une fausse Berthe, et comment Blanchefleur, mère de la malheureuse princesse, découvre l'imposture; *Bovon de Commarchis*, enfin, qui est un remaniement d'une chanson du cycle de Garin de Monglane, le *Siège de Barbastre*.

Dans ces entreprises de remaniement, Adenet a été guidé par le mépris qu'il ressentait pour la grossièreté de ses devanciers : il les accusait d'avoir raclé d'une lame d'épée en guise d'archet, sur une coque de bouclier en guise de vielle, et d'avoir fait entendre des sons qui eussent été durs même à l'oreille de barbares :

Il vielerent tous doi d'une chanson   *boucliers.
Dont les vieles erent targes* ou blason,   *épées. **archets.
Et branc* d'acier estoient li arçon**.   *telles.
De tés* vieles vielerent maint son,
Grief a oïr a la gent Pharaon.

Pour les améliorer, il n'a pas changé les données essentielles de ses modèles : il a suivi pas à pas leurs narrations. Son apport personnel n'intéresse que la forme. Il consiste d'abord en des innovations métriques : la substitution de l'alexandrin au décasyllabe, celle de la rime à l'assonance, et l'agencement des laisses par groupes de deux, toutes deux portant à la rime la même voyelle tonique, mais la première étant bâtie sur des rimes masculines, la seconde sur des rimes féminines. Il consiste surtout en

une rédaction soignée, d'un style clair, aisé et harmonieux. Il est certain que sa facture est de fort bonne qualité; mais c'est un pauvre corps que cache cet élégant vêtement. Avec leurs oripeaux et leurs paillons, comme ces pâles romans sont loin de la robuste constitution des vieilles gestes! Pourtant, à l'occasion, quand l'auteur parle de choses qui sont pour lui des réalités et qu'il a vues, sa peinture s'anime; c'est ce qui est arrivé pour ses descriptions de Naples, de la Sicile, de Venise, qu'il avait visitées; et on trouve quelque agrément à s'arrêter avec Blanchefleur sur les hauteurs de Montmartre, d'où elle découvre Paris :

Vit la cit* de Paris, qui est et longue et lée**,   *cité. **large.
Mainte tour, mainte sale, et mainte cheminée;
Vit de Montlehery la grant tour quarelée*;   *crénelée.
La rivière de Saine vit, qui mout est loée,
Et d'une part et d'autre mainte vigne plantée;
Vit Pontoise et Poissy et Meulant en l'estrée*,   *sur la grand-route.
Marli, Montmorenci et Conflans en la prée,
Dampmartin en Goele, qui mout est bien fermée*.   *fortifiée.

Avec le roman de *Huon de Bordeaux*, la légende carolingienne s'évapore dans les sphères de la fantaisie amusante et du conte de fées.

Le jeune Huon a tué Charlot, fils de Charlemagne, qui d'ailleurs l'avait injustement attaqué. Pour le châtier, Charlemagne lui impose de se rendre auprès de l'émir de Babylone, d'entrer tout armé dans sa salle, de tuer le premier chevalier qu'il y trouvera, de prendre devant tous un baiser à la fille du païen, et de rapporter à la cour de France la barbe de l'émir et quatre de ses dents. Il part, et en cours de route il rencontre le nain Obéron, qui lui fait présent d'une coupe d'or et d'un cor d'ivoire : pour quiconque aura le cœur pur, la coupe s'emplira du meilleur vin; et chaque fois qu'il entendra retentir le cor, le petit roi de Féerie viendra au secours d'Huon. Riche de ce double don, le héros arrive à Babylone. Revêtu des armes qu'il a enlevées au chevalier Orgueilleux, il accomplit un à un les ordres étranges de Charlemagne : il réussit à pénétrer dans le palais de l'émir Gaudisse et fait voler la tête d'un des barons assis à sa table; puis, ayant apaisé l'émir en lui présentant un anneau qu'il avait aussi enlevé à Orgueilleux, il embrasse trois fois sa fille, Esclarmonde. On finit par le mettre en prison; il en sort, tue Gaudisse et lui prend sa barbe et quatre dents. Il se met sur la voie

HUON DE BORDEAUX jouant avec la fille de l'émir de Monbranc la partie d'échecs dont dépend son sort. Boîte à miroir, ivoire français de la première moitié du XIVe siècle (Victoria and Albert Museum, Londres). — CL. ARCH. PHOT.

du retour avec Esclarmonde qui s'est éprise de lui. Il la perd, la retrouve, l'épouse, et rentre à Bordeaux, où il est mis en jugement et condamné sur de fausses accusations, mais sauvé finalement par une dernière intervention d'Obéron.

Ce roman est écrit, comme les chansons de geste primitives, en laisses assonancées ; comme certaines d'entre elles, il se rattache à l'histoire légendaire de Charlemagne ; comme la plupart, c'est une œuvre de jongleur, et l'auteur y fait à plusieurs reprises appel à la générosité d'un auditoire qui était celui des places publiques. Mais, par le fond, *Huon de Bordeaux* n'a rien de commun avec les anciennes légendes héroïques. C'est un éblouissement d'aventures merveilleuses comme on en trouve plutôt dans certains romans courtois ; et ceux-ci, le poète les connaissait bien : il y a puisé abondamment les traits qui font la couleur particulière de son récit : nains et lutins, anneaux magiques, pays étranges, palais enchantés. Pour avoir ainsi dévié de la tradition épique, il n'en a pas moins réussi une œuvre en elle-même pleine de charme. Prenant ses matériaux un peu partout, il les a ajustés avec infiniment de goût, et il entraîne ses auditeurs par les chemins de la plus ravissante féerie : il a su, de plus, utiliser comme un des ressorts de l'action le caractère de son héros, cet « enfant » Huon, si joliment inventé, avec sa témérité ingénue, ses brusques caprices, son insouciance, et cette étourderie amusante qui lui fait oublier constamment les ordres de son bienfaiteur Obéron. On doit à la fantaisie de ce poète une des fictions les mieux contées du moyen âge.

A la fin du XIIIᵉ siècle, on peut tenir le genre pour épuisé. Tout ce qui fut versé par la suite dans l'antique moule des chansons de geste se gâta. On tenta encore, au XIVᵉ siècle, d'y couler des récits d'événements contemporains ou récents. De là, les *Vœux de l'épervier*, composés vers 1315, où est retracée la lutte du roi de Naples contre l'empereur Henri VII ; — la *Bataille des Trente* (1351) ; — la *Chanson de Bertrand du Guesclin*, par Cuvelier (vers l'an 1384) ; — la *Geste de Liége*, par Jean d'Outremeuse (fin du XIVᵉ siècle) : poèmes sans beauté, où sont mécaniquement appliquées les formules d'un genre périmé.

A partir du XIVᵉ siècle, de nombreuses chansons de geste furent récrites en prose. Ces renouvellements trouvèrent des lecteurs, à telles enseignes que les plus anciennes presses parisiennes et lyonnaises s'empressèrent d'en publier des éditions : on connaît un *Fierabras*, imprimé en 1478 ; un *Regnault de Montauban*, imprimé en 1480. Mais le soin de rajeunir et d'adapter les vieux romans fut abandonné à des commis de librairie : ils finirent par se vulgariser tout à fait dans la *Bibliothèque bleue*.

II. — LE DÉVELOPPEMENT DES ROMANS COURTOIS

LES ROMANS DE LA TABLE RONDE

Les romans de la Table ronde, mis à part le cycle du Saint-Graal, dont il sera traité plus loin, se laissent diviser en deux classes :

CLASSE DES ROMANS BIOGRAPHIQUES. — « *Ils prennent un héros depuis sa naissance, ou du moins depuis son apparition à la cour d'Arthur, où se présente à lui l'aventure qui doit faire le principal sujet du roman, et nous racontent plus ou moins longuement ses prouesses.* »

Du GUESCLIN MOURANT donne son épée à Clisson et reçoit les clefs de Châteauneuf-de-Randon. Manuscrit de la « Chanson de Bertrand du Guesclin », par Cuvelier (Bibl. de l'Arsenal, ms. 3141, XIVᵉ siècle). — CL. LAROUSSE.

(*G. Paris.*) *A ce type, qui est celui des romans de Chrétien de Troyes, appartiennent :* Meriadeuc *ou le* Chevalier aux deux épées, *p. p. W. Foerster, Halle, 1877 ;* Durmart le Gallois, *p. p. E. Stengel (Bibliothek des literarischen Vereins in Stuttgart, 1873);* Fergus, *par Guillaume Le Clerc, p. p. Fr. Michel pour l'Abbotsford Club, Édimbourg, 1841, et par E. Martin, Halle, 1872 : ces trois romans ont été composés dans le premier tiers du XIIIᵉ siècle ;* — Ider, *p. p. H. Gelzer, 1913, et* Gliglois, *p. p. Ch. H. Livingston, Cambridge-Mass., 1932, qui datent de la première moitié du XIIIᵉ siècle ;* — Beaudous, *par Robert de Blois, daté de 1250 environ, p. p. J. Ulrich, Berlin, 1889 ;* — Floriant et Florete, *daté de la seconde moitié du XIIIᵉ siècle, p. p. Fr. Michel, 1878 ;* — Claris et Laris, *daté de 1268, p. p. J. Alton (Bibliothek des literarischen Vereins in Stuttgart, 1884).* — *C'est à ce groupe qu'appartiennent* Méraugis de Portlesguez, *écrit par Raoul de Houdenc avant 1228, p. p. Matthias Friedwagner, Halle, 1897, et* Guinglain *ou le Bel Inconnu, écrit par Renaud de Beaujeu au début du XIIIᵉ siècle, p. p. C. Hippeau, 1860, et par G. P. Williams, Oxford, 1915 (et Classiques français du moyen âge, 1929).*

CLASSE DES ROMANS ÉPISODIQUES. — « *Généralement plus brefs, ils nous retracent un épisode, mais souvent composé de beaucoup d'aventures, enchevêtrées les unes dans les autres, de la vie d'un héros célèbre.* » (*G. Paris.*) *Les romans de ce type ont souvent Gauvain pour héros de premier plan. Les principaux sont :* le Manteau mal taillé, *de la fin du XIIᵉ siècle, p. p. A. Wulff (Romania, t. XIV);* le Chevalier au perroquet, *du XIIIᵉ ou XIVᵉ siècle, p. p. F. Heuckenkamp, Halle, 1897 ;* la Vengeance Raguidel, *du milieu du XIIIᵉ siècle, par un certain Raoul, dans lequel on a cru reconnaître, peut-être à tort, Raoul de Houdenc ; ce poème a été publié par Friedwagner, Halle, 1909 ;* — le Chevalier à l'épée, *p. p. Méon, Fabliaux et contes, t. I ;* — la Mule sans frein, *p. p. Méon, Nouveau Recueil de fabliaux, t. I, par Th. Hill, Baltimore, 1911, et par R. Orlowski, Paris, 1911 ;* — l'Atre périlleux, *publié dans l'Archiv für das Studium der neueren Sprachen und Literaturen, t. XLII, 1867, et par Brian Woledge (Classiques français du moyen âge, 1936);* — Rigomer, *par Jean, p. p. W. Foerster (Gesellschaft für romanische Literatur, 1908).*

Voir l'étude de G. Paris, Romans en vers du cycle de la Table ronde, *au t. XXX de l'Histoire littéraire de la France, 1888.*

L'Atre périlleux. Célébration, à la cour du roi Arthur, du mariage de plusieurs chevaliers (B. N., ms. franç. 1433, XIIIᵉ siècle). — Cl. Larousse.

Les poèmes de la Table ronde, dans leur abondant développement, continuent, au XIIIᵉ siècle, la tradition inaugurée par Chrétien de Troyes : ce sont des romans d'aventure et d'amour, qui glorifient la prouesse et la courtoisie.

Ils ont été trop nombreux pour qu'on n'ait pas à compter dans leur masse des œuvres mal venues, et des jugements sévères ont été portés sur l'extravagance et la prolixité de plusieurs d'entre eux. Pourtant, dans leur ensemble, ces romans représentent un magnifique travail d'imagination, et ils nous proposent un si beau voyage au Pays de la Merveille ! Des contrées mystérieuses où les chevaliers aventureux chevauchent de surprise en surprise, où se dressent des palais enchantés, où fleurissent des jardins enveloppés de sortilèges ; un riche matériel de féerie : navires mus par des forces secrètes, tables miraculeusement servies, vêtements somptueux, courtines brodées, coupes magiques ; un monde d'êtres étranges : guivres et griffons, nains et géants, seigneurs félons, demoiselles persécutées et charmantes ; des aventures singulières : combats contre des monstres, défis insolents de chevaliers outrageux, messages de dames lointaines, prisons cruelles, intrigues amorcées et subitement interrompues, « emprises » téméraires heureusement menées à leur terme, amours de fées et de preux, philtres, talismans, enchantements ; la cour si noble du roi Arthur, ces chevaliers si beaux, si hardis, si fidèles à l'honneur, et leur modèle à tous, monseigneur Gauvain, l'invincible, en qui s'incarne l'idéal chevaleresque... De ces thèmes et de ces ingrédients, des maladroits ont bien pu faire un pauvre usage. Mais de vrais poètes se sont rencontrés aussi qui ont bien modelé cette riche matière romanesque.

Pour le prouver, tant d'agréables romans : *Mériadeuc*, *Floriant et Florette*, le *Chevalier à l'épée*, *Durmart le Gallois*, s'offrent à l'envi. Mais il nous faut nous borner. Puisse l'analyse de deux seulement d'entre eux, *Méraugis* et le *Bel Inconnu*, choisis presque au hasard, donner quelque idée de ce groupe aimable et brillant.

MÉRAUGIS DE PORTLESGUEZ

Deux jeunes chevaliers, Méraugis de Portlesguez et Gorvain Cadrut, aiment la belle Lidoine : Méraugis l'aime pour sa « valeur », Gorvain seulement pour sa beauté. Lequel des deux mérite le mieux de l'obtenir ?

Ils portent leur différend devant une cour de dames, présidée par la reine Guenièvre, qui, après d'ingénieux débats, se prononce en faveur de Méraugis. Mais il faut qu'il prouve par des exploits qu'il est digne de sa dame. Or, monseigneur Gauvain a disparu depuis un an de la cour d'Arthur : nul ne sait ce qu'il est devenu. Méraugis partira à sa recherche ; et la belle Lidoine l'accompagnera dans cette « quête » aventureuse.

En cours de route, un jour, dans une forêt, il trouve une tente à laquelle un écu est suspendu. Il abat l'écu et aussitôt éclate une tempête de lamentations : l'offense faite à cet écu est une offense à l'Outredouté, seigneur du lieu. Toutefois, l'Outredouté ne se présente pas aussitôt pour venger son affront, et Méraugis, poursuivant son chemin, arrive à la « Cité sans Nom ». La loi de cette cité veut que le chevalier qui en est le seigneur combatte quiconque paraît sous ses murs et que, s'il est tué, il soit remplacé dans son rôle par le vainqueur. Or, quand Méraugis arrive, le seigneur de la cité est Gauvain : il faut donc que Gauvain ou Méraugis meure ; grâce à une ruse, les deux chevaliers parviennent à se soustraire à la « coutume » du lieu : ils s'échappent tous deux de la Cité sans Nom ; mais dans l'aventure Méraugis perd Lidoine et il s'agit pour lui de la retrouver. Tandis qu'il la cherche, il joint un jour l'Outredouté ; c'est dans une clairière, au milieu d'une forêt. Sur le pré, l'Outredouté, couvert de ses armes, est en train de danser une carole avec des jeunes filles : à peine Méraugis l'aperçoit-il, que poussé par une force magique, il entre dans la carole et se met à danser, tandis que l'Outredouté quitte la ronde et s'éloigne. Voilà Méraugis retenu à sa place dans le « Château des Caroles », où sévit un maléfice : tout chevalier qui entre sur le territoire enchanté danse interminablement et sans s'apercevoir de la fuite du temps, jusqu'à ce qu'un autre chevalier vienne le remplacer. Au bout de dix semaines, Méraugis est libéré du charme : il réussit enfin à atteindre l'Outredouté et le tue. Cependant, Lidoine était tombée aux mains de Belchis le Louche, seigneur du pays d'Escavalon : elle demande secrètement du secours à Gorvain Cadrut, qui vient assiéger le château de Belchis. A cette nouvelle, Méraugis se jette dans la place et Gorvain passe du camp des assiégeants à celui des assiégés, si bien que Belchis n'est plus le maître chez lui et que, réduit à implorer la merci de Méraugis, il se voit contraint de lui rendre Lidoine. Gorvain, de son côté, lève le siège ; mais il obtient de vider par les armes sa vieille querelle avec Méraugis : Méraugis, vainqueur, l'épargne, et tous deux redeviennent les bons compagnons d'armes d'autrefois.

L'auteur de *Méraugis*, Raoul de Houdenc, conte avec habileté ; dans le dédale des aventures qu'il imagine, il sait s'orienter, combiner, enchaîner ; il produit des effets ingénieux de mystère ; et quant à son style, qui verse parfois, il est vrai, dans le maniérisme, il est plein d'adresse. Raoul de Houdenc écrivait pour un public courtois :

> Nuls, s'il n'est cortois et vaillanz,
> N'est dignes du conte escouter
> Dont je vos vueil les moz conter.

On le sent jusque dans le détail de ses procédés ; et, comme pour Chrétien de Troyes, dont il est le proche imitateur, le souci de plaire à des gens de cour est le principe à la fois de ses qualités et de ses défauts.

GUINGLAIN OU LE BEL INCONNU

Le roman du *Bel Inconnu*, par Renaud de Beaujeu, est composé selon une formule plus simple que *Méraugis*.

Un jeune chevalier, qu'on appelle le *Bel Inconnu* (car il ne connaît ni son père, ni même son propre nom, et se souvient seulement que sa mère l'appelait « beau fils »), est venu chercher à la cour d'Arthur l'occasion de s'illustrer et a obtenu du roi qu'il ferait droit à sa première requête. Or une jeune fille nommée Hélie se présente, qui demande, au nom de sa dame, fille du roi de Galles, le secours d'un chevalier assez hardi pour subir l'épreuve, périlleuse entre toutes, du « fier baiser ». Le Bel Inconnu sollicite d'être désigné, et Arthur, lié par sa promesse, le désigne en effet. Hélie est déçue d'abord par le choix d'un si obscur champion. Mais, dès les premiers pas de sa route, le Bel Inconnu multiplie ses prouesses. Il a déjà sauvé plusieurs dames, tué plusieurs géants ou chevaliers terribles, quand il arrive devant le Château de l'Ile d'Or.

Là régnait la Damoiselle aux Blanches Mains, qui avait établi, pour trouver le meilleur mari possible, une coutume redoutable. Elle avait décidé d'épouser le chevalier qui pendant dix années défendrait à lui seul le pont par lequel on accédait au château. Le Bel Inconnu trouve établi en ce poste Mauger le Gris qui, depuis cinq ans qu'il l'occupait, avait tranché la tête à cent quarante-trois chevaliers : leurs têtes, encore coiffées du heaume, sont fichées, hors les murs du château, sur cent quarante-trois pieux. Le héros attaque Mauger, le tue, et la Damoiselle, abolissant en sa faveur la « male coutume », déclare qu'elle l'épousera aussitôt.

Mais le vainqueur entend poursuivre l' « emprise » pour laquelle il s'est mis en route, l'aventure du « fier baiser » : il quitte furtivement le château et atteint finalement le terme de son expédition, la Gaste Cité. A chacune des mille fenêtres du palais se tient un jongleur qui porte un cierge et un instrument de musique. Le chevalier entre, s'arrête au seuil d'une chambre, juste comme des haches, mues par des mains invisibles, vont s'abattre sur lui; il tue un chevalier infernal, dont le corps s'évanouit aussitôt à ses yeux, au milieu d'une fumée pestilentielle et d'un fracas épouvantable. Alors, une guivre se présente. Il s'apprête à combattre le monstre; mais la guivre parle, l'apaise, s'approche peu à peu de lui; puis, tandis qu'il demeure perdu dans une contemplation muette, elle s'élance sur lui et le baise sur les lèvres. C'est l'épreuve du « fier baiser ». La guivre disparaît. Une voix révèle au héros qu'il s'appelle Guinglain, qu'il est le fils de Gauvain et de la fée Blanchemal, et, quand il se réveille du sommeil où l'ont plongé tant d'émotions, il ne voit plus qu'une admirable jeune fille. C'est Blonde Esmerée, la reine de Galles, victime d'enchantements qui l'avaient transformée en guivre et qui avaient bouleversé son palais et son royaume. La victoire de Guinglain l'a délivrée : elle offre à son libérateur de l'épouser.

Cependant Guinglain est hanté par le souvenir de la Damoiselle aux Blanches Mains. Tandis que Blonde Esmerée fait route vers la cour d'Arthur, il se hâte lui-même vers l'Ile d'Or. Quand il y arrive, la résolution de la dame a changé. La fée — car c'est une fée — lui reproche de l'avoir trompée et ne veut plus lui donner son amour :

« Li miens amis,
Mout mar i fu* vostre proece,   *c'est grand'pitié de.
Vostre sens et vostre largece,
Qu'en vos n'a rien a amender*   *il n'y a rien à reprendre.
Fors tant que ne savés amer... »

Elle l'admet à vivre dans son palais; mais elle lui fait défense d'entrer dans sa chambre. Deux fois il essaie d'y pénétrer; deux fois il tombe dans des enchantements dont il est tout honteux.

Or, comme la fée, le jugeant suffisamment puni par ces épreuves, a fini par céder à ses prières, l'annonce d'un grand tournoi décide Guinglain à gagner la cour d'Arthur. Son amie lui prédit bien qu'une femme l'y retiendra, qu'il ne reviendra pas. Il part néanmoins; et, en effet, quand il a remporté le prix du tournoi, cédant aux instances du roi, il épouse Blonde Esmerée.

Ici s'arrête le roman du *Bel Inconnu*. Dans le cadre d'une intrigue extraordinaire et de visions féeriques, le conteur a su insérer de très légères et très fines peintures de sentiments. Renaud appartenait vraisemblablement à la famille seigneuriale de Beaujeu; il était un chevalier de haut rang. En composant son roman, il s'est proposé de plaire à sa dame et de se concilier ses faveurs. C'est dans une intention semblable qu'ont été écrits les romans de *Partenopeu de Blois*, de *Joufroi*, du *Châtelain de Coucy*. Mais cette gracieuse idée a produit ici son plein effet poétique. En plusieurs endroits, Renaud interrompt son récit pour parler de ses préoccupations intimes. Ces retours sur lui-même, loin de gâter son œuvre, lui donnent un attrait de plus, et la curiosité du lecteur est doublement piquée à recueillir cette belle histoire des lèvres d'un amant, tandis qu'il la conte à sa dame dans l'espoir de se faire aimer. Il ne paraît pas, d'ailleurs, que Renaud ait obtenu le succès qu'il souhaitait. Il annonce, à la fin de son roman, l'intention de le continuer et de ramener Guinglain auprès de la fée de l'Ile d'Or, lorsqu'il aura lui-même obtenu de sa dame un « beau semblant », une marque de faveur qui l'encourage. Il le fait en ces vers spirituels :

« Bele, vers cui mes cuers s'acline,
Renals de Biauju mout vos prie
Por Diu que ne l'obliés mie :
De cuer vos veut tos jors amer,
Ce ne li poés vos veer*.   *défendre.
Quant vos plaira, dira avant,
Et il se taira ore a tant;
Mais por un biau sanblant mostrer
Vos feroit Guinglain recouvrer
S'amie que il a perdue...
Se de çou li faites delai*,   *si vous différez.
Si est Guinglains en tel esmai
Que ja mais n'avera s'amie.
D'autre vengeance n'a il mie;
Mais por la soie grant grevance
Est sur Guinglain ceste vengeance
Que ja mais jou n'en parlerai
Tant que le bel sanblant avrai. »

Mais sans doute la dame de Renaud demeura-t-elle inflexible : car le poème n'a pas eu de suite, et c'est pourquoi Guinglain est resté auprès de Blonde Esmerée.

LE CYCLE DU SAINT-GRAAL

Le cycle du Saint-Graal est représenté par des romans en vers et par des romans en prose.

GALAAD, PERCEVAL ET BOHORT VÉNÈRENT LE SAINT-GRAAL
(B. N., ms. franç. 112). — CL. LAROUSSE.

LETTRES ORNÉES DU ROMAN DE LANCELOT (collection Yates Thompson; cf. Bibl. de l'Arsenal, 4º N. F. 18746). — CL. LAROUSSE.

ROMANS EN VERS. — *Le roman de* Perceval, *de Chrétien de Troyes, laissé inachevé, a été continué par deux poètes : l'un anonyme, l'autre nommé Gaucher de Denain (ou de Dourdan), qui ont travaillé indépendamment l'un de l'autre. Gaucher, à son tour, a trouvé deux continuateurs : Manessier et Gerbert de Montreuil. L'ouvrage a fini de la sorte par former une soixantaine de milliers de vers, qui ont été publiés par Potvin,* Perceval le Gallois ou le Conte du Graal, *Mons, 6 vol., 1865-1870. Une édition critique du roman de Chrétien (*li Contes del Graal*) a été donnée par A. Hilka, Halle, 1932. — A la fin du XIIᵉ siècle ou au commencement du XIIIᵉ, un autre poète, Robert de Borron, a composé un* Roman du Saint-Graal *(publié par Francisque Michel, 1841, et par William A. Nitze, 1927). — Le poème de Gerbert de Montreuil a été publié de nouveau par Mary Williams (Classiques français du moyen âge), 1922 et 1925.*

ROMANS EN PROSE. — *L'histoire du Saint-Graal s'est développée en plusieurs séries de romans en prose, apparentées entre elles. La principale de ces séries, composée vers 1220 ou 1225, a été publiée en dernier lieu par H. Oskar Sommer, sous le titre* The Vulgate Version of the Arthurian Romances, *Washington, 7 vol. in-4º, 1909-1913 (t. I, l'Estoire del Saint-Graal; t. II, l'Estoire de Merlin; t. III-V, le Livre de Lancelot del Lac; t. VI, la Queste del Saint-Graal et la Mort le Roi Artus; t. VII, le Livre d'Artus). Le premier de ces romans a été publié séparément par W. Nitze et A. Jenkins (Le Haut Livre du Graal, Perlesvaus, Chicago, 1932-1937); la Queste del Saint-Graal l'a été par A. Pauphilet (Classiques français du moyen âge) 1923; la Mort le Roi Artu, par Jean Frappier (même collection, 1936).*

Les autres séries, plus ou moins complètes, comprennent d'autres versions des mêmes légendes, soit de l'histoire de Joseph d'Arimathie, soit de l'histoire de Perceval ou de Merlin.

Des classements de tous ces textes ont été souvent tentés. Voir E. Hucher, le Saint-Graal, Le Mans, 3 vol., 1875-1878; la préface de G. Paris à son édition (en collaboration avec J. Ulrich) de l'une des versions du roman de Merlin (S. A. T.), 1886; l'édition de la Mort Artu, par J. Douglas Bruce, Halle, 1910. Voir surtout Ferdinand Lot, Étude sur le Lancelot en prose (Bibliothèque de l'École des Hautes Études), 1918, et Albert Pauphilet, Étude sur la Queste del Saint-Graal, 1921; cf. Et. Gilson (Romania, t. LI, 1925, p. 321). — P. Paris a publié un agréable renouvellement de ces romans, les Romans de la Table ronde mis en français moderne, 5 vol., 1868-1877. Un autre renouvellement a été entrepris par Jacques Boulenger, sous le même titre, 1922.

Le premier, semble-t-il, en son roman de *Perceval*, Chrétien de Troyes a associé aux contes arthuriens le conte du Graal.

Les « enfances » de Perceval, comme celles de tant d'autres héros : Aiol, Doon, Tyolet, Fergus, le Bel Inconnu, sont des enfances sauvages. Une mère inquiète et douloureuse, veuve d'un chevalier que sa vaillance a conduit à une mort misérable, a voulu soustraire son fils à une destinée pareille. Elle a donc emporté Perceval tout enfant au fond d'un manoir perdu au sein d'une forêt, et l'a élevé loin des hommes, dans l'innocence et la « niceté », lui laissant tout ignorer du monde et de la chevalerie. Mais, devenu grand, Perceval rencontre un jour dans une clairière cinq chevaliers : le vert, le vermeil, l'or, l'azur et l'argent de leurs armes resplendissent au soleil. Il a cru voir des anges de Dieu. En peu d'instants il apprend d'eux tout ce que sa mère avait tant peiné à lui cacher. En vain elle le supplie : il veut partir vers « le roi qui fait les chevaliers », Arthur; il part et sa mère en mourra.

Le roi Arthur accueille avec amusement le valet violent et pur, qui bientôt s'éveille à la prouesse et à l'amour. Après de premières aventures, il en rencontre une autre, très mystérieuse.

Un jour qu'il chevauche, désireux de retrouver la voie vers le château de sa mère, qu'il voudrait revoir, et comme il se cherche un logis pour la nuit, il parvient au bord d'une rivière. Sur une petite barque, deux hommes sont assis : l'un gouverne la barque; l'autre, très vieux, pêche à l'hameçon. Le pêcheur lui indique sa route jusqu'à un château où on l'hébergera. Il y arrive; la porte s'ouvre dès qu'il approche. Il est reçu magnifiquement dans une vaste salle, peuplée de chevaliers, par le seigneur du lieu, un vieillard vêtu de pourpre. Ce vieillard est étendu sur un lit : une blessure ancienne, dont il souffre sans cesse, l'y retient. Il n'en fait pas moins grand accueil à son hôte, et solennellement ceint à son flanc une épée, sans lui dire d'ailleurs ce qu'il attend de lui. Or, voici que dans la salle, où tous soudainement ont fait silence, entre un « valet » porteur d'une blanche lance, dont la pointe saigne : deux autres valets l'escortent, qui portent des cierges allumés. Vient ensuite une jeune fille : elle porte un « graal », c'est-à-dire un vase, fait d'or pur, constellé de pierreries, rayonnant de splendeur; puis vient une autre demoiselle, qui porte un plat d'argent. Le cortège traverse la salle et disparaît.

Perceval a contemplé ces merveilles sans dire un mot. Par « niceté », il n'interroge pas. On l'assied à une table richement servie, il mange; on le mène à une belle chambre, il se couche et s'endort. Au matin, il trouve ses vêtements et ses armes tout apprêtés pour son départ, son cheval tout sellé, mais pas un valet, pas un sergent à qui il puisse parler.

Le château semble dépeuplé. Des mains invisibles abaissent devant lui le pont-levis, puis le relèvent dès qu'il l'a franchi. Il repart. Bientôt il apprendra par une messagère non moins mystérieuse qu'il a commis une grave faute en se taisant ce soir-là. L'homme qui pêchait, lui apprend-elle, et le vieillard blessé ne sont qu'un même personnage, le Roi Pêcheur, le « Roi mehaignié », qui depuis des années attend qu'on le guérisse. Si Perceval avait posé une seule question, s'il avait demandé « de quoi sert le graal », il aurait mis fin aux souffrances du roi, provoqué des bonheurs sans nombre, acquis la plus haute gloire...

L'aventure ne se dénoue pas, et l'on ignore comment

QUÊTEURS DU SAINT-GRAAL EN ORAISON (collection Yates Thompson). — CL. LAROUSSE.

Chrétien de Troyes, que la mort a empêché d'achever son roman, l'eût dénouée. On entrevoit seulement que la scène qui s'est déroulée au château du Roi Pêcheur est une scène d'initiation manquée et que les mystères auxquels Perceval a failli être initié étaient, dans la pensée du poète, des mystères chrétiens. Car il est un passage du roman (vers 6384 et suivants) où il est dit que le Roi Pêcheur prend pour toute nourriture une hostie, qu'il reçoit du Graal :

> D'une seule oiste*, ce savons,   *hostie.
> Que l'on en ce graal aporte
> Sa vie sostient et conforte :
> Tant sainte chose est li graaus
> Et tant par est esperitaus*!   *spirituelle.

Le continuateur anonyme de Chrétien de Troyes explique que le Graal est le vase où Joseph d'Arimathie avait recueilli le sang du Sauveur en croix. C'est aussi, en son *Roman de Joseph d'Arimathie*, l'interprétation de Robert de Borron.

De là de nombreux récits légendaires, que, vers l'an 1225, un romancier puissant a coordonnés en un seul corps d'ouvrage, le roman en prose de *Lancelot du Lac*. Divisé en cinq livres, l'*Estoire del Saint-Graal*, *Merlin*, le *Lancelot* proprement dit, la *Queste del Saint-Graal*, la *Mort d'Arthur*, l'immense composition qui remplit, dans l'édition Sommer, 2800 pages grand in-4º, déroule indé-

finiment ses très beaux méandres, les *ambages regis Arturi pulcherrimae*, comme Dante les appelait.

Le Graal, relique de la Cène et du Calvaire, a été confié par Jésus-Christ lui-même à Joseph d'Arimathie, qui le gardera pour qu'il demeure parmi les hommes un vase de promission, le gage d'une révélation continuée. Joseph d'Arimathie l'a transmis à son fils Josephé, qui l'a transmis à son neveu Alain, choisi parce que Dieu a opéré pour lui à nouveau le miracle de la multiplication des poissons : d'où le nom de Roi Pêcheur qu'Alain porte le premier et que porteront après lui ses successeurs, les gardiens du Saint-Graal, chefs du lignage de lévites issu de Joseph d'Arimathie. Le Saint-Graal a été transporté au temps d'Alain en Grande-Bretagne, au château de Corbenic, dans la Terre Foraine, dont nul ne sait trouver l'accès. A ce mythe chrétien s'entrelacent les innombrables thèmes de féerie, de courtoisie et d'amour du cycle de la Table ronde. La fiction centrale est celle des « temps aventureux ». Sur la terre de Logres, où règne Arthur, pèsent des enchantements et des sortilèges qui seront un jour dissipés, quand les compagnons de la Table ronde s'armeront pour l'aventure souveraine, la « quête » du Graal; et leurs multiples aventures s'acheminent ainsi et convergent vers la légende sainte, chargée de symboles et de mystère, qui les domine et les enveloppe toutes de sa redoutable splendeur.

LES COMPAGNONS DE LA TABLE RONDE ET LES SORTILÈGES DE BRETAGNE (collection Yates Thompson). — CL. LAROUSSE.

Et puis si laues fait plus riche q̃ se lo’h aime; come tout le monde. Conicut.n̄. lancelot baisa

la royne guenieure la premiere fois.

LE PREMIER BAISER DE LANCELOT ET DE GUENIÈVRE (B. N., ms. franç. 118, fin du XIVe siècle). — CL. LAROUSSE.

Le jour viendra, annoncé par les prophéties, où, pour mettre fin aux temps aventureux, les « chevaleries terriennes » deviendront les « chevaleries célestiennes ». Qui donc est destiné à retrouver le chemin de Corbenic? Ne sera-ce pas Lancelot, le meilleur chevalier du monde? Il s'est illustré par tant d'exploits! Il a tenu tête à Galehaut et jouté victorieusement contre soixante-quatre chevaliers de la Table ronde; il a délivré Gauvain de sa prison de la Douloureuse Garde; il a abattu Patride au cercle d'or et les deux lions de la Forêt Périlleuse; il a forcé l'entrée du Val sans retour, franchi le Pont de l'Épée, détruit les males coutumes de la terre d'Escalon le Ténébreux. Mais il est l'amant de Guenièvre, et c'est pourquoi il n'atteindra pas le terme de la quête. Ce n'est pas à lui, ni à Gauvain, ni à Bohort, ni à Perceval, tous diversement souillés par le péché, mais à un chevalier pur qu'il sera donné de l'achever. Il viendra, le Désiré, le Prédestiné, Galaad, pour voir à plein le Graal, pour contempler ses mystères et pour en mourir. Puis, au dernier livre du roman, la *Mort d'Arthur*, le monde prestigieux des chevaliers de la Table ronde s'écroulera dans un tragique crépuscule.

Comment donner en quelques lignes une idée du fourmillement et de l'enchevêtrement harmonieux de ces fictions? C'est, a dit justement M. Ferdinand Lot, une sparterie ou une tapisserie dans laquelle on ne saurait faire une coupure que tout le reste ne parte en morceaux. Du moins l'intention foncière de l'auteur est claire. Contre l'idéal mondain des premiers poètes qui ont traité la « matière de Bretagne », il a dressé l'idéal ascétique de la pureté. Au-dessus de Lancelot, Galaad; au-dessus de la cour d'Arthur, la cité spirituelle. Que représente l'effort des chevaliers en quête du Graal? C'est l'effort des âmes

à la recherche de Dieu. « Le terme de cette longue chevauchée à travers une forêt d'allégories, au milieu d'un monde enchanté où une idée abstraite transparaît dans chaque objet, où la pensée religieuse s'épanouit continuellement en une floraison de symboles, la dernière étape de ce mystique voyage ne peut être que la demeure même de Dieu, le château du Graal, magnifique représentation du rêve chrétien d'union parfaite avec Dieu. » (A. Pauphilet.)

LES ROMANS D'AVENTURE

*Un certain nombre de romans d'aventure sont signés : Jean Renart a composé l'*Escoufle *(éd. H. Michelant et P. Meyer, S. A. T., 1894), avant 1202 ; le* Lai de l'Ombre *(éd. J. Bédier, S. A. T., 1913), après l'*Escoufle*; enfin,* Guillaume de Dole *(éd. G. Servois, S. A. T., 1893, et Rita Lejeune, 1936), avant 1214. Il convient de lui attribuer aussi, comme l'a établi M. Ch.-V. Langlois, le roman de* Galeran de Bretagne *(éd. Lucien Foulet, 1925). Gerbert de Montreuil a composé le* Roman de la Violette *(éd. D. L. Buffum, S. A. T., 1928) entre les années 1227-1229. Gautier de Tournai a composé* Gilles de Chin *(éd. E. de Reiffenberg, dans la collection des* Chroniques belges, *1847), roman que l'on date d'ordinaire des environs de 1250, mais qui est plus ancien, de plus d'un demi-siècle peut-être. Appartiennent à la deuxième moitié de ce siècle : le* Roman de Ham *(éd. A. Henry, Paris, 1938), composé vers l'an 1278 par Sarrazin ; la* Manekine *et* Jehan et Blonde *(éd. H. Suchier, S. A. T., 1884-1885), romans écrits entre 1260 et 1280 par Philippe de Beaumanoir ; le* Tournoi de Chauvency *(éd. M. Delbouille, 1932), composé en 1284 par Jacques Bretel ; le* Châtelain de Coucy *(éd. J. Matzke et M. Delbouille, S. A. T., 1936), composé par Jakemon vers la fin du XIIIe siècle. Appartiennent au XIVe siècle la* Comtesse d'Anjou, *par Jean Maillart (éd. Schumacher et Zubke, 1920) ;* Mélusine *(éd. Brunet, 1834), par Jean d'Arras.*

Les autres romans d'aventure sont anonymes. On peut attribuer à la première moitié du XIIIe siècle : le Comte de Poitiers *(éd. Francisque Michel, 1831, et V. F. Koenig, 1937) ;* Aucassin et Nicolette *(éd. H. Suchier, 10e éd., 1932, et Mario Roques, 2e éd., 1936) ; le* Lai du Conseil *(éd. A. Barth, Erlangen, 1909) ;* Joufroi *(éd. K. Hofmann et Fr. Muncker, Halle, 1880, et W. O. Streng-Renkonen, 1930) ;* Guillaume de Palerme *(éd. H. Michelant, S. A. T., 1876) ;* Amadas et Idoine *(éd. J. R. Reinhard, 1926) ;* Gui de Warewic *(éd. A. Ewert, dans les* Classiques français du moyen âge, *1933) ;* Floire et Blancheflor. *On possède de* Floire et Blancheflor *deux versions, publiées toutes deux en un même volume, par Edélestand du Méril, dans la collection Jannet, 1856. La version qui se lit la première dans cette édition est la plus ancienne, et de beaucoup la plus belle ; c'est d'elle qu'il sera parlé ci-après. Autre édition par Marg. Pelan, 1937.*

C'est dans la seconde moitié du XIIIe siècle qu'ont dû paraître la Châtelaine de Vergi *(éd. G. Raynaud et L. Foulet, 3e éd., 1921 ; éd. J. Bédier, 1927) ; la* Châtelaine de Saint-Gilles *(publiée par O. Schultz-Gora,* Zwei altfranzœsische Dichtungen, *Halle, 2e éd., 1911) ;* Gautier d'Aupais *(éd. E. Faral,* Classiques français du moyen âge, *1920) ;* Richard le Beau *(éd. W. Foerster, Vienne, 1874) ;* Blancandrin *(éd. H. Michelant, 1867) ;* Robert le Diable *(éd. Lœseth, S. A. T., 1903) ;* Eustache le Moine *(éd. Fr. Michel, Paris et Londres, 1834 ; éd. W. Foerster et J. Trost, dans la* Romanische Bibliothek, *1891) ;* Brun de la Montagne *(éd. P. Meyer, S. A. T., 1875).*

Appartiennent au XIVe siècle : Sone de Nansai, *p. p.*

COMMENT LE SAINT-GRAAL S'APARUT AUX CHEVALIERS DE LA TABLE RONDE (B. N., ms. franç. 112, XVᵉ siècle). — CL. LAROUSSE.

Goldschmidt (Bibliothek des literarischen Vereins in Stuttgart), *1899* ; *la* Dame à la Licorne, *p. p. F. Gennrich* (Gesellschaft für romanische Literatur), *1907*.

Voir : *G. Paris*, le Roman d'aventure (Cosmopolis, *1898, p. 772*) ; *Ch.-V. Langlois*, la Vie en France au moyen âge, d'après des romans mondains du temps, *1924*.

Outre les romans en vers, il nous est parvenu plusieurs romans en prose : le Conte du Roi Constant l'empereur; *le* Roi Flore et la belle Jeanne, *p. p. Louis Moland et Ch. d'Héricault, dans le recueil intitulé* Nouvelles françaises en prose du XIIIᵉ siècle, *1856 ; la* Fille du comte de Ponthieu, *p. p. Clovis Brunel (S. A. T., 1923, et* Classiques français du moyen âge) *1926*.

Les romans d'aventure sont une variété du roman courtois. Ils ont de grandes analogies de fond et de forme avec les autres variétés de ce genre, s'adressent au même public, exaltent avec la même prédilection la vaillance et l'amour. Pourtant ils en diffèrent par plus d'un trait : les sujets qu'ils mettent en œuvre n'ont pas l'unité de provenance qui sert à grouper les poèmes imités de l'antiquité ou les poèmes byzantins; et ils n'ont pas non plus ce coloris, ce ton poétique particulier, fait de merveilleux étrange et de mystère, qui caractérise les romans bretons. En outre, beaucoup plus que les romans bretons, où prévalent surtout les droits de la fiction, les romans d'aventure s'attachent à la vie réelle, la montrent, la reflètent, et pour cette raison ils s'offrent à qui veut connaître les mœurs du XIIIᵉ siècle comme des guides infiniment précieux : guides charmants, d'ailleurs, pleins de pittoresque et de poésie, variés à souhait, alliant la force et la finesse, l'élégance et l'émotion, l'esprit et la sensibilité. Il nous en est parvenu près d'une centaine, qui presque tous se lisent avec un vif plaisir.

FLOIRE ET BLANCHEFLOR

Un des plus anciens parmi les romans d'aventure, un des plus exquis, est le poème anonyme de *Floire et Blancheflor*. Il a peut-être été composé dès le XIIᵉ siècle. Il traite le thème de deux enfants qui s'aiment, que leurs parents séparent, et qui, après plusieurs péripéties, finissent par se rejoindre et s'épouser : thème commun à plusieurs romans, mais qui, sous les doigts de divers poètes, s'est paré de grâces diverses.

L'auteur de *Floire et Blancheflor* entraîne sa petite héroïne jusqu'à Babylone, où un émir, plus débonnaire d'ailleurs que farouche, l'enfermera dans la « Tour as Puceles » avec cent autres captives : Floire saura y pénétrer, caché au fond d'une grande corbeille de roses, et l'on est bien sûr d'avance qu'il délivrera Blancheflor.

L'auteur de *Floire et Blancheflor* est un artiste délicat. Il sait inventer le détail à la fois joli et spirituel, comme en cette scène où Floire, revenant de l'école et apprenant (la nouvelle est fausse, d'ailleurs) que Blancheflor est morte, lève son poinçon à écrire, ainsi qu'une épée, et veut se le plonger dans le cœur. Ce poète est un amateur de belles choses, palais, fleurs, jardins, bijoux, matières rares, chargements somptueux de nefs marchandes. Aussi l'Orient, où il mène ses héros, enchante-t-il son imagination, lui offrant le régal de ses lignes pures et de sa lumière, la fête riante de ses étoffes, de ses marbres, de ses pierreries, de ses orangers. Et quelle jolie vision que ce jardin où l'émir de Babylone a coutume de choisir la jeune fille qu'il prend pour être reine une année et ·qui doit périr ensuite! Les merveilles s'y accumulent. Au milieu, une fontaine et un arbre magique : on voit la fontaine sourdre, claire et limpide, sur un pré, et glisser dans un canal fait de cristal et de pur argent; l'arbre s'incline, chargé de fleurs, dont l'une naît quand l'autre meurt; et il s'appelle l'Arbre d'amour. C'est là que l'émir vient s'asseoir quand il veut choisir celle qui doit régner; et, par de charmants sortilèges, la fontaine et l'arbre lui désignent la plus digne

AUCASSIN ET NICOLETTE

La « chantefable » d'*Aucassin et Nicolette*, composée de parties alternées de prose et de vers, traite un sujet très semblable à celui de *Floire et Blancheflor*. « C'est la geste brève de deux beaux enfants petits. Comment ils s'aiment malgré les félons, par quelles prouesses le jouvenceau conquiert la jouvencelle, leurs jeux sous une loge de feuillée, des chants de pastoures et de rossignols, une cruelle persécution dont on sait, d'ailleurs, qu'elle ne prévaudra pas, des chansons encore et des rires, et des larmes mêlées au rire, et des baisers toujours, c'est la trame de ce poème avenant et clair comme un jour de Pâques fleuries. » (J. Bédier.) De l'Orient féerique, où nous avait conduit le roman de *Floire et Blancheflor*, ce roman nous ramène en France. Les personnages sont ceux de la vie de tous les jours : un comte de Beaucaire, père trop sage pour autoriser son fils à épouser une captive; un veilleur de nuit, complice indulgent d'amours furtives; des pastoureaux : Esmeret, Martinet, Frulin, Jeannet, Robichon, Aubriet, qui chantent pour leur plaisir, mais qui font les mauvaises têtes quand le fils de leur seigneur les prie de chanter pour lui; un vilain qui s'indigne de voir Aucassin pleurer un lévrier perdu alors qu'il a perdu, lui, le meilleur de ses bœufs, son cher Rouget. Et tous s'entretenant avec une simplicité, un naturel, qui donnent une impression saisissante de vérité.

A la fidélité de la peinture, la poésie ne perd rien, une poésie fraîche et légère, animant d'aimables tableaux, comme la fuite de Nicolette, échappée de la tour où elle était prisonnière et relevant sa robe à deux mains, à cause de la rosée, toute gentille, toute menue, et ses pieds nus sont plus blancs que les marguerites qu'elle foule; ou comme la scène de la hutte de feuillage, dans la forêt, alors qu'Aucassin, ne trouvant pas Nicolette au rendez-vous et la croyant morte, s'écrie, à voir par un trou de la voûte fleurie une étoile plus brillante que les autres :

« Estoilete, je te voi,	
Que la lune trait a soi* :	*attire à elle.
Nicolete est aveuc toi,	
M'amiete o le blont poil.	
Je quid* Dieus la veut avoir	*je crois.
Por la lumiere du soir. »	

Et l'esprit couronne la grâce. Car dans cette idylle il n'y a de sérieux que juste ce qu'il en faut; l'auteur l'a assaisonnée d'une ironie malicieuse. Certains de ses traits sont un peu forts : ainsi l'histoire du pays de Torelore, où la reine vaque aux travaux de la guerre tandis que le roi gît en mal d'enfant. Mais les autres sont du meilleur ton et mêlent avec un rare bonheur la naïveté et l'enjouement : par exemple, la piquante réplique d'Aucassin à son père, quand celui-ci lui représente que, s'il persévère à aimer Nicolette, il finira par perdre le paradis :

« En paradis qu'ai-je a faire? Je n'i quier entrer, mais que j'aie Nicolette, ma tres douce amie que j'aim tant. C'en paradis ne vont fors tex gens que je vous dirai : il i vont cil viel prestre et cil viel clop et cil manke, qui tote jor et tote nuit cropent devant ces autex et en ces viés creutes, et cil a ces viés capes esreses et a ces viés tatereles vestues, qui sont nu et descaus et estrumelé, qui moeurent de faim et de soi et de froit et de mesaises. Icil vont en paradis; avec ciax n'ai jou que faire. Mais en infer voil jou aller; car en infer vont li bel clerc, et li bel cevalier qui sont morts as tornois et as rices gueres, et li boin sergant et li franc home. Aveuc ciax voi jou aler. Et s'i vont les beles dames cortoises, que eles ont deus amis ou trois avec leur barons, et s'i va li ors et li argens, et li vairs et li gris, et s'i vont harpeor et jogleor et li roi del siecle. Avoc ciax voil jou aler. »

LES ROMANS DE JEAN RENART

Parmi les poètes qui ont écrit des romans d'aventure, il faut mettre au premier rang Jean Renart. On suppose qu'il était originaire de la région du nord de l'Ile-de-France et qu'il était poète de cour. Il a été prouvé récemment qu'il fallait le reconnaître pour l'auteur d'une production littéraire importante : les romans de *Guillaume de Dole*, de *Galeran*, de l'*Escoufle*, et le *Lai de l'Ombre*. Peu de talents peuvent rivaliser avec le sien en finesse et en souplesse.

Le roman de *Guillaume de Dole* se déroule dans une atmosphère bruyante de fêtes et de plaisirs. L'empereur d'Allemagne Conrad est le modèle des princes. Il ne doit pas ses victoires à la piétaille qui manie l'arbalète ou à des équipages de mangonneaux, mais bien aux seules lances de ses chevaliers. C'est un maître de grande allure, large donneur, doux à ses sujets, protecteur des marchands, tenant volontiers cour de barons, ami des dames : les jours de chasse, il reste au milieu d'elles assis sur l'herbe d'une clairière, car il préfère leur compagnie à celle des chasseurs qui rentreront tout à l'heure, débordant de hâbleries et dévorés d'appétit. Comme il voudrait se marier, il s'éprend, sur le rapport de Jouglet, son fidèle jongleur, de la belle Liénor, sans l'avoir jamais vue. Liénor est la sœur d'un pauvre chevalier, Guillaume de Dole; elle vit innocente, parée de grâce et de vertu, ignorée de tous, auprès de sa mère, au fond d'un château lointain. L'empereur commence par dépêcher son sénéchal à Guillaume pour le prier à sa cour. Le sénéchal reçoit un accueil plein d'égards : Guillaume, qui rentre justement d'un tournoi, fait sauter la bulle d'or de la lettre impériale, tandis que Liénor s'extasie sur la beauté du sceau; puis, s'excusant avec courtoisie sur la chère modeste qu'il lui offre, il fait au messager les honneurs de son pauvre manoir, lui montre les beaux travaux d'aiguille que sa mère et sa sœur savent exécuter, lui fait entendre les belles « chansons de toile » qu'elles savent chanter, comme chantaient les reines et les dames d'autrefois tandis qu'elles brodaient des courtines, *Belle Aude*, *Belle Ayette*, *Belle Doette*. Guillaume se rend à la cour de Conrad. Il est plein de sagesse : aussitôt que la faveur de l'empereur l'a pourvu de quelque argent, il s'empresse d'en envoyer une part à sa mère pour qu'elle paye des dettes contractées envers de petites gens et pour qu'elle fasse ensemencer ses linières. Mais il est aussi beau seigneur, et, quoique pauvre, il mène grand train et fait large dépense. Un tournoi se prépare à Saint-Trond, dans un grand brouhaha de gens affairés, de fourriers qui se chamaillent; bientôt ce ne sont partout que lumière aux fenêtres, chants, musiques, joyeux propos. Les succès de Guillaume, qui s'illustre au tournoi entre tous les chevaliers, lui valent de plus en plus l'amitié de Conrad : n'y tenant plus, Conrad lui déclare qu'il veut épouser sa sœur. C'est alors que le mauvais sénéchal d'empire monte contre lui une machination : ayant appris par la trop simple mère de Liénor que la jeune fille est née marquée à la cuisse d'un signe naturel, une rose, le sénéchal abuse de ce secret : il assure qu'elle s'est abandonnée à lui. Un grand désespoir s'empare de Conrad et de Guillaume. Mais Liénor avertie accourt à Mayence. Elle y arrive, toute troublée, au milieu des habitants en liesse : car c'est le jour où ils célèbrent la venue du printemps. On a « quêté le mai » dans les bois, à pleins bras on a rapporté rameaux et glaïeuls; les pignons en ont été enguirlandés, les murs

LA DAME A LA LICORNE. Selon les « Bestiaires », dès que la licorne, bête redoutable et sauvage, voit une femme pure, elle s'humilie à ses pieds et se livre aux coups des chasseurs. Nos chansonniers et nos romanciers courtois comparent souvent à la licorne le chevalier dompté par Amour et par la Dame. (Médaillon du portail de la cathédrale de Lyon.) — CL. LAROUSSE.

se sont tendus de courtines, le sol est jonché de verdure et de fleurs. Au milieu de la fête, en magnifique équipage, Liénor vient, et tous, la voyant si belle, s'écrient : « Voilà Mai! voilà Mai! » Secrètement elle fait tenir au sénéchal une ceinture, en lui faisant croire que c'est un présent d'amour d'une belle dame, la châtelaine de Dijon, puis aussitôt l'accuse de lui avoir fait violence et de lui avoir dérobé sa ceinture. Le sénéchal, innocent sur ce point, nie. Alors, à la demande de la plaignante, on lui applique l'épreuve de l'eau : il va droit au fond de la cuve d'eau bénite; c'est la preuve qu'il est innocent, mais du même coup — et c'est à quoi elle en voulait venir — la preuve qu'elle l'est aussi. Le traître est confondu. A la grande joie de tous, Conrad épouse la belle Liénor.

Le roman de l'*Escoufle* rappelle, par certains côtés, *Floire et Blancheflor*, *Galeran*, et, par d'autres, le conte oriental de l'oiseau voleur, qu'on trouve aussi dans les *Mille et Une Nuits*. Ce qui en fait le charme, ce sont de menus tableaux de la vie intime : scènes familières, brossées avec esprit, esquisses légères de caractères, études psychologiques tracées d'une pointe aiguë.

Ces mérites se retrouvent dans le *Lai de l'Ombre*. Un chevalier rend visite à sa dame. Il la requiert d'amour, elle se défend : en ce tournoi galant les adversaires croisent avec art les propos subtils. Au cours de la vive et gracieuse querelle, le chevalier a réussi à passer son anneau au doigt de la dame, sans qu'elle s'en soit aperçue. Puis il la quitte.

Elle voit l'anneau à son doigt, s'indigne, rappelle l'audacieux, le rejoint dans la cour du château, auprès d'un puits, et tous deux, assis sur la margelle, recommencent leur controverse. Elle lui ordonne de reprendre l'anneau, il la supplie de le garder, puis, comprenant qu'il supplie en vain :

« Soit, dit-il, ma belle amie l'aura, celle que j'aime le plus après vous. — Où donc est-elle? demande la dame, surprise. Où l'aurez-vous si tôt trouvée? — Tout près d'ici. »

Il s'est penché sur l'eau du puits. L'ombre de sa dame s'y reflète. Il lui tend l'anneau, le laisse choir :

« Voyez, dame, dit-il : elle l'a pris. »

Cette courtoisie assure sa victoire : la cruelle lui donne son propre anneau et un baiser. Et le jeu des sentiments dans ce petit poème est aussi complexe et nuancé que l'intrigue est simple.

Jean Renart avait eu l'idée, pour agrémenter son roman de *Guillaume de Dole*, et pour rompre la monotonie de la lecture, d'y insérer des chansons empruntées à des trouvères illustres. Cette idée a fait fortune, à telles enseignes que de nombreux romanciers, les auteurs de la *Violette*, de la *Poire*, du *Châtelain de Coucy*, de *Cléomadès*, de *Méliacin*, des *Tournois de Chauvency*, de la *Châtelaine de Saint-Gilles*, de *Renart le Nouvel* se sont empressés à la suite de « broder » de chansons leurs romans. On peut voir dans cette mode une preuve de la juste célébrité de Jean Renart au XIII⁰ siècle.

LA CHATELAINE DE VERGY

On dirait avec assurance qu'il fut le plus joli et le plus fin des romanciers courtois, s'il ne fallait réserver les droits du conteur anonyme à qui nous devons la *Châtelaine de Vergy*. Comme le *Lai de l'Ombre*, ce n'est pas un roman, mais une nouvelle. Il n'en est pas une, même chez Marguerite de Navarre, qui surpasse celle-ci en délicatesse et en subtilité. Mais ce menu chef-d'œuvre perdrait trop à être analysé.

LE CHATELAIN DE COUCY

Ce roman doit surtout sa célébrité au vieux thème de folklore qu'il met en œuvre, le conte du Cœur mangé. Le châtelain de Coucy, Renaut, a obtenu, après bien des épreuves, l'amour de la dame de Faiel. Des dénonciations donnent l'éveil au mari. Il réussit, par une ruse, à mettre le châtelain dans l'obligation de partir pour la croisade. La dame coupe ses tresses blondes et les lui donne en souvenir d'elle au pauvre croisé : en Terre Sainte, les Sarrasins apprennent bientôt à redouter dans les combats le « Chevalier qui sur son heaume porte treces ». Mais il est blessé d'une flèche empoisonnée et meurt sur le navire qui le ramène en France. Il a chargé son fidèle écuyer d'apporter à sa dame un coffret : l'écuyer y renferme le cœur de son maître, une lettre de lui et les tresses d'or. Le seigneur de Faiel surprend le messager aux abords de son château, saisit le coffret. Il fait apprêter le cœur par son cuisinier et l'offre à sa femme comme une pièce de venaison. Elle ne devine pas d'abord la tromperie, mais elle meurt en apprenant de quoi était fait l'horrible festin.

LE CHATELAIN DE COUCY (B. N., ms. franç. 15098). — CL. LAROUSSE.

Fort heureusement, cette intrigue tragique, ou plutôt mélodramatique, n'a pas intéressé l'auteur plus que de raison. Il voulait surtout écrire un roman de mœurs. S'il raconte un tournoi, il y fait figurer des personnages réels, morts depuis peu, des chevaliers illustres : Guillaume des Barres, Geoffroy de Lusignan, Simon de Montfort, et beaucoup d'autres, dont il décrit les armoiries; et les héraldistes modernes n'ont pu que vérifier la parfaite exactitude de ses descriptions. Il en va de même de toutes ses autres peintures de la vie de société : un aimable réalisme en fait le prix.

C'est à des traits de cette sorte, entre beaucoup d'autres, que se reconnaît l'importance de la place alors tenue dans la vie réelle par la littérature d'imagination. Déjà au XII⁰ siècle, les grandes familles avaient recherché l'honneur d'être citées dans les chansons de geste ou dans des poèmes sur la croisade. Au XIII⁰, un désir analogue explique l'apparition de ces relations de tournois, où de brillants chevaliers, clairement ou nommément désignés, s'enorgueillissaient d'être célébrés, tout vivants : tels certains épisodes de *Guillaume de Dole* ou du *Roman de la Violette*; tels le *Roman du Hem* ou le *Tournoi de Chauvency*, en attendant que, plus tard, de riches bourgeois viennent prétendre à la même distinction, comme on peut le voir dans la fiction mi-sérieuse, mi-railleuse du *Tournoiement des Dames de Paris*.

III. — LA POÉSIE LYRIQUE

LA CHANSON COURTOISE

Plusieurs recueils de chansons courtoises ont été reproduits photographiquement, entre autres le chansonnier de l'Arsenal (nº 5198), par les soins de Pierre Aubry et Alfred Jeanroy, 1911 (publication interrompue) ; le chansonnier de Saint-Germain-des-Prés (Bibliothèque nationale, ms. fr. 20050), par les soins de P. Meyer et G. Raynaud, S. A. T., 1892 ; le Manuscrit du Roi (Bibliothèque nationale, fr. 844), par ceux de J. Beck, Philadelphie, 1938.

Les principaux recueils imprimés sont celui de Paulin Paris, le Romancero François, 1833, et celui de J. Brakelmann, Les plus anciens chansonniers français, t. I, Paris, 1891, t. II, Marbourg, 1896.

Les poésies de plusieurs trouvères ont été recueillies en des éditions séparées. Œuvres de Blondel de Nesle, éd. Leo Wiese, Dresde, 1904 ; — de Gautier de Dargies, éd. G. Huet (S. A. T.), 1912 ; — de Guiot de Provins, éd. J. Orr, Manchester, 1915 ; — de Hugues de Berzé, éd. Engelcke, Rostock, 1885 ; — de Conon de Béthune, éd. Axel Wallenskold (collection des Classiques français du moyen âge), 1921 ; — du Châtelain de Coucy, éd. Francisque Michel, 1830, et éd. F. Fath, Heidelberg, 1883 ; — de Gace Brulé, éd. G. Huet (S. A. T.), 1902 ; — de Thibaut de Champagne, éd. Wallenskold (S. A. T.), 1925 ; — de Colin Muset, éd. Joseph Bédier (collection des Classiques français du moyen âge), 2ᵉ éd., 1938, etc.

L'œuvre des poètes du groupe d'Arras a été recueillie, partiellement, par Arthur Dinaux, Trouvères, jongleurs et ménestrels du nord de la France, t. III : les Trouvères artésiens, Paris et Valenciennes, 1843, et par A. Jeanroy et H. Guy, Chansons et dits artésiens du XIII⁰ siècle, 1898. Le Congé de Jean Bodel a été publié par Gaston Raynaud (Romania, t. IX, 1880), le Congé de Baude Fastoul, par

Barbazan et Méon, Recueil de contes et fabliaux, t. I. *L'ensemble de l'œuvre lyrique d'Adam de la Halle a été publié par De Coussemaker,* Œuvres complètes du trouvère Adam de la Halle, *1872 ; ses jeux partis l'ont été séparément par M*ᵐᵉ *L. Nicod (*Bibliothèque de l'École des Hautes Études*), 1917, ses chansons, par R. Berger (*Romanische Bibliothek*), 1900.— Voir : H. Guy,* Essai sur la vie et les œuvres littéraires du trouvère Adam de la Halle, *1908, et A. Guesnon,* la Satire littéraire à Arras au XIII*ᵉ* siècle, *ainsi que de nombreux articles du même auteur publiés dans la revue* le Moyen Age, *de 1899 à 1909.*

On peut répartir chronologiquement les chansonniers en trois groupes : 1° les poètes qui ont fleuri de 1180 à 1200 : Huon d'Oisy, Conon de Béthune, Blondel de Nesles, Gace Brulé, Guy, châtelain de Coucy, Gautier d'Épinal, Hugues de Berzé, Gautier de Dargies, et quelques autres ; — 2° de 1200 à 1230 : Jean Bodel, Guillaume de Ferrières, Aubouin de Sézanne, Roger d'Andeli, Thibaut de Blazon, Gilles de Vieux-Maisons, Richard de Semilli, Maurice de Craon, etc. ; — 3° de 1230 à 1280 : Thibaut de Champagne, Henri III de Brabant, Colin Muset, Rutebeuf, Raoul de Soissons, Richard de Fournival, Robert de Reims, Gilles et Guillaume Le Vinier, Jacques Bretel, Adam de la Halle, Jacques de Cisoing, Jean Moniot, Mathieu de Gand, etc.

Un Recueil général des jeux partis français *a été publié par A. Langfors, A. Jeanroy et L. Brandin pour la Société des anciens textes français, 2 vol., 1926.*

Les Ballades, rondeaux et virelais *ont été publiés par F. Gennrich, 1921.*

Sur la question des cours d'amour, voir G. Paris, Mélanges de littérature française, *1912 (réédition d'articles parus en 1888), et Pio Rajna,* le Corti d'amore, *Milan, 1890.*

Les motets, les lais et les descorts intéressent surtout l'histoire de la musique. Voir Gaston Raynaud, Recueil de motets français des XII*ᵉ* et XIII*ᵉ* siècles *(*Bibliothèque française du moyen âge, *t. I et II), 1881-1883 ; — Pierre Aubry,* Cent Motets du XIII*ᵉ* siècle, *3 vol., 1908 ; — A. Jeanroy, L. Brandin et P. Aubry,* Lais et descorts français du XIII*ᵉ* siècle, *1901.*

Nous avons indiqué précédemment que les chansonniers courtois du XIIᵉ et du XIIIᵉ siècle formaient tous, Provençaux et Français, une seule et même école poétique. Sans doute, la variété de leurs rythmes est extrême : qui faisait une chanson était tenu d'en composer la mélodie, sans qu'il lui fût permis de reprendre une forme métrique déjà employée par autrui ; mais, tenu à cette originalité, le poète était aussi tenu de se plier, pour l'organisation des strophes, à ces lois générales du genre que nous avons déjà vues appliquées par Guy de Coucy et par Jaufré Rudel. Sans doute encore, les différents tempéraments poétiques ont assez souvent réussi à se manifester par des traits individuels ; mais tous les chansonniers ont composé sous l'empire d'une même doctrine sentimentale, principe et norme de leur inspiration.

LE JOUEUR DE VIÈLE. Maison des ménétriers, à Reims. — CL. GIRAUDON.

LA DOCTRINE

Ils chantent l'amour ; et c'est la façon dont ils l'ont entendu qui fait à la fois l'unité de leur école et son originalité.

Il n'y a pas de poésie lyrique dont les allures soient plus graves, plus mesurées, plus concertées. On cherche vainement chez les poètes de cette école la douceur pénétrante d'un Tibulle, l'intime familiarité ou la fantaisie capricieuse de l'Anthologie. On y cherche vainement aussi les grandes ardeurs, cet amour fatal qui dompte Phèdre ou Tristan. C'est bien la passion que chantent nos poètes, mais la passion disciplinée, et ils ne la chantent qu'autant que la raison l'avoue :

> Onques del brevage ne bui* **je n'ai bu.*
> Dont Tristrans fu empoisonnez ;
> Mais plus me fait amer que lui
> Raisons et bonne volonté.

Jamais aucun d'eux ne se déclare retenu dans des liens indignes et qu'il ne peut briser. Le thème de l'amant trahi et qui ne peut pourtant s'empêcher d'aimer leur est inconnu. Rares sont les pièces vraiment douloureuses qui disent un deuil du cœur.

Ce n'est pas, certes, qu'il n'existe des femmes déloyales, perverses, et l'on peut souffrir par elles ; mais on ne les chante pas. Le seul amour qui mérite d'être célébré au son des vièles, en ces strophes savamment agencées, c'est celui qui s'adresse à un objet excellent. Cette poésie ne repose donc pas, comme on l'a dit souvent, sur une exaltation conventionnelle de la femme : celle que chante le poète courtois, c'est une créature d'élection, qu'il a librement choisie entre toutes pour avoir reconnu sa beauté, sa bonté, ses vertus.

On a dit aussi bien souvent que le caractère propre de cette poésie est de célébrer des amours illégitimes. C'est très contestable. Plusieurs biographies de troubadours, celle de Gaubert de Puycibot entre autres, les peignent comme chantant pour des jeunes filles. Dans les romans courtois, qui procèdent du même esprit que les chansons, l'héroïne est souvent une jeune fille : Soredamors, Lidoine, Liénor. Quant aux chansons elles-mêmes, si l'on n'en peut guère citer qu'une douzaine qui célèbrent certainement des jeunes filles, celles où il est spécifié qu'elles s'adressent à une femme mariée sont aussi rares. La vérité est que nos poètes (comme le feront à leur exemple les pétrarquistes) chantent la beauté, la « valeur », et laissent dans une obscurité voulue tout ce qui risquerait d'individualiser trop particulièrement leur passion. Qui est la dame ? Elle est la Dame.

Voué à un objet excellent, l'amour n'est pas un servage, mais un service, au sens féodal, le « domnei » ; c'est un culte, et qui a nécessairement pour effet de rendre meilleur celui qui le pratique : pour être aimé, il faut mériter de l'être, il faut « valoir ». L'amour est source de vertus ; il éveille à la courtoisie, à la bonté, à la prouesse ; et les poètes le répètent à l'envi :

> Haute chose a en amor ;
> Bien la doit garder qui l'a,
> Ne puet faillir a honor
> Fins cuers ou ele sera.
> Qui plus aime, plus metra
> Trestot son desir
> En bon devenir...

L'ATTAQUE DU CHATEAU PÉRILLEUX. Les dames bombardent de roses les assiégeants. Boîte à miroir, ivoire du XIVᵉ siècle (Victoria and Albert Museum). — CL. ARCH. PHOT.

D'amors vient joie et honor ausiment*,	*de même.
Ne nuls* ne puet avoir entierement	*et personne.
Pris ne valor, s'amors ne le justice*...	*maîtrise.

Ainc* chevaliers n'iert ja de grant renon	*jamais.
Sanz bone amors ne sanz sa seignorie,	
Ne nuls sans li ne puet estre preudom* :	*prud'homme.
Proece, honors, solaz vient de s'aïe*...	*son aide.

Or l'amant ne peut parvenir en un jour à mériter l'amour, à « valoir ». De là une attitude d'humble requérant, de là le thème coutumier des douceurs et des duretés d'un espoir longtemps prolongé : le poète adjure Amour de ne pas le guerroyer trop durement, il supplie la dame d'imposer aux jaloux, aux « losengiers », aux flatteurs, aux faux amants, aux « amoureux d'été », les mêmes épreuves que lui-même subit. Mais le vrai bien d'amour, c'est cette attente même, c'est la souffrance d'amour; et l'amant doit aimer le mal dont il souffre :

Car fins amis doit avoir connoissance	
Qu'adès* vaut mieus en tote rien** soffrance.	*toujours. **en [toute chose.

Les poètes le déclarent à maintes reprises :

Je ne cuit* pas que nus hom poisse avoir	*crois.
Joie d'amor, s'il n'en sent la dolor.	
Premiers* covient** leal amant doloir	*d'abord. **il faut.
Ainçois* qu'il ait nule joie d'amor...	*avant que.

Nuls hom ne puet les biens d'amors sentir	
Se les dolors n'en reçoit bonement,	
Ainz doit en gré et prendre et recoillir	
Et biens et maus, quanque* Amors li consent.	*tout ce que.

Souvent même, ils vont jusqu'à dire qu'au cas où un soupirant serait accueilli d'emblée et sans avoir passé par l'étape de la douleur, il connaîtrait la volupté, mais non l'amour, et se refuser aux longues épreuves serait chose indigne d'un « fin amant » :

Bele, onques n'est amenrie*	*diminuée.
Ma peine, ne amenrir	
Ne la voudroie je mie,	
Car ne doit d'amors joïr	
Qui n'en veut les maus sofrir	
Molt liement*.	*joyeusement.

La souffrance d'amour est donc chère à l'amant. Elle est de la joie déjà, l'exaltation d'un cœur avide de servir,

l'enthousiasme d'une dévotion qui s'abîme et se perd en son objet :

Comment porroit cuers sentir
Si dous maus sanz estre en joie ?

Telle est la doctrine en sa pureté, en sa finesse. Par certains côtés, elle rappelle les sentiments de loyalisme et d'abnégation dont s'inspire la théorie du service féodal, et l'amant compare souvent son dévouement pour sa dame à celui de l'homme lige pour son seigneur. Mais, surtout, elle reproduit et transpose la théorie chrétienne de l'amour que l'on doit à Dieu : pour le poète courtois, comme pour le chrétien, l'amour ne s'adresse qu'au bien; l'effet de l'amour est de conduire au bien par les rudes voies de la souffrance, joyeusement acceptée; le terme suprême, c'est la joie, seule fin de l'amour.

Il est trop certain que, chez beaucoup de trouvères, cette doctrine a été alourdie, faussée. Mais nous avons tort de ne pas réserver aux meilleurs d'entre eux la haute place qu'ils méritent parmi les créateurs d'idéal. On parle sans cesse, à propos des troubadours et des trouvères, de « sentiments conventionnels », d' « exaltation factice », de « phraséologie amoureuse », de « formules stéréotypées »; et, ne s'arrêtant qu'aux aspects les plus simples, les plus immédiatement intelligibles de leur poésie, on dédaigne ce qu'elle a de grave, voire de solennel, pour n'en considérer que les grâces gentilles.

L'idée sur laquelle repose leur art, que l'amour est le principe de toute vérité et de toute vertu, est une idée subtile, belle de sa subtilité même. Pour l'exprimer, les poètes ont multiplié les raffinements du vocabulaire, du style et du mètre. Déjà, les plus anciens troubadours tendaient vers ce qu'après eux on appela le *trobar sotil* (subtil) — ou *cobert* (secret) — ou *oscur* — ou le *trobar clus* (l'art fermé). Ils ont eu le goût du rare; et c'est surtout par là qu'ils plurent jadis. S'ils ont suscité en Italie Guido Guinizelli et les créateurs du « doux style nouveau » et la *Vita nuova*, c'est qu'ils offraient aux connaisseurs, non pas des chansonnettes gracieuses, mais leurs « grands chants », souvent obscurs. Ils furent, pour les Italiens du XIIIᵉ siècle, des « auteurs difficiles », aimés comme tels. Quel est le poète de la langue d'oc que Dante a préféré à tous les autres? Le plus compliqué, Arnaut Daniel. Et Pétrarque, après Dante, conserve sa tradition :

Fra tutti il primo Arnaldo Daniello,
Gran maestro d'amor...

Sans doute, une partie des troubadours et des trouvères a réagi contre les excès de cet hermétisme. Il n'en reste pas moins qu'un principe de raffinement aristocratique et d'obscurité volontaire est enclos dans les œuvres des plus simples d'entre eux. Leur éminente dignité est précisément d'avoir compris, eux, ces « primitifs », que toute haute poésie doit être en quelque mesure un *trobar clus*, un art fermé.

LES POÈTES

Par ces caractères communs, tous nos chansonniers se ressemblent, mais non sans qu'ils aient parfois nuancé la doctrine; et l'on distingue assez aisément les uns des autres un Conon de Béthune, un Guy de Coucy, un Thibaut de Champagne, un Adam de la Halle, un Colin Muset.

Conon de Béthune était un baron de haut lignage. Allié à la maison de Flandre, qui devait fournir les premiers empereurs latins de Constantinople, il fut lui-même porté, en 1219, à la régence de l'empire. Ce grand seigneur se mêla de poésie : le milieu où il passa sa jeunesse lui en avait donné le goût. La cour de Flandre était accueillante aux trouvères; c'est le comte Henri qui fournit à Chrétien de Troyes le livre d'où celui-ci tira son *Perceval*; et c'est

par l'un de ses parents, Huon III
d'Oisy, châtelain de Cambrai, que
Conon fut formé à l'art de rimer.
Ses chansons traitent les thèmes habituels de la doctrine courtoise; elles
célèbrent le culte de la Dame; et tel
était son souci de compter parmi les
délicats, qu'il fut profondément mortifié quand, une fois, la reine de France
Aelis railla les provincialismes de son
langage devant la comtesse Marie de
Champagne, arbitre de courtoisie.
Conon ne vise pas à une originalité
qui eût été contraire à l'esprit du
genre qu'il cultivait. Cependant, sa
marque propre est une certaine vivacité, parfois même une ironie assez
mordante, comme dans la chanson
qu'il adresse à une dame trop longtemps dédaigneuse et devenue
provocante lorsque ses attraits décli-
naient :

Dame..., j'ai bien oï parler
De votre pris, mais ce n'est ore mie.
Et de Troie rai jou oï conter
K'ele fu ja de mout grant signorie :
Or n'i puet on fors les places trover...

CHANSONNIERS COURTOIS. Maître Guillaume le Vinier, bourgeois d'Arras, et Gautier
de Dargies (B. N., ms. franç. 844, XIIIᵉ siècle). — CL. LAROUSSE.

Lors vos truis* je cruel si durement   *je vous trouve.
Ke ja a moi ne ferés bel semblant,
Ains les faites autrui por moi grever* :   *peiner.
Mais quant vostre ueil me vuelent regarder,
Tant sui je hors de paine et de torment!

Toutes ses pièces sont d'un style vigoureux et plein.
Il était bel orateur : souvent, au cours de la quatrième
croisade, il fut élu pour les ambassades difficiles où convenait un langage ferme; et ses chansons, animées d'un
large mouvement, retiennent quelque chose de ces dons
d'éloquence.

Plus douce apparaît la physionomie de Guy, châtelain
de Coucy de 1186 à 1201. Ses vers, où se déploie une
dialectique ingénieuse, ont une grâce subtile et fleurie :

Bien cuidai* vivre sens amor   *j'ai cru.
Dès or en pais tot mon aé*;   *toute ma vie.
Mais retrait* m'a a la folor   *ramené.
Mes cuers, dont l'avoie escapé :
Empris ai greignor folie*   *plus grande folie.
Que li fol enfes qui crie
Por la bele estoile avoir
Qu'il voit halt el ciel seoir.

Mais ce qui domine chez lui, c'est l'accent de la sincérité et l'élégance du sentiment. Son thème favori est celui
d'un amour cruel et sans espoir, dont il ne veut pourtant
pas se déprendre :

Je ne me sai tenir ne conforter
De vos, biaus cuers, servir entierement;
Et quant je plus vos doi merci crier,

Le charme particulier de ses chansons réside dans une
certaine mélancolie, qui, malgré un ton noble et grave,
ne laisse pas d'être émouvante. Les contemporains paraissent l'avoir ressenti; et c'est de ce poète qu'ils ont fait le
héros du conte pathétique, selon lequel son cœur, rapporté
de Terre Sainte par un messager comme un suprême
souvenir, aurait été servi à sa dame, en un horrible festin,
par un mari jaloux.

Le caractère de Thibaut IV de Champagne, roi de
Navarre de 1234 à 1253, est d'une complexité qui se prête
mal à une analyse rapide. Grand voyageur, partageant ses
loisirs entre Reims, Blois et Pampelune, friand de belles
joutes, intriguant, guerroyant contre tous, menant outre-
mer une croisade, protecteur libéral des lettrés et des
artistes, fondant et dotant couvents et universités, on le
voit sans cesse appliqué à quelque soin nouveau. La cinquantaine de chansons qu'on a de lui ne renseignent guère
sur sa personne. Si, comme le bruit en courut parmi ses
contemporains, il aima Blanche de Castille, ce ne sont pas
elles qui sauraient nous l'apprendre : lui aussi s'est tenu
dans l'imprécision habituelle aux poètes courtois. Son
originalité tient surtout à des qualités extérieures, souplesse, abondance, facilité; et aussi à une
certaine hardiesse cavalière, sensible jusque
dans ses plaintes amoureuses.

Il a eu, d'autre part, du goût pour cette
variété de la chanson courtoise qu'on appelle le jeu parti, sorte de débat où le poète
propose à un autre poète une alternative
sur une question d'amour dont chacun
d'eux défend, en strophes alternées, l'une
des propositions : « Lequel la dame doit-
elle préférer : est-ce celui qui l'aime pour
sa valeur et sa courtoisie, ou celui qui l'aime
pour sa beauté ? » — « Convient-il de déclarer directement son amour à sa dame, ou
vaut-il mieux lui laisser le soin de le deviner ? »

Ce genre, où s'exprime la casuistique
amoureuse, est éminemment propre à montrer le caractère raisonneur et spéculatif de
l'esprit courtois, qui répudie la naïveté,
la spontanéité du sentiment. Mais le jeu
parti, conçu d'abord comme une discussion
sérieuse, a vite tourné au jeu d'esprit : ceux

CHANSONNIERS COURTOIS. Thibaut, comte de Bar, et Maurice de Craon (B. N.,
ms. franç. 844, XIIIᵉ siècle). — CL. LAROUSSE.

JEAN BODEL, devenu lépreux, lit son « Congé » à ses amis d'Arras (Bibl. de l'Arsenal, ms. 3142, XIIIᵉ siècle). — CL. LAROUSSE.

de Thibaut se font remarquer par leur dialectique piquante, leur ironie, leur malice ; et l'œuvre de ce prince chansonnier, chez qui a dominé une fantaisie capricieuse, a la même déconcertante variété de ton que sa vie.

L'œuvre d'Adam de la Halle nous introduit dans un monde bien différent : quittant les cours seigneuriales, nous entrons avec lui dans la société bourgeoise d'Arras.

L'organisation de la vie communale, du commerce, de la banque, avait apporté dans cette ville la richesse ; elle y avait aussi rapproché et mêlé en une intimité familière les clercs et les marchands, les seigneurs et les bourgeois. En commémoration du miracle par lequel la Vierge avait remis à deux jongleurs, Itier et Norman, la Sainte Chandelle, qui guérissait du mal des Ardents, les bourgeois et les jongleurs avaient fondé une confrérie, où les uns et les autres se rencontraient sur le pied d'égalité. Ce n'était pas qu'une concorde parfaite régnât dans la cité :

> Arras, Arras, vile de plait*,   *procès.
> Et de haïne, et de destrait*!...   *discorde.

Mais, dans le conflit des passions, des rivalités locales, les arts et les lettres trouvèrent un aliment substantiel. Nulle part peut-être la libéralité des riches, le mélange des conditions, et aussi certaines qualités de la race : bon sens, pétulance, jovialité, n'ont mieux favorisé la poésie. Le « puy » d'Arras, confrérie placée sous le patronage de Notre-Dame, fut un foyer d'activité littéraire si intense qu'il en alluma d'autres en de nombreuses villes du Nord, et la tradition s'en perpétua jusque dans les « chambres de rhétorique » du xvᵉ siècle. Architecture, décoration, musique, poésie, l'esprit artésien se mêla de tout. Dans ses productions littéraires règne un goût de l'observation qui ressuscite pour nous, en couleurs vibrantes, l'Arras du xiiiᵉ siècle, avec ses tavernes, ses marchés, ses jeux, ses querelles et une pullulation de personnages bigarrés. Tous les genres y sont représentés : fabliaux, comédies, chansons de geste, chansons d'amour ; et un poète conte qu'un jour Dieu, tombé malade, ne trouva de meilleur remède que de venir prendre un peu de divertissement à Arras :

> Arras est escole de tous biens entendre.
> Quant on veut d'Arras le plus caitif prendre,
> En autre païs se puet por boin vendre*.   *vendre un bon prix.
> On voit les honors d'Arras si estendre,
> Je vi l'autre jor le ciel la sus* fendre :   *là-haut.
> Deus voloit d'Arras les motés aprendre!...

Dans cette cité tumultueuse, les chansonniers ont abondé : Jean Bodel, Baude Fastoul, Jacques Bretel, Jean de Neuville, Pierre de Corbie, Audefroi, Pierre Moniot, Gilles et Guillaume le Vinier, Adam de Givenchy, Gillebert de Berneville, Perrin d'Angicourt, Jean de Renti, Cardon de Croisilles, Simon d'Autie, Oede de la Corroierie, Jean Madot, une foule de trouvères, auxquels revient presque la moitié des chansons qui nous sont parvenues. Entre eux tous se distingue Adam de la Halle, dit le Bossu, qui vécut de 1135 à 1185 environ. Bon poète, bon musicien, Adam alliait la virtuosité à la verve et à la fantaisie. Dans ses jeux partis, l'inspiration et le style affectent parfois des allures familières, presque vulgaires : le genre tolérait la plaisanterie et n'interdisait pas une certaine liberté de propos. Mais, même dans ses chansons, on note le prosaïsme de quelques traits — ici, un mouvement d'humeur contre les femmes en général, là le dépit de rencontrer une résistance obstinée au lieu de la rapide victoire espérée —; et l'on descend ainsi des sommets de la pure doctrine courtoise vers des sentiments plus réalistes. De même ses motets et ses rondeaux, quoique parés de grâce, laissent paraître une nature sensuelle. Toute la vie, toute l'œuvre d'Adam donnent l'impression d'un tempérament riche et fougueux. Nous parlerons ailleurs de son théâtre ; mais il faut ici, outre ses pièces destinées au chant, citer son *Congé*, poème de circonstance, qu'il composa en quittant Arras et où il adresse ses adieux aux habitants de la ville. Ses compatriotes Jean Bodel, en 1202, Baude Fastoul, en 1265, écrivirent aussi chacun un Congé lorsqu'ils durent se retrancher du monde et entrer dans une léproserie. Adam, lui, s'en allait d'Arras pour des raisons moins douloureuses : son *Congé* est une fantaisie amusante, où abondent les traits satiriques, un croquis jeté de verve, où s'anime tout un groupe de figures, à peine entrevues, mais pochées avec un relief saisissant.

Si la personnalité d'Adam est assez forte, il n'en est pas de même des autres poètes artésiens. Non seulement les chansonniers courtois d'Arras se ressemblent entre eux, mais ils ressemblent à d'autres chansonniers courtois ; ils forment un groupe, ils ne forment pas une école. Le haut baron Conon de Béthune et le bourgeois Jacques Bretel, le Châtelain de Coucy et le clerc Pierre de Corbie, le comte Thibaut de Champagne et le haut dignitaire ecclésiastique Richard de Fournival, tous, de toutes époques et de toutes provinces, ont observé la tradition une et immuable du genre.

Un poète, Colin Muset, se distingue entre tous par l'aspect très personnel de son talent. C'était un jongleur, d'origine lorraine. Il professe les goûts d'un épicurien, enfoncé dans la matière avec une voluptueuse satisfaction. Bon feu contre le froid d'hiver, morceaux friands, vin frais, voilà son rêve. Entre l'amour et la bonne chère, son choix est fait ; et voici comme il résume sa doctrine de vie à Jacques d'Amiens, son ami, qui ne pouvait s'arracher au tourment d'aimer :

> Jakes d'Amiens, et j'errant m'en retor*   *aussitôt je m'en retourne.
> As chapons en jance aillie*   *sauce à l'ail.
> Et as gastiaus ki sont blanc come flor
> Et au trés bon vin sor lie.
> As bons morsels ai donée m'amor
> Et as grans feus parmi ceste froidor :
> Faites ensi, si menrés bone vie.

Cependant ce matérialiste a composé plusieurs chansons, où il dit, lui aussi, sa peine d'amour, glorifie les vertus de sa dame, célèbre la douceur de souffrir, en des strophes que n'eût pas désavouées le poète courtois le plus délicat :

> Qui bien vuet d'amors joïr,
> Si doit soffrir
> Et endurer
> Qank'ele li vuet merir* ;   *accorder.
> Au repentir
> Ne doit panser,
> C'om puet bien, tot a loisir,

Son boen desir
A point mener
Endroit de moi* criem** morir   *quant à moi. **je crains.
Mieus que garir
Par bien amer.

Mais son originalité, c'est qu'il ne se prend pas au sérieux. Il raille, il joue. Amuseur de profession, il chante l'amour pour amuser, parodiant les amants courtois. En telle chanson il crie merci à Amour, qui le fait mourir; mais voici la strophe finale, adressée à la dame :

Ma bele douce amie,
La rose est espanie :
Desouz l'ente florie
La vostre compaignie
M'i fet mult grant aïe*.   *assistance.
Vos serez bien servie
De crasse oe* rostie   *oie grasse.
Et bevrons vin sus lie,
Si merrons bone vie.

C'est pourquoi on a dit justement que la poésie de Colin Muset était « en marge de la poésie courtoise ». Mais il faut aller plus loin : elle est une parodie de la poésie courtoise, où l'amour de la dame est éclipsé par celui des grasses victuailles,

... porc et buef et mouton,
Maslarz*, faisanz et venaison,   *canards sauvages.
Grasses gelines et chapons
Et bons fromages en glaon*.   *panier d'osier.

GENRES DIVERS

VARIÉTÉS DE LA CHANSON COURTOISE. — *Les Chansons de croisade publiées par Joseph Bédier, avec leurs mélodies publiées par Pierre Aubry, 1909. — Les principaux recueils de chansons politiques sont les suivants : Leroux de Lincy, Recueil de chants historiques, 1841 ; Alfred Jeanroy et Arthur Langfors, Chansons satiriques et bachiques du XIIIe siècle (Classiques français du moyen âge), 1921. Les chansons religieuses, où les formes de la chanson courtoise ont été employées à la célébration de l'amour divin, ont été recueillies par E. Jarnstroem et A. Langfors, Recueil des chansons pieuses du XIIIe siècle, 1910 et 1927.*

CHANSONS A DANSER. — *Les « refrains » de danse se trouvent épars en des publications diverses : dans le livre de A. Jeanroy sur les Origines de la poésie lyrique; dans un mémoire du même auteur, Chansons, jeux partis et refrains inédits, publié en 1902 dans la Revue des langues romanes, t. XLV, p. 193 ; dans le Recueil de motets publié par G. Raynaud, et dans les Rondeaux, virelais et ballades, p. p. F. Gennrich, 2 vol., 1918-1927. Toutes les « ballettes » et « estampies » que nous possédons sont contenues dans un manuscrit de la bibliothèque Bodléienne à Oxford, qui a été publié diplomatiquement par G. Steffens, dans l'Archiv für das Studium der neueren Sprachen, t. XCVII-IX et t. CIV. — Voir J. Bédier, Les plus anciennes danses françaises (Revue des Deux Mondes, mai 1896, janvier 1906).*

CHANSONS A PERSONNAGES. — *Voir le recueil de Karl Bartsch,*

Altfranzoesische Romanzen und Pastourellen, Leipzig, 1870. Sur le « genre pastourelle », voir Edm. Faral (Romania, t. XLIX, 1923, p. 204).

CHANSONS DE TOILE. — *Le même recueil de Bartsch contient aussi la plupart des Chansons de toile. Voir, sur ce genre, E. Faral (Romania, t. LXX).*

CHANSONS DE CROISADE ET SERVENTOIS

Un certain nombre de pièces, semblables pour ce qui est de la versification aux chansons d'amour, traitent de sujets politiques. Ces chansons portaient le nom de « sirventes » en provençal, de « serventois » en français. C'est surtout à leurs sirventes que certains troubadours, comme Bertran de Born, doivent leur célébrité. Dans la France du Nord, les serventois s'offrent à nous moins nombreux, sans qu'il faille en conclure que le genre ait été peu cultivé. On conçoit que des pièces de circonstance, pleines d'allusions à des faits du jour, aient rapidement vieilli et que beaucoup se soient perdues. Dans celle-ci, Richard Cœur de Lion, prisonnier du duc Léopold d'Autriche, appelle à son aide ses vassaux. Cette autre célèbre la bataille de Taillebourg. Un poète anonyme, parodiant une chanson d'amour de Blondel, attaque le principe de la procédure d'enquête institué par Saint Louis. La ligue des barons pendant la minorité de Louis IX provoque les chansons satiriques d'Hugues de La Ferté, violemment injurieuses à l'égard de Blanche de Castille et de Thibaut de Champagne. La farce du *Garçon et de l'Aveugle* met en scène un mendiant qui chante aux carrefours pour glorifier Charles d'Anjou, roi de Sicile. D'autres ont été composées par des croisés en Syrie ou en Égypte, par Philippe de Nanteuil, par exemple, en 1239, pour déplorer le désastre de Gaza. D'autres, provoquées par les différentes croisades, sont des exhortations à prendre la croix et comme des sermons en vers.

CHANSONS A DANSER

Les mêmes manuscrits du XIIIe siècle qui nous ont conservé les œuvres des Thibaut de Champagne, des Gace Brulé, des Adam de la Halle nous donnent aussi, mêlées à leurs « grands chants », des pièces bien différentes de ton : ce sont des chansons à danser ou des chansons à personnages, pastourelles, chansons de « maumariées », chansons d'aube, chansons de toile. Ces pièces ont provoqué maintes théories. A en croire de nombreux critiques, la France du Nord aurait développé très anciennement une « poésie lyrique autochtone », qui ne devait rien aux Provençaux : les chansons à personnages seraient des témoins, des « survivances » de ces genres archaïques, d'essence toute populaire. A vrai dire, beaucoup d'entre elles sont signées du nom des mêmes poètes qui ont rimé au XIIIe siècle des chansons d'amour; mais ces poètes, nous assure-t-on, n'auraient fait que transposer au mode courtois d'antiques chansons d'origine paysanne. Ces théories ingénieuses ne nous semblent pas persuasives. Les menus genres lyriques que nous allons considérer ne représentent à

LE JOUEUR DE CORNEMUSE. Maison des ménétriers, à Reims. — CL. ROTHIER.

LA CAROLE AU DIEU D'AMOUR (Bibliothèque royale de Belgique, à Bruxelles, ms. 1187, XIVe siècle). — CL. LAROUSSE.

nos yeux que les jeux par lesquels les cercles courtois se délassaient de leurs graves chansons d'amour : et ce sont encore, tout autant que les chansons d'amour, les œuvres raffinées de poètes raffinés.

Nous possédons des textes anciens relatifs à la danse. Les jongleurs dansaient certaines danses qui avaient un rapport étroit avec leur métier d'acrobates : danse de l'Ours, danse des Épées, danse d'Hérodiade, où Salomé était représentée en virtuose du tour de force. Ceux qui n'étaient pas danseurs de profession en dansaient d'autres, accompagnées quelquefois par la musique des instruments, le plus souvent par des chansons. Beaucoup de ces chansons ont été conservées, qui tiennent en deux ou trois vers :

Ne vos repentez mie de loiaument amer;
  Car de bien amer vient solaz.

  Cil doit bien joie mener
Qui joie atent des maus qu'il sent.

Vos qui amez, traiez en ça,
  En la qui n'amez mie.

Je gart le bos*, que nus n'en port   *le bois.
Chapel de flors s'il n'aime.

J'en main* par la main m'amie,   *j'emmène.
  S'en vois plus mignotement.

Tendez tuit* vos mains a la flor d'esté,   *tous.
  A la flor de lis,
  Por Deu, tendez i!

En ces petits rythmes, tout menus, on pourrait être tenté de voir des fragments de pièces plus longues; et on les appelle parfois des « refrains », parce qu'on les trouve en effet enchâssés comme des refrains dans des chansons à personnages. Cependant, il doit être tenu pour certain que ces textes n'ont jamais été plus développés; ce qui manque aujourd'hui, c'est seulement la mise en scène, le mouvement et les gestes des danseurs et des danseuses.

La principale des danses était la carole, sorte de ronde, menée par un coryphée, homme ou femme, qui « chantait avant »; aux paroles chantées par le coryphée, les autres danseurs répondaient, à la manière d'un chœur, en deux ou trois vers formant refrain. De là est sortie la forme fixe du « rondet de carole », qui est à peu près notre moderne triolet. Les plus anciens que nous ayons ont été composés par Guillaume d'Amiens, vers le milieu du XIIIe siècle, et plusieurs sont fort jolis :

En riant, cuer dous,
Jointes mains vous prie
Qu'aie vostre amour
En riant, cuer dous.

Onques envers vous
Ne pensai folie.
En riant, cuer dous,
Jointes mains vous prie.

Hé! Dieus, quant vendra
Mes trés douz amis?
Ne le vi pieça.
Hé! Dieus, quant vendra?
Obliee m'a
Si m'en esbahis.
Hé! Dieus, quant vendra
Mes trés douz amis?

Au rondet s'apparente la « ballette », pièce à trois couplets, où le refrain, placé en tête, est répété à la fin de chaque strophe, et « l'estampie », que caractérise l'emploi de longues strophes à vers très courts.

D'autres danses que la carole, également mêlées de chansons, formaient de véritables figures de ballet, auxquelles les danseurs ajoutaient parfois l'agrément du travesti. On en a pu reconstituer quelques-unes, plus ou moins complètement : les « baleries » de la Reine du printemps, du Bois d'Amour, de la Belle enlevée, du Jaloux, la Danse robardoise, le Jeu du Chapelet, Bele Aelis. Le Jeu du Chapelet, par exemple, se jouait à trois personnages. Le thème en était le manège d'une jeune fille soucieuse d'amour, et qui à tour provoque et se dérobe. Elle danse en se tressant une guirlande de fleurs, pour s'en couronner le front. Un danseur lui présente un galant. Ses chansons, tandis qu'elle danse, sa retraite dans un bocage imaginaire, son départ en compagnie de l'amoureux, tel est le gracieux scénario. La plus répandue de ces danses mimées était celle de Bele Aelis, qu'une chanson du trouvère Baude de la Quarière permet de reconstituer :

LE CHŒUR
Main se leva la bien faire Aelis...

ELLE
Vous ne savés que li loursegnols dist ?
Il dist c'amours par faus amans perist.

LE CHŒUR
Bel se para et plus bel se vesti...

LUI
Vous avés bien le rousegnol oï :
Si bien n'amés, amors avés traï.

LA CAROLE. D'après un manuscrit du « Roman de la Rose » (Bibl. de l'Arsenal, ms. 5209, XIIIe siècle). — CL. LAROUSSE.

LE CHŒUR

Si prist de l'aigue en un doré bacin...

LUI

Li rousegnols nos dit en son latin :
« Amant, amés, joie arés a tous dis. »

LE CHŒUR

Lava sa bouche et ses oex et son vis...

LUI

Buer fu cil nés ki est loiaus amis!
Li rousegnols l'en pramet paradis.

LES DEUX DANSEURS ET LE CHŒUR

Si s'en entra la belle en un gardin.
Li rousegnols un sonet li a dit :
Pucele, amés, joie arés et delit.

Ces ballets animent à nos yeux tout
un petit monde, perdu dans la brume
aussitôt qu'évoqué, ses jeux, ses ébats.
Ce sont des cris de joie en l'honneur du
printemps :

A la reverdie, au bois!
A la reverdie!

C'est un geste, un pas de danse esquissé
d'un mot :

Espringiez* legierement,   *dansez.
Que li sollers* ne fonde!   *le parquet.

Toz li cuers me rit de joie
Quant la voi!

Je n'ai pas amoretes
A mon voloir,
Si en sui mains jolie*.   *moins gaie.

Ou encore, les danseurs chassent de
la ronde ceux qui n'aiment point, les
jaloux, les vilains :

Dormés, jalos, je vos en pri,
Dormés, jalos, et je m'envoiserai!* *je m'amuserai.

Vos le lairés*, vilain, le baler, le joer, *laisserez.
Mais nos ne le lairons mie!...

LE MOIS DE MAI (Notre-Dame de
Paris). — CL. GIRAUDON.

Saverouse au cors gent;
Si m'aït Amors*,   *qu'amour m'assiste !
L'alouette nos ment. »

Adont se trait près de mi
Et je ne fui pas anfrune*. *rebelle..
Bien trois fois me baisa il,
Aussi fis je lui plus d'une,
K'ainz* ne m'anoia.   *sans que jamais.

Adont vosessiens nous* la *nous aurions voulu.
Ke celle nuit durast cent,
Mais ke plus n'alast disant :
« Il n'est mie jors,
Saverouse au cors gent;
Si m'aït Amors,
L'alouette nos ment. »

D'autres pièces, les « reverdies »,
décrivent, dans un décor printanier, quelque vision féerique du poète. Tantôt, il
voit le loriot, le rossignol, le pinson,
l'émerillon et d'autres oiseaux sans nombre, faire cortège au dieu d'Amour, qui
chevauche portant heaume de fleurs, écu
écartelé de baisers et de rires, lance de
courtoisie, et, pour épée, la hampe d'un
glaïeul. Les oiseaux chantent leurs lais
à l'entour, comme de bons ménestrels.
Tantôt une belle au visage clair lui
apparaît :

Itels estoit la pucele,
La fille au roi de Tudele;
D'un drap d'or qui reflambele
Ot robe fresche et novele;
Mantel, sorcot et gonelle :
Moult sist bien a la densele...

Lez un rosier s'est assise
La tres bele et la senée*;   *la sage.
Elle resplent a devise*   *à souhait.
Com estoile a l'anjornée :
S'amors m'esprent et atise,
Qui enz el cuer m'est entrée...

El regarder m'obliai
Tant qu'ele s'en fust alée;
Dieus! tant mar la resgardai*, *je l'ai regardée pour mon malheur.
Quant si tost m'est eschapée!...

La pastourelle est, sous sa forme la plus fréquente, la
requête d'amour d'un chevalier à une bergère. Souvent
l'aventure tourne au profit du galant. D'autres fois, le
chevalier est éconduit, soit que la pastoure ait de la vertu,
soit qu'elle entende demeurer fidèle à son berger, Robin,
Guiot ou Perrin. Souvent alors le conquérant malchanceux
a la coquetterie de se composer un rôle qui n'est pas à son
avantage : il sait bien, l'habile homme, que sa réputation
d'esprit s'enrichira de l'échec amoureux qu'il s'impute;
et celui-là ne s'est pas trompé dans son calcul qui a rimé
la pastourelle que voici, finie sur une jolie pointe :

Pastorelle
Vi seant lonc un bouson*;   *auprès d'un buisson.
Mult fut belle
Et de cors et de fasson.
Leis li* m'assis a bandon,   *près d'elle.
Si li dis :
« Belle, je suis vostre amis,
Receveis de moi cest don. »

« Biaz dous sire,
Vos direis cant ke vos siet*,   *tout ce qu'il vous plaît.
Mais a dire
Ne cuit pais ke trop vos griet;
Sachiez, c'il ne m'an meschiet,
Ne cuit pas*   *je ne crois pas.
Ke de moi faciez vos gas,
Car aillors li cuers me siet. »

« Pastorelle,
Vos me tenés mult por vain*;   *futile.
C'est folie.
Je suis fils a chastelain.
Ameis moi, ke je vos ain,
Et vos pri
Ke ne faites autre ami,
Con cil ki est pris a l'ain*. » *à l'hameçon.

« Par parolles,
Sire, me samblez cortois;
Mais si folle
Ne me troverez des mois

CHANSONS A PERSONNAGES

Un premier groupe de chansons à personnages est
celui des chansons de mal mariées, que leur nom suffit
à définir. Ce sont des piécettes où une jeune femme se
plaint ironiquement de son mari, ou le menace et se querelle avec lui, ou dialogue avec des confidentes, non moins
impertinentes qu'elle-même :

Trois sereurs* seur rive mer   *trois sœurs.
Chantent cler.
La jonete fu brunete :
« De brun ami j'aati*,   *je souhaite.
Je suis brune,
S'avrai brun ami aussi. »

Trois sereurs seur rive mer
Chantent cler.
La mainnée* apele   *la plus jeune.
Robin, son ami :
« Prise m'avez el bois ramé,
Reportez m'i! »

Trois sereurs seur rive mer
Chantent cler.
L'ainnee dit :
« On doit bien jcne dame amer
Et s'amor garder
Cil qui l'a*. »   *quand on l'a.

Un autre groupe est celui que forment les chansons
d'aube ou d'éveil. C'est le thème célèbre : « Non, ce n'est
pas le jour... »

Entre moi et mon ami
En un bois k'est lés Betune,
Alames juant mardi
Toute la nuit à la lune,
Tant k'il ajorna*   *il fit jour.
Et ke l'aloue* chanta,   *l'alouette.
Ke dit : « Amis, alons an! »
Et il respont doucement :
« Il n'est mie jors,

DANSE DE PASTOUREAUX ET DE PASTOURES (B. N., ms. latin 873, XVe siècle). — CL. LAROUSSE.

Ke je faice vo voloir.
    Poc vos vaut*   *peu vous sert.
Biaus proiers, se Dex me saut,
Ne force n'est mie drois. »

    A la voie
La pastore se mist lors :
    A grant joie
Vait deduxant son gent cors.
    Elle dit :
« Chivaliers, se Dex m'aïst,
Folz cowars n'est mie mors. »

Parfois, le sujet de la pastourelle n'est plus l'aventure d'un chevalier. Le poète ne se met pas en scène : simple spectateur, il décrit les propos d'un couple d'amoureux, ou bien les confidences de deux bergères ou de deux bergers, ou leurs rivalités, ou encore les divertissements et les danses de pastoureaux aux champs. Toujours la peinture de ces scènes, même de celles qui s'ornent des fleurs les plus fraîches de la poésie idyllique, contient une intention railleuse à l'adresse des rustiques personnages qu'elle représente, et ainsi se marque, ici encore, le caractère aristocratique du genre.

CHANSONS DE TOILE

Les chansons de toile sont de petits poèmes, composés de quelques strophes monorimes (ou sur une seule assonance) se terminant par un refrain. Elles ont été ainsi dénommées dès le moyen âge, probablement parce que l'action qu'elles peignent se déroule souvent dans un ouvroir. On les a appelées aussi chansons d'histoire, à cause de leur caractère narratif. Elles mettent en scène des femmes, le plus souvent des jeunes filles : belle Érembour, belle Aiglentine, belle Doette. Au début du récit, celle-ci coud une chemise, celle-là une robe; cette autre brode une étoffe précieuse; telle, mais c'est plus rare, feuillette un livre. Sous la fenêtre d'Érembour passent les « Francs de France », qui reviennent de la cour du roi : au premier rang, Raynaud. Ce beau « bacheler » a cru son amie infidèle : il passe, dédaigneux. Mais elle est innocente, elle le jure, elle pleure; et

    Lors recommencent lor premieres amors.

— Aiglentine travaille auprès de sa mère : l'amour lui met tant de rêverie dans l'esprit, qu'elle se pique le doigt avec son aiguille. Sa mère s'en aperçoit. Il lui faut avouer qu'elle aime le « preu Henri ». « Henri vous prendra-t-il ? » demande la mère. Belle Aiglentine va trouver Henri : « Henri, me prendrez-vous pour femme ? » Henri l'emmène joyeusement dans son pays et l'épouse. — Belle

Doette, à sa fenêtre, lit un livre : un écuyer lui annonce la mort de Doon, son ami. Alors elle fonde une abbaye et s'y retire, une abbaye où nul ne pourra entrer s'il a failli à son amour. — Et voici la chanson de Belle Yolant :

Bele Yolanz en chambre koie*   *paisible.
Sor ses genouz pailes* desploie,   *des étoffes de soie.
Cost* un fil d'or, l'autre de soie.   *elle coud.
Sa male mere la chastoie* :   *la gronde.
    « Chastoi vos en, bele Yolanz. »

Bele Yolanz, je vos chastoi :
Ma fille estes, faire lo doi. »
— « Ma dame mere, et vos de coi* ? »   *et à quel sujet?
— « Je le vos dirai per ma foi.
    Chastoi vos en, bele Yolanz. »

— « Mere, de coi me chastoiez ?
Est ceu de coudre, ou de taillier,
Ou de filer, ou de broissier,
Ou se c'est* de trop somillier ? »   *ou bien est-ce.
    — « Chastoi vos en, bele Yolanz.

Ne de coudre ne de taillier
Ne de filer ne de broissier,
Ne ceu n'est de trop somillier;
Mais trop parlez au chevelier.
    Chastoi vos en, bele Yolanz.

Trop parlez au conte Mahi,
Si en poise* vostre mari;   *et cela irrite.
Dolanz en est, jel vos affi.
Nel faites mais, je vos en pri.
    Chastoi vos en, bele Yolanz. »

— « Se mes mariz l'avoit juré,
Et il et toz ses parentez,
Mais que bien li doie peser,
Ne lairai je oan* l'amer. »   *de sitôt.
    — « Covegne t'en*, bele Yolanz! »   *songes-y bien.

Ces poèmes chantent dans l'imagination avec une grâce étrange. Quelque chose de bref et de heurté dans l'action, la rudesse des mœurs et des sentiments, la hardiesse de jeunes filles férues d'amour, les refrains font un composé singulier d'ingénuité, d'archaïsme pittoresque et de passion vivante.

Il n'est pas interdit de penser que les chansons de toile, au temps même où elles se sont chantées, ont plu par la même saveur archaïsante, déjà, qui les recommande à notre goût. Dès la fin du XIIe siècle, elles étaient des chansons d'autrefois. « C'est autrefois, dit dans le roman de *Guillaume de Dole*, composé vers l'an 1200, une vieille dame qui va chanter la chanson de *Belle Aude* en l'honneur d'un hôte, c'est autrefois que les reines et les dames avaient l'habitude, en tissant leurs étoffes, de chanter des chansons d'histoire. » L'âpreté des sentiments, la strophe sur une seule assonance ou une seule rime, les formules de style s'y faisaient sentir dès cette époque comme quelque chose d'épique et d'antique.

Mais est-ce à dire que ces chansons étaient véritablement d'une veine ancienne et que le genre, comme on l'a cru, remontait très loin dans le passé ? Rien n'est moins sûr. Ces chansons n'étaient vieilles que d'apparence. Sans doute, les femmes ont-elles chanté dans les ouvroirs des châteaux, très anciennement ; mais rien ne dit que les chansons de toile, telles que nous les connaissons, aient correspondu à ce que chantaient ces femmes. Des poètes sont passés par là, qui ont arrangé les choses à leur façon. Ils savaient bien que les clercs des écoles s'amusaient parfois, en latin, à faire du faux antique, et que d'autres auteurs, en français, avaient aussi exploité le charme particulier qui s'attache à l'évocation de l'autrefois. Ils ont fait, eux, du faux ancien ; et tel détail de leur style semble bien découvrir leur jeu.

Non sans quelque malice, ils ont imaginé ces petites scènes, où ils ont composé à leur gré les sentiments et le langage d'amoureuses touchantes et naïves. Mais ils prouvaient par là-même qu'ils n'étaient pas, eux, des naïfs. C'est pourquoi nous les avons placées non au début, comme on fait d'ordinaire, mais à la fin de notre revue des genres lyriques.

RUTEBEUF

Les œuvres de Rutebeuf ont été publiées par Achille Jubinal, 1839 et 1874, et par Adolf Kressner, Wolfenbüttel, 1885. Quelques-unes de ses poésies personnelles l'ont été par H. Lucas, 1938 ; ses poèmes sur la croisade par Julia Bastin et Edm. Faral, 1946. — Voir : Léon Clédat, Rutebeuf, 2e édition, 1898.

Nous parlerons, à la fin de ce chapitre, d'un poète qu'il convient de placer parmi les lyriques, si l'on considère la forme d'une partie importante de son œuvre, mais qui s'est exercé, de 1250 à 1285 environ, en des genres divers : fabliaux, théâtre, dits moraux, vies de saints, complaintes funèbres — et dont les poèmes, quand ils appartiennent au lyrisme par la facture, ne sont pas toujours d'inspiration lyrique.

Il était peut-être d'origine champenoise, mais il a surtout vécu à Paris. Il savait le latin, l'entendait bien, et le traduisait bien. Pourtant, il ne fit carrière ni dans l'université, ni dans le clergé. Insouciant, grand dormeur, prenant le temps comme il venait, il mena la vie paresseuse et fantaisiste d'un jongleur. Il en connut les hauts et les bas : tantôt une aisance relative, tantôt un complet dénuement. Mauvais ménager de son bien, sottement marié, ami de la taverne, du vin et du jeu, il ne s'entendait guère à profiter des bons jours sans s'en préparer de mauvais. De tout cela, nous avons sa confession pitoyable.

Sa profession étant d'amuser, une partie de ses poèmes, notamment ses fabliaux, répond à cet objet. Mais il avait un talent qui lui permettait mieux : on pouvait lui demander des pièces édifiantes, et il en a écrit plusieurs, de même que, pour plaire aux familles en deuil, il a composé des complaintes funèbres sur la mort de certains grands seigneurs. Surtout, sa verve satirique, à laquelle il s'abandonnait un peu étourdiment, devenait, à l'emploi qu'il en faisait, le don brillant d'un polémiste fougueux. Depuis que la chanson d'un jongleur, en se répandant dans le peuple ou dans les cours, s'était révélée capable d'édifier

ou de ruiner des réputations, d'exciter les enthousiasmes ou les résistances, rois, princes et partis en recherchaient le concours.

Rutebeuf en a profité. Il a été employé par Alphonse de Poitiers et par Charles d'Anjou, frères de Saint Louis ; il l'a été par les adversaires des Ordres mendiants dans leur lutte pour la défense de l'Université de Paris ; il l'a été par les promoteurs de guerres entreprises dans l'intérêt de la chrétienté. C'est ainsi qu'il devint pamphlétaire, « propagandiste », une manière de journaliste : journaliste à gages, il est vrai, mais qui ne sent pas le mercenaire.

Car il serait inexact et injuste de ne pas reconnaître en ses écrits l'accent de la sincérité. S'il a été l'obligé de Thibaut de Navarre, d'Eudes de Nevers, de Geoffroi de Sergines, d'Érart de Valéry, de Guillaume de Beaujeu, l'éloge qu'il a fait d'eux n'a jamais rien eu de bas. S'il a flatté le pape Urbain IV, il a eu le courage de détester le pape Alexandre IV ; s'il a recherché des appuis dans l'entourage du roi Louis, il a eu des mots d'une étonnante hardiesse à l'égard du roi lui-même, auquel il reprochait sa dureté pour ses chevaliers, son esprit d'excessive économie et sa faveur pour les jacobins. Si l'on peut supposer que les maîtres séculiers de l'Université de Paris ont récompensé ses services, il faut reconnaître qu'il a défendu l'un d'eux en particulier, Guillaume de Saint-Amour, avec une éloquence, une verve, et une fidélité dans le malheur, qui ne pouvaient venir que du fond de son cœur. Enfin, il a détesté l'hypocrisie, mais l'on sent qu'il avait pour la vraie religion un respect qui n'était pas de commande ; et ses appels à la croisade ont une vigueur qui en fait de très beaux morceaux.

SCEAU DE L'UNIVERSITÉ DE PARIS à la fin du XIIIe siècle.
CL. GIRAUDON.

Quand, ordonnant de brûler les *Pericula novissimi temporis* de Guillaume de Saint-Amour, le pape Alexandre IV enveloppait dans la même sentence certains libelles en langue vulgaire dirigés contre les moines, ainsi que certaines chansons condamnables, Rutebeuf eut peut-être l'honneur d'être visé. Il est arrivé à ce jongleur de s'amuser ; il a pu adopter parfois une manière frivole ; il a pu abuser de l'esprit de mots : il a su aussi s'intéresser aux idées, aux grands débats ; et sa complainte, qui courait à travers la foule, travaillait l'opinion publique assez profondément pour que, dans son humble condition, il ait compté, parmi les premiers personnages de son temps, de véritables amis et, trait non moins flatteur, des ennemis résolus. En tout cas, aucune œuvre n'est plus que la sienne l'expression d'une personnalité et des mœurs de toute une époque.

IV. — LES TRANSFORMATIONS DU ROMAN DE RENART

Les branches suivantes du Roman de Renart ont été composées entre 1205 et 1250 : XIII ; XVIII à XXVI ; XXVIII.

D'autre part, Renart est encore le héros de divers poèmes qu'il faut considérer séparément, parce qu'ils n'ont plus qu'un rapport assez lointain avec le roman proprement dit. Ce sont :

— Le Couronnement de Renart, poème anonyme

qui a été composé en Flandre dans la deuxième moitié du XIIIe siècle, peu après 1250 ; on le lira au tome IV de Méon et dans l'édition Alfred Foulet, 1929.

— Renart le Nouvel, volumineux ouvrage qui comprend deux livres, l'un de 2630, l'autre de 7418 vers. Il est l'œuvre du poète lillois Jacquemart Gelée, et date de la fin du XIIIe siècle. On le trouvera également au tome IV de l'édition Méon.

— Renart le Contrefait, œuvre d'un clerc anonyme qui vécut à Troyes, dut renoncer à la cléricature pour cause de bigamie, c'est-à-dire de concubinage, et s'adonna au commerce des épices. Il écrivit pour se distraire et acheva la première rédaction de son roman entre 1319 et 1322. Il en produisit une autre, beaucoup plus ample (plus de 40 000 vers et un long passage en prose), entre les années 1328 et 1342. Renart le Contrefait a été publié par Gaston Raynaud et Henri Lemaître, en deux vol., 1914.

Le beau temps du *Roman de Renart* est désormais fini. Certes, il continue d'obtenir, pendant la première moitié du XIIIe siècle, le même succès qu'au XIIe. Certes, il voit pousser de nouvelles branches — une douzaine environ; et quelques-unes au moins de ces ramifications rappellent agréablement les premiers contes. Telle l'histoire du bon prêtre Martin et du loup Isengrin :

> Prestre Martin estoit moult sages
> De bien norrir en ses erbages
> Brebis dont il ot maint fromage.

Mais comme Isengrin venait chaque nuit lui ravir lesdites brebis, Prêtre Martin creusa une grande fosse, y mit un agneau comme appât, recouvrit d'une claie le piège ainsi préparé, et attendit. Bientôt après,

> Isengrin, qui grant faim endure,

se dirige vers l'animal bêlant et tombe dans la fosse. Muni d'un solide gourdin, Prêtre Martin y descend afin d'assommer son ennemi. La chose n'est pas si facile, car Isengrin se défend; et tous deux tombent; et le loup, d'un bond, saute sur le col du prêtre et, de là, s'élance au-dehors : il est libre...

Mais en dépit d'un tel exemple, et encore qu'il soit bien entendu que les deux siècles ne sont pas séparés par une brusque coupure, nous n'en arrivons pas moins à l'époque où le succès même du genre nuit à la qualité de la production. Il s'agit de fournir des histoires à un public qui en est devenu très friand : on lui en sert de bonnes ou de mauvaises; il est rare qu'elles soient tout à fait bonnes. Ou bien, par un procédé dont souffraient déjà les branches immédiatement postérieures aux premières, on reprend les épisodes connus : c'est le cas de la branche XIII, qui s'alimente aux branches II, VII, XIV, et XVI; et c'est le cas aussi des branches XXII, et XXIII. Ou bien on cherche des sujets originaux : mais cette originalité demeure médiocre; et les inventions nouvelles sacrifient les personnages si heureusement consacrés par la tradition, comme dans les branches XVIII, XIX, XX et XXI, où Renart ne figure même plus. Renart disparaît de la scène, au grand regret de ses admirateurs; les autres animaux ne sont plus que des êtres conventionnels, des entités sans vie. L'intrigue seule prête quelque intérêt au récit; mais il n'y a plus de raison pour que les rôles soient attribués à des bêtes plutôt qu'à des hommes, ainsi qu'il arrive, par exemple, en la branche XXI. Le *Roman de Renart* s'augmente, mais ne s'enrichit pas. La verve amusante des premiers contes ne se retrouve plus dans les histoires alanguies, ou compliquées, qui dénaturent peu à peu la tradition. Ce curieux mélange de fantaisie et d'observation qui donnait à chaque scène tant d'imprévu et tant de vérité, lorsqu'on nous narrait les démêlés de Renart avec Chantecler, la Mésange, Tibert le Chat ou

dame Hersent la Louve, n'est plus désormais qu'un lointain souvenir : et qu'est devenu l'esprit d'antan? Le feu s'éteint.

Seulement, le genre se transforme; et, pour le dire tout de suite en un mot, le gai roman devient satire. On pouvait lire déjà dans la branche XXIV des vers comme ceux-ci :

> Tot cil qui sont d'enging* et d'art   *ruse.
> Sont trestuit* appelé Renart...   *tous.
> .....Cil Renart nous senefie
> Ceux qui sont plein de felonie.

C'était l'annonce d'une nouvelle façon de comprendre le caractère du héros. Renart n'était, pour les premiers poètes qui l'ont chanté, qu'un joyeux fripon, dont la malice incorrigible rebondissait de farce en farce : tant de bonne humeur se dégageait de sa personne, il manifestait lui-même un tel plaisir de vivre, qu'à part Isengrin, et quelques-unes de ses victimes directes, personne ne lui gardait rancune de ses tours : il avait les lecteurs pour complices. Mais maintenant, il se transforme, et c'est fini de rire. Il cesse d'être un drôle qui amuse; on le prend au sérieux, voire au tragique : il est dangereux par ses mauvais instincts, odieux par les multiples ressources de sa perfidie; on le peint comme étant l'ami du mal. L'interprétation allégorique s'en mêlant, il devient le Mal en personne, et l'Hypocrisie. En lui s'incarnent tous les vices du siècle : rapacité des princes, esprit d'intrigue des gens de cour, simonie des clercs, luxure des prêtres et des moines, mauvaise foi des marchands. Pauvre Renart le Roux! Son succès même l'a perdu, et on l'a chargé des péchés du monde. Le poème de Rutebeuf intitulé *Renart le Bestourné* consacre cette interprétation : satire amère où Renart symbolise les ordres mendiants et, au grand dam du royaume, s'empare de l'esprit de Noble pour s'ériger en maître. Nous allons voir comment son nouveau caractère s'affirme dans un long poème, « le Couronnement Renart, qui par son engin Rois est coronés ».

LE COURONNEMENT DE RENART

Dame Ermengart, « orgueilleuse envers la povre gent », pousse Renart son mari à prendre la couronne : le pouvoir ne doit-il pas appartenir aux plus habiles? Ambition étrange et nouvelle, qui déjà suffirait à marquer la différence avec les vieux récits : autrefois, Renart dupait les rois, mais n'aspirait pas à les remplacer. Autrefois, Renart raillait prêtres et archiprêtres, mais n'aurait jamais eu l'idée de se faire tout à la fois frère mineur et jacobin. C'est pourtant le dessein qu'il exécute ici, afin de profiter de l'ascendant des moines sur l'esprit du roi. En effet, il va se présenter à Noble le Lion comme étant le Prieur des Jacobins de Saint-Ferri, et annonce à ce crédule monarque qu'il a vu dans le ciel des signes avant-coureurs de sa mort prochaine. Noble le Lion, que nous avons connu si plein de sens et de raison, est bien changé, lui aussi, car il prête foi sans hésiter aux discours du Prieur, s'alite et se croit déjà mort. Il faut qu'il désigne son successeur, et ce sera Renart, le plus faux de tous ses barons, mais aussi le plus avisé : sagesse vaut courtoisie, beauté, hardiesse; sagesse vaut toute vertu. Après une délibération orageuse des barons, Renart est proclamé roi : ce n'est pas sans de nombreuses simagrées qu'il accepte la succession que lui ont value ses intrigues. Mais quel roi! Son premier acte est de chasser de sa cour le Mouton et le Hérisson, qui avaient été ses plus chauds partisans : il n'observe même pas le devoir de fidélité. Comme il est traître, il est cupide : il s'enrichit d'innombrables présents, qu'il a l'air de refuser, mais qu'acceptent pour lui sa femme et son fils. Puis l'envie lui vient de voyager : Jérusalem, Tolède, Paris, Rome, l'Angleterre, l'Allemagne lui font fête, parce que le monde entier admire en lui le pouvoir de la ruse; le pape lui réserve un accueil particulièrement flatteur. Rentré chez lui à Maurepaire, il continue d'exercer son gouvernement détestable, libéral aux riches, dur aux pauvres, au milieu d'une cour où il n'y a place que pour l'orgueil, la médisance, la fausseté. L'ouvrage, dans cette dernière partie, prend de la grandeur : le poète entonne un chant mélancolique, qui retentira plus d'une fois au cours des âges : c'est la complainte de l'argent, de l'argent qui peut tout au monde, même rendre blanches les abeilles et rouges les brebis :

> Argent, qui bien te conistroit,
> Tu fais çou qu'autres ne puet faire;
> Argent, tu pues bien contrefaire
> Blanches és *(abeilles)* et rouges brebis...

A la complainte de l'argent succède la complainte de la mort, non moins tragique que la première. Et l'œuvre se termine sur cette pensée qui la résume : nul ne peut

> Au jour d'hui venir a maistrie
> Se il ne set de renardie.....

NOBLE TIENT SA COUR (B. N., ms. franç. 1581, XIIIe siècle). — CL. LAROUSSE.

Ce *Couronnement de Renart* ne laisse pas de produire une impression profonde, et pour plusieurs raisons. D'abord il est curieux de voir comment le poème se rattache à l'ancienne tradition, et comment il se dégage d'elle. Les noms des personnages restent en général les mêmes : ils sont trop profondément fixés dans l'esprit du public pour qu'on puisse les changer. Quelques épisodes rappellent la manière des premiers conteurs, ou du moins s'efforcent de l'imiter : l'Ane, pour s'être laissé persuader qu'il devait faire entendre sa belle voix à l'église, est roué de coups ; le vilain qui portait une andouille, pour s'être laissé persuader que les nids d'oiseaux cachaient des perles, grimpe à l'arbre pour atteindre un nid, et se laisse voler son andouille : nous reconnaissons ici les bons tours habituels à Renart. Hâtons-nous de dire, d'ailleurs, que ces épisodes sont assez mal assujettis au corps du récit, et font l'effet de postiches. Un cadre commode, quelques souvenirs amusants : voilà donc ce que fournit l'ancienne tradition ; cela suffit pour accréditer l'œuvre auprès du public. Le poète bénéficie de la popularité attachée au nom et aux exploits de Renart : après quoi, il modifie totalement la nature profonde de son caractère. Il ne se laisse plus aller aux jeux de l'imagination. Il ne conte plus pour le plaisir de conter ; il critique, il vitupère.

Bien curieuses aussi sont les qualités littéraires qui se marquent ici. L'invention verbale est extrêmement abondante ; elle l'est même quelquefois trop, lorsqu'elle se complaît dans sa propre richesse. Le dénombrement des barons est un bel exemple de ce cas : l'auteur se divertit à accumuler une foule de noms bizarres, qu'il énumère suivant leur ordre alphabétique : exercice de virtuosité, qui est fatigant, et dont le résultat ne mérite pas tant de peine. Mais dans les bons endroits, cette même invention verbale permet des développements vigoureux. Reprenant dix fois, vingt fois le mot « argent », par exemple, dix, vingt variations, toutes ingénieuses, multiplient le pouvoir de l'idée unique, laquelle prend la force d'une obsession. Le plus remarquable est le ton : la satire est constante, systématique, âpre ; elle ne se traduit pas en explosions violentes, en récriminations à grand fracas : elle se manifeste, bien plutôt, par une colère sourde, qui ne se laisse

pas désarmer et ne s'apaise point. Il y a bien de la tristesse et bien de l'amertume dans ces vers légers.

Le *Couronnement de Renart*, enfin, est un double document. Il nous met sous les yeux une peinture poussée au noir, mais non pas infidèle, de la société contemporaine. Il nous montre quelle haine croissait au cœur des hommes, dans ce XIIIe siècle où s'éveillent toutes les puissances critiques, contre l'empire de la « renardie » ; avec quelle hardiesse — et d'ailleurs avec quelle liberté — on attaquait le mensonge et l'hypocrisie ; avec quelle force s'exprimait le malaise social.

En nous gardant d'exagérer, et tout en sachant bien que la littérature a toujours considéré les vices du siècle comme matière à beaux développements, quitte à les accentuer un peu, reconnaissons que cet intérêt documentaire achève de donner son prix au *Couronnement de Renart*.

RENART LE NOUVEL

Un poète lillois, Jacquemart Gelée, reprit ces mêmes données, mais avec moins d'âpreté, avec plus d'ampleur : en accentuant la parodie ; en prêtant aux personnages des caractères allégoriques encore plus marqués ; en cherchant à varier le récit par quelques procédés habiles, de sorte que son œuvre, *Renart le Nouvel*, ne manque pas de personnalité.

L'intention moralisatrice est indiquée cette fois dès le début ; l'auteur annonce qu'il va montrer comment le monde est plein de fausseté et de mal art :

> Li cuer sont mais *plain de renart.   *désormais.

Puis le récit commence ; il commence même fort agréablement par quelques vers où s'exprime un joli sentiment de la nature :

> En may c'arbre et pré sunt flori
> Et vert de fuelles, que joli
> Fait es selves et es foriés,
> Que cil oisiel cantent adiès*,   *toujours.
> C'amoureus cuers fait nouviaus sons,
> Messire Nobles li Lyons
> Tint cort par grant sollempnité
> Au jour de sa nativité.

Le roi tient cour plénière, au milieu de toute la gent animale ; il prend la parole, et propose qu'on arme cheva-

COMBAT DE RENART ET D'ISENGRIN (B. N., ms. franç. 1581). — CL. LAROUSSE.

LE SIÈGE DE MAUPERTUIS. Renart lance aux assiégeants des carreaux d'arbalète (B. N., ms. franç. 1581, XIIIe siècle). — CL. LAROUSSE.

lier son fils, qui s'appelle Orgueil. L'allégorie commence avec la description de l'armure et continuera d'un bout à l'autre du poème : la cotte de mailles, par exemple, est doublée « de desdaing, de despit » :

Premiers* li viesti l'auqueton *d'abord.
Ki estoit, en lin de coton,
De desdaing, de despit farsis;
Li auquetons fut moult jolis.

Au jeune chevalier, Renart chausse l'éperon droit, Isengrin l'éperon gauche. Après la messe, célébrée par l'archiprêtre Timer, on joute. Orgueil, vaincu par le fils d'Isengrin et courroucé de sa défaite, prend conseil de Renart, et organise un tournoi où Renart lui-même blesse grièvement Isengrin en lui enfonçant son poignard

Parmi li cors jusques au mance,

et tue Primaut, fils d'Isengrin :

Renart en trahison l'ocist
Si soutilment que nus ki vive
Ne s'en prist garde.

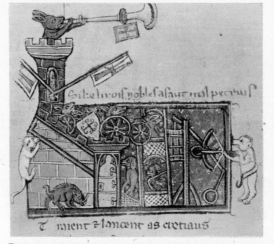

RENART SONNE VICTORIEUSEMENT DE LA TROMPETTE (B. N., ms. franç. 1581). — CL. LAROUSSE.

Le coup fait, il s'enfuit dans son château de Maupertuis, où Noble l'assiège. Renart a l'avantage : il mène Orgueil en sa maison :

Renart Orgueil en sa maison
Maine, ki ert de traïson,
De haïne et d'envie ouvrée,

et il le fait couronner par ses dames : Accide, Ire, Envie, Luxure et Gloutonnie. Il se déguise en frère mineur, pénètre dans le camp du roi, délivre son fils Rousiau qui avait été fait prisonnier, et avec lui cent de ses compagnons. On donne vainement l'assaut à Maupertuis : Renart résiste, Renart est vainqueur. Mais il estime avantageux pour lui de se rendre spontanément au roi; et l'on voit ainsi, à la fin du premier livre, « comme Renart vint à merci du roi Noblon et se mist à genoulx, et li Rois descendi dou cheval, et l'enleva et puis le baisa ». De grandes fêtes célèbrent la réconciliation.

Le second livre commence, ainsi que le premier, par un prologue où l'auteur manifeste son dessein de moraliser — avertissement superflu... Noble le Roi, en train de chasser dans la campagne où éclate le renouveau d'avril, songe à l'amour qu'il éprouve pour Harouge, femme du

Léopard, et chante son amoureuse peine. Il rencontre Renart, qui fléchit le genou devant lui; et toujours reconnaissant de son attitude dans leur précédente guerre, il le nomme sénéchal de sa maison. Le nouveau sénéchal profite aussitôt de l'aubaine pour jouer un tour pendable à son bienfaiteur : il s'empare de Harouge, la favorite; d'où scandale, colère du roi, brouille et nouvel assaut de Maupertuis. Il faut bien varier le récit : le poète transporte brusquement sur la mer le récit de ces peu vraisemblables aventures. Ce qui ne change pas, c'est le goût de l'allégorie, de plus en plus marqué. Renart s'embarque avec les siens sur une nef armée de vices et de péchés : Noble le Roi poursuit Renart sur une nef équipée à l'arsenal des vertus :

Li fons* est de boine pensée,   *la cale.
Et s'est de fine amour bordée,
Et clauwée* de courtoisie,   *clouée.
De raison ensement poiie*.   *calfatée.
Li mas en est tous de pitié,
Et li sigles* d'umelité.....   *la voile.

Renart le rebelle ne se contente pas d'envoyer à son seigneur une lettre de défi; il envoie aussi trois déclarations d'amour : l'une à Orgueilleuse, femme du Lion; l'autre, à Hersent la Louve; la troisième, à Harouge la Léoparde. Les trois dames s'entendent entre elles, tirent au sort, et font savoir à Renart, qui a ancré son navire à Passe Orgueil, que c'est Hersent qui lui est échue. Elles sont de bonne foi; mais Renart, qui ne pensait point qu'elles se montreraient ses lettres, et qui comptait que chacune garderait son secret, s'imagine qu'elles se sont mises d'accord pour se moquer de lui, et jure de se venger. Il se déguise en physicien et vient à la cour, offrant à qui veut s'en servir un aimant dont la propriété est de découvrir les femmes infidèles. C'est ainsi que les trois maris trompés apprennent leur infortune.

Ne nous montrons pas trop difficiles pour ce qui est de la cohérence; prenons comme ils viennent ces épisodes si bizarrement cousus au récit; et avec le poète, revenons à la lutte entre Renart et le Roi. Les deux nefs se rejoignent; un combat sanglant a lieu, qui n'est interrompu que par la tempête. L'armée du roi se lance à l'assaut de Passe Orgueil, où Renart s'est réfugié. Au moment où la situation devient critique, il trouve moyen d'utiliser

RENART VAINCU CRIE MERCI A NOBLE (B. M., ms. franç. 1581). CL. LAROUSSE.

les bons offices de Leonel, un des fils du roi, et son prisonnier : il sollicite et obtient la paix. Renart et le Roi s'entre-baisent, et c'est Dame Ghille — la Tromperie — qui organise les réjouissances pour marquer la paix. Timer l'Ane, qui avait excommunié Renart, l'absout. On rentre à Maupertuis : de grandes fêtes y ont lieu, où Renart, récompensant ses gens, investit le pape, les cardinaux, les évêques, les prêtres, les clercs et les moines des fiefs de Convoitise et d'Avarice. Les jacobins et les frères mineurs, qui ne peuvent obtenir que Renart entre dans leurs ordres, y reçoivent du moins Renardiel son fils. Aux Templiers et aux Hospitaliers, qui se disputent le privilège de le posséder parmi eux, il répond qu'il portera un costume mi-parti, par lequel il se rattachera à l'un et à l'autre des deux ordres. Enfin, la déesse Fortune l'installe à tout jamais au sommet de sa roue, avec Orgueil, Fausseté et le cortège des vices, tandis que les vertus gisent au bas.

C'est sur cette figure que se termine le poème. L'auteur, comme il a eu soin de le signer :

Ce nos dit Jakemars Gelée

a eu soin de le dater, en finissant, de la façon que voici :

La figure est fin de no livre,
Veoir le poez a delivre,
Plus n'en ferai chi mention.
En l'an de l'Incarnation
Mil et deus cens et quatre vins
Et huit fut chi faite li fins
· De ceste branche, en une ville
Que on apiele en Flandre Lille,
Et parfaite* au jour saint Denis.   *achevée.
A le mere au roi Jhesus Cris
Prions qu'ele nous doinst* si vivre   *accorde.
Que de Renart soyons delivre,
Et aussi de tous autres visces,
Si c'o Dieu* soions es delices   *avec Dieu
Avec la Sainte Trinité
Lasus ens en se maïsté!
Ce nos doinst li Fius et li Peres
Et li Sains Espirs nos Sauveres,
Ki vit et regne et regnera
Per infinita secula!
                Amen.

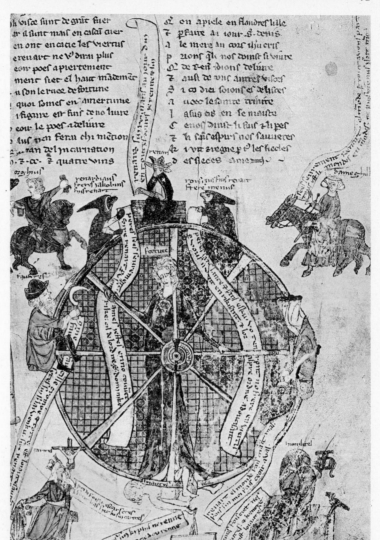

FORTUNE ARRÊTE SA ROUE. Renart trône au sommet. Dernière page du roman de « Renart le Nouvel » (B. N., ms. franç. 372, XIIIe siècle). — CL. LAROUSSE.

Que l'ensemble du poème soit chaotique, voilà qui est bien évident. L'auteur ne brille pas, certes, par la vertu d'ordre; il lui manque le sens de la composition, et davantage encore la faculté de choix. Il a utilisé toutes ses connaissances, placé tous ses souvenirs, fait un sort à tous les développements que lui fournissaient sa mémoire et sa fantaisie. Il a fait appel à l'antiquité profane et à l'antiquité sacrée, lesquelles se trouvent parfois étrangement mêlées. Il a puisé dans l'ancienne tradition du *Roman de Renart*, sans aucun souci d'accorder les tons, ou de donner quelque vraisemblance aux caractères. Lui plaisait-il d'insérer dans ses vers de belles lettres en prose, sommations, défis, ou déclarations amoureuses, il l'a fait aussitôt. Hanté par des réminiscences des romans courtois, il leur a emprunté des bouts d'intrigues, des histoires sentimentales, des personnages, des procédés. Harouge la Léoparde, aimée du roi, et victime des infamies de Renart, ne peut s'empêcher d'aimer Renart plus que le Roi : ce trait psychologique serait joliment marqué, s'il ne paraissait ici hors de sa place. Une grande variété de chansons, qui sont en majorité des chansons de danse, parsèment le récit; elles sont indiquées, avec leur mélodie notée :

Or sai vraiement que ne puis
Vivre sans amor longement.

Ainsi chante la tendre Harouge, et de sa chanson le bois retentit.

La narration s'arrête et fait place, pour un temps, à ces danses, à ces chansons : on renoue ensuite, avec plus ou moins de bonheur, le fil de l'intrigue.

La partie du roman qui nous montre « Renart et Roi Noble s'entre-baisant par pais faisant » contient une série continue de pièces courtoises, que les différents personnages chantent successivement. Surprenante métamorphose : la cour de Noble le Lion est devenue une cour d'amour.

Ces ornements cherchés au loin, ces artifices, toute cette richesse disparate et touffue, n'arrivent cependant pas à détourner l'attention de l'idée qui domine le poème. Celui-ci est essentiellement une allégorie destinée à peindre et à faire détester les vices du monde, surtout ceux du clergé, et surtout ceux des ordres religieux. L'auteur n'attache qu'un intérêt médiocre à la fiction elle-même, et la vraisemblance est le moindre de ses soucis. Ce qui lui importe, au contraire, c'est de multiplier les symboles qui serviront à l'enseignement moral.

Expliquer — par un renversement de la symbolique traditionnelle exposée dans l'*Ordre de Chevalerie* — qu'à son adoubement, Orgueil, fils de Noblon, est revêtu de fausseté, de cruauté, de vanterie, de dédain, et autres pièces d'armure, — voilà qui lui plaît.

Décrire le vaisseau de Renart, fait de tous les vices : le fond de male pensée, le bordage de trahison, l'ancre de malice et de foi mentie, la sentine de non-repentir, et le reste à l'avenant; ajouter que les matelots de cette nef maudite sont les clercs, les prêtres et les moines, et que les amiraux sont les cardinaux et les papes, — voilà qui l'enchante.

Il saisit toute occasion de moraliser : à propos d'un jeune fils de Renart qui se montre déjà l'héritier de la ruse paternelle, il blâme la négligence que mettent les parents à élever leurs enfants, et montre le danger de les confier à de mauvaises nourrices. A propos des vœux de repentir qu'exprime Renart lorsqu'il est assailli par la tempête, vœux qui sont oubliés lorsque le calme revient, il dénonce les bonnes résolutions que ne suit pas l'effet. A propos de la paix accordée par Noblon à Renart, il explique que c'est ainsi que nous abdiquons, sans combat, devant les vices. Mais rien n'émeut tant sa bile que l'état des ordres religieux : contre eux, il multiplie les traits d'une satire qui ne risque jamais de s'épuiser.

Par les mœurs qu'il dépeint, et par l'état d'esprit qu'il révèle chez son auteur, *Renart le Nouvel* n'occupe pas une place moins importante dans l'histoire des idées sociales que le *Couronnement de Renart*.

RENART LE CONTREFAIT

Cent cinquante ans se sont écoulés depuis les premiers poèmes; et voici, au début du XIVe siècle, le dernier avatar du héros qui va terminer une si glorieuse carrière.

Il la termine étrangement : *Renart le Contrefait* n'accentue pas seulement les défauts que nous venons de constater; il transforme encore le caractère du personnage, jusqu'à le rendre inintelligible à force de surcharges et de contradictions.

L'intention reste allégorique et satirique, et le dessein ne change pas : il s'agit toujours de flageller les vices de la société et, dans la société corrompue, de flétrir tout spécialement clergé et noblesse. Pour arriver à ses fins, l'auteur se souvient, en premier lieu, de l'ancienne légende.

Il adopte la division en branches; il exhume en les modifiant quelques-unes des données que les poètes antérieurs avaient inlassablement reprises. Il use, en second lieu, des procédés allégoriques que lui ont légués ses prédécesseurs immédiats, Jacquemart Gelée, par exemple : rien d'étonnant, puisque ces procédés font désormais partie du genre.

Mais ce n'est pas tout; il fait de Renart une manière de philosophe, et même de sage; de sorte qu'on trouve en un seul caractère trois personnages juxtaposés tant bien que mal : le facétieux Renart des premiers contes; le Renart corrompu et allégorique des poèmes moralisés; et un Renart qui prend le parti du bien contre le mal.

C'est ainsi que, dans la branche IV, ce héros trop complexe fait à ses fils un sermon que ne désavouerait pas le plus honnête auteur de « castoiement » : en effet, il leur vante la concorde, l'amour des bons conseillers, le goût des plaisirs vertueux, la prudence à l'égard des femmes; et il les met en garde, d'autre part, contre les vices d'orgueil, d'envie, de médisance, de gloutonnerie.

Il est vrai que Renart se donne pour le premier auteur des abus qui règnent dans le monde; mais en les décrivant — rapine des seigneurs, excès des charges qui pèsent sur le peuple, taille, dîme, droit de formariage, droit de mainmorte et autres calamités — il parle moins en pécheur contrit qu'en juge occupé à faire le procès des fautes d'autrui. Renart devient ainsi un personnage étrange, de caractère mal défini et même incohérent, une sorte de Pan à la fois malfaisant et vengeur.

Enfin l'auteur, qui est prolixe, déverse dans le poème ses connaissances, qui sont nombreuses, sur tous sujets; voire même des compositions entières, qu'il tenait en réserve et qu'il ne peut s'empêcher de produire ici, n'eus-

sent-elles aucun rapport avec le récit. Renart ne se met-il pas, tout d'un coup, à retracer l'histoire du monde, depuis les origines jusqu'à la mort de Charles le Bel?

L'ouvrage devient une somme encyclopédique, où, sous le couvert d'une fiction sans cesse oubliée, s'entassent des dissertations *de omni re scibili et quibusdam aliis*. Malgré la lourdeur qui résulte d'un tel abus et sous l'amas de l'érudition, on retrouve avec intérêt la personnalité tumultueuse de l'auteur.

Ce clerc de Troyes en Champagne, qui eut des malheurs dans la cléricature et se rabattit sur le commerce des épices, nous apparaît à travers son poème comme un esprit curieux, épris non seulement de savoir, mais de belles-lettres, attentif non seulement à l'histoire des anciens âges, mais à toutes les manifestations de la vie de son temps, sensible à l'injustice et tourné vers le bien; idées et sentiments sont en fermentation continuelle dans son âme; il conquiert notre sympathie par son inquiétude même et sa mouvante curiosité. Seulement, *Renart le Contrefait* est un monstre.

V. — LES CONTES
LES CONTES PIEUX ET MORAUX
LES MIRACLES DE LA VIERGE

Les collections de miracles rédigés en latin ont été étudiées et analysées par A. Mussafia, Studien zu den mittelalterlichen Marienlegenden, *dans les* Sitzungsberichte der k. k. Akademie zu Wien, *t. CXIII, CXV, CXIX, CXXIII, CXXIX, 1887-1898.*

Le recueil d'Adgar (XIIe siècle) a été publié par C. Neuhaus, Adgar's Marien-Legenden (Altfranzösische Bibliothek, *t. IX), 1886 ; celui de Gautier de Coincy, par l'abbé Poquet, les* Miracles de la Sainte Vierge, *par G. de C., 1857, puis, en partie, d'après le manuscrit de l'Ermitage, par A. Langfors, Helsingfors, 1937 ; le miracle du* Tombeur de Notre-Dame, *par W. Foerster (Romania, t. II, 1873, p. 315) et par E. Lommatzsch, Berlin, 1920.*

Voir Hilding Kjellman, la Deuxième Collection anglonormande des miracles de la Sainte Vierge et son original latin, *avec les miracles correspondants des mss. 375 et 818 de la Bibliothèque nationale (Paris et Upsal, 1922), et A. P. Ducrot-Granderie,* Études sur les miracles de Notre-Dame de Gautier de Coincy *(Helsingfors, 1932).*

Un bon nombre de contes pieux ont pour sujet des miracles dus à l'intercession de la Vierge. Dès le XIe siècle et pendant le XIIe, ces miracles, rédigés en latin, ont été réunis en des collections dont les éléments ont ensuite passé en langue vulgaire. Des recueils français se sont ainsi formés, au XIIIe siècle : tels ceux de Jean Le Marchant, d'Everard de Gateley, d'Adgar et de plusieurs anonymes. Le plus célèbre, et à bon droit, est celui de Gautier de Coincy.

Né vers 1177, mort en 1236, Gautier a passé toute sa vie, à partir de son noviciat, dans les maisons bénédictines du Soissonnais, d'abord au couvent de Saint-Médard-lès-Soissons, où il était entré en 1193, puis à Vic-sur-Aisne; il fut grand prieur de Saint-Médard. Il a terminé vers 1220 ses *Miracles de la Sainte Vierge*, qui sont empruntés pour la plupart à la compilation latine d'Hugues Farsit. Il écrit avec soin, sachant, en clerc instruit, ce que c'est que finesse : il pratique la rime riche et use abondamment de ces « couleurs de rhétorique » dont on lui avait enseigné le prix.

Mais ce ne sont pas ses habiletés de styliste qui font à nos yeux l'intérêt de son œuvre : ce sont plutôt ses senti-

LA LÉGENDE DE THÉOPHILE. Son pacte avec Satan; sa vie de perdition; son repentir; Notre-Dame chasse Satan (Registre médian du tympan de la porte du cloître, à Notre-Dame de Paris). — CL. GIRAUDON.

ments et le tour de son inspiration. La vie du cloître avait développé en lui le dogmatisme et l'intransigeance. Il le laisse surtout paraître dans les commentaires ou, pour employer son expression, dans les « queues » qu'il ajoute à ses récits, et où il se montre sévère à l'égard du siècle, à l'égard des petits comme des grands, poussant parfois la rigueur jusqu'à la dureté et, quand il s'agit des Juifs, la dureté jusqu'à la haine. C'est pourtant cet âpre censeur qui conte avec une piété pénétrée les indulgences de la Vierge pour l'humaine faiblesse. Un moine, d'esprit simple, servait la Vierge en grande dévotion et, après bien des efforts, il avait réussi à composer pour elle une œuvre selon ses moyens : il avait mis bout à bout cinq psaumes dont les initiales étaient les cinq lettres du nom de *Marie* et avait pris coutume de dire cette psalmodie. Or, à sa mort,

> trouvees furent encloses
> En sa bouche cinq fresches roses
> Cleres, vermeilles et foillues
> Com se fussent lors droit coillues*.   *cueillies à l'instant même.

— Un larron ne manquait jamais de se recommander à la Vierge avant de partir pour ses coupables expéditions; souvent aussi il lui faisait offrande de ses larcins et, pour l'amour d'elle, il se montrait charitable aux pauvres. Il arriva qu'il fut pris, condamné et pendu. Mais pendant deux jours la Vierge, de ses belles mains, le soutint sur son gibet, et quand les bourreaux, revenus au lieu du supplice, voulurent accomplir par l'épée l'œuvre que n'avait pas faite la corde, le fer refusa d'entrer. « Fuiez, leur cria le condamné :

> « Fuiez, fuiez, ne vaut nient!
> Bien sachiez tuit a escient
> Que ma dame sainte Marie
> En secors m'est et en aïe*. »   *assistance.

On le dépendit en grande joie et il se retira dans un monastère. — Ainsi s'exprime, dans les quelque quatre vingts contes de Gautier de Coincy, l'idée des grâces attachées au culte de la Vierge, qui promet aux humbles, fussent-ils très coupables, la miséricorde divine et la gloire des faveurs célestes.

Indépendamment des collections comme celle de Gautier, il existe un grand nombre de récits isolés qui racontent aussi des miracles. Le plus connu de cette série, et le plus beau, est le *Tombeur de Notre-Dame*.

LE JONGLEUR DE NOTRE-DAME (Bibl. de l'Arsenal, ms. 3516, XIIIe siècle). — CL. LAROUSSE.

Un pauvre jongleur, las de courir le monde, entre au couvent de Clairvaux. Mais, profondément ignorant, il éprouve dans sa nouvelle profession le plus grand embarras et bientôt la plus grande tristesse. Tandis que tous, autour de lui, s'emploient activement aux travaux de leur état, il reste seul à ne rien faire : car pourrait-il seulement, comme les petits clercs, chanter des psaumes ? Il ne sait même pas réciter une prière.

Désespéré de n'être bon à rien, il se rend un jour dans une crypte écartée pour confier à Notre-Dame, qui y avait un autel, la grande peine de son cœur. Il lui dit la honte qui le dévore et, tandis qu'il se reproche avec véhémence son inutilité, une idée l'illumine : pour honorer la mère de Dieu, il fera le métier qu'il sait faire :

> « Jo ferai ce que j'ai apris,
> Si servirai de mon mestier
> La mere Dieu en son mostier;
> Li autre servent de canter
> Et jo servirai de tumer*. »   *faire des cabrioles.

Humble, craintif, le voilà qui prie la Vierge d'agréer son service :

> « Douce roïne, douce dame,
> Ne despisiés* ce que jo sai!... »   *ne dédaignez pas.

Et il se met à faire ses sauts les plus merveilleux :

> « Hé! fait il, très douce roïne,
> Par vo pitié, par vo francise,
> Ne despisiés pas mon servise! »

Et il s'anime, multiplie ses tours, danse, marche sur les mains :

> « Dame, fait il, je vous aore *(adore)*
> Del cuer, del cors, des piés, des mains...
> Por Deu, ne me voillés despire! »

Et il reprend ses exercices avec une telle passion, il se dépense avec une telle fougue, qu'il tombe épuisé au pied de l'autel.

Les jours suivants, il recommence. Un moine découvre son manège et le dénonce à l'abbé. L'abbé, avant de croire au scandale, veut le voir de ses yeux et il se rend à la crypte, guidé par le moine. Au moment où ils arrivent, le jongleur est au plus fort de ses démonstrations, et il ne tarde pas à tomber sur le sol, à bout de souffle. Mais alors un grand prodige éclate aux regards de l'abbé et de son

Un salut de Notre-Dame (Bibl. de l'Arsenal, ms. 3142, XIIIe siècle). — Cl. Larousse.

compagnon : la voûte de la chapelle s'ouvre et ils en voient descendre la Vierge, enveloppée de lumière, au milieu d'un cortège d'anges. Elle approche et doucement, avec le plus tendre soin, elle évente d'une « touaille » blanche et fine le jongleur étendu à terre, « son ménestrel », pour rafraîchir son visage et ses membres brûlants.

Le conte du *Tombeur de Notre-Dame* en rappelle plusieurs autres, qui forment comme un petit cycle, et où l'on voit la Vierge accorder à des jongleurs des marques miraculeuses de sa bienveillance. C'est la légende de la Sainte Chandelle d'Arras, selon laquelle la Vierge vint offrir aux jongleurs Itier et Normand un cierge allumé au feu céleste et qui devait guérir le « mal des Ardents », c'est la légende du cierge placé sur l'autel de Notre-Dame de Roc-Amadour, et qui, par deux fois, vint se poser sur la vielle du jongleur Pierre de Siglar, tandis qu'il jouait; c'est enfin la légende du Saint-Vou-de-Lucques : dans l'église majeure de cette ville, le Sauveur en croix donna au jongleur Genès, qui veillait devant lui, un de ses souliers enrichis de pierreries pour le payer de son service.

AUTRES CONTES

Les exemples *insérés par Jacques de Vitry (mort en 1240) dans ses* Sermones vulgares *ont été publiés par Th.-F. Crane,* The Exempla... from the Sermones vulgares of Jacques de Vitry, *Londres, 1890 (Publications of the Folk-Lore Society, t. XXVI); ceux que contiennent ses* Sermones feriales et communes *l'ont été par J. Greven (Sammlung mittellateinischer Texte, hgg. von A. Hilka, t. IX), 1914, et par G. Frenken (Quellen und Untersuchungen zur mittellateinischer Philologie, t. VI, 1914).*

De la légende de Barlaam et Joasaph on possède trois versions françaises, toutes trois du XIIIe siècle : une anonyme ; une autre par Chardri, p. p. J. Koch (Altfranzösische Bibliothek, t. I), 1879 ; la troisième par Gui de Cambrai, p. p. H. Zotenberg et P. Meyer (Bibliothek des literarischen Vereins in Stuttgart, t. LXXV), 1864, puis par K. Appel, Halle, 1908.

Plusieurs contes pieux ont été publiés, mêlés à des fabliaux, comme les offraient les manuscrits eux-mêmes, par Barbazan et Méon, Recueil de fabliaux et contes, *et par Méon,* Nouveau Recueil de fabliaux, *t. II. — Quelques-uns ont été publiés séparément :* l'Enfant juif, *p. p. E. Wolter (Bibliotheca normannica, t. II), 1879 ;* le Dit dou vrai aniel, *p. p. A. Tobler, Leipzig, 3e éd., 1912 ;* le Chevalier au barisel, *p. p. O. Schultz-Gora,* Zwei altfranzösische Dichtungen, *Halle, 4e éd., 1919, puis par R. C. Bates, sous le titre* le Conte dou barril, *New Haven, 1932; etc.*

Outre les miracles de Notre-Dame, des écrivains français ont mis en œuvre beaucoup de contes pieux et moraux qu'ils puisaient dans des collections de provenance orientale. La principale de ces collections est la *Vie des Pères*, dont une rédaction latine, compilée par le moine Rufin dans les dernières années du IVe siècle, a obtenu, grâce au merveilleux de ses légendes et en raison de son inspiration ascétique, un grand succès jusqu'en plein XVIe siècle, et dont plusieurs rédactions françaises, très remaniées d'ailleurs, ont été composées dès le XIIIe siècle.

Il en va de même du roman de *Barlaam et Joasaph*, dont le fond primitif est l'histoire du Bouddha, enfermé tout enfant par son père dans un jardin de délices, et qui, parvenu à l'âge d'homme, s'échappe un jour, et découvre tour à tour la pauvreté, la maladie, la vieillesse et la mort : thème qui, par la Perse, la Syrie et la Grèce, est arrivé en Occident et a été traité, selon l'esprit chrétien, par plusieurs poètes français du XIIIe siècle. Il en va de même enfin d'une foule de récits, dont un grand nombre a été utilisé en manière d' « exemples » par Jacques de Vitry, évêque d'Acre, pour illustrer ses sermons.

Dans plusieurs de ces contes règne la double beauté de la piété et de la bonté humaine. Ainsi dans le *Chevalier au barisel*, écrit par Jean de La Chapelle. C'est l'histoire d'un chevalier cruel et impie, qui ne craint ni les hommes ni Dieu.

Un vendredi saint, il accompagne à la forêt prochaine, en les poursuivant de ses sarcasmes, d'autres chevaliers qui vont se confesser à un ermite.

A son tour, mais par manière de défi et sans contrition, il se confesse à lui : il se complaît à lui narrer les pires scandales de sa vie, et le saint homme pleure à voir comme son cœur est endurci. « Pour votre pénitence, lui dit-il, vous jeûnerez tous les vendredis pendant sept ans. » Le chevalier refuse, et il refuse aussi des pénitences moins dures, comme de jeûner les vendredis seulement pendant trois ans, seulement pendant un mois, tant qu'enfin l'ermite lui dit : « Soit! Pour toute pénitence, prenez ce petit baril, où je mets l'eau que je bois. Il est vide : veuillez le porter jusqu'au ruisseau voisin et me le remplir. » Le chevalier va, riant d'une peine si légère. Il plonge le barillet dans le ruisseau : l'eau se dérobe, il n'en peut recueillir une seule goutte. Il va plus loin, à la rivière, au lac : la rivière refuse, le puits refuse, et même le bourbier. Le dépit, la rage l'étreignent; il va par les pays, apprenant peu à peu à connaître la faim, le froid, les nuits sans gîte, les railleries, l'insulte. Il va, bientôt déguenillé, déchaux, sordide, mendiant son pain. Mais toujours son misérable cœur refuse de s'humilier. Un an plus tard, hâve, décharné, les veines saillant sous la peau, il se résout enfin à retourner vers l'ermite. « Ah! s'écrie celui-ci, tu es pire qu'une bête! Un chien aurait pu remplir ce baril. Ta pénitence n'a servi de rien : car tu l'as faite sans amour et sans repentir. » Et, pleurant, il implore pour ce pécheur la miséricorde de Dieu. Le chevalier écoute avec étonnement la prière; il s'émerveille qu'un homme puisse ainsi s'affliger sur ses péchés. Il commence à réfléchir qu'il devrait, lui aussi, avoir pitié de lui-même : il demande merci à Dieu. Une larme d'humilité, une seule, monte à ses yeux; elle tombe dans le barillet et le remplit tout entier. La mort vient, et c'est une âme purifiée que les anges emportent au ciel.

LES FABLIAUX

Le nom français de ces poèmes est fableau. *Fabliau est une forme picarde, mais très répandue dans les anciens textes, et qui a été adoptée dès le XVIIIe siècle par les critiques, puis par nos meilleurs écrivains : nous nous conformons à leur usage.*

Un assez grand nombre de fabliaux ont été écrits par des auteurs connus pour d'autres œuvres : Henri d'Andeli (le Lai d'Aristote), *Huon le Roi* (le Vair Palefroi), *Philippe de Beaumanoir* (la Fole Largece), *Rutebeuf* (Frère Denise, l'Ame au vilain, le Testament de l'âne, Charlot le Juif, la Dame qui fist trois tors entor le moustier), *Jean de Condé* (le Pliçon, *etc.*), *Gautier Le Leu* (Connebert, *etc.*).

La Disciplina clericalis (texte latin et versions françaises en prose) a été publiée par A. Hilka et W. Soederhjelm (Acta societatis scientiarum fennicæ), Helsingfors, 1912 (ces érudits en ont donné une « editio minor » dans la Sammlung mittellateinischer Texte, fascicule I, 1911). Deux versions françaises en vers de ce texte ont été éditées : l'une, de la fin du XIIe siècle, sous le titre le Castoiement d'un père à son fils, par M. Roesle, Munich, 1898 ; l'autre, du milieu du XIIIe siècle, sous le même titre, par Barbazan et Méon, Recueil de contes et fabliaux, t. II, p. 63.

Les rédactions latines du Roman des Sept sages (dont le Dolopathos de Jean de Haute-Seille) ont été publiées par Hilka (Sammlung mittellateinischer Texte, fascicules III-IV), 1912-1913 ; une version française anonyme, de la seconde moitié du XIIe siècle, a été publiée sous le titre : le Roman des Sept sages, par A. Keller, Tübingen, 1836, puis par J. Misrahi, Paris, 1933 ; une autre, le Roman de Dolopathos, composée par Herbert au début du XIIIe siècle, a été publiée par Brunet et de Montaiglon, Paris, 1856.

Le Directorium vitæ humanæ de Jean de Capoue a été édité par J. Derenbourg (Bibliothèque de l'École des hautes études), 1889.

Les fabliaux ont été recueillis par A. de Montaiglon et G. Raynaud, Recueil général et complet des fabliaux des XIIIe et XIVe siècles, Paris, 6 vol., 1872-1890. Il existe de plusieurs d'entre eux des éditions séparées : de Richeut, par Irving C. Lecompte (Romanic Review, t. IV, 1913, p. 261) ; cf. E. Faral, dans le volume du Cinquantenaire de l'École des hautes études, 1921, p. 253) ; du Vair Palefroi, par A. Langfors (Collection des classiques français du moyen âge), 1912 ; des Trois Aveugles de Compiègne, par G. Gougenheim (ibid., 1932) ; d'Auberée, par G. Ebeling, Halle, 1895, etc.

Le Fol Ménestrel. Dit de Watriquet Brassenel de Couvin (Bibl. de l'Arsenal, ms. 3525, XIVe siècle). — Cl. Larousse.

Des recueils de fabliaux ont été publiés en fac similé : le ms. 837 de la Bibliothèque nationale, par H. Omont, 1932 ; le ms. 19152, par E. Faral, 1934.

Voir Joseph Bédier, les Fabliaux, Paris, 1re édition 1893, 4e édition 1925, et E. Faral (Romania, 1924, p. 1).

Les fabliaux sont des contes à rire. Pour la plupart ils appartiennent au XIIIe siècle : quelques-uns seulement peuvent être attribués à l'extrême fin du XIIe, quelques autres au début du XIVe.

La question de leur origine a donné lieu à beaucoup de discussions. Il a été de mode, pendant un certain temps, d'y voir des contes de provenance indienne, passés dans les diverses littératures orientales, et venus à la connaissance des Occidentaux soit par transmission orale, soit à la faveur de traductions latines de recueils en hébreu ou en arabe.

On possède, en effet, un certain nombre de traductions de ce genre. Voici la *Disciplina clericalis*, par exemple, composée au début du XIIe siècle, en Espagne, par un Juif converti, Pierre Alphonse : c'est une suite d'historiettes qu'un père narre à son fils pour lui apprendre comment il doit se comporter dans la vie. Voici le *Dolopathos*, que Jean de Haute-Seille écrivit à la fin du même siècle : on y voit les Sept Sages, pour défendre un jeune prince calomnié par sa marâtre, rapporter à son père sept exemples de la perfidie des femmes ; la marâtre riposte par sept contes propres à discréditer la prétendue sagesse des donneurs de conseils. Pareillement on possède un recueil latin de contes adaptés de l'arabe, le *Directorium humanæ vitæ*, qui fut composé entre les années 1263 et 1273, par Jean de Capoue, et l'on a retrouvé une traduction en latin du *Mischle Sandabar*, version hébraïque du *Roman des Sept sages*.

Mais, sur les quelque cent cinquante fabliaux qui nous sont parvenus, il n'y en a guère plus d'une dizaine qui aient des correspondants dans ces recueils et même dans ce petit lot, certains, comme le *Dit du pliçon* ou les *Quatre Souhaits de saint Martin*, existent sous une forme grecque ou latine antérieure aux formes

Bourgeois attablés. Le « Dit de raison et mesure » de Watriquet (Bibl. de l'Arsenal, ms. 3525). — Cl. Larousse.

orientales. Quant à la foule des autres fabliaux, les uns, fondés sur un jeu de mots ou un trait de mœurs, ne peuvent avoir été imaginés qu'en France, et les autres, qui se retrouvent un peu partout, presque dans tous les pays et dans tous les temps, peuvent avoir été inventés en un pays quelconque, en un temps quelconque.

Aussi la théorie de l'origine orientale de ces contes a-t-elle cessé de régner.

Il se peut que certains conteurs aient, plus ou moins directement, emprunté quelques sujets aux littératures orientales, mais le fabliau n'est pas d'origine orientale. Le fabliau est un genre français. C'est en France qu'on lui découvre des antécédents littéraires authentiques : l'*Amphitryo* et l'*Aulularia* de Vitalis, l'*Alda* de Guillaume de Blois, les poèmes de *Baucis*, de *Lydia*, toutes œuvres en langue latine et filles du génie français. C'est en France qu'a fleuri l'état de civilisation particulier auquel il doit ses traits essentiels et constitutifs.

On en a la preuve dans la plus ancienne de ces productions, le conte de *Richeut*, qui fut composé aux environs de l'année 1170. Ce poème, un des plus cyniques du genre, mais non des moins spirituels, raconte comment la courtisane Richeut, modèle de rouerie et de dévergondage, éduque si bien son fils Samson, qu'il devient le fléau des femmes comme elle est elle-même le fléau des hommes; puis comment, ayant pris ombrage de la gloire spéciale à laquelle s'est élevé ce truand de fils, elle lui joue le plus humiliant des tours et assure par une action d'éclat la primauté de l'astuce féminine. Par le thème qu'elle traite, l'œuvre se rattache à la tradition latine, et l'un des éléments essentiels de l'intrigue, également exploité vers la même époque dans la pièce de *Baucis*, se trouve déjà dans Ovide.

Mais toute sa force littéraire, toute sa raison d'être résident dans la description d'un certain milieu, dans la peinture du personnage de Samson, représenté comme un docteur habile à enseigner la débauche; dans l'invention parodique qui consiste à feindre que l'on chantait une « Vie de Richeut » comme l'on chantait des Vies de saints; et ces traits appartiennent en propre à la France du XIIe siècle.

De même que *Richeut*, beaucoup de fabliaux se signalent par une extrême grossièreté, grossièreté de fond et, parfois aussi, grossièreté de forme : on y reconnaît la main d'ouvriers incultes et, par exemple, la versification du *Meunier d'Arleux*, pour ne pas parler du style, est presque barbare. Mais, une fois fait le tri convenable, il reste une assez ample collection de très jolis contes, pleins d'esprit, et du meilleur.

Ces petits poèmes veulent être amusants, et ils le sont par le simple effet d'une histoire bien inventée et d'un récit adroit. Trois aveugles, raconte Courtebarbe *(les Trois Aveugles de Compiègne)*, cheminaient sur la route de Compiègne à Senlis. Un clerc en veine de plaisanter les rencontre et leur dit : « Tenez, voici un besant pour vous trois. » Chacun d'eux s'imagine que la pièce d'or a été remise à l'autre. Un besant! Quelle joie! Ils n'ont rien de plus pressé que de gagner une auberge. Ils annoncent qu'ils ont de quoi payer; et l'hôte, qui les croit (car souvent ces gens-là ont la bourse bien garnie), s'empresse à les traiter : il leur sert un repas à cinq services, fait flamber la cheminée, leur donne sa meilleure chambre. Le lendemain, quand il faut régler la dépense, les aveugles s'aperçoivent qu'aucun d'eux n'a le besant, pour la raison très simple que le clerc ne leur a donné ni besant ni maille, et le tavernier, pensant qu'ils se sont moqués de lui, s'apprête à user du bâton, quand le clerc, qui suivait la scène, annonce qu'il acquittera le compte. Les trois compagnons s'en vont, fort satisfaits. Alors le clerc conduit le tavernier à l'église où le prêtre, dit-il, s'empressera de verser la somme voulue. C'était justement l'heure de la messe et

le prêtre s'apprêtait à la chanter. « Je n'ai pas le loisir d'attendre qu'il ait fini, dit le clerc au bourgeois, je vais lui dire de vous payer aussitôt après l'office. » Puis, prenant le prêtre à part, il lui expose que son compagnon est possédé et il le prie, pour l'exorciser, de lui lire un évangile sur la tête. « C'est entendu, dit le prêtre en se retournant vers l'aubergiste : je ferai votre affaire aussitôt après la messe. » Sur quoi le clerc prend congé et gagne le large. La messe dite, le curé fait approcher son homme, l'invite à s'agenouiller. Le tavernier, qui n'y comprend rien, réplique : « Ce n'est pas pour cela que je suis venu; il s'agit de me payer mes quinze sous! » — « Il est tout à fait vrai qu'il divague », pense le prêtre; « c'est une crise qui le prend. » Il lui place son missel sur la tête et commence à lire l'évangile. Le tavernier regimbe de plus belle : « Allons! payez-moi vite! » Le prêtre s'effraie, les paroissiens accourent, on saisit le possédé, on lui passe une étole autour du cou, on lui lit l'évangile d'un bout à l'autre, on l'asperge d'eau bénite. Pour être relâché, il faut bien que le malheureux, tout penaud, renonce à recouvrer son dû.

Très souvent le conte a pour sujet la malice des femmes, et sur ce chapitre nos auteurs sont intarissables. En voici un exemple *(le Chevalier à la robe vermeille)*. Un bon vavasseur rentre chez lui à l'improviste. Dans sa cour, il trouve un cheval tout harnaché, un épervier, deux petits chiens à prendre les alouettes; dans la chambre de sa femme, une robe d'écarlate vermeille et des éperons dorés. Il en fallait moins pour dénoncer la présence d'un galant. « A qui tout ceci? » s'écrie-t-il. Et sa femme : « A vous-même, sire »; et elle lui explique que ce sont des présents apportés le jour même par son frère à son intention. Tout heureux de cette bonne surprise, le mari se couche et s'endort. Le lendemain, au réveil, il réclame sa robe vermeille. Sa femme feint de ne rien comprendre à sa demande :

« Certes forment vous avilliez,
Fet la dame, ce m'est avis.
Bien doit estre vavassors vils
Qui veut estre menesterez...
Ce n'apartient mie a vostre ués*   *usage.
D'avoir garniment, s'il n'est nués* :   *neuf.
Ç'apartient a ces jogleors
Et a ces bons enchanteors
Que il aient des chevaliers
Les robes..... »

Il cherche : peine perdue. « Dame, dit-il à sa femme, ne vous souvient-il donc plus qu'hier matin à mon arrivée je trouvai ici un palefroi, un épervier, deux chiens à prendre les alouettes? et le tout, disiez-vous, était à moi; c'étaient des présents de votre frère. — Sire, réplique-t-elle, il y a bien deux mois et demi que mon frère n'est venu céans. Il faut donc qu'un mauvais vent ait soufflé sur vous et que vous soyez le jouet des esprits malins. » Le pauvre homme finit par en convenir; et sa femme l'aide à dresser l'itinéraire de tous les pèlerinages lointains qu'il devra faire pour obtenir la guérison de sa folie.

Même de ces données un peu grosses, l'art de nos auteurs a tiré de très heureux effets et, toujours sur le thème des ruses féminines, le fabliau d'*Auberée* peut être tenu pour un modèle de finesse, aussi bien par le subtil agencement des péripéties que par l'habileté avec laquelle, dans cette histoire d'un mari bafoué sans l'avoir mérité, l'élément plaisant a été maintenu à la surface. Voici ce conte.

Un jouvenceau de Compiègne désespère d'obtenir l'amour d'une jeune femme qu'il recherche depuis longtemps et que naguère l'opposition de son père l'a empêché d'épouser. Par pitié pour sa peine, mais non, à vrai dire, par pitié désintéressée, une vieille, qui a nom Auberée, vient à son aide. Un jour de marché, en l'absence du mari, elle rend visite à la dame et, tout en bavardant (un bavardage saisi sur le vif et que l'auteur rapporte avec infiniment d'esprit), elle glisse à la dérobée sous la courtepointe du lit le surcot de l'amoureux, où elle a pris soin de piquer une aiguillée de fil. En rentrant chez lui, le mari découvre le surcot et ne doute pas de son déshonneur : sans explications il jette sa femme à la rue. La vieille l'y guettait; elle l'accueille chez elle, où la pauvre épouse maltraitée trouve son galant pour la consoler. Le lendemain, le problème est d'amener le mari à de meilleurs sentiments. La vieille conduit sa protégée à l'abbaye de Saint-Corneille, la poste en attitude de suppliante devant l'image de la Vierge, puis va trouver le bourgeois et le couvre de reproches : « Je viens, lui dit-elle, de découvrir ta femme en prières au pied de l'autel. N'est-ce pas pitié ?

> « I deüst ele estre si seule
> Feme qui si bele forme a ?...
> Si le tieng a mult grant merveille
> De cest affaire qu'ainsinc veille
> De ce tendron qui hier fu née,
> Qui deüst la grant matinée
> Çaienz dormir soz sa cortine :
> Et tu l'envoies as matines! »

Et elle le mène voir l'édifiant spectacle. Le bourgeois se laisse toucher et reprend sa femme chez lui. Cependant, une inquiétude le tourmente : si sa femme est innocente, d'où venait donc le surcot ? Comme il y pense, voici que dans la rue il rencontre Auberée en proie au désespoir : « Trente sols ! » crie-t-elle,

> « Trente sols ! la veraie Croix !
> Or ne me chaut que ge plus vive!
> Trente sols ! dolente, chaitive!
> Trente sols ! lasse, que ferai ?
> Trente sols ! et ou les prendrai ?
> Trente sols ! lasse, trente sols !... »

Il interroge la vieille, et celle-ci de lui expliquer qu'un jeune homme lui avait confié un surcot à raccommoder, qu'elle y avait laissé son fil et son aiguille, qu'elle ne sait en quel endroit elle l'a égaré et qu'il va lui falloir le payer. Le bourgeois court chez lui : il trouve dans le surcot le fil et l'aiguille. Tous ses soupçons tombent, et il se fait plus joyeux que si on lui avait donné la Pouille entière!

Et c'est encore une bien jolie trouvaille que le *Lai d'Aristote*, tel que l'a conté Henri d'Andeli : Aristote s'appliquant à détacher Alexandre d'une de ses belles sujettes indiennes; celle-ci décidant de s'en venger et partant en guerre avec ses armes de femme pour tourner la tête au philosophe : ses pieds nus sur le gazon, sa guimpe mal fermée, ses cheveux dénoués, sa robe adroitement troussée, ses chansons, les fleurs qu'elle tresse, sa grâce tour à tour taquine et câline; finalement, le maître austère, vaincu, lui accordant cette fantaisie qu'il se mettra à quatre pattes, là, dans l'herbe du verger, et qu'il la portera sur son dos; puis, tandis que le sage, bridé et sellé comme un roussin, porte la belle sur ses reins, Alexandre paraissant à une fenêtre de la tour...

L'art du récit, le piquant des situations font pour une bonne part la force plaisante des fabliaux. Mais la gaieté qui y règne s'alimente aussi largement à une certaine humeur railleuse.

Cette humeur s'exerce surtout aux dépens des personnages de la classe moyenne. On ne rencontre ici ni rois, ni princes, ni papes, ni cardinaux, ni évêques. Les vilains, d'autre part, ne font que d'assez brèves apparitions, et, quand ils sont introduits, ce n'est pas toujours, comme en d'autres genres littéraires, pour tenir le mauvais rôle : non qu'ils soient peints en personnages sympathiques : on ne se prive pas de les faire laids, sales, cupides, soupçonneux, obtus; mais souvent aussi ces bons balourds savent mettre les rieurs de leur côté; tels Connebert, ou le Vilain « au buffet », ou Constant du Hamel.

LE LAI D'ARISTOTE ou le Philosophe sellé et bridé (Médaillon du portail de la cathédrale de Lyon). — CL. LAROUSSE.

En revanche, les chevaliers et les bourgeois forment une galerie nombreuse, et ils sont sensiblement plus maltraités que les vilains. Victimes du mariage, esclaves de femmes impérieuses, maris trompés, marchands vaniteux et farauds, ils défilent sous un regard prompt à saisir leur faible. Plus qu'eux encore, c'est le clergé qui fournit aux conteurs leur cible favorite : non les clercs d'école, c'est-à-dire les étudiants, hardis compères et joyeux lurons, mêlés à des facéties diverses, et qui obtiennent l'indulgence amusée du public; mais les prêtres, et, à l'occasion, les moines. Parfois, prêtres et moines ne reçoivent qu'une simple nasarde, assénée au passage, assez bénigne; mais très souvent ils sont fort malmenés. On est très frappé des nombreuses mentions que les fabliaux font des « prêtresses », c'est-à-dire des femmes mariées avec des prêtres : il semble qu'il y ait eu là une situation réellement existante et, dans une certaine mesure, tolérée par l'autorité ecclésiastique. Nos conteurs n'y insistent pas autrement, comme s'ils tenaient le fait pour assez naturel; mais ils se délectent à raconter les aventures des prêtres hors du presbytère. Elles sont nombreuses, ces aventures, et tournent toujours à la confusion du peu édifiant personnage. Ces récits ont été visiblement des morceaux friands pour les narrateurs et leur public : ici, le galant, traqué par des valets de ferme, acculé dans un coin d'étable et réduit à se défendre, comme une bête, à coups de dents; là, cet autre, qui fuit éperdu, avec une meute de chiens à ses trousses; cet autre enfermé dans un lardier; cet autre étouffé dans un four; cet autre plongé dans une cuve à teinture; cet autre assommé à coups de gourdin.

Au reste, il ne faudrait pas croire que des tableaux de ce genre répondent à une intention satirique bien profonde. Si la satire suppose la foi en un certain idéal, la condamnation de certains abus et le désir de les réformer, on ne peut pas dire qu'il y ait dans les fabliaux de véritable satire. Ils n'appartiennent pas à la littérature de combat; ils ne défendent pas une cause; ils n'attaquent pas. Que ce vilain, qui veut entrer en paradis et soutient ses prétentions contre les saints du lieu, rive à chacun d'eux son clou, disant à saint Pierre : « Je n'ai pourtant jamais renié Dieu, comme vous fîtes par trois fois », et à saint Thomas : « Je n'ai pourtant pas, comme toi, demandé

LES TROIS DAMES DE PARIS. Fabliau de Watriquet. — Elles festoient à la taverne. Dame Maroie chante « ce chant nouvel » : « *Commere, menons bon revel : — Tels vilains l'escot paiera — Qui ja le vin n'ensaiera* » (Bibl. de l'Arsenal, ms. 3525, XIVᵉ siècle). — CL. LAROUSSE.

à toucher les plaies du Seigneur », et à saint Paul : « Je n'ai pourtant pas, comme toi, lapidé saint Étienne » : ce n'est que boutade *(le Vilain qui conquit le paradis par plait)*. Le trait n'a pas plus de portée que l'irrévérence du jongleur qui, ayant perdu au jeu les âmes d'enfer, accuse saint Pierre, contre qui il joue, d'avoir triché et lui tire sa belle barbe *(Saint Pierre et le Jongleur)*. Les auteurs de fabliaux visent tout bonnement à amuser et ne cherchent pas plus loin. Or ils savaient que les effets comiques s'obtiennent très communément par le jeu des contrastes. Voici quelques histoires où des vilains se taillent un joli succès sur des chevaliers ou des bourgeois : est-ce une revanche, tendancieusement imaginée, des faibles sur les forts ? Non; mais seulement le spectacle plaisant d'une partie difficile gagnée par des gens traditionnellement tenus pour des lourdauds.

De la plaisanterie, de la bonne et de la mauvaise, et rien de plus, voilà l'esprit des fabliaux. On s'en rend bien compte à voir le rôle qu'ils donnent aux femmes. Il ne viendrait à la pensée de personne qu'ils aient visé à les corriger, ni à corriger d'elles les hommes. N'empêche qu'ils les malmènent fort : elles trompent la surveillance la plus rigoureuse, elles font accroire à leurs maris les bourdes les plus invraisemblables; et, sur la preuve irréfutable de leur faute, elles se tirent d'affaire avec une géniale présence d'esprit. Elles sont affligées de tous les vices, dissimulées, ingrates, cupides, jalouses, obstinées, curieuses du mal, insatiables de plaisir, toutes, et jeunes et vieilles, et très particulièrement « les dames de Paris » : et c'est pourquoi il n'y a que de les battre impitoyablement, sans espoir d'ailleurs de les amender. Pour leur part, les conteurs ne prétendent pas à ce résultat. A quels sentiments cèdent-ils donc? Au simple désir de faire rire. La littérature cléricale a traité surabondamment cette matière : la perversité des femmes est une sorte de quintaine, où s'escrimaient les virtuoses comme les novices du style. A ce jeu les auteurs de fabliaux sont venus comme les autres, avec une jovialité qui ôtait encore de sa signification profonde au lieu commun.

Car ces trouvères d'aspect populaire sont fréquemment des clercs, c'est-à-dire qu'ils ont été formés aux écoles : ainsi Rutebeuf et Henri d'Andeli, ainsi l'auteur de *Richeut*, celui d'*Auberée*, celui des *Trois Aveugles de Compiègne*, et d'autres. Aussi bien ne faut-il pas se faire d'illusion sur le caractère prétendùment populaire des fabliaux.

Parce que les personnages en sont pris dans les milieux moyens ou inférieurs, parce que les histoires en sont grasses ou fortes en piment, parce que la plaisanterie y parcourt toute la gamme de la hardiesse, risquée, osée, effrontée, éhontée; parce que la forme en est quelquefois négligée jusqu'au débraillé, on est tenté de considérer que ces poèmes sortent du peuple. Pourtant, ni la qualité des auteurs, ni celle des publics n'autorisent ce jugement. On vient de l'indiquer pour les auteurs; quant au public, on ne voit pas que la menue gent, ni les bourgeois aient eu pour ce genre une prédilection plus marquée que pour les chansons de geste. Dans les cercles élevés florissait une littérature, romanesque ou lyrique, dont l'esprit était, à plusieurs égards, aux antipodes de celui des fabliaux; mais il n'est pas dit que les auditeurs des Chrétien de Troyes ou des Thibaut de Champagne, même les femmes, n'aient pas prêté une oreille complaisante à des contes très crus. Des témoignages variés montrent le contraire : si des seigneurs ou des hommes du monde, un Robert II de Guines ou un Philippe de Beaumanoir, n'ont pas dédaigné de s'exercer eux-mêmes à composer des fabliaux, il n'est pas étonnant que des Jouglet, des Pinçonnet, des Watriquet de Couvin, ces types de parfaits ménestrels, aient tenu des contes fort salés à la disposition de leurs maîtres pour les distraire, pour les « jeter hors de pensée »; il n'est pas étonnant que les fabliaux les plus grossiers voisinent dans les recueils manuscrits avec les plus pures productions de la littérature courtoise ou morale.

Qu'est-ce à dire, sinon que les fabliaux ne sont ni la création ni la propriété d'une classe sociale particulière, mais représentent plutôt une tendance d'esprit qui a été celle d'une époque entière. Le goût de la grosse plaisanterie semble bien avoir cohabité dans les mêmes esprits avec des goûts plus subtils et plus raffinés. C'est pourquoi l'on commet une erreur historique en disant que les fabliaux appartiennent à la littérature bourgeoise : il est prudent de dire seulement qu'ils appartiennent à la littérature réaliste.

L'ensemble de ces poèmes constitue un document curieux sur les mœurs de l'époque. A condition de laisser tomber quelques pénibles grossièretés, où il est permis de ne pas se plaire sans être taxé de pruderie ou d'excessive délicatesse, on y trouve une robuste gaieté, somme toute saine, libre sans licence, exempte de ce libertinage où la nouvelle française, dans la suite, mêlera parfois l'art et l'hypocrisie, exempte de cette perversité d'une autre espèce qui flattera, dans la nouvelle italienne, le goût de l'horrible et la curiosité du sang versé.

VI. — LE THÉATRE

LE THÉATRE RELIGIEUX

Le Jeu Adam, *p. p. K. Grass (Romanische Bibliothek, t. VI), 3ᵉ éd., 1928, et aussi p. P. Studer, Manchester, 1908 ; la Résurrection du Sauveur et le Jeu de saint Nicolas, p. p. Monmerqué et Michel, le Théâtre français au moyen âge, 1839 ; le premier de ces poèmes a aussi été publié séparément par F. Ed. Schneegans (Bibliotheca romanica), et par J. G. Wright (Classiques français du moyen âge), 1931 ; le second, par G. Manz, Erlangen, 1904, et par A. Jeanroy (Classiques français du moyen âge), 1925. — Le Miracle de Théophile a été publié parmi les œuvres complètes de Rutebeuf et,*

La danse d'Hérodiade. Tympan du portail Saint-Jean, à la cathédrale de Rouen. — Cl. Giraudon.

séparément, par *Grace Frank* (Classiques français du moyen âge), *1925*.

Voir : *L. Petit de Julleville*, les Mystères, *2 vol.*, *1880* ; *W. Creizenach*, Geschichte des neueren Dramas, Halle, 4 vol., 1894-1903 (2 éd., 1ᵉʳ vol., 1911) ; *Marius Sepet*, le Drame religieux au moyen âge, Paris, 1903 ; *Gustave Cohen*, le Théâtre français au moyen âge, t. II : le Théâtre religieux, 1928.

Le théâtre religieux n'a pris son plein développement qu'aux XIVᵉ et XVᵉ siècles ; mais on le trouve déjà en voie de formation au XIIᵉ et au XIIIᵉ. Son origine est double : il se rattache d'une part à la célébration des offices liturgiques, d'autre part à celle des fêtes de saints.

Très anciennement, certaines cérémonies du culte avaient pris le caractère de représentations dramatiques. Aux fêtes de Noël, un sermon qui fut longtemps attribué à saint Augustin avait fourni la première occasion d'un défilé des personnages qu'on considérait comme les prophètes du Christ. Peu à peu s'organisèrent, pour ces mêmes fêtes, de véritables spectacles, et l'on ressuscita dans l'église les scènes de l'Écriture. On y employa d'abord la langue latine ; mais, au latin, se mêlèrent bientôt des répons en français. Ces représentations, œuvre de clercs, éveillèrent chez les laïques un intérêt de plus en plus vif : elles finirent par avoir lieu sur le parvis, et c'est là que fut joué le plus ancien « jeu » que nous ayons conservé, le *Jeu Adam*, écrit dans la seconde moitié du XIIᵉ siècle, en dialecte anglo-normand.

Le poème met en scène la chute d'Adam et d'Ève, la mort d'Abel et le défilé des annonciateurs du Messie. On y remarque surtout la façon dont l'auteur a traité le thème de la tentation. A la vérité, son dialogue manque quelque peu d'ampleur : une centaine de vers, de petits vers de huit syllabes, suffisent pour que le démon, après avoir été repoussé par Adam, réussisse à séduire Ève, et pour que celle-ci, à son tour, ait raison d'Adam.

Malgré cette rapidité excessive de l'action, malgré l'exiguïté du délai accordé aux acteurs pour changer de sentiments, il faut convenir que leur psychologie donne une impression très forte de vérité ; et c'est avec beaucoup d'esprit qu'est conduite la conversation du Malin et d'Ève : lui, commençant par dénigrer la rudesse et la grossièreté d'Adam, puis plaignant la femme, créature si charmante, si tendre, si fraîche, d'être soumise à ce rustre, — elle, prenant d'abord sa défense, puis faiblissant peu à peu et se laissant persuader à la fin.

A Pâques, la célébration de la Résurrection donnait également lieu à une mise en scène pour laquelle ont été composés des livrets, d'abord en latin, puis en langue vulgaire, et l'on a conservé, datant des premières années du XIIIᵉ siècle, le début d'une *Résurrection du Sauveur* écrite, comme le *Jeu Adam*, en dialecte anglo-normand.

Les drames issus des fêtes de Noël et des fêtes de Pâques constituent le genre littéraire des *mystères* : ce nom n'est attesté d'ailleurs qu'au XIVᵉ siècle.

Le culte des saints a donné naissance, lui aussi, à des spectacles où certains épisodes de leurs légendes étaient mis en action et qu'on donnait habituellement aux vigiles de leur fête. Les plus anciennes pièces de ce type qui nous soient parvenues sont consacrées à saint Nicolas, patron des écoliers : elles sont pour la plupart en latin rythmique ; mais on en possède au moins une en français, qui fut écrite, à la fin du XIIᵉ siècle, par Jean Bodel.

C'est le *Jeu de saint Nicolas*. Une armée chrétienne a été exterminée par les Sarrasins ; un survivant de la défaite est en train de prier devant une statuette de saint Nicolas, quand il est fait prisonnier. Il est conduit devant l'émir, qui l'interroge. Il lui apprend que le saint est très puissant. Pour éprouver la vérité de ses dires, l'émir place la statuette dans son trésor et en retire les gardiens ; on verra bien si le saint est capable de le protéger : le lendemain, des larrons ont enlevé le trésor, et le chrétien va être mis à mort par l'émir. Mais saint Nicolas apparaît aux voleurs, les remplit de crainte et de repentir : ils remettent le trésor en place ; et, à la vue de ce miracle, les Sarrasins se convertissent en foule. Comme dans le *Jeu Adam*, les événements vont d'un train précipité. L'auteur ne sait pas, ou ne veut pas, employer l'expédient de la narration, qui permet de ne retenir sur le théâtre que les scènes essentielles : le spectateur voit tout, il voit trop. Le drame néanmoins a de très belles scènes : c'est un tableau justement réputé que celui des chrétiens arrivant sur le champ de bataille et faisant serment de bien mourir :

« Sainz Sepulcres, aïe ! Seignor, or del bien faire !
Sarrazin et païen vienent por nos forfaire ;
Vez les armes reluire : toz li cuers m'en esclaire !
Or le faisons si bien que no* proece i paire** !... » *notre. **apparaisse.

Et quelle élévation dans les paroles cornéliennes du plus jeune de ces chevaliers, tout récemment adoubé :

« Seignor, se je sui juenes, ne m'aiez en despit !
On a veü sovent grand cuer en cors petit !

Au reste, dans le raccourci trépidant de la pièce, on voit le comique se mêler d'une façon assez brusque au sublime.

En contraste avec les scènes épiques, on en rencontre d'autres d'un caractère plaisant et presque trivial : des scènes de taverne, où un courrier royal s'attarde à boire et à jouer aux dés; des scènes de dispute, où les voleurs du trésor règlent leurs affaires entre les pots et la trique à la main, dans un langage mêlé d'argot. Cette juxtaposition du tragique et du comique est curieuse et pose une question dont il va falloir dire quelques mots.

LE THÉATRE COMIQUE

Le Dit de l'Herberie, *le* Privilège aux Bretons, *la* Paix aux Anglais, *p. p. Edmond Faral*, Mimes français du XIIIᵉ siècle, *1910* ; Courtois d'Arras, *p. p. E. Faral* (Classiques français du moyen âge), *2ᵉ éd., 1922* ; le Garçon et l'Aveugle, *p. p. Mario Roques* (dans la même collection, *2ᵉ éd., 1929*); le Jeu de Robin et de Marion, *p. p. E. Langlois, 1895 (et même collection, 1924)* ; le Jeu de la Feuillée, *p. p. E. Langlois (même collection, 2ᵉ éd., 1923)*.

Voir : L. Petit de Julleville, Répertoire du théâtre comique en France au moyen âge, *1886* ; *Joseph Bédier*, les Commencements du théâtre comique (Revue des Deux Mondes, *1890, t. XCIX*); *Maurice Wilmotte*, Études critiques sur la tradition littéraire en France, *1909* ; *E. Faral*, les Jongleurs en France au moyen âge, *1910* ; *Gustave Cohen*, le Théâtre français au moyen âge, *t. II* : le Théâtre profane, *1931*.

Ce n'est pas seulement dans le *Saint Nicolas* de Jean Bodel que ce mélange se produit : c'est aussi dans beaucoup d'autres pièces, dans beaucoup de mystères, et des plus anciens. A la date de ces textes, la farce n'est pas encore née, ou, plus exactement, nous n'en possédons pas d'exemple; et parmi les farces que nous possédons d'une époque plus récente, plusieurs traitent les mêmes sujets que certaines des scènes plaisantes insérées dans les mystères. On en a parfois conclu que la farce et la comédie s'étaient peu à peu dégagées, par une sorte de libération, du drame religieux.

Cette opinion paraît peu fondée. Il est plus vraisemblable que l'esprit comique a agi du dehors sur le drame sérieux, et que les scènes plaisantes se sont glissées dans les mystères parce qu'elles vivaient ailleurs déjà de leur vie propre. Sans doute, la farce proprement dite est-elle un genre relativement tardif; mais le théâtre comique a dû fleurir dès une époque ancienne, spontanément éclos, peut-être dédaigné des lettrés, négligé par les copistes, non pas tellement toutefois qu'il n'ait laissé des traces et qu'on ne puisse en citer quelques productions remarquables.

L'instinct dramatique s'est manifesté dans notre littérature médiévale sous des formes diverses. Il a inspiré, on l'a vu, des danses, dont certaines chansons constituent en quelque sorte les livrets. Les jongleurs donnaient aussi des représentations chorégraphiques : danse des Épées, danse de l'Ours, danse d'Hérodiade, qu'à vrai dire on connaît assez mal, mais qui, pour la danse d'Hérodiade au moins, comportaient la récitation d'un texte mi-narratif, mi-dialogué. Même la simple lecture des romans, faite à haute voix par des hommes du métier, comme c'était l'usage courant, comportait une certaine mise en scène : un bon récitant devait savoir varier ses tons, ses jeux de physionomie, ses gestes, selon les personnages et selon les circonstances. Cet art, sur lequel nous possédons des témoignages, trouvait particulièrement à s'exercer dans les nombreux poèmes (tels que les romans de *Guillaume de Dole* et de la *Violette*), où l'on introduisit des chansons en manière de divertissements : l'effet de ces intermèdes est sensible dans la petite pièce intitulée *Cour de Paradis*, où un trouvère a imaginé de décrire la cour céleste tenue le jour de la Toussaint par les saints et les âmes des justes : chacun des principaux personnages chante sa chanson au moment où il se présente à la fête.

On fait un pas de plus vers le théâtre proprement dit quand paraissent les monologues dramatiques et les mimes dialogués. C'était un jeu de contrefaire, pour rire, certains types : on « faisait le sot », on « faisait l'ivre »; plusieurs auteurs, dont Rutebeuf, se sont amusés, dans des *Dits de l'herberie*, à imiter le boniment des marchands de simples, leurs annonces mirifiques, leur rhétorique charlatanesque. Un autre trouvère, dans la pièce des *Deux Bourdeurs ribauds*, a représenté deux jongleurs burlesques qui se querellent, et dont chacun, à grand renfort d'injures, prétend faire prévaloir sa science sur celle de son rival. Un autre, dans le *Privilège aux Bretons*, met en scène des Bretons qui réclament devant le roi, au nom de droits immémoriaux, le privilège de fabriquer des balais et de curer les fosses. Un autre encore, dans la *Paix aux Anglais*, écrit une sorte de pichrocholade, où l'on voit, à la cour d'Angleterre, le roi et ses vassaux, « fastrouillant » et baragouinant, se promettre une éclatante revanche des victoires remportées par Philippe Auguste. Deux poèmes, plus amples, plus complexes que les précédents, doivent être considérés comme de véritables comédies : l'un, *Courtois d'Arras*, est de la fin du XIIᵉ siècle ou des premières années du XIIIᵉ; l'autre, le *Garçon et l'Aveugle*, peut être daté des environs de l'année 1270.

La première de ces pièces est une adaptation « par personnages » du thème de l'Enfant prodigue : Courtois, las des lourds travaux dont on le charge, quitte la ferme de son père; il est bientôt délesté de sa bourse par deux galantes personnes qu'il rencontre à la taverne. Après quoi, il est trop heureux qu'un bourgeois lui confie la garde d'un troupeau de porcs; mais, à ce nouveau métier, nourri d'un mauvais pain, il ne tarde pas à s'épuiser et il finit par rallier la maison paternelle. Fait curieux, le texte de ce poème contient quelques indications scéniques qui font partie intégrante de la rédaction rimée : si ces indications ont appartenu réellement à l'original, on peut être tenté de considérer que la pièce était jouée par un acteur unique, qui tenait tour à tour tous les rôles, comme c'était le cas, on le sait, pour d'autres œuvres, par exemple pour le conte de *Trubert et Antrongnart*, rimé par Eustache Deschamps. Mais on remarque aussi que ces très rares et très brèves insertions narratives ont uniquement pour objet d'indiquer un changement du lieu de l'action, et elles peuvent être attribuées à un régisseur, à un « meneur du jeu », qui était sans doute en même temps l'un des acteurs, probablement celui qui tenait le rôle de Courtois : en ce dernier cas, on aurait affaire à une comédie régulière. Mais qu'on s'arrête à l'une ou à l'autre explication, l'œuvre n'en conserve pas moins un caractère proprement dramatique.

Le petit poème le *Garçon et l'Aveugle* a pour sujet les méchants tours joués à un aveugle, d'ailleurs peu sympathique, par le valet chargé de le conduire : rien ne le distingue d'une véritable pièce de théâtre. C'est aux dernières pages d'un manuscrit unique qu'il nous a été conservé, épave d'une littérature perdue, qui fut peut-être riche. Ainsi le XIIIᵉ siècle offre une production scénique à caractère plaisant, dont les œuvres vont de l'espèce la plus simple à des espèces plus complexes et plus complètes. Il en est deux auxquelles il convient de faire une place à part : le *Jeu de la Feuillée*, le *Jeu de Robin et de Marion*.

Dans le *Jeu de la Feuillée*, la scène est à Arras, à la fête de la Pentecôte, au temps où les chanoines de l'église cathédrale venaient exposer la grande châsse de Notre-Dame sur la place du Petit-Marché. Presque dépourvue d'intrigue, l'œuvre ne se compose guère que d'une série de tableaux où l'on voit défiler Adam le Bossu, sur le point de partir aux écoles de Paris et qui exerce sa verve aux dépens de sa femme, déjà touchée par l'âge; — son père, maître Henri, chez qui le médecin diagnostique un mal fréquent à Arras, l'avarice; — une dame Douche, qui a de bonnes raisons pour voir sa taille s'élargir; — un moine, colporteur de reliques propres à guérir la folie et dont l'escarcelle s'emplit à vue d'œil; — des fées aussi, qui viennent distribuer leurs dons et présentent la roue de Fortune par laquelle les uns sont élevés, les autres précipités; — des buveurs à la taverne, qui s'entendent pour dépouiller le moine de sa bourse, et l'obligent par surcroît à engager ses reliques.

D'un bout à l'autre, la pièce est une satire, qui crible de ses traits non seulement les personnages en scène, mais encore tous ceux que la conversation amène sur le tapis : des personnages bien vivants, pris dans la société d'Arras, des bourgeois connus et leurs femmes. Si vite que vieillissent les productions de ce genre, faites d' « actualités », cette sorte de « revue » conserve encore à nos yeux sa fraîcheur. Nous avons sur la vie d'Arras à cette époque, sur les choses et sur les gens, une information suffisante pour apprécier la fantaisie sémillante et la verve spirituelle de l'œuvre. Cependant, il est assez difficile de comprendre l'état d'esprit d'où elle procède. Les manuscrits l'attribuent à Adam le Bossu (Adam de la Halle), qui pourtant y fait figure de mari peu courtois et de fils peu respectueux; on y voit aussi cinglé durement un certain Jacquemon Pouchin, qui paraît avoir été un des meilleurs amis d'Adam. On s'étonne de l'attitude prise ainsi par le poète : c'est pourquoi l'on a pu supposer que la pièce avait été écrite non par Adam, mais par quelqu'un de ses ennemis. La supposition est fragile : elle a contre elle le style du poème, qui est bien celui des autres œuvres d'Adam, et aussi l'attribution des manuscrits, qu'on ne saurait écarter sans des raisons décisives. Il faut laisser le *Jeu de la Feuillée* à Adam le Bossu et s'accommoder comme on peut de l'étonnement que cause, par certains côtés, cette œuvre qui pousse l'originalité jusqu'à la bizarrerie.

Une poésie non moins originale, non moins spirituelle, mais où la grâce a plus de part, règne dans le *Jeu de Robin et de Marion*. Adam de la Halle le composa vers 1285, sans doute en Italie, où il avait accompagné le comte d'Artois, envoyé à Naples au secours de Charles d'Anjou. La première représentation eut lieu à Arras quelques années plus tard, après la mort de l'auteur. On lui donna alors une sorte de prologue, le *Jeu du Pèlerin*, où un pèlerin, revenant du royaume des Deux-Siciles, donne des explications sur l'origine de la pièce et invite le public à l'écouter avec bienveillance. Pris à partie par des ribauds, ce personnage vide la scène et le « jeu » commence. Sur le pré, Marion, l'amie de Robin, garde ses moutons et chante; passe un chevalier, son faucon sur le poing, et qui chante aussi. Il voit la bergère, lui conte fleurette; mais, n'ayant rien pu contre l'ingénuité malicieuse et ironique de la belle, il s'éloigne. Survient Robin, à qui Marion rapporte ce qui vient de se passer et qui se met à fanfaronner, lançant son défi au galant, qui n'est plus là : et on mange, on chante, on danse. A demi rassuré, Robin, par crainte d'un retour offensif de son puissant rival, juge opportun de s'assurer du renfort et il va chercher d'autres pastoureaux. En son absence, le chevalier est revenu auprès de Marion. Robin revient, tenant le faucon qui s'était échappé et qu'il a rattrapé sur une haie : le moment est venu de châtier le chevalier, comme il se l'était héroïquement promis; mais il n'y songe guère : au contraire, c'est le chevalier qui commence par lui assener un horion, sous prétexte qu'il traite sans égards le noble oiseau, puis qui enlève Marion. Heureusement pour le galant déconfit, Marion a su se défendre toute seule : elle revient. Tous les compagnons de Robin s'assemblent et l'on mène grande fête; l'alerte causée par un

LE JEU DE ROBIN ET DE MARION. Chanson notée (B. N., ms. franç., 25566, XIII⁰ siècle). — CL. LAROUSSE.

loup qui tombe dans le troupeau, un chamaillis dont la coquetterie d'une autre pastoure, Perrette, est l'occasion, ne troublent qu'un instant les bavardages joyeux et les chansons; et Robin épouse Marion.

Cette « bergerie », œuvre d'un poète et d'un musicien, est, comme on l'a dit, le premier en date de nos opéras-comiques. Elle est due à la même inspiration que les pastourelles lyriques : on y retrouve la même grâce simple et légère, d'aimables scènes champêtres, de jolies figures de bergères, le piquant d'un esprit enjoué et badin.

VII. — LA LITTÉRATURE DIDACTIQUE

LA LITTÉRATURE SCIENTIFIQUE

Li Cumpoz Philippe de Thaün, p. p. E. Mall, Strasbourg, 1873 ; le Bestiaire de Philippe de Thaün, p. p. E. Walberg, Lund et Paris, 1900 ; le Lapidaire de Philippe de Thaon, p. p. L. Pannier, dans les Lapidaires français du moyen âge, 1882 ; Anglo-Norman Lapidaries, p. p. P. Studer et J. Evans, Paris, 1924.

Le Bestiaire, de Guillaume, p. p. R. Reinsch, 1890 ; le Livre des Bestes, de Gervaise, p. p. P. Meyer (Romania, t. I, 1872) ; le Bestiaire d'amour, de Richard de Fournival, p. p. C. Hippeau, 1860.

Le Régime du corps, de Maître Aldebrandin de Sienne, p. p. R. Pépin, 1911 ; la Chirurgie, de Maître Henri de Mondeville, traduction contemporaine de l'auteur, p. p. A. Bos (S. A. T.), 2 vol., 1897-1898.

L'Image du Monde est encore inédite : une version en prose en a été publiée par M. Prior, Paris et Lausanne, 1913. Les autres encyclopédies (sauf le Trésor

ANIMAUX DE BESTIAIRES. L'aigle, lorsqu'il vieillit, s'élève au plus haut des airs, puis se plonge trois fois dans une fontaine qui est du côté de l'Orient; alors il redevient jeune. — Sirènes, qui chantent et jouent des instruments dans la tempête (Bibl. de l'Arsenal, ms. 3516, XIVᵉ siècle). — CL. LAROUSSE.

de Brunetto Latini, p. p. P. Chabaille, dans les Documents inédits sur l'histoire de France, *1863) sont également inédites.*

Voir Ch.-V. Langlois, la Vie en France au moyen âge, *III* : la Connaissance de la nature et du monde, *1927.*

Ce n'est guère qu'au XIIIᵉ siècle que se répandit l'usage de composer en langue vulgaire des ouvrages destinés à l'instruction des laïques : lapidaires, bestiaires, volucraires, traités de médecine, encyclopédies de toute sorte. Pourtant, ces vulgarisateurs du XIIIᵉ siècle avaient eu, au siècle précédent, au moins un devancier : Philippe de Thaon, qui écrivit en vers, en 1119, un *Comput*, un peu plus tard un *Lapidaire*, enfin un *Bestiaire*, par lui dédié à Aelis de Louvain, reine d'Angleterre de 1121 à 1135. Nous avons différé jusqu'à présent de parler de ce rimeur, parce qu'il fut, en son temps, un isolé. Mais nous considérerons ici ses ouvrages avec attention : car les plus anciens représentants du genre didactique sont expressifs entre tous.

Le *Comput* est un calendrier ecclésiastique : il traite de l'art de mesurer le temps, des lunaisons, des éclipses, des grandes époques de l'année liturgique et de la détermination des fêtes mobiles. Il n'y avait rien, dans ce sujet où règne le nombre, qui prêtât à la fantaisie. Mais l'auteur a trouvé le moyen de l'égayer en le « moralisant »; de chacun des faits qu'il énonce, il indique la signification mystique : le mois de Janvier, par exemple, est le symbole de Dieu, commencement des choses, et c'est de façon analogue que s'interprètent les autres mois et les signes du zodiaque.

Le *Lapidaire* contient la description de soixante-quinze pierres précieuses, environ : alerita, alamandina, chélidoine, chrysolithe, galatidès, jaspe, magnès, etc. La provenance de ces pierres est étrangement expliquée : celle-ci se trouve dans

le gésier des chapons qui ont passé l'âge de sept ans, celle-là s'extrait des limaçons de l'Inde, cette autre naît dans les yeux de l'hyène, cette autre encore est faite de l'urine que le lynx répand dans le sable. Leurs vertus sont admirables : elles guérissent la goutte, ou la cécité, ou l'hydropisie; celle-ci maintient la paix entre époux, celle-là rend invulnérable à la guerre, celle-là protège des enchantements, celle-là décèle les épouses infidèles, celle-là, mise dans un bassin d'argent, déchaîne des tempêtes; quant à cette autre, il suffit de la poser sur la langue (toutefois après s'être soigneusement lavé la bouche avec de la cire et du miel) : on découvre aussitôt tous les projets de ses ennemis et l'on acquiert une force irrésistible.

Le *Bestiaire* traite des animaux et se termine par une nouvelle notice sur quelques pierres précieuses. Il décrit des bêtes et des oiseaux de nos climats : le cerf, la fourmi, le hérisson, le goupil; mais il en décrit aussi qui vivent dans les régions lointaines : le lion, la panthère, l'antilope, l'éléphant, le pélican, sans compter les monstres dont l'habitat reste indéterminé, comme l'onocentaure. L'auteur sait d'eux toute espèce de merveilles. Le lion, quand il chasse, trace sur le sol un cercle avec sa queue : les bêtes qui entrent dans ce cercle ne peuvent plus en sortir. La lionne met bas un lionceau mort; c'est le lion qui, trois jours après, le ressuscite par ses rugissements. La panthère, après chaque repas, dort pendant trois jours, et quand elle se réveille, elle répand une odeur si suave qu'elle attire tous les animaux, le dragon excepté. L'éléphant, qui a les jambes raides, dort debout, appuyé contre un arbre : on profite de son sommeil, on scie l'arbre, il tombe, il est pris. Chaque notice est accompagnée d'une « moralisation » : le lion, c'est Dieu; le cercle qu'il trace, c'est le paradis; les animaux qui y pénètrent, ce sont les hommes; la lionne, c'est sainte Marie; le lionceau, le Christ; le rugissement du lion, c'est la vertu de Dieu qui a fait ressusciter Jésus; la panthère, c'est Jésus-Christ; le dragon, c'est le diable. Et le reste à l'avenant.

C'est une impression d'étonnante naïveté que laisse l'œuvre de Philippe de Thaon, surtout quand on a eu l'occasion de voir tel manuscrit du *Bestiaire*, avec les illustrations soigneuses auxquelles le texte renvoie. Les petits vers de six syllabes, unis deux à deux par la rime, qui ont servi pour le *Comput* et le *Bestiaire* (le *Lapidaire* est écrit en octosyllabes et la partie du *Bestiaire* consacrée aux pierres, de même), ce style sec, pénible, qui se heurte, toutes les six syllabes, aux nœuds de la rime, font penser à un travail au couteau sur du bois de cornouiller. Et quelle étrange attitude d'esprit que celle de l'auteur! On dirait qu'il n'a jamais ouvert les yeux pour regarder autour de lui. Il a lu dans la Bible la page

OISEAUX MONTÉS SUR DES QUADRUPÈDES. Chapiteau de Saint-Benoît-sur-Loire. — CL. NEURDEIN.

La Grammaire et Donat.   La Dialectique et Aristote.

Statues sculptées vers 1150 au portail royal de la cathédrale de Chartres. — Les Sept Arts ouvrent sept voies (« trivium » et « quadrivium ») à l'activité humaine. S'inspirant d'un traité de Martianus Capella, grammairien du Vᵉ siècle, les poètes et les artistes du
moyen âge se sont représenté les Sept Arts sous les traits de sept vierges majestueuses. Au portail de Chartres, on voit, au-dessous
de chacune d'elles, un homme assis, qui écrit ou qui médite : Donat accompagne la Grammaire, Aristote la Dialectique, Cicéron la
Rhétorique, Boèce l'Arithmétique, Euclide la Géométrie, Ptolémée l'Astronomie, Pythagore la Musique. (Voir Émile MALE, l'Art
religieux du XIIIᵉ siècle en France.) — CL. HOUVET.

TRAITÉ DE CHIRURGIE (en français), de Roger de Parme. *Au milieu et en bas :* diverses méthodes pour résoudre les fractures (British Museum, ms. Sloane, 1977, XIIIᵉ siècle). — CL. LAROUSSE.

relative aux douze gemmes et, probablement dans un abrégé, la lettre du pseudo-Evax, roi des Arabes, à Tibère, qui n'était en réalité qu'une version latine du traité grec de Damigeron sur les minéraux : voilà les sources du *Lapidaire.* Il a lu le *Physiologus,* traduction d'un ouvrage alexandrin, où était appliquée à divers animaux l'interprétation allégorique dont la Bible contenait le germe ; il a lu aussi le *Liber monstrorum,* où ont été recueillies vers le IXᵉ siècle diverses traditions relatives à des êtres fabuleux : voilà les sources du *Bestiaire.* Fidèlement il a répété ce qu'il trouvait écrit dans ses modèles, traçant ses figures et taillant ses petits vers avec la gravité laborieuse d'un homme qui n'ignorait d'ailleurs pas certains principes de l'art d'écrire. Dénué du souci d'observer, il n'a pas une inquiétude, pas un scrupule ; il n'éprouve pas le moindre sentiment de défiance à l'égard des « autorités » qui l'ont informé ; des mystifications de Grecs de la décadence sont pour lui lettre d'Évangile. Sa crédule ingénuité ne mériterait pas qu'on s'y attardât si elle lui était propre et si elle ne décelait que la simplicité d'un individu ; mais elle a été partagée par ses contemporains, et les fables qu'il rapporte, sans les avoir inventées, se répercutent pendant deux siècles après lui en d'innombrables écrits.

Le XIIIᵉ siècle, en effet, voit se multiplier les traités analogues à ceux de Philippe de Thaon : bestiaire de Guillaume le Clerc, écrit en 1210 ou en 1211 ; bestiaire de Gervaise, postérieur de peu d'années ; bestiaire de Richard de Fournival, composé vers 1250 ; volucraire d'Osmond, lapidaires, herbiers, computs divers. Quelle que soit la puérilité de ces livres, il faut cependant remarquer qu'en plusieurs d'entre eux se manifeste un certain sens du réel. Il y a dans le *Bestiaire* de Richard de Fournival le sourire d'un homme d'esprit qui ne prend pas toujours au sérieux les billevesées traditionnelles. Les traductions d'auteurs anciens, traduction de Solin par Simon de Boulogne au XIIᵉ siècle, traduction des *Météores* d'Aristote par Mathieu le Vilain, vers 1290 — et d'autres sont perdues —, ramenaient les esprits à des notions que la raison ne répudie pas d'emblée. Enfin, beaucoup de traités relatifs à divers arts ou techniques enregistraient des faits d'expérience : c'étaient des traités de médecine, comme le *Régime du corps* (vers l'année 1256) d'Aldebrandin de Sienne, et la *Chirurgie* d'Henri de Mondeville (fin du XIIIᵉ siècle) ; des traités de chasse, de guerre, de droit féodal et coutumier, de droit romain, de rhétorique.

Outre les ouvrages consacrés à des domaines particuliers de la connaissance, le XIIIᵉ siècle offre d'assez nombreuses « sommes » de caractère encyclopédique : l'*Image du Monde*, dont un clerc, messin probablement, nommé Gossouin, écrit la première rédaction en 1247 ; la *Lumière as lais*, par Pierre de Peckham ; la traduction du *Secret des Secrets*, par Jofroi de Watreford ; le *Livre de Sidrac*, le dialogue de *Placides et Timeo*, le *Livre du Trésor* écrit en français, vers 1265, par le Florentin Brunetto Latini. Il suffit de mentionner ces ouvrages. Un critique qui retrace le mouvement littéraire durant une époque récente, le XIXᵉ siècle, par exemple, ne se croit pas tenu de considérer longuement les livres de vulgarisation scientifique parus dans cette période, manuels scolaires, dictionnaires des arts et métiers, et autres. Les livres similaires du moyen âge, très précieux assurément en ce qu'ils renseignent sur les progrès de la culture dans le monde des laïques, n'intéressent guère qu'à ce titre l'histoire des lettres.

LITTÉRATURE RELIGIEUSE ET MORALE

On peut distinguer ici deux groupes : œuvres d'inspiration religieuse et œuvres d'inspiration profane.

LITTÉRATURE DE CARACTÈRE RELIGIEUX

Le sermon qui commence par le vers : Grand mal fist Adam *a été publié par H. Suchier* (Bibliotheca normannica, I), *1879 ; le* Sermon de Guichard de Beaujeu, *par A. Jubinal, 1834, puis par E. Stengel,* Codex manuscriptus Digby 86, *Halle, 1871 ;* Li vers del Juïse, *par Hugo von Feilitzen* (Romania, t. XIV, 1885).

Les Vers de la Mort, *par Hélinand, p. p. Wulff et Walberg* (S. A. T.), *1905 ; le* Poème Moral, *p. p. W. Cloetta* (Romanische Forschungen, t. III), *1886, puis par A. Bayot, Bruxelles, 1929 ; le* Roman de Carité *et le* Miserere, *p. p. G. Van Hamel* (Bibliothèque de l'École des hautes études), *1885.*

Le Besant de Dieu, *p. p. E. Martin, Halle, 1869 ;* la Dîme de pénitence, *p. p. Breymann* (Bibliothek des literarischen Vereins in Stuttgart), *1875 ; le* Dit des trois morts et des trois vifs, *p. p. S. Glixelli, Paris, 1914.*

Le Débat du corps et de l'âme *(rédactions diverses), p. p. T. Wright,* The latin poems commonly attributed to Walter Map, *Londres, 1841 (voir la* Romania, *t. XX, 1891, p. 1 et p. 513).*

Le Songe d'Enfer *et le* Tornoiement de l'Antéchrist, *p. p. Tarbé, Reims, 1851, et par A. Scheler,* Trouvères belges, *nouvelle série, Louvain, 1879 ; le* Pèlerinage de la Vie humaine, *p. p. J.-J. Stürzinger pour le Roxburgh Club, 3 vol., 1893-1897 ; la* Somme des vices et des vertus, *inédite. — Voir Ch.-V. Langlois,* la Vie en France au moyen âge d'après des moralistes du temps, *1925, et la* Vie spirituelle : enseignements, méditations et controverses, *1928.*

Dans le groupe des œuvres d'inspiration religieuse entrent un certain nombre de sermons et d'homélies en

vers, composés au XIIe siècle :
le sermon qui commence par
les mots *Grand mal fist Adam*,
le sermon de Guichard de Beaujeu et les *Vers du Jugement*; puis
plusieurs poèmes du XIIIe siècle,
apparentés au sermon et dont
les plus remarquables sont les
Vers de la Mort, par Hélinand,
et le *Poème moral*.

HÉLINAND : LES VERS DE LA MORT

Hélinand, issu d'une famille
noble, favori du roi Philippe
Auguste, brilla d'abord parmi
les seigneurs de la cour de
France et excella comme poète
mondain; mais de bonne heure
le « cointe damoisel » rompit
avec le siècle et vers l'année
1183 se rendit moine à l'abbaye
de Froidmont en Beauvaisis.
De ce qu'il composa avant cette
date, il ne nous est rien parvenu.
Celles de ses œuvres que nous
possédons sont pour la plupart

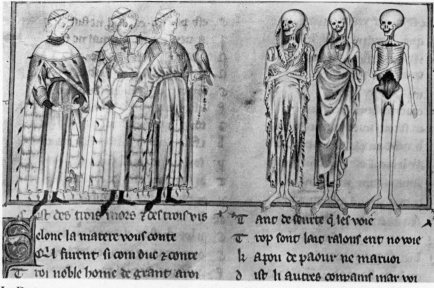

LE DIT DES TROIS MORTS ET DES TROIS VIFS. Trois jeunes seigneurs « de grant aroi » rencontrent
leurs doubles décharnés par la mort, qui dialoguent avec eux (Bibl. de l'Arsenal, ms. 3142,
XIIIe siècle). — CL. LAROUSSE.

écrites en latin : un *Liber de reparatione lapsi*, une *Chronique*, qu'il a arrêtée à l'année 1215, et des sermons qui paraissent appartenir aux dernières années de sa vie. Seuls
sont en français les *Vers de la Mort*, qu'il composa entre
1194 et 1197. Ce petit poème de quelque trois cents vers
devint célèbre, et, pour ne retenir qu'un signe extérieur
de son succès, le type de strophe que l'auteur y a inauguré fut imité dans plus de soixante autres pièces. Hélinand adjure ceux que retiennent les délices du monde
de penser à faire leur salut : adjuration véhémente, presque
brutale, où l'auteur, peignant la toute-puissance de la Mort,
dresse son spectre devant le visage des hommes. L'idée
n'est qu'un lieu commun, mais vigoureusement traité.
Hélinand ne craint pas d'interpeller nommément ceux
dont il blâme le frivole aveuglement. Comme d'autres
envoient à leurs amis des chansons de joie, c'est la Mort
qu'il envoie saluer les siens, et il y met une âpreté violente, que manifestent à la fois la richesse des images, la
brièveté nerveuse de l'expression et l'accumulation précipitée des termes dans une période largement oratoire.
Voici comment il adresse sa sombre messagère à ses amis
d'Angivilers, qui vivent dans le luxe, tout au soin des élégances et de la mode (celle des manches étroitement cou-
sues faisait alors fureur) :

> Morz, qui saisis les terres franches,
> Qui fais la queuz* des gorges blanches   *pierre à aiguiser.
> A ton raseor afiler,
> Qui la soi a l'aver* estanches,   *la soif de l'avare.
> Qui l'arbre plein de fruit esbranches,
> Que li riches n'ait que filer,
> Qui te poines de lui guiler*,   *tromper.
> Qui par lonc mal le sés piler,
> Qui li ostes al pont les planches,
> Di moi à ceux d'Angiviler
> Que tu fais t'aguille enfiler
> Dont tu lor veus cosdre lor manches.

Et voici d'autres messages :

> Morz, morz, qui ja ne seras lasse
> De muer haute chose en basse,
> Trop volentiers fesisse aprendre
> Ambesdeus les rois, se j'osasse,
> Com tu trais raseor de chasse*   *gaine.
> Por rere ceux qui ont que prendre.
> Morz, qui les montez fais descendre
> Et qui des cors as rois fais cendre,
> Tu as tramail et roiz* et nasse   *rets.
> Por devant le haut homme tendre
> Qui, por sa poesté* estendre,   *pouvoir.
> Son ombre tressaut et trespasse*.   *fait l'impossible.
>
> Morz est la roiz qui tot atrape,
> Morz est la mains qui tot agrape :
> Tot li remaint* quanqu'ele aert**;   *reste. **saisit.
> Morz fait a toz d'isembrun chape
> Et de la pure terre nape;
> Morz a toz oniement sert;
> Morz toz secrez met en apert;
> Mors fait franc homme de cuivert* :   *sorte de serf.
> Morz acuivertit roi et pape;
> Morz rent chascun ce qu'il desert*;   *mérite.
> Morz rent al povre ce qu'il pert;
> Morz tout* al riche quanqu'il hape...   *enlève.

Beaux vers, hautains, impérieux, et qui peuvent
être mis en parallèle avec ce qui fut jamais écrit de
plus beau sur la mort.

LE POÈME MORAL

On est convenu d'intituler ainsi un poème où
il est remontré, dit la rubrique initiale, « que vaine
est la joie de ce siècle et que mout est digne chose
de la sainte ame ». C'est le simple discours d'un
homme de cœur à un public qu'il veut persuader.

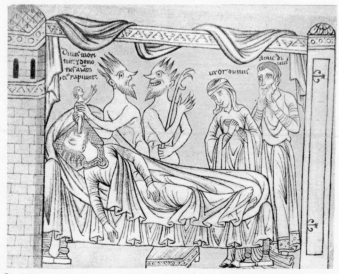

LA MORT DU RICHE PÉCHEUR. Les démons recueillent l'âme du défunt.
Miniature de l'abbesse Herrade de Landsberg, dans son « Hortus
Deliciarum » (fin du XIIe siècle). — CL. LAROUSSE.

Ses préceptes sont illustrés d'exemples nombreux, et c'est ainsi qu'il raconte tout au long la vie de sainte Thaïs. Soit qu'il propose ces exemples, soit qu'il énonce des vérités abstraites, il poursuit avec une insistance ardente son dessein de toucher les âmes. Il était d'ailleurs un philosophe doux, prudent, humain, qui ne prêche pas une doctrine ascétique. Il n'entend pas que la charité, se faisant trop libérale, induise à des largesses trop prodigues ; quand il parle des dangers de la beauté, il tient cependant à indiquer qu'on peut aimer la beauté sans pécher ; et il admet parfaitement qu'on se plaise à la bonne chère. Il n'y a qu'un chapitre où il sorte de sa modération habituelle : c'est lorsqu'il traite des jongleurs. Lourd péché, dit-il, de leur faire des dons ; car tous leurs gestes, tous leurs propos ne sont que « lécherie », et il s'excuse d'employer ce terme sévère, qui cependant, à son sens, est encore trop faible. Les jongleurs « destruisent » les âmes ; il ressemblent à la truie couverte de fange qui salit tous ceux qu'elle approche.

Son art d'écrivain n'est pas raffiné. Dans l'élan de sa sincérité, il n'a d'autre ambition que de communiquer sa foi. Son langage est comme sa pensée, simple, clair, direct. Il s'exprime avec le seul souci d'être entendu et cru. Volontiers il se laisse aller aux digressions, s'engage dans un récit, puis l'interrompt par des réflexions diverses,

LE RECLUS DE MOLLIENS écrit son « Miserere » (Bibl. de l'Arsenal, ms. 3142, XIIIᵉ siècle). — CL. LAROUSSE.

y revient, passe à d'autres réflexions et à d'autres exemples. C'est sa manière, pleine de bonhomie. Il est près de ceux qui l'écoutent, les comprend, les gagne en leur parlant de choses qui leur sont familières, et sa narration de la vie de Thaïs, avec les détails dont il l'agrémente, est un modèle d'homélie insinuante et persuasive. Il n'atteint pas comme Hélinand au sublime ; mais son zèle et la simplicité de sa parole sont propres à toucher les cœurs.

Auprès des poèmes moraux où domine l'élément religieux, comme le *Poème Moral*, ou encore comme le *Roman de Carité* et le *Miserere*, écrits au début du XIIIᵉ siècle par le Reclus de Molliens, on compte aussi des compositions dont la forme est moins celle d'un discours édifiant que d'un traité théorique : tels sont le *Besant de Dieu*, composé par Guillaume le Clerc en 1226 ou 1227 ; la *Dîme de pénitence*, composée sur la fin du siècle par Jean de Journy, et le *Dit des trois morts et des trois vifs*, dont la plus ancienne rédaction, antérieure à l'année 1280, est due à Baudoin de Condé.

D'autres poèmes se présentent encore sous d'autres formes. Ceux-ci sont des débats, comme le *Débat de l'âme et du corps* traduit du latin. Ceux-là sont des allégories, comme le *Songe d'Enfer*, par Raoul de Houdenc ; la *Voie de Paradis*, sujet traité par Rutebeuf et par Baudoin de Condé ; le *Tournoiement de l'Antéchrist*, par Huon de Méry, et, vers 1320, le *Pèlerinage de la vie humaine*, par Guillaume de Digulleville. D'autres poèmes enfin sont des traités de morale en prose, comme la *Somme des vices et des vertus*, ou *Somme le Roi*, qui fut compilée par le dominicain Laurent et dédiée, en 1279, à Philippe le Hardi.

LITTÉRATURE MORALE DE CARACTÈRE PROFANE

Les *Distiques de Caton, traduits par Elie de Winchester, p. p. H. Kuehne et E. Stengel* (Ausgaben und Abhandlungen, t. XLVII), *Marbourg, 1886 ; les mêmes, traduits par Adam de Suel, p. p. J. Ulrich* (Romanische Forschungen, t. XV), *1904 ; cf. Leroux de Lincy, le Livre des proverbes, 2 vol., 1859 ; les Proverbes au vilain, p. p. A. Tobler, Leipzig, 1895 ; les Proverbes français antérieurs au xvᵉ siècle, p. p. J. Morawski, 1925 ; les Proverbes au comte de Bretagne et les Dialogues de Salomon et de Marcoul, p. p. Crapelet* (Proverbes et dictons, *1839*).

Le *Ditié d'Urbain, p. p. Spencer* (Modern Language Notes), *1889 ; le Roman des ailes de Courtoisie, p. p. A. Scheler, Trouvères belges, 1879 ; les Contenances de table, p. p. J. Glixelli* (Romania, t. XLVII, *1921*); *les Enseignemenz Trebor, p. p. Mary Vance Young, 1901 ; le Chastiement des dames, dans l'édition des Œuvres complètes de Robert de Blois, p. p. J. Ulrich, Berlin, 3 vol., 1889-1895*.

La *Consolation de Philosophie, publiée dans les Œuvres de Simon de Freine, par E. Matzke* (S. A. T.), *1909 ; les Quatre Ages de l'homme, p. p. Marcel de Fréville* (S. A. T.), *1888*.

L'*Évangile des femmes, p. p. G. Keidel*, Romances and other Studies, I, *Baltimore, 1895 ; le Dit de Chastie Musart, p. p. A. Jubinal,* Œuvres de Rutebeuf, *t. III, 1839 et 1874 ; le Dit des Cornetes, le Blâme*

L'AMOUR ET LA HAINE, d'après la « Somme le Roi » (British Museum, ms. Add. 28162, fin XIIIᵉ siècle). — CL. LAROUSSE.

des femmes, *p. p. A. Jubinal*, Jongleurs et trouvères, *1835.*

Le Livre des Manières, p. p. Talberg, Paris et Angers, 1877, puis par J. Kremer (Ausgaben und Abhandlungen, XXXIX), *Marbourg, 1887 ; la* Bible Guiot, *p. p. J. Orr, Œuvres de Guiot de Provins, Manchester, 1915 ; la* Bible au seigneur de Berzé, *p. p. Méon*, Recueil de fabliaux et contes, *t. II, et par F. Lecoy, 1938.*

Une partie importante de la littérature morale procède moins de principes religieux que d'une philosophie souvent mêlée d'éléments profanes.

Elle comprend des œuvres d'une assez grande variété, dont plusieurs appartiennent à la poésie gnomique : *Distiques de Caton*, traduits du latin au XIIᵉ siècle par Élie de Winchester et par Everard de Kirkham, au XIIIᵉ siècle par Adam de Suel et par plusieurs autres poètes; *Proverbes au vilain*; *Proverbes au comte de Bretagne*; dialogues de *Salomon et Marcoul*. Ces recueils de sentences répondaient à un goût profond des hommes du moyen âge : les *Distiques de Caton* comptaient parmi les sept ou huit livres élémentaires qu'on mettait entre les mains des écoliers; et, quand ils avaient atteint l'âge de s'exercer au style, on leur enseignait les beaux effets littéraires qu'on peut tirer d'un emploi élégant des proverbes. Aujourd'hui, nous jugeons autrement et nous estimons plus bas les vertus du dicton. Cependant, comment faire fi de ces *Proverbes au vilain*, si savoureux, où s'est condensée toute une morale ?

« Chien en cuisine, dit le vilain, son per n'i desire. »

« Qui une fois escorche, deux fois ne tont. »

« Plus a de paroles en un mui de vin qu'il n'a en cent charretes de froment. »

« Ne sont pas tous chevaliers qui en cheval montent. »

« Ja de buisot ne ferez esprevier. »

C'est une série de constatations peu profondes sans doute, mais amusantes, rattachées de façon pittoresque aux choses de la vie quotidienne, un petit livre de la sagesse, qui ne fait pas tort à la réputation d'esprit de notre nation.

Également simples, et curieux par les renseignements qu'ils fournissent sur la vie de l'époque, d'autres écrits se présentent comme des recueils de préceptes. Plusieurs enseignent les règles de la courtoisie et des belles manières : ainsi le *Ditié d'Urbain*, le *Roman des ailes de Courtoisie*, composé par Raoul de Houdenc, et les diverses rédactions des *Contenances de table*. Parfois, comme les *Enseignements* de Robert de Ho (ou, par anagramme du nom de l'auteur, les *Enseignements Trebor*), ils visent spécialement la jeunesse; parfois, comme le *Chastiement des dames*, composé par Robert de Blois, ils s'adressent particulièrement aux femmes.

C'est à l'ampleur de véritables traités qu'atteignent certains ouvrages de plus haute portée morale, tels que la traduction de la *Consolation de Philosophie* de Boèce, faite au XIIᵉ siècle par Simon de Freine, ou les *Quatre Temps de l'âge d'homme*, œuvre de Philippe de Novare. Si attachants que soient ces écrits à beaucoup d'égards, ils le cèdent cependant en intérêt à tout un groupe de poèmes, dont les auteurs ont peint, pour en blâmer les vices, la société de leur temps, tantôt s'en prenant aux

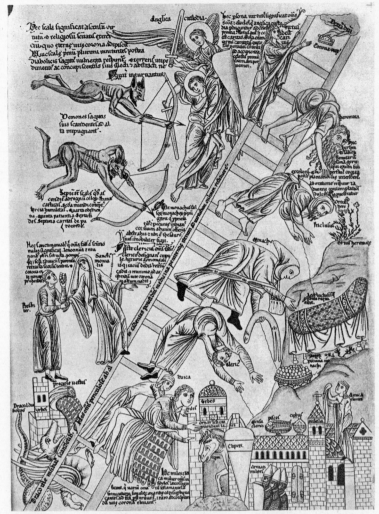

L'ÉCHELLE DES VERTUS. Le Chevalier, le Clerc, le Moine, le Reclus, l'Ermite, attirés chacun par un vice, sont précipités des divers échelons. De rares élus, ceux qui se sont placés sous la garde des anges, accomplissent l'ascension. Au sommet de l'échelle, la droite de Dieu leur tend la couronne de la vie éternelle. (Miniature de l' « Hortus Deliciarum ».) — CL. LAROUSSE.

seules femmes, comme dans l'*Évangile des femmes* (XIIᵉ siècle), le *Dit de Chastie Musart*, le *Dit des Cornettes*, le *Blâme des femmes*, tantôt — et ce sont là les œuvres les plus marquantes — brossant un tableau d'ensemble où figurent les différents « états du monde ». A toutes ces productions, la satire donne une grande vivacité de couleur. Les auteurs qui nous ont laissé des « états du monde » sont souvent venus à ce genre de poésie sur la fin d'une vie où la mondanité avait tenu une large place : c'était de leur part un acte d'abjuration de ce qu'ils avaient adoré; mais, tenant l'exercice même de leur critique pour une preuve suffisante de contrition personnelle, ils attaquent avec vivacité, par un effet assez plaisant de leur retour à résipiscence, ceux qui restent encore plongés dans leurs anciennes erreurs. Nous citerons trois de ces poèmes de cette sorte, dont les auteurs sont de trois conditions différentes : un évêque, un jongleur, un seigneur.

Le plus ancien est le *Livre des Manières*, attribué d'ordinaire à Étienne de Fougères, qui fut évêque de Rennes de 1168 à 1178. A vrai dire, peut-être a-t-il composé son ouvrage en latin et le texte que nous lisons n'en est-il qu'une traduction faite par un autre que lui. Il avait été chapelain d'Henri II d'Angleterre et s'était attiré les applaudissements de la cour royale pour les choses gaies qu'il savait composer en vers latins rythmiques et en prose.

Mais le *Livre des Manières* commence par un jugement des rois, où le roi d'Angleterre pouvait trouver comme les autres des leçons : certaines allusions même le visent spécialement. Après quoi vient le compte des clercs, des prélats, des chevaliers, des vilains, des marchands, des bourgeois et des femmes; et le ton de l'œuvre est partout d'un homme qui n'a plus d'indulgence pour le monde. S'il avait donné d'abord dans la frivolité, Étienne a pris ici l'attitude d'un pasteur dont la parole reflète le pur esprit de l'Église : il s'exprime en termes élevés sur la mission chrétienne de la Chevalerie; les pages qu'il consacre aux paysans sont empreintes d'un sentiment de pitié auquel ses critiques ne font qu'une ombre légère, et la description du sort misérable de ces pauvres gens, dont la destinée est de « laborer », est un des rares textes de cette époque où ne s'étalent pas le mépris, la raillerie ou la haine. En revanche, il traite les marchands avec assez de dureté, et les détails nombreux qu'il montre de leurs procédés de commerce sont faits pour donner une idée peu avantageuse de leur bonne foi. Quant aux femmes, qui sont fort malmenées, il est surprenant que cet ecclésiastique, qui devait avoir par la confession une certaine expérience personnelle, ait tracé d'elles un portrait tout presque tous les éléments sont de convention, tout imprégné de la rhétorique artificielle propre à la littérature antiféminine, et qui rappelle parfois le fabliau.

La *Bible Guiot*, écrite entre les années 1205 et 1218, est, par l'esprit, fort différente du *Livre des Manières*. C'est l'œuvre d'un converti, mais d'un singulier converti. Ancien jongleur des cours seigneuriales, l'auteur, Guiot de Provins, s'était retiré d'abord à l'abbaye cistercienne de Clairvaux, puis, au bout de quatre mois, chez les moines noirs, à Cluny. C'est sous le froc qu'il composa sa *Bible*, où, dans le défilé traditionnel des « états », il a fait une place particulière aux moines et aux gens de science, théologiens, légistes, médecins. Tout moine qu'il fût devenu, il n'avait pas dépouillé le vieil homme, et les arguments dont il étaie ses critiques sont souvent étranges. S'il trouve que la chevalerie se perd, ce n'est pas pour des raisons très relevées : c'est parce que les seigneurs sont devenus chiches et n'aiment plus les fêtes comme autrefois. Si, passant aux ordres religieux, il attaque vivement les moines blancs, c'est pour leur rapacité, et le grief est sérieux; mais il n'aime pas non plus les chartreux, et, cette fois, c'est parce que leur genre de vie est trop dur : raison inattendue de la part d'un moine, aussi bien que la raison de son goût pour les chanoines de Saint-Augustin : s'ils lui plaisent, c'est qu'il les voit bien vêtus, bien chaussés, bien nourris. S'il maudit les médecins, eux, leurs onguents et leurs pilules, c'est parce qu'ils condamnent les tables plantureuses, les bons chapons, les bonnes sauces et les vins clairs, dont il se déclare friand. Aussi, cette *Bible* d'un pécheur venu à repentance a-t-elle souvent l'air d'être encore une facétie de jongleur.

La *Bible* qu'écrivit, vers 1220, Hugues II de Berzé (Berzé-le-Châtel, près de Cluny) nous ramène à une conception plus sérieuse des choses. L'auteur, assez haut personnage, avait couru le monde et pris part, de 1201 à 1205, à la quatrième croisade : il avait mené à Constantinople une vie qu'il juge sévèrement. Il revient de ses erreurs, et l'on pense qu'il prit de nouveau la croix en 1220, cette fois dans un esprit plus austère. Son livre est l'acte de contrition d'un homme qui a beaucoup aimé le monde et l'amour. On y voit bien survivre un certain attachement à ce « siècle » qu'il condamne; mais le sentiment de la mort et de la caducité des biens humains y trouve une expression d'une évidente sincérité. Bien que l'ouvrage ait été influencé par la *Bible Guiot*, il en diffère profondément par sa gravité, comme il diffère aussi du *Livre des Manières* d'Étienne de Fougères par un souci du salut plus étroitement personnel.

VIII. - LA LITTÉRATURE ALLÉGORIQUE ET LE « ROMAN DE LA ROSE »

I. — *Œuvres de Maître Élie de Winchester*, p. p. Kühne et Stengel (Ausgaben und Abhandlungen, nº XLVII), Marbourg, 1886 ; — *Œuvres de Jacques d'Amiens*, p. p. G. Koerting, Leipzig, 1868 ; — *la Clé d'amour*, p. p. G. Doutrepont (Bibliotheca normannica, t. V), 1890 ; — *André le Chapelain*, De arte amandi, p. p. E. Trojel, Copenhague, 1892 ; — le Vrai Ciment d'amour, p. p. A. Langfors (Romania, t. XLV, 1918-1919).

Le Concile de Remiremont, Phillis et Flora, le Jugement d'Amour, *et les textes apparentés à ceux-là ont été recueillis par Ch. Oulmont dans un livre intitulé :* les Débats du clerc et du chevalier, 1911 *(cf.* Romania, t. XLII, 1913, p. 452*).* Le Jugement d'Amour *a été aussi publié par J. Schmidt, Leipzig, 1913, par E. Faral* (Contes et romans courtois, 1913*), et par M. Delbouille, Paris, s. d. (1935).*

Le Fablel du dieu d'Amours, p. p. A. Jubinal, 1834 ; — De Venus, la deesse d'Amor, p. p. W. Foerster, Bonn, 1880 ; — Le Donoi des amants, p. p. G. Paris (Romania, t. XXV, 1896); — Pamphile et Galatée, par Jean Bras de Fer, p. p. J. de Morawski, 1917.

Sur les visions de l'autre monde, voir les Romanische Forschungen, t. II, p. 279, et t. III, p. 337.

Architrenius, *par Jean de Hanville, imprimé à Paris en 1517, in-4º, et publié à nouveau par Th. Wright (collection du Maître des Rôles), 1872 ; —* De planctu Naturæ, Anticlaudianus, *par Alain de Lille, imprimé dans Migne,* Patrologie latine, *t. CCX.*

Le Roman des ailes, le Songe d'enfer, *par Raoul de Houdenc, p. p. Aug. Scheler,* Trouvères belges, *nouvelle série, Louvain, 1879 ; —* le Tornoiement de l'Antechrist, *par Huon de Méry, p. p. Tarbé, Reims, 1851, et par G. Wimmer* (Ausgaben und Abhandlungen, nº LXXXV), Marbourg, 1888.

Le Dit de la Rose, p. p. Bartsch et Horning, la Langue et la littérature françaises, *Paris, 1887.*

II. — *Le* Roman de la Rose, *par Guillaume de Lorris et Jean de Meung, a été publié par Méon en 1814, par Francisque Michel en 1864, et, en dernier lieu, par Ernest Langlois, 5 vol. (S. A. T.), 1914-1923.*

La traduction de Végèce par Jean de Meung a été publiée par U. Robert, sous ce titre : l'Art de chevalerie *(S. A. T.), 1897. Ses traductions du* De mirabilibus Hiberniae *de Giraud de Barri et du traité d'Aelred (abbé de Rievaux, dans le comté d'York, au XIIe siècle) sont perdues. Celle de la première épître d'Abélard à Héloïse a été publiée par Charlotte Charrier, 1934 ; celle du* De consolatione *de Boèce est encore inédite. Le* Testament *et le* Codicile *attribués à Jean de Meung, mais sans raisons décisives, ont été imprimés par Méon à la suite de son édition du* Roman de la Rose.

Voir E. Langlois, Origines et sources du Roman de la Rose, *1890, et les* Manuscrits du Roman de la Rose *(Travaux et mémoires de l'Université de Lille, nouvelle série, I, 7), 1910 ; et Edm. Faral* (Revue des Deux Mondes, septembre 1926, p. 430).

On l'a vu, les traités didactiques, bestiaires à « senefiances », « doctrinaux », « chastiements », « états du monde », « bible », versions moralisées du Roman de Renart, foisonnent au XIIIe siècle. C'est de la même disposition d'esprit que procèdent un grand nombre d'écrits consacrés à la casuistique de l'amour.

Certains de ces écrits revêtent la forme de traités, où se déploie un enseignement dogmatique : ce sont des arts d'aimer, tantôt conçus à l'imitation du *De arte amandi* d'Ovide, tantôt issus d'une inspiration plus originale. Au poème d'Ovide, que peut-être Chrétien de Troyes avait traduit, se rattachent les adaptations d'Élie de Winchester (XIIe siècle) et de Jacques d'Amiens (XIIe siècle), ainsi que la *Clé d'amour*, poème anonyme du XIIIe siècle. C'est, au contraire, d'un génie plus indépendant qu'émane le *De arte honeste amandi*, sorte de code de l'amour courtois, composé par André le Chapelain au XIIIe siècle et traduit, peu de temps après son apparition, par Drouard La Vache : on en peut dire autant du poème anonyme intitulé *le Vrai Ciment d'amour*.

D'autres écrits relatifs à l'amour abandonnent la forme du traité et préfèrent le dialogue : tel le *Donoi des amants*; tel le *Pamphilus*, poème latin du XIIe siècle, qui fut traduit en français au XIIIe siècle par Jean Bras de Fer, sous le titre *Pamphile et Galatée*; tel aussi le cycle de ces jolis petits poèmes où se discute, sous forme de débats, la question de savoir si ce sont les clercs ou les chevaliers qui s'entendent le mieux à aimer. Ici, dans le *Concile de Remiremont*, poème latin du XIIe siècle, la discussion s'institue entre des nonnes, réunies tout exprès en concile pour en décider; là, dans *Phillis et Flora*, poème latin un peu postérieur, et dans les imitations françaises qui en furent faites à la fin du XIIe siècle ou au cours du XIIIe, le *Jugement d'amour*, *Florence et Blancheflor*, *Hueline et Aiglentine*, ce sont deux jeunes filles qui mènent le débat, et elles décident de se rendre à la cour du dieu d'Amour, qui jugera. La description du pays où règne le dieu, un des éléments les plus gracieux de ces poèmes, semble avoir beaucoup plu, et c'est le même thème qu'ont repris le *Fabliau du dieu d'amour* et *Vénus la déesse d'amour*.

Mais, de toutes les œuvres inspirées par cette tradition, la plus marquante de beaucoup est le *Roman de la Rose*.

Ce vaste poème est, sous un titre unique, l'œuvre de deux auteurs : l'un, Guillaume de Lorris, en a écrit, entre les années 1225 et 1240, les 4058 premiers vers; l'autre, Jean de Meung, une quarantaine d'années après la mort de Guillaume, a composé le reste, c'est-à-dire près de 18000 vers. Or, entre ces deux auteurs, il n'y a de commun que les éléments les plus généraux de la fiction poétique, tout par ailleurs les séparant : la condition sociale, le tempérament, les idées, la morale. Les deux parties du *Roman de la Rose* constituent réellement deux poèmes hétéroclites, qu'il convient de considérer chacun pour lui-même.

LE POÈME DE GUILLAUME DE LORRIS

Sur sa vingtième année, Guillaume de Lorris avait eu un songe que, cinq ans après, il s'est proposé de raconter,

parce que les songes contiennent parfois beaucoup de vérité, que celui-ci est de nature à égayer les cœurs, et que son récit lui vaudra peut-être les faveurs de sa belle,

> ... cele qui tant a de pris
> Et tant est dine d'estre amée
> Qu'ele doit estre Rose clamée.

Et voici ce qu'il rêva. C'était le printemps : partout éclataient les bourgeons, les fleurs; partout résonnaient les chants d'oiseaux. Il longeait une belle rivière, qui roulait ses eaux claires sur un fond de gravier, et, la côtoyant à travers prés, il était arrivé devant une haute muraille. Parmi les ornements dont elle se chargeait, on distinguait les figures de dix personnages affreux : Haine, flanquée de Félonie et de Vilenie; Convoitise aux mains crochues et, à ses côtés, Avarice, pâle, hâve et sordide; Envie, au mauvais regard; Tristesse, échevelée, le visage sombre et trempé de larmes ; Vieillesse, chenue, édentée, radoteuse; Papelardie, d'aspect humble et doux, mais ouvrière de méchante besogne; Pauvreté enfin, honteuse et tapie dans un coin. Derrière le mur s'étendait un verger, bruissant du gazouillis des oiseaux, qui chantaient

> Les dances d'Amors et les notes
> Plaisanz, cortoises et mignotes.

Pris du désir d'y pénétrer, le jeune homme frappe à une porte. Une jeune fille, couronnée d'orfroi et de roses, qui tient un miroir à la main et dont l'unique souci est celui de ses atours, vient lui ouvrir : elle s'appelle Oiseuse. Elle lui apprend que le jardin appartient à Déduit (le Plaisir) et consent à le conduire auprès du maître.

Sur sa route il entend le concert des rossignols, des roitelets, des tourterelles, des chardonnerets, des alouettes, des merles, des mauviettes :

> Lais d'amors et sonez cortois
> Chantoient en lor serventois,
> Li un en haut, li autre en bas.

Émerveillé, le visiteur arrive bientôt auprès de Déduit. Leece (la Joie) menait en maîtresse de ballet consommée une carole à laquelle Courtoisie le convie aussitôt; et là, mêlé aux danseurs, il peut contempler à son aise l'air et la façon de chacun : Déduit, damoiseau blond et frais, coiffé d'un chapeau de roses, et tenant par la main Leece, dont les yeux rient toujours; puis le dieu d'Amour en personne, dans sa robe délicate de fleurs, tout enveloppé d'oiseaux, et qui conduit Beauté, tandis que Doux Regard veille sur ses arcs et sur ses flèches; puis Richesse, honorée de tous, en habits magnifiques et ruisselante de pierreries; puis Largesse, descendante d'Alexandre, que mène à la carole un chevalier du lignage d'Arthur de Bretagne; puis Franchise, et Courtoisie, et Oiseuse, et Jeunesse.

LE SONGE DE GUILLAUME DE LORRIS (Bibl. de Genève, ms. franç. 178, milieu du XIVe siècle). — CL. LAROUSSE.

Jeunesse salue l'Amant (Bibliothèque Sainte-Geneviève, ms. franç. 1126, milieu du XIVᵉ siècle). — Cl. Larousse.

Après la danse, Guillaume continue sa visite du verger. Les arbres de tous pays, de toutes essences, s'y pressent à profusion : arbres des contrées lointaines, grenadiers, muscadiers, dattiers, gérofliers, canneliers; arbres de France, chargés de fruits :

> Chastaignes, noiz, pomes et poires,
> Nesfles, prunes blanches et noires,
> Cerises fresches, vermeillettes,
> Cormes, alises et noisettes.

D'autres, lauriers, pins, oliviers, cyprès, ormeaux, offrent l'asile de leur ombre aux chevreuils, aux lapins, aux écureuils. Or, parmi les fleurs, sous un pin, luit une fontaine merveilleuse, taillée dans le marbre : une inscription dit qu'en ses ondes mourut Narcisse, et le souvenir de cette aventure inquiète un instant Guillaume; mais il finit par s'approcher.

Au fond des eaux, il découvre deux blocs de cristal, où se reflète le jardin tout entier : c'est le miroir périlleux, celui qui perdit Narcisse, et qui a pour vertu de faire aimer ce qu'on y aperçoit. Guillaume, en se penchant, voit des rosiers, et subitement il est pris du désir de cueillir un bouton de rose, qu'entre tous les autres il a distingué. Il tend la main, se pique aux chardons, aux ronces, aux orties, et juste à ce moment le dieu d'Amour, qui le suivait et l'épiait depuis qu'il avait quitté la carole, lui décoche, de l'un de ses deux arcs, les cinq flèches qui font aimer : d'abord Beauté, Simplesse et Courtoisie, qui renforcent le jeune homme dans son désir; puis, tandis qu'il s'attarde auprès de la fleur, Compagnie et Beau Semblant, dont la blessure se mêle de douleur et de douceur.

Dès cet instant, Guillaume, vaincu, se met à la discrétion du dieu, qui lui fait la faveur d'accepter son baiser d'hommage, mais qui n'en place pas moins rigoureusement son cœur sous clef, comme sa propriété assurée, et qui dicte ensuite ses commandements à son nouvel homme lige. Il lui explique quelles règles il devra suivre désormais dans son service : fuir vilenie; savoir se taire et, sur ce point, prendre pour modèle non pas la médisance de Keu, le sénéchal d'Arthur, mais la courtoisie de Gauvain; saluer les gens dans la rue avec beaucoup d'exactitude; éviter les mots malsonnants; honorer les femmes; ne pas être orgueilleux; se montrer « cointe » et élégant, porter des vêtements bien taillés, des chaussures si étroites que ce

soit problème pour un vilain de savoir comment on peut les mettre et les quitter, et, à la saison, un chapeau de roses; soigner ses ongles et ses dents, coudre ses manches, veiller à sa coiffure — toutefois ne pas se farder à la façon des mignons —; se tenir en joie et « envoiseüre », grâce à ces talents d'agrément : l'art de monter à cheval, de faire des armes, de chanter, de vieller, de flûter, de danser; être large et généreux; penser toujours à l'amour et s'y donner de tout son cœur. Malgré tous ces soins, explique encore le dieu d'Amour, des épreuves multiples attendent l'Amant : rêveries, peine à supporter l'absence, soupirs, impatiences, brûlures du cœur, timidité qui arrête l'aveu sur les lèvres, longues stations devant la demeure de la dame, angoisse lorsqu'on la rencontre, dépit de n'avoir pas su dire sa pensée, insomnies, illusions cruelles des songes, débats intérieurs, levers matinaux, tourments qui amaigrissent le corps et fatiguent le visage. Mais en ce rude service l'Amant trouvera aussi des occasions de réconfort : il rencontrera l'aide d'Espérance, celle de Doux Penser, qui lui remettra devant les yeux l'image aimée; celle de Doux Parler, qui enseigne la douceur des confidences faites à un ami également peiné d'amour; celle de Doux Regard enfin.

Laissé seul par le dieu d'Amour, Guillaume n'a plus en tête que d'approcher la Rose, quand se présente à lui un jeune homme de bonne mine : c'est Bel Accueil, fils de Courtoisie, qui le conduit vers le terme désiré. Le clos où se trouve la Rose est sévèrement gardé par Danger, par Male Bouche, par Honte, fille de Raison et de Méfait, et par Peur. Sur le don que Bel Accueil lui a fait d'une feuille verte cueillie près de la Rose, l'Amant s'enhardit à lui dire son vœu d'obtenir la Rose elle-même; mais le guide se récrie, et Danger, monstre horrible à voir, accourt, accable Bel Accueil de reproches et force l'Amant à repasser la haie.

Il se désespère. Raison, qui survient, lui remontre qu'il a eu tort de suivre Oiseuse, que la Rose est jalousement gardée, que le service d'Amour est mauvais pour l'homme; mais il reçoit mal la conseillère et s'obstine. Il retombe dans son affliction, jusqu'au moment où il se rappelle un des conseils d'Amour, qui lui a loué les bienfaits d'une confidence faite à un ami. Il va donc trouver Ami, qui lui donne l'idée de faire sa paix avec Danger. Revenu à la haie, il adoucit le redoutable gardien par ses paroles

Oiseuse conduit l'Amant vers Bel Accueil (Bibl. Sainte-Geneviève, ms. franç. 1126). — Cl. Larousse.

L'Amant, introduit par Oiseuse, pénètre dans le Jardin de Déduit. « Assez y fery et hurtay — Et maintes fois je escoutay — Se je orroie leans nulle ame. — Le guichet, qui estoit de charme, — Me ouvrit une pucellette — Qui assez estoit cointe et nette; — Cheveulx eut blons comme ung bassin, — La char plus tendre qu'ung poussin... » (British Museum, ms. Harley 4425, xve siècle.)

de soumission et obtient d'être pardonné, à la condition qu'il n'approchera plus des fleurs. Toutefois, ses larmes, tandis qu'il contemple la Rose de loin, ne toucheraient pas le cœur de Danger, si Franchise et Pitié n'obtenaient qu'il lui accorde au moins de revoir Bel Accueil.

Guidé par lui, l'Amant retrouve la Rose, maintenant à demi entrouverte, plus désirable que jamais, et, aidé par Vénus elle-même, il obtient de Bel Accueil la permission de donner un baiser à l'objet de tous ses désirs.

Il le donne; mais aussitôt Male Bouche, qui l'a vu, répand la nouvelle en tous lieux, tant et si bien que Jalousie l'apprend et entre dans une grande colère. Elle en fait grief à Bel Accueil, et aussi à Honte, qui n'a pas su veiller; et quoique celle-ci fasse effort pour la calmer et promette d'être désormais plus vigilante, Jalousie décide d'enclore les roses dans une forteresse, au milieu de laquelle on élèvera une tour pour emprisonner Bel Accueil.

Tandis que Honte et Peur, dépitées de la semonce qu'elles ont reçue, vont reprocher à Danger sa négligence et réveillent sa sévérité, le château formidable s'élève. Les roses y sont enfermées; Bel Accueil est emmuré dans la tour, sous la surveillance d'une vieille; Danger, Honte, Peur et Male Bouche gardent les quatre portes de la cité et, la nuit, Male Bouche guette aux créneaux. L'Amant exhale de longues plaintes... Et ici prend fin la première partie du roman.

Guillaume de Lorris était un homme cultivé : tout l'indique. Il savait le latin et, s'il gratifie Scipion du titre de roi, il n'en est pas moins bon clerc. Sa façon de poser, au début de ses développements, une idée générale, le tour de ses descriptions, son goût pour les jeux d'étymologie, son allusion, quand il fait le portrait du Temps, à la doctrine du perpétuel devenir, son récit de l'histoire de Narcisse, sont autant de traits qui dénoncent l'écrivain formé par l'école. Au reste, homme du monde, connaissant bien les lettres françaises, et particulièrement familier avec la poésie courtoise.

Il avait entrepris son roman, dit-il au début, pour plaire à sa dame, et au cours de son récit il rappelle cette intention, confessant qu'il espère d'elle sa récompense. Mais il est clair qu'en lui l'amant s'efface derrière l'homme de lettres, et que son principal dessein a été d'écrire un savant Art d'aimer.

Ce dessein était nouveau, mais non point tant qu'il le prétend, et son livre a plus d'une obligation à la littérature antérieure.

En effet, une foule d'écrivains avant lui avaient recouru à la fiction du songe. Ce procédé avait été employé par Fulgence, à l'imitation du *Songe de Scipion*, pour expliquer son excursion au pays des dieux; et à partir des *Dialogues* du pape Grégoire, il était devenu le moyen classique d'introduire des descriptions de l'autre monde. Tout un genre littéraire avait ainsi pris naissance : visions du Northumbrien, dans l'*Histoire ecclésiastique* de Bède; visions de Wettin, recueillies par l'abbé Hatton et mises en vers par Wahlafrid Strabon (le plus ancien et le plus complet prototype de la *Divine Comédie*); vision de Bernold, rapportée par Hincmar; vision d'Andrade. Au XIIᵉ siècle, le procédé restait toujours en honneur, comme en témoigne, entre tant de poèmes, l'*Apocalypse* de Hugues le Primat. Tous les textes que nous venons d'énumérer sont en latin; mais fréquents aussi sont les écrits français qui racontent des visions : c'est le cas des diverses traductions de la vision d'Owen relative au « purgatoire de saint Patrice », et aussi du *Songe d'enfer*, de la *Voie de Paradis*.

De même, l'emploi de la personnification et celui de l'allégorie étaient, au temps de Guillaume de Lorris, une mode très répandue et qui venait de loin.

La personnification, dont on trouve des exemples remarquables dans l'*Énéide* de Virgile et dans les *Métamorphoses* d'Apulée, fleurit dans la *Psychomachie* de Prudence et dans les *Noces de Philologie et de Mercure* de Martianus Capella, deux ouvrages qui ont compté parmi les grandes autorités du moyen âge. Quant à l'allégorie, elle fait le fond du *Physiologus*, du poème *De Phœnice*, attribué parfois à Lactance, et, depuis saint Hilaire et saint Ambroise, tous deux influencés par Philon le Juif, d'une foule de commentaires de la Bible. C'est sous l'empire de ce goût qu'ont été composées au XIIᵉ siècle trois œuvres de haute importance, devenues célèbres aussitôt que nées : l'*Architrenius* de Jean de Hanville, le *De planctu Naturae* et l'*Anticlaudianus* d'Alain de Lille, qui sont, sous une forme figurée, une critique de la corruption humaine au nom de la raison naturelle. Dans la littérature en langue française, la même disposition se manifeste, notable surtout chez deux auteurs : Raoul de Houdenc et Huon de Méry. Le premier de ces

LA CAROLE. Liesse mène la danse. (British Museum, ms. Harley 4425, XVᵉ siècle.) — CL. LAROUSSE.

deux poètes, en son *Roman des ailes*, usant d'un symbole déjà employé par le prédicateur Pierre le Lombard, développe ce thème que la vertu plane sur les deux ailes de « largesse » et de « courtoisie »; son roman du *Songe d'enfer*, récit d'une visite aux damnés, mêle singulièrement les données de la vie réelle aux entités d'un monde allégorique; et ce dernier ouvrage est revenu en mémoire à Huon de Méry lorsqu'il a composé son *Tournoiement de l'Antechrist*. Or, Huon de Méry et Raoul de Houdenc ont été connus tous deux de Guillaume de Lorris, et l'on notera, par surcroît, que la comparaison de la femme aimée avec une rose, développée dans le *Dit de la Rose*, petit poème peut-être antérieur à l'ouvrage de Guillaume, est en tout cas familière aux poètes lyriques et aux romanciers courtois les plus anciens, par exemple à Gautier d'Arras (*Eracle*, vers 2394 et suivants).

C'est ainsi que, loin d'innover, le roman de Guillaume de Lorris se classe dans un genre et applique des formules qu'une foule de poètes avaient déjà pratiqués. Mais il n'en est pas moins vrai que les matériaux empruntés çà et là ont été élaborés par lui avec maîtrise.

Le sens psychologique est le plus certain des mérites de notre conteur. Quand on prend la peine de démêler ce que cachent les ombres de son rêve, on découvre une réalité ferme et consistante, le développement d'un drame sentimental très voisin de la vie, une grande abondance de notations très fines et très vraies. Le malheur de Guillaume de Lorris est moins d'avoir eu des devanciers (la qualité de son goût lui a permis de les vaincre) que d'avoir été suivi de trop d'imitateurs moins bien doués que lui. Il avait fait la gageure de conter le conte le plus fantaisiste, sans que jamais on perdît de vue les formes du concret. Il l'a gagnée : d'autres après lui la perdront.

LE POÈME DE JEAN DE MEUNG

Ce sera le cas des innombrables faiseurs d'allégories du siècle suivant. C'est déjà le cas du continuateur immédiat de Guillaume de Lorris, Jean Clopinel (ou Chopinel), dit Jean de Meung.

Le roman de Guillaume passe pour inachevé. Au dire de Jean de Meung, Guillaume avait été interrompu par la mort, et ce témoignage est généralement accepté. En fait, bien que le récit s'arrête avant le succès de l'Amant,

PEUR ET HONTE DONNENT L'ALERTE A DANGER (Bibl. Sainte-Geneviève, ms. franç. 1126). — CL. LAROUSSE.

on peut se demander si le plan de Guillaume était de le conduire jusqu'à ce terme. Aucun des passages que l'on invoque parfois comme preuve de cette intention n'est probant; d'autre part, s'il faut attacher de l'importance à ce que le poète dit de ses intimes préoccupations sentimentales, et s'il s'est véritablement astreint, comme il l'assure, à mettre son récit en rapport avec sa propre vie, il est certain que la discrétion et le bon goût lui commandaient de ne pas s'attribuer dans son rêve un bonheur qu'il avoue n'avoir pas encore connu dans la réalité. Quoi qu'il en soit, que l'œuvre de Guillaume de Lorris doive être tenue ou non pour inachevée, Jean de Meung, la considérant ou affectant de la considérer comme telle, lui a donné une longue suite, qu'il a commencée vers l'an 1275 et menée à son terme vers l'an 1280.

Jean de Meung ressemblait aussi peu que possible à son devancier. Le moins qu'on puisse dire, c'est que, Guillaume de Lorris ayant été un artiste, il était, lui, un philosophe; et dans la mesure où Guillaume de Lorris avait une philosophie, celle de Jean de Meung en est exactement le contre-pied. Le premier, clerc enté de damoiseau, se présentait comme un mondain délicat, curieux d'élégance, comme un joli poète, attentif aux proportions et styliste nuancé. L'autre n'a rien du petit-maître et n'est point l'ami de la frivolité; pour lui, la poésie est un jeu sérieux : elle n'a pas pour objet de divertir, mais d'instruire; elle n'est pas une amusette, mais une occupation de sage. Quant à sa morale, elle s'exerce dans un domaine autrement large que celle des beaux seigneurs de la société courtoise; aux yeux de ce bourgeois, aimer n'est pas l'unique affaire. Aussi se demande-t-on comment a pu lui venir l'idée de continuer Guillaume de Lorris. Sa longue addition présente moins l'aspect d'une suite que d'une réfutation. Sans doute n'a-t-il vu dans le poème glorieux de son devancier qu'un cadre favorable pour y placer ce qu'il avait à dire; il aura voulu profiter de cette gloire pour pousser dans le monde ses idées personnelles : de même, le *Roman de Renart* a servi de véhicule à la pensée des épigones philosophes et moralistes du *Couronnement de Renart*, de *Renart le Nouvel*, et de *Renart le Contrefait*.

COLLOQUE DE JALOUSIE ET DE HONTE (Bibl. Sainte-Geneviève, ms. franç. 1126, milieu du XIVᵉ siècle). — CL. LAROUSSE.

LES VIOLENCES DU JALOUX (Bibliothèque Sainte-Geneviève, ms. franç. 1126, milieu du XIVᵉ siècle). — CL. LAROUSSE.

Quand prend fin le récit de Guillaume, l'Amant ne semble pas loin d'en venir à ses fins et de cueillir la Rose : cependant, il a fallu à Jean de Meung quelque dix-huit mille vers pour conduire son lecteur à ce dénouement. Renonçons à retrouver ici la belle ordonnance de la première partie : Jean de Meung marche à l'aventure, revient sur ses pas et repart, et, sans se mettre en frais d'invention, sans se soucier des redites, emprunte ingénument au premier poète la matière de ses épisodes. C'est ainsi que d'abord, devant l'Amant désespéré de voir la Rose enfermée par Jalousie, réapparaît Raison, avec laquelle il a un colloque de près de trois mille vers. Après quoi, las des sermons de Raison, l'Amant va de nouveau trouver Ami, dont les conseils lui ramènent Doux Penser et Doux Parler ; puis, s'étant engagé sur le chemin de Trop Donner, il se voit refuser l'entrée du verger par Richesse, dont il n'est pas l'ami. Alors, reparaît Amour, qui reprend l'Amant sous son empire et, après lui avoir imposé la récitation de ses dix commandements en manière de pénitence pour sa conversation avec Raison, décide de mettre le siège devant la tour où est enfermé Bel Accueil.

Le récit de ce siège, qui occupe un peu plus des dix mille derniers vers, constitue la partie véritablement nouvelle de l'intrigue. Mais, ici encore, Jean de Meung ne s'est pas fait scrupule de reprendre à Guillaume de Lorris l'idée de scènes entières. Amour convoque ses hommes et les harangue. Il est déjà fort privé, leur explique-t-il, de n'avoir plus ni Tibulle, ni Gallus, ni Catulle, ni Ovide : il s'agit aujourd'hui de tirer Bel Accueil de sa prison et de sauver du même coup Guillaume de Lorris, son bon serviteur, qui doit mettre en écrit ses préceptes dans un roman que continuera plus tard Jean de Meung. On répartit les missions : Faux Semblant et Abstinence Contrainte lutteront contre Male Bouche ; Courtoisie et Largesse contre la Vieille, geôlière de Bel Accueil ; Délit et Bien Celer contre Honte ; Hardement et Sûreté contre Peur ; Franchise et Pitié contre Danger. Vénus n'assiste pas au conseil : elle n'est la déesse que du plaisir. Richesse s'est dérobée ; mais Amour tirera vengeance de sa défection en ruinant les riches qui tomberont sous sa main. Quant à Faux Semblant, Amour regrette un peu sa présence, mais il ne peut se passer de son service.

On attaque. Se présentant comme des pèlerins, Faux Semblant, vêtu en jacobin, et Abstinence Contrainte, vêtue en béguine, vont saluer Male Bouche, qui gardait l'une des portes, et lui reprochent d'avoir médit de l'Amant : tandis que Male Bouche s'agenouille pour confesser son tort, Faux Semblant l'étrangle et lui coupe la langue. Puis, suivis de Largesse et de Courtoisie, les deux faux pèlerins pénètrent dans la place. Ils gagnent la Vieille, qui fait agréer à Bel Accueil un chapeau de fleurs et lui persuade de recevoir l'Amant. Celui-ci est introduit, à la faveur d'une absence de Jalousie ; mais, sur sa tentative de s'emparer de la Rose, Bel Accueil se récrie, et, en une scène empruntée à la première partie du roman, Danger, puis Honte et Peur accourent, châtient Bel Accueil et chassent l'Amant. Alors se livre une grande bataille. Danger subit l'assaut de Franchise : il la terrasse, mais il est vaincu par Pitié. Honte, appelée à la rescousse, est victorieuse de Pitié, puis de Délit ; mais elle est mise en fuite par Bien Celer. Peur, enfin, qui a triomphé de Bien Celer et de Hardement, est engagée dans un combat corps à corps avec Sûreté.

Inquiet du tour que prennent les événements, Amour envoie Franchise et Doux Regard demander du secours à Vénus, qui est l'ennemie mortelle de Chasteté. Vénus accourt, et avec elle Genius, chapelain de Nature, dont le discours relève le moral des troupes. L'armée s'élance. Honte et Peur prennent la fuite, et, à la prière de Courtoisie, de Franchise et de Pitié, Bel Accueil accorde à l'Amant le bonheur de cueillir la Rose.

Cette intrigue n'est que prétexte à introduire de nombreuses dissertations : ce sont, dans le colloque de l'Amant avec Raison, des considérations sur l'amour, la vieillesse, l'amitié, la fortune, la charité, la justice, avec renfort d'exemples pris dans l'Antiquité et dans les temps modernes ; — dans sa conversation avec Ami, des développements sur les premiers temps de l'humanité, sur l'origine de la propriété et des gouvernements, sur les désagréments du mariage ; — dans le dénombrement des troupes d'Amour, une ample diatribe contre les ordres mendiants ;

FAUX SEMBLANT TRANCHE LA GORGE A MALE BOUCHE (Bibl. Sainte-Geneviève, ms. franç. 1126). — CL. LAROUSSE.

— dans le récit de l'assaut final, un traité de près de cinq mille vers sur Nature et sur Art, sur l'alchimie, l'astronomie, la physique et toutes les sciences expérimentales.

Ces dissertations arrivent, d'ailleurs, au gré de l'association des idées, souvent hors de propos et contrairement aux intérêts de la fable. Pourtant elles sont un élément essentiel de l'œuvre; elles en sont même la substance. Ce sont elles qui ont passionné l'auteur : c'est pour les placer qu'il a écrit, c'est attirés par elles qu'aujourd'hui nous les lisons.

Jean de Meung est un érudit. Il avait parcouru très complètement le double cycle du *trivium* et du *quadrivium*; il était imbu de la science encyclopédique des Sept Arts. Sa lecture était vaste. Il a traduit des ouvrages très divers : le *De re militari* de Végèce, le *De mirabilibus Hiberniae* de Giraud de Barri, un traité de l'abbé Aelred sur l'amitié spirituelle, les lettres d'Abélard et Héloïse, le *De consolatione* de Boèce. Son roman touche à toutes sortes de sujets, soulève toutes sortes de questions dans l'ordre de la politique, de la morale et de la philosophie. C'est le livre d'un homme dont l'information est immense, et l'étude de ses sources aboutit à l'établissement d'une longue liste d'auteurs. Mais le plus remarquable n'est pas l'étendue de ses connaissances : c'est la pénétration de sa critique et la large ouverture de son esprit. Si peu poète que soit ce philosophe, il a compris en connaisseur très fin les poètes de l'antiquité et démêlé le charme propre du génie de chacun d'eux : on le voit à la façon dont il a imité la manière et d'Ovide, et de Virgile, et d'Horace. Il sait d'ailleurs, par-delà les fictions de la poésie, dépister les idées, où qu'elles se cachent. Entre tous les écrivains du moyen âge qui ont employé la langue vulgaire, il est le premier peut-être qui ait interprété les auteurs anciens avec autant de claire compréhension, et l'on doit regretter qu'il n'ait pas donné suite au projet qu'il annonçait dans son roman de gloser

JEAN DE MEUNG (Bibl. de l'Arsenal, ms. 5209, XIIIᵉ siècle). — CL. LAROUSSE.

Qu'onques ne trova fame juste :
« Il n'est nule qui ne se rie
S'ele ot parler de lecherie;
Ceste est pute, ceste se farde,
E ceste folement regarde;
Ceste est vilaine, ceste est fole
E ceste si a trop parole. »

Il était naturel que Raison, tâchant de détourner l'Amant de sa passion, le décourageât d'aimer les femmes; mais visiblement l'auteur a pris un plaisir personnel à développer ses arguments. Parmi les moyens qu'indique Ami pour atteindre la Rose, il y en a un qui consiste à prendre le chemin de Trop Donner, construit par Folle Largesse. Il ne le recommande pas; mais ce n'est point par égard pour la Rose : la voie est sûre et conduit droit au but; seulement, quand on s'y engage, il faut avoir Richesse pour alliée, et l'on risque toujours de tomber finalement au pouvoir de Pauvreté. C'est dans le même discours d'Ami que se trouve, sans attache au propos du roman, une longue tirade sur les tourments que le mariage apporte à l'homme, les déceptions de la coquetterie féminine, les trahisons qui mettent les maris en la « confrérie de saint Ernoul ». Car il n'y a personne qui échappe à la malice des femmes; et la leçon d'Ami s'achève par une série de préceptes d'assez basse envolée, qui permettent de déjouer cette malice dans la mesure du possible et qui ouvrent l'arsenal des ruses au profit des hommes. On pense si, dans le discours de trois mille vers où la Vieille s'emploie à corrompre la vertu de Bel Accueil, les femmes paraissent à leur avantage! Quel édifiant tableau la séductrice décrépite trace de sa jeunesse! Quelles belles exhortations, fondées sur

... des poetes les sentences,
Les fables et les metaphores.

Si loin que, dans son goût pour l'érudition, Jean de Meung se soit laissé entraîner hors du chemin tracé par son prédécesseur, il n'a pourtant pas manqué de faire leur place aux questions qui concernent l'amour, et une place assez large. Mais il en a traité dans un esprit tout à fait nouveau et qui heurte violemment celui de Guillaume de Lorris. Guillaume professait pour les femmes un profond respect, comme le voulait la doctrine courtoise, comme l'ordonnait le dieu d'Amour :

« Toutes fames serf et eneure;
En eus servir poine et labeure. »

Il en va tout autrement de Jean de Meung, et son attitude est tout justement celle de Male Bouche qui, dans la première partie du roman, chantait

L'AMOUR DÉCOCHE UN TRAIT A L'AMANT (Bibl. Sainte-Geneviève, ms. franç. 1126, XIVᵉ siècle). — CL. LAROUSSE.

d'illustres exemples, à fuir une ruineuse fidélité ! Quelle savante énumération de commandements propres à soumettre les hommes à son caprice ! Il n'y a pas à s'étonner si, prévenu de la sorte à l'égard des femmes, Jean de Meung attribue un rôle important à Faux Semblant dans l'assaut du château de Bel Accueil et s'il le charge spécialement d'étrangler Male Bouche. Mais quelle horreur indignée a dû inspirer aux belles âmes férues de courtoisie cette glorification des « traîtres » et des « losengiers » !

Au reste, Jean de Meung n'est pas l'ennemi de l'amour ; mais il le comprend à sa manière. Son Art d'aimer — car lui aussi entend écrire un Art d'aimer — exclut les illusions et l'exaltation frivole de la mondanité. Trêve à ce culte de la femme, où se mêlent les rêveries de l'imagination et les leurres de la volupté ! Raison insiste sur cette idée que l'amour a pour unique objet la continuation de l'espèce, que le principe en est l'instinct qui pousse les êtres vivants les uns vers les autres, qui leur fait désirer une descendance et qui leur ordonne de nourrir leur progéniture. Et finalement qui donc réussit à forcer les murailles épaisses où Bel Accueil est prisonnier ? C'est Vénus, l'ardente déesse des sens, et qui travaille les corps ; c'est Nature, la puissance souveraine qui forge les espèces et lutte contre la mort.

Voilà l'idée profonde de Jean de Meung : l'amour est une force naturelle, rien de moins, mais rien de plus. Et avec le château dressé par Jalousie, ce qui s'écroule, au terme du roman, c'est l'édifice sentimental dont la première pierre avait été posée sur le sol de France par Éléonore d'Aquitaine.

Son regard hardi, Jean ne l'a pas porté seulement sur l'amour. En cours de route, il a eu l'occasion de s'arrêter à beaucoup d'autres sujets, et il l'a fait selon le même libre esprit. Il est exempt de superstitions, ne croit ni aux songes, ni aux revenants, ni aux prophéties ; et les phénomènes naturels ne frappent pas son imagination, ni les éclipses, ni les étoiles filantes, ni les comètes. Il serait exagéré de le qualifier de rationaliste, mais sa raison est toujours en éveil et parle avec courage, presque avec audace.

Qu'il ait pris à partie, et vertement, les ordres mendiants, c'est un péril dont plusieurs autres poètes du même temps se sont offert l'âpre joie, et la façon dont il amène la satire de l'hypocrisie fait penser que c'était un lieu commun. De même, il s'exprime avec indépendance sur le compte de la noblesse, disant, excellemment d'ailleurs :

Ge respons que nus* n'est gentis	*personne.
S'il n'est as vertus ententis*,	*appliqué.
Ne n'est vilains, fors par ses vices	
Dont il pert* outrageus et nices	*il se révèle.
Noblece vient de bon corage,	
Car gentillece de lignage	
N'est pas gentillece que vaille.	

Mais il n'était pas le premier à donner l'exemple d'une telle indépendance ; et l'idée que formulent ces vers se trouve déjà dans le *Jugurtha* de Salluste, qu'il connaissait bien. Il n'en reste pas moins que sur d'autres points il a fait preuve d'une hardiesse de pensée qui est son mérite propre. On ne peut méconnaître, par exemple, la portée du parallèle qu'il établit entre la justice et la charité ; et commentant le premier livre des *Métamorphoses* d'Ovide, il retrace les origines de la propriété et des gouvernements avec une liberté presque révolutionnaire. On se demande si un roi pouvait se plaire à entendre expliquer la formation des royautés en un récit qui commence par ces vers :

Un grant vilain entre eux eslurent,
Le plus ossu de quanqu'il furent,
Le plus corsu et le greignor,
Si le firent prince et seignor...

Comment ces audaces de pensée et de langage furent-elles accueillies par ses contemporains ? On le sait mal.

Peut-être, pour notre part, sommes-nous aujourd'hui enclins à en exagérer l'importance. Elles ne lui étaient pas tellement personnelles ; et plus d'une de ses idées principales a été exprimée dès le XIIᵉ siècle par des écrivains français écrivant en latin, dont il a exploité les œuvres. Si, dans l'intervalle d'une centaine d'années, quelque chose a changé, ce n'est pas le fond de l'esprit : c'est seulement que des idées, d'abord enfermées dans le cercle des écoles, se sont ensuite propagées dans le monde et ont gagné, sous l'expression française, des publics de plus en plus larges. Aussi ne semble-t-il pas que Jean de Meung ait fait scandale : il a dédié sa traduction de Végèce à Jean de Brienne, comte d'Eu ; sa traduction de Boèce, au roi Philippe le Bel ; il a probablement été l'obligé de Charles d'Anjou et de Robert d'Artois ; et il a écrit dans son *Testament* (si toutefois ce poème est bien son œuvre) :

Dieus m'a doné servir les plus granz genz de France.

C'est dire qu'il était accepté.

Sans doute, a-t-il dû s'acquérir de bonne heure une réputation d'esprit extrêmement libre, au point de se plaire dans la facétie posthume : il aurait, à ce que raconte Jean Bouchet, légué aux Jacobins de Paris, ses voisins, à charge pour eux de l'inhumer dans leur église, un coffre qu'ils croyaient rempli de pièces d'argent, et qui ne contenait que des feuilles d'ardoise. Mais sa popularité n'aurait pas été d'emblée aussi grande, s'il n'avait pas été surtout servi par des dons d'écrivain : la disposition d'un vocabulaire vigoureux, le sens de la couleur et de la vie, et principalement un entrain et une verve qui font de sa phrase, tumultueuse et bouillonnante, une manière de torrent.

Son succès a duré trois siècles, fondé à la fois sur ses mérites d'homme de plume, qui étaient réels, et sur ceux de sa pensée, dont on exagérait, faute de connaître ses devanciers, l'originalité. Il eut des ennemis, qui, outre son immoralité et ses attaques contre les femmes, lui reprochaient la crudité de son langage : et bientôt nous aurons à retracer la querelle du *Roman de la Rose*.

Il eut ses partisans, qui l'admirèrent tantôt comme écrivain, tantôt comme philosophe : Marot donna, en 1527, une édition du *Roman de la Rose*, et les grands ouvriers de la Renaissance, en particulier Ronsard et Baïf, si sévères pour les auteurs du moyen âge, non seulement furent indulgents à Jean de Meung, mais le louèrent expressément. Mais Étienne Pasquier, associant dans un commun éloge Guillaume de Lorris et Jean de Meung, s'est exprimé de cette façon :

« Recherchez-vous la philosophie naturelle ou morale ? Elle ne leur défaut au besoin. Voulez-vous quelques sages traits ? Les voulez-vous de folie ? Vous y en trouverez à suffisance : traits de folie toutes fois dont vous pourrez vous faire sages. Il n'est pas que, quand il faut repasser sur la théologie, ils ne montrent n'y être aprentifs. »

On a appelé Jean de Meung le Voltaire du XIIIᵉ siècle. C'est beaucoup dire. Parler à son propos de libre pensée ou de matérialisme, c'est introduire entre son cas et d'autres des analogies trompeuses. Mais il faut seulement constater qu'il avait le goût des idées, qu'il a su les lier en une sorte de système, dont l'unité intime, sinon formelle, est assurée par un appel aux lois de la nature, et qu'en son intelligence robuste ont brillé quelques-unes de ces lumières dont s'enorgueillit l'esprit moderne.

En tout cas, de son temps, il a admirablement incarné l'esprit d'une génération qui, héritière du passé, en continuait les vertus agissantes. La hardiesse de pensée qui s'était manifestée au XIIᵉ siècle dans le monde des écoles avait été progressivement amortie, à partir de 1230, par l'imposition d'une discipline d'autorité ; mais, contenue dans ce monde-là, rien ne pouvait empêcher qu'elle continuât à produire au-dehors d'irrésistibles effets.

IX. — LES HISTORIENS ET LES CHRONIQUEURS

LES DERNIERS HISTORIENS ANGLO-NORMANDS

L'histoire de Guillaume le Maréchal, comte de Striguil et de Pembroke, régent d'Angleterre de 1216 à 1219, *publiée pour la Société de l'histoire de France par Paul Meyer, 3 vol., 1891-1901.* — The Chronicle of Pierre de Langtoft, in french verse, *edited by Thomas Wright (dans la collection dite du Maître des rôles), Londres, 2 vol., 1866-1868.*

On l'a vu : les ducs de Normandie, rois d'Angleterre, et les seigneurs de leurs domaines n'ont cessé, dans la seconde moitié du XIIᵉ siècle, de patronner de nombreux rimeurs, qu'ils chargeaient de « remembrer » les hauts faits de leurs ancêtres ou de célébrer leur propre gloire.

Cette méthode subsistait encore au XIIIᵉ siècle dans l'aristocratie anglaise, à telles enseignes que, vers l'an 1220, un haut baron fit composer en vers français, d'après des documents fournis par lui, une ample biographie de son père, Guillaume le Maréchal, comte de Striguil et de Pembroke (1140-1219).

Le ménestrel qu'il choisit pour écrire ce panégyrique s'est acquitté de la tâche avec adresse. On le louerait plus volontiers si son moderne éditeur ne l'avait indiscrètement comparé, égalé, préféré à Villehardouin, à Joinville et à Froissart : mieux vaudrait un franc ennemi. Le seul fait que le biographe de Guillaume le Maréchal a travaillé sur commande et de seconde main interdit de telles comparaisons. Il reste qu'il écrivait le plus pur français de France, que ses récits sont vifs et colorés : il prolonge dignement la lignée de Wace, de Benoît de Sainte-Maure et de Geoffroy Gaimar.

Cette lignée, d'ailleurs, va bientôt s'éteindre. Il se rencontrera encore au début du XIVᵉ siècle, peu après l'an 1311, un chroniqueur, Pierre de Langtoft, chanoine de Bridlington en Yorkshire, pour composer en vers français (9 000 alexandrins) un abrégé de l'histoire d'Angleterre depuis les origines jusqu'à la mort d'Édouard Iᵉʳ (1306) : ce sera le dernier effort d'une tradition épuisée.

L'HISTORIOGRAPHIE EN FRANCE

LES PREMIERS ESSAIS D'HISTOIRE DE FRANCE EN FRANÇAIS

Tote l'istoire de France, chronique saintongeaise, *edited by F.-W. Bourdillon, Londres, 1897. — Des deux ouvrages de l'Anonyme de Béthune, l'un, son* Histoire des ducs de Normandie, rois d'Angleterre, *a été publié pour la Société de l'histoire de France par Francisque Michel, en 1840 ; l'autre, sa* Chronique des rois de France, *est resté en grande partie inédit. Léopold Delisle n'en a imprimé, au t. XXIV, p. 750-777, du*

Recueil des historiens des Gaules et de la France, que les dernières pages, relatives au règne de Philippe Auguste. — Sur le Ménestrel d'Alphonse de Poitiers, voir Aug. Molinier, les Sources de l'histoire de France, nᵒ 2 216.

Du moins un foyer d'historiographie en français s'était allumé de bonne heure en Angleterre. Que n'en fut-il de même en France ? *Sint Maecenates !...* Si l'on considère le foisonnement des livres d'histoire, annales et chroniques, qu'avaient multipliés au cours des âges les grandes abbayes de Saint-Benoît-sur-Loire, de Saint-Remy-de-Reims, de Saint-Germain-des-Prés ; si l'on se rappelle au hasard les noms d'historiens tels que Richer, Flodoard, Gerbert, Suger, on s'étonne que des siècles aient pu s'écouler sans que l'idée vînt à un seul seigneur de France de se faire traduire un seul de ces livres latins. Privés de toute chronique en langue vulgaire, réduits à de vagues on-dit, quelle image informe et dérisoire de leur pays devaient se former, au temps de Louis VII ou de Philippe Auguste, et plus tard encore, les laïques les plus cultivés ? Comment un haut seigneur, voire un roi de France, pouvait-il savoir quoi que ce fût du passé, même récent, de sa propre maison ? Ce n'est pourtant qu'au XIIIᵉ siècle qu'on vit poindre dans le monde seigneurial et se propager peu à peu, avec quelle lenteur ! la curiosité de l'histoire. Observons les premiers symptômes de cet éveil.

Un écrivain du XIVᵉ siècle, Jacques de Guise, dit avoir manié un livre, aujourd'hui perdu, qu'on appelait l'« Histoire de Baudoin », du nom de Baudoin IX, comte de Flandre, qui l'avait fait composer peu avant son départ pour la croisade de 1202 : c'était, *in gallico idiomate*, une sorte de Chronique universelle. Par malheur, nous ne sommes pas autrement renseignés sur cet ouvrage. Nous ignorons tout de sa valeur, de sa portée, de son action, et nous ne savons pas quelle place y pouvait tenir l'histoire de France.

Tote l'istoire de France !... Un tout petit livre, écrit en dialecte saintongeais vers l'an 1225, se pare de ce titre surprenant. Ce n'est, hélas ! que la traduction d'une courte chronique latine émanée de Saint-Eutrope de Saintes : « tote l'istoire de France » s'y réduit à des notions relatives à ce sanctuaire et à quelques autres églises de la région. Mais voici enfin une tentative plus digne de mémoire, celle de l'Anonyme de Béthune.

On appelle ainsi un personnage — fut-il chevalier ou ménestrel ? on ne sait — qui, de 1213 à 1216, suivit à la guerre, tantôt dans les Flandres, tantôt en Angleterre, Robert VII de Béthune, son seigneur.

Il composa, pour raconter ces campagnes, deux chroniques en prose ; mais, parce qu'il avait le goût du rétrospectif, il les munit l'une et l'autre d'un long prologue. L'une commence par une histoire sommaire des ducs de Normandie, rois d'Angleterre ; l'autre, par une histoire sommaire des rois de France. C'était une grande nouveauté. Selon toute vraisemblance — si l'on met à part le cas de Baudouin IX de Flandre —, Robert VII de Béthune est le premier seigneur laïque auquel il aura

SAINT LOUIS PORTANT LE MODÈLE DE LA SAINTE-CHAPELLE, d'après les « Grandes Chroniques de France » (Bibl. Sainte-Geneviève, ms. 782, XIVᵉ siècle). — CL. LAROUSSE.

été donné de se faire lire, vers l'an 1225, un « roman » où, depuis « la noble lignée de Troie », depuis Mérovée et Clovis jusqu'à Philippe Auguste, lès gestes de France étaient racontées en une narration suivie.

L'Anonyme de Béthune, il va sans dire, n'avait fait que traduire. Pour le règne de Charlemagne, il avait traduit la Chronique du prétendu Turpin; pour le règne des autres rois jusqu'à l'an 1182, il avait traduit un livre composé par quelque clerc en 1205, l'*Historia regum Francorum*, sorte d'*Epitome* qui peut être réputé le premier en date des Manuels de l'histoire de France.

Trente-cinq ans plus tard, vers l'an 1260, Alphonse de Poitiers, frère de Saint Louis, chargeait un de ses ménestrels de composer à son usage une petite histoire des rois. Ce ménestrel procéda tout comme avait fait l'Anonyme de Béthune : il traduisit, pour l'offrir à son maître, la même *Historia regum Francorum* (en y ajoutant, pour le règne de Louis VIII, une traduction du *Speculum historiale* de Vincent de Beauvais).

Nous voici à la fin du règne de Saint Louis. Hormis ces deux chétives entreprises, qui se ressemblent tant, celle de l'Anonyme de Béthune, celle du Ménestrel d'Alphonse de Poitiers, rien n'avait encore été tenté pour communiquer aux laïques le savoir des clercs. Mais l'abbaye de Saint-Denis va se mettre à l'ouvrage.

PHILIPPE III LE HARDI. Statue tombale de l'abbaye de Saint-Denis. — CL. GIRAUDON.

le haut privilège lui était presque officiellement conféré d'écrire l'histoire de France : pouvait-elle s'en tenir désormais à l'écrire en latin? Elle connaissait — on en a des preuves — les deux livres en français déjà composés à l'intention de l'élite des seigneurs et des bourgeois : celui de l'Anonyme de Béthune et celui du Ménestrel d'Alphonse de Poitiers. Les religieux de la « maistre abeïe » eurent regret sans doute de s'être laissé devancer.

Toujours est-il qu'un jour — ce fut probablement en l'an 1274 — l'abbé de Saint-Denis, ce Mathieu de Vendôme que naguère, à son départ pour la croisade de Tunis, Saint Louis avait choisi comme régent du royaume, se présenta devant Philippe le Hardi. Ses moines l'escortaient. L'un d'eux, nommé Primat, s'agenouilla devant le roi et lui offrit un livre qu'il venait d'achever : *les Grandes Chroniques de France*.

Primat avait translaté en une saine et forte prose française, non pas, comme ses devanciers, quelque modeste manuel, mais tout l'ample *corpus* dionysien des anciens chroniqueurs, depuis Aimoin jusqu'à Rigõrd. Ce long travail, il l'avait entrepris, dit-il, « par le commandement de tel homme qu'il ne put ni ne dut refuser » : c'est Saint Louis qu'il a voulu désigner. On lit dans sa préface : « Ceste estoire est mireors de vie; ci pourra chascuns trover bien et mal, bel et lait, sens et folie, et faire son preu *(son profit)* de tout. »

LES « GRANDES CHRONIQUES DE FRANCE »

Les Grandes Chroniques de France, selon qu'elles sont conservées en l'église de Saint-Denis, *p. p. Paulin Paris, 6 vol., 1836-1839.* — *Une autre édition, entreprise par Jules Viard, est en cours de publication (collection de la Société de l'histoire de France), t. I, 1920. La publication en est actuellement au t. IX.*

L'abbaye de Saint-Denis, gardienne des tombes royales et de l'oriflamme, passait pour s'être constitué de bonne heure un autre trésor, un riche dépôt de documents d'histoire. Les auteurs des chansons de geste ne se lassent pas de célébrer le « mostier seignori »,

La ou les gestes de France sont escrites.

En sa « librarie », disent-ils, sont conservés les « rolles », les livres « de vraie estoire », « de grant ancesserie ». De fait, nous avons conservé plusieurs manuscrits du XIIe et du XIIIe siècle, qui ont été écrits par des religieux de cette maison : on y trouve, rangées en bel ordre et reliées entre elles par des pièces de raccord, les plus célèbres chroniques latines, les *Gesta Dagoberti* d'Aimoin, puis les *Annales Laurissenses*, puis la *Vita Caroli* d'Éginhard, etc., et chacun de ces recueils, dont une tradition vraisemblable attribue à Suger la première idée, forme une histoire continue de la France.

Or l'abbaye ne s'était pas contentée d'assembler de vieilles chroniques des temps anciens; pour les périodes récentes, elle en composait de nouvelles. Après Suger, biographe de Louis VI, elle avait compté parmi ses moines Rigord, biographe de Philippe Auguste. Au XIIIe siècle,

En ces propos pleins de simplicité et de grandeur, et aussi dans l'éloge magnifique qu'il fait de la nation française, « fort et fière et cruel contre ses anemis et pourtant misericors et debonaire, et dame renommée seur autres nations », c'est sans doute la voix même de Saint Louis qu'il faut reconnaître.

Vingt ans plus tard, le recueil de Primat s'augmentait des biographies de Louis IX et de Philippe III, composées par Guillaume de Nangis, autre religieux de Saint-Denis; et ainsi continûment; et chacune de ces biographies est un modèle de sincère et grave simplicité.

A partir de Charles V, la charge de continuer l'ouvrage sera transférée à des laïques, comme Pierre d'Orgemont, chancelier de France, mais qui resteront fidèles à l'esprit de l'abbaye, esprit de candeur et de probité. Aussi la vénération qui, dès le temps de Primat, s'était attachée à ce recueil se maintint à travers les âges, s'accrut à mesure que Juvénal des Ursins, puis Alain Chartier, puis Jean Castel, puis Pierre Desreys l'enrichissaient de compléments, et le premier livre français qui ait été imprimé en France est une édition, en trois volumes in-folio, datée du 16 janvier 1476 (nouveau style, 1477), des *Grandes Chroniques*.

Du XIIIe siècle au XVIIe, cette belle Vulgate de notre histoire a grandement agi sur les imaginations et sur les cœurs. Elle a servi à propager hors du monde étroit des clercs, en opposition à l'idée féodale, l'idée nationale, l'idée de la nation une et indivisible : car c'est d'abord et surtout par elle que des générations de Français ont appris à remonter vers leurs plus lointains ancêtres et à se reconnaître entre eux.

AUTOUR DES « GRANDES CHRONIQUES »

Chronique de Philippe Mousket, *publiée par le baron de Reiffenberg (collection des* Chroniques belges), *Bruxelles, 2 vol., 1836-1838.* — Récits d'un ménestrel de Reims, *publiés par Natalis de Wailly, pour la Société de l'histoire de France, 1876. (Le même ouvrage a été publié sous le titre de* Chronique de Rains *par Louis Paris en 1837, et sous le titre de* Chronique de Flandre et des croisades *par de Smet en 1856, dans le* Corpus chronicorum Flandriæ, *t. III.)* — *On trouvera dans Potthast,* Bibliotheca historica medii ævi, *t. I, p. 269, la liste des éditions (partielles) de la* Chronique de Hainaut *(de Pharamond à l'an 1278), dite de Baudoin d'Avesnes.*

On mesure mieux le bienfait d'un livre tel que les *Grandes Chroniques* si l'on compare au grave et digne Primat deux historiens venus un peu avant lui et qui ne lui ressemblent guère, Philippe Mousket et le Ménestrel de Reims.

PHILIPPE MOUSKET. — C'était un riche bourgeois, issu d'une famille échevinale de Tournai. Il s'est laborieusement appliqué, vers l'an 1240 ou 1250, à composer une Chronique rimée des rois de France : elle commence, comme il convient, au siège de Troie, s'étend indéfiniment sur le règne de Charlemagne, et se poursuit jusqu'à l'an 1241. Cette rhapsodie, en 31 000 octosyllabes très prosaïques, est surtout une adaptation d'un manuel latin que propageait l'abbaye de Saint-Denis, l'*Abbreviatio gestarum regum Francorum*, mais enrichie d'emprunts à d'autres sources et agrémentée de récits fabuleux tirés des chansons de geste, que ce crédule compilateur prenait pour des documents dignes de foi.

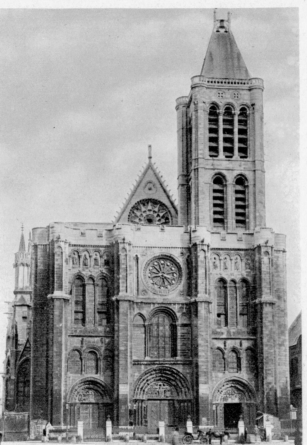

L'ÉGLISE ABBATIALE DE SAINT-DENIS. — CL. H. GUINOT.

LE MÉNESTREL DE REIMS. — Philippe Mousket a « romancé » l'histoire par naïveté ; le Ménestrel de Reims, par légèreté. On intitule *Récits d'un Ménestrel de Reims* un étrange petit livre, écrit après 1260, avant 1270. C'est un répertoire d'anecdotes pittoresques, recueillies dans un passé récent : les plus anciennes se réfèrent à la seconde croisade. L'auteur les raconte à bâtons rompus, non sans esprit, non sans grâce, et les allures de son style alerte, dégagé, sûr, bien rythmé, tendent visiblement à ménager des effets de lecture à haute voix. Les ménestrels, ses confrères, lisaient ainsi ou récitaient devant les seigneurs des romans et des fabliaux : ce sont bien aussi, le plus souvent, des romans et des fabliaux qu'il leur conte, sous prétexte d'histoire. Non que la vérité soit toujours exclue de ses récits : mais elle n'y entre que comme accessoire de la fiction et à condition qu'elle soit divertissante. Voici le fabliau d'Éléonore d'Aquitaine, amoureuse de

Saladin ; voici le petit roman conjugal de Guy de Lusignan et de Sibylle, et le mélodramatique roman du suicide de Henri II d'Angleterre, — toutes inventions du Ménestrel, tous gages de son indifférence au vrai, et, en dernière analyse, de son incuriosité. Son éditeur, de Wailly, a dressé un inventaire édifiant de ses anachronismes, de ses coq-à-l'âne, de ses bourdes, souvent voulues. « Le Ménestrel, conclut-il, trompe sans scrupule ses auditeurs. Il ne se croit pas obligé en conscience de vérifier les faits qu'il ignore, ni de respecter les faits qu'il connaît. » Que lui importe de tromper, s'il amuse ?

Ni Philippe Mousket, ni le Ménestrel de Reims n'ont connu les *Grandes Chroniques de France* : venus un peu plus tard, auraient-ils demandé à Primat des leçons propres à les guérir, l'un de sa naïveté, l'autre de son pédantisme à la cavalière ? Ce n'est guère probable. Ce qui est sûr, c'est que les *Grandes Chroniques* ont puissamment contribué à former, pour faire contraste aux publics amis de l'histoire amusante, un public ami de l'histoire tout court.

HISTOIRES DES GRECS ET DES ROMAINS

Des extraits du poème de Calandre sur l'histoire romaine ont été publiés par F. Settegast, au t. III (1878) des Romanische Studien. *Sur « les premières compilations françaises d'histoire ancienne », voir un mémoire de Paul Meyer, au t. XIV (1885) de la* Romania. [Li Fet des Romains *ont été publiés par L.-F. Flutre et K. Sneyders de Vogel, 3 vol., 1938.*]

Nos ancêtres se répétaient avec complaisance que leur mission était de remplacer en ce monde les Grecs et les Romains. Chrétien de Troyes l'avait dit dans le prologue de son roman de *Cligès* ; au début des *Grandes Chroniques*, Primat le redit, en ces termes : « En trois regions ont habité Clergie et Chevalerie. En Grece regnerent premierement, car en la cité d'Athenes fu jadis le puis de philosophie et en Grece la flors de chevalerie ; de Grece vindrent puis à Rome ; de Rome sont en France venues : Dieus par sa grace vuelle que longuement i soient maintenues à la loenge et à la gloire de son nom ! » C'est sous l'empire de cette idée que furent écrites, en français, au XIIIe siècle, plusieurs histoires de la Grèce et de Rome, et cela, chose curieuse, à des dates où personne encore n'avait entrepris d'écrire en français l'histoire de France. Dès le début du siècle, un rimeur nommé Calandre dédia au duc Ferry II de Lorraine (1206-1213) un petit poème, en 7 000 octosyllabes, où il avait « enromancié » un abrégé latin d'Orose. Entre 1223 et 1230, un clerc attaché à la maison de Roger, châtelain de Lille, offrit à ce seigneur une histoire en prose (quelques épisodes sont traités en vers) de l'Antiquité grecque et de l'Antiquité romaine jusqu'à César. Presque

dans le même temps, un anonyme rédigea en prose *li Fait des Romains* ou *Livre de César*, ouvrage dont de très nombreuses copies nous attestent le succès. Succès mérité, car l'auteur, au lieu de traduire et de compiler, a confronté l'*Histoire* de Salluste, les *Commentaires* de César, la *Pharsale* de Lucain; il a su discerner en bon critique les vrais problèmes, peser les témoignages, proposer les meilleures solutions.

Remarquons, au terme de notre revue, que ces entreprises d'historiographie du XIIIᵉ siècle obéissent presque toutes à un même rythme, reproduisent la même succession de phénomènes. Toujours on commence par de modestes traductions ou adaptations d'ouvrages latins : mais la plupart de ces travaux conduisent à des compositions plus originales. C'est ainsi que l'Anonyme de Béthune, simple traducteur de vieilles chroniques, se transforme, quand il en vient aux événements de son temps, en un chroniqueur qui compose librement ses récits. De même, le Ménestrel d'Alphonse de Poitiers. Par là s'accrédite l'idée que l'histoire peut s'écrire directement en français, et qu'elle doit s'écrire en prose plutôt qu'en vers. C'est le cas des *Chroniques de Hainaut*, dites de Baudouin d'Avesnes, du nom du seigneur qui, vers l'an 1278, en provoqua la composition : elles furent rédigées d'emblée en langue vulgaire. C'est, à partir du XIVᵉ siècle, le cas des *Grandes Chroniques de France*. C'est aussi le cas des Chroniques de Terre sainte, dont nous allons maintenant parler.
De là, pour la prose française, un grand accroissement de dignité.

LES HISTORIENS ET LES CHRONIQUEURS DES CROISADES ET DE L'ORIENT LATIN

Quand l'historien byzantin Nicétas Choniate, en sa chronique ornée et fleurie, dépeint les conquérants francs de Constantinople, il les traite avec plus de mépris encore que de haine : il ne voit en eux que « des Barbares contempteurs du Beau », τοῦ καλοῦ ἀνέραστοι βάρβαροι. La postérité en peut juger autrement. La flotte qui appareilla de Venise en 1203 emportait plusieurs poètes raffinés : Conon de Béthune, le Châtelain de Coucy, Hugues de Berzé, Rambaut de Vaqueiras le Troubadour. L'un des chefs de la croisade était ce jeune prince lettré, Baudoin IX de Flandre, qui avait fait écrire en prose française une Histoire universelle. Et trois de ses compagnons : Geoffroy de

Villehardouin, Robert de Clary, Henri de Valenciennes, devaient nous léguer des relations de la conquête dont la beauté morale et la beauté littéraire eussent grandement surpris Nicétas, leur émule byzantin.

GEOFFROY DE VILLEHARDOUIN

La Chronique de Villehardouin a été imprimée pour la première fois en 1585, par Blaise de Vigenère. L'édition qu'en a donnée Du Cange (l'Histoire de l'empire de Constantinople, 1657) reste justement célèbre. Les éditeurs de Villehardouin au XIXᵉ siècle furent dom Brial (1822), Paulin Paris (1838), Buchon (1840), Natalis de Wailly (1871, 1872, 1874, 1882), Emile Bouchet (1891). [Villehardouin, la Conquête de Constantinople, éditée et traduite par Edmond Faral, dans la collection les Classiques de l'histoire de France au moyen âge, 2 vol., 1938-1939.]

Voir les études de Daunou (Histoire littéraire de la France, t. XVII, 1832), de Sainte-Beuve (Causeries du lundi, t. IX), d'Alfred Jeanroy (Gaston Paris et Alfred Jeanroy, Extraits des chroniqueurs français du moyen âge, 1892). [Voir A. Pauphilet, dans la Romania, t. LVII, 1931, p. 289; E. Faral, dans la Revue historique, t. CLXXVII, 1936, p. 530, et Jean Longnon, Recherches sur la vie de Geoffroy de Villehardouin, 1939.]

Geoffroy de Villehardouin naquit en 1152 au plus tard, sans doute sur le fief champenois dont il porte le nom (aujourd'hui simple commune du département de l'Aube, arrondissement de Troyes, canton de Piney). On ne sait rien de sa jeunesse. Il exerçait déjà, comme avait fait son père, la charge de maréchal de Champagne et était âgé d'au moins trente-huit ans quand, à l'exemple de son suzerain, le comte Thibaut III, qui s'était croisé au tournoi d'Écry-sur-Aisne (28 novembre 1199), il se croisa lui aussi. Il commença presque aussitôt à jouer un rôle de premier plan, puisqu'il fut l'un des six messagers que les barons de France chargèrent de négocier avec la seigneurie de Venise les conditions de leur transport outre-mer (février-mars 1201). Il suivit donc les prodigieuses fortunes de cette petite armée qui, composée de vingt mille Français au plus et d'un faible contingent d'alliés vénitiens et lombards, se concentra à Venise au printemps de l'an 1202 et prit la mer le 8 octobre; mais qui, au lieu de cingler vers les pays musulmans, atterrit sur la côte dalmate et conquit Zara le 17 novembre; puis conquit Constantinople par deux fois, le 28 juin 1203

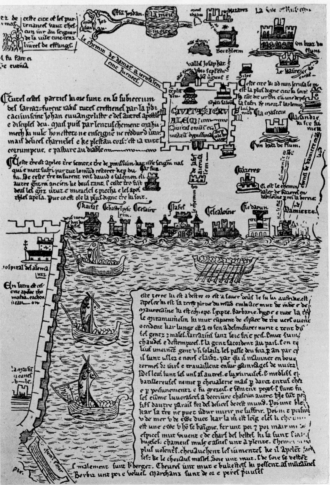

LES COTES DE L'ÉGYPTE ET DE LA SYRIE ET LES LIEUX SAINTS. Fragment de l'Itinéraire d'un pèlerin de Londres à Jérusalem (d'après un manuscrit de la « Chronique de Mathieu Paris » conservé au British Museum, XIIIᵉ siècle). — CL. LAROUSSE.

LE BOSPHORE ET LES RUINES DU CHATEAU D'EUROPE. — CL. SEBAH ET JOAILLIER.

et le 13 avril 1204; puis conquit la Thrace et la Macédoine et la Grèce et l'Archipel, et fonda sur les ruines de l'empire byzantin l'empire latin d'Orient. Par sa sagesse dans les conseils et par ses talents de capitaine, Villehardouin avait, au cours de ces événements, gagné l'amitié et la reconnaissance des principaux chefs : le marquis Boniface de Montferrat, le comte Baudouin de Flandre, le doge Dandolo. Ils le récompensèrent en lui octroyant le fief de Messinople en Thrace, et le petit banneret champenois était devenu un des plus hauts barons du nouvel empire au jour où il entreprit, sans doute vers l'an 1207, d'écrire sa Chronique. Sa Chronique, il la signe « Joffroy de Villehardouin, le mareschal de Romenie et de Champaigne », et l'étrangeté de ce double titre résume l'étrangeté de sa destinée. Il mourut en Orient, l'an 1212 et peu après, sans avoir revu la France.

Il aura suffi de cette brève et sèche notice biographique pour rappeler l'un des épisodes les plus surprenants, les plus mystérieux, et, au sentiment de plusieurs, les plus honteux de notre histoire. Ces conquérants, qui ont ravagé tant de terres, rien que des terres chrétiennes, qui ont répandu le sang de tant d'ennemis, rien que du sang chrétien, c'est pour le service de Dieu, disaient-ils, qu'ils s'étaient armés, « por la honte Jesu Crist vengier et por Jerusalem reconquerre ». Et qu'avaient-ils fait de leur vœu? Des versions dénigrantes de leurs actes coururent de leur temps même. Maintes accusations s'élevèrent, âpres et virulentes : la Chronique du moine alsacien Gunther, la *Chronique de Terre sainte* d'Ernoul n'en ont porté jusqu'à nous que des échos affaiblis. Le doge, disait-on, avait trahi la chrétienté, et les autres chefs de la croisade, ses dupes d'abord, puis ses complices, avaient su transformer les pèlerins de Dieu en bandits. Là-bas, dans sa seigneurie thrace, qui est sa part du scandaleux butin, Villehardouin a entendu ces voix qui le réprouvent, et c'est pour leur riposter qu'il écrit. Lui « qui fut de tous les conseils », il n'essaiera pas d'atténuer — comment le pourrait-il? — sa part de responsabilité. Il la revendique au contraire et s'en fait gloire. Mais sentons bien que d'un

bout à l'autre de sa Chronique, il n'est qu'un accusé, que des ennemis harcellent, et qui fait tête.

Le « service de Dieu », dit-il, jamais ni lui, ni ses chefs, ni ses compagnons, ne l'ont oublié. Le service de Dieu voulait que l'on attaquât l'Islam droit au cœur de sa puissance, donc en Égypte, et c'est le plan qu'avaient conçu et arrêté en ses détails les barons français, d'accord avec la seigneurie de Venise et avec le pape Innocent III. Mais de nombreux croisés, de nombreux faux croisés, prirent peur : ils avaient rêvé de s'acquitter de leur vœu à meilleur compte, sans risques, au prix de quelque chétive expédition aux rivages de Syrie, et c'est pourquoi on les vit, au mépris du traité conclu et scellé en leur nom par leurs six messagers, « esquiver la voie de Venise » et s'acheminer en grands convois vers d'autres ports d'embarquement : Gênes, Marseille, Pise. Trahis par ces lâches, les autres, ceux qui s'étaient assemblés à Venise et qui attendaient, parqués au Lido, ne pouvaient plus, vu leur petit nombre, songer à l'expédition d'Égypte, ni même rembourser aux échéances convenues les sommes dépensées par les Vénitiens pour équiper une flotte superbe, désormais inutile. C'est alors, à Venise dans l'été de 1202, puis dans cette ville de Zara, qu'ils s'étaient résignés à conquérir, comme eussent fait des mercenaires, au profit de leurs créanciers et pour les apaiser, c'est alors, aux jours de leur pire détresse, que survint une aventure, « une des greignors aventures que vos onques oïssez ».

Un jeune prince byzantin, Alexis Comnène, fils de l'empereur détrôné de Constantinople et beau-frère de Philippe de Souabe, roi des Romains, se présente à eux et les supplie : qu'ils daignent employer à restaurer son père leur grande force inutile! S'ils le font, quels services il leur rendra en retour! « Tout premièrement, si Dieu permet que les croisés le remettent en son héritage, il mettra tout l'empire de Romanie en l'obédience de Rome, dont il est depuis longtemps séparé. Après, les sachant pauvres, il leur donnera deux cent mille marcs d'argent et des vivres pour tous ceux de l'armée, petits et grands. Et lui de sa personne ira avec eux en la terre de Babylone

(Le Caire) et y entretiendra dix mille hommes. Et ce service, il le fera aux croisés pendant un an; et tous les jours de sa vie, il tiendra à ses dépens cinq cents chevaliers en terre d'outre-mer, qui la garderont » (§ 93 et § 188).

Accepter ces offres magnifiques, était-ce compromettre la croisade? Non, répond Villehardouin, puisque, à cette heure, la croisade avait avorté déjà, et que l'idée même en était morte, tuée par les dissidents, les « Syriens », et puisqu'il ne restait plus aux croisés qu'à s'en retourner chez eux, en faillis, en parjures. Accepter, c'était, au contraire, ressusciter cette idée de guerre sainte : « car par la terre de Babiloine ou par Grece iert recovrée la terre d'outremer, s'ele est jamais recovrée » (§ 96). Constantinople apparut donc aux barons, non pas comme une proie, mais comme une merveilleuse base d'opérations et de ravitaillement, comme une étape sur la route dont le terme serait un jour le Saint-Sépulcre. Telle fut l'espérance qui les détermina. C'est de quoi témoigne, pour avoir pris part à tous leurs conseils, « Joffrois de Villehardouin, qui ceste oevre dita, qui onc n'i menti de mot a son escient ».

Il a menti pourtant, disent de nombreux historiens modernes, qui voient dans la conquête de Constantinople « une irréparable faute politique », « un crime de lèse-civilisation », et qui expliquent le changement de direction

LA FLOTTE DES CROISÉS DANS LE BOSPHORE, d'après un manuscrit du « Livre des Passages d'outre-mer », de Sébastien Mamerest (B. N., ms. franç. 5594, XVe siècle). — CL. LAROUSSE.

de la croisade par une sombre machination gibeline, qu'aurait montée de très bonne heure Philippe de Souabe, assisté par le doge Dandolo, le marquis Boniface de Montferrat et les plus cyniques des barons français. Ce n'est pas ici le lieu d'exposer et de discuter en leur détail leurs théories, d'ailleurs obscures et peu concordantes entre elles. Qu'il suffise de montrer que, s'ils prétendent accréditer leur opinion et ruiner la version contraire de Villehardouin, il ne suffit pas d'alléguer que celle-ci ne représenterait, comme ils disent, qu' « une théorie à la fois madrée et simpliste des causes fortuites ».

Car elle représente tout autre chose : une théorie des causes providentielles. « Ore oiez les miracles Nostre Seignor, comme eles sont beles, tot partot la ou li plaist! » (§ 182). Entre son parti et le parti des dissidents, c'est Dieu même que Villehardouin prend pour juge, ou plutôt, écrivant à la lumière des événements déjà révolus, il ne fait qu'enregistrer, comme un greffier, son jugement. Dieu a jugé, puisqu'il a châtié par des signes multipliés de sa colère, par des épidémies, par la mort ou par la honte, tous ceux qui ont esquivé la voie de Venise (§§ 50, 101-105, 229, etc.). Dieu a jugé, puisqu'il a défendu, contre tant d'adversaires acharnés à la « depecier », l'armée de ses pèlerins (§ 104, etc.). Et Dieu a jugé, puisque finalement, comme preuve de son amour, il leur a octroyé « l'honor et la victoire ». Par qui l'empereur injustement détrôné de Constantinople a-t-il été rétabli dans ses droits? — « Par Dieu d'abord, et par les pèlerins après » (§ 190). Alors, à se remémorer les jours de misère mués en jours de gloire, la faible troupe des croisés de si bas remontée si haut, et la prouesse des chevaliers de France qui enlèvent d'assaut la ville aux cent tours, Constantinople, « chief du monde », Villehardouin se sent justifié, en même temps que ses compagnons, et « sa sombre prose laisse passer le rayon ». « Qui Dieus vielt aidier, nuls hom ne li puet nuire » (§ 183).

Or, cette théorie, non des causes fortuites, mais des causes providentielles, il ne l'a pas arbitrairement inventée; il a pris soin de marquer que le pape Innocent III s'y est rallié de très bonne heure, du jour où, absolvant ses chers fils après Zara, « il leur commanda et pria qu'il tenissent l'ost ensemble, car il savoit bien que sanz cele ost ne pooit il servises Dieu estre faiz ». Et des lettres nombreuses d'Innocent III, datées de 1203 et de 1204 (Migne, *Patrologie latine*, t. CCXV), prouvent que Villehardouin invoque à bon droit son témoignage.

Mais pourquoi, demande-t-on, a-t-il omis de raconter tels et tels incidents : par exemple, que, dès le printemps de 1202, le marquis de Montferrat s'en fut à Rome proposer au pape, qui l'éconduisit, la diversion sur Constantinople? Pourquoi a-t-il passé sous silence le fait que, beaucoup plus tôt encore, dès le 25 décembre 1201, le même marquis s'était rencontré à Haguenau avec Philippe de Souabe, en une conférence où l'on suppose que déjà la combinaison fut élaborée? — Villehardouin, il est vrai, en son récit rapide, ne mentionne pas ces faits. Mais ce n'est point par calcul. Sincère ou non, il n'avait nul intérêt, qui ne le voit? à les cacher. Du moment qu'il se pose, sincère ou non, en interprète de la Providence, ne lui est-il pas loisible et indifférent de faire parler la Providence comme il veut et quand il veut, six mois plus tôt ou six mois plus tard, à Haguenau aussi bien qu'à Venise ou à Zara? En son juste mépris de la décrépitude byzantine, il n'a jamais considéré, à la manière de nos

Le krak des chevaliers. Forteresse de l'ordre de l'Hôpital, bâtie au XIIᵉ siècle, reconstruite en 1202 après un tremblement de terre, perdue par les chrétiens depuis 1271. C'est peut-être le plus vaste des châteaux du XIIIᵉ siècle; c'est l'un des plus magnifiques de la Syrie. — Cl. Larousse.

modernes historiens philhellènes, la conquête de Constantinople comme « un crime de lèse-civilisation »; il y voit, ou du moins il affecte d'y voir un bel exploit voulu de Dieu : comment dès lors aurait-il pu être tenté de dissimuler honteusement les circonstances qui ont préparé cet événement ? C'est donc bien vainement qu'on prétend relever dans sa relation des réticences qui équivaudraient à des mensonges. S'il a rusé avec la postérité, ce ne saurait être pour avoir antidaté ou postdaté, omis ou travesti tel fait particulier. S'il a menti, c'est à l'instant où il a posé sa thèse d'ensemble : « Ore oiez les miracles Nostre Seignor comme elles sont belles,... ». Il a menti partout ou nulle part. Il faut l'accepter tout entier ou le rejeter tout entier.

L'accepter tout entier, sera-ce donc ratifier tous ses jugements, partager son admiration sans bornes pour le doge et le marquis, épouser ses rancunes, ses haines contre les « Syriens »? Non certes, et il ne coûte rien de convenir qu'il fut passionnément l'homme de son parti. L'accepter tout entier, c'est simplement lui concéder que les conquérants de Constantinople ont pu se croire jusqu'au bout, comme il le soutient, de vrais croisés, les champions de Dieu et les instruments de ses desseins. C'est simplement avouer que Villehardouin fut un véridique témoin en tant qu'il montre ces conquérants travaillés de scrupules sans cesse renaissants, en tant qu'il décrit la « grant descorde » qui les divise. Regardons-les, tels qu'il les met en scène, à Corfou par exemple (§ 114-118).

Les chefs viennent d'annoncer que décidément la flotte va mettre le cap sur le Bosphore; c'est l'instant où chacun doit dire oui ou non. A cette nouvelle, de nombreux croisés — la moitié — font sécession, refusent d'embarquer. Vers la vallée où ils se sont retirés à cheval et en armes, les autres chevauchent pour les supplier de ne pas leur ravir la « rescosse d'oltremer » et de ne pas se honnir eux-mêmes. Quand les dissidents les virent descendre de leurs chevaux, ils mirent aussi pied à terre. « Les barons s'agenouillèrent et dirent qu'ils ne se relèveraient pas que leurs compagnons n'eussent promis de ne pas les abandonner. Et ceux-ci, à voir leurs seigneurs, leurs parents, leurs amis, à leurs pieds, eurent grand'pitié et pleurèrent. » Puis, ayant reçu des garanties que la volonté de secourir la Terre sainte subsistait, ils cédèrent.

Or, à Pavie, à Venise, à Zara, d'autres scènes toutes pareilles avaient précédé celle-là, et d'autres toutes pareilles devaient la suivre, sous les murs mêmes de Constantinople. Que nous montrent-elles ? Faut-il se représenter dans l'un des deux partis tous les aventuriers et tous les trafiquants, dans l'autre tous les scrupuleux et tous les purs, qui d'ailleurs, se ralliant à la thèse adverse, se seraient instantanément transformés, eux aussi, en aventuriers et en trafiquants ? Mais la conséquence d'une telle hypothèse, c'est que le seul appât du gain aurait suffi à maintenir durant trois ans et plus la cohésion dans cette armée. Or c'était une armée de Français. En quel temps des chefs ont-il jamais réussi à mener en simples mercenaires des gens de chez nous au péril et à la mort ? Ce serait l'unique fois dans notre longue histoire, et c'est là, à l'appui de Villehardouin, la remarque invincible. Les croisés qu'il met en scène « vont, dit-il (§ 92), par Dieu et por droit et por justise » : en cette version, et seulement en cette version, nous reconnaissons des Français, les Français de tous les temps. Dans l'un et dans l'autre parti il nous montre des gens d'honneur, épris d'un même désir, le désir de discerner leur devoir, et qui se déchirent entre eux, parce que leur devoir est obscur. La théorie nuancée, c'est la sienne; la théorie « simpliste », c'est l'autre.

Mais les années ont passé. Quand Villehardouin compose sa Chronique, les croisés sont installés sur la terre conquise, qu'ils se sont partagée. Leur promesse de secourir les Lieux saints, ils ne l'ont pas tenue : la tiendront-ils jamais ? Voilà, pour la thèse de Villehardouin, la pierre d'achoppement et de scandale. Les pèlerins de Dieu semblent avoir oublié jusqu'au nom de Jérusalem : comment Villehardouin s'en explique-t-il ?

C'est que du jour, dit-il, où ils eurent pillé Constantinople et commis dans la ville tant d'horribles péchés, « la convoitise, qui est racine de tous maux, a envahi leurs cœurs et Dieu a commencé de moins les aimer » : depuis, il les châtie. L'ayant dit (§ 253), il ne parlera plus d'accomplir la « besogne de Notre-Seigneur » : le thème sacré disparaît. Désormais, soit qu'il décrive les mornes chevauchées des conquérants contre les Valaques et les Bulgares, soit qu'il raconte leur dure retraite, que lui-même guida, d'Andrinople à Rodosto, il ne vise plus qu'à constater leur impuissance à rien tenter de grand, « car onc ne furent gent si chargié de guerre, por ce qu'il estoient espars en tant de leus » (§ 460). Et il se réfugie dans une sorte de sombre fatalisme providentiel : « Nostre Sire donne les aventures ensi comme lui plaist... » (§ 320). « Ensi comme Dieus vuet les choses, si les convient avenir... » (§ 475). Du moins, sur cette terre conquise, où ils peinent à se maintenir, les pèlerins d'antan ne sont pas des satisfaits, des repus. Que sont-ils devenus, quand Villehardouin écrit, les vingt mille conquérants ? Il a disparu en bataille, Baudouin, le jeune empereur, le parfait chevalier. Il est mort, le vieux doge, très sage et très preux, dont les yeux aveugles étaient si beaux. Ils ont péri par l'épée, Louis de Blois, et Mathieu de Montmorency, et le marquis de Montferrat, tant de ses amis les plus aimés. Et pour lui-même, qu'espère-t-il encore ?

On ne sait. De lui-même, de ses émotions intimes, Villehardouin ne parle presque jamais. Il ne parle de lui qu'à l'occasion de ses actes publics. Sa Chronique affecte les allures quasi impersonnelles d'une lettre ouverte, d'une relation officielle ; et, par pudeur d'aristocrate, ayant à relater l'histoire d'une grande espérance et d'une grande déception, il s'est comme enveloppé d'impassibilité ; mais jamais écrivain en apparence plus impassible ne fut au fond de son cœur plus passionné ni plus douloureux.

Littérairement, la beauté de sa Chronique résulte surtout de ce dédoublement de lui-même, et c'est pour mettre en relief ce contraste secret que nous avons tant insisté sur le pathétique des événements retracés. Il faut s'être représenté le désarroi moral où vécut Villehardouin, ses conflits sans fin avec les Syriens, ses luttes contre lui-même, ses souffrances, ses deuils, pour percevoir dans sa voix le mâle frémissement d'une sensibilité d'autant plus profonde qu'elle fut plus énergiquement contenue et refoulée.

ROBERT DE CLARY

Robert de Clary (on identifie Clary à Cléry-Pernois, en Amiénois) était, comme il se qualifie lui-même, un « povre chevalier », qui se croisa en 1200 à la suite d'Hugues d'Amiens, son suzerain. Il raconte « les choses qu'il a veües, ouïes et faites, » depuis la prédication de maître Fouques de Neuilly jusqu'à l'an 1206. « Et ja soit chou qu'il n'ait si bellement contée la conqueste comme maint bon diteur l'eüssent contée, si en a il toutes eures la droite verité contée, et assés de verités en a teütes, qu'il ne put mie toutes ramember. »

Son Estoire de chiaus qui conquisent Coustantinoble *a été publiée par le comte Riant en 1870, puis par Charles Hopf,* Chroniques gréco-romanes, *Berlin, 1873.* [Robert de Clari, *la* Conquête de Constantinople, *éd. par Philippe Lauer dans les* Classiques français du moyen âge, *1924. Cf. Albert Pauphilet, dans les* Mélanges A. Jeanroy, *1928, p. 559, et dans la* Romania, *t. LVII, 1931, p. 289.*]

Robert de Clary n'a point pris part, comme Villehardouin, aux conseils des hauts barons. Les graves soucis de la politique ne l'absorbent pas. Il a tout loisir pour regarder et pour conter. Il est de la « gent menue » et il est un simple. Il retrace les joies et les misères du camp, recueille les belles anecdotes guerrières et, par exemple, raconte avec une touchante fierté comment, le jour où l'on prit d'assaut Constantinople, son propre frère, Aleaume de Clary, qui n'était pas un homme d'épée, mais un clerc, eut l'honneur de forcer la première poterne : « Quant il fu ens, se li keurent sus tant de ches Grius que trop, et chil de deseur les murs li acuellent a geter grandesmes pierres ; et quant li clers vi chou, si sake le coutel, si leur keurt sus, si les faisoit aussi fuir devant lui comme bestes. » La ville prise et dûment pillée, notre conteur erre, tout émerveillé ou plutôt tout ébahi, du palais de Boukoléon à l'église Sainte-Sophie ; il muse sur la *spina* de l'Hippodrome et devant les colonnes de Théodose et d'Arcadius : rien n'est plus plaisant que de le voir s'évertuer à décrire, en son patois picard, les chefs-d'œuvre de la statuaire grecque, les arcs de triomphe des Césars, les joyaux des églises byzantines : « et qui vos conteroit la centieme part de le rikece ne de le biauté ne de le nobleche qui estoit es abeïes et es moustiers de le vile, sanleroit il que che fust mençoigne, et ne le creriez vos mie. » Le « rike homme » qu'était Villehardouin n'a guère dû fréquenter, s'il l'a seulement entrevu, Robert de Clary. Il eût aimé pourtant la relation de son obscur compagnon, ce témoignage naïf, si différent du sien, et qui néanmoins confirme le sien. Car de toutes les pages de la Chronique de Robert de Clary il ressort que « chiaus qui conquisent Coustantinoble » se croyaient, donc furent, de vrais croisés, de fidèles pèlerins de Dieu. Dans leur camp, leurs prêtres, les sermonnant, leur remontraient souvent que « la bataille estoit droiturière » : alors seulement ils marchaient à l'ennemi. Et Villehardouin n'a pas dit autre chose.

HENRI DE VALENCIENNES

Quatre manuscrits du livre de Villehardouin sur six nous donnent, copiée à la suite de ce livre, une Histoire de l'empereur Henri de Constantinople, par Henri de Valenciennes. Elle a été imprimée dans trois des éditions de Villehardouin : celles de dom Brial, de Buchon et de Natalis de Wailly. [Une nouvelle édition paraîtra prochainement par les soins de J. Longnon.] — Voir Gaston Paris, Romania, t. XIX, 1890, p. 63.

Cette chronique retrace principalement la guerre menée contre Burile, roi des Bulgares, par le second empereur latin d'Orient, Henri (1207-1216) : Villehardouin était un de ses lieutenants. C'est une narration brillante, éloquente, d'allure épique. Elle est en prose, mais on retrouve dans le tissu de cette prose des séries de rimes, et il semble démontré qu'on est en présence d'une vraie chanson de geste, qui avait été composée d'abord en alexandrins et en strophes monorimes, et qu'un remanieur a ensuite dérimée. L'auteur, Henri de Valenciennes, paraît avoir été un ménestrel attaché à la cour de l'empereur : en tout cas, il raconte en témoin oculaire.

LA CHRONIQUE D'ERNOUL

La Chronique d'Ernoul *a été publiée partiellement (de l'an 1184 à l'an 1231) dans le* Recueil des historiens des croisades, Historiens occidentaux, *t. II, 1852, p. 1-382. Une autre édition, celle-ci complète, faite d'après un autre manuscrit, a été publiée pour la Société de l'histoire de France par L. de Mas-Latrie, 1872. — Voir, sur Ernoul, une étude du comte Riant, dans les* Archives de l'Orient latin, *t. I, 1881, p. 247.*

C'est l'histoire du royaume de Jérusalem, de l'an 1099 à l'an 1229. L'auteur, qui écrivait peu après cette dernière date, déclare avoir été dans sa jeunesse « valet », c'est-à-dire écuyer, d'un haut baron de Syrie, Balian d'Ibelin : on l'identifie, mais sans certitude, à Ernoul, seigneur de Giblet (l'ancienne Byblos), qui fut un des plus habiles juristes de la haute cour de Chypre.

Ernoul ne donne qu'un rapide aperçu des premiers temps du royaume : l'histoire de quatre-vingts ans tient en quelques pages. A partir de l'an 1183, il développe au contraire ses récits, car il parle désormais en témoin : « Je fus là, telle chose m'advint. » Il raconte la défaite de Tibériade, qui entraîna la chute de tout le royaume, puis le siège et la capitulation de Jérusalem (1187), tous événements auxquels il assista auprès de Balian d'Ibelin, devenu lieutenant du royaume après la capture du roi Guy à Tibériade. Il fait ensuite le récit des croisades et des événements qu'elles amenèrent entre 1190 et 1229 : la troisième croisade, qui rendit Acre aux Latins et par contrecoup leur donna Chypre ; la quatrième, qui les porta à Constantinople ; la cinquième, qui, après un premier succès en Égypte, échoua par suite de dissensions entre les croisés et les Francs de Syrie ; celle de Frédéric II enfin, qui ne fit que désunir les chrétiens.

Ernoul représente le point de vue de ces chrétiens établis de longue date en Syrie, accoutumés à leurs voisins musulmans, et qui souvent eurent à pâtir des secours illusoires, non désirés, que prétendaient leur apporter les croisés. Il regarde d'un œil ironique les « guerres saintes ». Juge froid des choses héroïques, il est surtout curieux « des cas humains représentés au vif ». Il peint sans amitié les « pèlerins de Dieu », il recueille avec complaisance leurs maladresses et, comme il dit, leurs « soties ».

Sa Chronique fut reprise et continuée par le moine Bernard, trésorier de Saint-Pierre de Corbie, qui écrivit, semble-t-il, en Occident. Cette continuation, très brève, va de 1229 à 1231.

LE LIVRE DE LA TERRE SAINTE

On l'intitule aussi le Livre du Conquest, *ou l'*Estoire *d'outre-mer, ou le* Livre d'Éracles *(du nom de l'empereur Héraclius, nommé dans la première phrase). Les manuscrits présentent divers états de cet ouvrage. Il a été publié dans le* Recueil des historiens des croisades (Historiens occidentaux), *t. II : la continuation dite du manuscrit de Rothelin, qui va de 1231 à 1261, se trouve aux pages 489-639 ; les continuations dites du manuscrit de Noailles, qui vont de 1231 à 1248 et de 1248 à 1275, se trouvent aux pages 383-481. — On ne doit attribuer à Jean Sarrasin que la lettre écrite par lui à Damiette, le 23 juin 1249. [Cette lettre a été publiée par Alfred Foulet dans la collection des* Classiques français du moyen âge, *1924.]*

LE CHATEAU DE DIEU - D'AMOUR (SAINT - HILARION), bâti au XIIIᵉ siècle par les Français du royaume de Chypre. — CL. ENLART.

Au milieu ou vers la fin du XIIIᵉ siècle, on traduisit en français l'*Historia rerum transmarinarum* de Guillaume, archevêque de Tyr. Elle s'arrête à l'an 1184 : on lui adjoignit les Chroniques d'Ernoul et de Bernard le Trésorier (1184-1231), puis d'autres continuations.

On en distingue deux. Pour l'une, les compilateurs ont utilisé divers documents : lettres de croisés, descriptions des pays d'outre-mer, et notamment une relation des événements de 1250 à 1261, qui a été attribuée à tort à Jean Sarrasin, chambellan de Louis IX. L'auteur, un chevalier de Louis IX, qui resta en Orient après le retour du roi, raconte avec moins d'agrément qu'Ernoul.

L'autre série de continuations de Guillaume de Tyr et d'Ernoul a été composée en Syrie ou en Chypre par des personnages qui appartenaient à des familles anciennement établies outre-mer. La parfaite connaissance des lieux et des mœurs fait l'intérêt principal de ces chroniques, surtout de celle qui va de 1231 à 1248, et dont l'auteur, un laïque, décrit excellemment la société française d'Orient, sous ses aspects militaires et féodaux.

PHILIPPE DE NOVARE ET LES «GESTES DES CHIPROIS»

Les Gestes des Chiprois, *publiées par Gaston Raynaud, pour la Société de l'Orient latin, Genève, 1887. Une autre édition a été publiée par L. de Mas-Latrie et Gaston Paris, dans le* Recueil des historiens des croisades (Documents arméniens), *t. II (préface de Charles Kohler). — Les* Mémoires *de Philippe de Novare, publiés par Charles Kohler (collection des* Classiques français du moyen âge), *1913.*

Lombard d'origine, Philippe de Novare vint jeune encore s'établir en Chypre et y demeura toute sa vie. Il est, avec Raoul de Tibériade ou Ernoul de Giblet, le type de ces barons latins qui furent grands amateurs de romans, de droit féodal, d'histoire. Il composa des écrits de genres bien divers : des chansons d'amour et des chansons pieuses, un traité de morale à l'usage des chevaliers *(Des quatre temps d'âge d'homme)*, un traité de droit (le *Livre de forme de plait*), son autobiographie, et enfin l'*Estoire et le droit conte de la guerre qui fu entre l'empereor Frederic et messire Johan de Ibelin.*

Le roi de Chypre, Hugues Iᵉʳ, laissait à sa mort, en 1218, la régence à Philippe d'Ibelin, pendant la minorité de son fils. Mais l'empereur Frédéric II réclama la régence pour lui et, en 1228, vint s'en saisir. Une longue guerre s'ensuivit, qui se prolongea après le retour de l'empereur en Occident et qui ne prit fin qu'en 1243.

L'*Estoire* de Philippe de Novare, vivement contée, présente un curieux caractère : elle est entremêlée de poésies de circonstance, de chansons satiriques où certains barons sont mis en scène sous les noms de personnages du *Roman de Renart* : Renart, Grimbert, Isengrin, etc. Ces poésies, Philippe de Novare les adressait comme des lettres à ses amis, et parfois les chantait au combat. C'est ainsi qu'un jour, au siège du château de Dieu-d'Amour (Saint-Hilarion), il fut blessé d'un coup de lance. Les Impériaux le croyaient déjà mort et criaient aux assiégeants : « Mort est vostre chanteor, tué est! » Mais le lendemain Philippe de Novare reparaissait sur une roche où il s'était fait porter; et de là il lançait aux ennemis, comme un défi, une nouvelle chanson :

> « Nafré sui je, mais encor ne puis taire
> De dan Renart et de sa compaignie,...
> Car Renart sait plus de traïson faire
> Que Guenelon dont France fut traïe... »

L'*Estoire* de Philippe de Novare fut munie, vers l'an 1320, d'une introduction (où l'histoire du royaume de Jérusalem est résumée) et d'une continuation, qui va de 1243 à 1309 : ce sont les *Gestes des Chiprois*, par Gérard de Montréal. Cette chronique, originale à partir de l'an 1270 ou environ, rapporte les luttes des chrétiens d'Orient contre les sultans d'Égypte et leurs discordes intestines.

LA CHRONIQUE DE MORÉE

Le *Livre de la conqueste de la Princée de la Morée a été publié par Buchon (t. I des* Recherches historiques sur la principauté française de Morée), 1845, *et, à nouveau, par* Jean Longnon : la Chronique de Morée (Publications de la Société de l'histoire de France), 1911. — *Voir Schmitt,* Die Chronik von Morea, Munich, 1889, *et* The Chronicle of Morea, Londres, 1904; *A. Adamantiou,* τὰ Χρονιχὰ τοῦ Μορέως, Athènes, 1906.

Cette chronique raconte, de 1204 à 1305, l'histoire de la principauté française de Morée, dont le premier prince fut Geoffroy de Villehardouin, neveu du chroniqueur. Le texte que nous possédons résume une chronique perdue que Bartolomeo Ghisi, connétable de la principauté, avait fait rédiger à Thèbes, en son dialecte vénitien, entre 1305 et 1331. Le rédacteur français, qui vivait lui aussi en Morée, devient, à partir de 1295 environ, témoin des événements qu'il retrace, et ses récits, vivants, romanesques parfois, rappellent, comme on l'a justement dit, « les pages les plus piquantes de Froissart ». Il fait revivre à nos yeux l'histoire attachante et si peu connue de ces chevaliers français qui se maintinrent en Grèce pendant plus d'un siècle : ils y vécurent d'une vie prospère et si brillante que l'on considérait la cour de Morée comme une des plus belles du monde chrétien et comme l'une des meilleures écoles de chevalerie.

JEAN DE JOINVILLE

Jean, neuvième seigneur de Joinville et sénéchal de Champagne à titre héréditaire, naquit en 1225. Son plus ancien ancêtre connu, un chevalier nommé Étienne, apparaît dans les actes, à partir de l'an 1019, en qualité d'avoué des moines de Saint-Urbain : *ce furent les modestes origines de la maison. Au début du XIIIe siècle, de grandes alliances, notamment avec les familles de Brienne et de Broyes, l'avaient faite riche et puissante. Le père de Jean de Joinville étant mort dès avant 1233, il fut élevé par sa mère, Béatrix, fille d'Étienne, comte de Bourgogne. Il se maria à quinze ans, en 1240, exerça pour la première fois, l'année suivante, son office de sénéchal de Champagne aux fêtes que donnait à Saumur le jeune roi Louis IX, pour célébrer l'entrée en chevalerie d'Alphonse, comte de Poitiers. Joinville fit ses premières armes en 1245 ou en 1246, dans une guerre privée que le comte de Chalon, son parent, menait contre les Allemands. L'année 1248, il se croisa, et s'embarqua en août à Marseille, avec neuf chevaliers à sa solde. A Limissol en Chypre, le roi le prit à ses gages. Il combattit devant Damiette, puis à Mansourah (8 février 1250), fut fait prisonnier avec les débris de l'armée, et racheté le 6 mai 1250. Le roi l'emmena sur sa nef à Saint-Jean-d'Acre et c'est au cours de cette traversée que se noua leur amitié. Joinville ne rentra en France qu'en avril 1254, en même temps que Saint Louis. Il trouva alors « sa gent destruite et apovroiée » et s'appliqua à réparer les misères causées par son absence. Ses devoirs de seigneur ne l'empêchaient pas d'ailleurs de visiter fréquemment la cour de Paris : tout en restant vassal du comte de Champagne, il était devenu vassal du roi de France, du jour où il avait reçu de lui un « fief de bourse ». Il était attaché au conseil du roi, où il jugeait « les plaids de la porte ». En 1267, Saint Louis le manda à Paris : c'était pour lui apprendre qu'il prenait à nouveau la croix et pour l'engager à faire comme lui. Joinville refusa, car il désapprouvait l'entreprise. Les deux amis ne devaient plus se revoir : le 5 août 1270, le roi mourait à Tunis sur sa couche de cendre. Joinville continua sous Philippe le Hardi, puis sous Philippe le Bel, qu'il n'aimait guère, à hanter la cour. Il fut appelé à déposer (nous avons conservé son témoignage) dans l'enquête qui aboutit, en 1282, à la canonisation de son ami. Vingt ans après, on le voit encore, en 1303 et 1304, très vieux alors, suivre l'ost du roi et combattre à La Bassée, à Mons-en-Puelle. Il rejoignit une dernière fois dans les Flandres les troupes royales en 1315 : il avait à cette date quatre-vingt-dix ans. Il mourut dans son château, le 13 juillet 1317.*

Il devait être octogénaire déjà quand la reine Jeanne de Navarre, femme de Philippe le Bel, lui demanda de composer un « Livre des saintes paroles et des bons faits de notre saint roi Louis ». Mais elle mourut (le 2 avril 1305) avant qu'il eût achevé sa tâche. C'est ce que Joinville explique dans la lettre qui sert de préface à son livre et qu'il adresse au fils de Jeanne, le futur Louis X le Hutin. Cette dédicace date au plus tard du mois d'octobre 1309, ainsi qu'il résulte de l'explicit de l'un des manuscrits.

L'histoire du texte est longue et compliquée. On la trouvera retracée en son détail dans l'admirable Notice sur Joinville que G. Paris a publiée au t. XXXII (1896) de l'Histoire littéraire de la France : G. Paris y traite en outre toutes les questions historiques, philologiques et littéraires qui concernent notre chroniqueur. Un livre essentiel est celui de Henri-François Dela-

BLANCHE DE CASTILLE ET SAINT LOUIS. Boîte à miroir; ivoire français du XIVe siècle (musée de Cluny). — CL. ARCH. PHOT.

borde, Jean de Joinville et les seigneurs de Joinville, *1894 : plus d'un millier d'actes, dont 547 concernent Jean de Joinville, y sont analysés et commentés de manière à former, de l'an 1019 à l'an 1417, une histoire de cette maison. Déjà Du Cange avait donné une généalogie de la maison de Joinville en son édition publiée en 1668 : les célèbres Dissertations archéologiques dont cette édition est enrichie ont été réimprimées au t. VII du* Glossarium mediae et infimae latinitatis *de Du Cange (édition Didot-Henschel).*

On peut lire le Livre des saintes paroles et des bons faits de notre saint roi Louis, *soit dans l'excellente édition de Capperonnier (1761), soit dans l'une ou l'autre des éditions du XIXᵉ siècle : éd. Daunou et Naudet (1840), éd. Francisque Michel (1859), éditions Natalis de Wailly (1867, 1874, 1882), car toutes suivent de préférence le plus ancien et le meilleur des trois manuscrits (celui que le maréchal de Saxe rapporta de Bruxelles comme un trophée de la campagne de 1746) ; il est à regretter seulement que dans ses éditions, par ailleurs précieuses, Natalis de Wailly ait cru devoir récrire le texte en un dialecte pseudo-champenois.*

Tout est dit sur l'ingénuité de Joinville, sur sa candeur. « On ne saurait trouver, a écrit Villemain, plus naïf témoin : on dirait que les objets sont nés dans le monde du jour où il les a vus. » Et Sainte-Beuve, du même ton : « Il a de la gentillesse, de la grâce enfantine, il a la plus jeune fraîcheur. » Est-il besoin de justifier de tels jugements ? Le voici, au jour où il prend la croix, tout jeune seigneur de vingt-trois ans : qui ne se rappelle la scène grave et charmante ? Il a convoqué à sa cour pour le haut jour de Pâques tous ses hommes, tous ses fieffés. Un fils vient de lui naître, qu'il a nommé Jean comme lui ; dans la clarté printanière, ses vassaux ont fêté avec lui, par des danses aux chansons, le nouveau-né : « Toute cele semaine fumes en festes et en quaroles..., le lundi, le mardi, le mercredi et le jeudi, et je leur diz le vendredi : Seigneurs, je m'en vois outre mer et je ne sai se je revendrai... ; » et parce qu'il ne sait s'il reviendra, il leur a demandé, comme on fait aux approches de la mort, de lui faire connaître tous les méfaits qu'il a pu commettre à leur égard ; puis, ayant réparé ses torts, il accomplit ce rituel de l'entrée en pèle-

JEAN, SIRE DE JOINVILLE, offre à son seigneur Louis, comte palatin de Champagne et de Brie, le futur Louis X le Hutin, alors roi de Navarre, son « Livre des saintes paroles et des bons faits de notre saint roi Louis » (B. N., ms. franç. 13568, XIVᵉ siècle). — CL. LAROUSSE.

rinage, que la pensée des périls prochains parait de tant de poésie : il visite les sanctuaires d'alentour, déchaux et en langes, prend congé de ses patrons familiers : « et endementiers que j'aloie à Blehecourt et a Saint-Urbain, je ne voz onques retourner mes ieus vers Joinville, por ce que le cuer ne m'attendrisist du biau chastel que je lessoie et de mes deus enfanz. » — Le voici aux pieds du roi Louis : le saint, qui l'endoctrine en de petits entretiens d'allure socratique, s'applique à extraire de son cœur les vertus qu'il lui connaît : « Or vous demant je, dit le roi, lequel vous ameriez mieus, ou que vous fussiez mesiaus *(lépreux)*, ou que vous eussiez fait un pechié mortel ? — Et je, qui onques ne li menti, li respondi que j'en ameroie mieus avoir fait trente qu'estre mesiaus. » Le roi se tait, parce que des Frères mineurs sont là ; mais, le lendemain : « Vous deïstes comme hastis musarz !... » Il demande encore à Joinville s'il lave les pieds des pauvres au jour du grand jeudi. — « Sire, répondil, en mal eür ! les piez de ces vilains ne laverai je ja ! — Vraiment, fait li rois, ce fu mal dit !... »

Le sénéchal abonde ainsi en vives reparties. Non pas que toujours il se livre tout entier : « car le sage, disait-il, ne doit jamais laisser paraître sur son visage les souffrances qu'il a au cœur », et, fidèle à cette aristocratique règle de bienséance, il sait contenir ses émotions quand elles sont douloureuses ; mais sa gaieté, jamais il ne peut la réprimer : elle éclate en mots de bonhomie et de malice, en saillies joyeuses qui parfois faisaient rire le roi « mout clerement ». Aux heures les plus dures de la croisade surtout, et, par exemple, au cours des scènes affreuses qui suivirent la bataille de Mansourah, c'est du tragique même des circonstances que son invincible bonne humeur tire son prix. Mais comment résumer ces récits, mettre en relief ce contraste ? Sainte-Beuve l'a su faire, en cette page si belle de ses *Causeries du lundi* (t. VIII) :

« Joinville était de ceux qui s'étaient mis en route par eau vers Damiette. Ils donnèrent à un endroit dans les galères du Soudan, qui leur lancèrent, à eux et aux autres chevaliers qui étaient sur la rive, « si grande quantité de feu grégeois qu'il semblait que les étoiles du ciel tombassent ». Toujours l'imagination vive et vraie ! Bientôt le danger devient inévitable : on n'a qu'à choisir entre l'alternative d'être pris sur l'eau en se rendant aux galères du Soudan ou d'être massacré par les Sarrasins en débarquant. Joinville préfère le premier parti. Il est vrai qu'un de ses domestiques, natif de Doulevant, lui propose hardiment le second : « Je suis d'avis, disait ce brave homme, que nous nous laissions tous tuer, et ainsi nous nous en irons tous ensemble en Paradis. — *Mais nous ne le crûmes pas* », dit ingénument Joinville... Il est pris et transporté sur une galère ennemie et se sent mettre plus d'une fois le couteau sur la gorge. « Et lors, pour la peur que j'avais, je commençai à trembler bien fort, et pour la maladie aussi. Et lors, je demandai à boire... » Notons la naïveté et la sincérité parfaite. Joinville tremble, et il peut choisir, pour expliquer son tremblement, de la peur ou de la fièvre ; il peut dire, comme Bailly : « Je tremble, mais c'est de froid ! » Mot sublime ! — Mais lui n'est pas sublime, et il ne songe pas non plus à le paraître ; il a peur et il le dit.

« ... Entassés sur des galères, Joinville et ses compagnons sont un jour menacés par une trentaine de furieux qui entrent l'épée nue ou la hache à la main. Déjà chacun ne songe qu'à bien mourir : il y avait là tout plein de gens qui se confessaient à un frère de la Trinité, là présent. Joinville avoue que pour lui, en un tel moment, il aurait cherché en vain de quoi se confesser : il ne se souvenait d'aucun péché. Il se contente de faire le signe de la croix et s'agenouille devant un des Sarrasins qui tient une hache, en disant : « Ainsi mourut sainte Agnès. » Cependant un chevalier, son voisin, qui se souvient mieux de ses péchés, se met, faute de prêtre, à se confesser à lui, Joinville, et celui-ci, après l'avoir entendu, prononce la formule : « Je vous absous de tel pouvoir comme Dieu m'a donné. » « Mais quand je me levai de là, ajoute-t-il avec innocence, il ne me souvint plus jamais de chose qu'il m'eût dite ni racontée. »

Oui, Joinville est la vivacité, l'ingénuité mêmes. Quelle inimitable spontanéité ! Sur sa tombe, qui subsista jusqu'à la Révolution, une épitaphe, gravée au XVIIe siècle, le

qualifiait en ces termes tendres, caressants et si vrais : *Ingenium candidum, affabile et amabile.*

Mais, à tant insister sur ces traits de candeur et comme d'enfance, ne risque-t-on pas de marquer qu'au jour où cet aimable chevalier se mit à la tâche redoutable d'écrire le « Livre des saintes paroles et des bons faits de notre saint roi Louis », il a peut-être forcé sa nature, osé plus qu'il n'aurait dû ? Lui-même en serait convenu sans doute, en son humilité de chrétien, en sa courtoisie surtout, en sa simplicité d'honnête homme qui « ne se pique de rien ». Mais gardons-nous bien de l'en croire. Sachons plutôt voir qu'il a non pas dissimulé, mais méconnu, mais ignoré sa propre noblesse, et, si l'on ose dire, sa part de sainteté.

Pourquoi s'est-il croisé, quand son suzerain de Champagne ne se croisait pas ? Nulle raison temporelle ne l'y forçait. Il s'est croisé pour se conformer à une belle tradition de famille : cinq de ses aïeux l'avaient précédé en Terre sainte, dont il tenait à honneur de fouler les traces. Il s'est croisé pour les mêmes raisons que Saint Louis, parce que Dieu le voulait. Qu'il ait été le type de ces Français qui détestent la guerre et qui, s'il le faut, la font très bien, c'est ce qui ne vaut même pas la peine d'être marqué. Ses cinq blessures reçues à Mansourah, sa vaillance à Soubeita du Liban, quand il renvoya son cheval à l'arrière pour soutenir à pied, avec les sergents, le choc de l'ennemi, les onze campagnes qu'il avait faites déjà quand, à quatre-vingt-dix ans, il déploya encore dans les Flandres son gonfanon, tant de hauts faits accomplis « par de la mer et par deçà » témoignent assez qu'il fut bon chevalier. Il méritait l'honneur que lui fit le comte de Soissons, lorsqu'il lui dit en pleine bataille ce mot épique et charmant : « Seneschaus, lessons huer ceste chenaille, que, par la coiffe Dieu ! (ensi comme il juroit), encore en parlerons nous de cele journée es chambres des dames. »

LE CHATEAU DE MER DE SAYETTE (l'ancienne Sidon), en Syrie. Saint Louis fortifia la ville et y séjourna longtemps : c'est là qu'il apprit la mort de sa mère (voir Joinville, §§ 551, 563, 590, etc.). — CL. ENLART.

Et encore, son courage au combat, qu'est-ce, auprès de sa vertu d'endurance ? Pendant des années, il a enduré tous les fléaux de l'Orient. Regardons-le, dévoré par la maladie, au moment où il vient de débarquer à Saint-Jean-d'Acre : « Je n'attendoie que la mort, dit-il, par un signe qui m'estoit delez l'oreille, car il n'estoit nul jour que l'on n'aportast bien vint mors ou plus au moustier ; et de mon lit, toutes les fois qu'on les aportoit, j'ooie chanter : *Libera me, Domine !* »

C'est alors que la question se posa pour lui, pour le roi, pour les sept cents chevaliers échappés du désastre : devaient-ils rentrer en France ? Les deux frères du roi l'avaient fait, et tant de hauts hommes qui estimaient avoir rempli leur vœu, après tant d'épreuves. Mais rentrer en France, c'était livrer les dernières villes qui restaient encore aux chrétiens : Césarée, Jaffa, Saïda ; surtout, c'était abandonner les douze mille prisonniers d'Égypte. C'est à quoi songe Joinville, tandis que le chant du *Libera me, Domine !* l'obsède, et il se remémore une parole que lui a dite un sien parent au moment où il se croi-

NOTRE-DAME DE TORTOSE, EN PHÉNICIE. Il y avait là un très grand pèlerinage, dit Joinville (§ 597), « pour ce que c'est le premier autel qui onques feust fait en l'onneur de la mere Dieu sur terre ». Joinville visita ce sanctuaire et rapporte les «moult granz miracles» que Notre-Dame de Tortose accomplissait, surtout en faveur des croisés. — CL. ENLART.

sait : « Vous en alez outre mer, or vous prenez garde au revenir : car nuls chevaliers, ne povres ne riches, ne puet revenir qu'il ne soit honnis, s'il laisse en la main des Sarrazins le peuple menu Nostre Seigneur, en laquel compaignie il est alez... »

Son parti est donc pris, au jour (19 juin 1250) où le roi convoque ses barons et recueille leurs avis. Sauf l'un d'eux, qui se récuse, tous lui conseillent le retour en France. Seul Joinville déclare qu'il faut rester.

Mystérieux, le roi se tait, et remet à huitaine sa décision. Et Joinville se chagrine, car tous le raillent après le conseil, et, chose plus cruelle! le roi, au repas qui suit, ne lui adresse pas une fois la parole.

Tristement, au sortir de table, Joinville s'est approché d'une fenêtre. Les bras passés entre les barreaux, il songe : Que le roi rentre donc en France! Lui, comme un pauvre chevalier d'aventure, il s'en ira offrir ses soudées au prince d'Antioche, son parent. Deux mains s'abattent sur ses yeux. Il croit à une plaisanterie de l'un des seigneurs : « Lessiez moi en paiz, messire Phelippe! » Mais ce n'est pas messire Phelippe. La main qui presse ses yeux porte une émeraude. Joinville la reconnaît : c'est l'anneau du roi. En grande confidence, Saint Louis lui dit son secret : il restera en Terre sainte. Leurs deux cœurs chrétiens se sont rencontrés.

Ils se rencontreront encore, malgré les apparences, dix-sept ans plus tard, au jour où le roi, méditant une nouvelle croisade, demandera à son ancien compagnon de l'y suivre. Joinville refuse : « Se j'en vouloie ouvrer au gré Dieu, dit-il, je demourroie ci pour mon peuple aidier et deffendre, car se je mettoie mon cors en l'aventure du pelerinaige de la Croiz, la ou je veoie tout cler que ce seroit au mal et au doumage de ma gent, j'en courrouceroie Dieu, qui mist son cors pour son peuple sauver. » Il ose dire que « ceux la perdront Dieu qui se croiseront ». Le roi ne s'irrita point : lui qui part, son ami qui reste, ils veulent une même chose : « ouvrer au gré Dieu. »

« Ouvrer au gré Dieu! » C'est toujours la pensée qui anima Joinville au cours de ces entretiens familiers où plus d'une fois son goût de la controverse religieuse et son « soutil sens » inquiétèrent le saint roi; c'est la pensée qui lui inspira en Syrie de composer cette petite « Apologie du christianisme », cet ingénieux commentaire du *Credo*, où il déploie une science des Écritures surprenante chez un jeune chevalier. Et c'est pourquoi on peut suivre au cours de sa longue vie, observer dans tous ses actes le digne seigneur féodal qui, lorsqu'il prie pour lui-même, a soin de prier aussi « pour sa gent » : toute sa conduite atteste qu'il s'est toujours appliqué, selon sa belle expression, à « embracier Dieu a deus bras, c'est a savoir en bras de ferme foi et en bras de bonnes œuvres ».

On a donc eu tort d'opposer parfois la « sublimité » de Saint Louis à la « molle humanité » de son biographe. Non, il n'y eut pas de l'un à l'autre la distance, il n'y eut pas entre leurs âmes le contraste et presque la contrariété que d'aucuns ont marquée. Ils peuvent rester côte à côte, comme en ces causeries où le roi faisait asseoir son ami près de lui, « si près que leurs robes se touchaient ». Le bon chevalier n'a point à redouter le voisinage du saint.

Après tout, le plus beau des portraits de Saint Louis, c'est lui qui l'a tracé. Ce n'est pas, comme on le sait, que les témoignages contemporains soient rares : n'avons-nous pas les chroniques de Geoffroy de Beaulieu, de Guillaume de Chartres, de Guillaume de Nangis? Mais ces chroniqueurs et ces hagiographes furent tous gens d'Église, et il y paraît trop. Ils ont voulu honorer surtout le saint athlète de Dieu, l'ascète. Son long procès de canonisation, commencé en 1273, avait nécessité, au dire du pape Boniface VIII, plus d'écritures qu'un âne en peut porter. On ne se lassait pas de louer en Saint Louis le mystique exalté, de décrire ses extases, ses mortifications, ses abstinences, ses macérations, et la légende avait fait son œuvre. Une odeur épaisse d'encens l'enveloppait. Joinville a réagi : à son insu? non, mais volontairement. Il croit fermement à la sainteté du martyr et il le dit avec force au début de son histoire; il croit fermement que ce grand roi peut servir d'exemple à tous ses successeurs, et il le dit avec force à la fin de son histoire; mais il ne se propose pas de répéter Guillaume de Nangis ou les autres : il suit un dessein plus secret et plus tendre. Cherchant, de toute la force de son cœur fervent, le moyen de bien servir la mémoire qu'il révère, il a estimé, en sa hardiesse et en son ingénuité, que le meilleur parti n'était pas de se guinder à son tour au ton de l'hagiographe, mais de peindre son héros tel qu'il l'avait connu aux temps anciens, avant qu'il fût devenu un saint de vitrail, quand ils étaient tous deux de jeunes chevaliers. Il a jugé que c'était la plus belle courtoisie qu'il pût faire à son ami. Il le montre donc tel qu'il était devant Dieu et devant les hommes, au conseil, au combat, et surtout dans son particulier, dans son train de tous les jours. C'est pour rendre l'impression de la vie quotidienne et familière que, se mettant lui-même en scène, il donne à son récit de la croisade des allures de mémoires personnels, et il est honorable pour lui, il est beau que des critiques modernes s'y soient trompés, ceux qui estiment qu'il n'a fait que reprendre sur le tard un manuscrit de sa jeunesse, un Journal intime, antérieur à la canonisation du roi et composé sans aucune idée de le glorifier. Hypothèse ingénieuse, mais, à notre sens, erronée. Le sénéchal a écrit l'histoire du roi Louis, l'histoire de Saint Louis et l'histoire de Jean de Joinville, et ces trois histoires forment un chef-d'œuvre complexe, mais d'une seule venue, où tout est concerté pour que son ami revive tout entier.

Pour qu'il revive tout entier, Joinville ne tait pas un seul de ses défauts. Il avoue que son humeur était « diverse ». Il le montre irritable, tour à tour faible et emporté, et parfois, comme il était naturel à un petit-fils de Philippe Auguste, violent et obstiné. Il reconnaît que le roi n'était tendre ni pour sa femme ni pour ses enfants. Il ne dissimule pas la sombre ardeur de sa dévotion. Mais il prouve aussi que cette parole lui convenait merveilleusement : « *Cum revenit ad vitam, vitae nescius non apparet.* » Il montre en lui, à l'occasion, l'homme d'esprit, le mondain presque, et les jolies anecdotes de suivre : « Quant li rois estoit en joie... » Quelles aimables règles de savoir-vivre Saint Louis savait alors donner! « Car il disait qu'on doit armer et vêtir son corps de telle sorte que les hommes d'âge ne trouvent pas qu'on en fait trop, ni les jeunes hommes qu'on n'en fait pas assez. » Surtout Joinville empêche que les dévots l'accaparent tout entier, et en toute occasion. Joinville n'aimait guère les gens de religion, et sa vie fut souvent occupée, comme d'ailleurs la vie de ses ancêtres, par ses luttes contre les moines de Saint-Urbain, dont il était l'avoué : ces conflits lui valurent même une excommunication de son évêque, qu'il supporta très allégrement. Or il est tout joyeux d'observer chez Saint Louis des traits où se marquent les mêmes dispositions : Saint Louis répond avec une ferme malice aux réclamations injustes des hauts prélats; mieux encore, Saint Louis déclare que « preudomme vaut mieux que beguin ». Le « beguin », c'est le dévot suspect de pharisaïsme; le « prud'homme », c'est le chrétien qui, vivant là où Dieu l'a placé, dans le siècle, tâche d'y pratiquer les vertus des laïques. Et Saint Louis dit à Robert de Sorbon :

« Maistre Robert, je vourroie avoir le nom de preudomme, mais que je le fusse et tout le remenant vous demeurast; car preudomme est si grant chose et si bonne chose que, neïs au nommer, emplist il la bouche. »

D'autres célébraient le roi-moine, Joinville a célébré de préférence le roi-prud'homme, plus vrai : car jamais les pratiques de son ascétisme ne l'ont empêché de faire humainement, fraternellement, sa dure tâche quotidienne de roi. C'est en sa prud'homie, selon Joinville, que réside surtout sa sainteté : quand il rend la justice, assis sous le chêne de Vincennes; quand il écoute avec patience, à la fin des repas, les ménestrels vieller devant lui; quand, à Mansourah, dominant de la tête tous ses chevaliers, il chevauche, coiffé du heaume d'or, une épée d'Allemagne à la main; quand, resté maître du champ de bataille, il voit s'approcher le prévôt des Hospitaliers qui baise sa main gantée de mailles, et lui apprend que, dans la folle chevauchée, son frère, le comte d'Artois, vient d'être tué : « Ah! sire, dist li prevoz, vous en aiez bon reconfort, car si grant honneur n'avint onques a roi de France comme il vous est avenu, car, pour combatre a vos ennemis, avez passé une riviere a nou *(à la nage)* et les avez desconfiz. — Et le roi respondi que Dieus en fus aouré de ce qu'il li donnoit : et lors li cheoient les lermes des ieus, moult grosses. »

UN CHEVALIER. Statue du XIIIe siècle à la cathédrale de Chartres. — CL. HOUVET

CHRONIQUES EN VERS DU DÉBUT DU XIVe SIÈCLE

La Branche des roiaus lignages, par Guillaume Guiart, retrace en 21 510 octosyllabes l'histoire de Philippe Auguste et de ses successeurs jusqu'en 1304. Édition Buchon (collection de chroniques, t. VII et VIII), 1828.

On possède, sous le nom de Geoffroy de Paris, une chronique des années 1300 à 1316, en 7 918 octosyllabes. L'auteur a commencé à la rédiger vers l'an 1313. Édition Buchon (collection de chroniques, t. IX), 1827.

Dans les premières années du XIVe siècle, deux rimeurs, Guillaume Guiart et Geoffroy de Paris, reviennent à l'usage de versifier le récit des faits contemporains. Tous deux les retracent avec intelligence, et les historiens modernes de Philippe le Bel font grand cas de l'un et de l'autre, surtout de Geoffroy de Paris. M. Ch.-V. Langlois voit en celui-ci « le premier en date des nouvellistes parisiens, expert à résumer les faits du jour en petits vers prosaïques, mais coulants, vifs et malicieux, non sans charme ». Il le loue pour son bon sens, sa finesse et son esprit.

Un tournoi au XVᵉ siècle, le duc de Bretagne « appelant » et le duc de Bourgogne « défendant ». Miniature du « Traicté de la forme et devis comme on fait les tournois », du roi René (B. N., ms. franç. 2693, XVᵉ siècle). — Cl. Larousse

TROISIÈME PARTIE

DU DÉBUT DE LA GUERRE DE CENT ANS (1337) A LA FIN DU XVᵉ SIÈCLE

I. — LA POÉSIE PENDANT LA GUERRE DE CENT ANS

On trouvera un aperçu d'ensemble sur l'histoire des lettres françaises au XIVᵉ et au XVᵉ siècle dans Gaston Paris, la Poésie au moyen âge, 2ᵉ série, 2ᵉ éd. 1903, et une étude détaillée sur les poètes du XVᵉ siècle dans Pierre Champion, Histoire poétique du quinzième siècle, 2 vol., 1923. Sur la vie, l'art et les mœurs à la fin du XIVᵉ siècle et au XVᵉ siècle, on consultera J. Huizinga, le Déclin du moyen âge, traduit du hollandais par J. Bastin, 1932. Sur la transformation de la technique poétique à la fin du XIIIᵉ siècle et au commencement du XIVᵉ, voir E. Hoepffner, Romania, 1920, p. 204.

La guerre de Cent Ans marque un temps d'arrêt dans le développement des institutions politiques de l'ancienne France. A la même époque on observe dans l'évolution de la littérature un phénomène analogue. Y a-t-il ici rapport de cause à effet ? Deux siècles de la plus brillante activité littéraire auraient-ils été suivis d'un troisième aussi brillant, puis d'un quatrième, si la guerre n'y avait mis un holà brutal ? Le problème est moins simple.

Dès 1337, en effet, les grands genres de la période précédente sont oubliés ou délaissés. On n'écrit plus de *Roland*, plus d'*Aliscans*, ni même de *Renaud de Montauban* ou de *Girart de Vienne*. Les nobles chevaliers ont cessé de chanter leurs dames. Aucun Chrétien de Troyes ne se prépare à mettre au jour un *Erec* ou un *Cligès*. On compose, vers 1330, le dernier roman en prose de la Table ronde. Même ce tard venu, le fabliau, qui a égayé le XIIIᵉ siècle, est abandonné. C'est toute une littérature qui disparaît en quelques années. La guerre de Cent Ans n'en a pas même hâté la fin.

Cette fin n'a rien de mystérieux. Les genres s'en vont avec la société qui les avait créés. Qu'était la chanson de geste, sinon l'expression de l'idéal guerrier et religieux de la chevalerie française ? Et qu'était la chanson courtoise, sinon un reflet de la vie sentimentale et imaginative de la noblesse féodale ? Mais dès la fin du XIIIᵉ siècle les beaux jours de cette chevalerie sont passés : les croisades de Saint Louis représentent son dernier grand effort. Philippe le Bel est un roi moderne, qui s'appuie sur des légistes et veut être le maître en France. A côté de lui il y a encore des seigneurs féodaux, il n'y a plus de place pour la féodalité. On pourrait s'étonner que le fabliau ait partagé le sort des genres aristocratiques : composé avant tout pour des bourgeois, pourquoi ne s'est-il pas imposé à la société nouvelle où il semblait que la bourgeoisie dût se faire bientôt une large place ? Ici ce n'est pas la matière qui a manqué, ni le public, mais bien les auteurs eux-mêmes. Bafoués, méprisés, vivant en marge de la société, il est naturel que les jongleurs aient recherché plus de considération, une position sociale mieux définie. Ils ont trouvé l'une et l'autre, sur le tard, auprès de quelques grands seigneurs. Mais devenus « ménestrels », ils ont dès lors dédaigné leur ancien public et ont cessé d'écrire pour lui.

Dans le domaine littéraire, la guerre de Cent Ans n'a donc rien détruit. Elle, à ce qui est pis, empêche la reconstruction. Au XIVe siècle, l'Italie a Dante, Pétrarque et Boccace, l'Angleterre a Chaucer. Quels noms pouvons-nous opposer à ces grands noms ? La guerre de Cent Ans a tari pour deux siècles l'imagination française. Elle a fait passer de nouveau au premier plan la classe militaire, dont le rôle était fini, qui avait renoncé à défendre la chrétienté contre les infidèles et qui n'a pas su défendre la France contre les Anglais. Sans cohésion, sans discipline, sans idéal national, insoucieuse du lendemain, c'est cette classe qui a pourtant dominé le royaume, ou ce qui en restait, jusqu'à l'avènement de Louis XI ; c'est elle qui a par tradition protégé les écrivains, c'est pour elle qu'ils ont écrit. Quelle inspiration pouvaient-ils en attendre ? Et d'où pouvaient venir alors les grandes idées qui font lever les hommes et suscitent les chefs-d'œuvre ? La bourgeoisie, qui avait cru entendre sonner son heure sous Philippe le Bel, était retombée très bas. Dans cette période d'atroces massacres, elle mène une existence misérable, à la merci des nobles qui la méprisent, la pillent et ne la protègent pas. Absorbée dans cette lutte pour l'existence, elle ne saurait s'intéresser aux lettres. Ainsi, de quelque côté qu'on se tourne, on ne distingue nulle part l'espoir d'un renouveau. Au fond, pendant toute cette terrible guerre de Cent Ans, il n'y a qu'un sujet, et c'est la guerre elle-même. Ceux qui nous intéressent vraiment, ce sont ceux qui en parlent. Et ce n'est pas un hasard si le seul genre qui ait émergé alors est l'histoire, si le plus grand nom que nous ayons à citer avant Villon est celui de l'auteur des *Chroniques*, Jean Froissart.

Nous avons marqué la disparition des grands genres du XIIe et du XIIIe siècle. Est-ce à dire que rien n'ait subsisté du passé ? Si les poètes du XIVe et du XVe siècle sont restés, sauf exception, très inférieurs à leurs devanciers, ce n'est certes pas faute d'avoir beaucoup écrit. A défaut d'une inspiration qui leur a manqué, où ont-ils pris la matière de leurs œuvres ? Et s'ils n'ont guère réussi, qu'ont-ils donc tenté ?

Ils ont voulu reprendre la tradition de la poésie lyrique de cour, et ils ont cru la continuer, bien mieux : la renouveler. Ils ont lu et relu le *Roman de la Rose*, et ils ne se sont jamais lassés de lui demander un style, des procédés, une forme d'imagination. Jean de Meung leur a servi à interpréter la tradition de Thibaut de Navarre. Dans la mesure restreinte où leur œuvre rend une note personnelle, c'est dans cette alliance entre la poésie de cour et la poésie d'école qu'il faut la chercher. Mais de cette poésie de cour l'âme même s'était dès longtemps envolée et Jean de Meung, esprit indépendant et penseur vigoureux, n'a pas été un grand poète. Le XIVe siècle a toujours eu besoin de maîtres, et il a eu de mauvais maîtres.

ÉPISODE DE LA BATAILLE DE CRÉCY, d'après un manuscrit du XIVe siècle des « Chroniques » de Froissart. Crécy fut la première de ces terribles défaites où, dit Froissart, périt toute la fleur de la chevalerie française, de quoi le noble royaume fut durement affaibli. — CL. LAROUSSE.

GUILLAUME DE MACHAUT

Guillaume de Machaut, né vers 1300, mort en 1377, entre, vers 1323, au service de Jean de Luxembourg, roi de Bohême, qu'il accompagne dans ses expéditions aventureuses, qui le nomme son aumônier et son secrétaire et lui fait obtenir un canonicat à Reims en 1337. Peut-être a-t-il quitté le roi avant la bataille de Crécy (1346), où Jean de Luxembourg trouva la mort. En tout cas, grâce à ses talents de musicien et de poète, il entra en relations avec nombre de grands seigneurs de l'époque. A partir de 1349, il eut un nouveau et puissant protecteur en la personne de Charles le Mauvais, roi de Navarre ; il semble toutefois que dès le moment où les hostilités éclatèrent entre Charles le Mauvais et le duc de Normandie, régent du royaume, Machaut ait renoncé à la protection du roi de Navarre pour rechercher celle des princes de la maison de France. — Les Poésies lyriques de G. de Machaut ont été publiées par V. Chichmaref, 2 vol., 1906 ; son Voir dit par Paulin Paris, 1875 ; cf. Antoine Thomas Romania, 1912, p. 382 ; sa Prise d'Alexandrie (biographie en vers de Pierre de Lusignan, roi de Chypre, mort en 1369), par L. de Mas-Latrie, 1877. Le reste de ses Œuvres (dits et poèmes allégoriques) a été publié en 3 vol. (S. A. T.), par E. Hoepffner, 1908-1923. Son œuvre musicale a été publiée par F. Ludwig, 3 vol., Leipzig, 1926-1929.

A côté de Machaut, il est juste de mentionner deux poètes dont les contemporains ont fait grand cas : le chevalier vaudois Oton de Grandson, qui semble avoir dû sa réputation au fait qu'il joignit au culte des vers la vaillance au métier des armes, et Philippe de Vitri (1291-1361), dont les œuvres sont en grande partie perdues, mais qui a été considéré de son vivant comme un des premiers parmi les humanistes, les musiciens et les poètes de son temps. — Voir A. Piaget, Oton de Grandson, sa vie et ses poésies, Lausanne-Genève, 1941, et A. Coville, Philippe de Vitri, Notes biographiques, Romania, 1933, p. 520.

Le premier nom que nous rencontrons est celui de Guillaume de Machaut. Les contemporains ont fait de Guillaume de Machaut un chef d'école. Ils ont vu en lui le brillant créateur d'une forme nouvelle de poésie. A distance il paraît moins imposant, et il est douteux qu'on puisse lui attribuer les innovations auxquelles son nom semblait attaché. Il a été très sûrement un musicien de mérite, et peut-être en France le dernier poète qui n'ait pas séparé la poésie lyrique de la musique. Ronsard favorisera lui aussi cette étroite alliance des deux arts, mais il laissera à d'autres le soin d'écrire la musique de ses vers. Machaut a été un compositeur, et à ce qu'il semble un compositeur de talent. Là est le secret d'une grande partie de sa réputation : ce serait sans doute une injustice de ne vouloir le juger que d'après ses vers.

Comme poète, on a cru longtemps qu'on lui devait la ballade et le rondeau. Et ce sont bien là des formes où, à son exemple, le XIVᵉ siècle s'est complu. On commence à voir toutefois qu'elles remontent plus haut. Abandonnée par les grands seigneurs, la poésie lyrique s'était réfugiée, vers 1250, dans les grandes villes du nord de la France. Dans ce milieu de bourgeoisie, elle va lentement se transformer. Une loi de l'art courtois voulait que chaque chanson différât, dans sa forme même, de toutes les chansons antérieures. Si l'on puisait à un fonds commun d'idées et de sentiments, on entendait par ces variations de la technique affirmer sa personnalité. Un entrecroisement de rimes original, un rythme particulier étaient comme une signature, immédiatement déchiffrée par les initiés. Les chansonniers de l'école courtoise formaient un petit monde fermé où chacun avait l'orgueil de son nom plus encore que de ses vers. Comment les bourgeois d'Arras se seraient-ils pliés très longtemps à cette discipline? Au lieu de voir ce qui distinguait chaque chanson de toutes les autres, ils se sont plus volontiers arrêtés aux traits qu'elles avaient en commun. Entre leurs mains la poésie lyrique, qui jusque-là avait été l'instrument très personnel d'un culte raffiné, devient un genre littéraire, et comme tout genre littéraire elle va se cristalliser en formes bien définies. C'est ainsi que se constituent peu à peu le lai, la ballade, le rondeau, poèmes très courts où les combinaisons de strophes, de mesure et de rimes deviendront de plus en plus rigides. Le plus populaire de ces genres sera la ballade, composée de trois strophes sur les mêmes rimes, avec un refrain et un envoi au « Prince du Pui ». Dès lors, dédaigneux de la liberté antérieure, le poète mettra son orgueil à observer fidèlement des lois rigoureuses. Libre à lui de se distinguer, dans l'application des mêmes procédés, par une maîtrise plus parfaite. Ce sont des professionnels qui ont créé cet art nouveau.

Il restait à lui assurer une existence durable. Ce sera l'œuvre de Machaut. Quand il commence à composer, vers 1340, la transformation de l'ancienne poésie courtoise est achevée, mais on ne gagne encore sa vie à écrire des ballades. Le premier, Machaut a su utiliser ses talents poétiques et musicaux pour attirer vers les formes nouvelles l'attention et la faveur des grands seigneurs. Secrétaire, aumônier de rois, chanoine prébendé, il a prouvé que le métier de poète pouvait nourrir son homme. Il est déjà un auteur au sens le plus moderne du mot, travaillant pour le seul public de l'époque, le seul en tout cas qui fût en état de payer. Et il n'y aurait aucune raison de lui reprocher sa dépendance à l'égard des grands, si elle ne l'avait placé dans une situation littéraire assez fausse. Certes, il était hardi de ramener dans les cours, sous un visage nouveau, un genre poétique qui y avait fourni jadis une si belle carrière. Mais n'était-il pas à craindre que les souvenirs du passé ne fissent tort au présent? Pour s'être faite raisonneuse et moralisante à l'école de Jean de Meung, la ballade n'en chantait pas moins l'amour courtois. Or, quel rapport y avait-il entre l'amour courtois et la situation d'un humble clerc du diocèse de Reims? Ou bien Machaut écrivait des vers d'amour pour ses nobles protecteurs (il l'a très certainement fait à l'occasion) et il n'était plus qu'un poète à gages, un simple commis aux écritures; ou bien il osait prendre à son compte joies et chagrins d'amour, et comment, à répéter ces précieuses formules où une société aristocratique avait laissé sa marque, ce clerc n'eût-il pas semblé un poète tout artificiel? Sur le tard, Machaut a résolu le problème d'une façon très ingénieuse: il a mis en scène, dans le *Voir dit*, une jeune fille de haut rang qui, sur le bruit de sa réputation littéraire, tombe amoureuse de lui. A la bonne heure: voilà qui sonne plus juste. Mais la disproportion d'âge était trop grande, et l'idylle se termina par une déconvenue. Vraie ou fausse, l'histoire intéresse, et on n'y sent pas le pastiche comme dans les Ballades. Les autres *dits* de Machaut traitent en général des problèmes de

GUILLAUME DE MACHAUT reçoit la visite d'Amour, qui lui amène trois de ses enfants : Doux Penser, Plaisance et Espérance (B. N., ms. franç. 1584, XIVᵉ siècle). — CL. LAROUSSE.

casuistique galante. Le poète se demande, par exemple, qui est le plus à plaindre d'une dame dont l'amant vient de mourir ou d'un seigneur trahi par son amie, et c'est le roi de Bohême qui devra résoudre la question. Ailleurs, le roi de Navarre sera juge d'un débat analogue. Ces poèmes assez étendus, où Machaut s'est souvenu de l'ancien jeu parti, n'ont pas la finesse et le trait qui conviendraient au genre. La langue indécise d'une période de transition linguistique alourdit le développement, et il nous semble que l'auteur prend son sujet trop au sérieux. Les contemporains n'en ont pas jugé ainsi : ils ont admiré et imité.

LES CENT BALLADES

Vers la fin de 1388, toute la « maisnie » du comte d'Eu, qui était partie pour une croisade en Terre sainte, fut capturée à Damas par ordre du soudan d'Égypte, puis emmenée au Caire. Quatre seigneurs occupèrent les loisirs de leur captivité à débattre une question d'amour : c'est ainsi que s'élaborèrent les Cent Ballades. *Le principal des quatre collaborateurs est Jean de Saint-Pierre, dit le Sénéchal, parce qu'il était devenu sénéchal d'Eu à la mort de son père (1383). Le second est Bouciquaut, qui avait rejoint les prisonniers au moment où on les transférait au Caire et qui fut libéré avec eux en mars 1389. Le troisième est Philippe d'Artois, comte d'Eu, qui fut connétable de France et mourut en 1397. Le quatrième est Jean de Crésecque, qui devait trouver la mort, comme Jean le Sénéchal, à la bataille de Nicopolis (1396). — Revenus en France, les quatre seigneurs organisèrent une sorte de concours poétique, où ils provoquèrent des réponses à la question d'amour par eux posée. Ce concours eut lieu sans doute en Avignon, en novembre 1390, pendant des fêtes auxquelles assistait le roi Charles VI. Parmi les poètes qui concoururent, on distingue le duc Jean de Berry, qui est resté célèbre par son amour des riches*

LE JARDIN D'AMOUR. Tapisserie française du xve siècle (musée du Louvre). — Cl. Dontenville.

joyaux et des beaux livres enluminés. Le recueil des Cent Ballades *a été publié par Gaston Paris (S. A. T.), 1905. — Rien ne montre mieux les préoccupations littéraires et galantes de la noblesse au début du XVe siècle que les statuts de la « Cour amoureuse » de Charles VI fondée en 1401 : voir A. Piaget, Romania, 1891, p. 417, et 1902, p. 597.*

Casuistique amoureuse et esprit courtois, nous retrouvons la même formule, mais dosée avec un art plus juste, dans ce qui est peut-être l'œuvre la plus agréable du XIVe siècle, les *Cent Ballades*. Un même thème court d'un bout à l'autre du recueil : il s'agit de décider s'il vaut mieux aimer en plusieurs lieux ou en un seul, s'il faut préférer loyauté ou fausseté. Un vieux chevalier, Hutin, qui se souvient des trouvères de jadis, exalte la vertu ennoblissante de l'amour fidèle. Une jeune dame, moqueuse et fine, dénommée la Guignarde (c'est-à-dire la coquette), prêche avec de jolies réserves l'inconstance et la variété. Qui a raison ? Le chevalier Hutin, concluront les quatre auteurs : Jean le Sénéchal, le comte d'Eu, Bouciquaut et Crésecque, qui ont ainsi devisé d'amour tout au long de leur pèlerinage en Terre sainte. De retour en France ils soumettent le débat à « tous les amoureux » : quatorze seigneurs ont répondu. Ils ne sont pas tous d'accord, mais la majorité se range à l'avis du sénéchal et de ses trois compagnons. Était-ce donc l'opinion même du siècle ? Le bâtard de Coucy, un des quatorze, n'en jurerait pas. Lisez plutôt sa réponse, où il parodie plaisamment le langage des amoureux courtois :

« Amours me fait ses maulx si fort sentir
Que je ne puis plus durer vrayement
Pour vous sanz plus que je sers et desir,
Ma douce amour, a qui sui ligement*,   *de qui je suis l'homme
Car si plain suy de duel et de tourment,   [lige.
Se briefment* n'ay reconfort par voz biens,   *si bientôt.
Je me mourray, très belle, temprement*... »   *promptement.
— Ainsi dist on, mais il n'en sera riens.

« Je veul la mort haste soy de venir,
Car tout le cors m'art, bruit* et esprent;   *me brûle.
Mon cuer ne fait que plourer et gemir,
Plaindre et pasmer nuit et jour durement,
Si qu'un seul jour me samble des ans cent,
Qu'autre que moi n'a nulz maulz, tous sont miens;
Pis suy que mors, je languis cruelment... »
— Ainsi dist on, mais il n'en sera riens.

Veïr pouez de* ceulx qui ont plaisir   *vous pouvez voir ce qu'il en est de.
A fort promettre et tenir pou convent*   *mal tenir leur pro-
Et qui semblant font qu'ilz veulent morir   [messe.
Pour bien amer, et puis font serement
Que la Guignarde n'ensuyront* nullement,   *ne suivront.
Hutin croyront, estre veulent des siens
A tousjours mais* et amer loyaulment :   *pour toujours.
— Ainsi dist on, mais il n'en sera riens

Dame d'onneur, vo* beauté qui resplent   *votre.
M'a si souspris que tout vostre me tiens.
Sans departir à vous seule me rent* :   *je me rends.
— Ainsi dist on, mais il n'en sera riens.

Il y a bien des choses dans ce livre charmant, de la candeur et de l'ironie, de l'enjouement et du sérieux. Les auteurs y manifestent un grand désir de se montrer dignes du passé et comme un étonnement à constater que ce n'est ni toujours facile ni toujours souhaitable. Dans cette incertitude se reflète l'âme trouble d'une génération qui sent son idéal plus différent de l'idéal traditionnel qu'elle n'ose se l'avouer. De là, chez ces poètes gentilshommes, un accent de sincérité qu'on ne peut méconnaître, et qui séduit. Imaginations périmées sans doute, mais c'étaient celles de leurs pères, et on sent qu'elles ont encore un charme pour eux.

Ce passé que grandissait l'éloignement, ils l'entrevoyaient surtout à travers un des plus beaux livres du XIIIe siècle, le *Lancelot* en prose. Ce roman magnifique a été, jusqu'à Louis XI, le livre de chevet de la noblesse française. On peut s'étonner qu'elle n'ait pas mieux profité de ses lectures. Mais les âmes n'étaient pas montées au ton qu'il fallait. On ne vit pas ou on vit mal la haute signification de l'œuvre. On s'attacha surtout à l'extérieur. Chrétien en son temps et bien d'autres après lui avaient conté des aventures, mais ni les auteurs ni le public n'étaient dupes et tous sentaient très bien l'étrangeté de ces inventions. La distinction semble s'effacer au XIVe siècle. On veut alors faire passer dans la vie même de l'époque le romanesque du *Lancelot*. Les imaginations se colorent et s'exaltent au récit des belles « emprises d'armes » des compagnons de la Table ronde. On rêve d'exploits dignes d'un Gauvain. Comme on se heurte assez vite à une réalité singulièrement brutale, il faut bien biaiser, et on s'y résigne sans trop de peine. De là des développements accessoires qui donnent l'illusion de l'essentiel : joutes étranges, tournois compliqués, foisonnement des ordres de chevalerie réglés par un cérémonial minutieux. Ce décor encadre les tueries de la guerre de Cent Ans. De ces imaginations aimables et de cette affreuse réalité, Froissart est notre meilleur témoin. Il fut surtout un grand historien. Mais nous devons pour l'instant le considérer sous un autre aspect : il fut aussi un poète, et peut-être le mieux doué de son siècle.

LES POÉSIES DE JEAN FROISSART

Sur la vie et l'œuvre historique de Froissart, voir plus loin, chap. II. Ses poésies lyriques et ses dits ont été publiés par Auguste Scheler, aux tomes XXVI-XXVIII de l'édition Kervyn de Lettenhove des Œuvres de Froissart, — Méliador, éd. Longnon (S. A. T.), 3 vol., 1895-1899. Il semble qu'il y ait eu deux rédactions de Méliador : l'une datant d'environ 1365, l'autre postérieure d'une quinzaine d'années, où furent introduites les poésies lyriques de Wenceslas de Luxembourg.

La plus imposante de ses œuvres poétiques est son roman de *Méliador*. Le sujet en est simple, car il ne s'agit que de marier la fille d'un roi. Mais la princesse est difficile : elle n'accordera sa main qu'au meilleur chevalier du monde, et il faudra que pendant cinq ans maints prétendants donnent de prodigieux coups d'épée pour que l'un d'eux la conquière enfin. C'est tout un fourmillement d' « aventures », où se joue un très pâle reflet du *Lancelot*, mais que n'anime pas l'esprit ardent du vieux livre. Les 30 000 vers de *Méliador* semblent bien longs aujourd'hui. Leur mérite est surtout de nous renseigner curieusement sur l'état d'esprit et les goûts d'une société. Ils permettent une comparaison précise avec le passé, et nous font mesurer au juste le déclin des grandes idées poétiques. *Méliador* est encore un pastiche. Le livre a été écrit pour un des protecteurs du poète, le duc Wenceslas de Brabant, poète lui aussi, et dont Froissart a enchâssé les vers lyriques dans son roman. Comme Machaut, Froissart a été à certains moments de sa vie une

EUSTACHE DESCHAMPS présente, en l'an 1383, un de ses livres au roi Charles VI. Le poète porte une couronne de roses; il tient appuyée sur son épaule sa verge d'huissier d'armes (B. N., ms. franç. 20019, fin du XIVe siècle). — CL. LAROUSSE.

sorte de secrétaire littéraire attaché à quelques grands seigneurs. Et dans leur composition, leur allure générale, leur intention, ses lais, ses ballades et ses longs poèmes : le *Paradis d'amour*, l'*Espinette amoureuse*, l'*Horloge amoureuse*, la *Prison amoureuse*, le *Buisson de Jeunesse*, ne se distinguent guère des courtes pièces et des dits de son devancier, Machaut. Mais dans les « poèmes » tout au moins, nous avons souvent la surprise de trouver l'homme derrière l'auteur, chose rare au XIVe siècle. Jamais encore poète français ne nous a fait tant de confidences. Il se plaît surtout à nous conter les beaux jours de son enfance et de sa jeunesse, car malgré les plaintes d'amour que la mode lui arrache, Froissart a été un homme heureux. Il se peut que ces jolies réminiscences soient teintées de quelque fantaisie, mais les détails ont tant de fraîcheur et de charme qu'ils donnent l'illusion de la vérité même. Il y a de l'esprit, et du plus enjoué, dans le *Dit du florin*, de la verve dans le *Dialogue du cheval et du lièvre*, et les pastourelles se lisent avec plaisir, même après celles du XIIIe siècle. Froissart avait l'étoffe d'un poète. Mais les cadres rigides de la poésie de son temps ont mal servi un talent aussi personnel que le sien. Et il a mis le meilleur de son art dans sa *Chronique*, où nulle convention tyrannique ne gênait sa liberté.

EUSTACHE DESCHAMPS, DIT MOREL

Né près de Vertus en Champagne, probablement en 1346, Eustache Deschamps a été élevé par Machaut, qui était peut-être son oncle. Il a fait des études de droit à l'Université d'Orléans, a exercé tour à tour, et souvent

LE MOIS DE MAI EN APPAREIL DE CHEVALIER (B. N., ms. latin 873, XVe siècle). — CL. LAROUSSE.

en même temps, de nombreuses charges, soit auprès du roi, soit au service de la maison d'Orléans : huissier d'armes de Charles V, puis de Charles VI, il exécute toute espèce de besognes humbles et variées ; on le charge d'inspecter les forteresses de Picardie ; il est écuyer d'écurie du duc de Touraine et, en 1393, maître des eaux et forêts en Champagne et en Brie ; il avait été au début de sa carrière bailli de Valois, en 1389 il est fait bailli de Senlis : c'est un poste où il trouve bien des déboires ; il dut le quitter bon gré mal gré en 1404, abandonné du duc d'Orléans. Le roi le fait « trésorier sur le fait de la justice », puis général des finances (1404), mais il ne peut conserver aucune de ces places, et elles ne lui rapportent jamais rien. Il meurt, en 1406 ou 1407. Ses œuvres ont été publiées par le marquis de Queux de Saint-Hilaire et Gaston Raynaud (S. A. T.), 11 vol., 1873-1903. Il faut mentionner à part l'Art de dictier, en prose (t. VII, p. 216), daté du 25 novembre 1392, qui est le plus ancien des « Arts de seconde rhétorique » (voir notre chapitre VII), et le Miroir de mariage (t. IX), poème de plus de 12 000 vers que la mort l'a empêché de terminer : c'est une satire véhémente contre les femmes et le mariage, où Deschamps se rencontre souvent avec les Lamentationes de Mathieu (extrême fin du XIIIe siècle), dont la traduction française, composée par Jehan Le Fèvre, en 1371 ou 1372, est restée longtemps populaire.

Comme Machaut, comme Froissart, Eustache Deschamps a composé des vers d'amour, et il est possible qu'on les lui ait parfois payés. Il est certain toutefois que sa poésie ne l'a pas fait vivre. Il est fonctionnaire d'abord et auteur ensuite. Il a même rempli d'assez hautes charges; mais au XIVe siècle les « gages » n'étaient pas toujours payés. Deschamps est resté toute sa vie besogneux et incertain du lendemain. De là dans ses vers un accent d'âpreté très particulier. Il est un mécontent dont la grande affaire a été de résoudre le problème de la vie matérielle et qui n'y a pas toujours réussi. On comprend qu'il ne se soit guère attardé aux subtilités de l'amour conventionnel. Son robuste bon sens était aux prises avec une réalité trop dure pour qu'il se permît un passe-temps réservé aux favoris des princes. Il a, bien entendu, accepté les formes poétiques en faveur autour de lui et il a même écrit plus d'un millier de ballades et près de deux cents rondeaux, mais il ne s'est pas astreint à traiter les thèmes traditionnels : la ballade chez lui est extrêmement variée, elle est tour à tour patriotique, morale, philosophique, plaisante, frondeuse, satirique; elle n'est amoureuse que par accident et comme à regret; de même, s'il écrit une pastourelle,

Ci commence le liure de la cité des dames Auquel le premier chappitre parle pourquoy et par quel mouuement le dit liure fu fait...

CHRISTINE DE PISAN reçoit la visite des trois dames de Vertu : Raison, Droiture et Justice. Puis, conseillée par Raison, elle travaille, la truelle en main, à bâtir la Cité des Dames (B. N., ms. franç. 607). — CL. LAROUSSE.

ce sont des paysans de France qui se lamentent sur les maux de la guerre.

Deschamps est très près de son siècle, il a donné à la poésie lyrique le sens de la réalité : là est la nouveauté de son œuvre. Cette réalité lui apparaît assez laide. Il ne flatte pas son époque. Il prend volontiers le ton satirique, tempéré de bonne humeur dans sa jeunesse, aigre et morose vers la fin. Il représente cette classe moyenne des grandes villes qui souffre moins que d'autres de la guerre de Cent Ans, mais qui n'en profite pas non plus, qui en voit toute l'horreur dans le présent et en comprend tout le danger pour l'avenir. Il peut y avoir une pointe d'égoïsme dans ces plaintes : elles sont inspirées du moins par un patriotisme sincère, clairvoyant et honnête. Toutefois l'impression d'ensemble reste confuse. La ballade ne fournit après tout à ce patriote attristé qu'un cadre bien étroit pour sa verve ou son indignation. Malgré la vigueur fréquente du trait, il y a quelque chose d'étriqué dans sa poésie. Ce ne sont que des notations, précises sans doute et parfois colorées, mais si grêles et si menues! Pas de grand souffle qui emporte l'œuvre. Du Guesclin et l'importunité des mendiants de Paris, les malheurs de la France et le mauvais poisson du carême, tout est sur le même plan. Nulle gradation, nulle perspective. Son œuvre n'est guère qu'une chronique au jour le jour, qui d'ailleurs nous renseigne abondamment sur les choses et les hommes de son temps. Il n'y faut pas chercher de poésie.

CHRISTINE DE PISAN

Née à Venise en 1364, elle était fille d'un astrologue et médecin italien, Thomas de Pisan (plus exactement : de Pizan), qui depuis quelques années était entré au service de Charles V. Élevée à Paris, elle épouse, en 1378, Étienne du Castel, qui va bientôt devenir secrétaire du roi ; il meurt en 1389. Thomas de Pisan n'avait survécu que quelques années à son protecteur Charles V. Christine, restée veuve avec trois enfants, dut soutenir de nombreux procès pour entrer en possession de l'héritage de son mari, et s'y ruina. Ses ouvrages datent de la période qui va

de 1399 à 1415. Elle eut un instant la protection du duc de Bourgogne, Philippe le Hardi, pour qui elle écrivit la vie de Charles V, mais il mourut en 1404. Attristée par les malheurs qui fondent sur la France, elle se retire dans un couvent vers 1418 ; en 1429, elle célébrera les premiers succès de Jeanne d'Arc. La date de sa mort se place, semble-t-il, peu de temps après.

En dehors de ses ballades, rondeaux et dits, les ouvrages de Christine les plus intéressants sont la Cité des Dames *(1405) ; on en trouvera une analyse par A. Jeanroy dans* Romania, *1922, p. 93 : sur bien des points, c'est une traduction fidèle du* De claris mulieribus *de Boccace ; le* Livre des trois Vertus *ou* Trésor de la cité des dames *(voir Mathilde Laigle, le* Livre des trois Vertus de Christine de Pisan, *1912) ; le* Livre des Faicts et bonnes mœurs du roi Charles, *commencé en 1404 (éd.* Buchon, *collection de Chroniques, IV, et S. Solente, t. I, 1936). Tous ces ouvrages sont en prose. M. Roy a commencé la publication des œuvres poétiques : 3 vol. ont paru (S. A. T.), 1886-1896. Le* Chemin de long estude, *en vers (1402), éd.* Püschel, *Paris et Berlin, 1881. Le* Ditié *en l'honneur de Jeanne d'Arc a été publié par* Jules Quicherat, *le* Procès de Jeanne d'Arc, *t. V, p. 1. Consulter P. G. C. Campbell, l'*Épître d'Othéa, *étude sur les sources de Christine de Pisan, 1924.*

Christine de Pisan s'est proclamée « la disciple » d'Eustache Deschamps, mais c'est Machaut qu'elle a surtout imité. Si elle ne fût pas restée veuve à vingt-cinq ans, sans fortune, avec trois enfants à élever, se serait-elle tournée vers la poésie? On peut en douter. En tout cas, elle eût moins écrit, et sa gloire y eût peut-être gagné. Toutefois il fallait vivre, et cette jeune femme cultivée, qui savait le latin et l'italien, songea à utiliser ses talents et sa science. Elle chanta donc l'amour, puisque des poètes avaient vécu en chantant l'amour. Non qu'elle eût le cœur très joyeux, car elle ne se consola jamais de son veuvage, et ses meilleures ballades sont peut-être celles où s'exhale son chagrin :

Je chante par couverture*,	*pour dissimuler.
Mais mieulx plourassent mi œil,	
Ne nul ne scet le travail	
Que mon pouvre cuer endure.	
Pour ce muce* ma doulour	*je cache.
Qu'en nul ne je voy pitié :	
Plus a l'en* cause de plour,	*l'on.
Mains* treuve l'en d'amistié.	*moins.
Pour ce plainte ne murmure	
Ne fais de mon piteux dueil;	
Ainçois ris* quant plourer vueil,	*mais je ris.
Et sanz rime et sanz mesure	
Je chante par couverture.	

Mais les vers d'amour étaient à la mode, c'est par eux qu'on plaisait au public. Et il est touchant de voir cette pauvre femme, qui aurait tant aimé à s'occuper avant tout d'un mari et de sa maison, s'appliquer industrieusement à retracer en de jolies ballades les peines et les joies d'amour. Il est à noter qu'on n'y sent pas l'effort. Christine fréquentait la bonne société, elle s'exprime avec naturel, elle a de l'aisance et de la grâce. Le succès vint très vite. Elle put composer dès lors des poèmes plus ambitieux, qu'elle faisait recopier en de beaux manuscrits et dédiait à de puissants protecteurs, comme le duc Louis d'Orléans ou la princesse Marguerite de Bourgogne. C'étaient des songes, des allégories, des « jugements » à la mode de Machaut, où toujours revenaient, repris de cent façons ingénieuses, les vieux thèmes d'amour.

Ce qui était nouveau toutefois, c'est l'insistance avec laquelle Christine présentait la défense des femmes, si malmenées dans la littérature antérieure. Plus clairement qu'aucun de ses contemporains, elle vit la contradiction qu'il y avait à vanter la noble influence de l'amour dans une société qui faisait du *Roman de la Rose* sa lecture favorite. Dans ses satires véhémentes, Jean de Meung n'avait épargné aucune femme. S'il avait dit vrai, que signifiait le culte de la « dame »? Blessée au plus intime de son être, Christine ne se lasse pas de répéter que Jean de Meung a menti. Contre les attaques, les calomnies, les grossièretés des clercs misogynes, elle proteste avec une chaleur passionnée. On a plaisir à entendre cette voix pure soutenir avec tant de dignité une cause qui aurait mérité d'être défendue plus tôt. Christine ne se contente pas de plaider pour les femmes devant l'opinion publique, elle veut encore être leur conseillère. Le *Livre des trois Vertus*, un de ses meilleurs « traités », est un cours complet d'éducation féminine et domestique. Il nous promène très agréablement à travers la France du XIVe siècle, car, dans sa sollicitude, Christine n'omet aucun âge ni aucune condition sociale : la chambrière retient son attention aussi bien que la duchesse. Et c'est peut-être ce qui fait aujourd'hui le plus grand mérite de l'œuvre de Christine; dans sa prose comme dans ses vers, elle fait revivre la société de son temps, dont elle nous donne une image plus attrayante que n'avait fait Deschamps. C'est qu'elle s'était approchée de plus près du monde seigneurial et qu'elle s'est laissée un peu éblouir par l'éclat des fêtes somptueuses qu'on aimait alors. Mais il y a des limites à son indulgence et elle voit très bien que tout ne va pas pour le mieux dans le royaume. Elle s'en attriste souvent, car cette fille d'un Italien fut une excellente Française. Avant de mourir, elle aura la joie de saluer de ses derniers vers l'apparition de Jeanne d'Arc.

Christine de Pisan est un noble caractère et une des vives intelligences de son temps. Son ardeur à l'étude, l'étendue de sa culture, sa familiarité avec l'antiquité latine annoncent un esprit nouveau : il y a, dans les vers de cette femme de lettres, la première d'une longue lignée, comme un parfum de Renaissance. Mais sa poésie, toute gracieuse qu'elle est, manque de spontanéité profonde. Quand Christine met en vers les amours de quelque noble protecteur, la finesse ou le charme des détails ne peuvent sauver une situation au fond déplaisante. Quand elle n'écrit que pour plaire à son

CHRISTINE DE PISAN offre ses poésies à la reine Isabeau de Bavière entourée de ses dames d'honneur (British Museum, ms. Harley 4431). — CL. LAROUSSE.

public, comme il arrive, ses vers amoureux ont une fraîcheur qui ne s'est pas ternie. Mais elle ne veut pas qu'on s'y trompe : ce sont des vers en l'air, qui ne traduisent pas son expérience personnelle; la vraie Christine n'est pas là. Et toutefois, c'est elle que nous aimerions à entendre. Les exigences de la tradition et de la mode ne le lui ont pas permis. Malgré qu'on en ait, on songe à un jeu d'esprit. C'est le reproche qu'on peut faire à toute la littérature amoureuse du XIVe siècle. Il reste que ce cœur de femme était profondément aimant et que, dans cette poésie d'essence artificielle, elle a mis une sincérité à laquelle ne pouvaient prétendre un vieux chanoine comme Machaut ou un bailli maussade comme Deschamps.

ALAIN CHARTIER

Alain Chartier, né à Bayeux en 1385, notaire et secrétaire du roi, servit fidèlement le Dauphin, soit à la cour de Bourges, soit dans des ambassades en Allemagne et à Venise (1425), ou en Écosse (1428). Le Dauphin le récompensa en lui faisant obtenir, entre autres bénéfices, la cure de Saint-Lambert-des-Levées au diocèse d'Angers, un canonicat à Paris, un autre à Tours. Alain Chartier est mort entre 1430 et 1440.

Parmi ses œuvres, en dehors de celles qui seront mentionnées ci-dessous, citons le Traité de l'Espérance *(1424), le* Bréviaire des Nobles *et le* Débat du Réveille-Matin. *Sur un poème récemment découvert, d'inspiration analogue à celle du* Quadrilogue invectif, *voir Antoine Thomas,* Journal des Savants, *1914, p. 442. Les*

PARIS ET HÉLÈNE, OU LE CHEVALIER ET SA DAME, d'après un manuscrit du XVe siècle de « l'Épître d'Othéa à Hector », où Christine de Pisan emprunte à l'antiquité une de ces fictions mythologiques qui plairont tant à la Renaissance. — CL. LAROUSSE.

œuvres d'Alain Chartier ont été publiées par André Du Chesne en 1617. On lui a attribué nombre d'ouvrages qui ne sont pas de lui : voir Arthur Piaget, le Miroir aux Dames, *Neuchâtel, 1908, p. 21. — La* Belle Dame sans merci *a été publiée de nos jours par Carl Wahlund, Upsala, 1897, Am. Pagès, Romania, 1936, pp. 481-530 et A. Piaget, 1945 (cette dernière édition avec un choix de Ballades, Rondeaux et Chansons). Sur le succès extraordinaire de ce poème et les imitations qui en furent faites au XVᵉ siècle, voir A. Piaget, Romania, 1901, 1902, 1904 et 1905. Le* Quadrilogue invectif *a été publié dans la collection des* Classiques français du moyen âge, *par E. Droz, 1923. Sur la vie d'Alain Chartier, voir A. Thomas, Romania, 1904, 1906, et A. Piaget, Romania, 1901 et 1907.*

Il n'y a pas, au XVᵉ siècle, de renommée littéraire plus grande que celle d'Alain Chartier. Nul poète français jusqu'à Ronsard n'a été plus admiré de ses contemporains. Si l'excès de cette gloire nous surprend, il faut avouer qu'Alain Chartier a laissé bien loin derrière lui tous ses prédécesseurs du XIVᵉ siècle. Il se rattache à leur tradition, mais il donne à cette tradition une portée tout autre et un éclat nouveau.

Son premier poème, le *Livre des quatre Dames* (1415 ou 1416), est un « jugement » où se retrouvent les conventions du genre, mais si effacées par l'intérêt poignant du sujet qu'on les oublie bientôt. Nous sommes au lendemain d'Azincourt, sous l'impression toute vive de ce désastre. Quatre dames pleurent leurs amis perdus pour elles en un même jour : l'un est mort, l'autre est prisonnier et ne donne pas de ses nouvelles, le troisième a disparu, le quatrième a fui. Laquelle est la plus malheureuse ? Qu'importe ? Ce qui nous touche, c'est le deuil passionné qui monte ainsi de la terre de France, la plainte de toutes celles qui survivent, leur indignation à la pensée qu'une pareille défaite est due à la fuite honteuse d'une partie de la chevalerie française. Qui nous disait qu'Amour fait les cœurs vaillants ? Les femmes ont le beau rôle dans ce poème, et Christine, si elle l'a lu, a dû s'en réjouir. Mais ses vers aimables pâlissent à côté de la satire mordante de Chartier. Nous sommes près du ton de Deschamps, mais on ne sent pas chez Chartier une rancune personnelle : il voit de plus haut et plus loin. Il faut dire que, dans les grandes charges qu'il a exercées, s'il a partagé les revers de son roi, il semble du moins ne pas avoir connu les mêmes soucis d'argent que Deschamps. Et, d'autre part, Azincourt a éclairé bien des choses.

La langue de ce premier poème est encore un peu inégale et embarrassée. La *Belle Dame sans merci* (1424) marque un net progrès de style. Ici le fond est peu de chose : un amant tente en vain de fléchir sa dame et meurt de désespoir. Mais cette bagatelle est d'un bien joli tour, et la langue en est si ferme dans sa concision parfois épigrammatique !

Il est bien vrai que c'est aux pires heures de la guerre de Cent Ans qu'Alain Chartier se jouait ainsi à des amusettes. Mais la guerre était à demeure dans le pays, il fallait vivre quand même, et parfois se dérider. Le poète n'oubliait pas pourtant la gravité du moment, et son *Quadrilogue invectif* (1422) le montre bien. C'est un dialogue en prose, sur le ton véhément, entre quatre personnages : France, le chevalier, le peuple, le clergé. Qui est responsable des malheurs du royaume ?

Le chevalier accuse le peuple, le peuple accuse le chevalier et le clergé s'érige en juge. On voit par là que Chartier a ses indulgences. Et entre les deux accusés, il préfère le peuple, quoiqu'il blâme ses mutineries et son peu de foi. Contre le chevalier, l'acte d'accusation est terrible : c'est le peuple qui parle, il est vrai, mais l'auteur aussi, le ton ne permet pas d'en douter :

« Ha ! dit le peuple, le labeur de mes mains nourrist les lasches et les oyseux et ilz me persécutent de faim et de glaive. Je soustiens leur vie à la sueur et travail de mon corps, et ilz guerroyent la mienne par leur oultrages, dont je suis en mendicité. Ilz vivent de moy, et je meur par eulx. Ilz me deussent garder des ennemis, hélas ! et ilz me gardent de mengier mon pain en seureté. Comment aurait homme en ce party pacience parfaicte, quant à ma persécution ne peult on riens adjouster que la mort ? Je meur, et transis par deffault et necessité des biens que j'ay gaignez. Labeur a perdu son esperance, marchandise ne trouve chemin qui la puisse sauvement adresser. Tout est proye, ce que l'espee ou le glaive ne deffend. Ne je n'ay autre esperance en ma vie, senon par desespoir laisser mon estat, pour faire comme ceulx que ma despouille enrichist, qui plus ayment la proye que l'onneur de la guerre. Que appellé-je guerre ? ce n'est pas guerre qui en ce Royaume se maine. C'est une privee roberie, ung larrecin habandonné, force publicque soubz umbre d'armes, et violente rapine : que faulte de justice et de bonne ordonnance ont fait estre loisibles. Les armes sont criées, et les estendars levez contre les ennemis. Mais les exploitz sont contre moy, à la destruction de ma povre substance et de ma miserable vie. Les ennemis sont combattus de parolles, et je le suis de faict... Je suis en exil en ma maison, prisonnier de mes amis, assailly de mes deffendeurs, guerroyé des souldoyers dont le payement se fait de mon propre chatel. Et pour faire une abhominable somme de mes malles meschances infinies, je ne voy aultre demourant ou exploict des longues guerres de ce Royaulme, sinon terres en friche et pays inhabitable, multitude de vesves et d'orphennins chetifz, et mendians, et desolez, et mutations de biens, qui des mains de ceux qui les ont gaignez sont transportez aux plus forts et ravissans... Par droicte comparaison, la nostre police françoise semble de present l'ostel d'un mauvais mesnagier, qui despise sa presente substance avant qu'il pourvoye à celle à venir, mangeue sa vigne en vergeuz, et vuide ses greniers hors de saison à la comble mesure, si que le pain luy fault au plusgrant besoing. »

Il reproche aux chevaliers de France leur paresse, leur indiscipline, leur égoïsme et même, en de certains cas, leur lâcheté. C'est le même thème que dans le *Livre des quatre Dames*, mais repris avec plus d'ampleur, une vue plus haute des hommes et des événements, une tristesse plus amère. Le livre n'est pas d'un pessimiste : Alain Chartier n'attend plus rien d'une chevalerie qui a failli à sa mission, mais il a foi en son pays, et foi en la royauté ; il a deviné que le salut viendra de là. Et ici la forme est digne du fond. Tout imprégné de culture latine, Chartier écrit en une prose ferme, rythmique, qui s'élargit sans effort en harmonieuses périodes et atteint parfois à l'éloquence.

On se plaindrait même, à l'occasion, d'un excès de beau langage. Mais ce serait oublier les nécessités de l'heure : pour échapper au verbiage, à la phrase gauche et sans accent du XIVᵉ siècle, le style avait besoin de cette rhétorique-là. Le dialogue, d'un intérêt si réel, est encore encadré dans la fiction banale d'un songe. C'est une dernière concession aux exigences traditionnelles. Un pas de plus et la littérature, rejetant les vieilles défroques et les oripeaux surannés, entrerait dans le vif de la vie contemporaine.

Toutefois Alain Chartier, prosateur, n'a pas fait école, sinon très tard dans le siècle. Il semble que ce soit le poète que les contemporains aient particulièrement admiré en lui, et avant tout l'auteur de la *Belle Dame sans merci*.

MARTIN LE FRANC

Martin le Franc est né vers 1410 dans le comté d'Aumale. Entré dans les ordres, il devint protonotaire apostolique et secrétaire du pape Félix V, puis du pape Nico-

LE CHAMPION DES DAMES, PAR MARTIN LE FRANC. Dame Orthense défend devant le Sénat la cause des femmes veuves (musée de Grenoble, ms. 352, XVᵉ siècle). — CL. CH. PICCARDY.

las V ; il fut nommé prévôt du chapitre de Lausanne en *1443*, chanoine de l'Église de Genève en *1447* ; il fut aussi, à partir de *1451*, maître des requêtes du duc de Savoie, et, à partir de *1459*, administrateur de l'abbaye de Novalèse. Il mourut en *1461*.

Le Champion des dames, *terminé en 1442, fut imprimé à Lyon en 1485 et à Paris en 1530 (analyse dans Arthur Piaget,* Martin le Franc, *Lausanne, 1888, pp. 79-100). La* Complainte du livre du Champion des dames à son auteur *a été publiée par G. Paris,* Romania, *1887, p. 383.*

Martin le Franc a subi l'influence d'Alain Charfier, bien que son œuvre principale, le *Champion des dames*, soit inspirée du *Roman de la Rose*.

Il y attaque Jean de Meung et prend contre lui la défense des femmes, mais sa méthode est la même : allégories, digressions, étalage d'érudition. Il est d'ailleurs un esprit de même trempe, indépendant et vigoureux. Pourvu du poste lucratif de prévôt du chapitre de Lausanne, il était en mesure de se passer de protecteurs, et, dans sa *Complainte du livre du Champion des dames à son auteur*, il a su parler aux grands avec une dignité qu'on aimerait à retrouver plus souvent à cette époque et plus tard. Martin le Franc, avec tout son mérite, a eu peu de succès auprès de ses contemporains. Au fond, il n'a pas l'originalité de Jean de Meung, et, comme poète et comme écrivain, il est très inférieur à Alain Chartier.

CHARLES D'ORLÉANS

Fils de Louis d'Orléans, frère de Charles VI et de Valentine Visconti, Charles d'Orléans est né à Paris en 1391. Il dut administrer lui-même ses biens dès 1408, après l'assassinat de son père (1407) et la mort de sa mère (1408). Il conclut avec le meurtrier de son père, Jean sans Peur, duc de Bourgogne, une paix qui ne dura guère. Il épousa, en 1410, Bonne d'Armagnac et défia le duc de Bourgogne (1411). La rivalité des Bourguignons et des Armagnacs aboutit pour les Français à la défaite d'Azincourt (1415) ; Charles d'Orléans y

fut fait prisonnier et emmené en Angleterre. Il rentre en France en *1440* après vingt-cinq ans de captivité, et cherche à jouer entre le roi Charles VII et les grands vassaux, en particulier le duc Philippe de Bourgogne, un rôle de médiateur. Puis il se retire dans sa cour de Blois et ne s'occupe plus guère que de poésie. Il meurt en *1465*.

Consulter : *Pierre Champion,* Vie de Charles d'Orléans, *1911, et, du même auteur, le* Manuscrit original des poésies de Charles d'Orléans, *1907. Parmi les éditions de ses œuvres, citons celles de M. J. Guichard, 1842 ; de Charles d'Héricault, 1874, 2 vol., et de Pierre Champion (collection des* Classiques français du moyen âge*), 1923. Un manuscrit de la Bibliothèque nationale, publié par G. Raynaud,* Rondeaux et autres poésies du XVᵉ siècle *(S. A. T.), 1889, nous permet de nous faire une idée précise de l'activité littéraire de la cour de Blois : il est probable en effet que ce recueil, dont les pièces ont été composées en 1450 ou peu après, est un « démembrement de l'une des collections des poésies de Charles d'Orléans et de son cercle » (P. Champion,* Romania, *1922, p. 106).*

René, duc d'Anjou, de Bar et de Lorraine, comte de Provence, et roi de plusieurs royaumes où il ne régna guère (*1408-1480*), fut un chevalier accompli, amoureux des beaux faits d'armes et des expéditions aventureuses, et, en plus, un protecteur éclairé des lettres et des arts. Poète lui-même, il fit enluminer magnifiquement les manuscrits de ses œuvres. Les principales sont un traité des *Tournois* ; un traité allégorique, le *Mortifiement de Vaine Plaisance*, et un ouvrage romanesque en vers et en prose, le *Livre du Cuer d'amour espris (1457)*, où les réminiscences du *Lancelot*

LE LIVRE DU CŒUR D'AMOUR ÉPRIS, PAR LE ROI RENÉ. La Fontaine de Fortune (Bibliothèque ci-devant impériale de Vienne, ms. 2597, XVᵉ siècle). — CL. LAROUSSE.

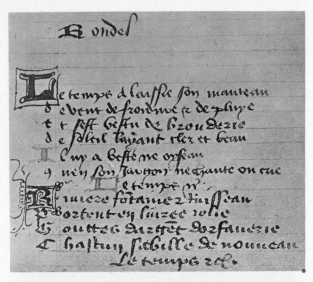

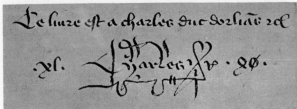

AUTOGRAPHES DE CHARLES D'ORLÉANS. *En haut*, le rondel « le Temps a laissié son manteau », d'après le ms. 25458 de la Bibliothèque nationale ; le poète écrivit lui-même, comme l'a démontré Pierre Champion, un grand nombre de pièces de ce manuscrit. — *En bas*, ex-libris autographe de Charles d'Orléans sur un manuscrit de la traduction de l' « Éthique » d'Aristote par Nicole Oresme (B. N., ms. franç. 542). — CL. LAROUSSE.

en prose se mêlent aux allégories empruntées au Roman de la Rose. *Il y imite aussi Charles d'Orléans, et, par plus d'un côté, sa cour d'Angers rappelle celle du duc d'Orléans, à Blois. Le poème de* Regnault et Jehanneton *(vers 1466, éd. Maurice Du Bos, 1923), qui lui a été longtemps attribué, n'est pas son œuvre, mais lui a été offert, à l'occasion de son mariage avec Jeanne de Laval, par un de ses familiers, peut-être Louis de Beauvau, grand sénéchal d'Anjou et de Provence. Les* Œuvres du roi René *ont été publiées par le comte de Quatrebarbes, Angers, 4 vol., 1845-1846. Le* Mortifiement de Vaine Plaisance *a été publié aussi par F. Lyna, 1926, et le* Cuer d'amour espris *par O. Smital et E. Winkler, Vienne, 1926. Consulter P. Champion, le* Roi René écrivain, *Monaco, 1925 et V. Chichmaref,* Romania, *1929, p. 214.*

Avec Charles d'Orléans nous revenons franchement à la tradition de Machaut. La poésie chante l'amour, et l'amour est conçu comme un culte et un service où l'on s'acquiert des mérites. C'est bien encore, il est vrai, l'enseignement de la *Belle Dame sans merci* ; mais Chartier avait montré une autre voie à la littérature, et avant lui, à sa façon, Deschamps. On est surpris en abordant Charles d'Orléans de ce retour à un passé qu'on pouvait croire démodé. Mais quand on lit ses vers, on ne pense plus à lui faire ce reproche. C'est qu'il est infiniment au-dessus de Machaut. Par son enjouement et son aisance, il rappelle plutôt les pèlerins des *Cent Ballades*. Comme eux, il se sent chez lui dans ces fictions qu'ont façonnées ses ancêtres. Mais tandis que Bouciquaut et les autres auteurs des *Cent Ballades* restent des amateurs, Charles d'Orléans a la technique du métier, et quelque chose

de plus. Sur la plupart de ses contemporains et de ses prédécesseurs du XIVe et du XVe siècle, il a cet avantage qu'il n'écrit pas pour vivre. Il n'a pas gaspillé son talent et il ne l'a pas forcé. Son premier recueil de vers, qu'on a nommé le *Livre de la Prison*, a été composé en Angleterre, au jour le jour, pendant l'ennui de sa longue captivité : il y chante en de gracieuses ballades la dame de ses pensées, qui est probablement sa femme, Bonne d'Armagnac. C'est une surprise de trouver de la tendresse réelle dans une poésie qui, depuis un siècle, et peut-être depuis l'origine, a surtout vécu de conventions. Cette fois il semble bien que nous ayons sous les yeux la peinture de vraies joies et de vrais chagrins, quoiqu'il faille y regarder de près pour en goûter le charme discret. On retrouve cette grâce et cette sincérité dans les rondeaux que Charles a composés dans la dernière période de sa vie, à un moment où, ayant renoncé à toute ambition politique, il avait fait de sa cour de Blois comme le rendez-vous de tous les fins rimeurs du temps. On y venait de loin, sûr d'être bien accueilli quand on savait tourner ingénieusement un rondeau ou une ballade. Quand on ne pouvait venir, on envoyait du moins des vers, comme firent le bon roi René d'Anjou, et bien d'autres. Un même album recueillait les compositions du duc, de ses invités et de ses correspondants.

On célébrait la fête de mai et le jour de Saint-Valentin, et on écoutait le maître de la maison se plaindre joliment des désillusions de la vieillesse :

Est ce tout ce que m'apportez
A vostre jour, saint Valentin ?
N'aurai je que d'Espoir butin,
L'attente des desconfortez ?

Petitement vous m'enhortez
D'estre joyeulx a ce matin!
Est ce tout ce que m'apportez
A vostre jour, saint Valentin ?

Nulle rien ne me rapportez
Fors *bona dies* en latin :
Vieille relique en vieil satin!
De telz presens vous deportez!
Est ce tout ce que m'apportez ?

Société aimable et charmante, qui s'attardait ainsi à de délicieux anachronismes, pendant que tout autour d'elle le monde changeait! Mais ces distractions d'une élite ont conservé leur prix pour nous, et les vers de Charles n'ont rien perdu de leur fraîcheur :

Il n'est nul si beau passe temps
Que se jouer à sa pensée...

C'est qu'il était né poète, et pas une de ses pièces où il n'y paraisse. Il a d'abord la grâce du style : peut-être a-t-il pris quelques leçons d'Alain Chartier, mais en ce cas il a dépassé son maître. Il a le même sens du mot juste, mais il évite plus soigneusement l'emphase, ou plutôt, il écrit sans effort en un français d'un naturel parfait qui reflète une pensée limpide. Il a subi, lui aussi, l'influence de Jean de Meung, mais il est le seul qui ait su tirer des froides allégories du *Roman de la Rose* l'essence de poésie qu'elles recelaient : Amour, Male Bouche, Faux Semblant, Danger, tous ces personnages se meuvent dans les ballades et les rondeaux de Charles d'Orléans avec une aisance qu'ils n'avaient jamais connue, et bien d'autres à leur suite : Plaisance, Réconfort, Nonchaloir, Courroux, Liesse, Souci, Ennui, Mélancolie :

Et comment l'entendez-vous,
Ennuy et Merencolie ?
Voulez vous toute ma vie
Me tourmenter en courrous ?

Le plus malheureux de tous
Doy je estre ? Je le vous nye!
Et comment l'entendez vous,
Ennuy et Merencolie ?

De tous poins accordons nous,
Ou, par la Vierge Marie,
Se Raison n'y remédie
Tout va s'en dessus dessous.
Et comment l'entendez vous,
Ennuy et Merencolie ?

Silhouettes légères qui passent et qu'on suit de l'œil avec plaisir : c'est tout un petit peuple factice qui s'anime, pour une fois, d'une vraie vie, et où on rencontre sans

CHARLES D'ORLÉANS PRISONNIER DANS LA TOUR DE LONDRES, d'après un manuscrit de ses poésies enluminé pour le roi Henry VII
Tudor, entre 1485 et 1500 (British Museum, ms. Royal Fij). — CL. LAROUSSE.

surprise le Cœur et les Yeux du poète, personnages qui ne sont nullement déplacés dans cette mythologie du moyen âge finissant. Pour Charles d'Orléans, Beauté et Loyauté sont aussi réelles que le seront plus tard pour Ronsard les déesses de l'Olympe. Ici, d'ailleurs, la gageure était plus difficile. Il y fallait de la fraîcheur et de l'émotion, sans doute, mais bien de l'esprit aussi, et sur ce point encore Charles d'Orléans surpasse aisément tous ses contemporains. Pourquoi, avec des dons pareils, et malgré tout le plaisir qu'il nous donne, nous désappointe-t-il un peu? C'est que d'un homme qui a pris part à tous les grands événements et à toutes les tragédies de son temps, d'un vaincu d'Azincourt, d'un chevalier français qui a passé vingt-cinq ans de captivité chez les Anglais, d'un prince du sang qui a vu la France si près de sa perte que presque tous la croyaient perdue, on attendrait autre chose qu'une collection de petits vers d'amour, même exquis. Il est injuste de reprocher à un poète ses chants ou à un prisonnier ses distractions, mais il est des époques où toute poésie qui n'est qu'amoureuse est fade. On souhaiterait parfois que ce prince, qui aimait son pays, y eût joué un rôle plus actif, ne fût-il intervenu que pour dire, en poète, son mot sur les affaires du temps. Il s'est contenté de chanter l'amour, comme on le chantait depuis des siècles dans les nobles familles de son pays, et en tout cas il a donné à cette tradition l'expression la plus parfaite qu'elle ait jamais reçue chez nous. Le dernier des poètes courtois de l'ancienne France, il en a été le plus artiste. Mais aussi il a épuisé cette veine, et cela, coïncidence remarquable, au moment précis où la « courtoisie » elle-même disparaît. Cette poésie mélancolique et fine annonce la fin non seulement d'un genre, mais d'une classe sociale, et même d'une époque. Quand Charles d'Orléans meurt en 1465, Louis XI est roi et Villon a donné toute son œuvre : la France nouvelle se fonde et la poésie moderne est née.

LA « COMPLAINTE DE FRANCE », DE CHARLES D'ORLÉANS. Près des remparts de Paris, Notre-Dame, debout devant la croix, prie pour le royaume de France (British Museum, ms. Royal Fij, fin du XVe siècle). — CL. LAROUSSE.

II. — LA PROSE
PENDANT LA GUERRE DE CENT ANS
OUVRAGES DIDACTIQUES

Le Livre du Chevalier de la Tour Landry, pour l'enseignement de ses filles, *éd. A. de Montaiglon, 1854.* — Le Ménagier de Paris, *éd. J. Pichon, 2 vol., 1846.*

En dehors des historiens, le XIVe siècle ne nous offre que bien peu de prosateurs. Malgré le succès du roman de *Lancelot*, on ne semble pas encore admettre que la prose soit un moyen d'expression égal en dignité et en valeur à la poésie, et on ne l'emploie guère que dans des œuvres d'intention didactique. Sur ce point les idées changeront au milieu du XVe siècle. C'est bien un livre d'enseignement que celui du chevalier de La Tour Landry, puisqu'il l'écrit pour que ses filles y apprennent à lire, et puis à se conduire plus tard dans la vie. C'est pourquoi il leur rapporte de belles histoires empruntées à la Bible et à l'Antiquité, qui constituent un cours suivi de morale en action. Le chevalier n'est pas un érudit : toute cette science, il nous avoue qu'il la doit à des clercs de sa maison. Son affaire à lui est de prendre dans la vie contemporaine les exemples dont il a besoin. A sa suite, nous pénétrons dans les châteaux de la noblesse de province. Sourires et fines reparties des dames, audace et parfois confusion des chevaliers, conversations amoureuses, discussions d'étiquette et de morale, éloge et blâme des modes nouvelles, c'est toute une société qui revit ainsi devant nous, et nous entendons causer Beaumanoir, Clermont et Bouciquaut. Si le style est un peu traînant, les descriptions sont colorées et on les sent fidèles. Elles nous donnent une idée favorable de la noblesse provinciale ou tout au moins de ses distractions. Toutefois le bon chevalier, qui admire de confiance la société du temps de ses aïeux, croit que son siècle a dégénéré. C'est qu'il a bien noté que les actions ne correspondent plus à l'idéal traditionnel. Mais il n'est pas non plus dupe des mots, même quand ils apparaissent en des formules transmises par les ancêtres, et il prête à sa femme une critique bien amusante et bien fine de la théorie qui veut que l'amour de la dame « fasse valoir » le chevalier. On ne saurait jurer que le seigneur de La Tour Landry pense toujours à ses filles. Il avait d'abord écrit son prologue en vers, et son livre débute par la description conventionnelle du printemps. Voilà qui sent son auteur. Ce sont au fond les mémoires d'un gentilhomme de province qui nous sont offerts sous l'apparence d'un livre de lecture et de morale à l'usage des jeunes filles.

Nous croyons reconnaître une fiction analogue dans le *Ménagier de Paris*, écrit entre 1392 et 1394, par un bourgeois déjà sur l'âge, à l'intention de sa jeune femme, qui n'avait que quinze ans. Il s'agit de parfaire l'éducation de cette enfant pour le plus grand profit d'un second mari. Cette abnégation touchante est-elle bien dans la nature? Il n'y a sans doute là qu'un moyen détourné de justifier un cours complet de morale et d'économie domestique. Nous retrouvons ici les histoires tirées de la Bible et de l'Antiquité; et peut-être n'est-ce encore que de l'érudition d'emprunt. Ce qui est sûrement de l'auteur, ce sont les renseignements abondants qu'il nous donne sur l'administration et l'ordonnance d'une grande maison au XIVᵉ siècle. Si le chevalier de La Tour Landry fait revivre pour nous les personnages du temps, ici nous voyons le milieu et le décor. Bien qu'écrits pour des publics un peu différents, les deux livres se complètent, et du reste il est visible que l'auteur du *Ménagier* appartenait à la haute bourgeoisie et a fréquenté la meilleure société de Paris. Il écrit une langue excellente, où les trouvailles d'expression ne sont pas rares. C'était un esprit indépendant : il a sur la sorcellerie des paroles qui dépassent de bien loin le niveau moyen de la pensée de son époque.

HISTORIENS ET CHRONIQUEURS

C'est surtout l'histoire qui fait l'intérêt de la littérature française du XIVᵉ siècle, et, parmi les historiens ou chroniqueurs, deux noms se détachent sur tous les autres, ceux de Jean le Bel et de Froissart.

JEAN LE BEL

Jean le Bel, né vers 1290, mort en 1369 ou en 1370, appartenait à une famille noble, et lui-même, quoique d'Église, a mené grand train, entouré d'un monde de clients et de dépendants. Il avait composé des poésies qui ne sont point parvenues jusqu'à nous. Sa Chronique *a été commencée entre 1352 et 1356 ; il est probable qu'elle est incomplète. Elle a été publiée par J. Viard et E. Déprez, 2 vol., 1904-1905. Voir Molinier, les Sources de l'histoire de France, t. IV, nᵒ 3093.*

Jean le Bel était un riche chanoine de Liége qui, à la demande de Jean de Hainaut, seigneur de Beaumont, entreprit de raconter la mortelle guerre que se faisaient les rois d'Angleterre et de France. La partie la plus vivante de sa *Chronique*, qui va de 1329 à 1361, est la relation de la guerre d'Écosse à laquelle il avait pris part. Pour le reste, il a interrogé Jean de Beaumont, les seigneurs de son entourage, d'autres encore. Il vise à remplacer « un grand livre rimé », plein de bourdes et de mensonges. Et son souci d'exactitude et même d'impartialité est visible. Il écrit dans un style clair et vigoureux, qui fait penser à un homme d'action plutôt qu'à un homme d'étude. Mais il est difficile d'apprécier toute son originalité et la raison en est curieuse. C'est le succès de Froissart sans doute qui a fait disparaître les manuscrits de son œuvre : on n'en a retrouvé qu'un seul, et de nos jours. Or, on s'est aperçu alors qu'une partie importante de sa *Chronique* avait passé, presque sans changements, dans celle de Froissart. Froissart nous avait loyalement prévenus de ces emprunts, mais on ne soupçonnait pas l'étendue de sa dette. Quelques-unes de ses pages les plus admirées sont de Jean le Bel: tel le fameux récit du dévouement des bourgeois de Calais. Il en résulte

FROISSART, « RENTRÉ EN SA FORGE », ÉCRIT SA CHRONIQUE; il reçoit la visite d'un grand seigneur. Miniature composée à la cour de Bourgogne, vers 1460 (Bibl. de l'Arsenal, ms. 5190). — CL. LAROUSSE.

qu'on distingue mal Jean le Bel de Froissart, tant les deux œuvres sont solidaires. Pour évoquer la vraie physionomie du chanoine de Liége, il faudrait un travail de comparaison minutieuse qui, jusqu'à ce jour, n'a pas été tenté. Froissart, qui est le plus riche des deux, n'y perdra rien, mais Jean le Bel n'y a pas encore trouvé son compte.

JEAN FROISSART

Jean Froissart naquit à Valenciennes, dans le comté de Hainaut, vers 1337. Il était issu d'une famille de bourgeoisie. En 1361, il passe en Angleterre où il est bien accueilli par la reine Philippine de Hainaut, et grâce à elle par la haute société anglaise ; il visite les villes et les châteaux d'Angleterre, et remonte jusqu'en Écosse, où il séjourne trois mois, partout recueillant des matériaux pour sa future Chronique. *Au cours d'un voyage en Italie où il suivait Lionel, duc de Clarence, il apprend la mort de la reine, sa protectrice (1369). Il se retire à Valenciennes et publie, à la demande de Robert de Namur, neveu de la reine Philippine, la plus ancienne rédaction du Iᵉʳ livre des* Chroniques *(vers 1370 ou 1371). Déjà, il est entré en relations avec d'autres mécènes, le duc Wenceslas de Luxembourg et Guy de Blois, seigneur de Beaumont, sous l'influence duquel il se montrera désormais plus favorable à la cause française. Pourvu, probablement par Guy, de la cure de Lestinnes-au-Mont (1373), il y passe une dizaine d'années dans le travail. Puis, devenu chanoine de Chimay et chapelain de Guy, il recommence à voyager en Flandre et en France ; en 1388, il pousse jusqu'à Orthez, où il est pendant douze semaines l'hôte du*

MAISTRE JEHAN FROISSART, d'après le « Recueil d'Arras » (Bibl. d'Arras, ms. 266). CL. GIRAUDON.

ILLUSTRATION D'UN CHAPITRE DE FROISSART. « Comment le roy Edouart se maria a ma dame Philippine de Hénault » (1328). Épousée par procuration, elle s'embarque à Wissant pour l'Angleterre (Bibl. de l'Arsenal, ms. 5187, xvᵉ siècle). — CL. LAROUSSE.

comte de Foix. *En 1394 il va revoir l'Angleterre, où il n'était pas retourné depuis sa jeunesse ; puis, rentré en Hainaut, il continue sa Chronique, qu'il arrête à l'année 1400. On ne sait pas au juste quand il est mort ; il vivait encore en 1404.*

Les Chroniques *de Froissart comprennent quatre livres d'étendue inégale. Le Iᵉʳ livre raconte les événements de 1325 environ à 1372 ou 1377, suivant les exemplaires : pour les années 1356-1359, Froissart a dû mettre à profit un poème aujourd'hui perdu qu'il avait présenté à la reine Philippine ; pour les années antérieures, il s'est surtout adressé à Jean le Bel ; et pour les années suivantes, il a mis en œuvre les matériaux qu'il avait recueillis à la cour d'Angleterre. Nous possédons trois rédactions différentes de ce Iᵉʳ livre : dans la seconde, Froissart a remplacé par des développements originaux nombre de ses emprunts antérieurs à Jean le Bel, et ses sympathies ont passé de la cause anglaise à la cause française ; la troisième est encore plus indépendante à l'égard de Jean le Bel, mais elle ne dépasse pas l'année 1350 : elle a été écrite en 1400 au plus tôt. — Le livre II (1377-1385 environ) date de 1387 : Froissart y a fait entrer une* Chronique de Flandre *composée par lui quelque temps auparavant. — Le livre III (jusqu'à 1389) est de 1390. — Le livre IV (1389-1400), commencé dès 1390, a été écrit au cours des dix dernières années du siècle.*

La première édition des Chroniques *est celle d'Antoine Vérard, 4 vol. in-fol., Paris, vers 1495. De nos jours les* Chroniques *de Froissart ont été publiées par Siméon Luce, Gaston Raynaud et Léon Mirot, de 1869 à 1931. Douze volumes ont paru (jusqu'à 1388) ; pour le reste, on peut recourir à l'édition Kervyn de Lettenhove, Bruxelles, 29 vol., 1867-1877 (les* Chroniques *occupent les tomes II-XVI) ou à l'édition Buchon, 3 vol., 1835. Voir A. Molinier, les* Sources de l'histoire de France, *t. IV, nᵒ 3094 ; Sainte-Beuve,* Causeries du lundi, *t. IX, p. 63 ; G. Paris et A. Jeanroy, Extraits des chroniqueurs français, p. 165 ; Mary Darmesteter, Froissart, 1894 ; M. Wilmotte, Froissart, Bruxelles, 1942 ; Julia Bastin, Frois-*

sart *chroniqueur, romancier et poète, Bruxelles, 1942. Parmi les chroniques contemporaines de celles de Froissart, on peut citer la* Chronique des quatre premiers Valois, *p. p. Siméon Luce, 1862 ; et la* Chronique des règnes de Jean II et de Charles V, *qui est peut-être due au chancelier Pierre d'Orgemont (éd. R. Delachenal, 3 vol., 1910-1920).*

Jean Froissart, lui aussi, a voulu raconter l'histoire des « grans guerres de France et d'Engleterre et des royaumes voisins ». Sa première idée avait été d'écrire une chronique en vers et, en 1361, il a même offert à Philippine de Hainaut, femme d'Édouard III, un poème qui contenait probablement le récit des événements survenus depuis la bataille de Poitiers et qui ne s'est pas conservé. Mais la forme traditionnelle des chroniques en vers se prêtait mal à son dessein, et il y a très vite renoncé. C'est qu'il n'entend pas se borner à recueillir les événements un à un dans l'ordre où ils se sont produits. Ce serait là « chroniquer », dit-il avec dédain, et il veut être un historien. Non qu'il songe à démêler derrière la complexité des apparences un rigoureux enchaînement de causes et d'effets. Il était trop poète pour avoir même l'idée d'une pareille abstraction.

Ce qui l'intéresse, c'est le jeu même de la vie et le spectacle étonnamment varié qu'elle présente à qui sait se placer pour la bien observer. Chacun de nous ne voit les choses que du petit coin où il est cantonné. Froissart, lui, voudrait nous faire embrasser d'un coup d'œil le vaste théâtre du monde. Il aimerait à être le témoin oculaire de tous les grands événements et, ne pouvant l'être, il a cherché à consulter ceux qui en chaque cas étaient en mesure de lui communiquer l'impression directe de la réalité. Il a donc passé sa vie à courir la France, l'Angleterre et l'Écosse, approchant les rois et les princes, se mêlant familièrement à la foule des chevaliers, interrogeant tout le monde et notant soigneusement les réponses. Jean le Bel lui avait donné l'exemple de cette méthode,

LA BATAILLE DE ROSEBECQUE, où le roi Charles VI battit les Flamands conduits par Philippe Arteveld, qui fut tué (1382). Miniature du manuscrit dit « le Froissart de Louis de Bruges » (B. N., ms. franç. 2645, xvᵉ siècle). CL. LAROUSSE.

mais il l'a pratiquée plus largement et pendant plus de temps : il y a consacré la majeure partie des revenus que lui faisaient ses protecteurs. Il a vécu de l'histoire, mais surtout pour l'histoire. Pour mener à bonne fin une pareille enquête, il lui a fallu du désintéressement, une rare énergie, et, avant tout, cette fraîcheur d'imagination qui trouve un charme infini aux manifestations changeantes de la vie.

Sa méthode l'exposait à des erreurs. Il n'est pas toujours exact, tant s'en faut, et il a accueilli plus d'une anecdote suspecte. Mais prenons-y garde : l'histoire ne gagne-t-elle pas à être recueillie directement des lèvres de ceux-là mêmes qui l'ont faite ou la font ? N'est-elle pas plus colorée, plus vivante, plus fidèle aussi, même au prix d'inexactitudes de détail ? Et si la vie moderne est devenue trop compliquée pour une entreprise de ce genre, si le jeu des intérêts nationaux présente aujourd'hui des énigmes trop subtiles pour être débrouillées au pied levé même par un journaliste magnifiquement doué, si trop d'acteurs se tairaient aujourd'hui ou parleraient pour déguiser leur pensée, pourquoi ne pas convenir que Froissart a vécu dans une époque plus simple, plus immédiatement accessible, où sa méthode était la bonne, quand on savait la manier comme lui ? Qui donc, en

Arrivée a Paris, en 1385, de Louis II d'Anjou, roi de Naples, alors âgé de six ans. D'après « le Froissart de Louis de Bruges ». — Cl. Larousse.

dehors de Froissart, a jamais réussi à faire revivre avec une telle intensité, soixante-quinze ans de la vie agitée et tumultueuse de deux grandes nations ? Quel historien, en aucun pays, a présenté d'événements aussi dispersés et aussi complexes un tableau aussi large, aussi puissant et d'un coloris aussi juste ? Il faudra, chez nous, aller jusqu'à Saint-Simon pour retrouver une vision aussi directe et pénétrante du spectacle humain.

Mais Saint-Simon, enfermé dans son monde étroit de Versailles et de Marly, a surtout regardé l'individu : Froissart, qui pour champ d'étude s'est donné une partie de l'Europe, voit plutôt les vastes ensembles : mouvements des armées, combats, sièges, entrées des princes dans les bonnes villes, tumultes et réjouissances populaires, émeutes et répressions, voilà la matière de son livre, et, dominant tout le reste, la fière chevalerie de France et d'Angleterre qui remplit le monde de ses exploits et le harasse de ses pillages. Froissart raconte pillages et exploits avec la même complaisance et, semble-t-il, avec la même secrète admiration. Protégé par les grands seigneurs de son temps, il partage leurs préjugés ; son âme est à l'unisson de la leur. Aussi, comme ils se reconnaissent en ses peintures ! Avec quelle chaleur un Gaston Phœbus de Foix l'accueille, quand, au cours d'une enquête, il frappe à la porte de son château ! Avec quel empressement ils courent tous au-devant de ses questions ! A-t-on jamais vu auparavant, reverra-t-on jamais pareille collaboration de toute une classe sociale avec l'homme qu'elle a choisi ou accepté pour son historien ? De là la saveur unique de l'œuvre de Froissart : c'est le témoignage collectif de tout un siècle, arrangé et mis au point par un greffier de génie. Ici l'histoire n'est pas une résurrection du passé : c'est le présent lui-même qui entre de plain-pied dans la plus vivante et la plus fidèle des chroniques. De nos jours, on a dignement célébré le grand écrivain qu'a été Froissart, mais il ne semble pas qu'on ait toujours apprécié à sa juste valeur la surprenante originalité de sa méthode.

C'est sans doute qu'on a été trop sévère pour l'homme. On lui reproche d'avoir admiré, sans la juger, cette brillante chevalerie dont nous ne voulons plus voir que les défauts et les fautes. Mais constatons qu'à tout le moins son admiration ne l'a pas induit en des compromis. Il conte avec une candeur presque naïve ; il ne dissimule rien et on ne pourra pas dresser contre la chevalerie de réquisitoire plus terrible que celui dont les éléments sont épars dans son œuvre. Il a donc été impartial, vertu assez rare, et ce n'est pas sa faute si la guerre et le pillage s'étaient installés à l'état permanent dans la société de son temps. Mais on se plaint qu'il ait accepté trop joyeusement cette anarchie sanglante, on s'offusque de ce désintéressement d'artiste, on voudrait entendre ou deviner des réserves qui rassureraient la conscience moderne. En d'autres termes, on déplore qu'il n'ait pas su devancer son siècle. Sommes-nous donc si sûrs d'être complètement détachés du nôtre ? Ce qu'on ne requiert ni de Bossuet ni de Saint-Simon, pourquoi l'exiger de Froissart ? Il appartenait à une certaine société, et il l'a crue plus durable qu'elle n'était. Erreur fréquente, et qui se renouvellera. Il nous est facile aujourd'hui de juger avec sérénité des hommes et des choses du XIVe siècle. Les contemporains ont pu et dû s'y tromper en toute bonne foi. Une société qui a produit un Du Guesclin avait encore le droit de compter sur l'avenir. Alain Chartier n'a plus de ces illusions ; mais c'est Azincourt qui l'a détrompé. Et il n'approuve pas plus que Froissart les mouvements populaires. Du moins Froissart a-t-il raconté les troubles de Flandre, l'insurrection de Wat Tyler, le soulèvement des Maillotins, tout au long, avec une curiosité attentive, sans chercher jamais à diminuer l'importance de ces rudes avertissements. Retrouverions-nous toujours chez nos contemporains une pareille largeur d'esprit ?

On reproche encore à Froissart d'avoir été dans son œuvre tantôt anglais, tantôt français, au gré du moment et selon la couleur de l'argent qui payait son travail. Il est vrai que ce sujet des comtes de Hainaut, qui a vécu long-temps à la cour d'Angleterre pour passer ensuite au service de grands seigneurs français, a modifié peu à peu ses sympathies au cours des années; jamais il n'a cessé d'admirer en premier lieu la chevalerie féodale, mais il en viendra à préférer à toutes les autres la chevalerie française. De quel droit suspectons-nous sa sincérité? Et s'il a été sincère, comme nous le croyons, est-ce à des Français de se plaindre de ce revirement? Sachons aussi tenir compte du désarroi moral de cette terrible époque. Quelques années après la mort de Froissart, Paris accueillait avec des vivats Henri V, roi d'Angleterre et régent de France; l'Université se ralliait en masse au régime nouveau; les blasons des vainqueurs de Poitiers étaient suspendus dans toutes les salles du collège de Sorbonne. En vérité, il a tenu à bien peu de chose que nous ne soyons tous aujourd'hui de loyaux sujets de la couronne d'Angleterre. Pardonnons à Froissart d'avoir été un homme de son temps, et saluons en lui un des grands peintres de notre littérature et un des grands historiens de notre pays.

AUTRES CHRONIQUEURS

Le Livre des Faits du bon messire Jean le Meingre, dit Bouciquaut, *a été publié par Buchon à la suite de son édition de Froissart, t. III, p. 570. On a attribué l'ouvrage à Christine de Pisan, mais sans raisons suffisantes. Voir A. Molinier,* les Sources de l'histoire de France,

BOUCIQUAUT EN SAINT GEORGES TERRASSANT LE DRAGON. Miniature du Livre d'Heures du maréchal Bouciquaut (musée Jacquemart-André). — CL. LAROUSSE.

t. IV, nº 3578. — La Chronique du bon duc Loys de Bourbon, *éd. A. M. Chazaud, 1876. Il s'agit du duc Louis Iᵉʳ de Bourbon, beau-frère de Charles V (1337-1410). Voir A. Molinier, ouvrage cité, t. IV, nº 3579. —* Chroniques de Perceval de Cagny, *éd. H. Moranvillé, 1902. Voir A. Molinier, ouvrage cité, t. IV, nº 4148. —* Journal d'un Bourgeois de Paris (1405-1449), *éd. A. Tuetey, 1881. On a attribué cet ouvrage à différents membres de l'Université, mais dans aucun cas on n'a fourni de preuves décisives. Voir A. Molinier, ouvrage cité, t. IV, nº 4149. —* Journal de Clément de Fauquembergue (1417-1436), *éd. A. Tuetey, 3 vol., 1903-1915. — Ajoutons le* Journal de Nicolas de Baye, *greffier du Parlement de Paris (1400-1417), éd. A. Tuetey, 2 vol., 1885-1888, et la* Chronique d'Arthur de Richemont, *connétable de France, duc de Bretagne (1393-1458), par Guillaume Gruel, éd. A. Le Vasseur, 1890.*

Dans la première moitié du xvᵉ siècle, la prose, comme au xivᵉ siècle, est représentée surtout par des chroniqueurs.

Le plus remarquable d'entre eux est celui qui a composé le *Livre des Faits du bon messire Jean le Meingre, dit Bouciquaut,* maréchal de France, qui fut gouverneur de Gênes de 1401 à 1409, fut fait prisonnier à Azincourt et mourut en 1421 dans sa prison d'Angleterre. Ce chroniqueur est évidemment un clerc : il cite d'abondance la Bible et l'antiquité latine : c'est même sans doute un ecclésiastique : il s'intéresse fort à la question du schisme et il s'indigne contre les deux papes qui prolongent ce désordre. Il doit ses renseignements les plus précis à quelques chevaliers de l'entourage du maréchal, qui lui ont suggéré l'idée de son livre. Le maréchal lui-même n'est pas dans le secret, mais l'auteur espère bien ne pas lui déplaire, puisqu'il fait un discret appel à sa générosité. On voit donc qu'il s'agit d'un professionnel, qui écrit pour vivre. Son ouvrage se compose de quatre livres. Dans le premier, les chapitres relatifs à l'enfance de Bouciquaut renferment de curieux détails, mais la suite souffre de la comparaison avec Froissart. C'est que notre biographe ne se complaît pas aux exploits guerriers. Il expédie en quelques mots la fameuse joute de Saint-Ingelbert, et raconte l'expédition de Nicopolis d'une façon très incomplète et très incorrecte. Sur les faits du gouvernement de Gênes, qui constituent la matière du deuxième et du troisième livre, il a l'air d'être au contraire très bien informé. C'est la partie vraiment vivante de son ouvrage et le récit est alertement mené. Le quatrième livre, consacré aux vertus du maréchal et où déborde par trop l'érudition du clerc, est d'un intérêt médiocre. Dans l'ensemble, le style est net, assez ferme, agréable, et le héros du livre a grande allure : Bouciquaut est un beau type de chevalier de la féodalité finissante. Qu'il ait eu seulement quelques compagnons dignes de lui, et on comprend l'enthousiasme d'un Froissart. Par moments, le maréchal fait même songer à Saint Louis, et l'auteur de sa biographie a quelques-unes des qualités charmantes de Joinville.

La *Chronique du bon duc Louis de Bourbon* a été écrite en 1429 sur l'ordre du comte de Clermont, par « Jehan d'Orreville, picard, nommé Cabaret, pauvre pèlerin ». Jean Cabaret tient ses renseignements d'un vieux seigneur, Jean de Châteaumorand, qui avait été le compagnon du duc. Il est visible toutefois que le chroniqueur a flatté le portrait de son héros. Mais il ne l'a pas affadi, témoin l'épisode où l'on voit le duc de Bourbon jeter au feu le livre qu'un bourgeois de Moulins, Huguenin Chauveau, « grand procureur du Bourbonnois », avait composé contre la conduite des nobles du duché pendant la captivité de leur seigneur en Angleterre. Cette scène caractéristique nous montre bien de quelle essence supérieure se croyait faite la noblesse et dans quel mépris elle tenait tout ce qui n'était pas elle. La chronique de Cabaret nous renseigne curieusement sur la vie que menaient, au milieu de leurs vassaux et de leurs sujets, les grands seigneurs féodaux du XIVe siècle. Écrite sans prétention, dans un style populaire et assez coloré, elle se lit avec plaisir.

La *Chronique* de Perceval de Cagny, écrite entre 1436 et 1438, a une grande valeur historique. Elle donne de précieux renseignements sur Jeanne d'Arc. Elle met en lumière les faiblesses et les vacillations du roi de Bourges; on voit quel précaire secours il a accordé à Jeanne. L'auteur, un écuyer d'écurie du duc d'Alençon, juge les princes contemporains, et Charles VII en particulier, avec une fermeté, une indépendance et, semble-t-il, une impartialité qu'on ne trouve pas souvent dans les chroniques de l'époque. Mais c'est un écrivain médiocre.

On n'a pas réussi à identifier l'auteur du *Journal d'un Bourgeois de Paris*. On sait seulement qu'il était prêtre et qu'il appartenait à l'Université. Il nous a laissé un tableau extraordinairement pittoresque et varié du Paris de la première moitié du XIVe siècle. C'est l'époque de la domination anglaise et bourguignonne, et le Bourgeois est un témoin fidèle de l'état d'esprit qui régnait dans la grande ville pendant ces tristes années. Il faut lire ce livre pour comprendre à quel point la notion de patrie s'était obscurcie. Il faut le lire aussi pour se faire une idée de la misère que ces guerres sans fin causaient même dans les villes. Ce journal est un incomparable document historique. Il offre même un intérêt littéraire : des notes au jour le jour, qui auraient pu être de rédaction banale, sont relevées non seulement par l'imprévu des détails, mais par une âpreté de ton et une fougue singulières. Ce bourgeois cultivé, qui pousse le fanatisme politique jusqu'à la fureur, nous donne l'idée d'un des rudes et violents partisans de cette époque tragique.

Le *Journal* de Clément de Fauquembergue, greffier du parlement de Paris (1417-1436), est loin d'avoir le même relief. Mais c'est un livre qui nous fait pénétrer dans l'intimité de la vie du parlement, où se rassemblait l'élite de la bourgeoisie contemporaine. Très laborieux, très unis, animés d'un vif esprit de corps, les conseillers se gardent jalousement contre tout empiétement d'une juridiction voisine, mais ils sont très attentifs aussi à ne pas laisser porter atteinte à l'autorité, à la dignité du roi, aux intérêts de l'État. Leurs « gages » sont maigres, et la moitié du temps ils ne sont pas payés. Ils réclament, mais avec quelle patience et quelle réserve! Quand ils cessent de rendre la justice, c'est vraiment qu'on les a poussés à bout. Ils sont très indépendants, et à l'égard de leurs présidents, qui se bornent à diriger leurs délibérations, et même à l'égard du chancelier, qui ne tente que rarement de leur imposer sa volonté. Ils s'accommodent fort bien de la domination anglaise, mais Charles VII une fois triomphant, ils passeront à lui avec aisance. Ce qu'ils veulent, c'est un roi fort et une autorité royale respectée. Ces gens très estimables, mais qui ne sont point des fanatiques, nous aident à comprendre le Bourgeois de Paris, et la France du XVe siècle.

LA QUERELLE DU ROMAN DE LA ROSE
GERSON ET NOS PREMIERS « HUMANISTES »

*Dans l'*Épître au dieu d'amour *(1399) et le* Dit de la Rose *(1400) [éd. Roy, t. I, p. 1 et 29], Christine de Pisan avait défendu les femmes contre les attaques de leurs calomniateurs et en particulier contre les satires de Jean de Meung. Quelque temps après, une conversation*

LE VERGER D'AMOUR. D'après un manuscrit de la plus ancienne traduction française de la « Théséide » de Boccace; ce manuscrit a appartenu au roi René d'Anjou (Bibl. ci-devant impériale de Vienne, ms. 2617).
CL. LAROUSSE.

s'engagea à ce sujet, semble-t-il, entre Christine, Jean de Montreuil et une troisième personne, qui était probablement Gerson. Jean de Montreuil envoya plus tard à Christine et à Gerson une lettre où il exposait les mérites de Jean de Meung, et ce fut le point de départ d'une querelle épistolaire qui se prolongea pendant les années 1401 et 1402. On trouvera celles des pièces qui ont été conservées de ce débat dans Ch. F. Ward, the Epistles on the Romance of the Rose and other documents in the debate, *1911, sauf le* Traité de Gerson *contre le* Roman de la Rose, *qui a été publié par E. Langlois dans la* Romania, *1918-1919, p. 23. Sur Jean de Montreuil (né vers 1354, mort en 1418), voir A. Thomas,* De Johannis de Monsterolio vita et operibus, *1883, et la* Romania, *1908, p. 594. Sur Gontier Col (vers 1354-1418) et le groupe des humanistes en général, voir Alma de L. Le Duc,* Gontier Col and the French Pre-Renaissance, *dans la* Romanic Review, *1916, p. 414; 1917, pp. 145 et 290, et A. Coville,* Gontier et Pierre Col et l'humanisme en France au temps de Charles VI, *1934. Sur Jean Charlier, dit de Gerson (1363-1429), voir A. Molinier,* les Sources de l'histoire de France, t. IV, *n° 3833. Le* Sermon Ad Deum vadit *(sur la Passion) a été publié par D. H. Carnahan,* University of Illinois studies in Language and Literature, *1917. Alain Chartier, latiniste, est surtout connu par son* De vita curiali, *satire de la vie des cours (éd. F. Heuckenkamp, Halle, 1899); le* Curial, *qui en est une traduction, n'est pas de lui : voir Piaget,* Romania, *1901, p. 45, et A. de L. Le Duc, ouvrage cité, p. 65. Sur Nicolas de Clamanges, voir A. Coville,* Recherches sur quelques écrivains du XIVe et du XVe siècle, *1937. Sur Laurent de Premierfait, voir Hauvette,* De Laurentio de Primofato, *1903. Il faut*

PORTRAIT PRÉSUMÉ DE GERSON en tête d'un missel de l' « Imitation » où ce livre lui est attribué (B. N., ms. N. Acq. lat.). — CL. LAROUSSE.

citer ici deux traducteurs du XIVe siècle, dont les œuvres sont plus significatives encore : Pierre Berçuire, qui traduisit Tite-Live (1352-1356), et Nicole Oresme (mort en 1382), auteur d'un traité célèbre sur les monnaies, qui traduisit en 1370-1371, sur la version latine, quelques-uns des plus importants traités d'Aristote. Sur Oresme, consulter A. Molinier, ouvrage cité, n° 3345, Emile Bridrey, Nicole Oresme, *1906, et l'éd. du* Livre des Éthiques d'Aristote, *par Albert Douglas Menut, New York, 1940.*

Nous savons tout ce que doivent à Jean de Meung les poètes du XIVe et du XVe siècle. Mais là ne s'est pas arrêtée l'influence du *Roman de la Rose*. Il n'a pas seulement fourni un stimulant à l'imagination et des procédés à la technique littéraire, il a aussi agi sur la pensée. Le moment est venu où on commence à percevoir la vraie signification de ce livre étrange. Les nécessités de la guerre avaient donné un regain de vie aux enseignements démodés d'un roman de chevalerie comme *Lancelot*. Mais ce n'est qu'une faveur factice. En effet, Crécy, Poitiers, le pillage du royaume montrèrent à plein la vanité des espérances qu'on pouvait fonder sur une chevalerie oublieuse de sa mission. Aussi, à la première accalmie, sous Charles V et au début du règne de Charles VI, bien des esprits réfléchis se prirent à souhaiter un guide plus sûr. Quelques-uns le trouvèrent en Jean de Meung. Alors que le *Lancelot* parait d'un prestige trompeur l'institution féodale, il sembla tout à coup que le *Roman de la Rose* apportait une manière d'évangile bourgeois. Il libérait l'individu des vieilles oppressions. Pour Jean de Meung, il n'y avait pas de question réservée : la royauté, la noblesse, l'église même avaient à lui soumettre leurs titres. Il donnait confiance en la raison humaine. Ces analyses hardies, cette indépendance intellectuelle devaient séduire des esprits las des routines inefficaces. Rien d'étonnant que Jean de Meung ait trouvé alors des partisans fougueux et aussi des contradicteurs passionnés. Une querelle ouverte mit bientôt les deux camps aux prises. C'est en attaquant les femmes avec une verve impitoyable que Jean de Meung avait porté à l'idéal chevaleresque et galant du passé le coup sinon le plus rude, du moins le plus immédiatement sensible. Sans doute, il n'était pas le premier; bien d'autres avant lui avaient dit du mal des femmes, mais personne encore n'avait médit d'elles avec une telle âpreté, une telle conviction (parfois feinte, on aime à le croire), un tel accent d'autorité, un si extraordinaire déploiement de science. Et comment appeler de cette tranchante condamnation, si injuste qu'elle pût être, quand le juge était le maître glorieux de tous les poètes du temps? On comprend le chagrin et l'indignation de la douce Christine. Nous avons dit avec quelle chaleur elle osa protester. Sa protestation donna lieu à tout un échange de lettres parfois fort vives. Christine trouva une aide puissante en Jean Gerson, chancelier de l'Église de Paris, un grand prédicateur et une des plus nobles figures de l'époque. Il écrivit contre le *Roman de la Rose* un ferme et vigoureux pamphlet, à côté duquel pâlissent toutes les autres pièces de cette singulière querelle. Les champions de Jean de Meung furent Jean de Montreuil et Gontier Col, tous deux notaires et secrétaires du roi, et le frère de Gontier, Pierre Col, chanoine de Paris et de Tournai. Christine défendait les femmes outragées par Jean de Meung, Gerson blâmait en lui la licence de langage et l'irrespect foncier à l'égard de la religion; il lui reprochait de compromettre, par ses folles prétentions, la raison même. Il y a dans les lettres de Christine du bon sens, de la dignité et une modestie touchante. Gerson est vif, pressant, il fonce sur l'adversaire. Les frères Col (on n'a pas retrouvé la lettre de Jean de Montreuil) ont de l'esprit, mais il leur manque une certaine fleur de politesse, et ils sont apparemment plus préoccupés d'exprimer leur admiration que de la justifier. Malgré toute leur assurance, il ne semble pas qu'ils aient eu le dessus dans cette controverse. C'est que la question était mal posée et que, sans bien s'en rendre compte peut-être, les défenseurs de Jean de Meung ne pouvaient produire ouvertement leurs arguments les plus forts. Ce qu'ils admiraient avant tout dans le *Roman de la Rose*, c'était précisément cette liberté illimitée de la pensée, cette foi en la raison et, pour tout dire, l'esprit laïque qui animait le livre. Et ils admiraient aussi cette familiarité avec l'antiquité classique, ce recours perpétuel aux grands hommes de la Rome païenne. Ils y reconnaissaient la propre démarche de leur esprit, car Jean de Montreuil et les frères Col ont été d'excellents humanistes.

Ce n'est pas le moindre intérêt de cette querelle de nous faire apercevoir ainsi, au début du XVe siècle, tout un groupe d'esprits studieux, épris de lettres latines, admirateurs de la forme antique et curieux de la pensée qu'elle recouvre. A côté de Jean de Montreuil et des frères Col, nous trouvons encore Nicolas de Clamanges, Ambrosius de Miliis, Italien établi à Paris, et un Laurent, qui est peut-être Laurent de Premierfait, traducteur de Boccace. Sur beaucoup de points, Christine de Pisan, elle aussi admiratrice des Anciens et des Italiens, aurait pu s'entendre avec ces savants hommes. Gerson lui-même n'aurait pas prêché en 1402 un si beau sermon sur la Passion; il n'aurait pas, la même année, écrit avec une si ferme éloquence contre le *Roman de la Rose*, s'il n'avait été touché à son tour d'un reflet de l'antiquité païenne. Alain Chartier a peut-être été en rapport avec le groupe des humanistes. Il mérite d'être compté parmi eux. Et il est le seul qui ait su faire passer dans le français un peu gauche de son temps, à la fois le rythme de la phrase latine et la vigueur de la pensée antique. Le *Quadrilogue invectif* est le chef-d'œuvre de cette première Renaissance des lettres. Pourquoi le mouvement si bien engagé s'est-il brusquement arrêté ? Les grands rhétoriqueurs, il est vrai, chercheront à emprunter à Alain Chartier et aux Latins cette forme brillante, mais ce sera bien tard dans le siècle et, sauf Chastellain, ils ne se préoccuperont pas de la pensée. Ici encore, il faut accuser la guerre de Cent Ans et les troubles qu'elle a causés ou favorisés. Le culte des lettres antiques ne pouvait se développer au milieu des rivalités sanglantes des Armagnacs et des Bourguignons : Jean de Montreuil et Gontier Col sont tués tous deux en 1418; le meilleur poète de l'époque reste captif à l'étranger pendant vingt-cinq ans. Les protecteurs et les Mécènes manquent : Charles VII est trop occupé à reconquérir son royaume; Louis XI est trop fermé au sens de la beauté. Pour renouer les fils brisés et ramener chez nous la vraie Renaissance, il faudra attendre des temps moins troublés et l'avènement d'un roi ami des lettres.

III. — LE THÉATRE AU XIVᵉ ET AU XVᵉ SIÈCLE

L. Petit de Julleville, les Mystères, *2 vol., 1880 (le second volume renferme l'analyse de toutes les pièces connues à cette date).* — *E. K. Chambers*, the Mediaeval Stage, *2 vol., Oxford, 1903 ; Gustave Cohen*, Histoire de la mise en scène dans le théâtre religieux français du moyen âge, *1906 (cf. sur les indications scéniques des pièces du moyen âge, Fr. Schumacher, Romania, 1908, p. 570) ; le* Livre de conduite du régisseur *et le compte des dépenses pour le Mystère de la Passion joué à Mons en 1501, Strasbourg, 1925 ; le* Théâtre en France au moyen âge : *t. I, le Théâtre religieux, 1928 ; t. II, le Théâtre profane, 1931.*

Les poètes lyriques, les chroniqueurs, les historiens n'ont écrit que pour le cercle étroit de leurs nobles protecteurs; quand ils appartenaient eux-mêmes à la noblesse, ils se sont adressés à des gens de leur monde, ou tout au plus à un petit nombre de plébéiens qu'ils honoraient de leur familiarité. Peut-être l'auteur du *Ménagier de Paris* a-t-il visé un public plus étendu, mais son livre ne pouvait plaire qu'à des bourgeois riches menant train de grands seigneurs. Dans l'ensemble, les œuvres que nous venons d'examiner constituent une littérature essentiellement aristocratique, et elles sont en général consignées dans des manuscrits coûteux, inaccessibles aux petites bourses. Il n'y a rien là qui soit écrit en vue de ce large public qui, pendant des siècles, s'est plu aux chansons de geste et aux fabliaux. Est-ce à dire qu'il ait été complètement oublié au XIVᵉ et au XVᵉ siècle ? Personne n'a-t-il pris la place des jongleurs qui, dès avant le début de la guerre de Cent Ans, ont, nous le savons, à peu près disparu ? C'est un genre non pas nouveau, mais développé et cultivé avec plus de zèle et de suite, qui va désormais jouer ce rôle. Le théâtre passera au XVᵉ siècle au premier plan de la vie nationale; mais dès le XIVᵉ siècle, malgré la rareté des documents et des textes conservés, on entrevoit qu'il a été la distraction favorite d'une grande partie du peuple de France.

LES MIRACLES

Les Miracles de Nostre Dame *ont été publiés par Gaston Paris et Ulysse Robert (S. A. T.), 8 vol., 1876-1893. Sur la date, les auteurs, l'esprit de ces pièces, voir Émile Roy*, la Comédie sans titre, *1902, p. 120.* — *Les* « Miracles de Sainte-Geneviève », *p. p. A. Jubinal, 1837, ont été réédités par Clotilde Sennewaldt, 1937.*

Parmi tous les genres dramatiques légués par l'époque précédente, c'est le *Miracle* qui est le mieux représenté au XIVᵉ siècle. Un manuscrit de la Bibliothèque nationale, le précieux manuscrit Cangé, nous a conservé de cette époque une collection de quarante « Miracles de Notre-Dame ». Ils sont dus à plusieurs auteurs, et les dates s'en échelonnent vraisemblablement sur toute la seconde moitié du siècle. Mais pour relever des différences de cet ordre, il faut y regarder de près, tant, d'un bout à l'autre du recueil, la facture est uniforme.

Il est visible que ces pièces ont toutes été composées pour être jouées dans des circonstances identiques. Plus d'un tiers d'entre elles sont suivies dans le manuscrit d'un ou de deux de ces pieux poèmes que l'on appelait des « serventois », et il est parfois mentionné que l'un ou l'autre a été « couronné » : or on sait que ces pièces d'inspiration religieuse étaient d'ordinaire récitées dans des confréries poétiques, les *puys*, à des fêtes solennelles où on célébrait la Vierge Marie. Les quarante Miracles du manuscrit Cangé ont été écrits pour un de ces puys, et, à en juger par certaines allusions significatives, ce puy devait avoir son siège à Paris.

Les sujets ne sont pas originaux; la littérature narrative antérieure a été mise à contribution par des gens qui la connaissaient bien; Miracles de Gautier de Coincy, chansons de geste, romans d'aventure, vies de saints, chroniques, les auteurs ont frappé à toutes les portes, très persuadés sans doute qu'en chaque cas ils retrouveraient

LE MIRACLE DE LA PÈLERINE. D'après les « Miracles de Notre-Dame » mis en prose par Jean Miélot. Ce manuscrit a été exécuté vers l'an 1458 pour le duc de Bourgogne, Philippe le Bon (B. N., ms. franç. 9199). — CL. CATALA.

une réalité historique. Déjà dans certains des récits qui leur servaient de sources, on voyait apparaître la Vierge : ils la firent intervenir partout. C'est elle qui se montre à point nommé pour guider et sauver non pas les innocents, qui se sauveront bien tout seuls, mais les coupables repentants, et en particulier ceux qui ont cru jusqu'au bout en la mère de Dieu. Dans la plupart des pièces, le rôle de la Vierge n'est pas nécessaire à l'action, et on s'est souvent demandé si en le réduisant peu à peu on n'aurait pas pu aboutir insensiblement à un théâtre laïque, qui aurait mieux approfondi la psychologie de ses personnages. Mais l'originalité de ces petites pièces ne consiste-t-elle pas précisément à faire voisiner, comme si le fait se trouvait être d'expérience courante, le divin avec l'humain ? N'est-ce pas une façon de rendre visibles à tous les yeux, de matérialiser pour ainsi dire ces secours spirituels qui nous viennent d'en haut ? C'est bien la psychologie qui convient à un public à la fois fruste et croyant. N'oublions pas que les réunions des puys sont avant tout des fêtes religieuses : en tête d'un grand nombre de Miracles, et parfois relié à l'action même, nous trouvons un sermon en prose, un vrai sermon, avec texte et divisions, où la Vierge est louée avec une onction presque mystique. C'est un acteur assurément qui tenait le rôle du prédicateur, mais il entrait si bien dans l'esprit de ce rôle que plus d'un spectateur devait, à ce moment-là, se croire transporté à l'église. Pour composer des sermons de ce genre, il fallait connaître l'Écriture sainte. Le latin y est cité abondamment et apparaît à l'occasion même dans le corps de la pièce. Seuls des clercs ont pu avoir une lecture aussi vaste et une instruction aussi poussée. Il n'est pas impossible que des prêtres se soient trouvés parmi eux : quelques plaisanteries sur le clergé ou les choses saintes ne tirent pas à conséquence dans une époque de foi vive.

On ne saurait douter que les Miracles de Notre-Dame ne soient l'œuvre d'esprits très religieux; il ne s'ensuit pas qu'ils n'aient eu en vue que l'édification des spectateurs. L'élément comique est déjà indiqué. On entrevoit un art du décor moins primitif qu'on ne s'y attendrait. L'apparition de la Vierge Marie, avec son cortège d'archanges chantant des rondeaux, devait produire un vif mouvement d'émotion parmi cette foule naïve. Et surtout, les péripéties variées et parfois surprenantes de l'action tenaient les spectateurs en haleine. L'histoire d'une bourgeoise qui, soupçonnée à tort d'aimer son gendre d'amour coupable, fait étouffer le malheureux, est découverte, condamnée au feu, arrachée par la Vierge aux flammes du bûcher et finit ses jours dans le couvent, a tout l'attrait d'un roman-feuilleton moderne. Ce sont souvent des rois et des princes qui jouent les premiers rôles; mais visible-

LA NATIVITÉ. Miniature de Jean Bourdichon (Heures d'Anne de Bretagne, Bibliothèque Nationale). — Comme l'a démontré Émile Mâle (l'Art religieux à la fin du moyen âge), les scènes religieuses représentées par les miniaturistes du XVe siècle ont été jouées avant d'être peintes. Le théâtre a fourni aux artistes des groupements de personnages, des décors, des accessoires. C'est ainsi que l'idée d'agenouiller la Vierge devant son fils nouveau-né est prise aux Mystères. Le toit léger établi par saint Joseph est un décor de théâtre. — CL. LAROUSSE.

ment, les auteurs de nos Miracles n'ont contemplé que de loin ces grands personnages : leurs puissants potentats sont des fantoches. Quant aux événements où ils les placent et aux actions qu'ils leur prêtent, sur ce point ils suivent docilement leurs sources. C'est pourquoi il faut nous garder de chercher dans ces petits drames un écho des troubles et des malheurs de l'époque, pas plus que nous ne demanderions aux mélodrames d'aujourd'hui de nous renseigner sur l'histoire de notre temps. La vérité est que, si nous ne savions dater par ailleurs les Miracles de Notre-Dame, nous ne devinerions jamais qu'ils ont été composés et joués pendant les plus tristes années de la guerre de Cent Ans. Il est clair que ce grand bouleversement a laissé subsister intactes bien des habitudes et bien des traditions. Ce sont les scènes de la vie bourgeoise et populaire que les Miracles nous rendent avec le plus de bonheur. Ils nous font pénétrer dans la demeure des petites gens et des humbles, et nous initient moins encore aux détails de leur existence journalière qu'à leurs façons de penser et de sentir. De là une saveur originale qu'on ne retrouve au même degré dans aucune œuvre contemporaine. Ces naïfs Miracles du XIVe siècle ont retenu un peu de l'âme de la vieille France.

LES MYSTÈRES

Sur les premières représentations de Mystères à Paris et aux environs, voir Gustave Cohen, Romania, *1909, p. 587*, et Antoine Thomas, Romania, *1910, p. 373*. *Sur les rapports des différentes Passions les unes avec les autres et sur leurs sources, voir Émile Roy*, le Mystère de la Passion en France, du XIVe au XVIe siècle, *1903 ;* A. Jeanroy, Romania, *1906, p. 365*, et Journal des Savants, *1906, p. 476 ; les études de Grace Frank dans les* Publications of the Modern Language Association of America *1920, p. 464, et dans les* Modern Language Notes, *1920, p. 257. — La* Passion narrative des Jongleurs, *éd. H. Theben et E. Pfuhl, Greifswald, 1909*, et Frances A. Foster, The Northern Passion (*Early English Text Society*), t. II, Londres, *1916*. — Le Livre de la Passion, *poème narratif du XIVe siècle, p. p.* Grace Frank (*Classiques français du moyen âge*), *1930*. — *Fragment de Sion, édit.* Joseph Bédier, Romania, *1895, p. 86*. — *Passion du Palatinus*, éd. Grace Frank (*Classiques français du moyen âge*), *1922*. — *Passion d'Autun*, éd. Grace Frank (*S. A. T.*), *1934*. — *Passion de Sainte-Geneviève, dans* A. Jubinal, Mystères inédits du XVe siècle, 2 vol., *1837*, t. II. (*La* Nativité *et le* Jeu des trois rois *du manuscrit de Sainte-Geneviève p. p. Jubinal ont été réédités par Ruth Whittredge, 1944.*) — *Passion de Semur, publiée dans* É. Roy, le Mystère de la Passion, *p. 3.* — *Passion d'Arras*, éd.

J.-M. Richard, Arras, 1893 ; sur Eustache Marcadé, voir É. Roy, le Mystère de la Passion, p. 275, et A. Thomas, Romania, 1906, p. 583. — Le Mystère de la Passion d'Arnoul Gréban, éd. G. Paris et G. Raynaud, 1878 (comp. R. Lebègue, la Passion d'Arnoul Gréban, Romania, 1934, p. 218) ; sur la vie de Gréban, voir H. Stein, Bibliothèque de l'École des Chartes, 1915, p. 142, et P. Champion, Histoire poétique du quinzième siècle, t. II. — Sur la Passion de Jean Michel, voir l'Histoire du théâtre français, par les frères Parfait, t. I, 1745, p. 75. — Les Actes des Apôtres, analyse dans l'Histoire des frères Parfait, t. II, p. 377 ; sur l'histoire de ce mystère au XVIe siècle, consulter Raymond Lebègue, le Mystère des Actes des Apôtres, 1929. — Le Mistère du Viel Testament, éd. J. de Rothschild et É. Picot (S. A. T.), 6 vol., 1878-1891.

On a traité dans la forme des Mystères un sujet appartenant à l'histoire contemporaine, le Mystère du siège d'Orléans, éd. Fr. Guessard et E. de Certain, 1862, et un autre tiré des légendes de l'Antiquité, la Destruction de Troye la grant (1450-1452), par Jacques Milet, éd. Stengel, 1883.

Sur les rapports des Mystères et de l'art du XVe siècle, voir Émile Mâle, l'Art religieux de la fin du moyen âge en France, 1908. La thèse de M. Mâle a été en partie contestée.

Sur les rapports entre le théâtre français et les théâtres étrangers, voir W. Creizenach, Geschichte des neueren Dramas, t. I, 3e éd., Halle, 1920.

Le Mystère est proche parent du Miracle, mais au lieu de faire intervenir un instant le divin au milieu d'une action purement humaine, il met sous nos yeux toute la série des événements où Dieu s'est manifesté aux hommes, il se meut dans le surnaturel même. Toutefois, le nom qui sert à désigner ce genre dramatique est moins significatif qu'on ne croirait : il semble bien que *Mystère* vienne, non de *mysterium*, mais de *ministerium* : c'est essentiellement une « action », une « représentation ». Le mot aura pendant longtemps un sens assez général, et ce n'est guère que dans la seconde moitié du XVe siècle qu'il finira par s'appliquer exclusivement à un genre dramatique déterminé. Pourtant, dans ce sens même, il est employé à l'occasion bien avant cette époque : le premier exemple qu'on en ait est de 1374. Mais le genre lui-même est naturellement bien plus ancien, car il ne fait que continuer au XIVe siècle les spectacles du type de la *Représentation d'Adam.*

Il s'en distingue en ce qu'il va peu à peu déplacer le centre d'intérêt. Le drame liturgique, même quand il était joué sur la place publique, s'était borné à représenter les deux grands Mystères de l'Incarnation et de la Résurrection : il unissait la fête de Pâques à la fête de Noël. Un élément nouveau va apparaître pour la première fois vers le début du XIVe siècle : on montrera aux spectateurs le Christ crucifié. La Passion viendra s'intercaler entre l'Incarnation et la Résurrection. Ainsi c'est l'histoire entière du Sauveur qui va désormais se dérouler sous nos yeux, mais la mort du Christ sera traitée avec une prédilection toute particulière.

Dès la fin du XIIe siècle ou le commencement du XIIIe, un poème narratif, qui emprunte sa matière aux évangiles canoniques et à l'évangile apocryphe de Nicodème, non sans l'agrémenter de diverses légendes, raconte les grandes scènes du drame de la Passion. Il n'y a pas de doute que ce poème n'ait été débité de ville en ville devant les auditeurs ordinaires des jongleurs : la geste du Christ faisait concurrence à la geste de Roland. Le discours direct est très volontiers employé dans ce poème narratif : on est déjà bien près de la forme dramatique. D'autre part, à la même époque, on prenait plaisir, dans les fêtes solen-

LA FLAGELLATION. Miniature des Heures de Marguerite de Rohan, comtesse d'Angoulême. (Collection particulière.)

nelles, à mimer des épisodes empruntés à la Bible. Quand le roi de France Philippe IV donna la chevalerie à ses fils, en 1313, on vit défiler dans les rues de Paris les corps de métier qui, chemin faisant, représentaient des personnages bibliques ou légendaires dans des attitudes caractéristiques : à côté de Renart le goupil, « fisicien et mire », on put contempler Adam et Ève, l'enfant Jésus qui riait à sa mère et mangeait des pommes, les rois mages, le martyre des Innocents, la décollation de saint Jean-Baptiste, le Sauveur disant ses patenôtres avec ses disciples, et tout autour les diables qui gambadaient et jetaient les âmes dans une gueule d'enfer noire et horrible. Ces tableaux vivants furent longtemps en faveur, et nul doute qu'il n'y eût là encore comme une invitation et un encouragement à mettre sur une vraie scène tous les incidents de la vie du Christ. Drame liturgique, *Passion des Jongleurs*, pantomimes pieuses — sans parler des évangiles canoniques et autres, — autant d'éléments qui se combineront pour aboutir un jour aux « Mystères ».

Cette transformation sera l'œuvre de certaines confréries, assez semblables aux puys, qui, d'un bout de la France à l'autre, vont se donner pour tâche de représenter la vie du Christ et la vie des saints. La première « confrérie de la Passion » qui nous soit connue apparaît à Nantes en 1371 ; puis vient la confrérie de la Charité de Rouen, 1374 ; un peu plus tard, nous trouvons des représentations de Mystères à Paris en 1380 et dans les environs en 1384, 1395, 1398, et enfin, le 4 décembre 1402, Charles VI, en des lettres patentes célèbres, accorde aux « Maistres et Gouverneurs de la Confrarie de la Passion et Resurrection Nostre Seigneur, fondée en l'Église de la Trinité à Paris..., auctorité, congié et licence de faire et jouer

L'Enfer, de Pol de Limbourg (début du xve siècle). Miniature des Très Riches Heures du duc de Berry (musée Condé, à Chantilly). — CL. LAROUSSE.

siême version du premier original; cet original, à son tour, autant qu'on peut le deviner, suivait de près le texte de la *Passion des Jongleurs*.

On entrevoit ainsi, dès les débuts du xive siècle, toute une étonnante activité des confréries ou d'organisations analogues, et même quelques-unes de leurs habitudes; il est clair qu'on ne se croyait pas tenu en chaque cas de produire une œuvre de tout point nouvelle : on empruntait la Passion du voisin que l'on remaniait sans scrupule, pour l'accommoder aux circonstances de lieu et de temps, quitte à fournir soi-même à d'autres le canevas d'une nouvelle adaptation. De là les ressemblances souvent textuelles et les différences que présentent ces pièces. Du moins une même inspiration les anime, et une même foi. On est en présence d'une œuvre collective à laquelle a travaillé la nation tout entière.

Dans le premier tiers du xve siècle, le mouvement continue et s'élargit. La *Passion* bourguignonne *de Semur*, qui a des rapports avec la *Passion du Palatinus*, remonte directement ou indirectement à la *Passion des Jongleurs*, mais elle a subi aussi l'influence de la *Passion de Sainte-Geneviève*. A ce titre, elle semble reprendre et résumer tout l'effort antérieur; et, en même temps, elle ouvre une voie nouvelle : s'inspirant d'un livre célèbre longtemps attribué à saint Bonaventure, les *Meditationes Vitae Christi*, elle donne une importance toute nouvelle au rôle de la Mère de Dieu, mettant ainsi le théâtre au service de ce grand mouvement qui, du xiiie au xive siècle, a donné une si extraordinaire extension au culte de la Vierge. D'autre part, sous l'influence d'un dialogue latin faussement attribué à saint Anselme, la *Passion de Semur* s'arrête longuement aux détails de la crucifixion et développe avec complaisance le thème des souffrances du Christ. Ces deux traits se retrouveront désormais dans toutes les Passions postérieures : la Vierge sera même le personnage le plus vivant et le plus vrai de tous les Mystères du xve siècle; le second trait nous paraît moins heureux que le premier, mais il est clair que le public de l'époque a trouvé le plus vif plaisir dans le spectacle des brutalités infligées au Christ par ses bourreaux. « Dans un certain sens, a-t-on dit avec justesse, le développement du Mystère de la Passion n'est pas autre chose que la représentation de plus en plus matérielle, réaliste, du supplice de la croix. »

Dans la *Passion de Semur*, dans les jeux du recueil de Sainte-Geneviève, sous l'unité de l'inspiration on sent la diversité des collaborateurs : chaque tradition a laissé sa marque et les soudures sont encore visibles. Dans la *Passion d'Arras*, au contraire, on ne se contente pas d'une juxtaposition aussi naïve : nous avons là l'œuvre d'un seul auteur qui certes a utilisé les travaux de ses devanciers, mais qui a dominé son sujet et écrit sa pièce d'un bout à l'autre. Il est presque certain que cet auteur était Eustache Marcadé, official de Corbie, qui mourut en 1440 doyen de la Faculté de Décret de Paris. Voilà le premier nom que nous ayons à citer dans l'histoire du théâtre religieux depuis 1300, et c'est celui d'un savant homme qui, lui aussi, s'est souvenu de ses lectures quand il a voulu retracer les scènes de la Passion. C'est à lui que les Mystères du xve siècle doivent cette introduction fameuse, où Justice et Miséricorde, Paix et Vérité engagent devant Dieu le « procès de Paradis » qui ne se dénouera que par le sacrifice de Jésus. Il a trouvé bien d'autres choses dans ses livres latins : avec lui la théologie et l'érudition entrent au théâtre des Mystères et s'y feront une place de plus en plus large. Chose curieuse, cet élément nouveau ne contribuera pas peu au succès de ce théâtre pendant le xve siècle et la première moitié du siècle suivant.

quelque Misterre que ce soit, soit de la Passion et Resurrection ou autre quelconque, tant de saincts comme de sainctes ». Les confrères de Paris, qui avaient eu jusque-là plus d'un démêlé avec le prévôt, sont désormais tranquilles et l'avenir leur appartient. Ils fondent le premier théâtre permanent qu'ait possédé la France.

Un manuscrit de la bibliothèque Sainte-Geneviève nous a conservé un certain nombre de jeux dramatiques où il est probable qu'il faut voir les plus anciennes pièces du répertoire des confrères. Quelques Vies de saints sont assez médiocres, mais la Nativité de Jésus-Christ, le Jeu des Trois Rois, la Passion et la Résurrection de Notre-Seigneur forment un ensemble plus intéressant. Cette production date à peu près du même temps que les Miracles de Notre-Dame, et il y a une certaine analogie de structure et d'aspect entre les deux répertoires. Le comique, si peu développé qu'il soit, y est entendu de même manière. Peut-être y a-t-il un peu plus d'aisance et de netteté dans le style des « jeux » de Sainte-Geneviève; mais, obligés de s'en tenir à des situations et à des personnages imposés par l'Écriture ou par les légendes religieuses, ils ne reflètent en aucune façon la vie populaire ou bourgeoise de l'époque, et ils sont loin d'avoir pour nous l'attrait des Miracles de Notre-Dame.

Le répertoire des confrères de Paris n'est pas le seul que nous possédions pour le xive siècle : la *Passion du Palatinus* (récemment découverte à la bibliothèque du Vatican) et la *Passion d'Autun* (du nom de la ville où a été copié, en 1470, le manuscrit le plus récent) remontent au début même du siècle. Elles offrent entre elles de grandes ressemblances : c'est qu'elles proviennent, par des voies différentes, d'une Passion plus ancienne, dont on a conservé un court fragment découvert à Sion (Valais) en 1894, à moins que le fragment de Sion ne représente une troi-

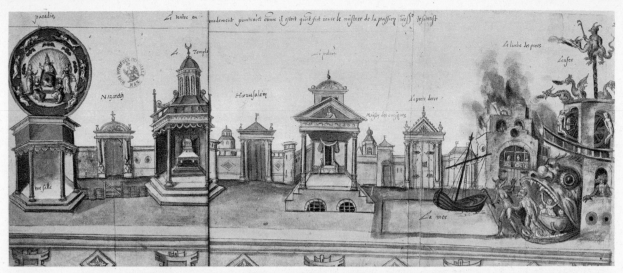

LE TEATRE OU HOURDEMENT pourtraict comme il estoit quant fut jouée le mistere de la passion Nostre Seigneur Jesu Crist (en 1547, à Valenciennes). Miniature du ms. 12536 du fonds français de la Bibliothèque nationale. — CL CATALA.

Ce succès a été immense. Il n'est pas de ville qui ne veuille avoir sa représentation. C'était un jour de fête longtemps attendu et où on accourait de loin. On s'y préparait de longue date. Les confrères de Paris avaient leur hôtel et un personnel exercé par des représentations régulières. Ailleurs il fallait édifier la salle et former les acteurs. On avait besoin d'une scène très spacieuse, car tous les lieux où devait se développer successivement l'action étaient placés dès le début sous les yeux du spectateur et y restaient jusqu'à la fin.

Le manuscrit de la Passion jouée à Valenciennes en 1547, présente une miniature où ont été figurées, côte à côte, les onze « mansions » ou lieux nécessaires à la représentation de la pièce (dans la réalité il y en a eu davantage, mais l'artiste a simplifié). Sur un côté, un trône où est assis majestueusement entre ses anges Dieu le père; à l'autre extrémité, les Limbes et l'Enfer : des flammes rougeoient, une gueule béante de dragon vomit une sarabande hideuse de diables; entre le Paradis et l'Enfer s'alignent Nazareth, le Temple, Jérusalem, le Palais du Roi, la « maison des évêques », le lac de Tibériade, tous les lieux qu'ont illustrés des épisodes de la vie du Christ. Du reste, une simple porte figure Nazareth, et le lac de Tibériade est un petit bassin sur lequel flotte une barque. Sur le devant, un vaste espace libre où les acteurs voyagent d'une « mansion »

à l'autre et où ils disent vraisemblablement une grande partie de leur rôle; ceux dont le moment n'est pas venu de jouer attendent leur tour, assis sur les côtés; leur nombre varie suivant les cas de cinquante à deux cents, et parfois ils sont bien davantage. Les costumes sont riches. Les machines sont déjà compliquées : des anges volent à travers la scène, des animaux feints exécutent des mouvements surprenants, des mannequins habilement substitués aux acteurs endurent des tortures effroyables. De la musique et des chants ajoutent à la variété.

Pour contempler ces merveilles, cette multitude de personnages, cette action aux mille péripéties dont la représentation exigeait en général plusieurs journées, une foule immense de spectateurs se pressait sur les gradins. Ils appartenaient à toutes les classes sociales. Le menu peuple se plaisait fort aux scènes comiques, et les auteurs multipliaient ces intermèdes burlesques où diables et valets faisaient assaut de grosses plaisanteries. Les gens plus cultivés ne dédaignaient peut-être pas ce ragoût; toutefois ils s'intéressaient davantage aux beaux développements théologiques, à la dialectique serrée de Jésus discutant avec les docteurs. Mais quand paraissait la Vierge, qu'on l'entendait exprimer en phrases touchantes ses inquiétudes, ses tendresses maternelles, le vaste auditoire tout entier frémissait d'émotion et de ferveur. On sent ici

LE PROCÈS DE PARADIS, ou la lutte entre Justice et Miséricorde, Paix et Vérité, au pied du trône de Dieu. Suit l'histoire de Joachim et d'Anne (manuscrit de la « Passion de Valenciennes »). — CL. CATALA.

L'Annonciation et la Visitation (manuscrit de la « Passion de Valenciennes »). — Cl. Catala.

les attaches étroites de ce théâtre avec l'Église ; il représente une forme plus populaire du culte. Aussi tous ceux qui sont là, acteurs et publics, sont convaincus qu'ils accomplissent un acte vraiment religieux : c'est leur façon de remercier Dieu d'une faveur, de lui en demander une autre. On s'amuse et on fait son salut. Voilà pourquoi des communes, des confréries, des associations et même de simples particuliers font à l'envi les frais de ces coûteuses représentations : on finira par y dépenser de vraies fortunes, et plusieurs s'y ruineront. C'est aussi pourquoi on ne manque jamais d'acteurs : ce sont surtout des bourgeois et des ouvriers, mais on trouve aussi des nobles, et certains rôles sont volontiers tenus par des ecclésiastiques. Le clergé conserve la haute main sur l'organisation. Il utilise ainsi une force sociale dont il sait très bien la puissance et il la maintiendra longtemps au service de l'Église.

La Passion la plus célèbre du XVe siècle et de tout notre ancien théâtre est celle d'Arnoul Gréban, qui sera plus tard chanoine du Mans, mais qui, vers 1450 ou 1451, au moment où il composait sa pièce, était organiste de Notre-Dame et, de plus, chargé d'enseigner aux enfants de chœur la grammaire et la musique. Il suit le cadre tracé par Marcadé ; toutefois son imitation n'est pas servile : aussi savant théologien que son devancier, il puise à pleines mains dans les livres latins ; mais de toute cette érudition il a su tirer des scènes entraînantes et pittoresques. C'est un lettré ; il a même des parties de vrai poète. On a cité bien souvent la scène où la Vierge supplie son fils d'adoucir l'horreur du sacrifice de la Passion ; l'idée n'est pas de Gréban, mais il lui a donné la forme dramatique et il a senti la poignante douleur de cette mère humaine d'un Dieu crucifié. Les scènes populaires sont d'une verve parfois très savoureuse. Mais ici la limite était difficile à garder : la deuxième journée (il y en a quatre) se clôt sur des épisodes d'une brutalité singulière. Dans l'ensemble, c'est une impression de puissance et de grandeur qui se dégage de la pièce.

On comprend que les contemporains y aient vu un chef-d'œuvre : d'Abbeville, on vint trouver Gréban pour obtenir, contre bonne rémunération, une copie de cette merveilleuse Passion. Elle eut pourtant un jour le sort de toutes celles qui l'avaient précédée. Un médecin angevin, le « tres eloquent et scientifique docteur maître Jehan Michel », reprit l'œuvre de Gréban et, moyennant force « addi-

cions et corrections », il la fit représenter « moult triumphanment et sumptueusement » à Angers en 1486. Gréban était resté fidèle, au moins d'intention, à la tradition des Évangiles ; Jean Michel cherche l'intérêt dans l'étrangeté des légendes ou dans l'attrait de développements purement laïques : c'est ainsi qu'il retrace avec complaisance les scènes de la vie mondaine de Madeleine la pécheresse. Il complique le décor. « Entre ses mains le Mystère de la Passion est devenu ce qu'il restera, un grand spectacle forain où la curiosité trouve son compte autant et plus que la piété. » (É. Roy.)

Il y a eu d'autres Mystères, quelques-uns très notables, comme les *Actes des Apôtres* de Simon Gréban (peut-être aidé de son frère Arnoul), et le Mystère du *Viel Testament* ; mais la *Passion de Sainte-Geneviève*, la *Passion d'Arras*, la Passion de Gréban et celle de Jean Michel, sont les œuvres essentielles qui, plus ou moins remaniées et modifiées, ont pendant un siècle et demi suffi aux besoins du théâtre religieux en France.

Pourquoi les Mystères, qui ont fait l'admiration des foules du XVe siècle, ont-ils si peu d'attrait pour nous ? C'est que nous les jugeons uniquement sur leur valeur littéraire. Même chez un Gréban, l'exécution ne répond pas à la grandeur de la conception. Pour un vers bien frappé, que de platitudes en octosyllabes ; pour une scène bien venue, que d'épisodes oiseux et traînants ! Ce qui fait le plus défaut, c'est le sens du dramatique. Il n'y a proprement pas d'action. Ce théâtre, où semblent fourmiller la vie et le mouvement, est immobile. Sans doute le respect de l'Écriture sainte le voulait ainsi, et le poète n'avait vraiment libre carrière que dans la peinture des personnages comiques.

Pourtant, telle scène de Gréban ou de Jean Michel laisse entrevoir ce qu'un poète bien doué aurait pu tirer même d'un sujet aussi rigoureusement défini. Mais dans l'organisation des Mystères, si complexe et même si savante, il n'y a guère de place pour le talent. Dans les comptes financiers, l'auteur est placé à côté du charpentier et sur le même rang : tous deux travaillent de leur mieux à la même besogne, qui est d'édifier et d'amuser. Nul n'a jamais songé à demander plus au poète, ni à lui procurer les moyens de faire mieux. Les auteurs de Mystères son des juristes, des notaires et surtout des ecclésiastiques,

Le festin d'Hérode et la décollation de saint Jean-Baptiste. Sur la même miniature est figuré le miracle de la multiplication des pains, joué sans doute la même « journée » (manuscrit de la « Passion de Valenciennes »). — Cl. Catala.

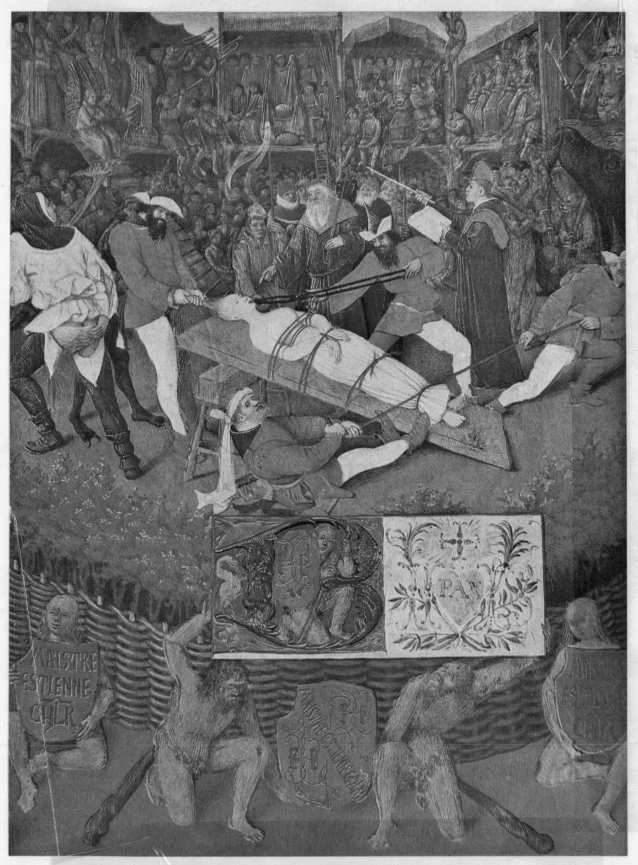

UNE REPRÉSENTATION D'UN MYSTÈRE AU XV⁰ SIÈCLE

Dans cette miniature des « Heures » d'Estienne Chevalier, Jean Fouquet a figuré le Martyre de sainte Apolline.
Baguette à la main, le meneur de jeu guide les acteurs, cependant que les musiciens accompagnent la scène.

Musée Condé, à Chantilly.

LE PORTEMENT DE CROIX ET VÉRONIQUE, LA CRUCIFIXION, LA DESCENTE DE CROIX, LA MISE AU TOMBEAU (manuscrit de la « Passion de Valenciennes »). — CL. CATALA.

qui sont tenus par les devoirs de leur profession : comment trouveraient-ils le temps de méditer à loisir ces longues compositions, qui atteignent plus de 30 000 vers chez Gréban, plus de 60 000 vers dans les *Actes des Apôtres ?* Arnoul Gréban, qui a tiré profit de ses ouvrages dramatiques, n'en était pas moins au service du chapitre de Notre-Dame, et les chanoines lui disputaient aigrement ses heures de liberté : ils l'autorisaient à travailler à la bibliothèque de l'église Notre-Dame, mais à condition qu'il paierait les frais d'une nouvelle clef. Aucun des bons chanoines ne s'est douté un instant que ce maître de chapelle récalcitrant les illustrait. Ce qui a manqué au théâtre des Mystères, ce n'est ni l'intérêt ou la fécondité du sujet, ni le talent des auteurs, mais des mécènes capables d'apprécier le talent littéraire. Avec les meilleures intentions du monde, les organisateurs de ces pompeuses solennités ont imposé à leurs auteurs un art industriel.

Si l'on veut comprendre la véritable originalité des Mystères, il ne faut pas se borner à les lire. Il faut les replacer dans leur cadre, assister en esprit à ces représentations grandioses, regarder le public plutôt que l'auteur.

Ce qui enthousiasme ces multitudes, ce n'est pas la richesse ou la beauté de la forme, c'est le sujet même, c'est la religion mise à leur portée, Dieu s'expliquant et se démontrant lui-même aux fidèles. Le XVe siècle reçoit ainsi, dans le ravissement du disciple pour qui tout s'illumine, la plus magnifique leçon de catéchisme qui fut jamais. Et ce qui, plus que tout le reste, attire ces milliers de spectateurs, et pendant de longues journées les retient attentifs sur leurs gradins, c'est de voir le Christ qui vit, souffre et meurt pour eux. Les bons latinistes qui fouillaient diligemment leurs livres, pour en tirer des détails chaque jour plus précis et plus complets sur tous les instants de la vie du Sauveur, savaient bien ce qu'ils faisaient. Ils répondaient ainsi à un instinct profond de l'époque. Longtemps l'Église s'était bornée à parler aux intelligences, mais voici que, sous l'influence des disciples de saint François d'Assise, elle commence à s'adresser aux cœurs. D'humbles moines parcourent le pays et prêchent les souffrances du Christ. Le latin, langage austère du dogme, s'attendrit sur la Vierge et médite sur le drame de la Croix. Il y a là un renouvellement des formes de la religion dont le théâtre va profiter.

Chose plus étonnante encore, l'art des statuaires, des enlumineurs, va montrer la même évolution : c'est que les artistes assistaient, eux aussi, aux représentations des Mystères et qu'ils ont reproduit, aux portails des cathédrales ou aux marges des manuscrits, les groupements, les attitudes, les motifs que le jeu des acteurs leur mettait sous les yeux. L'art du XIIIe siècle avait la sérénité des dogmes immuables : l'art du XVe siècle se rapproche de la terre; il connaît la souffrance; sous la divinité du Christ il découvre son humanité. Mais ce sont les Mystères qui lui ont montré la voie. Ainsi le théâtre et les arts plastiques travaillent dans une alliance étroite à la grande œuvre de l'édification des fidèles. Serviteurs tous deux de la pensée chrétienne, ils l'interprètent selon les vœux des hommes de leur siècle : à la même heure ils trahissent les mêmes préoccupations et expriment le même idéal.

Cette alliance féconde explique la transformation de l'art au XVe siècle, mais elle revêt le théâtre des Mystères d'une noblesse nouvelle. On comprend mieux la place immense qu'il a occupée dans l'affection des contemporains. Pendant un siècle, il a rendu visible à tous les yeux l'unité de la France chrétienne. On sait le grand rôle que jouaient les processions dans le Paris de l'époque et dans le royaume tout entier. Ce n'était pas seulement le clergé qui y prenait part, ou les fidèles de la paroisse. Fréquemment les maîtres et les docteurs de l'Université quittaient leurs chaires, les conseillers du Parlement s'arrachaient à leurs procès pour aller défiler pieusement dans les rues de la ville émerveillée. Ainsi ces grands corps affirmaient leur personnalité, ainsi ils gardaient le contact avec leurs collègues des institutions voisines, et avec l'ensemble de la nation : pendant quelques heures l'idée religieuse rapprochait étroitement les puissants et les humbles. Aux représentations des Mystères, on assiste à une fusion morale du même ordre : ici ce ne sont plus des corps constitués qui se rassemblent, il n'y a que des individus, mais tous les corps et toutes les classes de la nation sont représentés; tous s'intéressent aux mêmes spectacles et en tirent la même leçon; et dans la ferveur de cet enthousiasme collectif, chacun se sent membre d'une corporation immense où personne ne peut lui prendre sa part du patrimoine commun.

Rien ne saurait nous donner une idée de cette unité fervente, si ce n'est peut-être une grande fête patriotique en un jour d'union sacrée. Naturellement l'idéal religieux, s'il se colore de teintes différentes suivant les nations, ne connaît pas encore de frontières dans l'Europe du xv⁰ siècle. Et c'est pourquoi, dans une grande partie de cette Europe, nous retrouvons non seulement les sujets, mais aussi le décor si particulier du Mystère français. Les clercs étrangers qui se pressaient aux cours de l'Université de Paris ont su trouver le chemin de l'Hôtel de Flandre où jouaient les Confrères et ils ont porté partout les coutumes et la tradition du plus ancien des théâtres de l'Europe.

Plus tard, chacun de ces théâtres nationaux suivra sa voie propre. En France même, la belle unité morale qui a fait le succès des Mystères ne survivra pas au xv⁰ siècle : dès le dernier quart du siècle, un esprit nouveau apparaît dans Commynes. Les Mystères seront de plus en plus abandonnés au peuple : un théâtre conçu pour l'édification des fidèles finira par scandaliser les consciences. Protestants et catholiques le condamneront au nom d'une foi plus exigeante; les hommes de la Renaissance y verront l'effort médiocre d'un art inférieur. Le 17 novembre 1548, le Parlement fait défense aux Confrères de jouer « le Mystere de la Passion Notre Sauveur ne autres Mysteres sacrez ». C'est la fin d'un grand mouvement national et religieux.

LE THÉÂTRE COMIQUE

L. Petit de Julleville, Répertoire du théâtre comique en France au moyen âge, *1885 ;* les Comédiens en France au moyen âge, *1885 ;* la Comédie et les mœurs en France au moyen âge, *1886. — Voici l'indication des plus importantes collections de pièces comiques pour la période du XVᵉ siècle :* Recueil de farces, moralités et sermons joyeux, *par Le Roux de Lincy et Fr. Michel, 4 vol., 1837 ;* Recueil de farces, sotties et moralités, *par P.-L. Jacob, 1859 ;* Éd. Fournier, *le Théâtre français avant la Renaissance, 1872 ;* Viollet-le-Duc, *Ancien théâtre français (Bibliothèque elzévirienne), t. I-III ;* Recueil général des sotties, *par É. Picot (S. A. T.), 3 vol., 1902-1912 ;* E. Droz, *le Recueil Trepperel. Les Sotties, 1935. Consulter E. Philipot, Recherches sur l'ancien théâtre français. Trois farces du recueil de Londres, 1931.*

La Farce de Maistre Trubert et d'Antrongnart *est au t. VII, p. 155, de l'éd. G. Raynaud des Œuvres d'Eustache Deschamps, et le* Dit des quatre offices de l'Ostel du Roy, *au t. VII, p. 175. La farce du manuscrit de Sainte-Geneviève est insérée dans la* Vie de saint Fiacre, *publiée dans A. Jubinal, Mystères inédits du xvᵉ siècle, 2 vol., 1837, t. I, p. 304.*

La Farce de Maistre Pierre Pathelin, *imprimée pour la première fois à Lyon, chez Guillaume Le Roy, en 1585, a été réimprimée une vingtaine de fois au XVIᵉ siècle, deux fois au XVIIᵉ, deux fois au XVIIIᵉ (voir la préface d'Emile Picot à la reproduction phototypique de Maistre Pathelin historié [S. A. T.], 1904). Parmi les éditions plus modernes, citons celles de Francis Génin (1854), du Bibliophile Jacob (recueil cité, 1859), d'Édouard Fournier (recueil cité, 1872), de Fr. Édouard Schneegans (Biblioth. romanica, Strasbourg, 1908), et surtout celle de Richard T. Holbrook (Classiques français du moyen âge), 2ᵉ éd., 1937.*

Consulter R. T. Holbrook, Étude sur Pathelin, *1917 ; et* Romania, *1920, p. 84. On a cru retrouver l'auteur de* Pathelin *dans plus d'un des écrivains du temps ; le moins invraisemblable des noms qui ont été proposés est celui du moine Guillaume Alecis. Sur cette attribution, qui a fait l'objet d'un intéressant débat, voir, d'une part, Louis Cons, l'Auteur de la farce de Pathelin, 1926, Richard T. Holbrook, Guillaume Alecis et Pathelin, Berkeley, California, 1928, et Romania, 1932, p. 574 ; Gabriel Bonno, The Romanic Review, janvier-mars 1933, et d'autre part, Mario Roques, Romania, 1927, p. 569, et*

1932, pp. 88 et 591. Consulter en outre M. Roques, Références aux plus récents commentaires de Maistre Pierre Pathelin, 1941.

Le Franc-Archer de Bagnolet *est publié dans le Nouveau Recueil de farces françaises des xvᵉ et xviᵉ siècles, par Émile Picot et Christophe Nyrop, 1880 (Coquillart nous a donné dans un monologue un autre type de guerrier fanfaron).*

Sur le monologue dramatique, voir Émile Picot, Romania, 1886, p. 358 ; 1887, p. 439 ; 1888, p. 207.

A côté du monologue dramatique, il faut faire une place aux sermons joyeux (éloge de sainte Andouille, etc.), parodies burlesques des sermons.

La plupart des œuvres comiques du XVᵉ et du XVIᵉ siècle sont anonymes ; parmi les noms qui nous ont été conservés, les plus connus sont ceux d'André de la Vigne (voir H. Guy, Histoire de la poésie française au xviᵉ siècle, 1910, p. 207) et de Pierre Gringore (voir H. Guy, ouvrage cité, p. 278, et Ch. Oulmont, Pierre Gringore, 1911).

Les origines du théâtre comique du xivᵉ et du xvᵉ siècle sont obscures. Les documents font défaut. Les représentations joyeuses ou bouffonnes n'ont jamais dû manquer, mais on n'y attachait pas assez d'importance pour les mentionner. Jusqu'à 1450 environ, les textes mêmes sont très rares, et sans doute pour la même raison : on n'estimait pas qu'il valût la peine de conserver ou de recopier ces amusettes. Il est certain d'autre part qu'Adam de la Halle n'a pas eu de successeur. La *Farce de Maître Trubert et d'Antrongnart* d'Eustache Deschamps ne semble pas avoir été faite pour la scène, et rien ne prouve que son *Dit des quatre offices de l'Ostel du Roy a jouer par personnaiges* ait jamais été joué. Une des Vies de saints du manuscrit de Sainte-Geneviève contient un intermède plaisant qui a tous les caractères de la farce et qui rappelle *le Garçon et l'Aveugle,* du xiiiᵉ siècle. C'est tout ce qui nous reste du théâtre comique du xivᵉ siècle, et c'est peu de chose.

A partir de 1450 les textes apparaissent, mais ceux qui datent sûrement du xvᵉ siècle ne sont pas nombreux; la grande majorité de ces pièces est postérieure à 1500, car le théâtre comique du moyen âge s'est prolongé jusqu'en pleine Renaissance, et même au-delà de l'époque des Mystères.

Les genres comiques ont eu, eux aussi, leurs confréries, mais c'étaient des associations de joyeux vivants, comme il convient. La plus connue est celle des clercs de la Basoche, qui remonte au xivᵉ siècle. Elle se recrutait dans ce monde subalterne qui gravitait autour du Parlement, du Châtelet et de la Cour des Comptes : huissiers des tribunaux, commis des procureurs, avocats et notaires, scribes de toute sorte, dont quelques-uns aspiraient à remplacer un jour leurs maîtres et dont beaucoup devaient rester toute leur vie dans des emplois subalternes, moitié plumitifs, moitié garçons de bureau. C'étaient des gens d'esprit vif et aiguisé par le spectacle de la chicane, aimant à dauber sur les juges, sur le gouvernement et sur toutes les puissances. Ils avaient leurs jours de fête où, dès le début du xvᵉ siècle, ils commencent à représenter des pièces variées : c'étaient tantôt des « causes grasses », comme en composera pour eux Coquillart, tantôt des revues satiriques dans le genre de celle qui valut quelques mois de prison à Henri Baude.

La pièce de Baude est une *moralité,* et c'est un genre qui restera longtemps cher aux Basochiens. L'intention en est didactique, mais il ne s'agit pas toujours d'y faire la leçon aux rois; la portée en est à l'ordinaire plus générale : on y énonce une vérité morale, respect dû aux parents, horreur du blasphème; ou encore on y déplore le pouvoir de l'argent, la misère du paysan saigné aux quatre veines.

Les personnages sont volontiers allégoriques. Baude fait dialoguer la Cour et le Palais. Une autre pièce nous montre Chacun, Plusieurs, le Temps Qui Court, le Monde. Ailleurs Marchandise et Métier pleurent leur ruine, tandis que Grosse Dépense s'apprête à vivre de leur travail. Ou bien, c'est Plat Pays et Peuple Pensif, mortellement las, qui renaissent à la joie en écoutant les douces paroles de Bonne Espérance, avant-courrière de Mieux Que Devant et de Bon Temps. Il est difficile aujourd'hui de voir comment on a pu se plaire à ces abstractions. Mais la mode était aux allégories, et les contemporains savaient très bien découvrir la réalité concrète qui se dissimulait sous ces figures étranges. Protestants et catholiques n'ont-ils pas plus d'une fois fait servir la moralité à leurs âpres polémiques?

Les clercs de la Basoche ont une situation sociale, une profession bien définie; quelques-uns deviendront des gens considérables. On ne sait pas très bien qui étaient les Enfants sans souci, sans doute de jeunes désœuvrés, d'humeur joyeuse et vivant d'expédients. On les voit dans les *Repues franches* se procurer à peu de frais un excellent dîner. Mais ils avaient plus d'un tour dans leur sac : affublés d'un costume mi-parti jaune et vert, coiffés d'un chaperon à larges oreilles, encadrés d'un prince des Sots et d'une mère Sotte, ils gambadent et font des culbutes dans Paris, et jouent des pièces appelées *sotties* (ou *soties*). Les sots qui, sous des noms différents, reparaissent dans toutes les grandes villes de France, sont peut-être les continuateurs directs de ces bons plaisants qui jadis se livraient dans les églises aux ébattements bouffons de la Fête des fous. Ce n'est qu'une hypothèse, mais elle est plausible. Du reste, il ne faudrait pas prendre les « sots » pour de pauvres hères sans culture. Des gens qui connaissent les « patronymiques de la 3e déclinaison », et raisonnent congrûment sur les syllogismes, n'ont pas passé toute leur vie à battre le pavé de Paris. Il est probable que plus d'un « sot » est un authentique basochien, et il y a du reste des attaches entre les deux confréries, qui ont souvent mis leur répertoire en commun. A vrai dire, il n'est pas toujours facile de distinguer les sotties des moralités. La sottie nous présente, comme la moralité, des personnages allégoriques, par exemple les « Gens nouveaulx qui mengent le monde et le logent de Mal en Pis »; elle s'en prend, elle aussi, aux travers et aux abus. Peut-être raille-t-elle les folies du monde avec une verve plus moqueuse et un scepticisme plus désabusé, mais sa caractéristique la plus nette, c'est sans doute le costume de ses acteurs : c'est le chaperon du « sot » et sa marotte qui font la sottie. Sous cette défroque bouffonne, le pitre peut se permettre bien des audaces. La sottie de l'*Astrologue* (1498) attaque hardiment Georges d'Amboise, favori

du roi. Louis XII laissait dire, quitte à embrigader à son service cette force nouvelle. Au mardi gras de l'année 1511, le poète Gringore fit jouer aux Halles de Paris sa fameuse sottie du *Prince des sots*, où il malmena fort le pape Jules II, adversaire du roi de France (voir plus loin, p. 168). Ce fut un beau jour pour la sottie, mais qui n'eut pas de lendemain. François Ier coupa court à toutes les hardiesses des Basochiens et des Enfants sans souci.

Un troisième genre, qui appartient également au répertoire des « sots », n'est pas toujours très distinct de la moralité et de la sottie. C'est la *farce*. La sottie des *Gens nouveaux* est intitulée « Farce nouvelle moralisée ». Les pièces intitulées *Marchandise et Métier, Mieux que Devant*, que nous avons rangées parmi les moralités, pourraient passer pour des farces. Les contemporains se sont embrouillés dans toutes ces appellations, et c'est perdre sa peine que de vouloir être ici plus rigoureux qu'ils ne l'ont été. Toutefois il semble qu'il y ait avantage à exclure de la catégorie des farces toute pièce qui se propose d'inculquer une morale et toute pièce dont les personnages sont allégoriques. En sa véritable essence, la farce aime fort à appeler les choses par leur nom, elle n'a cure des symboles. Elle se plaît avec les petits et avec les humbles, mais ce n'est pas pour nous apitoyer sur leur sort. Elle se délecte aux coquineries, aux bons tours des filous ingénieux, elle se moque du curé et du meunier et surtout elle ne se lasse pas de ramener le trio du mari, de la femme et de l'amoureux. Les malices, la perfidie, l'obstination de la femme, voilà son thème favori : et le grand ressort de l'action, c'est Martin-Bâton. Qui composait ces farces? Des basochiens, des étudiants, de joyeux bohèmes. Ils ont bien pu, en d'autres occasions, rimer de graves « moralités », mais ici ils s'abandonnent à toute l'insouciance de leur jeunesse et de leur gaieté. Ils ne songent qu'à rire et à nous faire rire. C'est le ton des fabliaux, avec infiniment plus de bonne humeur. Il est visible que les Enfants sans souci ont moins à se plaindre de leur siècle que les jongleurs du temps de Philippe Auguste ou de Saint Louis.

Le chef-d'œuvre du genre, c'est la farce de *Pathelin* (1464?). Tout le monde connaît cette pièce célèbre. Un fourbe d'avocat qui dupe un lourdaud de drapier, une naïve Guillemette qui apprend le patelinage à l'école de son mari, un procès où on ne sait plus s'il s'agit de drap volé ou de brebis assommées, un juge qui ne comprend goutte à ce charabia et veut qu'on revienne « à ces moutons », un berger finaud qui bêle pour toute réponse, Pathelin berné par Thibaut l'Agnelet: qui ne se rappelle ces situations et ces personnages? La langue est savoureuse et drue, le vers aisé et spirituel, la repartie vive, les caractères finement observés, les deux intrigues mêlées

LE DIT DE L'ASTROLOGUE. Fresque du château de Villeneuve-Lembron (Puy-de-Dôme), relevée par Ypermann. — CL. GIRAUDON.

et dénouées avec un art très sûr. Par toutes ces qualités, *Pathelin* est infiniment supérieur à toutes les farces du xve et du xvie siècle. Est-ce même une farce ? Il est vrai que les fripons y tiennent toute la place et qu'il s'agit seulement de savoir quel est celui qui rira le dernier ; seul le juge représente les honnêtes gens, et c'est un personnage falot que tout le monde berne et qui invite à souper un avocat véreux. On n'a pas l'impression que l'auteur fasse tout bas des réserves. C'est bien le point de vue des Enfants sans souci. Mais ce qui semble assez naturel chez un farceur irresponsable des Halles surprend dans une œuvre aussi achevée. On se demande s'il n'y a pas ici un procédé voulu. Il faudrait savoir qui a composé la pièce et pour quelle occasion elle a été écrite. Nous ne tenons pas encore le secret de *Pathelin*. Ce que nous savons tout au moins, c'est que, farce ou comédie, il n'y a rien eu de pareil au théâtre avant Molière.

Si l'on réduit la farce à un seul personnage, on aura le *monologue dramatique*. Un grotesque conte ses aventures et révèle naïvement ses travers ou ses vices. Le meilleur spécimen du genre, et peut-être aussi le plus ancien, est le *Franc-Archer de Bagnolet*, composé en 1468. Il y avait vingt ans que Charles VII avait créé la milice des Francs-Archers. Ils ne furent jamais populaires, et en 1480 Louis XI décida de renoncer à leurs services. En attendant, l'opinion publique ne les ménageait pas. Le héros de Bagnolet est, à l'en croire, un foudre de guerre, mais il

MAITRE PATHELIN ET GUILLEMETTE.
Bois de l'édition Pierre Levet, publiée à Paris vers 1489. — CL. LAROUSSE.

devient blanc de peur à la vue d'un épouvantail à moineaux qu'il prend pour un homme d'armes. L'épouvantail est recouvert d'oripeaux : une croix blanche se dessine sur ces haillons. Une croix blanche ? C'est un Français, et vite le franc-archer se proclame Français. Mais le vent fait tourner l'épouvantail : une croix noire apparaît, l'insigne des Bretons ; et notre homme se fait Breton. Il faut que le mannequin tombe et que la paille lui sorte du ventre pour que cet héroïque trembleur se rassure ; sur quoi il reprend ses grands airs du début : « Qu'esse-cy ? Morbieu, on se raille, — Ce cuiday-ge des gens de guerre ! » Ce fanfaron couard qui n'a jamais fait meurtre qu' « en poulaille » est une caricature très amusante. La pièce est écrite de verve, dans un style coloré, qui rappelle parfois la manière de Villon. Il y a là encore un homme d'esprit dont on aimerait à savoir le nom.

Une grande partie de la production comique du xve siècle s'est perdue sans retour. On se demande s'il faut le regretter bien vivement. Les moralités font preuve de plus de bonnes intentions que de talent. Les sotties, privées des pitreries de leurs acteurs, sont obscures et peu attrayantes. Seules, les farces sont restées vivantes, mais elles ont plus d'intérêt pour l'histoire des mœurs que pour l'histoire de la littérature. Une seule d'entre elles est hors de pair. Le théâtre comique du xve siècle n'a pas l'importance sociale du théâtre des Mystères, mais il a *Pathelin*.

PATHELIN ET LE DRAPIER.   DEVANT LE JUGE.
Bois de l'édition P. Levet. — CL. LAROUSSE.

IV. — LES CONTEURS DU XVe SIÈCLE

Les grands prosateurs de l'époque sont des historiens comme Froissart, des moralistes comme Gerson, des satiriques comme Alain Chartier. Les œuvres d'imagination ne se produisent guère qu'en vers. Il faut descendre jusqu'au milieu du XVe siècle pour trouver avec Antoine de La Sale un conteur qui se sert de la prose sans arrière-pensée. Il aura d'ailleurs d'assez nombreux émules.

A consulter : Werner Sœderhjelm, la Nouvelle française au xve siècle, 1910 ; Pietro Toldo, Contributo allo studio della novella francese del xv e xvi secolo, Rome, 1895 ; Gaston Paris, Mélanges de littérature française du moyen âge, 1912, p. 625.

Antoine de La Sale (né vers 1386, mort vers 1460), attaché de bonne heure au service de la maison d'Anjou, parcourt l'Italie, la Sicile, la France, le Brabant, le Portugal, tantôt comme écuyer à la suite de ses maîtres, tantôt comme combattant. C'est ainsi qu'il assiste à la prise de Ceuta en 1415. De 1429 à 1430, il est viguier d'Arles. Quelques années après, René, roi de Sicile, le charge de l'éducation de son fils aîné, Jean de Calabre. En 1448, il quitte la maison d'Anjou et devient précepteur des trois premiers fils d'un grand seigneur de Bourgogne, Louis de Luxembourg, comte de Saint-Pol. Il demeurera chez Louis de Luxembourg probablement jusqu'à sa mort. On a de lui, outre le Petit Jehan de Saintré (vers 1456), dédié à Jean de Calabre, son ancien élève, la Salade (vers 1440), traité sur l'art de gouverner, *dédié également au duc Jean et à sa femme, Marie de Bourbon ; — la* Salle *(vers 1451), traité de morale qui est peut-être un écho de l'enseignement par lui donné aux fils de Louis de Luxembourg ; — le* Réconfort de Madame de Fresne *(1457), qui met en œuvre un épisode de la guerre de Cent Ans, et quelques opuscules de moindre importance.*

Si Antoine de La Sale avait, en outre, composé les Quinze Joyes de mariage *et les* Cent Nouvelles nouvelles, *il surprendrait par l'étonnante versatilité de son caractère, par la souplesse de son talent et par la verdeur de sa vieillesse (il aurait écrit les* Cent Nouvelles nouvelles *à soixante-quatorze ans). Et c'est bien ainsi que se le représente G. Paris, par exemple (voir notamment ses* Légendes du moyen âge, *1903, p. 67, et son* Esquisse historique de la littérature française du moyen âge, *1907, p. 246). Mais, malgré l'attrait de cette reconstitution psychologique, il faut bien dire qu'en faveur de ces attributions on n'a pas apporté jusqu'ici un seul argument valable, et que les vraisemblances sont de l'autre côté. On trouvera un résumé de cette question, en même temps qu'une bibliographie détaillée des livres et articles auxquels elle a donné lieu, dans un mémoire de E. A. Peers,* Modern Philology, *1916, p. 405. On pourra consulter particulièrement, pour recueillir les diverses opinions en conflit : J. Nève,* Antoine de La Sale, sa vie et ses ouvrages, *1903 ; O. Grojean, dans la* Revue de l'Instruction publique en Belgique, *1904, p. 153 ; W. Sœderhjelm, ouvrage cité, pp. 29-35 et 156-158 ; et C.-A. Knudson,* Antoine de La Sale, le duc de Bourgogne et les Cent Nouvelles nouvelles, Romania, *1927, p. 365. Voir aussi F. Desonay,* Antoine de La Sale, aventureux et pédagogue, Liège, *1940.*

Le Petit Jehan de Saintré a été publié en 1843 par J.-M. Guichard, dont l'édition a été longtemps reproduite par les éditions postérieures, même après la découverte d'un manuscrit meilleur et plus complet que ceux qu'a utilisés Guichard (voir G. Raynaud, Romania, *1902, p. 527, et P. Champion, le* Manuscrit d'auteur du Petit Jehan de Saintré, *1926). La meilleure édition est aujourd'hui celle de P. Champion et F. Desonay, 1926 (voir le compte rendu de C.-A. Knudson,* Romania, *1928, p. 554). Consulter F. Desonay, le* Petit Jehan de Saintré, *1928 ; A. Coville,* Recherches sur quelques écrivains du XIVᵉ et du XVᵉ siècle, *1935, et le* Petit Jehan de Saintré, *recherches complémentaires, 1937.*

On trouvera le Réconfort de Madame de Fresne, *ainsi que les chapitres de la* Salade *concernant les excursions de l'auteur aux îles Lipari et au Paradis de la reine Sibylle, publiés en appendice dans le livre de J. Nève, cité plus haut. (Voir F. Olivier-Martin,* Romania, *1926, p. 164.) Le récit de l'excursion aux îles Lipari a été publié de nouveau par C.-A. Knudson,* Romania, *1928, p. 99, et le* Paradis de la reine Sibylle *par F. Desonay, 1930. Au sujet du* Paradis de la reine Sibylle *et de la légende du Tannhäuser qui s'y rattache, voir G. Paris,* Légendes du moyen âge, *1903, pp. 67 et 111. F. Desonay a donné, en 1935, une édition complète de la* Salade *et, en 1941, une édition de la* Salle.

Les Quinze Joyes de mariage *ont été recueillies dans la collection Jannet, 1853 et 1857. Éditions plus*

L'AUTEUR DES « CENT NOUVELLES NOUVELLES » *offre son livre à son seigneur, le duc de Bourgogne et de Brabant. Gravure sur bois de l'édition princeps, publiée par Antoine Vérard en 1486.*
CL. LAROUSSE.

récentes par F. Fleuret et D. Jouaust. Une reproduction de l'édition princeps a été publiée par F. Heuckenkamp, Halle, 1901. Consulter Marcel Cressot, Vocabulaire des Quinze Joyes de mariage, *1939.*

Les Cent Nouvelles nouvelles *ont été publiées par Th. Wright, 2 vol., 1858, et de nouveau par P. Champion, 3 vol., 1928. (Comp. le compte rendu de Mario Roques,* Romania, *1928, p. 562.)*

Les romans de Paris et Vienne, *par Pierre de la Sippade (composé en 1432, éd. Kaltenbacher, Erlangen, 1904), et de* Pierre de Provence et la belle Maguelonne *(composé en 1457, éd. Ad. Biedermann, 1913) se rattachent à la tradition des romans d'aventure du XIIIᵉ siècle.*

Le Livre des Faits de Jacques de Lalaing a été publié par Kervyn de Lettenhove dans les Œuvres de Georges Chastellain, *t. VIII, Bruxelles, 1866, p. 1, et par Buchon dans le* Panthéon littéraire, *t. XL, p. 601. Il n'y a pas de raison d'affirmer que l'auteur soit Chastellain, comme on l'a cru souvent. Voir A. Molinier,* les Sources de l'histoire de France, *t. IV, p. 191. Sur l'attribution à Antoine de La Sale, voir G. Raynaud,* Romania, *1902, p. 546, et 1904, p. 107. Sous sa forme finale, le* Livre des Faits *n'est pas antérieur à 1468.*

Le Jouvencel, *éd. C. Favre et L. Lecestre, 2 vol., 1887-1889. Jean de Bueil, un des meilleurs capitaines*

LES QUINZE JOYES DE MARIAGE. *Figure sur bois qui se voit à la fin de l'édition publiée à Paris par Jean Tréperel (dernières années du XVᵉ siècle).*
CL. LAROUSSE.

de Charles VII, mort en 1477 ou 1478, a été aidé dans la composition du Jouvencel *(entre 1461 et 1468) par trois de ses familiers ou serviteurs. Voir, outre la préface de l'édition,* A. Molinier, *les Sources de l'histoire de France, t. IV, n° 4136.*

Jean de Paris, *éd. A. de Montaiglon (collection Jannet, 1867) et Edith Wickersheimer (S. A. T.), 1923. Dans un court prologue, l'auteur prétend avoir traduit son roman de l'espagnol en français. Il n'y a là qu'une fiction. Quelques traits du récit sont empruntés au roman de* Jehan et Blonde, *de Beaumanoir. Voir Sœderhjelm, ouvrage cité, p. 192, et E. Wickersheimer, le Roman de Jehan de Paris, 1925. L'ouvrage a dû être écrit entre 1490 et 1500.*

LES QUINZE JOYES DE MARIAGE

Soldat, précepteur de princes, grand voyageur, Antoine de La Sale a été aussi un écrivain fécond et spirituel et d'un talent très souple. C'est pourquoi on lui a attribué volontiers toute une série d'ouvrages anonymes, qui ne sont sûrement pas de lui.

Le premier en date est le livre des *Quinze Joyes de mariage*, un chef-d'œuvre où l'observation la plus pénétrante se teinte de l'ironie la plus déliée. C'est une succession de petites scènes d'intérieur, d'une vérité et d'une couleur étonnantes, où l'on voit femme, belle-mère, chambrières et commères s'entendre comme larrons en foire pour berner et ruiner le pauvre diable de mari, qui n'en peut mais. Ce niais sentimental prend pour des « joies » les misères du mariage, et il meurt à la peine, se croyant heureux. D'autres niais font comme lui et la farce continue. Jamais on n'a raillé si impitoyablement les malices et les petites hypocrisies féminines, jamais on n'a été si dur pour l'aveuglement des maris trompés. C'est assurément un disciple de Jean de Meung qui a écrit ce livre, mais le style en est autrement vigoureux et ramassé que celui du *Roman de la Rose*, et le trait porte plus avant. On n'a attribué l'ouvrage à La Sale que sur la foi d'une charade mal interprétée et qui jusqu'à présent n'a pas été déchiffrée. Les quelques allusions historiques qu'il renferme nous autorisent à le faire remonter plus haut. C'est peut-être un épisode attardé de la querelle de Gerson et de Christine de Pisan : dans sa préface, l'auteur semble bien renvoyer au *Miroir de mariage* de Deschamps, et il reprend à son compte le refrain d'une ballade du bailli de Valois. Sa conclusion est inattendue : il s'excuse auprès des femmes de leur avoir toujours donné le mauvais rôle. Et il se déclare prêt à écrire un autre livre où il aurait plus belle matière encore, car il y montrerait le tort que les hommes font aux femmes, « si faibles de nature et sans défense ». Il y a dans cette volte-face finale un mélange savoureux de sincérité et d'ironie qui est d'un pince-sans-rire. Notez qu'il ne déconseille pas le mariage; « mais je ne tiens pas, dit-il, telles besteries a joies ne a felicitez ». Y a-t-il un remède pour se garder de tous les maux de la vie conjugale ? Il en connaît un, mais il a peur de fâcher quelque femme et il s'en taira pour le moment : il le dirait bien de bouche. Il y a du prêtre dans tout cela; mais il s'agit d'un prêtre désabusé qui s'amuse, et parfois s'attriste, de la folie du monde. La préface du reste nous renseigne assez clairement. L'auteur n'est pas marié « pour ce qu'il a pleu à Dieu, dit-il, me mectre en autre servage, hors de franchise que je ne puis plus recouvrer ». Cette connaissance intime qu'il a du mariage lui vient sans doute de la confession. Et s'il y a dans son livre des passages d'une extrême franchise, on n'y trouve du moins nulle grossièreté et pas un mot malsonnant, rien d'équivoque. Il est sévère pour les nobles qui s'écartent de l'idéal de leur classe, mais il n'a placé devant nous ni prêtres ni moines en mauvaise posture. C'était, du reste, un séculier : il a des coups de dent assez durs contre les Cordeliers et les Jacobins. Peut-être même

appartenait-il au clergé campagnard : les maisons où il nous conduit sont, en général, celles de la petite noblesse provinciale de l'époque. En tout cas, cet homme d'esprit n'était plus jeune quand il a écrit son livre, ou on ne sentirait pas chez lui cette secrète satisfaction d'avoir percé à fond la vanité de toutes choses.

LE PETIT JEHAN DE SAINTRÉ

Le *Petit Jehan de Saintré* est l'œuvre avouée et incontestée d'Antoine de La Sale. C'est un livre fin et original, où il y a moins de vigueur que dans les *Quinze Joyes de mariage* et un sourire moins amer. La Dame des Belles Cousines distingue un jeune page de la cour, le petit Jehan de Saintré, et moitié désœuvrement, moitié inclination, elle entreprend d'en faire un chevalier accompli. Tout confus et rougissant, le petit page se rassure, s'enhardit et, sous cette gracieuse tutelle, grandit en courtoisie et en vaillance. Bientôt on célèbre son nom d'un bout à l'autre de l'Europe. Mais voici qu'un jour, pour le plus futile des motifs, sa dame le rejette avec dédain et va s'éprendre, qui le croirait ? d'un grand, gros et robuste moine, abbé d'un riche couvent. Un beau roman de chevalerie se dénoue comme le plus brutal des fabliaux. Le livre semble un peu long aujourd'hui. Armures, blason, tournois, combats à pied et à cheval, tout ce bric-à-brac chevaleresque qui encombre une bonne moitié de l'ouvrage ne nous intéresse plus guère. En revanche, les chapitres du début — sauf un certain pédantisme qui surprend (« ma dame » cite d'abondance les auteurs latins, texte et traduction) — sont d'une délicatesse charmante. L'éducation du page est traitée d'une main légère à souhait. On a comparé ces espiègleries et ces jolis sermons aux entretiens de la Comtesse et de Chérubin dans *le Mariage de Figaro*, mais le petit Saintré est plus naïf, plus naturel et plus sympathique que Chérubin, et « ma dame », avec tout son latin, autrement vivante que la Comtesse. On s'étonne seulement qu'elle puisse faire accepter de son protégé tant de riches cadeaux, tant de rondes sommes d'argent. Les héros réels du XVe siècle ont-ils connu ces sollicitudes humiliantes ? La dernière partie du livre, où le moine se glisse entre Saintré et sa dame, est saisissante de relief et de couleur. En particulier la scène où, en présence de « ma dame » qui ricane, damp Abbé abat de ses gros poings le chevalier frémissant est conduite avec un art consommé, et le style est d'un maître écrivain. Et c'est bien là aussi, semble-t-il, que l'auteur nous présente la conclusion désenchantée de son livre. Il a repris le vieux thème de la rivalité en amour du chevalier et du clerc, pour sacrifier délibérément le chevalier. Et ce qui est vaincu avec Jehan de Saintré, on ne saurait douter, c'est l'idéal qu'il représente, c'est la chevalerie elle-même. Damp Abbé, ce puissant athlète, gros mangeur, peu soucieux des nuances et qui aime surtout ses aises, c'est le héros d'une époque âprement réaliste, qui s'intéresse à l'honneur moins qu'au succès et à l'argent plus qu'à la gloire. Jehan de Saintré, il est vrai, donne une rude leçon à l'impudent et il déshonore devant toute la cour celle qu'il a tant aimée. Mais ce descendant des preux n'en est pas moins tombé sous les coups d'un plébéien bien nourri. Il a été un moment un objet de pitié. Il reste humilié et diminué. On reconnaît là une des leçons de la guerre de Cent Ans. Mais que nous sommes loin du *Lancelot* ! Antoine de La Sale a écrit le premier roman où apparaisse, indistinct encore et peu flatté, l'esprit moderne.

LES CENT NOUVELLES NOUVELLES

Quand on attribue les *Quinze Joyes de mariage* à Antoine de La Sale, on rend justice à son talent; mais on lui fait tort quand on compte les *Cent Nouvelles nouvelles* parmi ses œuvres. Ce recueil de contes en prose est très inférieur au *Petit Jehan de Saintré*. L'auteur vivait dans l'entourage du duc Philippe de Bourgogne, à qui il a présenté son livre à Dijon entre 1456 et 1467. Il feint qu'un groupe de seigneurs se sont réunis pour conter à tour de rôle des histoires amusantes. Comme en tête de chaque conte se trouve le nom d'un personnage de l'époque, on a souvent pris au sérieux cette fiction. Mais il est visible que ces indications ont été ajoutées après coup. Deux conteurs, Monseigneur de Santilly et Monseigneur de Beaumont, parlent de « fournir une aventure » pour « croître leur nombre », c'est-à-dire pour augmenter d'une unité le total des histoires qu'ils ont déjà rapportées : or, ils n'ont justement à leur actif l'un que la nouvelle 85, l'autre que la nouvelle 90, où se trouvent ces indications trompeuses. Il semble qu'un scribe ait mis plus d'une fois un saint au hasard dans la niche laissée vide par l'auteur. Enfin, le livre s'ouvre par une dédicace qui expose comment il a été écrit à la « requête et avertissement » du duc de Bourgogne. C'eût été assurément le lieu de lui rappeler qu'il avait lui-même composé quinze de ces nouvelles. Mais de cette collaboration princière, pas un mot. Et si, en dépit de ce silence, le duc de Bourgogne est néanmoins responsable d'un septième du recueil, pourquoi lui dire que l'ouvrage est inférieur en « subtil et orné langage » aux *Cent Nouvelles* ? Ce n'est pas ainsi qu'en pareil cas on parle aux grands de ce monde. Nous avons affaire ici à un auteur qui dédie son livre à un protecteur puissant. Et c'est ce que confirme, d'un bout à l'autre du recueil, une très sensible uniformité de procédés et de manière. La matière des contes est empruntée en partie peut-être à un recueil latin d'anecdotes, mais surtout, semble-t-il, à la tradition orale. C'est le point de vue des fabliaux qui reparaît. Le langage est moins brutal que dans les fabliaux, mais la licence n'est pas moindre. Il y a plus d'art ; les détails sont mieux groupés en vue de l'effet à produire, la composition est plus soignée. La langue est riche en vocables pittoresques, le dialogue vif, et le ton populaire y est parfois excellemment attrapé. Mais on ne trouve nulle part un style personnel. Des jeunes filles sottes ou délurées, des femmes artificieuses, des maris trompés, des moines gloutons, voilà les acteurs, mais on ne voit pas que la comédie ait un sens : nulle amertume, nulle intention satirique,

pas même ce plaisir que donne à certains l'observation des faiblesses humaines. On se croirait en joyeuse compagnie, à la fin d'un bon repas où il importe surtout de faire rire les convives. L'auteur a lu en vain le *Décaméron*, dont il se réclame expressément. Il a du moins emprunté à Boccace l'idée de la forme extérieure de son recueil. Et c'est là qu'est sa véritable originalité. Il a introduit en France le genre de la nouvelle en prose, contée avec entrain et bonne humeur.

LE LIVRE DES FAITS DE JACQUES DE LALAING

Le *Livre des Faits de Jacques de Lalaing* est un ouvrage composite où ont été insérés des mémoires de hérauts et de longs fragments des chroniques contemporaines, mais qui donne pourtant une très nette impression d'unité. Certains paragraphes du début se retrouvent textuellement dans le *Petit Jehan de Saintré* et on a supposé, en conséquence, que le *Livre des Faits* était d'Antoine de La Sale. La conclusion ne s'impose pas. Mais Jacques de Lalaing est bien un autre Saintré, sauf que nulle mésaventure ne vient au dénouement ternir sa gloire. Jusqu'au bout du livre, il représente le type du chevalier accompli suivant les anciennes conceptions. Et l'intérêt vient de ce que le personnage est emprunté à la réalité. Il y a bien eu un Jean de Saintré au XIVe siècle, mais La Sale ne savait rien de lui que son nom. Au contraire, on se répétait encore en 1468 les exploits de Jacques de Lalaing, mort depuis quinze ans seulement. Par l'étrangeté des aventures et la complication des sentiments, le livre où on raconte sa vie fait l'effet d'un ro-

UN TOURNOI A LA FIN DU XVe SIÈCLE. D'après un exemplaire de « Lancelot » imprimé sur vélin pour Charles VIII (Bibl. nationale). Charles VIII, qui assiste au tournoi, reçoit cet exemplaire des mains de l'éditeur, Antoine Vérard (1494). — CL. LAROUSSE.

man. Mais le romanesque ici a été introduit délibérément dans l'existence journalière par les tenants attardés d'un idéal vieilli et mal compris. Lalaing, un Bouciquaut plus mièvre et moins largement humain, s'en va à travers l'Europe de tournoi en tournoi, toujours prêt à proposer ou à accepter des défis bizarres, où une réelle vaillance s'accompagne de fanfaronnade et de fantaisie. Charles le Téméraire, qu'Olivier de La Marche a mis en scène dans son roman allégorique du *Chevalier délibéré*, est un autre type de cet idéal artificiel. Il y a là, chez ces derniers représentants d'un monde qui disparaît, un vif plaisir d'imagination tout autant qu'un sport. Rêve collectif auquel semble participer tout ce qui subsiste encore de chevalerie féodale dans l'Europe du temps. En Flandre comme en France, en Italie comme en Espagne, en Portugal comme en Angleterre et en Écosse, partout ce roman nous montre ce même idéal fade et décoloré. Mais cette unité factice, qui n'est plus guère fondée que sur des lectures communes, si elle existe encore, est à la veille de se briser sans retour. Partout apparaissent, croissant en influence, les hommes qui vont fonder les nations modernes. Il n'y a plus de place au siècle de Louis XI pour les chevaliers de la Table ronde. Le ricanement de la Dame des Belles Cousines atteint Jacques de Lalaing aussi bien que Jehan de Saintré.

LE JOUVENCEL

Dans le *Jouvencel* de Jean de Bueil il y a moins de tournois et plus de vraies batailles. Nous quittons le rêve pour rentrer dans la réalité. Les personnages, ici, sont les combattants des dernières années de la guerre de Cent Ans ; l'action consiste en une série d'épisodes qui, sous des désignations fictives, reproduisent les principaux événements de l'histoire militaire du temps. Nous vivons au jour le jour avec les hommes d'armes et les routiers, nous assistons aux délibérations des chefs, aux mêlées et aux combats, nous voyons compter l'argent du butin et partager les prisonniers. Les vainqueurs peuvent nous sembler assez âpres au gain. Mais prenons garde que la guerre, qui dure depuis près d'un siècle, n'est plus un passe-temps,

LE CHEVALIER DÉLIBÉRÉ, par Olivier de La Marche (imprimé par Jean Lambert en 1493). — CL. LAROUSSE.

ni une nécessité d'un moment, c'est un métier, et il faut bien qu'on en vive. Comme il est naturel, le vaincu règle les frais et acquitte la solde, qui autrement ne viendrait pas. Du reste, l'auteur n'a garde d'oublier les beaux côtés de la profession. Il se fait une haute idée de la chevalerie et des vertus qu'elle exige. Il n'admet pas qu'on soit fait chevalier trop facilement, même si on est noble : il veut comme décor à l'adoubement un combat en rase campagne, quand on voit son adversaire face à face, ce qui est le courage suprême. Et tout homme de cœur qui a soutenu cette épreuve peut prétendre à la chevalerie, s'il est par ailleurs sans reproche. Mais que les vieux termes ne nous déçoivent pas! Le héros du livre n'est plus le chevalier féodal, impatient de toute responsabilité, comptable à Dieu seul et volontiers indifférent au succès si l'honneur est sauf ; c'est le capitaine moderne, c'est le chef de troupe, qui entend conduire ses hommes à la victoire. De là l'importance que prennent ici tant de détails que semblent ignorer les Lalaing et les Saintré : à quoi sert le « cri de la nuit », comment on installe un petit poste, quel est le devoir des éclaireurs, le rôle de la cavalerie, quelles sont les meilleures formations de combat. C'est toute une théorie et toute une pratique de l'art de la guerre. Il y a décidément quelque chose de changé en France depuis Poitiers et Azincourt. Le récit est alerte, la langue d'une bonne venue. Ce roman militaire est une des œuvres les plus significatives et les plus attrayantes du XVe siècle.

LE ROMAN DE JEAN DE PARIS

Le *Jouvencel* n'a pas eu la suite qu'on pouvait attendre. Conteurs et romanciers se sont vite fatigués. Nous ne trouvons plus rien à citer avant *Jean de Paris*, roman

composé, à l'extrême fin du siècle, par un auteur resté inconnu. C'est une œuvre d'une lecture très agréable. La fille du roi d'Espagne va épouser le roi d'Angleterre, quand survient un jeune homme, Jean de Paris, un simple bourgeois, annonce-t-on, qui, précédé et suivi d'un merveilleux cortège, où les archers ressemblent à des grands seigneurs et les maîtres d'hôtel à des princes, fait dans Burgos une entrée magnifique. Ce prétendu bourgeois, on le découvre bientôt, n'est autre que le roi de France, qui vient en personne réclamer l'exécution d'une promesse faite à son père ; et, sans plus attendre, il demande la main de la princesse. Son air d'autorité souveraine, sa grâce, le déploiement de sa puissance et de sa richesse le rendent irrésistible : à la barbe du roi d'Angleterre il épouse la jeune fille souriante d'aise. Voilà le sujet de *Jean de Paris*. C'est un thème de fabliau, développé ingénieusement et peut-être avec un peu de complaisance par un homme d'esprit qui s'amuse de ses personnages. Il a de la verve et parfois une sorte d'humour qui annonce le XVIe siècle. Sans vouloir surfaire le mérite de ce gentil conteur, il n'est que juste de noter qu'il est plus près de Rabelais que des *Cent Nouvelles nouvelles*. On a vu dans les noces de Burgos une allusion au mariage de Charles VIII et de l'héritière de Bretagne, enlevée comme l'infante d'Espagne à un prince étranger. Il est certain que derrière les fanfaronnades du livre on sent un roi de France craint et respecté; le ton de raillerie narquoise qui est adopté à l'égard des Anglais prouve que ce ne sont plus des adversaires redoutés ni haïs. On est sorti du cauchemar de la guerre de Cent Ans. C'est un reflet de la Renaissance qui se joue autour des cheveux jaune d'or de Jean de Paris.

V. — FRANÇOIS VILLON ET LA POÉSIE DANS LE ROYAUME DE FRANCE APRÈS LA GUERRE DE CENT ANS

Charles VII meurt en 1461. Avec lui c'est tout un monde qui disparaît. Si Charles d'Orléans survit encore quelques années, c'est François Villon qui va être le poète de la France nouvelle. Mais il ne fera pas école : c'est à peine si on peut citer après lui deux ou trois imitateurs, qui du reste ne sont que des poètes d'occasion. Il y a plus de vraie poésie dans les chansons populaires qu'on commence alors à répéter dans les campagnes de France.

FRANÇOIS VILLON

La plus ancienne édition des œuvres de Villon a paru en 1489 chez Levet : de 1489 à 1532 une vingtaine d'éditions reproduisent le texte de Levet. En 1533, Clément Marot donne du « meilleur poete parisien qui se trouve » une nouvelle édition où il s'efforce de corriger les fautes des éditions précédentes. Le texte de Marot est réimprimé une douzaine de fois de 1533 à 1542, puis l'oubli se fait, ou à peu près, sur le nom de Villon. En *1723*, paraît l'édition *Cousielier*, mais c'est au *XIX*e siècle qu'il était réservé de s'enthousiasmer de nouveau pour l'auteur du *Testament*. Bien des éditions se sont succédé depuis celle de *Prompsault (1832)*, qui le premier a recouru aux manuscrits. La première qui soit fondée sur un examen méthodique du texte de *Levet* et de toute la tradition manuscrite est celle qu'a donnée chez Lemerre, en *1892*, *Auguste Longnon* ; elle a été reprise par lui dans la collection des Classiques français du moyen âge *(4e édit.*, revue par *Lucien Foulet*, *1932*). A côté de cette édition, il faut mentionner celle de *Louis Thuasne*, 3 vol., *1923*, et celle d'*Alfred Jeanroy*, *1934*. Les Ballades en jargon se trouvent dans l'édition Lemerre et dans les éditions Thuasne et Jeanroy : on a contesté l'attribution à Villon de ces pièces *(voir Mario Roques*, Romania, *1922, p. 159)*. Le poème des Repues franches, longtemps attribué à Villon, se lit dans l'édition *Jannet* de ses Œuvres.

Voir G. Paris, Fr. Villon, *1901 ;*
Pierre Champion, Fr. Villon, *1913 (2e éd., 1933) ;*
André Suarès, Fr. Villon (« *Cahiers de la Quinzaine* »,
25 janvier 1914); *Fernand Desonay*, Villon, *1933 ;*
Charles Maurras, Dictionnaire politique et critique, *1934*
(article « Villon », écrit en 1913); *Italo Siciliano*,
François Villon et les thèmes poétiques du moyen âge,
1934 ; *et Louis Cons*, État présent des études sur
Villon, *1936*. — *Jehan Regnier, bailli d'Auxerre pour
le duc de Bourgogne, étant tombé entre les mains des
partisans du roi, écrivit dans sa prison, en 1433, ses
Fortunes et Adversitez (éd. E. Droz,
S. A. T., 1923), où il inséra un testament qui offre quelques analogies avec
celui de Villon ; mais il est peu probable
que Villon l'ait connu. (Voir le Jardin
de Plaisance et Fleur de rhétorique,
t. II, p. p. E. Droz et A. Piaget
[S. A. T.], 1924, pp. 315-318.)*

La plus ancienne œuvre de Villon qui soit sûrement datée est un petit poème de trois cent vingt vers, intitulé le *Lais* (ou *Petit Testament*). Il a été écrit le jour de Noël *1456*. C'est le poète lui-même qui nous en informe dès les premières strophes, et par la même occasion il nous décline ses nom et qualité : Françoys Villon, escollier. Ce nom, il ne l'avait pas toujours porté : né à Paris, en 1431 ou 1432, il s'était longtemps appelé François de Montcorbier ou des Loges ; plus tard, pour faire honneur à Guillaume de Villon, chapelain de Saint-Benoît-le-Bétourné, qui l'avait élevé, il avait pris le nom de son bienfaiteur. Licencié et maître de la Faculté des Arts dès 1452, il appartenait encore à l'Université et c'est pourquoi il se proclamait « écolier », c'est-à-dire étudiant. Mais il est visible qu'en ce jour de Noël

Le grant testament villon/et le petit.
Son codicille.Le iargon ſes balades

MARQUE DE PIERRE LEVET, premier éditeur des œuvres de Villon. — CL. LONDYNSKI.

1456, il ne songe plus guère à ses livres. Il requiert vengeance à tous les dieux d'amour d'une perfide qui lui a prodigué « doulx regars et beaux semblans » tout en pensant à un autre, et qui maintenant ne se soucie même plus de poursuivre ce jeu cruel. En cette extrémité, il ne voit qu'un remède : la fuite. Puisqu'il ne peut plus espérer sa grâce, il ira chercher l'oubli au loin, il partira pour Angers. Et c'est pour faire ses adieux à ceux qu'il connaît qu'il a écrit son poème : comme l'absence peut durer, il leur léguera à chacun un souvenir. La liste de ses légataires est longue, et tous ceux qui y figurent ne sont pas ses amis ; mais, amis et ennemis, tous sont logés à la même enseigne : les largesses de Villon ne les enrichiront pas. Il laisse à l'un ses braies, qui sont restées en gage à la taverne ; à l'autre deux procès, pour que « trop n'engresse » ; à un troisième un canard

Prins sur les murs, comme on souloit,
Envers les fossez, sur le tart.

Ce sont là facéties d'écolier et l'on entrevoit toute une vie joyeuse d'étudiant indiscipliné que Villon ne quitte sans doute qu'à regret. A celle qui l'a chassé si durement revient le legs peut-être le plus sincère, son cœur enchâssé,

Palle, piteux, mort et transy* :   *trépassé.
Elle m'a ce mal pourchassié,
Mais Dieu luy en face mercy !

Mais voici que la cloche de Sorbonne sonne l'Angélus, comme tous les soirs à neuf heures. Oubliant amour et voyage, Villon cesse d'écrire pour dire dévotement sa prière, et peu à peu le sommeil le gagne. Quand il se réveille, il trouve son « cierge » éteint et son encre gelée.

SAINT-BENOIT-LE-BÉTOURNÉ, dont le père adoptif de Villon était chapelain (d'après un dessin de Millin, *Antiquités nationales*, 1791). — CL. LAROUSSE.

Qui se soucierait de tester dans l'obscurité et le froid ? Il se rendort, à bon escient cette fois, « tout enmouflé » et la conscience tranquille. Ainsi écrivait, « au temps de ladite date », « le bien renommé Villon » :

> Sec et noir comme escouvillon,
> Il n'a tente ne pavillon
> Qu'il n'ait laissié à ses amis,
> Et n a mais qu'ung peu de billon*   **menue monnaie.*
> Qui sera tantost a fin mis.

Quel touchant tableau ! Mais la vérité est autre. On peut démontrer que, cette nuit-là même, nuit du 24 au 25 décembre 1456, cet innocent dormeur, après un bon souper à la taverne de la Mule, pénétra sur le coup de dix heures dans les bâtiments du Collège de Navarre, en compagnie de quelques malandrins, et en ressortit vers minuit, lesté de 500 écus d'or. Quel commentaire inattendu de notre poème ! Qu'il ait composé son *Lais* tout à loisir, avant de rejoindre à la Mule Colin de Cayeux, damp Nicolas et Petit Jehan, ou qu'il l'ait rimé à la hâte le lendemain de ce beau coup, le dessein de Villon paraît assez clair : au moment de disparaître brusquement de Paris, il justifiait de façon très naturelle une retraite conseillée avant tout par la peur du Châtelet, et se préparait, le cas échéant, un ingénieux alibi. Il avait ses raisons pour être prudent. Cet écolier de vingt-cinq ans n'en était pas à son premier démêlé avec la justice. Un an et demi auparavant, il avait tué un prêtre dans une rixe. L'ecclésiastique, un certain Philippe Sermoise, ne semble pas avoir été un personnage fort intéressant, et Villon n'avait fait que se défendre. Toutefois, il y avait eu mort d'homme, le cas n'était pas absolument clair, la justice aurait pu inquiéter un étudiant qui jouait si bien de la dague. Villon préféra gagner le large. Quelques mois après (janvier 1456), des lettres de rémission lui permettaient de rentrer à Paris. L'année ne s'était pas écoulée, nous venons de le voir, qu'il se rendait coupable d'un vol avec effraction.

Voilà donc les débuts dans la vie du plus grand poète du XVe siècle. Certes, ni Machaut, ni Froissart, ni Chartier n'ont commencé ainsi, et la bonne Christine, si compatissante, eût probablement levé les mains d'horreur au récit de pareils exploits. Mais il est clair que si Villon a surpassé tous ses prédécesseurs, c'est, entre autres raisons, parce que sa vie a été très différente de la leur. Il n'y a pas de doute que l'existence errante et criminelle qu'il a menée pour son malheur et le malheur des siens n'ait été pour lui la source de la plus rare poésie. Toutefois, quand il quitte Paris dans les derniers jours de 1456, il n'est encore qu'un écolier déclassé, perdu pour la société des gens de bien, du reste rimailleur et joyeux compagnon.

Sa première étape fut le Bourg-la-Reine où, huit jours durant, Perrot Girart, barbier juré de son métier, le régala de « cochons gras » à point. L'abbesse de Port-Royal, une drôlesse du nom de Huguette Hamel, assistait à ces festins, dont six ans après Villon garde encore un souvenir attendri. A ce train, les 100 écus d'or qu'il avait reçus comme sa part de butin ne pouvaient durer très longtemps. Ils lui permirent toutefois d'atteindre Angers, où il comptait trouver une autre mine d'écus chez un religieux fort riche, qu'il serait facile de dévaliser. C'est même pour étudier ce

nouveau coup qu'il venait dans cette bonne ville, autant que pour voir son oncle, qui y était moine. Ainsi du moins en témoignait maître Tabarie, un de ses anciens complices, qui, arrêté et mis à la torture (juin-juillet 1458), raconta tout au long l'affaire du Collège de Navarre. Villon connut cette dénonciation. Nous ne savons s'il s'enrichit pour quelques jours aux dépens du religieux d'Angers, mais il est certain qu'il se garda longtemps de rentrer dans Paris. Pendant les six ans que dura cet exil, nous le perdons de vue. Il a sans doute erré de ville en ville. Un seul fait est sûr, c'est que ses pérégrinations le conduisirent à Blois. Il n'y venait pas par hasard. On se rappelle quel attrait exerçait sur les rimeurs du temps cette cour lettrée où Charles d'Orléans accueillait si gracieusement ses confrères en poésie. Villon s'y présenta à son tour. Un pauvre hère comme lui ne pouvait être reçu qu'à titre de poète, et à Blois, pour être poète, il fallait être amoureux, ou feindre de l'être. Villon l'était tout de bon. Il avait eu plus d'une raison de quitter Paris, mais celle qu'il nous donne dans le *Lais* n'était pas entièrement feinte : bien des années après, il garde encore au cœur le souvenir cuisant de la trahison de sa perfide. Et vers 1457, il se persuaderait volontiers que, s'il en est réduit à courir les grandes routes de France, la faute en est à sa « chère Rose ». Il voudrait bien aussi le faire croire au duc d'Orléans. De là cette curieuse ballade, qui est sans doute son présent de bienvenue à la cour de Blois :

> Faulse beauté qui tant me couste chier...
> Cherme felon, la mort d'ung povre cuer,
> Orgueil mussié qui gens met au mourir,
> Yeulx sans pitié, ne veult Droit de Rigueur,
> Sans empirer, ung povre secourir ?

Ce n'est pas ainsi que, dans la langue amoureuse de l'époque, les amants bien appris parlaient à leur « dame », mais Villon ne demandera jamais de leçons de style à personne. On sent ici, sous le dépit, une douleur sincère, et comme un regret d'avoir mal choisi, quand le choix était possible :

> Mieulx m'eust valu avoir esté serchier
> Ailleurs secours : c'eust esté mon onneur.

Mot bien grave chez un jeune homme qui est mal entré dans la vie et qui commence à s'en apercevoir. Qui était cette femme qui l'eût mieux guidé ? Par une sorte de pudeur, il n'a dit son nom qu'en acrostiche : Marthe, et c'est tout ce que nous saurons d'elle, mais il faut noter l'aveu. Chaque fin de vers ramène avec une sorte d'insistance la lettre R, comme un reproche multiplié à l'autre, Rose, l'infidèle : mais, quoi qu'il en ait dit tout à l'heure, il est clair qu'il lui en veut surtout d'avoir dédaigné son amour :

> Ung temps viendra qui fera dessechier,
> Jaunir, flestrir vostre espanye fleur.

Quand ce temps sera venu, Villon rira volontiers de Rose, mais lui-même n'aura plus de dents :

> Viel je seray ; vous laide, sans couleur ;
> Or beuvez fort, tant que ru peut courir ;
> Ne donnez pas a tous ceste douleur,
> Sans empirer, ung povre secourir.

C'est presque le ton de « Quand vous serez bien vieille, au soir, à la chandelle », tout au moins c'en est le thème, encore qu'il y manque l'orgueil souverain de Ronsard.

TITRE D'UNE ÉDITION DE VILLON, publiée à Paris par Michel Le Noir vers 1503. — CL. LAROUSSE.

Assurément, il y a moins d'art dans la ballade de Villon; mais ce dépit, ces regrets, cette ironie sont peut-être d'un accent plus profond. En tout cas, ce n'est plus ici le culte résigné de la « dame ». On sent en cette ballade comme une revendication des droits de l'amour, et c'est une grande nouveauté. L'envoi ramène spirituellement le refrain à des préoccupations plus matérielles :

> Prince amoureux, des amans le greigneur*,   *plus grand.
> Vostre mal gré ne vouldroye encourir,
> Mais tout franc cuer doit pour Nostre Seigneur
> Sans empirer, ung povre secourir.

Comment le « prince amoureux » de la cour de Blois, le « plus grand des amants », accueillit-il cette ballade qui, sauf l'envoi, rentrait si peu dans les cadres traditionnels ? Il ne la fit pas transcrire dans son album poétique, mais il est probable qu'il ne se méprit pas sur le talent de l'auteur, et qu'il secourut libéralement ce « povre » confrère. Lui donna-t-il une charge à sa cour ? On croit en avoir la preuve ; mais le vers sur lequel on se fonde (*Poésies diverses*, VII, 34) pourrait bien avoir un tout autre sens. Ce qui est sûr, c'est que Villon prit part à une sorte de tournoi poétique ouvert parmi les familiers et les courtisans du duc d'Orléans sur le thème *Je meurs de soif auprès de la fontaine*. Une douzaine de rimeurs s'escrimèrent à aligner en cette occasion les contradictions les plus inattendues et les plus ingénieuses, mais c'est Villon qui, au goût moderne, a le mieux réussi, et pourtant le duc lui-même était l'un des concurrents. L'écolier de Paris battait sur leur propre terrain ces tenants des formes traditionnelles. Sa ballade est d'une facture très heureuse. Elle eut les honneurs du manuscrit ducal.

Dans le même manuscrit, on trouve une longue épître à Marie d'Orléans, signée « Vostre povre escolier Francoys ». On l'attribue d'ordinaire à Villon. Il en résulterait que, pour une raison que nous ignorons, le poète fut enfermé dans les prisons du duc d'Orléans, dont vint le délivrer la naissance de Marie, fille du duc (19 décembre 1457), ou l'entrée de cette jeune princesse à Orléans (17 juillet 1460). L'épître est étrange et énigmatique, et du reste fort indigne du talent de Villon. Il est bien probable, toutefois, qu'on ne s'est pas trompé et qu'il en est l'auteur. Au fond, la question n'est pas essentielle. Si la pièce est de lui, elle n'ajoute ni ne retranche rien à sa gloire littéraire, et qu'importe à sa biographie un emprisonnement de plus ou de moins ? Nous pouvons négliger cette épître.

En tout cas, on peut croire que, dès la fin de l'année 1460, il avait repris sa vie aventureuse, à supposer qu'il l'eût jamais interrompue très longuement depuis son départ de Paris. Nous placerions volontiers à ce moment la composition des Ballades en jargon, pièces singulières, difficiles à interpréter, mais visiblement écrites pour un public de gens sans aveu, mendiants, « coquillards », voleurs de grand chemin et peut-être pis. Il sait leur langue secrète, leurs habitudes, il vit donc avec eux. Ils le mèneront loin, s'il n'y prend garde. Le fait est que, quand nous le retrouvons, vers juin 1461, il est enfermé dans un obscur cachot de la prison de Meung-sur-Loire. On ignore de quel méfait il s'était rendu coupable. Mais il est difficile de croire que son cas ait été très grave alors. Lui qui, dans aucune de ses œuvres, n'a jamais soufflé mot du meurtre de Philippe Sermoise, qui n'a fait au vol du Collège de Navarre qu'une allusion si discrète qu'à peine même est-elle certaine, il revient au contraire tout au long de son *Testament* sur cette prison de Meung, et il ne cesse de protester contre la cruauté de l'évêque Thibaut d'Aussigny, qui l'y avait tenu enfermé.

Il n'affirme pas son innocence, mais on a le sentiment qu'il trouve la peine trop sévère. Nous l'en croirions volontiers. Y a-t-il même eu jugement, ou Villon dans son cachot n'est-il qu'un prévenu ? Peut-être, en la circonstance, retar-

MEUNG-SUR-LOIRE. La tour de Manassès, où François Villon fut enfermé. — CL. LAROUSSE.

da-t-il par sa propre faute la procédure. En effet, s'il était dans les prisons de l'évêque d'Orléans, c'était comme clerc. Or, un clerc avait le droit d'être jugé dans son propre diocèse et Villon en appela à l'évêque de Paris. Paris resta muet. Mais le prisonnier avait plus d'une corde à son arc. Il savait par expérience la valeur d'une lettre de rémission ; peut-être ses amis de Paris pourraient-ils lui obtenir une fois de plus « graces et royaulx seaux » ! Il s'adressa donc à toute cette bande joyeuse, où il tenait jadis si bien sa partie :

> Filles, amans, jeunes gens et nouveaulx,
> Danceurs, saulteurs, faisans les piez de veaux*,   *gambades.
> Vifz comme dars, agus comme aguillon,
> Gousiers tintans cler comme cascaveaux*,   *grelots.
> Le lesserez la, le povre Villon ?
> . . . .
> Gens d'esperit, ung petit estourdis,
> Trop demourez, car il meurt entandis*.   *en attendant.
> Faiseurs de laiz, de motetz et rondeaux,
> Quant mort sera, vous lui ferez chaudeaux!
> Ou gist, il n'entre escler ne tourbillon :
> De murs espoix on lui a fait bandeaux.
> Le lesserez la, le povre Villon ?

Comme les ébats de cette jeunesse étincelante illuminent la nuit de son cachot! Mais pense-t-on encore à lui là-bas ? Il n'eut pas le temps d'en faire l'expérience. Au début d'octobre, Louis XI, qui venait de succéder à son père Charles VII, passait par Meung, et comme c'était l'usage à l'avènement d'un nouveau roi, on ouvrit les portes de la prison. Très reconnaissant envers le roi Louis, plein de rancune contre l'évêque d'Orléans, Villon sortit enfin de son cachot.

Cy comence le grant codicille et te stamēt maistre francois Billon

Leuesque

La grosse margot

GRAVURES DE L'ÉDITION PRINCEPS DE VILLON (P. Levet, 1489). — CL. LAROUSSE.

Comment vivre ? Son premier souci fut de se mettre en quête d'un protecteur. Il avait connu à la cour de Blois le jeune duc de Bourbon qui, lui aussi, adressait de jolis vers à Charles d'Orléans. Ce prince lettré était même le « seigneur » de Villon, dont la famille est probablement originaire du Bourbonnais. Enfin, il avait autrefois prêté 6 écus au poète. Voilà bien des raisons pour solliciter un nouveau prêt. Villon s'y risque sans trop d'embarras. Du reste, il remboursera le tout ensemble : le duc peut s'y fier, il n'y perdra « que l'attente » :

Se je peusse vendre de ma santé
A ung Lombart, usurier par nature,
Faulte d'argent m'a si fort enchanté
Que j'en prendroie, ce cuide, l'adventure.
Argent ne pens a gippon n'a sainture ;
Beau sire Dieux ! je m'esbaïs que c'est
Que devant moy croix ne se comparoist,
Si non de bois ou pierre, que ne mente ;
Mais s'une fois la vraye m'apparoist,
Vous n'y perdrez seulement que l'attente.

Prince du lys, qui a tout bien complaist,
Que cuidez vous comment il me desplaist,
Quant je ne puis venir a mon entente ?
Bien m'entendez ; aidez moy, s'il vous plaist,
Vous n'y perdrez seulement que l'attente.

Un poète ne pouvait rester insensible à une aussi jolie supplique. « Au plus fort de ses maux », Villon trouva donc aide et confort dans la bonne ville de Moulins. Il vérifia que la devise des Bourbons, « Espérance », n'était point trompeuse. Était-ce la dernière étape d'une route jusque-là si incertaine ? Comment y compter ? Pas plus que Charles d'Orléans, Jean de Bourbon ne pouvait retenir à demeure un Villon. D'un bohème toujours en quête d'aventures, on ne fait pas un placide fonctionnaire par la vertu d'une lettre de nomination, et quant à devenir poète patenté d'un prince ami des arts, Villon n'avait pas l'esprit de la fonction.

Bientôt il quitta Moulins. Lui faudrait-il à nouveau errer par les campagnes de France, sans dessein, sans but, à la poursuite d'une chimère de fortune ou de repos ? Il savait bien où cette vie le mènerait, bon gré mal gré, en fin de compte : aux compagnies équivoques, au vol, à la prison, plus loin encore peut-être. Un seul espoir lui restait, Guillaume de Villon. Il se dirigea vers Paris ; mais, quand il fut tout près, à la pensée qu'il faudrait raconter sa lamentable histoire à ce bon prêtre qui l'avait pourtant sauvé de « maint bouillon », il n'eut pas la force de lui infliger ce nouveau crève-cœur. Il se tapit dans un coin de la banlieue. Là, renié de ses parents, oublié de ses amis, ne voulant pas retourner dans la province où il avait épuisé la bonne volonté de ses protecteurs, et n'osant rentrer dans Paris, sans argent et incapable de s'en procurer par des voies honnêtes, il se crut bien vraiment à l'article de la mort et il écrivit son *Testament*. Ce fut en janvier, février ou mars 1462.

Le titre rappelle celui du *Lais*, mais c'est une œuvre autrement variée, profonde et sincère. Ce qui frappe tout d'abord quand on lit ce poème d'un peu plus de deux mille vers, c'est la place qu'y tiennent Thibaut d'Aussigny et la prison de Meung : Villon ne peut oublier l'horreur de ce sombre cachot où tout un été, les fers aux pieds, tondu et rasé, il a dû arroser de tant d'eau froide la mince miche quotidienne. C'est de là qu'il fait dater tous ses malheurs : le reste ne compte plus ; de sa vie de misères, il ne veut désormais retenir que la geôle de Meung :

En l'an de mon trentiesme aage,
Que toutes mes hontes j'eus beues,
Ne du tout* fol, ne du tout sage,   *tout à fait.
Non obstant maintes peines eues,
Lesquelles j'ay *toutes* receues
Soubz la main Thibault d'Aussigny...

Aussi jamais évêque ne fut mieux haï ni plus copieusement maudit. Dès la première strophe, cette haine éclate ; elle s'exhale encore dans les six strophes qui suivent, et tout au long du poème elle se manifeste par des mots insultants, des allusions ironiques et amères, des souhaits fort peu chrétiens. Le lieutenant et l'official de l'évêché en ont leur part tout aussi bien que Thibaut. Et si, dans l'avant-dernière ballade, le poète, prenant congé de ses contemporains, crie merci à tous, religieux et laïques, petits-maîtres et fillettes, il excepte expressément de cet appel les « traistres chiens mastins » qui lui ont fait mâcher des croûtes « mains soirs et mains matins ». On a reconnu le régime de la geôle de Meung. Ainsi le *Testament* s'ouvre et se clôt sur ce souvenir obsédant. Pourquoi cette rancune tenace chez un homme que depuis longtemps la vie ne gâtait plus guère ?

C'est que ces longs mois de prison et les jours pénibles qui ont précédé et suivi son séjour à Moulins ont miné ses forces. Malade, usé, toussotant et crachant, Villon plaisante encore, mais il se sent à bout et toujours par la faute de l'évêque. Non qu'il n'y ait aidé un peu lui-même :

Hé ! Dieu, se j'eusse estudié
Ou temps de ma jeunesse folle,
Et a bonnes meurs dedié,
J'eusse maison et couche molle.
Mais quoy ! je fuyoie l'escolle,
Comme fait le mauvais enfant.
En escripvant ceste parolle,
A peu* que le cuer ne me fent.   *il s'en faut de peu.

Mais ce n'avaient été que des folies de jeunesse, sans rien d'irréparable ; la route restait libre. Comment s'est-elle brusquement fermée ? Car c'est un mur infranchissable qui se dresse maintenant devant ses regards épouvantés. Du fond de son dénuement il jette un regard en arrière, un autre autour de lui, et le contraste est saisissant. Il est parti à vingt-cinq ans, joyeux étudiant, le mieux doué peut-être d'une bande de gais compagnons dont le souvenir, évoqué déjà dans la tristesse de son cachot, revient le hanter une fois de plus :

Ou sont les gracieux gallans
Que je suivoye ou temps jadis,
Si bien chantans, si bien parlans,
Si plaisans en faiz et en dis ?
Les aucuns* sont mors et roidis,   *quelques-uns.
D'eulx n'est il plus riens maintenant :
Repos aient en paradis,
Et Dieu saulve le remenant !

Et les autres sont devenus,
Dieu mercy! grans seigneurs et maistres;
Les autres mendient tous nus
Et pain ne voient qu'aux fenestres*.   *devantures.

Villon est de ceux-ci. Voilà donc où il en est venu en cinq années rapides. A trente ans, il est un vieillard. Ses beaux jours sont passés et ne reviendront pas. Et sans doute il sourira encore, et au besoin s'estimera heureux de survivre à un Jacques Cœur, mais, tout au fond de lui-même, il reste atterré devant cette fuite soudaine de sa jeunesse, d'une jeunesse mal employée.

Encore, s'il avait quelques ressources, il se consolerait peut-être de cette vieillesse précoce, il mangerait sûrement assez pour se remettre de sa maladie, qui n'est qu'une faim chronique. Mais les écus d'or n'ont pas appris le chemin de sa retraite : il est pauvre à jeter des regards d'envie aux étalages des boulangers. Et, qu'on se cache ou non dans les faubourgs d'une grande ville, c'est une triste aventure d'être pauvre quand on a trente ans et qu'on est poète pour tout métier.

On est peut-être excusable alors de manquer de sympathie pour la prospérité des autres : Villon n'est pas tendre pour les riches de son temps. Commerçants retirés après fortune faite, spéculateurs, financiers, il n'en épargne aucun. On a même voulu voir là comme une manière de satire sociale, une protestation du prolétariat intellectuel contre le capitalisme du siècle de Louis XI. C'est enfler outre mesure la voix du poète. Ces puissants personnages, il les a vus de près jadis dans leurs comptoirs et leurs bureaux, du temps qu'il fréquentait leur monde de commis et de greffiers. Leur avarice l'a amusé, et il rit encore de leurs faces vaniteuses ou bouffonnes. S'il y a une pointe de dureté sous la plaisanterie, ce n'est que l'amertume d'un pauvre diable qui sait que de tous ces richards pas un ne tirerait un parisis de sa poche pour en aider un faiseur de vers :

Povreté, chagrine, dolente,
Tousjours despiteuse et rebelle,
Dit quelque parolle cuisante;
S'elle n'ose, si* la pense elle.   *du moins.

Pauvreté, maladie, vieillesse, quel est le terme ? La mort. Villon la connaît bien. Elle l'a frôlé maintes fois. Il sent encore son étreinte. Il a peur d'elle, mais il la regarde en face, curieusement. Il connaît son travail et ses manies. Il sait ce qu'elle fait de nous. Il la déteste, et elle l'attire. Cette vision épouvantable le hante. Il la chasse d'un éclat de rire, et il y revient. Toutes les abstractions hypocrites dont nous voilons ce grand fait, il les écarte brutalement. Il nous communique l'impression directe, physique de la mort : c'est presque un contact, à donner le frisson. Non qu'il ne sache, lui aussi, débuter bien sagement par un beau lieu commun :

Je congnois que povres et riches
Sages et folz, prestres et laiz*,   *laïques.
Nobles, villains, larges et chiches,
Petiz et grans, et beaulx et laiz,
Dames a rebrassez* colletz,   *retroussés.
De quelconque condicion,
Portans atours et bourreletz,
Mort saisit sans excepcion.

Mais n'ayez peur qu'il s'attarde aux généralités. Sans reprendre haleine, il continue :

Et meure Paris ou Helaine,
Quiconques meurt, meurt a douleur
Telle qu'il pert vent et alaine;
Son fiel se creve sur son cuer,

Puis sue, Dieu scet quelle sueur !
Et n'est qui de ses maux l'alege :
Car enfant n'a, frere ne seur,
Qui lors voulsist* estre son plege**.   *voulût. **garant.

La mort le fait fremir, pallir,
Le nez courber, les vaines tendre,
Le col enfler, la chair mollir,
Joinctes* et nerfs croistre et estendre.   *articulations.

L'homme qui a écrit ces vers a senti passer sur lui le souffle même de la mort. Ils résument bien des angoisses, plus d'une sombre méditation. De là, dans le *Testament*, une note de tristesse qui donne un sens même aux plaisanteries les plus débridées et comme une dignité au poème.

Villon, toutefois, n'est pas un résigné. S'il arrête volontiers sa pensée sur la mort, c'est qu'il la sent rôder autour de lui, mais il ne la courtise pas. Il tient à la vie de toute la force de son maigre corps et de son esprit acéré, de tout l'appétit de ses trente ans et de ses passions désappointées, mais non satisfaites. Il aime la vie pour sa couleur, pour le spectacle qu'elle lui offre, pour sa beauté, pour sa laideur, pour les ennemis qu'on s'y fait, pour les femmes qui vous tentent et pour celles qui vous cèdent. Villon a beaucoup aimé et même la faim ne lui fait pas oublier l'amour :

Bien est verté* que j'ay amé   *vérité.
Et ameroie voulentiers;
Mais triste cuer, ventre affamé
Qui n'est rassasié au tiers,
M'oste des amoureux sentiers.

Quel soupir de regret ! Et comme il se plaît, faute de mieux, à évoquer le souvenir de toutes celles qui ont passé dans sa vie ! C'est un curieux cortège : la petite Macée d'Orléans, une mauvaise peste; Denise, qui l'a fait citer devant l'official; Marion la Peautarde, que chantaient les garçons moqueurs; Marion l'Idolle et Jehanne de Bretagne, tenancières de cabarets borgnes, tout un monde de figures louches où se détache avec un relief étonnant le profil épais de la grosse Margot, héroïne d'une ballade singulièrement réaliste. Villon ne rougit pas de ses connaissances, et il ne flatte pas son rôle. On se demande même si on ne lui fait pas tort parfois en le prenant trop à la

DANSE MACABRE, imprimée à Paris par G. Marchand en 1486.

lettre. La ballade à Margot porte en acrostiche le nom du poète. Villon est-il le héros de l'histoire, ou n'a-t-il fait que signer une de ses œuvres ? En tout cas, on ne peut douter qu'il n'ait volontiers fréquenté les mauvais lieux et celles qui les hantent. Il n'a pas de mépris pour elles : il s'explique trop bien leur chute. Il a aussi regardé plus haut. Jacqueline, Perrette et Ysabeau, « qui dit enné » (vraiment !), sont de petites jeunes filles bien élevées, entrevues un jour et peut-être aimées un instant pour leurs manières précieuses ; la femme de maître Pierre Saint-Amant, clerc du trésor, est de bourgeoisie, et on devine sans doute comment elle a réduit Villon à mendier ; Catherine de Vausselles est cause qu'il a été battu comme plâtre : l'aventure remonte à ses jours d'étudiant, mais il n'a oublié ni Catherine ni la volée de coups. Et enfin, Rose, sa chère Rose, est celle qui plus que toutes les autres lui tient au cœur. Il l'appelle « ma damoiselle », et peut-être était-elle de bonne maison. En tout cas, c'est une coquette au cœur froid qui s'est jouée de lui. Lui, Villon le roué, qui est entré si jeune à l'école de la vie, il s'est laissé berner par les petites mines et les contes plausibles d'une mijaurée. Son orgueil en saigne encore. Et il la déteste autant que Thibaut d'Aussigny. Mais sur un signe d'elle, comme il accourrait ! Et qu'il oublierait vite, « accouté près d'elle », déception, chagrin et haine ! Dans la ballade de conclusion, il feint qu'il est mort martyr d'amour, et bien qu'il cligne de l'œil en nous l'assurant, il est un martyr plus authentique que tant de poètes qui, avant lui et après lui, ont chanté leurs souffrances sur un mode consacré.

C'est qu'il n'aime ni par tradition, ni par mode, ni par devoir, mais pour le plaisir, pour le battement de cœur que lui donne l'amour. Il aime parce que les femmes l'attirent invinciblement et quelques-unes plus que les autres. Les abstractions ne sont pas son fait, ni le rituel :

> Corps femenin, qui tant es tendre,
> Poly, souef*, si precieux...,   *suave.

Mais cette sensualité n'est pas l'unique fin qu'il ait recherchée en amour ; ou sa mélancolie, sensible jusque dans ses bravades les plus fougueuses, n'aurait pas de sens. Il le sait mieux que personne. L'amour l'a renié, et il renie l'amour, proclame-t-il. Sans doute, mais observons l'ordre des faits : ce n'est pas Villon qui a commencé. Ici encore, il faut l'en croire. Et si l'on veut à toute force voir en lui le chevalier servant de la trop fameuse Margot, qu'on prenne garde à l'envoi de la ballade :

> Je suis paillart, la paillarde me suit.
> Lequel vault mieulx ? Chascun bien s'entresuit.
> L'ung vault l'autre ; c'est a mau* rat mau chat.   *mauvais.
> Ordure amons, ordure nous assuit ;
> *Nous deffuyons onneur, il nous deffuit.*

Ce dernier vers, qui est à rapprocher d'un autre que nous avons cité plus haut, illumine brusquement un coin de l'âme de Villon. Cette âme frémissante d'appétits et de passion a connu aussi l'inquiétude, le regret, le désespoir, le remords.

Désappointements d'amour, horreur de la maladie, de la vieillesse, de la pauvreté et de la mort, haine de la geôle et des geôliers, autant de thèmes qui courent d'un bout à l'autre du poème, souvent abandonnés, souvent repris, toujours présents. Ils constituent la partie essentielle et de beaucoup la plus vivante du *Testament*. Sauf le premier thème déjà amorcé, on ne trouvait rien de tout cela dans le *Lais* qui, sa recherche d'un alibi mise à part, n'est qu'un jeu d'esprit. La fiction sur laquelle ce jeu est fondé est reprise, il est vrai, dans le *Testament*, mais bien qu'elle y soit traitée avec autrement d'ampleur et de verve, ce n'est tout de même que l'extérieur du poème. On ne l'a pas toujours vu très clairement. De là une tendance à considérer le *Testament* comme un ensemble disparate fait de pièces et de morceaux, comme un simple cadre imaginé par le poète pour y faire rentrer commodément ses productions antérieures. Il est vrai que Villon a ainsi sauvé

de l'oubli quelques ballades auxquelles il tenait et qui comptent parmi ses plus belles œuvres. Encore n'en faut-il pas grossir le nombre. Ni la ballade des *Dames du temps jadis*, ni les *Regrets de la belle heaulmière*, ni la *Leçon aux Enfants perdus* ne sont, quoi qu'on en ait dit, des pièces rapportées. Ces morceaux tiennent au corps même du *Testament*, dont ils reflètent, chacun à sa façon, un des aspects changeants. Quand on dépèce ainsi le poème, malgré l'unité d'accent et d'inspiration qui en relie si visiblement les parties, c'est qu'on ne voit pas l'importance suprême qu'ont eue dans la vie du poète l'été de 1461 et l'hiver de 1461-1462, la période de la prison de Meung, et de la noire misère qui a suivi. C'est alors que, malade, épuisé, sans argent, guetté par la mort, Villon a brusquement compris que toute carrière honorable lui était désormais fermée ; qu'au regard des autres, tout au moins, sa vie n'avait plus d'objet. Mais c'est à ce moment aussi qu'il a pris conscience de son génie. Le *Testament* est le journal où il nous a conté en traits rapides, parfois à peine indiqués, l'histoire des mois les plus douloureux et les plus décisifs de son existence, et où il nous a dévoilé sans aucune réserve la trame des sentiments tumultueux qui agitaient alors son âme mobile.

De cette confession étrange, à la fois cynique et naïve, violente et nuancée, ironique et émue, il a fait un des plus beaux poèmes qui soient en notre langue. Il y a donné sa mesure de grand poète, et il l'a senti tout le premier. Il a voulu que cette œuvre, où le nom du « povre Françoys » avait chance de survivre, renfermât tout ce qu'il souhaitait transmettre de lui aux générations à venir. Il n'y pouvait faire rentrer le *Lais*, bien entendu ; toutefois il aura soin d'en rappeler le titre et d'en citer des vers entiers. Mais il insérera dans son poème un rondeau (*Mort, j'appelle de ta rigueur*) et huit ballades (les ballades à sa mère, à sa « faulse beauté », à l'âme du bon Cotart, à Jehan d'Estouteville, la ballade des Langues envieuses, les Contredits Franc Gontier, la ballade des femmes de Paris, la ballade à Margot). Ces pièces sont sûrement antérieures à son séjour dans la geôle de Meung. Toutes, elles présentent un caractère de gaieté, d'insouciance et de jeunesse. Elles sont d'un homme qui n'a pas souffert, si ce n'est des désillusions de l'amour, et pour qui la vie a encore des promesses. Elles respirent un air de confiance. « Il n'est trésor que de vivre à son aise », nous dit l'une d'elles, et l'on sent que le poète ne soupçonne pas encore toute la difficulté de ce programme. Il y a loin de cet optimisme au ton des graves exhortations de la ballade de Bonne Doctrine. Ces pièces rapportées ont encore un autre trait en commun : c'est que toutes, plus ou moins, elles jouent un air de bravoure, comme il est naturel à des œuvres indépendantes qui n'ont été englobées que sur le tard dans un recueil plus vaste. Ainsi la merveilleuse « oraison » pour l'âme de feu Jehan Cotart :

> Pere Noé, qui plantastes la vigne,
> Vous aussi, Loth, qui beustes ou* rochier,   *au.
> Par tel party* qu'Amours, qui gens engigne**,   *de telle façon.
> De voz filles si vous feist approuchier   [**trompe.
> (Pas ne le dy pour le vous reprouchier),
> Archetriclin, qui bien sceustes cest art,
> Tous trois vous pry qu'o* vous vueillez perchier   *avec.
> L'ame du bon feu maistre Jehan Cotart !

> Jadis extraict il fut de vostre ligne,
> Luy qui buvoit du meilleur et plus chier,
> Et ne deust il avoir vaillant ung pigne* ;   *peigne.
> Certes, sur tous, c'estoit ung bon archier.
> On ne lui sceut pot des mains arrachier ;
> De bien boire ne fut onques fetart*.   *paresseux.
> Nobles seigneurs, ne souffrez empeschier
> L'ame du bon feu maistre Jehan Cotart !

> Comme homme beu qui chancelle et trepigne
> L'ay veu souvent, quand il s'alloit couchier,
> Et une fois il se feist ung bigne,
> Bien m'en souvient, a l'estal d'ung bouchier ;
> Brief, on n'eust sceu en ce monde serchier*   *chercher.
> Meilleur pyon* pour boire tost et tart.   *buveur.
> Faictes entrer, quant vous orrez huchier*,   *appeler.
> L'ame du bon feu maistre Jehan Cotart !

Prince, il n'eust sceu jusqu'a terre crachier;
Tousjours crioit : « Haro! la gorge m'art*. »   *brûle.
Et si ne sceut oncq sa seuf* estanchier   *soif.
L'ame du bon feu maistre Jehan Cotart.

Sauf un mot bref ici ou là, on ne trouve pas dans ces premières pièces la mélancolie, le poignant retour sur soi-même qui font l'originalité du *Testament*, mais on y note déjà un sens très vif du pittoresque, une rare maîtrise verbale, une technique achevée et, à l'occasion, un art délicat des nuances. La ballade à sa mère, la ballade à Cotart, la ballade à Margot, atteignent, dans des tons différents, à la perfection du genre. Les *Contredits Franc Gontier* nous offrent un modèle de poésie spirituelle et fine, dont Marot se souviendra, mais qu'il ne surpassera pas.

Toutes ces qualités, tant s'en faut, n'apparaissent pas dans le *Lais*. De là une conclusion, du reste très vraisemblable en soi : c'est que cette floraison appartient aux années 1457-1461, à la période d'aventures et de pérégrinations. Et quoi de plus naturel ? Villon ne fut jamais un poète de cabinet. Le tableau de la fin du *Lais* est arrangé pour l'effet. Il a dû rimer au jour le jour et au hasard de sa vie errante. La ballade « a sa mie », nous l'avons vu, a été sans doute présentée à Blois au duc d'Orléans, en 1457 ou 1458. Le joli rondeau, *Mort, j'appelle de ta rigueur*, a bien l'air de venir tout droit de la même cour. On entrevoit que la ballade des Langues envieuses a été composée à Bourges. Peut-être la ballade à sa mère a-t-elle été écrite à Angers. C'est là, en effet, qu'il semble avoir revu la bonne vieille après une longue absence. Il ne la nomme pas dans le *Lais* ; mais, dans le *Testament*, elle vient tout de suite après son « plus que père », Guillaume de Villon, et avant Rose, qui occupait cette place d'honneur en 1456.

Philippe de Vitry avait chanté les délices de la vie campagnarde et vanté le bonheur agreste de Franc Gontier et de sa compagne Hélène. Villon, qui donnerait le chant de tous les oiseaux d'ici à Babylone pour un pot de vin clair servi dans une taverne enfumée de grande ville, écrira les *Contredits Franc Gontier* un jour que le poème de Philippe de Vitry lui sera tombé sous les yeux. Il y a là une gageure qui nous rappelle le « concours de Blois » et la ballade *Je meurs de soif auprès de la fontaine*.

Le bon Cotart est mort en janvier 1461. C'est l'époque où Villon courait l'Orléanais en fort mauvaise compagnie. Il est probable que, d'une façon ou de l'autre, la nouvelle de cette mort est parvenue jusqu'à lui, et l'oraison funèbre,

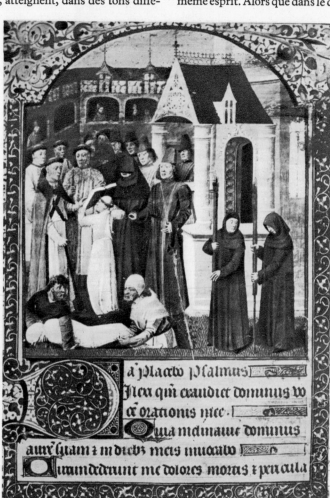

LE CIMETIÈRE DES INNOCENTS VERS 1460 (d'après un bréviaire parisien de la collection Lesouëf). « Icy n'y a ne ris ne jeu. — Que leur vault il avoir chevances — N'en grans lis de parement jeu, — Engloutir vins en grosses pances?... » — PHOT. COMMUNIQUÉE PAR M. PIERRE CHAMPION.

riche en couleur, de l'ivrogne parisien a dû réjouir d'aise les suppôts de la Coquille.

Le *Testament* comprend 186 strophes de 8 vers, et ces 1 488 vers composent la partie proprement narrative du poème. Seize ballades et trois rondeaux, faisant un total de 535 vers, c'est-à-dire d'un peu plus du quart de l'ensemble, interrompent ici ou là la narration. Celles de ces pièces qui ont été composées en même temps que le *Testament* ne peuvent s'en détacher sans nuire à l'effet : elles sont emportées par le même mouvement, animées du même esprit. Alors que dans le corps du poème il y a une sorte d'enchaînement, de progression logique, que le thème se développe, parfois capricieusement et par sursaut, mais suivant une ligne tout de même continue, ces ballades marquent chacune un arrêt où l'idée s'étale en largeur, où la pensée du poète s'éclaire et se confirme par des exemples anciens ou contemporains, alors que lui-même semble s'effacer pour laisser témoigner l'histoire et la légende.

C'est là qu'intervient son « érudition ». Jamais érudition ne fut moins livresque ou pédante.

D'autres, à son époque, croient à la vertu éducatrice des textes antiques, et quelques-uns demanderont des leçons de morale même à Ovide. Tous sont fiers de cette science qui les distingue du commun.

Villon n'a ni ces illusions ni cette vanité de pédagogue. Il tient que la prison de Meung lui en a plus appris sur la vie que tous les commentaires d'Averroès sur Aristote. Lui aussi, il a lu dans les livres, et sans doute plus qu'on ne le croirait, mais ce qu'il a retenu, ce sont de beaux noms bien sonores, qui fournissent des rimes rares et exquises, ce sont des anecdotes gracieuses ou spirituelles, c'est surtout une image du passé — et même du plus récent — où les événements s'effacent, où le monde d'autrefois se réduit à quelques figures imprécises qui se meuvent dans une atmosphère de rêve. Ce sont ces créatures insubstantielles que le poète se plaît à évoquer. Vient-il de dépeindre l'œuvre terrible de la mort sur notre pauvre dépouille, il se demande si le corps de la femme devra subir cette profanation. « Oui », répond-il, « ou tout vif aller es cieulx ». Et immédiatement :

Dictes moy ou, n'en quel pays,
Est Flora la belle Rommaine,
Archipiades, ne Thaïs,
Qui fut sa cousine germaine,
Echo parlant quant bruyt on maine
Dessus rivière ou sus estan,
Qui beaulté ot trop plus qu'humaine.
Mais ou sont les neiges d'antan ?

La royne Blanche comme lis
Qui chantoit a voix de seraine,
Berte au grant pié, Bietris, Alis,
Haremburgis qui tint le Maine,
Et Jehanne, la bonne Lorraine
Qu'Englois brulerent a Rouan;
Ou sont ilz, ou, Vierge souvraine ?
Mais ou sont les neiges d'antan ?

LE PETIT CHATELET ET L'ENTRÉE DU GRAND CHATELET au temps de Villon (Heures d'Étienne Chevalier, musée Condé à Chantilly). — CL. GIRAUDON.

« Où sont les neiges d'antan ? » Cette plainte mélancolique, qui résume si merveilleusement la « Ballade des Dames du temps jadis » et la grande leçon du *Testament*, nous la répétons encore. Quel autre poète que Villon a jamais su extraire des fastes décolorés de l'histoire une si précieuse essence ?

Les pièces antérieures au *Testament* ne pouvaient y entrer que par une sorte d'artifice. Le procédé de Villon est fort ingénieux. Il consiste à traiter chacune d'elles — à une ou deux exceptions près — comme un joyau qu'il lègue, en souvenir de lui, à tel de ses amis. Ainsi, la seconde partie de son poème, celle où défile la foule bigarrée de ses légataires, y gagnait en variété, et d'autre part le poète se réservait par là la possibilité d'accueillir dans son *Testament* de véritables hors-d'œuvre. La Ballade pour l'âme de Cotart en est un. Le plus souvent, il y a un rapport visible entre le « lais » et l'intention générale du poète. Nous avons vu comment, grâce à un vers significatif, la Ballade à Margot elle-même ne jette pas une note discordante. Ailleurs, la liaison est plus marquée. Villon avait fait une ballade au nom de sa mère, pour saluer Notre-Dame :

Dame du ciel, regente terrienne,
Emperiere* des infernaux palus**,   *impératrice. **marais.
Recevez moy, vostre humble chrestienne,
Que comprinse soye entre vos esleus,
Ce non obstant qu'oncques rien ne valus.
. . . .
Femme je suis povrette et ancienne,
Qui riens ne sçay; oncques lettre ne lus.
Au moustier voy dont suis paroissienne
Paradis paint, où sont harpes et lus*,   *luths.
Et ung enfer ou dampnez sont boullus :
L'ung me fait paour*, l'autre joye et liesse. *peur.
La joye avoir me fay, haulte Deesse,
A qui pecheurs doivent tous recourir,
Comblez de foy, sans fainte ne paresse :
En ceste foy je vueil vivre et mourir.

Cette ballade, il en fait don maintenant à sa mère, mais les effusions touchantes et naïves de la pauvre vieille viennent à point nommé pour consoler le fils : dans son malheur, Notre-Dame est son réconfort comme celui de sa mère.

Tel est ce poème singulier, où Villon a mis le meilleur de lui-même et le pire, c'est-à-dire sa vie et son âme. Qui triomphera en fin de compte, l'instinct et l'habitude, ou la conscience ? Quand on a vécu comme Villon, c'est

assez que la question puisse se poser. Cette lutte, où se résume toute son histoire, est si réelle que lui-même l'a mise en action dans le *Débat du Cuer et du Corps de Villon*, composé vers le même temps que le *Testament*, et sans nul doute un peu après : sinon, il lui eût probablement fait une place dans son grand poème. Arguments pour, arguments contre : le Cœur est pressant, éloquent; le Corps se dérobe, allègue de mauvaises raisons. On devine de quel côté penche Villon à ce moment-là. Ce petit poème, en forme de ballade, nous aide à comprendre le sens du *Testament*, et il nous permet même de jeter un regard curieux sur l'auteur « retraict... seulet »,

Com povre chien tapy en reculet.

Il sortit un jour de sa cachette. Ce fut pour rentrer en prison. Dès le 2 novembre, quelques mois après la composition du *Testament*, nous le trouvons détenu au Châtelet, pour une affaire de vol. Il faut croire qu'on n'était pas très sûr de sa culpabilité, puisqu'on allait le relâcher. Mais survient une nouvelle péripétie : la Faculté de théologie, à qui appartenait le trésor jadis dérobé au Collège de Navarre, apprenant que son voleur est en prison, entend bien qu'il y reste, — ou qu'il rende gorge. Il fallut venir à composition : Villon promet de rendre les 120 écus d'or dans un délai de trois ans. Il est probable que Guillaume de Villon s'était porté caution. Comment croire que son protégé ne lui avait pas un jour ou l'autre envoyé son *Testament* ? Le bon chanoine dut se laisser attendrir une fois de plus. Voilà Villon libre (vers le 6 novembre), mais il vient d'éprouver que son passé est un lourd héritage. Il s'en console comme il peut. Après tout, si le malheur s'acharne encore sur lui, sa volonté n'y est plus pour rien. Ce sont des coups de Fortune. Il avait déjà accusé dans le *Testament* cette déesse implacable. Et maintenant il feint qu'elle s'adresse à lui, dans une ballade, pour défendre ses caprices — et, par là-même, justifier Villon :

Fortune fus* par clers jadis nommee   *je fus.
Que toy, François, crie et nomme murtriere,
Qui n'es homme d'aucune renommee.
Meilleur que toy fais* user en plastriere, *je fais.
Par povreté et fouyr en carriere,
S'a honte vis, te dois tu doncques plaindre ?
Tu n'es pas seul; si* ne te dois complaindre. *ainsi donc.

Et, en effet, le pauvre écolier de Paris est en bonne compagnie, puisqu'il n'est pas plus mal traité que ne le furent, en leur temps, Scipion l'Africain, Hannibal, Pompée, Jules César, Jason et Holopherne. Il aura grand besoin, avant qu'il soit longtemps, de cette philosophie consolante; la Fortune n'est pas encore fatiguée de le persécuter. Vers décembre 1462, il a le malheur de se trouver présent à une rixe où un grave notaire pontifical reçoit un coup de dague qui, du reste, ne pénètre point trop avant. Pour ce crime assez véniel il est sur-le-champ appréhendé, mis en prison et condamné par le Châtelet à être « étranglé et pendu au gibet de Paris ». La justice du temps avait de singulières clémences et de subites colères. Villon appela au Parlement de cette inique sentence. La Cour fit droit à sa requête, mais, « eu égard à la mauvaise vie dudit Villon », il était banni pour dix ans de la ville, prévôté et vicomté de Paris (5 janvier 1463). Éperdu de joie, le poète adresse à ses juges un grand merci, bien sincère, quoique très ampoulé (la poésie laudative ne fut jamais son fait), et à Garnier, « clerc du guichet », un véritable chant de triomphe :

> Que vous semble de mon appel,
> Garnier ? Feis je sens ou folie ?
> Toute beste garde sa pel* ;   *peau.
> Qui la contraint, efforce ou lie,
> S'elle peult, elle se deslie.
> Quant donc par plaisir voluntaire
> Chantee me fut ceste omelie,
> Estoit il lors temps de moy taire ?

A cette explosion de joie on sent combien l'alerte avait été chaude. Il chantait d'un tout autre ton quelques jours auparavant, la veille peut-être, quand la sentence du Châtelet lui fut signifiée et que sur le coup de cette dure nouvelle il écrivit son épitaphe. Car il se voit mort déjà, son corps pendu au gibet et balancé au vent :

> Freres humains qui après nous vivez,
> N'ayez les cuers contre nous endurcis,
> Car, se pitié de nous povres avez,
> Dieu en aura plus tost de vous mercis.
> Vous nous voiez cy attachez cinq, six :
> Quant de* la chair, que trop avons nourrie,   *pour ce qui est de.
> Elle est pieça* devorée et pourrie,   *depuis longtemps.
> Et nous, les os, devenons cendre et pouldre.
> De nostre mal personne ne s'en rie ;
> Mais priez Dieu que tous nous vueille absouldre !
>
> Se freres vous clamons*, pas n'en devez   *appelons.
> Avoir desdaing, quoy que fusmes occis
> Par justice. Toutesfois, vous sçavez
> Que tous hommes n'ont pas bon sens rassis ;
> Excusez nous, puisque sommes transsis*,   *morts.
> Envers le fils de la Vierge Marie,
> Que sa grace ne soit pour nous tarie,
> Nous preservant de l'infernale fouldre ;
> Nous sommes mors, ame ne nous harie* ;   *tourmente.
> Mais priez Dieu que tous nous vueille absouldre !
>
> La pluye nous a debuez et lavez,
> Et le soleil dessechiez et noircis ;
> Pies, corbeaulx, nous ont les yeux cavez*,   *creusés.
> Et arrachié la barbe et les sourcis.
> Jamais nul temps nous ne sommes assis ;
> Puis ça, puis la, comme le vent varie,
> A son plaisir sans cesser nous charie,
> Plus becquetez d'oiseaulx que dez à couldre.
> Ne soiez donc de nostre confrairie ;
> Mais priez Dieu que tous nous vueille
> [absouldre !
>
> Prince Jhesus, qui sur tous a maistrie,
> Garde qu'Enfer n'ait de nous seigneurie :
> A luy n'ayons que faire ne que souldre.
> Hommes, icy n'a point de mocquerie ;
> Mais priez Dieu que tous nous vueille
> [absouldre !

Voilà sans doute le chef-d'œuvre de Villon. Cette vision saisissante est la vraie conclusion du *Testament*. La mort, qui le guettait depuis si longtemps, le tient enfin. Elle va jouer avec son cadavre aux jeux qui lui plaisent si fort. Et l'âme ? Elle ira où il plaît à Dieu. Mais la Vierge Marie est bien puissante ; et Villon, condamné par la justice humaine, peut encore se sauver devant le tribunal de Celui qui lit dans les cœurs. Ainsi il adresse son suprême appel au juge du ciel comme à ceux de la terre. A ses « frères humains » il demande un peu de pitié. Qui sait si les conseillers du Parlement ne furent pas plus touchés de cette émouvante prière que convaincus du bon droit de sa cause ? La poésie, qui n'a jamais donné de pain à Villon, l'aurait au moins une fois arraché à la mort. Nous ne savons si ce fut pour longtemps. Délivré par l'arrêt de la cour, il dut quitter Paris. Que devint-il ? Plus un seul document qui nous renseigne. Villon disparaît.

De bonne heure la légende s'est emparée de son nom. Villon devient un maître subtil en l'art de se procurer

LES PENDUS. Gravure de l'édition princeps de Villon. — CL. LAROUSSE.

de bons repas aux dépens des naïfs. Il doit cette réputation au recueil des *Repues franches*, composé à la fin du siècle par des gens qui ne savaient même pas qu'il eût écrit des vers. Il faut rejeter nettement cette sotte tradition. Que Villon ait parfois dîné copieusement avec de l'argent qui ne lui coûtait guère, nous le savons, mais nous savons aussi que les jeûnes ont été dans sa vie plus fréquents que les festins, et en tout cas il ne saurait être question de faire de lui un pique-assiette ou un écornifleur vulgaire. Nous n'admettons pas davantage qu'il ait été un « escarpe », même « sympathique ». Les mânes de Philippe Sermoise ne réclament sans doute pas de nous cette vengeance. Et il n'y a pas d'autre cadavre dans sa vie, que nous sachions. Il a volé ! C'est beaucoup, mais c'est tout. Et encore ne sommes-nous sûrs que d'un cas, l'affaire du Collège de Navarre. Qu'il y ait eu dans sa vie d'autres vols, d'autres larcins, c'est possible et même probable ; qu'il soit un dévoyé, un pilier de tavernes et de mauvais lieux, rien n'est plus certain. Mais ne donnons pas une expression trop sinistre à cette physionomie mobile et joyeuse qui a été assombrie, surtout, par la faim et le malheur. Ne soyons pas dupes de la franchise de ses aveux. Non que ses confidences ne soient très sincères. Elles le sont tellement qu'il est facile d'en abuser. On est tenté d'y voir une sorte de mépris de l'opinion publique, et il est certain qu'il n'ignore pas la portée de ses paroles. Dans cette mesure, on peut parler de son cynisme, mais c'est un cynisme qui n'est pas déplaisant, parce qu'il ne s'y mêle pas l'ombre de vanité. Où l'on risque d'être tout à fait injuste, c'est quand on accepte trop aisément sa franchise comme une sorte de monnaie courante. Cette monnaie est, au contraire, d'un si haut titre que toute comparaison devient chanceuse et incertaine. Nous ne croyons pas que l'histoire de la littérature française présente un second cas d'une sincérité aussi entière, aussi dépourvue de tout motif intéressé. Montaigne lui-même a la coquetterie de ses défauts et il nous fait les honneurs de sa personne avec une secrète satisfaction de propriétaire. Villon n'a pas de ces roueries ni de ces arrière-pensées. Il se montre tel qu'il est, sans plus, et le fait est si rare que, faute d'habitude, on devrait hésiter avant de porter un jugement trop dur. Comment expliquer cette absence totale d'amour-propre ? C'est que Villon lui-même, tout pénétré de ses erreurs et de ses fautes, n'a jamais désespéré de son cas. La société l'a cru au fond de l'abîme : lui a toujours été persuadé qu'il pouvait tomber plus bas. Il n'a peut-être plus beaucoup de honte à l'égard des autres, il n'a pas complètement perdu sa propre estime. Il sait qu'il vaut mieux que sa vie, et c'est pourquoi il nous la raconte sans réserve. Pour apprécier cette attitude, il faut se rappeler dans quel pays dévasté par la guerre il a grandi, au milieu de quel bouleversement moral se sont constituées ses premières habitudes. Y a-t-il beaucoup de différence entre le brigandage organisé de la guerre de Cent Ans, approuvé et pratiqué par les plus grands du royaume, et un vol de 120 écus d'or au Collège de Navarre ? Villon avait la vue trop claire pour ne pas faire ce rapprochement : il sait bien qu'entre le pirate Diomède et l'empereur Alexandre, la distinction essentielle est que l'empereur travaille en grand. La comparaison n'est peut-être pas flatteuse pour le monarque, mais le pirate en sort à son honneur, et Villon aussi. Toutefois, la grande raison pour laquelle il ne s'est jamais abandonné, c'est que, si la société l'a rejeté de ses cadres, elle n'a pu le chasser de la communauté des fidèles. Dans la cité des âmes, il ne doute pas que la sienne ne compte pour autant que l'âme du « feu Dauphin » lui-même. Villon croit dévotement à Notre-Seigneur et à Notre-Dame, sa bonne mère, et il est comme l'enfant prodigue qui compte toujours sur l'amour du père pour obtenir un jour son pardon. Voilà pourquoi, en dépit que nous en ayons, il se sent très près de nous. Sa vie, qui fait notre étonnement, ne l'a jamais séparé à ses yeux du reste de l'humanité.

Elle lui a permis, toutefois, de regarder l'humanité d'un biais qui n'est pas ordinaire. Elle a donné à sa poésie un sens et une profondeur qu'on chercherait en vain chez ceux qui l'ont précédé. Tous ils ont été des gens bien rentés et heureux, ou tout au moins ils ont pu se faire une place honorable dans le monde de leur temps. On comprend qu'ils aient accepté une conception de la poésie lyrique qui supposait un ordre immuable de la société, une hiérarchie bien établie. Ce bel arrangement, il est vrai, n'est plus guère qu'un souvenir au milieu des troubles de la guerre de Cent Ans, mais les poètes, qui ne souffraient pas trop du nouvel état de choses, n'ont pas su rompre avec une tradition surannée. De là ce qu'il y a de conventionnel dans cette poésie « courtoise », même chez les plus sincères, comme Christine de Pisan et Charles d'Orléans. De par sa vie tourmentée et malheureuse, Villon, né poète, devait échapper d'entrée de jeu à l'influence de la tradition : la faim prête un aspect très particulier à l'univers. Plus d'artifices, plus de conventions, la vie l'a mis en contact direct avec les dures réalités. Il ne chante plus seulement l'amour, car au plan où il vit on voit trop clairement qu'aimer n'est pas la seule affaire, ni même l'affaire essentielle : la pauvreté, la misère, la mort, voilà ce qu'il observe et ce dont il dépeint l'horreur. Et quand il parle de l'amour, c'est d'un tout autre accent que ses devanciers. Il a donc retrouvé ou renouvelé tous les grands thèmes lyriques. Cet homme du XVe siècle est un homme de tous les temps. La poésie de son devancier Charles d'Orléans a le charme des jolies choses qui sont dessinées sur un modèle archaïque; elle est d'un tour qui rappelle une époque, moins que cela, le rêve d'une époque. Il y a dans les vers de Villon quelque chose d'universel et de profondément humain. Il n'avait pas tellement tort de vouloir se rattacher à nous.

Si, malgré tout, il a été longtemps délaissé, si même aujourd'hui il est plus admiré que lu, c'est que son œuvre n'est pas toujours d'accès facile. Non que sa langue ait beaucoup vieilli. Mais les allusions au Paris de son époque sont si fréquentes, elles supposent une connaissance si minutieuse des hommes et des choses de ce temps-là que, trois quarts de siècle après, ses lecteurs en étaient déjà désorientés. Nous sommes mieux partagés, car l'érudition contemporaine a éclairci beaucoup de ces obscurités. Toutefois, il reste des énigmes ici ou là, et c'est dommage, car c'est surtout dans ces allusions que se déploie sa verve frondeuse et caustique. Tout un côté du *Testament* nous échappe ainsi en partie. Il est vrai que la bonne humeur enveloppe l'œuvre entière. Cet homme qui avait tant de raisons d'être triste, et qui l'est souvent, est resté néanmoins, et en même temps, gai jusqu'à la fin. « Je ris en pleurs », telle est sa devise. Les malheurs n'ont jamais émoussé son esprit, et la qualité de cet esprit est assez nouvelle dans la poésie française. L'esprit de Charles d'Orléans est celui d'un homme du monde, fait de mesure et de tact, admirable quand il s'agit d'éviter le ridicule et de se mouvoir avec aisance dans les limites étroites d'un monde tout conventionnel. L'esprit de Villon

est celui d'un homme qui, par-delà les attitudes et les masques, voit à plein la comédie de la vie. Il suppose un sens critique vigoureux. C'est Jean de Meung, mais regardant les hommes, et non plus les idées et les systèmes. Il y a une note intellectuelle dans cette poésie faite de sentiments. De ce style ferme, direct, qui sait faire appel, quand il le faut, aux ressources de l'harmonie, mais qui ignore les formules, et où le vers est éclairé de l'intérieur par la qualité rare de l'émotion et la flamme d'un bon sens singulièrement alerte. Villon annonce d'une part Régnier, Boileau, Voltaire, et de l'autre La Fontaine, Chénier, Verlaine. Il n'est inférieur à aucun d'eux. C'est notre premier poète moderne, c'est un de nos grands poètes.

LES IMITATEURS DE VILLON

GUILLAUME COQUILLART

Guillaume Coquillart est né vers 1450 et mort en 1510. Édit. d'Héricault, 2 vol., 1857. Voir G. Paris, Mélanges de littérature française du moyen âge, 1912, p. 668.

A côté des œuvres de Coquillart, il faut citer les Arrêts d'amour *de Martial d'Auvergne, né vers 1430, mort en 1508, procureur au Parlement : ce recueil en prose, antérieur de quelques années au poème de Coquillart, est un compte rendu de procès fictifs à propos de questions galantes, où la plaisanterie a une saveur très analogue. Voir Vilho Puttonen, Études sur Martial d'Auvergne, suivies du texte critique de quelques Arrêts d'amour, Helsinki, 1943.*

Au même mouvement se rattache un poème de 1872 vers, l'Amant rendu cordelier à l'observance d'Amours, composé vers 1440 (édit. de Montaiglon, S. A. T., 1881), qu'on a souvent attribué à Martial d'Auvergne, mais probablement à tort (cf. A. Piaget, Romania, 1905, p. 416).

Coquillart, qui deviendra plus tard un grave chanoine de l'Église de Reims, n'était encore entre 1477 et 1480 qu'un joyeux étudiant inscrit aux cours de la Faculté de Décret ou de droit canon. C'est pour ses camarades et pour les clercs et greffiers du Palais qu'il écrivit dans ces années trois pièces intitulées le *Plaidoyé d'entre la Simple et la Rusée* (1477), l'*Enquête d'entre la Simple et la Rusée* (1478) et les *Droits nouveaux* (1479-1480). La troisième pièce est un code burlesque et scabreux; les deux premières appartiennent à la variété des « causes grasses », comme il était d'usage d'en plaider chaque année à la Saint-Martin pour la fête de la Basoche. Il s'agit de savoir laquelle, de la Simple ou de la Rusée, possédera légitimement un galant nommé « le Mignon ». Sur ce thème fantaisiste et tout en parodiant les formes solennelles de la justice, Coquillart brode avec une verve très débridée. Il nous a tracé ainsi un tableau de la vie bourgeoise et galante de son temps, où il ne faut pas chercher la profondeur de l'observation, mais qui est riche en caricatures alertement dessinées. Coquillart a visiblement imité Villon, mais il ne lui a pris que les caractères les plus extérieurs de son style, et sa matière est bien mince.

HENRI BAUDE

Henri Baude, né vers 1430, est mort vers 1496. Il exerça la charge d'élu sur le fait des aides pour le Bas-Limousin (édit. J. Quicherat, 1856). Sur la vie de Baude, voir, outre la préface de Quicherat : A. Thomas, Romania, 1907, pp. 58 et 435 ; P. Champion, ibid., p. 78.

A la même période que Baude appartient encore Guillaume Alecis, né vers 1425, mort en 1486, moine de l'abbaye de Lire en Normandie : son premier ouvrage date de 1451, mais ses poèmes les plus connus, les Faintises du monde et le Blason de faulses amours, écrits d'un style alerte et dans une langue excellente, sont notablement postérieurs. Éd. Arthur Piaget et Émile Picot (S. A. T.), 3 vol., 1896-1908.

Henri Baude, lui aussi, est un disciple de l'auteur du *Testament*. Avec un vocabulaire moins riche et moins pittoresque, il a plus de finesse dans l'esprit que Coquillart, et plus de trait dans la satire : le *Testament de la mule Barbeau* (1465 ?), les *Lamentations Bourrien*, dont Marot a tiré une de ses épigrammes les plus connues, et deux *Lettres envoyées à Mgr de Bourbon, connestable de France*, pour lui demander de le tirer de la prison du Châtelet (1486), sont autant de petites pièces ingénieuses et spirituelles qui se lisent encore avec plaisir.

LA CHANSON POPULAIRE

*On trouvera les chansons populaires du XV*e *siècle, avec les airs sur lesquels elles se chantaient, dans les deux recueils suivants : G. Paris et A. Gevaert, Chansons du* xv*e* *siècle (S. A. T.), 1875 ; Th. Gérold, le Manuscrit de Bayeux, Strasbourg, 1921.*

Les œuvres de Villon, celles de Coquillart et de Baude, ne nous rappellent guère la poésie artificielle de leurs devanciers. Toutefois, ces trois poètes ont été, quoique à des titres divers, des poètes parisiens ; ils ont écrit pour des maîtres de l'Université, pour des clercs, des étudiants, en un mot pour des gens instruits ; leurs lecteurs sont des bourgeois sans doute, mais qui ne sont très différents ni par leurs goûts ni par leur culture du public qui se plaisait aux œuvres de Christine de Pisan ou de Charles d'Orléans. Au contraire, bien loin des cours royales et seigneuriales, bien loin des tavernes de la grande ville, au fond des provinces de France, dans d'humbles villages, on voit apparaître à la même époque une poésie toute nouvelle d'aspect, qui s'adresse à de frustes auditoires de campagne et qui ne doit rien à aucun des maîtres du xive ou du xve siècle. Quelques manuscrits du temps nous ont conservé une partie de cette production, mais ils n'en nomment pas les auteurs. D'où viennent ces chansons anonymes ? D'où dérive cette « veine de poésie toute neuve, abondante, fraîche et savoureuse », qui nous repose si agréablement des « fatigantes allégories et de la lourde imitation du latin » (G. Paris) ? Y a-t-il là, comme on aime à le dire, un épanouissement soudain de poésie ? Est-ce la voix même du peuple de France qui, de ces temps lointains, arrive jusqu'à nous ? A y regarder de près, la « chanson populaire » est moins nouvelle qu'il n'y paraît tout d'abord. Feuilletons les recueils qui nous l'ont transmise : chants d'amour, plaintes de « malmariées », pastourelles, chansons satiriques, chansons à boire, « romances », ces formes et ces thèmes nous sont connus : ils viennent en droite ligne des troubadours et des trouvères du xiie et du xiiie siècle. Il n'y a pas création, mais survivance. Et si ces chansons ressemblent si peu aux ballades d'un Machaut, qui lui aussi continue l'œuvre des trouvères, c'est que nos auteurs de village n'ont pas lu Jean de Meung. Ils ne songent pas à moraliser, ils ignorent l'allégorie. De là le charme et la

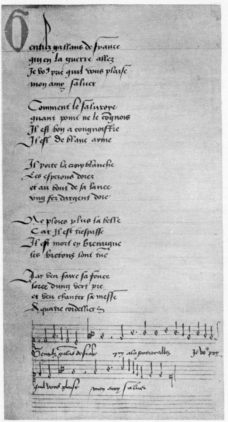

UNE « CHANSON POPULAIRE » DU XVe SIÈCLE.
(B. N., ms. franç. 12744.)

fraîcheur de ces petites pièces, où s'est peut-être conservé le meilleur de la tradition du passé. Elles sont inséparables de la musique comme l'étaient également les chants des trouvères. La chanson populaire, c'est la chanson courtoise passée au village. De même, les « gestes » de l'époque féodale se prolongeront très tard dans les livrets de la « Bibliothèque bleue ». C'est une poésie populaire d'intention, mais non d'origine. Elle s'adresse au peuple, mais elle ne vient pas du peuple. Voici une pastourelle :

« Gente pastourelle au cueur gaý,
Qui moutons gardez en la prée,
La vostre amour m'y soit donnée,
Et la mienne vous donneray.

Je prensisse (*prendrais*) moult grant plaisance,
Belle, de voz moutons garder,
Mais que ce fust en esperance
Que vous me voulissiez aymer.

Vostre regard et voz doulx yeulx,
Vostre face tant collorée,
Ont mis mon cueur en grant pensée :
Point je ne dors, ainsi m'aist (*sauve*) Dieulx.

La pastourelle fut bien saige,
Et respont gracieusement :
« Je n'ay pas le cuer si vollaige
Qu'il vous semble, par mon serment.

Car j'ay mon pastoureau tout quis (*trouvé*),
Le plus beau de ceste contrée,
Et si lui ay m'amour donnée :
S'il m'ayme bien, si fais je luy. »

Et voici une romance renouvelée des « chansons de toile » du xiiie siècle :

La belle se siet au pié de la tour,
Qui pleure et souspire,
Maine grant martire,
Aussi grant doullour ;

Et en grant doullour, et en grant doullour
Son pere luy demande : « Fille, qu'avez-vous ? »
Son pere luy demande : « Fille, qu'avez-vous ?
Voullez vous mary, ou si voullez seignour ? »
« Je ne veulx point avoir mary,
Je veulx avoir le mien amy
Qui pourrist en la tour. »

« Ma foy, ma belle fille, à cella fauldrés vous* :   *vous n'y réussirez pas.
Car il sera pendu demain au poinct du jour. »
« Et pere, s'on le pend, enterrés moy dessoubs.
Si* diront les gens : ce sont loyaux amours. »   *alors.

VI. — PHILIPPE DE COMMYNES

Philippe de Commynes naquit en 1446 ou quelques années plus tôt. Il a été le principal conseiller du roi Louis XI. Le roi mort, il lui fallut six ans pour retrouver auprès de Charles VIII une part de son ancien crédit. Dans l'intervalle, on l'enferme à Loches, puis à Paris ; on le relègue enfin à Dreux, et il est, en outre, condamné à restituer aux La Trémoille des terres mal acquises. Rentré en faveur, il accompagne le roi Charles VIII dans l'expédition d'Italie (1494-1495). A l'avènement de Louis XII, il est écarté de la cour, y revient en 1505, fait partie de la suite du roi dans la campagne de Gênes, après quoi le reste de sa vie nous échappe. Il meurt probablement en 1511, dans son château d'Argenton.

Ses Mémoires sont divisés en huit livres, dont les six premiers traitent du roi Louis XI (à partir de 1464 environ), et les deux derniers sont consacrés à l'expédition d'Italie : mais ces divisions sont du fait des éditeurs.

La première édition est de 1524 pour la première partie (livres I-VI) et de 1528 pour la seconde (livres VII-VIII). Les meilleures des éditions modernes sont celles de

STATUE TOMBALE DE PHILIPPE DE COMMYNES (musée du Louvre).
CL. GIRAUDON.

B. de Mandrot, 2 vol., 1901-1903, et de J. Calmette et G. Durville, 3 vol., 1924-1925.

Sur la vie et l'œuvre de Commynes, voir, outre la préface de l'éd. de Mandrot : Sainte-Beuve, Causeries du Lundi, *t. I ;* A. Molinier, les Sources de l'histoire de France, *t. V, nº 4663.*

A côté de l'ouvrage de Commynes, on ne peut guère citer, du côté francais, que le Journal de Jean de Roye *(1460-1483), éd. B. de Mandrot, 2 vol., 1894-1896, plus connu sous le titre, absolument injustifié, de* Chronique scandaleuse.

Après le *Testament* de Villon, le livre de Commynes est l'œuvre la plus remarquable du xvᵉ siècle, et c'est aussi celle qui nous fait le mieux comprendre la France d'après la guerre de Cent Ans. Quand Philippe de Commynes, ancien conseiller du roi Louis XI, commence à écrire ses *Mémoires*, il a environ quarante-cinq ans. Il vient de passer quelques mois dans une de ces cages de fer dont Charles VIII avait hérité avec la couronne et il est relégué dans son château de Dreux, où il peut méditer à loisir sur l'ingratitude des princes (1489). Toutefois, il ne s'attarde pas à d'inutiles mouvements de rancune. C'est un sage, que la disgrâce n'a point aigri. Il a joué un grand rôle, et il sait que son heure peut revenir encore. Elle devait revenir en effet. En attendant, il se délasse à mettre par écrit l'histoire d'un roi qui savait distinguer ses amis de ses ennemis. Il est visible que le sujet l'a attiré, et qu'il a abordé sa tâche avec plaisir. On peut croire qu'il y serait venu aisément de lui-même, au cas où l'archevêque de Vienne, Angelo Cato, ne l'eût point invité à « mettre par mémoire » ce qu'il avait « sceu et congneu des faits du roy Loys unzeiesme, à qui Dieu face pardon ». En tout cas, le prélat ne pouvait s'adresser mieux. Personne n'avait approché Louis XI de plus près, personne ne l'avait connu

plus intimement. Depuis 1472, en effet, Commynes avait fait partie du petit groupe de fidèles dont le roi ne se séparait guère que pour les envoyer en mission et dont il écoutait volontiers les avis, sans toujours les suivre. Louis XI estimait le dévouement de Commynes et la sûreté de son jugement. Commynes admirait le roi pour sa pénétration, sa finesse, son sens des affaires, sa connaissance des hommes. Il était venu à lui de son plein gré, et par choix. Né en Flandre, il avait commencé par servir son suzerain, le duc de Bourgogne. Il était à Montlhéry avec Charles le Téméraire, en qualité d'écuyer. C'est là qu'il commence son apprentissage de la vie. Il note avec étonnement à quoi tient le sort des batailles et pour quelle large part le hasard entre dans le succès ou la défaite ; il ne voit dans les chevaliers pesamment armés que de médiocres combattants, très inférieurs aux archers ; dans les négociations qui suivent, il découvre que les diplomates font de meilleur travail que les hommes d'armes, et qu'on réussit mieux en traitant avec son ennemi qu'en lui faisant la guerre. Ce n'était pas l'avis de Charles le Téméraire, et bientôt Commynes dut s'aviser qu'entre ces deux hommes qui dominaient le monde, le duc de Bourgogne et le roi de France, le plus sage et le meilleur politique n'était pas celui qu'il servait. Un jour vint où il put les comparer de près.

C'était à Péronne. Par un coup de souveraine imprudence, Louis XI s'était mis entre les mains de son adversaire, au moment précis où il venait de soulever les Liégeois contre lui. Pendant quelques jours, le sort du roi de France resta douteux, mais finalement le sang-froid et l'habileté du suzerain triomphèrent des rancunes et de la colère défiante du vassal. Commynes avait observé tous les détails de ce duel, où l'enjeu était l'avenir du royaume de France, et il contribua même à calmer la fureur du duc. Louis XI n'oublia jamais ce service : il est possible que dès ce mois d'octobre 1468, qui avait failli lui être si funeste, il ait songé à s'attacher Commynes. Mais ce n'est qu'en 1472, au fort de la campagne de Normandie, que Commynes quitta brusquement le camp bourguignon pour passer en terre royale. « Envyron ce temps, je vins au service du Roy », nous dit-il, et c'est tout ce que nous saurons jamais de cet événement décisif de sa vie.

On est tenté d'être surpris de cette défection. Mais Charles le Téméraire était le vassal de Louis XI ; les frontières de leurs domaines, qui se joignaient, ne présentaient pas d'obstacle infranchissable, car plus d'une ville, plus d'un lambeau de territoire passait de l'un à l'autre fréquemment, au gré des circonstances et des accords changeants ; sur une grande partie des possessions bourguignonnes on parlait français ; quelques seigneurs relevaient à la fois du roi et du duc. Quand Charles le Téméraire voulait punir les Suisses, il se heurtait à une nation étrangère ; quand il luttait contre les armées de Louis XI, ce n'était plus que la rivalité de deux chefs d'une même nation, dont chacun aspirait à remplacer l'autre. Deux personnalités et deux politiques s'affrontaient, mais non pas deux peuples. A un moment où la balance était encore égale, Commynes eut le mérite de prévoir laquelle des deux politiques triompherait un jour, et c'était précisément celle qu'il jugeait la meilleure. D'autre part, aucun lien de reconnaissance particulier ne l'attachait au duc Charles, qui était un maître dur et quinteux. Tout bien considéré, il avait le droit de le quitter sans remords, et il le quitta certainement sans regret. Il n'eut pas lieu de s'en repentir. Louis XI lui accorde une pension de 6 000 livres, lui donne des terres qu'il enlève à d'autres, le marie à une riche héritière et, tout défiant qu'il est, lui conserve jusqu'à la fin sa faveur. Le nouveau seigneur d'Argenton devient un des personnages les plus influents du royaume : en retour, il est un des meilleurs conseillers et des plus fidèles qu'ait jamais eus un roi de France.

En répondant à l'invitation de l'archevêque de Vienne, Commynes n'entendait pas faire œuvre d'historien. Il se borne à rapporter ce qu'il a vu de ses yeux, ou, s'il est nécessaire d'y ajouter un peu pour aider à l'intelligence du reste, il s'en tient aux témoins les plus sûrs. Peu de dates, l'ordre des événements suivi dans la seule mesure où l'exposition y gagne en force probante, peu ou point d'indications sur la composition des armées ou leurs mouvements, pas de description des villes et des pays, pas de larges perspectives. Quelques rois, quelques princes, leurs conseillers, des grands seigneurs menés par l'ambition ou la vanité, des villes qui s'agitent, se révoltent ou se soumettent, voilà les personnages qui occupent tout le temps la scène. Nulle part nous ne voyons la France, l'Angleterre ou la Bourgogne de cette époque, sinon par brèves échappées et comme à l'insu de l'auteur. Commynes ne s'intéresse aux foules, aux vastes groupements, aux nations même que par un effort de sa raison ; il ne les voit pas et ne nous les fait pas voir. Son art est aussi différent qu'on peut l'imaginer de celui d'un Froissart. Il n'est pas un peintre. La couleur et le mouvement lui échappent. Son attention est ailleurs et son ambition est tout autre. Quel a donc été son dessein en écrivant ses *Mémoires* ?

Ce n'a été sûrement ni de divertir son lecteur, encore qu'il ne l'ennuie jamais, ni même de l'instruire de ce qui s'est passé de son temps. « Bestes ne simples gens » ne s'amuseront point à lire son livre, et ceux pour qui il écrit n'ont pas besoin qu'on leur raconte par le menu des événements auxquels ils ont participé. Mais les acteurs du drame ont été trop occupés de leur rôle pour faire attention au sens de la pièce ; ils ont réussi ou pâti, suivant les cas, mais sans voir clairement à quoi ils devaient leurs succès ou leurs échecs ; ils ont accepté les effets et négligé de remonter aux causes. C'est qu'aucun n'a eu tout à fait les mêmes avantages que Commynes : familier tour à tour des cours de Bourgogne et de France, chargé de missions importantes auprès des plus grands personnages de l'époque,

LOUIS XI PRÉSIDANT LES ÉTATS DE TOURS (1470). Miniature d'un manuscrit des « Mémoires » de Commynes (Nantes, musée Dobrée, ms. franç. 18).
CL. LAROUSSE.

connaissant princes et rois et connu d'eux, discutant les affaires publiques avec ceux-là mêmes qui les menaient, en mesure de prévoir les contrecoups et de tirer les conséquences, qui mieux que le sire d'Argenton aurait pu démêler l'essentiel d'une intrigue, les causes d'une guerre, les dessous d'un traité de paix ? Voilà précisément la matière de son livre.

Est-ce à dire que, du haut de son incomparable expérience, il condescende à nous initier aux mystères des négociations où il a joué un si grand rôle ? Nullement. La vanité n'est point son fait, et il est à l'égard de sa personne d'une discrétion entière. Serait-ce donc que cette intelligence lucide s'est complu au jeu attrayant qui consiste à débrouiller le chaos des faits pour en retrouver l'enchaînement ? Peut-être y a-t-il un peu de ce plaisir dans son cas, mais Commynes est moins préoccupé du passé que de l'avenir. Il ne cherche pas tant à expliquer ce qui n'est plus qu'à nous mettre en état de déterminer par notre action ce qui sera. Il n'écrit ni une histoire ni une philosophie de l'histoire, mais un traité de politique. Les faits ne l'intéressent que par leur valeur démonstrative. C'est dire qu'il en négligerait volontiers le côté local et accidentel ; ce qu'il retient, c'est ce qu'ils peuvent avoir de commun avec tels autres faits susceptibles de se produire plus tard. Il cherche à dépouiller l'histoire, à en mettre à nu les articulations, à ramener l'enchevêtrement prodigieux des faits à un certain nombre de situations types, pour se demander comment doivent agir ceux qui ont le pouvoir d'orienter les événements, s'ils veulent tirer tout le profit possible d'une combinaison donnée de circonstances. Son livre doit être le bréviaire des souverains.

Pourquoi cette sollicitude de Commynes à l'égard des princes de son temps ? C'est qu'il a pénétré un secret que d'autres sans doute avaient deviné, mais dont personne n'avait entrevu toute la portée. Témoin du désarroi matériel et du désenchantement moral qui ont suivi le grand schisme et la guerre de Cent Ans, comprenant que

UNE ILLUSTRATION des « Mémoires » de Commynes. En 1471, Edouard IV d'Angleterre, soutenu par Charles le Téméraire, défait à Barnet le comte de Warwick, allié de Louis XI (Nantes, musée Dobrée, ms. franç. 18).
CL. LAROUSSE.

la belle unité de l'Europe chrétienne est brisée à jamais, apercevant dans tous les pays des intérêts particuliers à l'œuvre, il a conclu que nulle grande idée ne mène le monde. Chacun tire de son côté et dans chaque nation tout repose sur le prince, qui est un homme, et par suite assez souvent faible et ignorant : ce sont alors, sous son nom, ses conseillers qui gouvernent, et qui nous garantit que les ministres seront plus sages que le maître ? Il importe donc beaucoup que le prince lui-même soit en état de conduire ses affaires, qui ne se conduiront pas toutes seules et que les autres, n'y ayant pas le même intérêt, conduiront mal. Partant, il faut l'aider dans sa tâche, lui révéler les difficultés et les ressources de sa position, lui montrer comment d'autres, qui s'en sont bien trouvés, ont agi dans un cas analogue. Sans doute, un Louis XI n'a pas besoin de semblable tutelle, mais les Louis XI sont rares : on n'a pas le droit de compter sur de pareilles réussites. La sagesse commande de prévoir des gouvernants médiocres, et l'idéal serait de les faire profiter de l'expérience qu'un observateur judicieux a su acquérir à l'école du plus avisé des monarques. C'est toute l'ambition de Commynes. Plus tard, de 1495 à 1498, il ajoutera à son livre quelques chapitres pour raconter l'expédition de Charles VIII en Italie : c'est au cours de cette guerre, qu'il n'avait pas conseillée, Commynes a dû négocier avec les plus fins diplomates de la Péninsule, qui ont parfait son expérience politique. Il n'a pas voulu garder pour lui ce surcroît d'information, et nous y gagnons doublement, car son récit de la bataille de Fornoue est une des parties les mieux venues et les plus vivantes de son livre.

S'il note que le monde, livré à lui-même, ne tend pas vers la perfection, ce n'est pas qu'il ait banni Dieu de sa conception de l'univers. Il n'a pas la foi naïve d'un Villon, mais il fait intervenir souvent la Providence dans ses analyses, et d'une façon trop réfléchie pour qu'on ne puisse voir là que de simples formules. A y regarder de près, on s'aperçoit que la Providence est nécessaire à son système d'interprétation des faits. Il s'y attache d'une croyance tout intellectuelle. Pendant la guerre de Cent Ans, toutes les fautes qu'un gouvernement peut commettre ont été commises ; le pays a été mal administré, livré au pillage, épuisé. C'en devrait être fait de la France, et pourtant la voilà qui, en quelques années, redevient plus forte que jamais. Il y a là une inconséquence logique dont on ne vient à bout que par un recours à la Providence. De même à Fornoue, Charles VIII se tire d'affaire par une victoire qu'il n'avait pas préparée et qu'il n'avait pas le droit d'espérer : c'est encore que la Providence veillait ! Commynes apprécie si fort l'habileté, la prévoyance, la sagesse, il est si persuadé que par ces vertus on gouverne le monde, que toutes les fois que l'incurie, l'ignorance, la légèreté enregistrent un succès, il est tenté de s'écrier que ce n'est pas de jeu, et il faut qu'il rassure sa conscience de beau joueur en invoquant les desseins impénétrables de la Providence. D'autant qu'il la voit pencher volontiers du côté du royaume de France. Toutefois, il n'entend pas réserver au profit des seuls Français l'appoint de ce secours surnaturel. Supposons, en effet, un prince enivré de sa puissance qui, négligeant les conseils de modération de Commynes, se mette en tête d'asservir ses voisins : qui l'en empêchera ? Les petits et les faibles ne manquent jamais de juges pour prononcer sur leur cas. Mais ceux qui commandent aux juges ? Or, la Providence a prévu cette lacune. Auprès de chaque État, elle a suscité un autre État chargé de contenir le premier et d'être contenu par lui, et chaque prince trouve devant lui un autre prince qui le surveille jalousement et que lui-même ne perd pas de vue. La France a l'Angleterre, et l'Angleterre l'Écosse ; l'Espagne a le Portugal (le cas des Maures de Grenade embarrasse un instant Commynes, qui hésite à enrôler ces mécréants au service du Dieu des chrétiens) ; la Bavière

a l'Autriche, et l'Autriche les Suisses ; les Florentins ont ceux de Sienne, et ainsi de suite du reste de l'Italie, et d'un bout de l'Europe à l'autre. Voilà sans doute la première esquisse d'une théorie de l'équilibre européen.

C'est donc là un obstacle à l'ambition, et par suite à la guerre. Commynes a bien vu que la guerre est le grand mal dont souffre son temps. Il sait aussi comment elle vient et par quoi elle se termine : un prince faible et mal conseillé, injustices et passe-droits, jalousies et rivalités des partis, divisions à l'intérieur, intervention de l'étranger, massacre et famine, voilà les étapes de cette terrible progression. Mais quel est le point de départ ? La ruine de la foi religieuse. Si les hommes étaient convaincus des vérités essentielles du christianisme, s'ils redoutaient les sanctions divines auxquelles les exposent leurs manquements, ils ne se conduiraient pas avec cet égoïsme, cette perfidie, cette absence de tout scrupule d'où découle nécessairement la guerre. Commynes revient souvent sur cette idée. Aucun de ses contemporains n'a noté aussi vigoureusement que lui le déclin de la foi religieuse en tant que mobile d'action, ni n'a vu plus clairement la portée de ce grand fait. Il est d'une époque qui n'a plus d'idéal. Il cherche, pour la pratique, une règle que nous n'avons peut-être pas encore trouvée. Il croit à la puissance, pour le bien et pour le mal, des individus, et là où il observe une certaine stabilité de structure, un ordre qui persiste en dépit des fautes des individus, au lieu de recourir, comme nous le ferions, aux énergies collectives, aux traditions d'un pays, aux qualités et aux défauts d'une race, il appelle la Providence à la rescousse. Ce n'est peut-être qu'une différence de vocabulaire. Au fond, il est singulièrement moderne.

Sa conception du gouvernement est moderne. Le roi qu'il souhaite à la France est un administrateur d'élite, qui doit être fort ; mais, pour assurer le triomphe de la justice et de l'ordre, et la prospérité du royaume, Commynes n'admet pas le règne du bon plaisir. Il a horreur de la cruauté, de l'arbitraire. Il veut que le peuple soit heureux, que le souverain le fasse entrer dans ses calculs, qu'il en soit aimé.

Il note que Louis XI n'a pas su gagner l'affection de ses sujets, et il ne l'en félicite pas. Du reste, nulle sentimentalité dans ces vues, ni même aucune trace de fraternité chrétienne ou simplement humaine. C'est un homme qui a médité les leçons de l'expérience. Il sait que la modération est la grande vertu : il a calculé que la violence ne rapporte rien. Lucidement, froidement, il préfère ce qui réussit. La guerre ne lui dit rien qui vaille. Elle est trop coûteuse et trop aléatoire. Mieux vaut biaiser, céder même, quitte à reprendre ses avantages par une méthode moins brutale et plus sûre. Il croit aux négociations et même aux intrigues. Il est diplomate dans l'âme. Il a bien vu le rôle que jouera la monarchie en France, seulement il la voudrait prudente, mesurée, s'appuyant sur le peuple. Il envie certains avantages de l'Angleterre : les bouleversements politiques y ont été considérables, il y a eu en ce pays plus qu'ailleurs des changements de rois et de dynasties, mais on n'y massacre pas les pauvres gens et on n'y brûle pas les maisons. Il voit trop de ruines en France. Si on veut les relever, qu'on consulte le peuple sur les dépenses et sur les guerres. Il n'indique pas la méthode, mais le principe était bon à proclamer, et, venant d'un conseiller des rois, l'idée avait du mérite.

On pourra trouver cette sagesse bien terre à terre et bien sèche, et nous avons peine à faire de Louis XI notre héros. Il est certain que Commynes n'est pas un grand caractère. Il s'est laissé trop facilement enrichir aux dépens des autres, et peut-être la diplomatie telle qu'il l'entend ne comporte-t-elle pas assez de scrupules. Mais notons qu'il fait des réserves même à l'égard de Louis XI, en qui il est loin de tout admirer, et prenons garde qu'il n'a pas en vue une société idéale, mais l'Europe de son temps, encore meurtrie de la guerre de Cent Ans. Après un siècle de tueries et de pillages, la ruse est un grand progrès sur la violence, et elle peut conduire insensiblement à la franchise et à l'honnêteté. Sans compter que la politique de Commynes n'est pas en premier lieu une politique de ruse, c'est une politique de résultats. Qui en a le profit en a l'honneur, aime-t-il à répéter. Mais il n'admet que les résultats qui durent, et on s'estimerait heureux que ceux qui sont venus après lui en Europe n'aient jamais cherché à obtenir des résultats durables que par les moyens qu'il a préconisés.

S'il n'a pas voulu faire œuvre d'historien, ses *Mémoires* sont une des sources les plus importantes de l'histoire de son temps. Il n'a pas dit tout ce qu'il savait, mais tout ce qu'il nous a dit est exact. Ses jugements sont aussi sûrs que ses dires : il a tracé de Louis XI et de Charles le Téméraire des portraits étonnants de justesse et d'impartialité. Seule

MESSIRE PHILIPPE DE COMMYNES. MESSIRE ENGUERRAND DE MONSTRELET.
D'après le « Recueil d'Arras » (Bibliothèque de la ville d'Arras, ms. 266).
CL. GIRAUDON.

chez lui la forme désappointe un instant. Commynes a peu fréquenté les livres, et il y paraît. Sa phrase est volontiers longue, embrouillée, surchargée. Le ton est nonchalant, familier, la langue très près de l'usage courant. Ce n'est pas tout à fait le style qui conviendrait à une manière abstraite comme la sienne. Mais tout ce que la vie la plus active peut apprendre à un observateur supérieurement doué, qui est resté au centre des choses, il le sait, et d'une science bien assimilée. Il est à l'aise au milieu des hommes et des événements. Il a jeté un regard pénétrant sur son époque et sur ses contemporains, et dans cet art difficile d'interpréter les caractères et les situations, il n'a pas trouvé son égal autour de lui, sauf, à l'occasion, le roi Louis XI. Il n'est pas douteux qu'il n'ait senti cette supériorité. De là une ironie légère dont le reflet éclaire sa phrase un peu terne.

Son livre gagne à être lu et relu. On n'en apprécie pas toujours d'emblée la force et la saveur. Commynes est l'intelligence la plus ouverte et la plus vigoureuse de son temps. Avant lui, il y a sans doute eu dans son pays des esprits de même trempe, mais ils n'ont pas écrit en français. Un livre comme le sien est une grande nouveauté dans la France du XVe siècle. Après quatre siècles et plus, la France d'aujourd'hui peut encore y profiter.

VII. — LES LETTRES A LA COUR DE BOURGOGNE LES GRANDS RHÉTORIQUEURS

Sur l'activité littéraire dans les domaines bourguignons, voir G. Doutrepont, la Littérature française à la cour des ducs de Bourgogne, 1909.

Avant Chastellain ou en même temps que lui, il faut citer comme chroniqueurs, du côté bourguignon, Enguerrand de Monstrelet (mort en 1453), dont la Chronique (éd. Douët d'Arcq, 6 vol., 1857-1862) continue celle de Froissart jusqu'à 1444, et Mathieu d'Escouchi, qui, vers 1465, compose une suite à Monstrelet pour la période allant de 1444 à 1461 (éd. G. du Fresne de Beaucourt, 3 vol., 1863-1864).

Georges Chastellain (né en 1404 ou 1405, ou vers 1415, mort en 1475), originaire du comté d'Alost, étudie à Louvain en 1430, entre dans la maison du duc de Bourgogne dès 1434, fait de longs séjours en France, accomplit

de nombreuses missions, devient conseiller du duc en 1457 ; vers cette époque ou un peu auparavant, il commence la rédaction de sa Chronique, puis se retire à Valenciennes vers 1467 ; en 1473, il devient « indiciaire », c'est-à-dire historiographe, de la maison de Bourgogne. Ses œuvres ont été publiées par Kervyn de Lettenhove, Bruxelles, 8 vol., 1863-1866. Consulter K. Urwin, Georges Chastelain, la vie, les œuvres, 1937.

Jean Molinet (1435-1507) : ses Chroniques ont été publiées dans la Collection Buchon, 5 vol., 1827-1828, et plus récemment par G. Doutrepont et O. Jodogne, 3 vol., Bruxelles, 1935-1937 ; le recueil de ses poésies, les Faictz et dictz de Jean Molinet, a été publié par Noël Dupire, 3 vol. (S. A. T.), 1936-1939. Consulter N. Dupire, Jean Molinet, la vie, les œuvres, 1932.

Olivier de La Marche (né vers 1422, mort en 1502) : Mémoires, éd. Beaune et d'Arbaumont, 4 vol., 1883-1888.

Sur les œuvres historiques de Chastellain, Olivier de La Marche et Molinet, voir A. Molinier, les Sources de l'histoire de France, t. IV, nos 3957 et 3961, et t. V, no 4753.

Sur tout ce qui concerne la poésie des grands rhétoriqueurs de Bourgogne, de France, de Bretagne et de Flandre, voir H. Guy, Histoire de la poésie française au XVIe siècle, t. I, l'École des rhétoriqueurs, 1910 ; en particulier sur Jean Meschinot et Jean Molinet, l'Histoire poétique du quinzième siècle (t. II) de P. Champion, qui fait ressortir notamment ce que, malgré tant de fautes et de faiblesses, les poésies de Molinet renferment de verve et de pittoresque. Consulter en outre H. Chamard, les Origines de la poésie française de la Renaissance, 1920.

Le Triumphe des Dames, d'Olivier de La Marche, éd. Julia Kalbfleisch-Benas, Rostock, 1901. Sur la véritable interprétation du poème des Princes, voir A. Piaget, Romania, 1921, p. 161 ; la pièce est probablement de 1453.

Les traités de versification du XVe siècle ont été publiés par Ernest Langlois, Recueil d'arts de seconde rhétorique, 1902.

Le règne de Louis XI s'ouvre, en littérature, par une série d'œuvres brillantes. Les poèmes de Villon, *Pathelin* et le *Franc Archer de Bagnolet*, le *Petit Jehan de Saintré* et les *Cent Nouvelles nouvelles*, le *Jouvencel* et *Lalaing*, il y a là de quoi illustrer une époque, et on n'a pas vu de

LA COUR DE CHARLES LE TÉMÉRAIRE. D'après un manuscrit de la « Chronique » de Georges Chastellain (B. N., ms. franç. 2689). Le vieillard qui se tient debout, un livre sous le bras, à la droite du duc, est sans doute Chastellain. La femme agenouillée, que tous les assistants écoutent, est un personnage allégorique, « Cler Entendement ». Le duc est « morne et pensif », car il vient de succéder à son père (1467) : Cler Entendement l'exhorte à reprendre courage. — CL. LAROUSSE.

floraison pareille en France depuis le XIIIᵉ siècle. Mais il est à noter que Louis XI n'y est pour rien. Tout occupé du succès de ses combinaisons, ce politique méfiant n'a eu ni le temps ni le goût de protéger les lettres. A la société des poètes il préfère celle de son barbier, Olivier le Dain; il déteste le faste, et la littérature lui apparaît sans doute comme un luxe inutile. Ce n'est pas à sa requête qu'ont été écrites les *Cent Nouvelles nouvelles*, et ce n'est pas sa cour que vante Lalaing comme le séjour de toute vaillance et de toute courtoisie. Commynes s'est bien gardé d'écrire ses *Mémoires* du vivant de son maître; Villon, qui lui doit d'être sorti de la prison de Meung, ne lui a pas dédié son *Testament* ; aucun Alain Chartier n'apparaît parmi ses secrétaires. De là vient en partie que cette renaissance de la littérature française n'a pas eu de lendemain. Il aurait fallu coordonner une activité encore éparse, offrir aux écrivains comme un centre de ralliement, leur indiquer une direction. Louis XI n'y songeait guère. Aussi, dès 1470 la production semble s'arrêter de nouveau. Pour trouver une école littéraire digne de ce nom, il faut la chercher hors de la France de Louis XI, dans les États de son puissant voisin, le duc de Bourgogne.

A un certain moment, Dijon et les grandes villes flamandes ont été des capitales intellectuelles qui semblèrent parfois éclipser Paris. L'atmosphère y était autre : alors que les désastres de la guerre de Cent Ans ruinent le royaume de France et font apparaître à plein l'insuffisance de l'idéal chevaleresque, les domaines bourguignons, mieux préservés du pillage, sont plus lents à tirer la même conclusion; on y respire plus à l'aise, la vie y est plus large, on peut s'y permettre le luxe de conserver en partie les idées du passé. Philippe le Bon fonde, en 1429, l'ordre galant de la Toison d'or et parade à la tête des chevaliers d'élite à qui il accorde cette précieuse distinction; en 1453,

il donne à Lille une fête magnifique au cours de laquelle les seigneurs de son entourage viennent à l'envi promettre « à Dieu, à Notre-Dame, et aux dames » qu'ils iront guerroyer le Turc. Pendant plusieurs années on caressa l'idée d'une nouvelle croisade; puis, quand on eut bien joué avec ces souvenirs d'autrefois, on revint au présent, et chacun resta chez soi. Mais il demeurait dans les âmes une parcelle de cet enthousiasme, et les livres que lisait la noblesse bourguignonne l'entretenaient dans ce culte du passé. Philippe le Bon s'entoure d'un monde de secrétaires qui, à son inspiration et parfois sous sa surveillance, traduisent en français les chroniques latines et mettent en prose les belles chansons de geste de la France féodale. C'est ainsi que Jean Vauquelin, traducteur zélé et calligraphe émérite, renouvelle pour les lecteurs du XVᵉ siècle les exploits du vieux Girart de Roussillon (1447). Charles le Téméraire à son tour reprit ces traditions : en face du roi embourgeoisé et mesquin qu'était Louis XI, il représente la chevalerie brillante et hautaine. Granson, Morat et Nancy dissipèrent ces rêves, mais le souvenir s'en conserva un instant et, en tout cas, tant qu'ils ne furent pas sans influence sur la réalité. Les représentants les plus célèbres de l'école bourguignonne ont tous été des serviteurs fidèles de la maison de Bourgogne, dont ils ont exalté la mission et vanté les splendeurs.

Le plus grand nom de cette école est celui de Georges Chastellain, que les contemporains ont appelé « le grand Georges ». Il est surtout connu aujourd'hui par sa *Chronique des choses de ce temps*, qui embrasse la période de 1419 à 1475, et dont nous n'avons plus que des fragments, du reste étendus. Ils permettent de reconnaître en lui un véritable historien. Il s'efforce d'écarter ses préférences ou ses antipathies personnelles et juge de haut les princes contemporains. Il n'admet pas la raison d'État. Il demanderait volontiers aux souverains, dans la conduite de leurs affaires, les mêmes vertus qu'on exige des simples particuliers, et ce n'est pas naïveté d'érudit ignorant des choses de la vie. Grand voyageur, il a fréquenté les cours, conversé avec les hommes d'État, pris part aux combats : c'est un homme très bien informé. Il n'a peut-être pas la souplesse intellectuelle d'un Commynes, mais il a un idéal mieux défini et plus rigoureux. Il inspire confiance. Il croit à la dignité de l'histoire : de là un style tendu, volontaire, dont l'emphase peut rebuter, mais qui a vraiment quelque chose de noble et de grand. La phrase s'essaie à retrouver le rythme de la période latine et y réussit souvent; déjà Alain Chartier avait connu ce secret, mais Chastellain pousse la recherche plus loin, et son vocabulaire abonde en termes calqués sur le latin.

Jean Molinet a donné à la *Chronique* de Chastellain une suite qui va de 1474 à 1506, mais si son livre a une valeur documentaire certaine, il n'y faut pas chercher d'autres mérites. Avant lui, Olivier de La Marche avait écrit une *Chronique* singulièrement plus colorée, où il s'attache surtout à faire revivre les magnificences de la cour de Bourgogne : il fut l'un des ordonnateurs des fêtes de Lille, dont il nous a laissé une description complaisante. Il est à noter qu'il n'a pas terminé sa *Chronique* ; seule la partie qui va de 1435 à 1467 est rédigée; pour la période suivante, et jusqu'à 1488, nous n'avons que des notes.

PHILIPPE LE BON, DUC DE BOURGOGNE, PROTECTEUR DES GRANDS RHÉTORIQUEURS. Jean Vauquelin lui offre, en 1446, sa traduction des « Chroniques de Hainaut » de Jacques de Guise. L'enfant qui se tient auprès du duc est le futur Charles le Téméraire (Bibliothèque royale de Belgique, à Bruxelles, ms. 9242).

GEORGES CHASTELLAIN écoute les douze Dames de Rhétorique,
qui « araisonnent » M. de Montferrand (B. N., ms. franç. 1174).
CL. LAROUSSE.

D'autre part, la *Chronique* de Chastellain et celle de Molinet n'ont été connues qu'au XVIe siècle. Ce n'est donc pas
leur œuvre historique qui a valu à ces trois écrivains l'admiration de leurs contemporains.

On a vu en eux surtout des poètes. Ils ont fondé l'école
des Grands Rhétoriqueurs, qui forme la transition entre
Charles d'Orléans et Clément Marot, car, en dépit de
Baude et de Coquillart, Villon est resté un isolé. Le terme
de « seconde rhétorique » a eu à l'époque un sens un peu
flottant, mais dans l'ensemble il s'applique à la poésie
par opposition à la prose. Les Grands Rhétoriqueurs sont
donc tout simplement les poètes de la fin du XVe siècle.
On ne peut pas dire qu'ils marquent un progrès sur leurs
prédécesseurs. Comme eux et sur leur modèle, ils s'appliquent à combiner les enseignements de Jean de Meung
et les traditions de la poésie lyrique courtoise : débats,
casuistique amoureuse, mythologie, allégorie, c'est le même
bagage poétique et ce sont les mêmes procédés. Mais ce
n'est plus la même fraîcheur : on a l'impression d'une
perpétuelle redite, et presque d'un radotage. Déjà dans sa
cour de Blois, Charles d'Orléans, l'exquis poète, nous fait
parfois l'effet de rimer ses rondeaux mélancoliques pour
une génération disparue. Comment admettre que, du temps
de Villon et de Louis XI, de pâles imitateurs puissent se
complaire encore à ces vieilleries ? Ils ont trouvé pourtant
des lecteurs, et même des lecteurs enthousiastes. L'illusion ne se dissipera que très lentement. En attendant, les
Grands Rhétoriqueurs tirent parti de la situation et leur
fécondité est merveilleuse. Elle leur coûte peu, car, de
l'héritage de leurs prédécesseurs ils retiennent surtout
une disposition à moraliser en tout sujet, et rien ne prête
au développement facile comme un thème de morale.
Le poète lyrique qui, au XIIe siècle, était avant tout le chantre

de l'amour, n'est plus guère, trois siècles après, qu'un prédicateur verbeux de lieux communs très rebattus. Cette
tendance, il est vrai, est visible dès le temps même de
Machaut, mais à la fin du XVe siècle elle est devenue irrésistible.

Il s'y mêle, en outre, un élément inquiétant de bizarrerie. Olivier de La Marche s'éprend, par une nuit de
décembre, d'une dame dont les précieuses qualités apparaissent soudain à son esprit étonné. Sur quoi il décide,
séance tenante, pour plaire à cette beauté, de lui confec-
tionner un habit qui des pieds à la tête l'enveloppera de
vertus. Il commence par les pantoufles, puis viennent les
souliers, les chausses, les jarretières et successivement
tout l'attirail du costume féminin de l'époque; mais pan-
toufle, comme chacun sait, signifie humilité, et soulier
diligence, et chausse persévérance, et ainsi de suite. Mettons donc nos pantoufles, et soyons humbles; chaussons
nos souliers et soyons diligents; et chacune de ces vertus
est dûment illustrée par une anecdote en prose empruntée
à la Bible ou à l'histoire. Est-ce un journal de modes, un
recueil d' « exemples » ou un catéchisme ? Et le *Triumphe
des Dames* (composé vers 1493) est une des meilleures
compositions d'Olivier de La Marche. Pourquoi les douze
Dames de Rhétorique : Science, Éloquence, Gravité de
Sens, Noble Nature, etc., apparaissent-elles en songe à
Antoine de Vergy, seigneur de Montferrant, pourquoi
l' « araisonnent »-elles si longuement ? C'est pour qu'il
veuille bien remontrer à Chastellain l'injustice qu'il y
aurait à ne pas répondre à la flatteuse épître que lui avait
adressée Jean Robertet, secrétaire du duc de Bourbon.
Chastellain répondit. Mais que de façons pour présenter
l'un à l'autre deux hommes de lettres !

On préférerait volontiers les pièces où les rhétoriqueurs
donnent leur avis sur les affaires du temps. Elles sont
nombreuses. Plus que leurs devanciers, en effet, ils s'intéressent à la politique, et on serait tenté de les en féliciter,
car il y avait là une matière presque intacte qui aurait pu
donner un corps à leur poésie si peu substantielle. Mais
un grand nombre de leurs pièces politiques ne sont que
des panégyriques, et les autres dégénèrent trop souvent
en une prédication banale. On a vu longtemps dans *le
Prince* de Chastellain une satire vigoureuse de la politique
de Louis XI; on sait maintenant que cette pièce, dont le
vrai titre est *les Princes*, se borne à présenter au lecteur
vingt-quatre types de mauvais princes et à nous faire prévoir pour chacun d'eux une fin misérable. Personne n'est
visé. C'est un sermon. Bizarrerie et banalité, voilà au
total — et sauf réussite exceptionnelle ici ou là — ce qui
caractérise la poésie des rhétoriqueurs.

Toutefois, chez eux la forme est plus neuve que le fond,
quoique leurs nouveautés ne soient pas toujours heureuses,
tant s'en faut. En premier lieu ils ont apporté la plus grande
attention à la facture de leurs vers et de leurs strophes, et
ils ont tenté un nombre vraiment extraordinaire de combinaisons. On en jugera par une énumération des « tailles »
qui étaient à la mode vers 1480 ou 1490 : « Lignes dou-
blettes, vers sizains, septains, witains, alexandrins et rime
batelée, rime brisée, rime enchayennée, rime a double
queue et forme de complainte amoureuse, rondeaulx
simples d'une, de deux, de trois, de quatre et de cinq
sillabes, rondeaulx jumeaux et rondeaulx doubles, simples
virelais, doubles virelais et respons, fatras simples et fatras
doubles, balade commune, balade baladant, balade fatrisie,
simple lay, lay renforchiét, chant royal, servantois rique-
raque et baguenaude. » Tel est l'inventaire orgueilleux que
dresse Jean Molinet au début de son *Art de rhétorique*.
Il dissimule mal la pauvreté réelle de ce magasin de
rythmes. Les rhétoriqueurs se sont rarement souciés dans
leurs compositions poétiques d'accommoder la forme au
fond. On sent que pour eux telle combinaison de syllabes,
de vers ou de rimes vaut par elle-même indépendamment

de la matière qu'elle mettra en œuvre. On dirait qu'il s'agit avant tout d'enfler d'une nouvelle variété le catalogue des formes poétiques. Toute cette versification est prétentieuse et factice.

On retrouve la même prétention dans leur style. Ils recherchent les périodes arrondies et les phrases grandiloquentes. En prose, cet effort n'a pas toujours échoué : nous le savons par la *Chronique* de Chastellain. En poésie, la tentative était plus risquée : il n'est pas très commode de traiter le sujet de la *Belle Dame sans merci* dans le style du *Quadrilogue invectif*. Aussi l'emphase est fréquente dans les poésies de l'école bourguignonne, et l'on voit ici le véritable secret de ce nom de « rhétoriqueurs ». Ce sont des gens qui enflent volontiers la voix. C'est qu'ils veulent qu'elle porte loin. Ils entendent s'adresser à un large public. Et là nous touchons peut-être au côté le plus original de cette école si peu attrayante pour nous.

Les rhétoriqueurs, qui ont été des artistes malhabiles, ont cru à leur art. Mieux que cela, ils ont cru à la mission du poète ; et, chose plus difficile, ils ont amené leurs contemporains à y croire. Chastellain, le grand Georges,

a dominé son époque. Alain Chartier avait eu de son temps une immense réputation, mais elle n'allait qu'au poète ingénieux, en particulier à l'auteur de la *Belle Dame sans merci*. Du fond de sa retraite de Valenciennes, Chastellain, chevalier, « indiciaire » de la maison de Bourgogne, admiré de la France entière, exerce une sorte de magistère intellectuel. Autour de lui se groupent les rhétoriqueurs, conscients de cette puissance nouvelle qui est en train de naître. Le duché de Bretagne, le royaume de France sont gagnés à leur tour, et bientôt ils auront leurs représentants dans cette phalange d'hommes de lettres, fière de sa science et de son prestige : Jean Meschinot, Octovien de Saint-Gelais, Guillaume Crétin, Jean Marot, Jean d'Auton. Il y a là, dès la fin du XVe siècle, comme une première Pléiade qui, par son souci, même puéril, de la technique et surtout par le vif sentiment qu'elle a eu de la dignité de l'art, a, dans une mesure lointaine sans doute, mais appréciable, préparé les voies à Ronsard et à son école. Le dernier des Grands Rhétoriqueurs et le plus moderne, Jean Lemaire de Belges, sera salué par les hommes de 1550 comme un précurseur.

LA FRANCE ET L'ÉTRANGER AU MOYEN AGE

La littérature française du moyen âge, telle qu'elle a été présentée dans les pages qu'on a lues, c'est-à-dire en un tableau sommaire, n'en apparaît pas moins comme extrêmement fertile et diverse. Le jaillissement puissant de ses œuvres s'est propagé en ondes lointaines, à travers tous les pays de l'Europe occidentale. Car, si elle a beaucoup reçu du dehors, elle a aussi beaucoup créé, beaucoup rendu ; et l'on peut dire que, de l'an 1100 à l'an 1500, elle a, dans l'ensemble, fourni à l'imitation infiniment plus qu'elle n'a elle-même imité.

Il est certain qu'elle a emprunté de toutes parts. Que ne doit-elle pas aux auteurs de l'antiquité latine ? Le XIIe siècle, en son originalité même, qui est si grande, est largement redevable aux théoriciens de l'ancienne Rome, qui l'ont instruit dans les principes raisonnés de l'art d'écrire ; il procède directement des modèles fournis par Horace et par Virgile, par Ovide, par Stace, par Lucain, par bien d'autres ; et il a légué aux siècles postérieurs une doctrine littéraire issue de très hautes origines. Que de notions, que de thèmes cette vieille littérature ne doit-elle pas aussi aux traditions savantes ou populaires de l'Orient ? Il n'y aurait pas eu de roman français d'Alexandre sans le pseudo-Callisthène, ni tant de Vies de saints françaises sans les récits des hagiographes grecs ; ni tant de contes édifiants ou plaisants en français sans les apports de la Disciplina clericalis, de l'Histoire des Sept Sages et de nombreuses pièces éparses, où s'expriment les tendances particulières de l'imagination orientale ; ni, sans l'afflux des idées platoniciennes et aristotéliciennes, la floraison philosophique des XIIe, XIIIe et XIVe siècles français ; ni, sans les inventions de l'époque hellénistique ou post-hellénique, ce sens de la merveille qui embellit quelques-uns de nos contes les plus attrayants. Que ne doivent pas, enfin, les écrivains français du XIIe siècle à la poésie des troubadours et peut-être à celle des chanteurs bretons ? Ceux du XIVe et du XVe, à l'influence des poètes du Trecento italien ?

Mais tout ce que les Français ont ainsi pris à autrui, ils l'ont fait proprement leur en y imprimant la marque de leur goût. Les thèmes ne sont que des éléments amorphes, d'où l'on tire ce que l'on veut : la donnée d'un conte milésien, comme celle de la Matrone d'Ephèse, est devenue un fabliau truculent, tout de même qu'elle a fourni à Chrétien de Troyes une partie de son roman courtois d'Yvain. De matières importées ou empruntées, les écrivains français du moyen âge ont tiré, en les travaillant, des œuvres françaises, qui, sous les formes qu'ils leur ont données, se sont mises à courir le monde.

Les conditions historiques ont été pour beaucoup dans ce succès. Du côté de l'Est, les noblesses de France et d'Allemagne, qui, pendant les croisades du XIIe siècle, avaient eu l'occasion de s'approcher, ont entretenu longtemps des relations étroites, marquées par des événements divers, fêtes,

LE ROLAND DE BRÊME ET LE ROLAND DE HALLE-SUR-SAALE. En maintes villes d'Allemagne, une statue de Roland, dressée sur la place du marché, symbolise la Justice. — CL. ALB. ROSENTHAL, ZEDLER UND VOGEL.

tournois, mariages, où la « courtoisie » française exerçait ses prestiges. En Espagne, les guerres saintes du XIIᵉ siècle et les pèlerinages à Saint-Jacques-de-Compostelle ont attiré de France des foules belliqueuses ou pacifiques, qui apportaient avec elles le bagage de leurs traditions nationales, en attendant qu'à partir du XIIIᵉ siècle se multiplient les relations de cour avec la Catalogne, l'Aragon, la Castille, le Portugal. En Italie, à cause des pèlerinages de Rome et de Jérusalem, les routes se couvraient de voyageurs plus nombreux encore qu'en Espagne : sans parler de l'effet des conquêtes normandes, puis des conquêtes françaises. Quant à l'Angleterre, l'expédition de Guillaume le Bâtard a inauguré d'incessants mouvements d'échange avec le continent, bien qu'y ait présidé, plutôt que l'amitié, l'âpre et tenace sentiment de la rivalité.

Pour activer cette circulation de pays à pays, il y avait aussi l'institution ecclésiastique, qui permettait le déplacement des prélats de siège à siège, sans souci des frontières nationales, et les relations entre maisons lointaines d'un même ordre religieux. Mais les courants intellectuels qui s'établissaient ainsi ne portaient pas tous dans le même sens. Si, finalement, la France a plutôt lui que relui, si elle a été un foyer de rayonnement, il a fallu une circonstance particulière, qui a été le haut degré de sa culture. On ne sait pas assez combien, à partir du XIIᵉ siècle, et malgré les difficultés de toute nature, les clercs ont voyagé pour s'instruire. Or, si l'on se rendait volontiers à Bologne pour l'étude du droit, à Salerne pour l'étude de la médecine, à Tolède pour celle de la mathématique, la France a pu de bonne heure montrer sur son territoire, à Paris, à Montpellier, à Orléans, des maîtres capables de rivaliser, dans ces mêmes matières, avec ceux de l'étranger. Surtout, elle a été, dès le XIIᵉ siècle, la patrie reconnue des études littéraires. Les écoles de Chartres, d'Angers, de Tours, de Blois, d'Orléans, de Rouen, de Reims, de Paris ont jeté alors le plus vif éclat ; et de tous les points de l'étranger l'on s'y rendait pour apprendre. Au XIIᵉ siècle, Anglais et Français se ressemblent étrangement par la manière, parce qu'ils se sont formés aux mêmes endroits ; et, s'il s'agit d'écrivains latins, rien, sinon le talent personnel, ne distingue dans les façons de procéder un Gautier Map d'un Gautier de Châtillon, un Serlon de Wilton d'un Hugues le Primat, un Geoffroy de Vinsauf d'un Alain de Lille. Les maîtres des écoles anglaises avaient tous fait leur apprentissage aux écoles françaises. Au XIIIᵉ siècle, il en est de même pour d'autres pays : un Evrard l'Allemand a enseigné à Paris avant d'enseigner à Brême ; et à la même époque, malgré l'essaimage des écoles à travers toute l'Europe, Paris devient, par la Faculté de Théologie et par la Faculté des Arts de son Université, un centre de puissante attraction. C'est de là que, par imitation, tireront leur origine, au XIVᵉ siècle, les universités, célèbres plus tard à leur tour, de l'Allemagne du Sud : celles de Heidelberg, de Prague, d'Erfurt, de Vienne.

C'est ainsi que les circonstances ont favorisé l'expansion d'une littérature qui se recommandait, d'ailleurs, par ses mérites internes : la solidité et le brillant, le sérieux et le badi-

nage, la vigueur du bon sens et les caprices du jeu, le naturel de l'inspiration et l'habileté de l'art.

Les chansons de geste ont été colportées, traduites, adaptées en tous les pays de l'Europe : de l'Angleterre à l'Italie, de l'Espagne aux pays scandinaves ; et la Chanson de Roland, par exemple, qui a été traduite, dès 1133, par le Franconien Conrad, a inspiré par la suite les fantaisies de Pulci, de Boiardo et de l'Arioste.

Les romans ont connu le même succès. Le Roman d'Eneas a été traduit, au XIIᵉ siècle, par Heinrich de Veldeke ; le Roman de Troie, au XIIIᵉ, par Herbert de Frizlar et par Conrad de Wurzbourg, puis, plusieurs fois en italien. Les romans dits « bretons » ont donné naissance aux récits de la Tavola ritonda (XIIIᵉ siècle). Si, pour les romans arthuriens, les poètes français ont originairement dû quelque chose à des traditions étrangères, ce sont pourtant les romans d'Erec, d'Yvain, de Perceval, composés par Chrétien de Troyes, qui ont servi de modèles aux mabinogion gallois de Geraint, d'Owen et de Peredur; tandis qu'Erec et Yvain étaient traduits par le Souabe Hartmann d'Aue, et que Wolfram d'Eischenbach, auteur d'une Bataille d'Aliscans, empruntait au même Chrétien de Troyes le sujet de son Parsifal. Le Roman de Tristan, traduit en italien, l'a été aussi en allemand : la version de Béroul, par Eilhard d'Oberg, au XIIᵉ siècle ; celle de Thomas, par Gottfried de Strasbourg, au XIIIᵉ. Divers romans, en grand nombre, ont été traduits en allemand et en anglais. Le fameux Chaucer, qui débuta par un arrangement du Roman de la Rose, se montre, dans le reste de son œuvre, tout plein de souvenirs de la littérature française ; et Lygdate et Bunyan ont puisé aux mêmes sources, tout comme Gower.

C'est à des contes français que se rattachent les nouvelles italiennes des plus anciens recueils, donnant un tour nouveau à un genre qui, en retour, exercera tant d'influence sur notre littérature de la Renaissance. Du Roman de Renart existent aussi de nombreuses versions en langues étrangères, comme celle de l'Alsacien Heinrich der Glichesaere ou celle du Flamand Willem.

Enfin, la poésie lyrique française a été l'école du «minnesang» allemand. Mais il faut voir aussi que l'esprit dont elle était animée, comme les formes qu'elle a créées, ont exercé leur influence en bien d'autres pays. L'austère Eudes de Nevers, qui mourut comme un saint en 1266, à Acre, avait dans ses bagages un « chansonnier » français. Si l'Italie a connu plus directement les troubadours que les trouvères du Nord, l'Angleterre a pendant longtemps goûté ces derniers en leurs œuvres originales. Et quand Froissart arrive, en 1361, à la cour d'Edouard III, apportant à la reine Philippine de Hainaut ses premiers essais d'historiographe, il ne fait que renouer la tradition des Wace et des Benoît de Sainte-Maure ; mais il plaît aussi par ses talents de poète lyrique. Car la guerre, qui dure déjà depuis quelque vingt-cinq années entre la France et l'Angleterre, n'empêche pas les lettres françaises d'exercer leur séduction, même dans un camp où ne règne pas l'amour de la France.

BRUNETTO LATINI, né à Florence vers 1220, mort en 1294, l'un des maîtres de Dante (musée des Offices, à Florence). Au chant XV de l'*Inferno*, Brunetto Latini dit à son élève : « Sieti raccomandato il mio Tesoro — Nel quale io vivo ancora : e più non chieggio. » Ce *Trésor*, il l'a écrit en langue française, parce que c'est, dit-il, « la parleüre la plus delitable et la plus commune a toute gent ». — CL. LAROUSSE.

LE XVIE SIÈCLE

La France en 1498 est inachevée. Les frontières demeurent près de Paris et de Lyon. La Bretagne n'est unie à la couronne que par un lien personnel : sa duchesse est reine de France. Les grands feudataires restent puissants : la maison de Bourbon inquiétera Louise de Savoie et François Ier ; le roi de Navarre poursuit une politique indépendante. Le roi de France pourtant, aidé par ses légistes et par l'Église, a un pouvoir étendu, appuyé sur un loyalisme que la guerre de Cent Ans a doublé d'un sentiment national profond. Il est en passe de devenir un roi absolu : les États généraux ne sont plus consultés, et le prince impose sa volonté au parlement.

L'unité du royaume est solide : une foi, une loi, un roi. La France est l'État le plus prospère de l'Europe. Le système des impôts assure au budget de larges ressources. L'armée fait preuve des plus belles qualités guerrières, et s'appuie d'une artillerie sans rivale. Dans une Europe en formation, le royaume de France constitue l'État le plus fort ; il sera pourtant plus d'une fois menacé, et un jour, lors de Pavie, près du désastre.

La politique extérieure de Louis XII et de François Ier, dominée par le désir de récupérer l'héritage italien, va, pendant cinquante ans, les opposer aux princes italiens, au pape, puis à Charles-Quint et à son allié Henry VIII d'Angleterre. De 1494 à 1547, dix guerres, que marquent d'éclatantes victoires : Fornoue, Agnadel, Ravenne, Marignan, Cérisoles, ou de terribles défaites : Pavie. Charles VIII a chevauché triomphalement jusqu'à Naples ; Louis XII, puis François Ier s'emparent du Milanais. Mais quatre fois la France est envahie ; Marseille est assiégée ; on se bat en Hainaut et en Champagne en 1544 ; Henry VIII prend Boulogne. A ces guerres, et malgré le désastreux traité de Madrid, la France, à la paix de Cambrai, gagne de voir Charles-Quint renoncer à la Bourgogne. Le roi, par la Paix perpétuelle, s'assure l'amitié des Suisses ; par le Concordat de 1516, une totale autorité sur l'Église. A la mort de François Ier, en 1547, le royaume est intact : il a résisté à l'encerclement, affirmé sa force et sa vitalité.

Cette première moitié du XVIe siècle est une période de prospérité économique. On défriche landes et forêts ; les villes voient s'ouvrir force boutiques ; les financiers venus d'Italie font de Lyon une grande place bancaire. L'afflux de l'or américain provoque un changement des conditions de vie : une hausse des prix, une diminution du pouvoir d'achat de la monnaie. François Ier lance Jacques Cartier vers le Canada, et signe avec Soliman le Magnifique des capitulations lui assurant le privilège du commerce dans l'empire ottoman.

Des trois ordres de l'État, les deux premiers sont de plus en plus sous la coupe du prince. Le roi nomme aux bénéfices ecclésiastiques, qu'il peut attribuer même à des laïques ; de là date la division du clergé en deux classes, divorce dont les conséquences seront immédiates, au temps de la Réforme, ou lointaines. La noblesse vit sur ses terres d'une vie proche de l'existence de ses vassaux, ou à la cour où l'attire le prince, et où elle compte faire fortune. La cour a pris une importance qu'elle n'avait pas encore : le brillant essor de l'architecture lui assure un cadre riant, les châteaux de la Loire : Blois, Amboise, Chenonceaux, bientôt Chambord, ou ces demeures princières : Anet ou Bonnivet. Elle séjourne au plus quelques mois au même endroit. C'est une existence errante que celle du prince, faite de longues chevauchées à travers le royaume. Les dames y jouent un grand rôle : Anne de Bretagne aime s'entourer de suivantes, et François Ier de favorites. On voit, déjà, des courtisans, et des courtisans poètes ou des poètes courtisans. Tous attendent du roi les moyens de vivre : offices ou pensions, et goûtent les plaisirs que leur valent le goût du faste de François Ier et sa générosité.

Dans le tiers état, la paysannerie reste à peu de chose près ce qu'elle était au moyen âge. La bourgeoisie urbaine s'enrichit par le commerce et les charges. Ambitieuse, elle cherche à se glisser dans les rangs de la noblesse : elle y parvient en achetant des terres nobles ou des offices dont l'exercice entraîne l'anoblissement.

Deux faits essentiels : l'un est le développement du luxe et des arts. D'Italie viennent des leçons d'élégance. Nobles et bourgeois font construire et aménager de splendides demeures. Les formules de l'art italien se marient à la tradition nationale qui reste florissante, surtout dans l'architecture religieuse. Il n'est pas rare de voir les deux styles se conjuguer en un style composite qui n'est pas sans charme. La sculpture demeure plus purement française avec l'école tourangelle de Michel Colombe ou l'école champenoise, d'inspiration gothique : c'est après 1540 que s'exercera l'influence classique et italienne. Il en est de même de la peinture, malgré la présence en France de nombreux peintres italiens, dont Léonard de Vinci, le Primatice et le Rosso : Jean Bourdichon achève, en 1508, le Livre d'Heures d'Anne de Bretagne, d'inspiration médiévale et française. Le Maître de Moulins et Jean Perréal, les Clouet échappent, eux aussi, aux influences nouvelles. Ainsi l'esprit français manifeste-t-il sa vitalité, tout en s'ouvrant largement à des modes originales : il en sera de même dans le domaine des lettres.

Le second fait capital est le développement d'un esprit de réforme dans l'Église et par l'Église, né vers la fin du XVe siècle, qui se nuance très vite à la faveur de l'humanisme, puis des influences venues d'Allemagne après la révolte de Luther. Il aboutit, en 1536, à la naissance du calvinisme. Si la monarchie, après avoir favorisé l'évangélisme, condamne l'hérésie de Calvin et sévit durement, l'heure des guerres religieuses n'a pas encore sonné.

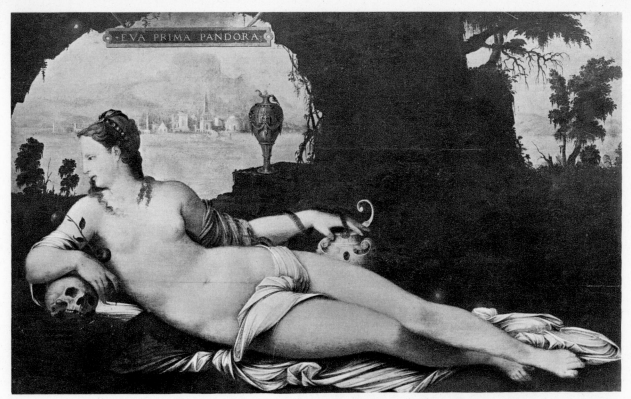

EVA PRIMA PANDORA. Tableau de Jean Cousin le père (musée du Louvre). C'est dans les mythes de l'antiquité que les artistes de l'école de Fontainebleau puisent leur inspiration, toute païenne et un peu froide. — CL. GIRAUDON.

PREMIÈRE PARTIE

DE LOUIS XII A LA MORT DE FRANÇOIS Ier (1498-1547)

I. — SURVIVANCES MÉDIÉVALES

LES DERNIERS RHÉTORIQUEURS

A consulter : Henri Guy : Histoire de la poésie française au XVIe siècle ; *tome Ier :* l'École des rhétoriqueurs *(Paris, 1910).*

La révolution que constitue la Renaissance ne s'affirma pas brusquement : elle fut le résultat d'efforts insensibles à l'origine, inégaux, et purement individuels. Elle fut fonction de la culture de chaque écrivain et des goûts du public, dont il s'agissait de conquérir la faveur et les subsides. Rien ne le prouve mieux que l'évolution de la poésie durant le premier quart du siècle ; elle offre à la fois des œuvres qui sont encore du moyen âge, et d'autres où l'on pressent déjà — mais bien timides — des tendances nouvelles.

La faveur du public allait, vers 1500, à l'école des rhétoriqueurs, née en Flandre et en Bourgogne. Elle comptait à Paris et en province, surtout en Normandie, en Poitou, en Angoumois, de nombreux fidèles, serviteurs appointés des grandes maisons seigneuriales.

Poètes abondants et confus, ils écrivent surtout des poèmes didactiques — moraux ou religieux —, des satires, des épîtres, et, plus encore, des pièces de circonstance, notamment des « complaintes » ou « déplorations » funèbres. Poésie médiocre que celle-là, insincère, faite de lieux communs banals traités à l'aide de procédés faciles, dont les plus fréquents, les plus traditionnels aussi, sont l'allégorie, l'abstraction et le songe, hérités du *Roman de la Rose*. A l'imitation du jardin illustré par Guillaume de Lorris, on décrit un *Verger d'honneur*, un *Temple d'honneur et de Vertu*, un *Temple de Mars*, où évoluent des personnages mythologiques et des abstractions personnifiées (mais Ronsard ne publiera-t-il pas, dans les *Hymnes*, un *Temple du Connestable et des Chastillons* ?). Poésie pédante aussi : les rhétoriqueurs latinisent à outrance, préférant aux vieux mots de chez nous des termes empruntés sans mesure au latin, manie contre quoi protestent Geoffroy Tory dans son *Champfleury*, et Rabelais quand il se moque des « escorcheurs » de latin. Poésie compliquée enfin, aux rythmes difficiles, ceux des poèmes à forme fixe : ballade, rondeau, chant royal — aux rimes d'une complication inextricable : léonines, fratrisées, batelées, couronnées. Il y a là, indéniablement, un certain souci de l'art, mais maladroit, inintelligent, et qui s'appliquait à des thèmes à peu près vides.

L'école des rhétoriqueurs connut, jusqu'en 1565 environ, un succès extraordinaire dont témoigne le chiffre des éditions. Mais qui se souvient de Meschinot ou du bon Crétin « au vers équivoqué », l'un des maîtres de Marot ? Il y a beau temps qu'on ne lit plus les *Lunettes des Princes* ni le *Grand et Vray Art de pleine rhétorique*, publié en 1521 par Pierre Fabry. (La gloire de Marot seule a fait survivre le nom de son père Jean.) Cette persistance prouve au

Jean Marot offrant à Anne de Bretagne sa « Relation de la Conquête de Gênes » (B. N., ms. franç. 5091). Cette miniature est attribuée à Jean Bourdichon. — Cl. Larousse.

dames (1506), mais n'a rimé sur ce thème que des lieux communs insipides. Il est allé en Italie sans que rien le frappât de la civilisation italienne; tout au plus a-t-il esquissé, avec un vague pittoresque, quelques tableaux militaires. Son œuvre? Un témoignage de la décadence du lyrisme. Rien de plus.

Il a des rivaux nombreux, techniciens adroits mais poètes insignifiants : Jean Molinet, Guillaume Crétin, Jean d'Auton (qui fut l'historiographe de Louis XII), Jean Bouchet, procureur poitevin, qui fut l'ami de Rabelais et du père de Ronsard. Tous héritiers du moyen âge, dont ils versifient les chroniques. Mais ces rimeurs étaient des érudits assez savants pour l'époque, et, par là, maladroitement, ils comptent parmi les premiers ouvriers de la Renaissance. Ainsi, Antoine du Saix, de Bourg-en-Bresse, qui, dans l'*Esperon de discipline pour inciter humains à bonnes lettres*, conseille l'étude du grec, ou Octovien de Saint-Gelais — auteur d'un *Séjour d'honneur* (1517) —, qui traduisit en vers les *Héroïdes* et l'*Énéide*. Ainsi, surtout le premier vrai poète du siècle dont on va parler : Jean Lemaire de Belges.

POÉSIE POPULAIRE

D'autres poètes restent, à la même époque, plus près de la tradition populaire, et dans la ligne des habitudes gauloises, de la verve galante, tels ce Pierre Gringore, qui doit à Hugo et à Banville de n'être pas tout à fait oublié, ou Roger de Collerye.

PIERRE GRINGORE

Membre de l'illustre confrérie des Enfants sans Souci, auteur et ordonnateur de mystères et de farces, Pierre Gringore (1475-1538) met sa plume au service de Louis XII, dont il défendit la politique étrangère (l'Entreprise de Venise, 1508, la Chasse du cerf des cerfs, 1510-1511, le Jeu du prince des Sotz, 1512).

Voir Œuvres complètes de Gringore, p. p. Charles d'Héricault et A. de Montaiglon (Bibliothèque elzévirienne, 1858-1877). A consulter : Charles Oulmont, Pierre Gringore, 1910 ; W. Dittman, Pierre Gringore als Dramatiker, Berlin, 1923.

moins combien lentement la poésie et le goût s'ouvraient aux tendances nouvelles que l'on définira plus loin, qu'il s'agisse de l'humanisme ou du pétrarquisme.

JEAN MAROT

Né à Caen, il vécut quelques années à Cahors, devint, en 1506, secrétaire d'Anne de Bretagne et accompagna Louis XII en Italie, en 1507-1508 : il rapporta de ces expéditions deux « reportages » versifiés : Voyage de Gênes, Voyage de Venise *(1507-1509). A la mort de la reine, il entra dans la maison de François d'Angoulême (le futur François Ier) et mourut dans la gêne, en 1526. — Voir Œuvres de Jean Marot (1723). A consulter : H. Guy, Jean Marot (Revue des Pyrénées, 1905).*

Brave homme s'il en fut, excellent serviteur, oui certes. Mais poète? Non. Versificateur médiocre, fécond, et sans culture, écrivain dépourvu de verve, Jean Marot rédigea sans aucune originalité des poèmes historiques et des pièces morales : il a voulu être l'avocat des femmes dans la *Vray disant Advocate des*

Titre du « Jeu du prince des Sots et Mère Sotte » (Paris, 1512). — Cl. Larousse.

On ne retient de lui qu'une image fantaisiste. Il ne fut ni le truand que l'on voit passer dans *Notre-Dame de Paris*, ni le bohème sentimental imaginé par Banville. Sans doute occupa-t-il dans la hiérarchie des Enfants sans Souci une place éminente, la seconde : celle de « Mère Sotte ». On sait ce que furent ces acteurs d'esprit si libre... Gringore n'en reste pas moins un bourgeois bourgeoisant, aux mœurs honnêtes et rangées. Nul ne fut moins tapageur que lui. N'avait-il pas choisi cette devise significative : « Raison partout; tout par Raison; partout Raison » ?

Il fut, non sans adresse, le dernier dramaturge médiéval, habile à camper un épisode, à nuancer un caractère, à noter un dialogue alerte et vivant. Son chef-d'œuvre, le *Jeu du prince des Sotz*, joué aux Halles de Paris le Mardi gras de 1511, comprend quatre parties : le *cry* ou boniment de la troupe, la *Sottie*, la *Moralité* et la *Farce*. Gringore,

DAME RHÉTORIQUE DÉCERNANT LE PRIX DU TOURNOI. Tapisserie du XVIe siècle.

Musée des Arts décoratifs.

fidèle à la tradition gallicane et royaliste, y prend à partie, dans les personnages de Mère Sotte et de l'Homme obstiné, la papauté contre laquelle Louis XII allait partir en guerre. Il apparaît ainsi comme un précurseur des journalistes officieux. On sait encore son nom, mais on a oublié celui de son confrère, Roger de Collerye.

ROGER DE COLLERYE

Né à Paris en 1470, il fit aussi partie des Enfants sans Souci, pour lesquels il écrivit des sotties et des farces. Il fut secrétaire de l'évêque d'Auxerre et mourut dans la misère, en 1538.

Voir Œuvres de R. de Collerye, p. p. Ch. d'Héricault, 1855, et Emile Picot, Recueil général des Soties, tome II (S. A. T.), 1904. A consulter : F. Lachèvre, Un disciple de Coquillart, R. de Collerye et ses poésies, 1943.

Il y a de la verve, et parfois amusante, dans ses monologues et ses dialogues. Et de la sincérité. Roger de Collerye sait parler de la misère de façon touchante. Ce qui ne lui enlève pas sa gaieté. Malade, ou poursuivi par ses créanciers, il continuait à jouer et à boire en compagnie de joyeux camarades, dont un chanoine pittoresquement surnommé Bacchus. Puis, repris par le sentiment de son malheur, il savait le pleurer en termes émus. Il fait, tout naturellement, trait d'union entre Villon et Marot. Il reste un excellent témoin de la misère des gens de lettres qui, pour être protégés par les grands, n'en étaient pas plus riches. Témoin Jean Marot, déjà nommé, favori d'une reine et d'un roi, et qui, pourtant, ne fit pas fortune. Bien au contraire...

UN ISOLÉ : JEAN LEMAIRE DE BELGES

Né en 1473, dans le Hainaut, province de Belgique ou « de Belges » (d'où son surnom), il fit partie des maisons du duc de Bourbon, du comte de Ligny, de Marguerite d'Autriche, régente des Pays-Bas, enfin, d'Anne de Bretagne. Il voyagea beaucoup, notamment en Italie où il alla trois fois, et fut l'ami d'artistes comme le peintre Jean Perréal ou le sculpteur Michel Colombe.

On trouve dans son œuvre des déplorations funèbres (le Temple d'Honneur et de Vertu, 1503, ou la Plainte du Désiré), des épîtres, et surtout une sorte de roman historique en prose et en vers : les Illustrations de Gaule et Singularitez de Troye (1509-1513). Il dut mourir avant 1525.

On lira ses Œuvres dans l'édition Stecher, 4 volumes, 1882-1891. Voir aussi : La Concorde des deux langages, p. p. J. Frappier, 1947. A consulter : P. Spaak, Jean Lemaire, sa vie et son œuvre (Revue du XVIe siècle, 1921 et 1922), et G. Doutrepont, J. Lemaire de Belges et la Renaissance, Bruxelles, 1934.

Il avait été l'élève de Molinet. Il avait reçu les leçons de Crétin et en tirait grande fierté. Aussi son œuvre est-elle, en bien des endroits, conforme aux règles de la rhétorique, aux plus vaines, aux plus absurdes. On ne trouve que trop de songes et d'allégories dans ses premiers écrits : le *Temple d'Honneur et de Vertu* ou la *Plainte du Désiré* (1503).

Mais il y avait en lui un instinct d'artiste très sûr qui, très vite, le fit renoncer aux procédés de l'école. Il aimait les arts, peinture, sculpture, musique : il utilise dans ses poèmes un vocabulaire déjà technique, ici des adjectifs de couleur, ailleurs des noms d'outils, ceux du peintre et de l'orfèvre ; il cite les artistes qu'il aimait : Fouquet, Perréal, Léonard de Vinci, le Pérugin. Il aime les visions plastiques et se risque, bien avant Gautier, à des transpo-

FONDATION DE LA VILLE DE PARIS par le Troyen Pâris. Détail d'une tapisserie de la tenture des « Anciens rois de Gaule », exécutée vers 1530 pour la cathédrale de Beauvais, et inspirée des « Illustrations de Gaule » de Lemaire de Belges (musée de Beauvais). — CL. ARCH. PHOT.

sitions d'art maladroites, mais sincères et parfois émouvantes.

Ses voyages en Italie achevèrent de le détacher de ses maîtres. Il lut, l'un des premiers, Dante et Boccace, Pétrarque et les pétrarquistes du XVe siècle, et, dans sa *Concorde des deux langages* — le toscan et le français — il est le premier à défendre l'union des civilisations chrétienne et antique. Il est le premier aussi à utiliser, sous le nom de « tercet », la *terza rima* dantesque, strophe de trois vers d'un maniement difficile dont une rime est reprise dans la strophe suivante : la leçon ne fut pas perdue.

Les poètes latins ne lui étaient pas inconnus : il lisait Ovide et Stace, et s'inspira d'eux pour écrire l'*Épître de l'Amant vert* (1510), consacrée au perroquet de Marguerite d'Autriche ; il le montre errant aux champs Élysées avec l'oie du Capitole, la louve romaine, d'autres animaux célèbres. L'œuvre est gracieuse : elle échappe au pédantisme et aux complications de la rhétorique.

La pièce maîtresse de Jean Lemaire est le *Temple de Vénus*, où se révèle une conception païenne de la vie, très neuve pour l'époque. L'archiprêtre du temple, Genius, qui vient du *Roman de la Rose*, brode, sur le thème *Ætatis breve ver*, de brillantes variations où il invite l'homme à l'amour, maître souverain de la nature. Cette tendance à la volupté, on la retrouve dans quelques tableaux sensuels des *Illustrations de Gaule*, les amours de Pâris et d'Œnone, par exemple, ou le jugement de Pâris.

Voici l'ouvrage le plus célèbre du poète : il aura seize éditions avant 1550. Lemaire a voulu y retracer l'histoire (la légende plutôt) de nos origines, esquisser pour les peintres et les tapissiers des scènes d'histoire qu'il croyait véridiques. Il rattache la suite de nos rois à la lignée des rois troyens : ne descendent-ils pas de Francus, fils d'Hector et ancêtre éponyme des Francs ? Le poète suit le roman attribué par les Grecs de la décadence à Darès et à Dictys de Crète. Il s'y révèle prosateur habile et harmonieux, maître de son rythme et de ses images. Marot croyait retrouver en lui l'âme d'Homère « le Grégeois » ; les poètes de la Pléiade le salueront comme un précurseur. N'a-t-il pas, écrit Du Bellay, « premier illustré et les Gaules et la langue françoyse, luy donnant beaucoup de mots et manières de parler poétiques qui ont bien servi mesmes aux plus excellens de nostre temps »? Par là il échappe à la Rhétorique.

Le succès de l'école se prolongea : en 1543 encore, Marot salue comme des maîtres Molinet, « le grave Chastellain » et Jean Lemaire « entre eux hault colloqué »... L'esprit nouveau qui commence à souffler n'a pas pénétré la poésie. L'œuvre de maître Clément le prouve.

II. — RENAISSANCE ET HUMANISME

Les définitions de la Renaissance sont nombreuses, variées, souvent contradictoires. M. Abel Lefranc a donné des principales un examen critique (Revue des Cours et Conférences, tome XIII). Sur l'histoire du mot, voir J. Plattard, Restitution des bonnes lettres et Renaissance (Mélanges Lanson, 1922, p. 128). Parmi les tableaux de notre Renaissance, le plus brillant, sinon le plus exact, reste celui de Michelet, au tome VII de son Histoire de France, le plus récent et le plus solide est celui de l'abbé R. Morçay, la Renaissance, 1933. Lire aussi G. Atkinson, les Nouveaux Horizons de la Renaissance française, 1935; P. Kohler, la Renaissance et les lettres françaises (Lettres de France), 1943, et J. Huizinga, le Problème de la Renaissance (Revues des Cours..., 1932).

On applaudissait encore aux tours de force des rhétoriqueurs (Marot lui-même les imitera parfois), que naissait sourdement un mouvement intellectuel qui devait renouveler — et orienter pour trois siècles — la littérature et les arts, et modifier profondément les mœurs. Transformation décisive : elle préface l'âge classique au moment même où achève de se cimenter l'unité française. Elle s'esquisse à la fin du XVᵉ siècle; on la pressent pendant le premier quart du XVIᵉ; elle éclate à tous les yeux à partir de 1530.

CE QU'ON ENTEND PAR RENAISSANCE

Cette transformation, les contemporains, s'ils en prirent conscience, ne sauront la désigner qu'à l'aide de périphrases : « retour de l'âge d'or », « lumière dissipant les ténèbres gothiques et les brumes cimmériennes », « restitution des bonnes lettres », etc. La métaphore évoquant l'idée d'une résurrection, qui nous est familière, ne se trouve employée, au XVIᵉ siècle, que dans la dédicace des *Vies* de Plutarque, où Amyot rappelle à Henri II que François Iᵉʳ avait « heureusement fondé et commencé de faire *renaistre* et florir en ce noble royaume les bonnes lettres ». L'image s'impose dans la seconde moitié du XVIIᵉ siècle seulement : « On vit renaître Hector, Andromaque, Ilion », écrira Boileau, et la seconde édition du *Dictionnaire de l'Académie* (1718) adoptera : « Renaissance » avec le sens que nous donnons à ce mot. Le terme est injuste à l'égard du moyen âge, mais il marque avec force le retour aux lettres classiques, l'idéal qui impose aux lettres françaises l'imitation de la Grèce et de Rome, plus visibles et plus généraux après qu'avant 1500.

Cet idéal ne s'affirma que lentement, par étapes. Il atteint son apogée au milieu du XVIᵉ siècle lorsque Ronsard et ses amis, méprisant la tradition médiévale, se réclamèrent d'Homère, de Pindare, d'Horace et de Pétrarque, puis lorsque Montaigne fixa, dans les *Essais*, l'objet de la littérature classique : l'étude de l'homme. Leur œuvre avait été préparée par des efforts confus. Les courants de pensée qui agissent alors viennent tous d'Italie; les principaux sont l'humanisme et le pétrarquisme, auxquels se mêlent deux courants philosophiques : le platonisme et le rationalisme padouan.

Neuf fois, en cinquante ans à peine, les armées françaises passèrent les Alpes et parcoururent, de Milan à Naples, la péninsule entière. Pendant la même période, nombre d'Italiens, soldats comme les Trivulce, banquiers comme les Gondi, prélats comme Antoine Caracciolo ou Bandello, diplomates, artistes, érudits, poètes, tels Luigi Alamanni ou Gabriel Simeoni, cherchent fortune en France. Beaucoup de jeunes Français, réciproquement, vont poursuivre ou achever leurs études à Pavie, à Ferrare, surtout à Padoue. Double mouvement dont l'effet fut immédiat. L'aristocratie française — noblesse et bourgeoisie — découvrit l'Italie, ses mœurs raffinées, sa vie mondaine, son luxe, ses arts, sa poésie, ses monuments, ses villas et ses jardins. Ces soldats — un Louis de Ronsard, un Noël Du Fail —, ces jeunes gens — Marot ou Saint-Gelais —, furent initiés à la joie de vivre, au culte de la femme, aux plaisirs de l'esprit et de la conversation, tels que les avait décrits Balthazar Castiglione dans le *Cortegiano*. Parallèlement, savants ou étudiants découvraient la valeur esthétique de la poésie gréco-latine, redécouvraient la richesse de la pensée païenne, celle surtout de Platon. Le courtisan et l'érudit italien, l' « humaniste », deviennent dès lors le modèle de nos lettrés. Ainsi, auteurs et public à la fois s'initient à de nouvelles façons de vivre, à de nouveaux modes de pensée, à d'inédites formes d'art.

La première forme de la Renaissance littéraire en France, c'est l'humanisme où l'on découvre toutes les tendances du temps. Il n'avait pas attendu, pour naître, l'expédition de Charles VIII.

L'HUMANISME ET L'UNIVERSITÉ DE PARIS

Voir l'édition des Œuvres de R. Gaguin, par L. Thuasne, 2 volumes, 1903; Aug. Renaudet, Préréforme et Humanisme (1494-1517), 1916; L. Delaruelle, l'Étude du grec à Paris de 1514 à 1530 (Revue du XVIᵉ siècle, 1922); P. Jourda, l'Humanisme français au XVIᵉ siècle (dans Quelques aspects de l'Humanisme médiéval, les Belles Lettres, 1943); L. Febvre, l'Humanisme (en préparation); J. Barnaud, Lefèvre d'Étaples, 1936; F. Robert, l'Humanisme, essai de définition, 1946; A. Renaudet, Autour d'une définition de l'Humanisme (Bibliothèque d'Humanisme et Renaissance, VI, 1945).

L'humanisme se caractérise tout de suite par un immense appétit de science, que favorise l'essor de l'imprimerie, une volonté de tout apprendre, indistinctement, et par le désir de remonter aux sources; en attendant de tendre à l'esprit critique et, enfin, à l'expression aussi parfaite que possible de la beauté.

Ce désir de savoir, de tout savoir, qu'exaltera magnifiquement Rabelais, les universités étaient-elles en mesure de le satisfaire? L'enseignement qu'elles donnaient — dont la théologie était le principe et la fin — jadis solide et vigoureux, avait dégénéré au point de n'être plus qu'une vaine sophistique. L'humanisme chrétien de saint Thomas d'Aquin n'était plus qu'un souvenir. Les élèves de la Faculté des Arts — où se donnait alors l'enseignement secondaire — parcouraient les étapes du *trivium* (grammaire, rhétorique, logique) et du *quadrivium* (arithmétique, géométrie, astronomie, musique); ils ignoraient les textes mais donnaient tous leurs soins à la logique formelle, au maniement du syllogisme, à la dispute subtile et futile (plus futile que subtile), aux argumentations les plus creuses faites dans un latin barbare sur les questions « exponibles » ou « insolubles » : autant d'exercices inutiles, également éloignés de la philosophie et de la littérature. On discutait, mais personne ne lisait, au bon sens du mot, ni les classiques grecs (oubliés depuis le moyen âge) ou latins, ni même les Pères de l'Église, héritiers de la culture antique. On se bornait à commenter des commentaires : les juristes, ceux d'Accurse et de Bartole; les théologiens, ceux de

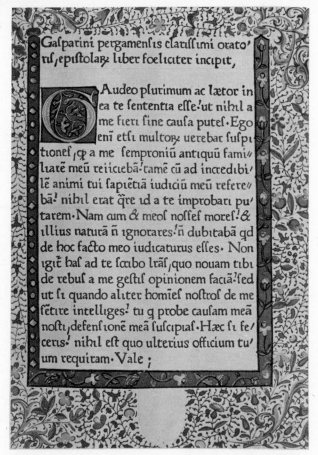

LE PREMIER LIVRE LATIN IMPRIMÉ A PARIS. Les Presses de la Sorbonne choisirent, pour débuter, en 1470, le Recueil des Lettres de Gasparino Barizzi, de Bergame. « Son élégante latinité », dit Claudin dans son *Histoire de l'Imprimerie en France*, « devait servir de modèle de style aux jeunes gens ». On salua avec enthousiasme l'apparition de ce premier ouvrage. La page une fois imprimée a été ornée à la main.— CL. LAROUSSE.

LE PREMIER LIVRE FRANÇAIS IMPRIMÉ A PARIS. Les « Grandes Chroniques de France » parurent en trois volumes in-folio; le troisième portait la date du 16 janvier 1476. L'ouvrage sortait des presses de Pasquier Bonhomme, « à l'image de saint Christophe ». Chaque acheteur le faisait enluminer à son gré. L'exemplaire ici reproduit est aux armes de Jean de Malestroit et d'Hélène de Laval (Bibl. de l'Arsenal). — CL. LAROUSSE.

Pierre Lombard. Les universités ignoraient la notion de Beauté comme elles s'étaient fermées à la véritable spéculation philosophique. Mais elles se passionnaient pour des disputes comme celles que Rabelais met en scène. L'idéal d'un bon étudiant vers 1520? Ressembler à ce clerc, Thaumaste l'Admirable, que Panurge fait si joyeusement quinaud, ou au seigneur de Baisecul. Mais celui-ci savait-il qu'il parlait pour ne rien dire?

Déjà, pourtant, quelques maîtres qui avaient voyagé mesuraient l'inanité de cet enseignement. Ils avaient pu, en Italie et en France même, s'initier à la culture antique, prendre le goût du latin, découvrir le « cicéronianisme », apprendre le grec. Et rêver de rénover les programmes, de substituer au vide de la logique formelle une culture largement humaine qui ferait place aux lettres anciennes et s'exprimerait en un latin soigné, imité de Cicéron, car on ne songeait pas encore à recourir aux langues nationales.

C'est en 1470 que le Savoyard Guillaume Fichet, nommé bibliothécaire du vieux collège de Sorbonne, installe au cœur même de l'Université la première imprimerie parisienne et le premier foyer d'humanisme. Il a pour seconds un ouvrier hollandais : Martin Krantz, et deux bacheliers : Ulrich Gering, de Constance, Michel Fribürger, de Colmar. Professeur de latin, il procura d'abord à ses élèves des manuels, une rhétorique dont il était l'auteur, des textes, Salluste, Florus, le *De officiis*, des lettres d'humanistes italiens, les *Élégances* de Laurent Valla : des modèles de style; en tout une vingtaine de

volumes auxquels son disciple, Robert Gaguin, ajouta un traité de métrique latine. A l'envi de Paris, un peu partout en France, entre 1470 et 1495, s'installent des ateliers d'imprimerie : à Lyon en 1473, à Toulouse en 1476, à Poitiers en 1479. Lyon, dès 1500, comptera déjà cent cinquante-six imprimeurs. Malgré la concurrence des ateliers italiens, des Vénitiens notamment, l'édition française s'affirme avec une jeune énergie : Jean Du Pré, Antoine Vérard à Paris, bientôt les Estienne, Josse Bade, Simon de Colines, en attendant Geoffroy Tory, publient des ouvrages de piété, des textes du moyen âge (romans de chevalerie, *Roman de la Rose, Cent Nouvelles*), des livres populaires *(Danse macabre* ou *Calendrier des Bergers)*, enfin et surtout, des ouvrages scolaires : textes classiques latins, puis grecs, traductions ou manuels. Des étrangers prêchaient d'exemple. Trois Italiens, Philippe Béroalde, Girolamo Balbi et Fausto Andrelini, commentèrent, à Paris, Virgile et Lucain. Georges Hermonyme de Sparte, qui demeura plus de trente ans en France et fut le maître de Budé, puis Jean Lascaris donnèrent les premières leçons de grec. Professeurs médiocres, mais éditeurs habiles, ils furent des éveilleurs d'esprits. Grâce à eux, et malgré leurs disputes, il y eut dès lors sur la montagne Sainte-Geneviève, à côté des purs théologiens, des maîtres curieux d'éloquence et de poésie, des étudiants et des hommes désireux d'une plus large culture : à côté de la logique et de la métaphysique, les belles lettres ont leur place désormais. On les appelle « enseignements

LES ŒUVRES DE CICÉRON imprimées par Josse Bade en 1520.
La marque de presse, au centre de l'encadrement, représente
un atelier typographique. — CL. LAROUSSE.

d'humanité », *disciplinae humaniores*, d'où les noms d' « humanisme » et d' « humanistes », employés dès la seconde moitié du siècle pour désigner le mouvement nouveau et ses partisans.

Dès 1507, l'enseignement du grec connaît à Paris le plus vif succès : François Tissard, puis Jérôme Aléandre commentent Isocrate, Plutarque, Lucien, devant plus de mille cinq cents personnes. Mais cet enseignement ne se généralise pas : il restera longtemps encore affaire individuelle, même si le libraire Gilles de Gourmont imprime une grammaire élémentaire et quelques textes d'étude, un Hésiode, un Lucien, même si Josse Bade publie avant 1515 plusieurs classiques. L'imprimerie parisienne, en effet, s'attache moins à remettre en honneur les Anciens qu'à donner à sa clientèle les ouvrages qu'elle réclamait : récits de chevalerie, ouvrages de piété, commentaires de théologiens, livres de logique chers à l'école et que Rabelais vilipendera. On ne songe pas encore, vers 1500, à rompre avec le moyen âge : la théologie reste la science des sciences ; l'étude des classiques n'apparaît pas encore comme sa rivale ou son ennemie, mais comme son auxiliaire, comme un moyen de mieux comprendre l'Écriture, d'en perfectionner la connaissance, de donner à l'exposé de la foi une élégance qu'il n'avait pas encore. Tout au plus fait-on effort pour en écrire avec plus d'éloquence. Mais l'humanisme ne tardera pas, enseignant le retour aux textes seuls, à rejeter gloses et commentaires, pour recourir à l'interprétation directe de la Bible et des Pères. Ainsi naîtra l'esprit critique, et, rapidement, le divorce entre humanistes et théologiens. Déjà pourtant, certains esprits se

détachent de la pensée médiévale, et parmi les théologiens eux-mêmes. Ainsi Jacques Lefèvre d'Étaples.

Il était né vers 1453, à Étaples, en Picardie ; il mourut en 1536. Professeur de philosophie au collège du cardinal Lemoine, et formé uniquement par la scolastique, il fut des élèves de Georges Hermonyme. En 1492, voyageant en Italie, il connut Marsile Ficin et Pic de La Mirandole, chefs du mouvement platonicien, et l'aristotélicien Ermolao Barbaro ; en 1499 il rencontra Pomponazzi. Par eux il fut initié à la fois au platonisme et à un aristotélisme direct. Revenu en France, il continua à enseigner dans le cadre traditionnel mais avec une méthode neuve : écrivain médiocre, mais philosophe averti, au lieu de recourir aux gloses, il commenta directement les textes, la *Logique*, l'*Éthique*, la *Politique* dont il donna des éditions qui témoignent d'orientations originales. Le premier, il rejette les commentateurs ; le premier, il s'attache à dégager la pensée même du philosophe, à l'expliquer par la seule connaissance de l'antiquité. Le premier, surtout, à partir de 1507, il applique cette méthode à l'Écriture : au *Psautier* d'abord (1509), puis aux *Épîtres* de saint Paul (1512) qu'il publia en se dégageant de la pensée médiévale. A la lecture du *Nouveau Testament* qu'il traduit, en 1523, il acquit ainsi la conviction que certaines pratiques, voire certaines croyances catholiques, méritaient d'être corrigées ou critiquées. Ces conclusions, fruit d'un examen très sincère, Lefèvre, protégé de Guillaume Briçonnet, évêque de Meaux, et aussi de Marguerite de Navarre, fut amené à les défendre non plus à l'Université, mais dans le monde. L'humanisme, ainsi, préparait la Réforme. Déjà aussi, il sortait de l'école. Quelques bourgeois, des parlementaires, quelques nobles, bientôt la sœur du roi lui sont acquis. Avant même 1500, à Paris et en province, quelques esprits d'élite sont gagnés à l'hellénisme (ainsi lorsque Érasme arrive à Paris, en 1495), parfois même au désir d'une réforme dans l'Église et par l'Église. Ils se heurtent aussitôt à l'hostilité de l'Université. Parmi eux, il convient de citer le nom de Symphorien Champier (1472-1537), médecin lyonnais, qui mena aux bords du Rhône le bon combat en faveur des disciplines nouvelles, et fut le champion du féminisme, et surtout une des « lumières françaises », Guillaume Budé, conquis au grec dès 1494.

L'HUMANISME DANS LA NOBLESSE DE ROBE ET LA HAUTE BOURGEOISIE : GUILLAUME BUDÉ

A consulter : Louis Delaruelle, Études sur l'humanisme français : G. Budé, les origines, les débuts, les idées maîtresses, *1907 ; Jean Plattard*, Guillaume Budé et les origines de l'humanisme français, *1923 ; Lucien Febvre*, la Première Renaissance française, (Revue des Cours et Conférences, *1924-1925*) *; J. Baillou*, Recherches sur l'humanisme provincial (Bibliothèque d'Humanisme et Renaissance, *1939*).

Budé, bourgeois parisien, né en 1468, appartenait à la noblesse de robe. A vingt-trois ans, après une jeunesse adonnée au plaisir, il refit des études juridiques, apprit le grec à peu près seul et publia, après un travail acharné, des traductions latines faites directement sur le texte grec de Plutarque et de saint Basile, des *Annotations aux Pandectes*, un ouvrage sur les monnaies anciennes, *De Asse* (1515) qui fonda sa réputation, puis des *Commentarii linguae graecae* (1529) qui révélèrent en lui un helléniste de classe. Maître des requêtes, secrétaire et bibliothécaire de François Ier, il fut en correspondance avec les meilleurs érudits du temps : Érasme, Bembo, Sadolet, Thomas Moore, Rabelais. Il était à sa mort, en 1540, l'animateur du mouvement humaniste en France. L'association Guillaume

Budé, qui groupe nos meilleurs philologues, l'a choisi, à bon droit, comme parrain.

C'est tout naturellement que la grande bourgeoisie a été gagnée à l'humanisme : légistes, magistrats, hauts fonctionnaires parlaient ou écrivaient le latin. Très vite, ils furent désireux de donner à leurs écrits ou à leurs discours cette élégance, cette pureté de style qu'enseignaient les humanistes. Plusieurs d'entre eux avaient été les élèves des universités italiennes où ils avaient constaté quelles modifications apportait dans l'étude du droit la méthode nouvelle. Comme en matière religieuse, le retour aux textes conduisait à négliger les commentateurs, ignorants de l'antiquité, et par là, incapables d'en saisir la pensée, pour aborder directement les grands recueils, le *Code* et le *Digeste*, et les éclairer par une connaissance exacte et précise de la langue, de l'archéologie et de l'histoire anciennes. Budé fut le premier à appliquer cette méthode : qu'il étudiât les *Pandectes* ou les monnaies anciennes, qu'il écrivît son *De transitu hellenismi ad christianismum*, comme Lefèvre pour l'Écriture, il s'occupa d'abord à donner un texte exact, authentique, puis à en définir le sens réel. Comme Lefèvre, il a, l'un des premiers en France, pratiqué la méthode critique. Tous deux sont ainsi à l'origine même de la Renaissance.

Ses ouvrages, touffus et mal composés, témoignent d'une curiosité toujours en éveil et d'un sens peu commun du réel. Budé s'y révèle historien ; il sait chercher, douter, discuter, rectifier, vérifier. Il explique le droit par les mœurs, établit par d'ingénieuses comparaisons le rapport entre les monnaies anciennes et modernes, dégage habilement les traits caractéristiques de la vie des Anciens. Mais la philologie est pour lui autre chose que l'érudition en soi, ou qu'une méthode : un moyen de culture générale. Il suffit, pour s'en convaincre, de feuilleter ses livres informes et sans art. Érudit, il reste homme de son temps, magistrat, et Français, et ne cache pas ses réactions devant le fait du jour ; il le juge d'après la sagesse antique, cette sagesse qui doit, à son jugement d'humaniste, polir nos mœurs, les rendre plus humaines et plus nobles. Car c'est là, croit-il, le but que doit se proposer la philologie. Il rejoignait ainsi le maître européen de l'humanisme, Érasme, dont les *Adages* présentaient sous forme de dictons et de proverbes la fleur de la sagesse antique. Avec Érasme, Budé croyait qu'à étudier les belles lettres — *humaniores litterae* — l'homme gagnait en noblesse. Il contribuait, ce fai-

GUILLAUME BUDÉ. École française du XVIe siècle (musée de Versailles). — CL. GIRAUDON.

VOLUPTATI ET GRATIIS. Devise inscrite au fronton de la porte sud du château de la Possonnière. — CL. ARCH. PHOT.

sant, à fonder l'éducation classique, celle qui devait former l'honnête homme. Rabelais s'en souviendra.

Toute l'œuvre de Budé reste ainsi comme un plaidoyer pour l'humanisme. Dans le *De Asse* une curieuse digression peut passer pour une préface de la *Deffence et Illustration de la langue françoise*. N'y voit-on pas Budé regretter que la France n'ait ni poètes ni orateurs, déplorer l'ignorance des nobles et des prêtres ? Ces arguments, que l'on retrouverait dans le *De Philologia*, où Budé se met en scène dans un dialogue avec le roi, l'humaniste les a repris sans cesse dans ses livres et ses lettres. Car cet érudit fut un homme d'action : il s'est attaché à éveiller, entretenir, enflammer chez ses amis et ses correspondants le goût de l'antiquité. En grec, en latin, s'adressant à des juristes, à des magistrats, à Rabelais qu'il pousse à apprendre le grec, Budé a été le bon défenseur de la philologie et de l'humanisme. Il leur a assuré la faveur du roi.

L'HUMANISME A LA COUR

A consulter : R. de Maulde, Louise de Savoie et François Ier, *1875, et Charles Terrasse*, François Ier *(Grasset, 1943). Sur le contact de l'esprit italien avec l'esprit français, voir Hubert Gillot*, la Querelle des anciens et des modernes en France, *1914.*

Sur le goût pour la poésie latine : D. Murarasu, la Poésie néo-latine et la renaissance des lettres antiques en France, 1500-1549 *(1928).*

A l'humanisme érudit se juxtapose très vite l'enthousiasme de nos gentilshommes pour l'Italie, pour les restes de l'antiquité que l'on y découvre, pour ses arts, sa poésie, plus encore pour sa conception sensuelle de la vie. Louis de Ronsard gravera au fronton d'une cheminée, en son manoir de La Possonnière qu'il reconstruit à la mode nouvelle, ce mot qui en dit long : *Voluptati et Gratiis*. Marot célèbre dans ses vers une Vénus de marbre offerte à François Ier. Le cardinal Jean Du Bellay, ambassadeur du roi auprès du saint père, avait mission d'acheter à Rome des « antiquailles » pour le connétable de Montmorency qui, gouverneur du Languedoc, interdisait de piller les restes des monuments romains de sa province. L'évêque Guillaume Pellicier, ambassadeur à Venise, recherche pour la bibliothèque du roi des manuscrits anciens. C'est d'abord par goût pour les œuvres d'art, antiques ou modernes,

François Ier. Camée sur agate onyx, attribué à Matteo dal Vassaro (B. N., Cabinet des Médailles). — CL. GIRAUDON.

pour les livres et les manuscrits que la noblesse s'associe au mouvement humaniste. Le jeune roi François Ier devait aller plus loin. Avide de gloire pour lui et pour son royaume, il fut le premier à désirer pour la France la même gloire intellectuelle dont rayonnait déjà l'Italie. A peine vainqueur à Marignan, il s'était vu décerner le titre de *Père des lettres*. Ce titre, il voulut le mériter.

On voit trop uniquement en lui le roi chevalier, ou le protecteur des arts, l'ami de Benvenuto Cellini ou du Rosso. On l'imagine chargeant les carrés des Suisses à Marignan ou courtisant Mme d'Étampes. Bel homme, grand et fort, adroit à tous les exercices de corps, aimable, spirituel, brillant causeur, il aimait la vie de cour, les fêtes, la société des femmes et des artistes qu'il attirait près de lui.

Or, ce beau cavalier, curieux d'amour, d'art et de courtoisie, aima tout naturellement les romans et la poésie. Il rimait des vers faciles, abondants, un peu mous : rondeaux, épigrammes, chansons d'amour ou longues et diffuses épîtres qu'il adressait à sa mère, à sa sœur, à ses amies. Il fut le protecteur fidèle des écrivains de son temps : Marot, Saint-Gelais, Brodeau, Chappuys, Rabelais, qui lui durent beaucoup. La sévérité de l'humanisme ne le rebuta pas. Moins cultivé que ne le fut sa sœur, la Marguerite des Princesses, il avait reçu quelques notions de latin, grâce à son précepteur, Christophe de Longueil, un des partisans du cicéronianisme. A vrai dire, il en retint peu de chose. Mais ce roi-soldat était intelligent, curieux des choses de l'esprit; il aimait la conversation des gens cultivés; il les écoutait volontiers parler des sujets les plus hauts : Brantôme en est témoin, qui rapporte que sa table « estoit une vraye escolle car il s'y traictait de toutes matières, autant de la guerre que des sciences hautes et basses ». A fréquenter lettrés, poètes ou érudits — Budé, Jacques Colin, Marot, l' « élu » Macault — il acquit une certaine culture. Surtout il comprit de quel éclat l'essor des lettres pouvait orner son règne. Aussi fut-il facilement gagné à leur cause par Budé, qui se fit auprès de lui l'avocat zélé de l'humanisme. Il prit à cœur, sur ses conseils, de tout faire pour donner à la France cette supériorité intellectuelle dont se vantaient les Italiens.

Aussi favorisa-t-il puissamment l'œuvre des humanistes. Grâce à lui on imprima à l'intention de la noblesse,

encore peu cultivée, les traductions de Thucydide, de Xénophon, de Diodore de Sicile, d'Eusèbe et d'Appien que Claude de Seyssel avait laissées manuscrites. Il choisit pour secrétaires et pour valets de chambre des poètes, des érudits dont il encourageait les travaux par des pensions. C'est sur son ordre que Hugues Salel entreprit la première traduction de *l'Iliade*, Amyot celle de Plutarque. Son nom figure à bon droit en tête des traductions qui lui étaient offertes en de splendides exemplaires, richement enluminés, tel le *Diodore de Sicile* de Macault, conservé au Cabinet des livres de Chantilly. Grâce donc au roi François « premier de ce nom et de toutes vertus, philosophes, historiens, poètes, orateurs grecs et latins ont appris à parler françoys ». Joachim Du Bellay, qui lui rend cet hommage mérité, reconnaissait ainsi qu'il avait avant tout travaillé à l' « illustration » de notre langue. N'avait-il pas prescrit par l'édit de Villers-Cotterets (1539) que les actes officiels fussent désormais rédigés non en latin mais en français ?

Il s'occupa aussi de rendre le travail des savants plus facile en groupant à leur intention livres et manuscrits. Il leur ouvrit sa bibliothèque, qu'il fit transporter de Blois à Fontainebleau et qu'il enrichit de toutes les manières, notamment en instituant le dépôt légal et en faisant acheter un peu partout livres et manuscrits précieux : elle est l'origine de la Bibliothèque nationale. Mieux encore, il favorisa l'humanisme en fondant un collège où des professeurs, nourris de l'esprit nouveau, enseigneraient, sans autre but que la science pure et hors de la surveillance jalouse des théologiens, les langues anciennes — hébreu, grec, latin — et les sciences désintéressées.

INSTITUTION DU COLLÈGE DE FRANCE

Voir Abel Lefranc : Histoire du Collège de France *(1894) et* Collège de France, 1530-1930, Livre jubilaire *(1932).*

C'était le grand rêve de Budé : voir créer, à l'imitation de certaines institutions espagnoles ou italiennes, un établissement où l'étude eût sa fin en soi au lieu de n'être qu'un moyen d'accéder à la théologie. Dès 1517, il en avait été question autour du roi, et l'on voulut appeler Érasme à l'établir. Ce dernier, plusieurs fois pressenti, hésita à se fixer en France. On pensa à Jean Lascaris, mais les guerres incessantes, puis la captivité du roi empêchèrent la réalisation de ce projet. Budé, l'évêque de Paris Étienne Poncher, le confesseur du roi Guillaume Petit, son médecin Cop, ne cessaient de le rappeler au prince. Ils obtinrent gain de cause en 1530 : François Ier instituait cinq, puis six lecteurs royaux, professeurs libres, directement payés par lui, et donc indépendants de l'Université.

Deux professeurs de grec, Pierre Danès et Jacques Toussaint, deux hébraïsants, François Vatable et Agathias Guidacerius, un mathématicien, Oronce Finé, puis, en 1534, un latiniste, Barthélemy Le Maçon (Latomus) commencèrent un enseignement qui, tout de suite, connut le plus vif succès. Postel inaugure, en 1538, une chaire de langues orientales, Vicomercato, en 1542, une chaire de philosophie. Groupés sous la direction de l'aumônier du roi, gardien de leurs droits et de leurs privilèges, ils constituaient le Collège des Lecteurs royaux, qui devint le Collège royal de France, puis, à la Révolution, le Collège de France. Humbles débuts que ceux-là ! Pauvre collège, chichement doté, et dont les maîtres ne furent parfois payés qu'avec de longs retards. Collège bâti non pas en pierres, mais en hommes, disait le roi, et dont l'enseignement, faute de local attitré, se donnait aux collèges de Tréguier ou de Cambrai, et parfois se voyait suspendu lorsqu'un professeur ne touchait pas ses appointements. Ce fut le cas de Danès. Mais collège riche d'espoirs et d'enthou-

FRANÇOIS Ier, entouré de ses fils et de hauts dignitaires de la Cour, écoute la lecture que lui fait
Antoine Macault de sa traduction de Diodore de Sicile.

Musée Condé, à Chantilly.

siasme, et dont la naissance fut accueillie avec une joie profonde par les lettrés, la « trilingue et noble Académie », ainsi le nomme Marot, compta parmi ses premiers auditeurs Ignace de Loyola, François Xavier, Calvin, parmi ses admirateurs Rabelais et Ronsard, qui fit partie d'un jury chargé d'examiner les titres d'un candidat à une chaire de grec. Les poètes célébrèrent à l'envi sa fondation, et l'auditoire, tout de suite nombreux, se pressa auprès des premiers lecteurs. La nouvelle institution marquait le triomphe de l'humanisme. L'étude de la théologie pouvait n'être plus le but final, ou exclusif, de l'étudiant : les belles lettres obtenaient d'être enseignées en elles-mêmes, pour elles-mêmes, et, pour la première fois, échappaient à la tutelle et au contrôle de l'Université. C'est de 1530 que date l'essor de l'humanisme, jusque-là resté l'apanage d'une élite.

Ce qui n'alla pas sans heurts : la Faculté de théologie, ou, comme on la nommait, la Sorbonne, du nom du collège où elle s'assemblait, s'éleva contre la maison rivale. Elle voyait dans l'humanisme un ennemi.

L'HUMANISME ET LA RÉFORME

A consulter : Henri Hauser, De l'Humanisme et de la Réforme en France (Revue historique, 1897); Lucien Febvre, le Problème de l'incrédulité au XVIe siècle (1943). A. Renaudet, Autour d'une définition de l'humanisme (Bibliothèque d'Humanisme et Renaissance, tome V, 1945).

Il y eut très vite conflit. L'antique Université de Paris, créée par les papes au début du XIIIe siècle, se sentit menacée dans ses privilèges, dans son autorité comme dans sa mission. Sa faculté de théologie, la plus importante du monde chrétien, restait le centre des études religieuses, le foyer de la vérité. La gloire, la science de ses théologiens faisaient sa force. Or, l'humanisme rejetait l'enseignement, les méthodes traditionnelles, étalait au jour l'ignorance ou l'inculture des théologiens, ruinait l'autorité de l'école. Non qu'il s'en prît à la religion : les premiers humanistes sont des chrétiens sincères, et beaucoup d'entre eux resteront dans l'orthodoxie. Ils ne sont ni païens ni protestants : Érasme, leur chef, rompra avec Luther, non avec Rome. Mais l'humanisme faisait fi de la théologie, surtout de la scolastique. Il prônait le culte des belles lettres, la sagesse antique — aux dépens, peut-être, de la pensée chrétienne. Surtout, en enseignant à revenir au texte, il exaltait l'esprit critique. L'esprit de libre examen : porte ouverte à l'hérésie. Discuter l'interprétation traditionnelle des textes sacrés, n'était-ce pas discuter le dogme, partant s'en prendre à l'enseignement de l'Église ?

De fait, à l'origine, la plupart des humanistes adoptent les thèses de Lefèvre d'Étaples lorsque celui-ci entreprend de critiquer les docteurs de Sorbonne. Il voyait dans l'Écriture la seule source de la doctrine; il prétendait que les dogmes sont d'origine humaine, que la foi seule nous sauve, et non les œuvres, et que la vie chrétienne se résume en une loi : la pratique du seul évangile. On définit d'un mot cette doctrine : l'évangélisme.

Antérieur à la Réforme française, et assez différent de ce qu'elle fut, il eut son centre à Meaux, dont le protecteur de Lefèvre, Briçonnet, fut nommé évêque en 1516. La plupart des humanistes adhérèrent, de près ou de loin, à l'évangélisme. Il fut ouvertement et efficacement protégé jusqu'en 1534 par la sœur du roi, Marguerite d'Angoulême qui, déçue par la vie et très cultivée, se tourna, dès 1524, vers un mysticisme très personnel : la princesse favorisera de son mieux l'essor de l'humanisme et de la Renaissance. Or, les théories de Lefèvre n'étaient pas sans rapport avec les thèses que Luther avait affichées en 1517 à la porte de l'église de Wittenberg. La Sorbonne

TRADUCTION FRANÇAISE DE LA BIBLE par Lefèvre d'Étaples (édition publiée en 1530 à Anvers). — CL. LAROUSSE.

engagea le combat. Sur sa prière, le parlement avait condamné la traduction française de la Bible par Lefèvre. Pendant que le roi était captif à Madrid, elle manqua de faire envoyer au bûcher Louis de Berquin, ami et disciple de Lefèvre. Ce dernier, inquiet, dut se réfugier à Strasbourg. L'animosité de la Sorbonne se fit, d'année en année, plus violente : Berquin, sauvé en 1525, est exécuté en 1528. Le syndic de Sorbonne, Noël Béda, esprit étroit et violent — le « démoniacle » Béda, écrit J. Du Bellay — osa s'en prendre à la sœur même du roi et la taxa d'hérésie : il tenta, en 1533, de faire condamner, en même temps que le *Pantagruel*, un de ses poèmes : le *Miroir de l'âme pécheresse*. Le roi intervint : les choses n'allèrent pas plus loin.

Mais la lutte était engagée. La Faculté s'en prit aux lecteurs royaux. Elle prétendit obliger Vatable et Guidacerius à expliquer la Bible non sur le texte hébreu, mais d'après le seul texte officiellement approuvé, la Vulgate. Le parlement ne la suivit pas. Elle prit sa revanche lors de l'affaire des placards. Dans la nuit du 17 au 18 octobre 1534, des inconnus affichèrent à Paris, et jusque sur la porte de la chambre du roi, à Amboise, un violent pamphlet contre la messe, le pape, les cardinaux, les évêques et les prêtres. François Ier vit dans ce geste un attentat contre son autorité. Il prescrivit une procession de réparation et la suivit, tête nue, un cierge à la main. Le parlement, sur son ordre, dut poursuivre tous les suspects. Il en vint même à interdire d'« imprimer aucune chose ». L'ordre resta sans effet, car l'édit ne fut pas enregistré. On brûla plusieurs luthériens ; puis vint une amnistie.

Mais cette affaire marqua une rupture entre l'Église et la Réforme. Jusqu'alors le mouvement intellectuel et le mouvement religieux avaient pu confondre ou paraître combiner leur effort. Il n'en fut plus de même. Désormais, ils vont suivre des routes différentes. De l'évangélisme naîtra le calvinisme, qui définira son propre dogme en 1536. Le catholicisme orthodoxe, de son côté, va se raidir dans une attitude de défense aussi résolument hostile à l'esprit de liberté. Double divorce : quelle allait être l'attitude des humanistes ? Les uns — Des Périers, Dolet — iront jusqu'au rationalisme extrême, et jusqu'à l'athéisme. D'autres suivront Calvin qui, en 1536, définit un protestantisme français. Un grand nombre resta fidèle à la religion traditionnelle, nuancée peut-être de quelques tendances érasmiennes. Ainsi Rabelais (qui, en 1532 et en 1534, caricature la Sorbonne et semble donner des gages à l'évangélisme : on vit, à Thélème, d'une religion fondée à peu près sur la seule Écriture) rompt avec les « imposteurs » de Genève, sectateurs d'Antiphysis, et avec le « démoniacle » Calvin : s'il daube sur les Papimanes, il n'en reste pas moins fidèle, semble-t-il, à l'Église gallicane.

ROBERT ESTIENNE (1503-1559), fils de Henri Ier Estienne, chef de cette dynastie d'imprimeurs et d'érudits, et père de Henri II Estienne. — CL. LAROUSSE.

ÉRUDITS ET POÈTES NÉO-LATINS

A consulter : P. Van Tieghem, la Littérature latine de la Renaissance *(Bibliothèque d'Humanisme et Renaissance, tome IV, 1944).*

Cependant, quelques savants, amateurs ou professionnels, s'efforçaient de garder à l'humanisme son caractère de culture littéraire ou d'érudition (au risque, pour quelques-uns, d'y perdre leur foi) : ils écrivent de doctes ouvrages consacrés à l'étude des langues ou des civilisations antiques, tel Lazare de Baïf (1496-1547), traducteur d'*Électre* et auteur d'un *De re vestiaria*, tels Charles et Robert Estienne, fondateurs d'une longue lignée d'érudits (Robert publie, en 1536, son *Thesaurus linguae latinae*), tel enfin et surtout, Étienne Dolet (1509-1546), auteur de *Commentarii linguae latinae* (1536-1538) et d'un traité, *De la manière de bien traduire*).

A beaucoup lire les Anciens, et à les mieux connaître, l'idée vint naturellement aux Français, comme elle était venue aux Italiens, de rivaliser avec eux dans leur propre langue, en prose et en vers. Il est, entre 1520 et 1549 (voire bien au-delà), des auteurs qui n'ont écrit qu'en latin : des prosateurs, Muret, des dramaturges qui préparent la naissance de la tragédie française : Buchanan ; des poètes surtout, les poètes néo-latins : Jean Voulté ou Visagier, Dolet, Hubert Sussanneau, Nicolas Bourbon, précepteur de Jeanne d'Albret, Gilbert Ducher, chevaliers du pentamètre ou de l'hendécasyllabe, infatigables auteurs d'épigrammes, d'élégies ou d'odes horatiennes, et le plus illustre de tous : Salmon Macrin, rival de Properce et de Marulle, que la Pléiade honorera à l'égal des plus illustres Anciens. Tous poètes sans valeur, on l'a récemment prouvé, mais témoins significatifs d'un enthousiasme sincère qui

se prolongera, malgré la rénovation de la poésie française, jusqu'au XVIIe siècle. On les compte par dizaines. Il y eut là plus qu'une mode. La querelle que provoqua le *Ciceronianus* d'Érasme (1528) parut mettre en péril la langue nationale et souleva, de 1528 à 1538, d'âpres et longues disputes. Du Bellay y mettra le point final en condamnant avec verve l'emploi du latin par les Français. Il avait été devancé par Geoffroy Tory dans son *Champfleury* (1529) qui avait raillé les écumeurs de latin, par Rabelais, par le roi lui-même : l'ordonnance de Villers-Cotterets prescrivait l'emploi du français dans les actes officiels (1539).

Désormais, le français sera donc reconnu digne des grands genres : il les abordera peu à peu. L'ère des conquêtes, pour la langue nationale, commence exactement avec François Ier. Poètes, médecins, savants, en attendant, bien plus tard, les philosophes, les historiens et les juristes, oseront écrire en français. Calvin compose en latin son *Institution chrétienne*. Mais il se hâte, au bout de peu d'années, de la traduire.

Cette évolution, dont on ne résume ici que les grandes lignes, ne se manifeste que lentement. La tradition littéraire nationale persiste durant tout le règne de François Ier : la poésie comme la nouvelle restent fortement marquées par de vieilles habitudes. Certains mouvements s'y font sentir, sans doute, mais bien timides, hésitants, difficiles à saisir. Dans l'ensemble, poètes et conteurs demeurent dans la ligne du moyen âge finissant : il s'agit pour eux d'amuser un public encore ignorant de la culture antique, de rimer des vers faciles sur les menus événements de la vie quotidienne, de narrer des histoires pour rire, d'imiter Molinet, le « grave Chastellain » ou Jean Lemaire. L'esprit nouveau n'a pas encore pénétré la poésie, indifférente à la notion de beauté (qu'elle ignore, à vrai dire, ou définit mal). Une preuve : l'œuvre de Maître Clément.

III. — TRADITIONS FRANÇAISES

LA POÉSIE DE COUR. CLÉMENT MAROT

Il est né en 1496, à Cahors « en Quercy », d'une mère méridionale (jusqu'à dix ans, il ne parla que la langue d'oc) et d'un père normand. Evoquant ses premières années dans son Églogue au Roy sous les noms de Pan et de Robin (1539), il les imagine joliment tout occupées à des plaisirs rustiques : la cueillette du houx, la chasse aux pies ou aux geais, l'école buissonnière.

Il vient « en France » en 1506 avec son père, inscrit, grâce à Michelle de Saubonne, comme secrétaire d'Anne de Bretagne. Marot fut élevé, dans le voisinage de la cour, par de « grands bestes » qui lui gâtèrent sa jeunesse. Il fut clerc de procureur et, comme tel, appartint à la basoche et aux Enfants sans Souci pour lesquels il composa une Ballade joyeuse et son Dialogue de deux amoureux. Peut-être étudia-t-il le droit à Orléans ? Ses études semblent avoir été superficielles : sa culture est loin de valoir celle des humanistes. Son père lui enseigna l'art des vers selon les principes des rhétoriqueurs. Ses premiers *essais sont de simples traductions de Virgile (Ire Églogue,* *1513 ?) et de Lucien (Jugement de Minos, 1514). Il composa et publia, en 1514, ses premières œuvres personnelles : le Temple de Cupido, l'Épître de Maguelonne.*

Page de Nicolas de Neufville, de 1515 à 1518, puis valet de chambre de Marguerite d'Alençon (aux gages de quatre-vingt-quinze livres par an), il accompagne le duc d'Alençon au camp du Drap d'or, puis dans sa campagne du Hainaut (1520), au camp d'Attigny où il joue le rôle qu'avait joué son père lors des campagnes de Louis XII en Italie. Sa capture à Pavie n'est qu'une légende : il ne fut jamais soldat, même si deux fois il suivit les armées.

Il avait, avant 1525, goûté à l'évangélisme. Emprisonné en février 1526, sur la dénonciation de sa maîtresse, Isabeau, pour avoir mangé du lard en carême, il fut, dès lors, suspecté d'hérésie. L'intervention de son ami Lyon Jamet, qu'il avait appelé à l'aide par une amusante épître — la Fable du Lion et du Rat — le fit libérer. Il raconta son incarcération dans l'Enfer, et chanta sa libération dans un rondeau parfait qui est une de ses meilleures réussites. En 1527, après force sollicitations au chancelier Duprat, au grand maître Montmorency, il succède à son père comme valet de chambre du roi, aux gages de deux cents livres. Poète courtisan, il sut garder son indépendance : il défend la mémoire de Semblançay, condamné à mort, arrache au guet un prisonnier, ce qui lui vaut une seconde incarcération : sur sa prière, formulée dans une amusante épître, le roi le fit une seconde fois délivrer.

En 1532, il groupe sous le titre Adolescence Clémentine l'essentiel de ses écrits à ce jour, puis commence, sans doute pour plaire à sa protectrice, Marguerite de Navarre, à traduire les Psaumes. Le VIe Psaume, dans la version qu'il en a donnée, sera publié en 1533 avec le Miroir de l'âme pécheresse. C'était, aux yeux des théologiens, acte d'hérétique. Aussi Marot, lors de l'affaire des placards (1534) fut-il compris parmi les suspects : il s'enfuit à Nérac, chez Marguerite, puis à Ferrare, chez Renée de France, acquise aux idées évangéliques. Là, il se compromit de nouveau et dut se réfugier à Venise. Il put, au prix d'une abjuration, rentrer en France en 1536. Il rapportait d'Italie le sonnet et une connaissance approfondie de certains satiriques latins.

Revenu à Paris, il a une violente querelle avec un rimeur médiocre, Sagon, puis donne, en 1538, une importante édition de ses œuvres, chez Sébastien Gryphe, et continue sa traduction des Psaumes qu'il offre, manuscrite, à François Ier, en 1539 ; il publie, en 1541, sa version des trente premiers. Elle est aussitôt adoptée par les Calvinistes, et condamnée par la Sorbonne et le Parlement. Marot s'enfuit à Genève où il poursuit son entreprise : il donne, en 1543, la traduction des Cinquante Premiers Psaumes. Sa légèreté ne put s'accommoder de la rigueur calviniste. Il se réfugia à Turin où il mourut en 1544.

On lira ses œuvres dans l'édition Pierre Jannet (4 vol., 1868-1872) ou Guiffrey-Yves Plessis-Plattard (5 vol., 1876-1931). [Cette dernière contient les Poésies inédites, p. p. Gustave Mâcon, Bulletin du Bibliophile, 1898.] Consulter les travaux de Pierre Villey,

notamment son Marot et Rabelais (1923) [il préparait une édition de Marot qui n'a pas été publiée], de Becker, Cl. Marot, sein Leben und seine Dichtung (1926) ; J. Vianey, les Épîtres de Marot (1935) ; J. Plattard, Marot, sa carrière poétique, son œuvre (1938) ; H. Guy, Histoire de la poésie française au XVIe siècle, tome II : Clément Marot et son école (1926); Kinch, la Poésie satirique de Cl. Marot (1941); J. Pannier, les Portraits de Cl. Marot (Bibliothèque d'Humanisme et Renaissance, tome IV, 1944).

> Sur le printemps de ma jeunesse folle
> Je ressemblois l'arondelle qui vole
> Puis çà, puis là ; l'âge me conduisoit
> Sans peur ne soing où le cœur me disoit...

La jeunesse du poète, toute de liberté, le marqua pour la vie. Méridional et Normand, il doit son esprit à sa double origine. Sa vivacité trouva matière à s'exercer lorsque, page à la cour ou basochien, il fréquenta le quartier latin : il y a du Panurge en Marot. Hormis le roi et sa sœur, il ne respecta jamais aucune autorité : les maîtres de Sorbonne, les moines paillards, les gens de justice, suppôts de l'enfer, furent les victimes de sa verve narquoise et crue. Valet de chambre de Marguerite ou du roi, il gardera le goût du tapage nocturne et des farces d'étudiant : il rosse le guet, raille l'Église et la Justice. Ni l'âge ni les épreuves n'atténuèrent cette humeur indépendante : il éprouvait à Genève un désir irrésistible de narguer le pouvoir — fût-il celui de Calvin ! — et dut s'exiler, une fois de plus, à la veille de sa mort, pour avoir, contre les ordres, joué au trictrac un dimanche.

Thélémite avant l'heure, il rêva toujours d'une oisiveté consacrée aux plaisirs délicats de l'esprit et du monde. Idéal qu'il a défini dans une épigramme traduite de Martial et dédiée précisément à Rabelais :

> S'on nous laissoit nos jours en paix user,
> Du temps présent à plaisir disposer,
> Et librement vivre comme il faut vivre,
> Palais et cours ne nous faudroit plus suivre,
> Plaidz ne procez, ne les riches maisons
> Avec leur gloire et enfumez blasons,
> Mais sous tel ombre, en chambre et galleries
> Nous pourmenans, livres et railleries,
> Dames et bains seroient les passetemps,
> Lieux et labeurs de nos espris contens.

N'y a-t-il pas là un écho du « Fay ce que vouldras » cher à l'auteur de *Gargantua* ?

Il a compté parmi les évangéliques, peut-être par haine de la discipline monacale et du pédantisme des sorbonagres, mais plus encore par esprit religieux, encouragé qu'il était à cette attitude par Marguerite de Navarre, par les humanistes qu'il fréquentait, plus tard par Calvin. Définir avec précision sa croyance serait difficile (le cas est fréquent à l'aube de la Réforme) : il adopta à l'égard du catholicisme une attitude d'indiscipline railleuse ; il poursuivit dix ans, contre les principes orthodoxes, la traduction des *Psaumes* ; il s'occupa avec grand soin de la faire éditer. Il cite souvent, et très naturellement, la Bible : preuve d'un commerce assidu avec l'Écriture. Cette attitude religieuse révèle une foi profonde, corrige ce que ses épigrammes ont d'un peu cru et donne quelque gravité à la physionomie de ce petit-fils de Villon.

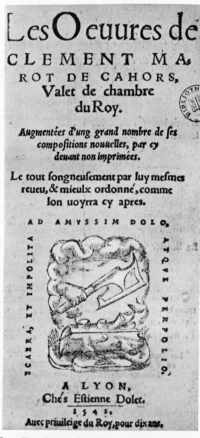

LES ŒUVRES DE CLÉMENT MAROT. Page de titre de l'édition parue en 1542, à Lyon, chez Étienne Dolet. — CL. LAROUSSE.

MAROT, DISCIPLE DES RHÉTORIQUEURS

Son œuvre n'a ni l'abandon ni la variété de celle de Ronsard. On ne saurait cependant, depuis les recherches de Pierre Villey, y voir l'unité qu'y découvrait Boileau. Marot, élève des rhétoriqueurs, s'est lentement dégagé de leurs leçons. La cour, l'humanisme, l'évangélisme lui ont appris à voler de ses propres ailes. Son séjour en Italie et, peut-être, l'influence de Marguerite de Navarre achèvent de faire de lui un poète personnel. S'il n'est pas humaniste au sens strict du mot, il n'en a pas moins subi le contrecoup de la Renaissance, à ce point que Ronsard, sans l'avouer, a pu voir en lui un modèle, et lui demander des leçons.

Il est, à certains égards, le dernier poète du moyen âge. Élève de Jean Marot, de Lemaire de Belges, il restera fidèle à ses maîtres : dans une *Complainte* écrite en 1543, il montre son père aux champs Élysées en compagnie de ses amis défunts : Chastellain, Molinet, Crétin, Lemaire ; à chacun il adresse des éloges sincères. Jusqu'à sa mort il gardera le goût des prouesses difficiles qu'ils aimaient, des genres qu'ils pratiquaient, des thèmes et des procédés qu'ils enseignaient. De là, bien des puérilités. On néglige aujourd'hui tout ce qui subsiste, dans ses vers, de l'école précédente : ses traductions incertaines (*Première Bucolique*, *Jugement de Minos*, 1513-1514, *Métamorphoses*, 1534, 1543, *Léandre et Héro*, 1541) et ses poèmes allégoriques : le *Temple de Cupido*, par exemple, fait d'un songe et de multiples allégories, n'est qu'un abrégé du *Roman de la Rose* (Marot, en quête de Ferme Amour, le rencontre dans le temple de Cupido où les cloches sont des harpes, le bénitier un lac de pleurs d'amour, le missel le *Roman de la Rose*). L'*Épître de Maguelonne* n'est qu'une héroïde comparable à celles d'Octovien de Saint-Gelais, l'*Épître du Dépourvu*, un nouveau rêve : Marot, que Mercure engage à demander la protection de Marguerite d'Angoulême, hésite à le faire tant un discours de Crainte le laisse

> Triste, transi, tout terni, tout tremblant,
> Sombre, songeant, sans grande soutenance...

Mais Bon Espoir vient l'encourager ; il n'a plus qu'à s'éveiller et formuler sa requête. Marot avait bien lu Guillaume de Lorris... A la veille de mourir, il compose encore un songe allégorique orné d'oripeaux vieillis, et c'est la *Complainte du général Prudhomme*. Presque à la même date Ronsard va pindariser...

Aux rhétoriqueurs, Marot doit le goût des poèmes à forme fixe (ballades et rondeaux) et celui des rythmes et des rimes difficiles (rimes équivoques, batelées, couronnées), des allitérations absurdes et des calembours sans esprit. Que de vers au sens torturé ! Tels ceux de la *Ballade du jour de Noël*, construits sur des rimes en *ac*, *ec*, *ic*, *oc*, *uc* ; telles encore les allitérations bizarres de la complainte sur la mort de Louise de Savoie. Mais il arrive parfois à Marot, élève de la rhétorique, de réussir de brillants tours de force, ainsi sa première épître au roi, dont chaque vers se termine par le mot *rime* ou l'un de ses dérivés :

> Si vous supply qu'à ce pauvre rithmeur,
> Faciez avoir un jour, par sa rithme, heur,
> Afin qu'on die, en prose ou en rithmant :
> Le rithmailleur qui s'alloit en rimant
> Tant rithmassa, rithma et rithmonna
> Qu'il a congneu quel bien par rithme on a.

MAROT, POÈTE DE COUR

> Dieu gard la cour des dames où abonde
> Toute la fleur et l'eliste du monde...
> La cour du Roy, ma maistresse d'ecolle...

Ainsi parlera maître Clément à son retour d'exil. A bon droit : il aima la société des grands. Valet de chambre du roi, secrétaire de Marguerite, il fut le familier des plus hauts personnages : François Ier, sa mère, sa sœur, le dauphin, le roi de Navarre, Renée de France, le duc d'Enghien, le chancelier Duprat, le cardinal de Tournon, « Monseigneur de Lorraine » reçurent tour à tour la dédicace de ses poésies. Au connétable de Montmorency, il offre un recueil manuscrit de ses vers inédits. C'est à ces grands seigneurs, comme aux simples courtisans, qu'il pense lorsqu'il écrit ces vers de circonstance pompeux et froids, qui sont la partie la plus abondante de son œuvre, et la moins lue : complaintes, déplorations, épitaphes, où il montre parfois de la gravité (son *Cimetière* ne compte pas moins de trente-cinq pièces, sans parler de dix-sept épitaphes et de cinq complaintes), poèmes de commande que lui suggèrent les événements officiels : deuils, mariages, naissances de princes et de princesses, et dont il espère tirer bénéfice. Marot célèbre le retour des fils du roi, longtemps prisonniers en Espagne, la maladie et la convalescence de François Ier, le mariage du roi d'Écosse et de « Madame Magdelaine ». Les menus incidents de la vie de cour lui inspirent nombre de vers improvisés : rondeaux, chansons, épigrammes, « estrennes », qu'il dédie à la duchesse d'Étampes, à Diane de Poitiers, à Mme de Montpensier, à Mme de Duras, aux suivantes de Marguerite. Il écrit pour elles des devises. Il est le « serviteur » d'Anne, fille du bâtard d'Alençon, nièce de Marguerite, à laquelle il adresse des élégies d'un ton discret et raffiné.

Il était à l'aise parmi ces grands seigneurs dont il flattait les goûts. Il avait de quoi leur plaire : l'aisance spirituelle, une grâce sans préciosité, une délicatesse de sentiments,

Europe rauie.

> Le haut tonnant voulant iouïr d'Europe
> Fille de Roy, en beauté admirable,
> Qui lors aux champs iouoit auec sa troupe,
> D'un blanc taureau print forme deceuable.
> Ainsi mué, la pucelle amiable,
> Le trouuant beau, l'approche & le manie,
> Monte sur luy, tant il se rend traittable :
> Mais las ! deceué, en fin se vid rauie.

EUROPE RAVIE. Page de la traduction des « Métamorphoses d'Ovide », par Clément Marot, dans l'édition de ses « Œuvres » publiée en 1558, à Lyon, chez Jean de Tournes. — CL. LAROUSSE.

LE TRIOMPHE DE VÉNUS. Fresque du palais Schifanoia (Sans-Souci), à Ferrare; œuvre de Francesco del Cossa, qui représenta, dans une série de fresques du même genre, des scènes de la vie de cour et les travaux des mois. Ferrare fut l'asile de Marot et de plusieurs autres lettrés français; c'est là qu'ils prirent contact avec la civilisation italienne. — CL. ANDERSON.

parfois une distinction de langage qui sont choses nouvelles. Dons naturels que ces qualités, mais la fréquentation de la cour les a développés. C'est à la cour que Marot doit de s'être évadé de la rhétorique.

L'HUMANISME DE MAROT

L'humanisme contribua également à lui enseigner le naturel et la simplicité. Il était lié avec Dolet, Rabelais, Budé, Boyssoné. Valet de chambre du roi, il fut le familier des savants que François Ier attirait à la cour : son aumônier, Jacques Colin; le précepteur des petits princes, l'érudit Tagliacarno, dit Theocrenus; le garde de la librairie de Fontainebleau, Duchâtel; le poète Nicolas Bourbon. Il connut Héroet, Maurice Scève. De tous ces hommes il admirait la science érudite. Était-il capable de rivaliser avec eux? Boyssoné en doute qui écrit : *Marotus latine nescivit.* Le poète lui-même regrettait son éducation manquée :

En vérité c'estoient grands bestes
Que les regens du temps jadis !
Jamais je n'entre en paradis
S'ils ne m'ont gasté ma jeunesse...

Il avait senti pourtant la beauté de Virgile et d'Ovide : il essaya de l'exprimer en de maladroites traductions. Mais c'est pendant son séjour à Ferrare qu'il s'initia à l'esprit nouveau. A la cour de Renée de France, il connut l'humaniste Celio Calcagnini, il découvrit Martial. Dès lors, il emprunte aux écrivains latins avec plus de précision et d'habileté : quelques-unes de ses meilleures épigrammes sont une adroite adaptation de Martial; dans son églogue en l'honneur du fils de Monseigneur le Dauphin, il paraphrase la *IVe Bucolique*, dans ses élégies les *Tristes* et les *Pontiques*. Non content d'attaquer la Sorbonne

RENÉE DE FRANCE, fille de Louis XII, devenue duchesse de Ferrare par son mariage avec Hercule d'Este; protectrice de Clément Marot. Peinture de Corneille de Lyon (musée de Versailles). — CL. GIRAUDON.

et d'exalter la « trilingue et noble académie » des lecteurs royaux, il a pratiqué lui-même l'humanisme, lu les textes anciens, au moins les latins, et par là encore échappé à la rhétorique. Étienne Pasquier l'en félicite justement : « Encores qu'il ne fust accompagné de bonnes lettres ainsi que ceux qui vindrent après luy, si n'en estoit-il si desgarny qu'il ne les mist souvent en œuvre fort à propos. »

Plus que les influences latines, il a subi les influences italiennes. Il a connu à Ferrare des poètes pétrarquistes; il s'inspira d'une forme alors à la mode, le *strambotto*, pour écrire ses épigrammes; il semble bien avoir été le premier de nos poètes à écrire des sonnets : il en a composé une dizaine sans bien se rendre compte, du reste, de l'éminente valeur que représentait ce cadre.

L'ÉVANGÉLISME DE MAROT

Mais l'influence qui agit le plus profondément sur son œuvre est celle de l'évangélisme. Il lui doit quelques-uns de ses malheurs et, par là, plus d'un thème d'inspiration. En premier lieu les thèmes satiriques qu'il développe dans ses épigrammes et dans plusieurs longs poèmes. Quand il attaque les moines, frère Lubin ou frère Tybault, leur grossièreté, leur paresse, leur paillardise, leur hypocrisie, il se borne à reprendre un thème médiéval. Ce gros prieur qui, mangeant une perdrix et vidant un broc de vin blanc, murmure avec dévotion, l'œil au ciel,

Qu'on a de maulx pour servir saincte Église!

ce frère Lubin, si vigoureusement brocardé :

Pour courir en poste à la ville
Vingt foys, cent foys, ne sçay combien,
Pour faire quelque chose vile,
Frère Lubin le fera bien.

Mais d'avoir honneste entretien
Ou mener vie salutaire
C'est à faire à un bon chrestien :
Frère Lubin ne le peult faire, —

viennent directement du moyen âge, des farces ou des fabliaux. Mais quand Marot s'en prend aux théologiens de Sorbonne ou de Navarre, ces ignorants qui veulent interdire aux lecteurs royaux de traduire l'Écriture sur le texte hébraïque ou grec, ces pédants féroces qui vouent au bûcher quiconque a l'audace de ne pas penser comme eux, il se fait l'écho des querelles de son temps et prend parti. Il va plus loin, et ose s'en prendre à la papauté, à son orgueil, à sa cupidité : dans une violente allégorie de sa *Déploration de Florimond Robertet*, il la montre sous les traits d'une fée cachant sous un manteau couleur de cendre une robe brodée de châteaux et de villes, et arborant cette devise : « Le feu à qui en grogne. » Il attaque avec âpreté, dans l'*Enfer*, les juges qui poursuivent les novateurs. Accents inconnus encore de la poésie française que ceux-là.

Mais Marot doit à l'évangélisme des thèmes d'une inspiration plus relevée. Il a lu, et bien lu, l'Écriture. Il y a trouvé les éléments d'une vie spirituelle plus profonde qu'on ne le croit d'habitude, et qui transparaît jusque dans certains poèmes profanes : on y découvre des souvenirs du Nouveau Testament, des épîtres de saint Paul que les Évangéliques mettaient plus haut que tout. On néglige souvent le poète chrétien chez Marot, bien à tort. Sa ferveur, sa foi lui dictent des vers émus.

Quand il compose, en 1527, la *Déploration de Florimond Robertet*, il obéit sans doute aux règles de la rhétorique qui voulaient, dans une déploration, deux parties : une description des funérailles du défunt, une prosopopée de personnages allégoriques. Ainsi en avaient usé Crétin, Bouchet, Lemaire de Belges, qui ne faisaient aucun appel à un sentiment religieux sincère. Il n'en va plus de même avec Marot. Il ne décrit pas les funérailles réelles de Robertet, mais un cortège allégorique : la Mort, dressée sur le char funèbre, foule aux pieds un cadavre et brandit un dard. Autour du char marchent l'Église romaine, le « bonhomme Labeur » (entendez : le paysan) et « Françoise République ». Cette dernière invite les fils de Robertet à invectiver contre la Mort qui répond par un exposé précis de la doctrine chrétienne :

L'apostre Paul, sainct Martin charitable,
Et Augustin, de Dieu tant escrivant,
Maint autre sainct plein d'esprit véritable
N'ont désiré que moy en leur vivant.
Or est ta chair contre moy estrivant,
Mais pour l'amour de mon père céleste
T'enseigneray comme iras ensuyvant
Ceulx à qui mon dard ne fut moleste.

Prie à Dieu seul que par grâce te donne
La vive foy, dont sainct Paul tant escript ;
Ta vie après, du tout, luy abandonne,
Qui en péché journellement aigrict.
Mourir pour estre avecques Jesuschrist
Lors aymeras plus que vie mortelle ;
Ce beau souhait fera le tien esprit ;
La chair ne peut désirer chose telle...

Jésus, affin que de moy n'eusses craincte,
Premier que toy voulut mort encourir :
Et en mourant ma force a si estaincte
Que quand je tue on ne sçauroit mourir.
Vaincue m'a pour les siens secourir,
Et plus ne suis qu'une porte ou entrée
Qu'on doibt passer volontiers pour courir
De ce vil monde en céleste contrée...

La Mort vaincue par le Christ ne saurait être un objet d'effroi pour le chrétien. Marot rejoint ici

UN PSAUME DE CLÉMENT MAROT, d'après l'édition de 1560, imprimée en caractères dits de civilité, imitant l'écriture. La diffusion du psautier de Marot s'explique par les besoins du culte réformé. — CL. LAROUSSE.

le plus mystique poète de la Renaissance : sa protectrice, la reine de Navarre, dans son *Dialogue en forme de vision nocturne*, n'a pas parlé de nos fins dernières avec plus d'élévation. L' « élégant badinage » de Marot s'élève, maladroitement, mais sincèrement, au plus haut lyrisme : la chair répugne à la mort ; l'esprit doit la souhaiter. Même s'il suit pas à pas l'épître de saint Paul aux Corinthiens, le poète devance les *Élévations* et les *Méditations* des romantiques. Mais de tels accents, si personnels et si généraux à la fois, sont rares dans son œuvre.

A l'Écriture, et à l'influence des évangéliques, il doit enfin une partie importante de son œuvre, celle qui eut le succès le plus immédiat : la traduction des *Psaumes*. Il y travailla plus de quinze ans ; elle eut, de 1541 à 1550, vingt-sept éditions ; Théodore de Bèze la continua ; les églises calvinistes l'adoptèrent comme livre de cantiques. D'où leur influence, qui s'est prolongée jusqu'à nos jours. Mais il n'y eut pas, dans leur vogue, que l'effet des passions religieuses : les courtisans chantaient les *Psaumes* de Marot à Nérac chez Marguerite de Navarre, mais aussi au Louvre et à Fontainebleau chez le roi. Et les disciples de Dorat sentiront ce que ce texte apportait de neuf à la poésie française. Les premiers essais lyriques de Ronsard s'inspirent des tentatives maladroites, mais originales de Marot : quand il prétend imiter Horace, le Vendômois lui emprunte ses thèmes. Mais c'est à maître Clément qu'il prend certains de ses rythmes. Car Marot les a variés à l'extrême : pour cinquante psaumes traduits par lui, on ne relève pas moins de quarante et une combinaisons différentes, toutes formées de strophes ou de couples de strophes construites sur des mètres égaux, toutes « mesurées à la lyre », ainsi que le dira bientôt Ronsard, toutes présentant aux mêmes places les rimes masculines et féminines, toutes pouvant être chantées sur un même air, simple ou double, suivant que chaque psaume présente un ou deux types de strophes. Originalité réelle.

Malgré quoi nous comprenons mal l'admiration inavouée de Ronsard : les formes strophiques choisies par Marot ne paraissent pas toujours très convenables aux sentiments exprimés. Le mélange de termes nobles et de crudités ne laisse pas de surprendre. Marot, enfin, n'a pas su toujours sentir et traduire le lyrisme biblique : les plus éblouissantes images se fondent sous sa plume en une grisaille incertaine. Sa traduction ne rend ni le réalisme ni la grandeur du psautier. En revanche, il est plus exact que ne l'avaient été ses prédécesseurs : le premier, il suit le texte sans admettre ni interpolation ni exégèse allégorique ou mystique qui ajoute à la pensée du roi poète. Bon ouvrier du vers, Marot n'est qu'un lyrique médiocre, mais il est à l'origine d'une forme classique du lyrisme impersonnel. Malgré ces maladresses, sa traduction reste un livre original : elle prouvait un désir de nouveauté, un besoin de croire qui révèlent en lui un précurseur.

LE TALENT DE MAROT

Mais, avant tout, Marot est homme d'esprit. De l'esprit, il y en a partout dans son œuvre, et du plus fin, du plus délicat, comme du plus gaillard. On en trouve dans ses récits que l'inattendu de la narration rend plus piquants ; c'est l'esprit qui sauve ses vers officiels de la banalité. Qu'il sollicite, qu'il déplore avec un sourire la « faulte d'argent » dont il souffre, qu'il soupire un aveu d'amour, qu'il dise sa misère, Marot sait plaisanter de tout et toujours : le meilleur de son œuvre est là.

Il est le plus acéré de nos auteurs d'épigrammes : il y met à la fois une vigueur très crue et très populaire et une concision nerveuse. Il raille les moines, les théologiens, les pédants, les femmes. Il a, pour trois siècles, fixé le ton de l'épigramme satirique où il entre tour à tour une fine plaisanterie ou une colère faite d'éloquence et d'indignation. Ainsi badine-t-il avec la reine de Navarre :

> Mes créanciers, qui de dixains n'ont cure,
> Ont lu le vostre, et sur ce leur ay dict :
> « Sire Michel, sire Bonaventure,
> La sœur du Roy a pour moy faict ce dict. »
> Lors eulx, cuydans que fusse en grand crédit,
> M'ont appelé Monsieur à cry et cor,
> Et m'a valu vostre escript autant qu'or,
> Car promis ont non seulement d'attendre
> Mais d'en prêter (foy de marchant) encor,
> Et j'ay promis (foy de Clément) d'en prendre.

Ainsi peint-il le courage de Semblançay marchant au gibet :

> Lorsque Maillart, juge d'Enfer, menoit
> A Montfaucon Semblançay l'âme rendre,
> A votre advis, lequel des deux tenoit
> Meilleur maintien ? Pour le vous faire entendre,
> Maillart sembloit homme que mort va prendre,
> Et Semblançay fut si ferme vieillard
> Que l'on cuydoyt, pour vray, qu'il menast pendre
> A Montfaucon le lieutenant Maillart.

Cette verve, faite tantôt d'un sourire, tantôt d'un sarcasme et qui révèle tant d'indépendance, d'ironie et de sens critique, se retrouve dans ses satires : l'*Enfer*, où l'allégorie n'efface pas un âpre réalisme, l'*Épître de Fripelipes*, d'un mouvement si souple et si sûr.

C'est elle, enfin, qui anime ses épîtres : d'un genre littéraire alors très conventionnel (l'épître est le plus souvent une héroïde ou une missive amoureuse en vers), il va faire un genre personnel et sincère. Sous la forme d'une confidence familière, pétillante de grâce et de gaieté, parfois vibrante d'émotion, il s'adresse à ses protecteurs pour les intéresser à ses malheurs. Il demande une charge (*Au Roy, pour succéder en l'estat de son père*), une grâce (*A Lyon Jamet, au Roy pour sortir de prison*), de l'argent (*Au Roy pour avoir été desrobé*). Le thème n'est pas neuf. Marot le renouvelle. Requête, supplique ou plaidoyer, l'épître n'étale pas lourdement la misère du poète comme le voulait la tradition. Marot glisse sa prière comme furtivement, au tournant d'un récit, dans une pirouette, au milieu de propos spirituels. Il s'agit presque toujours pour lui de se tirer d'un mauvais pas : quelle verve dans le récit de ses démêlés avec le guet ou la justice ! Il oppose habilement à la brusquerie des archers sa surprise à se voir arrêté :

> Trois grands pendards vindrent à l'estourdie
> En ce palais, me dire, en desarroy :
> « Nous vous faisons prisonnier par le Roy... »
> Incontinent qui fut bien estonné ?
> Ce fust Marot plus que s'il eust tonné...

Il esquisse la silhouette pittoresque de ce valet qui lui a volé habits, bourse et cheval, ce Gascon

> Gourmand, ivrogne et asseuré menteur,
> Pipeur, larron, joueur, blasphémateur,
> Sentant la hart de cent pas à la ronde,
> Au demourant le meilleur fils du monde.

Alors même qu'il se sait coupable, il plaisante avec désinvolture. Supposons, écrit-il au roi, que j'aie été dans mon tort lorsque vos archers m'arrêtèrent :

> Au pis aller n'y cherroit qu'une amende ;
> Prenez le cas que je vous la demande ;
> Je prens le cas que vous me la donnez ;
> Et si plaideurs furent onc estonnez
> Mieulx que ceulx cy, je veux qu'on me délivre
> Et que souldain en ma place on les livre.

CLÉMENT MAROT. Portrait d'époque, souvent attribué à Moroni (Bibl. de la Société d'histoire du protestantisme français). — CL. LAROUSSE.

Il s'excuse, du reste, d'écrire au roi, et sa plume devient soudain grave et protocolaire. Quitte à conclure en un vers rapide, sur un nouveau trait d'esprit, qui n'en porte que mieux :

> Tres humblement requerrant vostre grâce
> De pardonner à ma trop grande audace
> D'avoir emprins ce sot escript vous faire,
> Et m'excusez si pour le mien affaire
> Je ne suis point vers vous allé parler
> Je n'ay pas eu le loisir d'y aller.

Un de ses procédés familiers les plus heureux est la fausse naïveté : « N'oublia rien fors qu'à me dire adieu ! » écrit-il de son voleur.

Le ton varie d'épître en épître, éloquent lorsque, réfugié à Ferrare, il clame son innocence ; habile et souriant quand il conte la fable du lion et du rat ; débordant de joie lorsque, à son retour d'Italie, il salue la cour ; plus rarement ému lorsqu'il avoue son désir de revoir ses « petit Marotteaux » ou s'attendrit sur lui-même :

> Que diray plus ? Au misérable corps
> Dont je vous parle, il n'est demouré fors
> Le povre esprit qui lamente et souspire
> Et en pleurant tâche à vous faire rire.

Badin ou grave, désinvolte, malicieux ou ému, feignant une naïveté qui lui est bien étrangère, plaisantant de tout de peur d'être obligé d'en pleurer, riant de ses malheurs, dépensant en calembours inattendus l'esprit le plus subtil, à son aise toujours, Marot fait preuve d'un art adroit qui n'enlève rien à sa sincérité. Si l'épître à Lyon Jamet ou les épîtres au roi sont des modèles du récit vivant et pittoresque, n'a-t-on pas le droit de voir, dans les épîtres écrites à Ferrare, les premiers accents du lyrisme français au XVIe siècle ? Marot a été près, comme sa protectrice, d'en découvrir avant la Pléiade les éléments vrais, au moins quelques-uns : une émotion sincère, une douleur profondément ressentie. Mais il reste un peu en marge de l'humanisme et de la Renaissance, ne s'étant pas fait encore de la poésie et de l'art la haute idée que s'en feront Ronsard et ses amis.

L'ÉCOLE MAROTIQUE
LA COUR ET LA PROVINCE

Editions modernes des contemporains de Marot :
Œuvres *de Mellin de Saint-Gelais (1490-1558),
p. p. Prosper Blanchemain (3 vol., 1880) ; la Parfaicte
Amye d'Antoine Héroet (1492-1568), p. p. Ferdinand
Gohin (Société des textes français modernes);*

*L'Art poétique de Sebillet, p. p. Félix Gaiffe
(Société des textes français modernes, 1910) ; H. de
Noo, Th. Sebillet et son Art poétique (Utrecht, 1927).*

*Consulter sur Mellin de Saint-Gelais la thèse de
Molinier (1919) et surtout l'étude de Ph. A. Becker
(1924) ; — sur Charles de Sainte-Marthe, l'étude de
Caroline Rutz-Reess (1919) ; — sur Eustorg de Beau-
lieu, celle de Helen Harwitt (1919) ; — sur Victor
Brodeau, deux articles de Pierre Jourda dans la* Revue
d'histoire littéraire de la France *(1921) ; — sur Claude
Chappuys, l'étude de L. Roches (1929) ; — sur Hugues
Salel, celles de Bergounioux (1930), de Becker (Zeit-
schrift fur französische Sprache, 1932) et d'Alice
Hulubei (Humanisme et Renaissance, 1935). Becker
a consacré plusieurs notices à divers poètes marotiques :*
Aus Frankreichs Frührenaissance, *Munich, 1927 ; — sur
l'ensemble des poètes marotiques : A. Tilley,* From
Marot to Ronsard *(Mélanges Laumonier); sur le style
marotique, Walther de Lerber, l'Influence de Marot
aux xvii⁰ et xviii⁰ siècles (1919) ; H. Jacoubet, J. de
Boyssoné et son temps (1930).*

Jusqu'à la publication des *Odes* de Ronsard, Marot
règne sur la poésie française. Il est le chef, il est le maître
incontesté. Qui lui disputerait la primauté ? Sagon l'attaque
bassement à son retour d'Italie, en 1537 : Marot a la joie
de voir ses confrères (les moins médiocres au moins des
versificateurs) se ranger à ses côtés et le louer hautement.
Il les en remercia en leur donnant publiquement des
marques d'estime et d'amitié : ils le disaient leur « père »;
il appela Brodeau son fils, La Borderie son « mignon ». Il
tenait Antoine Héroet et Mellin de Saint-Gelais pour ses
égaux.

Héroet compte parmi les promoteurs du platonisme,
Saint-Gelais de l'italianisme. Neveu d'Octovien de Saint-
Gelais, évêque d'Angoulême et l'un des rhétoriqueurs,
il séjourna longuement en Italie, s'intéressa aux arts, à la
philosophie, aux sciences, à la poésie. Aumônier de François I⁰ʳ, puis garde de sa « librairie », son existence s'écoula
tout entière près du roi : il fut le premier des poètes courtisans et des abbés de cour. Il organisait les plaisirs royaux :
mascarades et ballets; il rimait épigrammes, rondeaux,
étrennes et ballades pour les dames et les grands seigneurs :
le premier en France il madrigalisa. Mais il avait su se
dégager des formes de la rhétorique. Empruntant aux
Italiens leurs cadres courts et ramassés — le sonnet, le
strambotto — et leur esprit précieux, il est le premier qui
ait pris les pétrarquistes pour modèles, et qui ait mis à la
mode leurs façons de sentir et d'écrire. Il traduisit la
Sofonisba de Trissino (1548). Poète amateur, il ne publia
ses vers que très tard — en 1547 seulement — (on les
savait par cœur), mais, succédant à Marot et menacé dans
sa gloire, il s'opposa violemment au succès de Ronsard,
qu'il tenta de ridiculiser. En vain, du reste.

Marot eut des émules et des amis plus que des disciples.
C'est qu'il ne fut pas un novateur. Il n'apportait pas de
formules originales, se bornant à perfectionner des modèles
traditionnels. Il donnait des chefs-d'œuvre d'élégance et
d'esprit; il créait dans ses *Psaumes* des rythmes nouveaux;
il écrivait le premier sonnet français : effet d'un pur hasard.
Il ne songea pas à imposer des vues inédites qu'il n'avait
pas. Il n'est pas chef d'école. La distance est grande de
lui à Ronsard.

Aussi ses amis restent-ils indépendants : ils le saluent
comme un maître, mais chacun écrit à sa guise. Plusieurs
d'entre eux, conquis à l'évangélisme, se vouent à la poésie
religieuse, tels Victor Brodeau, qui écrivit, non sans force,
les *Louanges de Jésus Christ, nostre Saulveur* (1540), ou
Eustorg de Beaulieu, d'abord prêtre catholique, puis pasteur calviniste, qui, dans sa *Chrestienne resjouissance* (1543),
mêle à des poèmes pieux d'âpres critiques contre la
papauté. Claude Chappuys rivalise avec Saint-Gelais,
rime des épîtres, des épigrammes, écrit à la louange de
François I⁰ʳ le *Discours de la Court* (1543). Hugues Salel
(1504-1553) traduit l'*Iliade*, dont il publie les dix premiers
chants en 1542, puise aux sources italiennes et fait disputer
de « leur puissance » Jupiter et Cupido : seul des marotiques il trouva grâce aux yeux de la Pléiade, et fut considéré par elle comme un précurseur. Les vers de Bonaventure Des Périers, parfois aimables, spirituels, voire émus,
restent souvent obscurs. Tous, ou presque tous, font du
Marot, avec moins d'esprit : à preuve le fameux concours
des blasons, provoqué par une épigramme « du beau
tétin », composée en exil par Maître Clément, où ils rivalisèrent de mauvais goût et d'obscénité, ou les pièces qu'ils
écrivent contre Sagon.

On citerait le nom de plus d'un poète, ou plutôt de plus
d'un versificateur qui connut alors la notoriété soit à la
cour, soit en province : Charles Fontaine, qui recueillit
ses mauvais vers sous le titre prétentieux de *Ruisseaux
de Fontaine*, et de la *Fontaine d'Amours* (1546); La Borderie, qui s'attaqua aux femmes dans son *Amye de Court*
(à quoi Fontaine répondit par une *Contr' Amye de court*)
et qui écrivit un curieux *Voyage de Constantinople*; François
Habert d'Issoudun, le « banni de liesse », auteur de poèmes
allégoriques et à qui La Fontaine emprunta le sujet de
quelques fables; Gilles Corrozet, Gilles d'Aurigny, ou le
jurisconsulte toulousain Jean de Boyssoné qui enseigna
à Grenoble et publia *Trois centuries* de dizains intéressants pour l'histoire de l'humanisme. Tous, avec plus ou
moins d'aisance, de justesse ou d'esprit, ressassent les
mêmes banalités : il n'est, pour s'en convaincre, que de
feuilleter deux anthologies du temps : *la Fleur de poésie
française* (1543), et le *Recueil de vraye poésie française*
(1544) qui connurent le plus vif succès. Les meilleures
pièces qui y sont imprimées restent celles de Marot.

On peut citer encore, mais loin derrière, Charles de
Sainte-Marthe qui, dans sa *Poésie française* (1540), tente
l'union du platonisme et du pétrarquisme. Il se fit, comme
Héroet, comme Marguerite de Navarre, le défenseur de
l'amour épuré.

Cependant, une conception nouvelle de la poésie se
faisait jour, indistincte et timide : Thomas Sebillet, dans
son *Art poétique*, codifie une dernière fois les règles des
genres chers aux rhétoriqueurs et à Marot, mais il formule
une définition de la poésie inspirée du *Timée* qui sera,
bientôt, celle de la Pléiade. Elle est, écrit-il, une « divine
inspiration », et « ce qu'en disent est nommé art... n'est
rien que la nue escorce de Poésie, qui couvre artificiellement sa naturèle voix et son âme naturèlement divine ».
La poésie n'est donc pas tout entière dans la difficulté
de la rime et de la strophe. Les poètes ne sont pas des
« rimeurs », mais des « poètes divins »; c'est de ce nom qu'il
convient d'honorer Marot et Saint-Gelais. Et Sebillet
donne les règles d'un genre inconnu : l'ode. Ainsi annon-
çait-il Ronsard... Son *Art poétique* est de 1548. Mais,
en 1547, Guillaume Hardent, héritier d'une longue tradition médiévale, publiait encore *Trois cent soixante-six
apologues d'Ésope traduits en rithme françoyse*. Le moyen âge
se survivait en pleine Renaissance — à la veille même de la
publication de la *Deffence et Illustration*, au moment même
où dans les *Œuvres poétiques* de Jacques Peletier du Mans
paraissaient les premiers vers de Ronsard.

Le succès éclatant de la Pléiade devait offusquer le

AUX JOURS DE LA RENAISSANCE. Autour d'une fontaine sont groupés des personnages élégamment vêtus. Un gentilhomme tient un faucon sur son poing. Un autre joue du luth, l'instrument à la mode; une jeune femme touche de l'orgue portatif. Cependant une dame invite son « Serviteur » à se désaltérer au filet d'eau jaillissant de la vasque (tapisserie française du début du XVIᵉ siècle, musée des Gobelins). — Cl. Graudon.

renom de Marot. Il eut sa revanche : Malherbe condamna Ronsard. Marot revint alors à la mode. Voiture reconnut en lui le maître des petits genres : épigramme, rondeau, ballade, épître. On vit naître un style factice, truffé de naïvetés étudiées, de malices artificielles, de tours et de termes archaïques, le style marotique, que ne dédaignèrent pas d'employer, après certains poètes précieux, La Fontaine et Voltaire. Il resta à la mode jusque vers 1850. Marot fut le seul poète du XVIᵉ siècle que les classiques admirèrent : ils goûtaient, dans son œuvre, l'esprit, la grâce, un certain tact. La Bruyère lui reprochait ses gaillardises et ses crudités, mais Boileau l'avait désigné comme le modèle parfait du badinage élégant si goûté au grand siècle.

CONTEURS GAULOIS : B. DES PÉRIERS N. DU FAIL

Le Grand Parangon des Nouvelles nouvelles, de Nicolas de Troyes, p. p. E. Mabille (1867) ; le Parangon des nouvelles honnestes et delectables (1531), réimprimé par E. Mabille (1865) ; les Comptes du monde adventureux (1553), réimprimés par F. Frank (1876) ; la Légende joyeuse de Pierre Faifeu, par Charles de Bourdigné (1527), réimprimée par Villem (1883). On souhaite la publication, depuis longtemps annoncée, par Ch. H. Livingston des nouvelles du « chaussetier messin », Philippe de Vigneulles ; voir The Romanic Review (avril 1923).

La première moitié du XVIᵉ siècle voit paraître plusieurs recueils de contes « simplement plaisants », dira Montaigne. Le public aimait ces récits alertes et gaillards, où il retrouvait des personnages et des thèmes qui lui étaient familiers, venant d'une vieille tradition. On ne les lui ménagea pas, sans chercher le moins du monde l'originalité : la plupart des auteurs se bornent à répéter des anecdotes classiques : les histoires marseillaises du temps. Leur dette à l'égard des fabliaux, de la nouvelle italienne, voire de leurs contemporains, est plus que lourde; ils se copient les uns les autres, sans vergogne. Ni la peinture des mœurs, ni l'art du récit, ni le souci du style ne les préoccupent. Leur seul but est de « réjouir la compagnie », « d'éviter mélancolie ». L'invention ni l'art ne sont leur fait.

Ils puisent largement dans l'œuvre des *novellieri* : Décaméron, Facéties du Pogge, Novellino de Masuccio, Novelle Porrettane de Sabadino degli Arienti. Sur cent quatre-vingts contes du *Grand Parangon des Nouvelles* cinquante-cinq viennent du *Décaméron*. Mais l'auteur du livre, Nicolas de Troyes, maître sellier, qui habitait Tours, ignorait le latin et l'italien : il se borne à noter des anecdotes piquantes qu'il a dû entendre conter. Un certain nombre de ses récits sont d'origine française : peut-être étaient-ils neufs lorsqu'il les couchait par écrit ? L'anonyme A. D. S. D. (Antoine de Saint-Denis ?) qui publie, en 1553, les *Comptes du monde adventureux* se borne à démarquer Masuccio Guardato de Salerne.

CYMBALUM MUNDI. Page de titre de l'édition princeps. — CL. LAROUSSE.

En revanche, le prêtre angevin Charles de Bourdigné, qui publie en 1527 la *Légende joyeuse de Maistre Pierre Faifeu*, traite, de façon très prosaïque, une histoire purement française : les aventures d'un escholier d'Angers, cousin de Panurge, inventeur de mystifications ordurières ou spirituelles. Bourdigné a négligé le côté réaliste de son sujet : il y avait là matière à peindre les mœurs universitaires. Il n'a pas su le faire.

Aucun de ces livres n'ajoute rien aux fabliaux : en eux, comme chez les rhétoriqueurs, persiste l'esprit du moyen âge. Il n'en est pas de même des *Nouvelles récréations et joyeux Devis*, parues à Lyon en 1558, et attribuées à Bonaventure Des Périers.

BONAVENTURE DES PÉRIERS

Les éléments de sa biographie restent incertains et obscurs. Né à Arnay-le-Duc, en 1510, élevé à Autun, Des Périers, très vite conquis à l'humanisme, fut l'ami de Dolet, le protégé de Marguerite de Navarre. En 1537, il publia le Cymbalum mundi (le Carillon du monde) : *quatre dialogues satiriques qu'il prétendait traduits du latin par Thomas du Clenier (Thomas l'Incrédule) pour son ami Pierre Tryocan (Pierre Croyant). C'était une attaque voilée, mais violente, dans la manière de Lucien, contre le christianisme, sa liturgie, sa discipline, ses dogmes, surtout le dogme de la divinité de Jésus. Le Parlement de Paris ordonna la saisie du livre en raison des « hérésies » cachées sous l'allégorie. L'arrêt fut si bien exécuté qu'un seul exemplaire échappa à la destruction. Des Périers se suicida en 1544 sans qu'on puisse savoir pourquoi.*

On lui attribua un recueil de contes : les Nouvelles récréations et joyeux Devis. Mais, dès le XVIᵉ siècle, le bibliographe Lacroix du Maine les croyait l'œuvre de deux écrivains manceaux : Nicolas Denisot et Jacques Peletier. Les recherches de Ph. A. Becker les rendent à Des Périers. Il est possible toutefois que l'éditeur de 1558 ait grossi le recueil d'additions personnelles — ce qui expliquerait qu'il y soit fait allusion à des faits postérieurs à la mort de Des Périers, et à d'obscures localités qu'il n'a pu connaître. Cet éditeur a pu être Jacques Peletier.

A consulter : Œuvres (Bibliothèque elzévirienne, 1856) ; *Ph. A. Becker,* Bonaventure Des Périers (1924) ; *L. Febvre :* Origène et Bonaventure Des Périers (1942).

Les *Nouvelles récréations*, qu'elles soient l'œuvre du seul Des Périers ou que divers auteurs y aient collaboré, présentent un indéniable caractère d'unité. Il s'agit ici d'un livre joyeux, bien différent par sa gaieté de l'âpre violence du *Cymbalum mundi*. Distraction d'humaniste qui se détend de ses travaux d'érudition par de gaillardes plaisanteries. Nulle intention d'instruire ou de moraliser, nul pédantisme non plus dans ces pages de haute graisse, dont le seul but est de faire rire. Le préambule le dit tout net : « Icy n'y a seulement que pour rire. » Les thèmes ? Ils sont banals, traditionnels : histoires grivoises, parfois assez vertes, anecdotes piquantes contre les femmes ou les moines. Elles ne viennent, nous dit-on, ni de Constantinople, ni de Venise, ni de Florence, mais de la rue et des champs. Est-ce bien sûr ? On y retrouve plus d'une page lue déjà dans Boccace ou le Pogge, si ce n'est dans les fabliaux. Une faible portion du livre seulement provient du terroir français. L'intérêt de ces récits est moins dans un comique usé déjà ou des plaisanteries faciles que dans une peinture maladroite, involontaire peut-être, mais précise et vivante des mœurs; l'auteur a su décrire les classes sociales, faire parler ses personnages selon leurs habitudes : régents, écoliers, femmes du peuple ont chacun leur façon propre de s'exprimer. Il est aussi, et surtout peut-être, dans l'aisance, la vivacité, la rapidité du style.

L'œuvre maîtresse de Des Périers reste le *Cymbalum mundi*, dont M. L. Febvre a récemment expliqué le sens mystérieux. L'histoire du livre de Jupiter où sont écrits les destins du monde et qui est dérobé à Mercure, la querelle qui oppose Rhetelus (Luther), Cubercus (Bucer) et Drarig (Érasme) qui se disputent les morceaux de la pierre philosophale, l'anecdote du cheval qui parle pour faire le procès de l'humanité et dire ses vices, le dialogue de deux chiens: Hylactor, qui veut crier au monde la vérité qu'il sait, et Pamphagus, qui veut garder un mutisme prudent, autant de données obscures en apparence, mais dont on saisit le caractère de polémique; elles valurent au livre une rigoureuse censure : la suppression totale.

Des Périers avait d'abord donné des gages à l'évangélisme : il fut gagné par Étienne Dolet à un athéisme rare encore au XVIᵉ siècle ; il s'inspire de Celse — à qui l'avait conduit la lecture d'Origène — pour attaquer le christianisme. Sous le nom de Thomas l'Incrédule, il tenta de convaincre Pierre Croyant que la Providence n'existe pas, que l'Évangile (la pierre philosophale), dont trois philosophes prétendent avoir chacun le sens véritable, est un livre comme les autres, que l'homme n'est pas supérieur à l'animal : telles sont les vérités qu'Hylactor prétend démontrer. Il n'est pas besoin de marquer l'audace de ces théories, même si elles sont prudemment et habilement voilées (car Des Périers ne nomme ni les hommes ni les choses, moyen pour lui d'échapper à la censure des théologiens). Pamphlet? Simple fantaisie à la manière de Lucien, répondra-t-il si on l'attaque. En réalité, livre hardi qui nie l'incarnation et la divinité de Jésus, simple magicien, vulgaire imposteur (le nom de Mercure sous lequel Des Périers le voile à peine en dit long). Il y a là un des rares témoignages sûrs que l'on ait de la naissance, vers 1530, du libertinage en France.

NOËL DU FAIL

A ce gentilhomme breton (1520-1591) plus qu'à la reine de Navarre revient le mérite d'avoir introduit le réalisme dans le conte. Il avait étudié à Paris, participé comme « piéton » — entendez : fantassin — à une campagne en Piémont. Comme Pantagruel, il fit son tour de France universitaire par Poitiers, Angers, Bourges et Avignon. D'humeur brusque et

Le chant & huchement des Bergeres.

Ou, ou, ou, ou, oup, ou, ou, ou, ou, oup.

Responce de la Bergere compagne.

Ou, ou, ou, ou, ou, ou, ou, oup, ou, oup.

BERGÈRES AUX CHAMPS. Gravures extraites de la « Vénerie » de Jacques Du Fouilloux (1561). CL. LAROUSSE.

hautaine, campagnard endurci, il se retire alors en son manoir de Château-Létard. A vingt-sept ans, il publie les Propos rustiques et facétieux *(1547), croquis de mœurs villageoises, suivis, en 1548, des* Baliverneries et Contes nouveaux.

Conseiller au présidial de Rennes, puis au Parlement de Bretagne, il vécut au château de La Hérissaye en gentilhomme paysan. De cette longue expérience de la vie rustique naquirent, trente-sept ans après ses premiers livres, les Contes et Discours d'Eutrapel, *qu'il signa : « Le feu seigneur de La Hérissaye » pour marquer qu'il s'était retiré du monde. Il mourut en 1591.*

Editions modernes : les Propos rustiques *de maître Léon Ladulfi, p. p. Arthur de La Borderie (1878) ; les* Baliverneries et les Contes d'Eutrapel, *p. p. Courbet (1894) ;* Œuvres facétieuses *de N. Du Fail, p. p. Assézat (1874) ;* Propos rustiques et Baliverneries, *p. p. L. Lefèvre (1928).*

A consulter : E. Philippot, la Vie et l'œuvre de Noël Du Fail, gentilhomme breton, *et* Essai sur le style et la langue de Noël Du Fail *(1914).*

LE BON PEUPLE DE FRANCE tel que le représente l'auteur d'une « Description de tous les pays », Sébastien Münster (1550). — CL. LAROUSSE.

SCÈNES DE LA VIE RUSTIQUE, d'après une tapisserie des Amours de Gombaut et Macée. Ces personnages représentent des types légendaires de paysans. Ils sont la félicité champêtre, opposée aux soucis de la vie des cités. Des tapisseries de Gombaut et Macée sont mentionnées dans divers inventaires au XVIᵉ siècle, et il y en aura une dans les hardes qu'Harpagon « prête » à son fils. — CL. SAUVANAUD.

Messire Noël Du Fail, conseiller du roi en ses parlements, et savant auteur de *Notables et solennels écrits du parlement de Bretagne* qui firent longtemps autorité, n'oubliait pas que, seigneur de La Hérissaye, il vivait au milieu des paysans, et de leur vie. Ce sont choses vues, ou, mieux : entendues, que ses *Propos rustiques ;* il y a noté les conversations de ses vassaux. Certains jours de fête, il s'arrête, dans son village, devant le chêne sous lequel de vieux laboureurs, « les jambes croisées et leurs chapeaux un peu abaissés sur la veue », devisent tandis que leurs fils luttent, dansent, tirent à l'arc. Le châtelain s'assied familièrement parmi les anciens et les écoute parler.

De quoi ? On dirait volontiers : de tout et de rien ; tous les sujets de ces entretiens sont quotidiens. Le « prud-homme » Anselme, « assez bon petit notaire pour le plat pays », fait l'éloge du temps jadis ; maître Huguet, naguère écolâtre du village, puis vigneron, décrit un banquet rustique et oppose le « muguetage » des amoureux à la ville au « gouvernement » des amours rustiques « au bon vieux temps ». Il n'y a dans ces pages prises sur le vif que deux contes au sens moderne du mot : le récit d'une bataille entre villageois, et celui d'une farce jouée aux quêteurs du nouvel an. Mais l'ensemble est une fidèle copie du réel. On sent chez Noël Du Fail le désir d'exalter la vie rustique, mais sans la trahir ni la farder. Peut-être y a-t-il dans son premier livre un vague effort didactique, puisqu'il développe le thème virgilien du bonheur paysan : Du Fail reprend à son compte le *Felices nimium agricolas*

sur lequel il brode de pittoresques variations, opposant aux conventions mensongères de la vie à la ville et à la cour, la joie rustique, l'indépendance, la gaieté de ses Bretons.

Les *Baliverneries*, plus encore les *Contes d'Eutrapel* reprendront ce thème. Le sieur de La Hérissaye a oublié les villes d'Italie qu'il a visitées, Rennes où il a vécu, pour juger la civilisation de son temps en hobereau qui aime son manoir et ses vassaux. Il dédaigne les raffinements de la Renaissance ; il condamne l'hypocrisie mondaine. Vive la campagne où l'on vit simplement parmi des gens simples ! Sans tomber dans l'optimisme factice d'un Racan ou d'un Rousseau, Du Fail n'évite pas dans ses descriptions une certaine partialité qui enlève de leur valeur documentaire à ces pages bien venues.

Car il est un maître peintre, moins haut en couleurs, mais plus précis que Rabelais, moins fin psychologue, mais plus vivant que la reine de Navarre. Il sait noter le trait exact et expressif : un geste, une attitude, une parole ; et la juxtaposition de ces traits donne des croquis amusants et réels. Classique qui s'ignore, Du Fail néglige la nature pour peindre l'homme (non sans maladresse parfois). Ses « devisants » n'ont pas le naturel de ceux mis en scène dans l'*Heptaméron :* l'auteur parle trop souvent à leur place, au lieu de les laisser bavarder ; leur prête une science, un esprit qui ne sont pas de villageois, mais d'hommes de robe. Ses paysans, en revanche, sont plus vrais. Voici messire Jean, curé de campagne, fier de savoir du latin

« encore qu'il y fût un peu rouillé », et qui ne dédaigne pas, après un banquet, de fatiguer à la danse ses paroissiennes ; voici Thenot du Coin qui ne sortit jamais de son village, amusante figure de philosophe campagnard, aimant mettre « le nez au baril », lointain ancêtre du Benjamin de Claude Tillier. Près d'eux, Robin Chevet le bavard qui, aux « fileries », ressasse aux oreilles d'un auditoire jamais lassé les aventures de Loup Garou, de Mélusine, du Moine bourru. Et, avec eux, bien d'autres physionomies : médecins, pédants, hobereaux orgueilleux, étudiants fiers de leur jeune savoir et de leurs années d'université. Croquis rapides, esquissés plus qu'appuyés, mais justes et vrais, et qui évoquent les personnages des Le Nain ou d'un Georges de La Tour, une France paysanne qui ne nous est connue que par lui.

Autant que ses récits, ses tableaux et ses portraits, la langue de Du Fail est un témoignage. Elle n'est pas exempte de pédantisme (Marguerite de Navarre seule, au XVIe siècle, parvient à une prose dénuée de toute réminiscence classique) ; mais, dans l'ensemble, elle a la saveur du parler populaire sans pour cela tomber dans le dialecte. On n'y relève que peu d'idiotismes. Comme tous ses contemporains, Du Fail n'est pas absolument maître de son style : il n'est pas sans lourdeur, surtout dans ses premiers récits. Est-ce pour respecter le parler traînant des paysans ? Par la suite, il atteignit plus d'aisance. Il respecte, au prix parfois de quelque incohérence, le naturel, l'incorrection du dialogue campagnard. Il nous a laissé quelques pages parfaites dont la verdeur et la vérité égalent celles de Rabelais.

IV. — COURANTS D'IDÉES NOUVEAUX : ITALIANISME, PLATONISME RATIONALISME

Consulter : H. Chamard, les Origines de la poésie française de la Renaissance *(1920) ; J. Vianey*, le Pétrarquisme en France *(1909) ; A. Baur*, M. Scève et la Renaissance lyonnaise *(1906) ; J. Festugière*, la Philosophie de l'amour de Marsile Ficin et son influence sur la littérature française au XVIe siècle *(1923 et 1946) ; Pierre Villey*, les Sources d'idées au XVIe siècle *(1914) ; H. Busson*, les Sources et le développement du rationalisme dans la littérature française de la Renaissance, 1533-1601 *(1922) ; J.-R. Charbonnel*, la Pensée italienne au XVIe siècle et le courant libertin *(1917) ; A. Lefranc*, Grands Écrivains français de la Renaissance *(1914). Il nous manque un livre sur l'histoire de l'imprimerie à Lyon, dont ne tient pas lieu la savante* Bibliographie lyonnaise *de Baudrier.*

Alors que persiste encore, entre 1530 et 1550, avec Marot, avec Du Fail, avec Rabelais parfois, la tradition médiévale, l'humanisme, évoluant, a dépassé le point de vue théologique pur, et son succès s'affirme. En quelques années il a gagné à sa cause une part importante de la noblesse et de la bourgeoisie. 1534 : Gargantua définit à Pantagruel, en termes enthousiastes et à peine hyperboliques, les progrès accomplis : « Maintenant toutes disciplines sont restituées, les langues instaurées, grecque sans laquelle c'est honte qu'une personne se die savante, hébraïcque, caldaïcque, latine... Tout le monde est plein de gens savans, de précepteurs très doctes, de librairies très amples... Et ne se fauldra plus doresnavant trouver en place ny en compaignie qui ne sera bien expoly en l'officine de Minerve. »

Le goût de l'antiquité est entré dans les mœurs, et d'abord sous une forme savante : on veut tout connaître du monde païen, et l'apprendre vite et commodément. D'où le succès des érudits anciens : Plutarque, Aulu-Gelle, Athénée, Macrobe, que Rabelais vénère à l'égal des plus grands. D'où aussi le succès des modernes vulgarisateurs, des auteurs de répertoires d'anecdotes ou de faits pittoresques — les *Larousse* du XVIe siècle — : Ravisius Textor, Coelius Rhodiginus, que pillera maître François Rabelais, et du plus grand des humanistes européens, Érasme, qui, dans ses *Adages*, met à la portée de tous la sagesse antique, en attendant qu'Amyot offre au public, en un français savoureux, toute l'œuvre de Plutarque : *Vies des hommes illustres* et *Morales*.

L'imprimerie soutient brillamment le mouvement : à l'impression gothique, qui sentait encore le moyen âge, succède le caractère italien ; les éditions s'ornent de gravures sur bois, de luxuriantes décorations à l'italienne. Geoffroy Tory (1480-1533) définit dans son *Champfleury* (1529) les principes de l'art nouveau, car c'est un art qu'imprimer. Les livres à figures se multiplient, dont la présentation plaisante enchante les amateurs : Denys Janot, Marnef, à Paris, Sébastien Gryphe, offrent au public de somptueuses éditions, dont l'une des plus célèbres est celle des *Emblèmes* d'Alciat. Les traductions, les éditions de textes anciens, plus nombreuses, l'emportent désormais sur les livres populaires et les romans de chevalerie. Lazare de Baïf traduit *Electre* (1537), Salel l'*Iliade* (1542), Antoine Le Maçon le *Décaméron* (1545), et voici que, sous l'influence de Marguerite de Navarre, paraissent les premières traductions de Platon (*Lysis, Criton*, 1547). L'humanisme triomphe, à la cour d'abord, et dans tout le royaume. Les grands seigneurs se piquent d'imiter le roi et sa sœur, et de protéger érudits et poètes : ainsi le cardinal de Tournon qui fonde, en 1542, le Collège de Tournon ; ainsi le connétable de Montmorency à qui Marot offre un recueil de ses vers inédits ; ainsi les cardinaux de Lorraine et Du Bellay auxquels tous les écrivains accordent des louanges hyperboliques, mais amplement méritées. Un peu partout dans le royaume foisonnent les cercles d'humanistes : à Bordeaux autour du juriste Briand Vallée ; en Poitou se groupent les amis de Rabelais : l'évêque Geoffroy d'Estissac, l'avocat Tiraqueau, le poète Jean Bouchet ; à Toulouse, on cite l'évêque Jean de Pins et le savant Jean de Boyssoné ; à Bourges, à Orléans enseignent d'illustres juristes : Alciat, L'Étoile ; à Montpellier (dont l'érudit Guillaume Pellicier est évêque) enseigne le médecin Rondelet, l'illustre Rondibilis. Lyon apparaît

ILLUSTRATION de la première nouvelle du « Décaméron » de Boccace, dans la traduction française d'Antoine Le Maçon (1545). — CL. LAROUSSE.

alors, plus que Paris, la capitale intellectuelle de la France : on n'y trouvait ni parlement, ni université, ces ennemis de l'humanisme, mais une bourgeoisie riche et cultivée, curieuse des lettres et des arts. L'humanisme pouvait donc s'y développer librement. D'autant que la situation géographique de la ville, au croisement des routes d'Italie et d'Allemagne, en faisait un carrefour où pouvaient jouer pleinement les influences étrangères, et que ses foires internationales (où la librairie avait une large part) en faisaient un des grands marchés européens. Nombre de marchands et de banquiers italiens, venus de Gênes et de Florence, y avaient apporté les modes d'outre-monts, le goût de la vie de société, du luxe, des arts et des plaisirs. L'aube du siècle y avait vu enfin s'établir — rue Mercière — un important commerce d'imprimerie : les Gryphe, les Arnoullet, les Nourry déjà rivalisent avec les éditeurs parisiens, et bientôt Dolet.

On ne s'étonne pas, dès lors, de ce que les influences italiennes se soient, d'abord, exercées à Lyon. D'Italie, en effet, venaient, avec le goût des lettres antiques, des modes nouvelles : la passion de la gloire, qui animera Ronsard et les poètes de la Pléiade ; une conception nouvelle de la poésie, orgueilleuse, difficile et savante, considérée comme un sacerdoce ; le désir de rivaliser, dans l'idiome national, avec les langues mortes qui sont, quoi qu'on pense, bien mortes. Les idées qui seront familières aux poètes français de 1550 : le culte de la beauté, le culte de la forme élégante et travaillée, ces idées, ignorées de leurs prédécesseurs, leur viennent d'Italie.

Le premier modèle que l'on imita fut Pétrarque. Maurice Scève, poète lyonnais, venait, croyait-on, de découvrir en Avignon le tombeau de Laure de Noves. Il remit à la

LE TRIOMPHE DE LA CHASTETÉ. Miniature du Pétrarque de Louis XII (B. N., ms. franç. 594). — CL. LAROUSSE.

mode le poète des *Triomphes* : il n'y aura pas, environ 1550, un seul poète qui ne chante, sur le mode pétrarquiste, ses amours, ou plutôt sa soumission dévotieuse à une maîtresse souvent factice, parangon de toutes les beautés et de toutes les vertus, de toutes les cruautés aussi. Marot, Ronsard, Desportes... Trois étapes du pétrarquisme : dès 1540 on pille les *Rime diversi*, anthologies souvent rééditées, qui groupaient les meilleurs vers de Cariteo, de Tebaldeo, de Bembo ou de Serafino dell'Aquila ; on leur prend thèmes et procédés d'expression (la pointe et l'antithèse surtout), sentiments conventionnels et forme raffinée. Malgré ses erreurs, le pétrarquisme fut pour beaucoup dans le renouveau de notre poésie.

Autre mode intellectuelle venue de Florence : le platonisme qui, dès la fin du XVe siècle, attire les premiers de nos humanistes. Les idées de Platon sur l'amour se répandaient en France, où les érudits lisaient Marsile Ficin et Léon Hébreu (Leone Ebreo), le *Peregrin* de Caviceo (1535), l'*Hécatomphile* d'Alberti (1536), le *Songe de Polifile* de Fr. Colonna, le texte ou la traduction du *Courtisan* de Balthazar Castiglione (1535), ce curieux traité de civilité où le cardinal Bembo, l'un des personnages mis en scène dans ce dialogue, exposait les théories du *Banquet* et du *Phèdre* et dessinait le portrait idéal de la femme de cour. En attendant les *Asolains* du même Bembo (1545) et les *Dialoghi d'amore* de Leone Ebreo.

On lut ces livres ; on les exploita. Un ami de Marot, Bertrand de La Borderie, marqua, dans l'*Amye de court*, le contraste entre la mystique platonicienne et la coquetterie galante, l'insincérité des grandes dames. Thème banal : c'était simplement le débat sur la femme qui, durant deux siècles, avait opposé nos écrivains. Le platonisme paraît le renouveler et l'enrichir. Charles Fontaine (la *Contr'Amye de court*), Almanque Papillon (le *Nouvel Amour*) prirent contre La Borderie la défense de l'amour pur ; Héroet exalta dans la *Parfaicte Amye* (1532) l'amour conçu comme le bien suprême, principe et fin de la vie. Le poème n'est ni sans désordre ni sans longueurs, mais il présente un exposé précis de la doctrine platonicienne de l'amour, et suggère quelques réponses aux problèmes que pose la vie sentimentale. Héroet avait écrit, avant la *Parfaicte Amye*, un poème sur le mythe de l'Androgyne, cher à l'auteur du *Phèdre*. Il était des familiers de la reine de Navarre, conquise elle aussi au platonisme, pour qui Des Périers traduisit le *Lysis*, et qui s'inspira de Platon pour écrire les pages les plus riches de son *Heptaméron* : celles où elle définit le caractère des parfaits amants. On retrouve ainsi la tradition française de l'amour courtois, adoration fervente de la femme, acceptation totale de ses caprices, voire de ses refus, qui connaît alors un regain de vigueur, en partie grâce à l'impression et à la diffusion des romans médiévaux. On l'enrichit d'une thèse philosophique : l'amour ainsi conçu élève l'homme de la terre au ciel, du monde de la chair à celui des idées ; les sens n'y ont plus de part : la querelle des amies, la querelle des blasons, deux épisodes marquants des progrès du platonisme.

Pétrarquisme et platonisme intéressent surtout la vie sentimentale, et, partant, la poésie. Un courant plus discret commence à se faire jour, qui s'affirmera plus ouvertement au XVIIe siècle. Nombre d'étudiants français écoutèrent à Padoue les leçons du rationaliste Pomponazzi, qui niait l'immortalité de l'âme. Sans adopter toujours ses idées, ils les répandirent dans le royaume. D'autre part, Rabelais, un peu partout dans son œuvre, notamment dans sa description de Thélème et son éloge de Physis, Ronsard dans ses *Odes* et ses *Hymnes*, développent des thèmes empruntés au naturalisme antique. On assiste ainsi à un réveil du paganisme que les premiers humanistes, profondément, strictement chrétiens, n'avaient pas prévu. Non que l'on rejette la religion, ou qu'on nie la vérité du

dogme ! Mais on fait de la vie deux
parts : l'une, orthodoxe, respecte l'enseignement de l'Église et sa discipline ; l'autre, plus libre, tend à s'affranchir des contraintes religieuses, à
laisser s'épanouir librement toutes les
activités du corps et de l'esprit. Paganisme moins audacieux, certes, moins
intellectuel, moins total que celui de
certains Italiens, mais aussi réel. Il
est un des aspects, et non le moins
curieux, de notre Renaissance.

Culte de l'antiquité et de l'Italie,
culte enthousiaste, total, irréfléchi
parfois, du savoir, d'un savoir encyclopédique, culte de la beauté, d'une
beauté païenne et sensuelle, charnelle,
culte de la vérité qui bientôt ira d'une
foi exacerbée à un scepticisme total,
de l'inquiétude d'Érasme à l'intransigeance de Calvin, à l'incroyance de
Des Périers, culte de la vie enfin, sous
toutes ses formes, des plus grossières
aux plus raffinées (l'abbé Bremond l'a
bien vu, qui écrivait : « l'humanisme
est une tendance à la glorification de
la nature humaine »), tels sont,
semble-t-il, les traits essentiels de
l'humanisme qui se confond avec la
Renaissance. Humanisme et Renais-
sance offrent à l'historien le spectacle le plus divers :
les traditions gauloises s'y mêlent aux modes italiennes,
le réalisme à l'idéalisme, le culte du fait à l'idéal de
beauté, les idées chrétiennes aux thèses antiques. Chaque
tempérament réagit à sa guise. Et c'est, après 1530, le
dernier caractère de notre Renaissance que de présenter
des nuances variées où s'affirme, mieux que par le passé,
le caractère personnel de chaque écrivain.

Ainsi vont apparaître, presque contemporains : Jean
Calvin qui, le premier, traite en français de questions
théologiques ; le premier de nos poètes et de nos conteurs
modernes : la reine de Navarre ; enfin, le plus grand écrivain de cette période, maître François Rabelais.

LA CATHÉDRALE DE NOYON, que Calvin a fréquentée dans son enfance et sa jeunesse.
CL. NEURDEIN.

V. — LA RÉFORME : JEAN CALVIN

*Dès le XVIe siècle, les mérites littéraires de l'œuvre
théologique de Calvin étaient reconnus. « Il estoit, dit
Étienne Pasquier, homme bien escrivant tant en latin que
françois et auquel notre langue françoise est grandement
redevable pour l'avoir enrichie d'une infinité de beaux
traicts. »*

*Jean Cauvin (il signa Calvinus ses ouvrages en latin,
d'où Calvin, par une fausse interprétation de cette forme)
naquit à Noyon, en 1509, d'une famille de la riche bourgeoisie. Son père, Gérard Cauvin, notaire apostolique,
secrétaire de l'évêché, promoteur du chapitre, le destinait
à l'Église. Il le fit pourvoir tout enfant de bénéfices ecclésiastiques, entre autres du revenu d'une terre, dite d'Espe-
ville : le nom de cette terre fournit, plus tard, un pseudonyme à Calvin.*

*Après avoir commencé ses études dans sa ville natale,
Jean Calvin fut envoyé à Paris, avec des neveux de son
évêque, pour suivre les leçons du collège de la Marche, en
qualité d'externe libre. Il y eut pour maître de latin et de
grec le pédagogue le plus érudit et le plus intelligent de
l'Université de Paris : Mathurin Cordier. On ignore
pourquoi il fut placé ensuite, sous la direction de Noël
Béda, dans ce collège de Montaigu dont Érasme et*

*Rabelais ont flétri la discipline inhumaine et la « pouillerie »
répugnante.*

*Sa formation et sa culture, après sa sortie des collèges,
furent celles d'un juriste et d'un philologue. Son père lui fait
étudier le droit canonique. Vers 1528, il se lie, à Paris,
avec un de ses compatriotes, Pierre Robert, dit Olivetan,
qui l'intéresse aux idées des Évangéliques. Dès lors, « ayant
reçu, nous dit-il, quelque goût et connoissance de la vraie
piété », il s'adonne avec moins d'ardeur aux autres études.
Il ne laisse pas d'apprendre le droit civil à Orléans, puis
à Bourges, où il rencontre l'Allemand Melchior Wolmar,
professeur de grec, luthérien déclaré.*

*Son père mort (1530), il renonce au droit et rentre à
Paris pour y suivre les cours de grec et d'hébreu des lecteurs
royaux Danès et Vatable. La publication de son Commentaire latin sur le De clementia de Sénèque (1532) semble
devoir l'engager dans la carrière philologique ; mais, soudain,
un discours prononcé en Sorbonne, le 1er novembre 1533,
par son ami Cop, recteur de l'Université, inaugura son
apostolat de réformateur religieux.*

*Ce discours était de lui. Il joignait des lieux communs de
morale à des considérations sur la justification par la foi et
des louanges à l'adresse des esprits courageux qui « insi-
nuaient purement et simplement l'Évangile dans les âmes »,
au risque d'être traités « d'hérétiques et de séducteurs ». Ainsi
un plaidoyer pour les Évangéliques et pour leur doctrine
était prononcé publiquement au cours d'une cérémonie officielle. Ce fut un scandale. La Sorbonne, émue de cette
provocation, déféra le discours au Parlement, comme entaché
d'hérésie. Cop s'enfuit à Bâle, Calvin en Saintonge, puis
en Béarn, où il alla visiter dans sa retraite Lefèvre d'Étaples.*

*L'orage passé, il revint à Noyon et résigna ses bénéfices
ecclésiastiques : étant alors âgé de vingt-cinq ans, il n'aurait
pu les conserver sans recevoir la prêtrise. Il fut incarcéré
quelque temps, pour des raisons restées obscures.*

*Survint l'affaire des placards. Il s'éloigna de Paris, s'en
fut à Angoulême, à Poitiers, à Orléans, à Bâle, où il publia
la première édition de sa Christianae Religionis Institutio,
que précède un appel à l'équité du roi François Ier ; à
Ferrare, chez la duchesse Renée, favorable aux nouvelles
doctrines religieuses. Enfin, comme il traversait Genève pour*

se rendre à Strasbourg, son ami Guillaume Farel, qui dirigeait le conseil de la ville après avoir expulsé les théologiens catholiques, l'adjura de rester auprès de lui pour enseigner la théologie. Calvin accepta. Désormais le voilà engagé dans la vie politique d'une cité encore tout ébranlée par une révolution récente.

Il avait à lutter contre plusieurs partis. En 1538, il fut banni par la faction des « libertins », qui était aussi celle des Genevois hostiles aux étrangers. Il se réfugia dans la ville libre de Strasbourg, où il noua des relations avec les réformateurs de langue allemande : Bucer, Sturm, Sleidan, Mélanchton, Luther. Il s'y maria.

En 1541, son parti ayant triomphé à Genève, il y revint pour n'en plus sortir. Il gouverna Genève en dictateur, poursuivant quiconque menaçait, par ses idées, son autorité spirituelle. Il exila Sébastien Castellion et fit condamner au feu Michel Servet, coupables de lèse-orthodoxie calviniste. Sous son gouvernement, Genève devenait la Rome du protestantisme. Il prêchait, il rédigeait des traités de théologie, donnait des consultations aux princes et aux églises de la Réforme. Son activité prodigieuse allait toujours croissant. Il mourut en 1564.

Ses œuvres françaises comprennent des sermons, des lettres, des ouvrages de théologie dogmatique, comme le Traité de la Cène (1541) ; des pamphlets, comme le Traité des reliques (1543), l'Excuse aux Nicodémites (1544) ; enfin la somme de sa doctrine théologique : l'Institution de la religion chrétienne. Ces écrits représentent un cinquième de son œuvre totale : le reste est en latin.

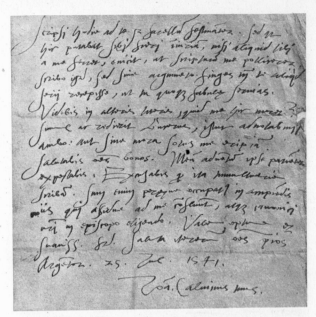

UNE LETTRE AUTOGRAPHE DE CALVIN A VIRET (Bibl. de Genève, ms. latin 106). — CL. LACROIX.

Le Corpus reformatorum de Baum, Cunitz et Reuss (1863) contient ses Œuvres complètes. Ses Lettres françaises ont été publiées par Bonnet, 2 vol., 1854. L'Institution de la religion chrétienne (texte de 1541) a été rééditée en 1911, sous la direction d'Abel Lefranc, par Henri Chatelain et Pannier, 2 vol., et en 1936 et suiv., par J. Pannier.

Consulter : E. Doumergue, Jean Calvin, les hommes et les choses de son temps, 5 vol. (Lausanne, 1891-1897) ; A. Lefranc, la Jeunesse de Calvin (1888) ; J. Pannier, Recherches sur la formation intellectuelle de Calvin (1930) ; Imbart de La Tour, Calvin et l'Institution chrétienne (1935) ; J. Plattard, l'Institution chrétienne, premier monument de l'éloquence française (Revue des Cours et Conférences, 1935) ; A. Lefranc, Calvin et l'éloquence française (1934) ; Études sur Calvin et le calvinisme (1935) ; L. Wencelius, l'Esthétique de Calvin (1937) ; J. Pannier, Calvin écrivain (1930).

CARACTÈRE DE CALVIN

Une volonté tenace et un amour passionné de l'idée, de l'argumentation, du système, voilà les traits essentiels de la physionomie morale de Calvin. Il se donnait tout entier, sans ménagement, à son apostolat. De bonne heure, il s'imposa un travail accablant pour un organisme que minaient diverses maladies. Ses nerfs étaient très impressionnables. Des colères fréquentes et violentes le secouaient ; il a raconté lui-même qu'après un accès de rage il dut garder le lit toute une journée. Sa vie était vouée à une seule tâche : assurer le règne de sa doctrine.

Non qu'il n'y ait eu, dans son âme ardente, quelque place pour les affections douces. Au temps de son adolescence, il s'est abandonné à quelques amitiés. Il ne s'est pas complètement refusé aux jouissances des sens et de l'imagination. Il a été sensible au charme de la musique et lui a assigné en conséquence un rôle dans sa liturgie. Il a qualifié d'inhumaine la philosophie qui interdit à l'homme de se complaire à la beauté ou au parfum des fleurs et à « d'autres fruits licites de la bénéficence divine ». Mais ces sentiments s'effacent ordinairement devant la passion du logicien pour les idées : c'est cette passion qui règne en souveraine dans son éloquence.

LE DISCOURS DU RECTEUR COP, prononcé en Sorbonne le 1er novembre 1533. Il est écrit de la main de Calvin (Bibl de Genève, ms. 1450). — CL. BOISSONNAS.

SA CORRESPONDANCE

Elle comprend environ trois cents lettres missives, adressées soit à de grands personnages comme le roi de France, le lord protecteur d'Angleterre, la reine Marguerite de Navarre, le roi Antoine de Navarre, Jeanne d'Albret, la duchesse de Ferrare, le prince de Condé, l'amiral de Coligny, le seigneur de Falais ; soit à des églises réformées de l'étranger : celle de Francfort, celle de Wesel ; soit aux petites églises calvinistes éparses en France : celles de Poitiers, de Loudun, de La Rochelle, etc. Pas de lettres familières. A part quelques mentions de ses maladies, coliques, migraines, fatigues causées par l'usage du cheval, cette correspondance ne nous livre rien qui nous fasse pénétrer dans l'intimité de Calvin. Mais elle nous montre comment il s'acquittait de ses fonctions de pasteur et d'homme d'État.

La moralité de la ville de Genève est une de ses préoccupations constantes. Pour l'assurer, il a recours aux sanctions les plus sévères, le bannissement par exemple : « Telle femme s'était élevée bien fièrement. Mais il fallut qu'elle ait gagné les champs, pour ce qu'il ne faisait pas bon en ville pour elle. Les autres baissent bien la tête, au lieu de lever les cornes. » Aucun détail de mœurs ou de costume ne lui paraît indigne de son attention scrupuleuse. Il remarque un jour que les jeunes gens de Genève adoptaient la mode, qui avait cours en France, des chausses découpées. Calvin interdit cette mode, « non pas, explique-t-il, que nous fissions instance de cela, mais pour ce que nous voyions que, par les fenêtres de ces chausses, ils vouloient introduire toutes dissolutions... Sathan a icy assez d'allumettes. »

Comme directeur de conscience, il savait user d'une fermeté obstinée, sous des apparences polies, voire cérémonieuses. Les grands qu'il croyait de son devoir de conseiller n'étaient pas tous aussi dociles à ses enseignements et aussi respectueux de son autorité que la duchesse de Ferrare ou le seigneur de Falais. Calvin n'hésite pas à les morigéner lorsqu'il le croit nécessaire. « Nous serions traîtres en vous dissimulant les bruits qui courent, écrit-il au prince de Condé. Nous n'estimons pas qu'il y ait du mal où Dieu soit directement offensé, mais quand on nous a dit que vous faites l'amour aux dames, cela est pour déroger beaucoup à votre autorité et réputation. Les bonnes gens en seront offensés, les malins en feront leur risée. »

Dans l'administration des églises réformées, les embarras

JEAN CALVIN. Portrait du musée Boijmans, à Rotterdam.
CL. LAROUSSE.

étaient multiples. Le principal effort de Calvin tendait à assurer aux églises des pasteurs qui fussent d'une moralité au-dessus des soupçons. Leur vie privée le préoccupe, et particulièrement leur mariage est toujours une affaire grave. Il est très inquiet lorsque Viret songe à se remarier et il s'indigne de la folle entreprise de Farel qui, à soixante-neuf ans, s'avise d'épouser une jeune fille. Il n'ignore pas qu'il y a parmi les moines qui ont passé au protestantisme beaucoup d'aventuriers, de brouillons, de mutins : tel ce carme défroqué, qui, après avoir accepté de dîner avec lui, se rendait ensuite au cabaret et là calomniait son hôte. Il ne cesse de surveiller ces faux apôtres et de les dénoncer aux fidèles et aux églises.

Les règles politiques qu'il recommandait aux Réformés de France, isolés ou groupés, étaient sages et prudentes. Il désavouait les excitations à la révolte. Lorsque les premiers troubles éclatèrent, il refusa d'approuver les attentats contre l'ordre public. Il se défendit d'avoir favorisé les projets des conjurés d'Amboise et s'opposa aux intrigues de La Renaudie à Genève. Au cours des guerres civiles, il s'indignait des violences commises par les huguenots de Sauve qui avaient abattu une croix et brûlé des images. Il écrivait au baron des Adrets, pour protester contre la licence de ses bandes : « Si est-ce, Monsieur, qu'il vous faut surtout corriger un abus qui n'est nulle-

GUILLAUME FAREL et PIERRE VIRET, d'après les « Icônes » de Théodore de Bèze (1580).
CL. LAROUSSE.

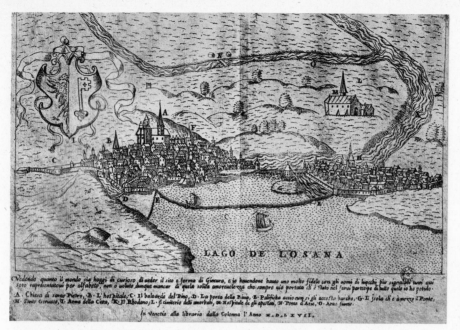

GENÈVE. Reproduction d'une gravure de 1567. — CL. BOISSONNAS.

ment supportable, c'est que les soudards prétendent de butiner les calices, reliquaires et tels instruments des temples. Qui pis est, on a rapporté que quelque un des ministres s'estoit fourré parmi, jusques à en exposer en vente quelque quantité. Mais en premier lieu, si cela advenoit, il y aura un horrible scandale pour diffamer l'Évangile et, quand la bouche ne seroit point ouverte aux méchants pour blasphémer le nom de Dieu, si est-ce qu'il n'est pas licite, sans autorité publique, de toucher à un bien qui n'est à aucune personne privée. » Il invite en conséquence le baron des Adrets à faire publier par les carrefours que ceux qui, dans les huit jours, n'auront pas rapporté leur butin seront punis comme larrons.

Aucune qualité de style ne distingue ces lettres. Elles valent surtout par les renseignements qu'elles nous fournissent sur le caractère de Calvin. Elles nous le montrent grave, actif, énergique, guidé le plus souvent par une raison lucide, toujours soutenu par la haute idée qu'il se fait de sa mission de « procureur de Dieu ». *Ma conscience me presse..., l'honneur de Dieu commande...* Ces formules reviennent fréquemment sous sa plume, lorsqu'il écrit pour censurer les mœurs, redresser un abus ou maintenir la discipline dans les églises.

SES PAMPHLETS

Ses ouvrages de polémique religieuse sont d'un ton bien différent. Lorsqu'il se fut fixé à Genève, il était en possession d'une doctrine religieuse, nettement définie dans sa *Christianae religionis Institutio* (1536). Aussi engagea-t-il la lutte, non seulement contre les catholiques fourvoyés dans la superstition des reliques *(Traité des reliques)*, mais encore contre toutes les sectes réformées dont les idées lui semblaient pernicieuses pour la vérité évangélique. C'est ainsi qu'il publia une *Briefve instruction pour armer tous bons fidèles contre les erreurs des Anabaptistes*, qu'il dénonça comme hostiles à l'Évangile les sceptiques et les épicuriens, « une bande qui est quasi toute de gens de lettres » *(Excuse à Messieurs les Nicodémites)* : il les tient pour des esprits timorés, comme Nicodème, ce Juif qui se cachait, la nuit, pour aller voir Jésus. C'est ainsi encore qu'il écrivit *Contre la secte phantastique et furieuse des Libertins qui se nomment spirituelz*. Ceux-là soutenaient que nos actes, venant tous de Dieu, sont tous moralement indifférents et que notre imagination, notre « cuider »,

en fait seule la moralité ou l'immoralité. Calvin attaqua la secte entière, et nommément Coppin et Quintin, que protégeait la reine de Navarre.

On a remarqué depuis longtemps la véhémence de quelques-uns de ces pamphlets. Bossuet trouvait que cette éloquence n'était « en rien plus féconde qu'en injures », et il citait quelques-unes des insultes que Calvin lançait à la face de ses adversaires : fripons, fous, méchants, furieux, ivrognes, enragés, bêtes, taureaux, ânes, chiens, pourceaux. Il en passait et de plus pittoresques : jaseurs, bavereaux, baguenaudiers, gaudisseurs, badins, marauds, ruffians, bélîtres, etc. Il est certain que Calvin s'abandonne volontiers à sa verve et affecte les familiarités, voire les trivialités du langage populaire. Il use de locutions proverbiales et figurées; il transcrit, par exemple, dans leur forme crue, en dialecte picard, les propos cyniques de certains libertins spirituels. Il décrit en termes rustiques la déconvenue d'un fanfaron, se retirant comme un animal battu « tout peneux, la queue entre deux jambes ».

C'est ainsi que s'égaie le grave logicien. L'esprit ou l'ironie fine, qu'on attendrait volontiers d'un esprit sûr de son argumentation et confiant dans le pouvoir de la raison, se rencontrent rarement chez lui. Aucun de ses ouvrages n'est plus intéressant à cet égard que l'*Avertissement très utile du grand profit qui reviendroit à la chrétienté s'il se faisoit inventaire de tous les corps saints et reliques qui sont tant en Italie qu'en France, Allemagne, Espagne, et autres royaumes et pays.*

Après avoir soutenu, en alléguant le témoignage de saint Augustin, que la vénération des reliques était déjà du temps de ce Père l'occasion d'une foire « vilaine et deshonnête »; après avoir montré, par un mot de saint Paul, que ce culte ne saurait être que vanité, comme « tout service de Dieu inventé en la tête de l'homme », Calvin entreprend de prouver qu'au surplus les reliques vénérées de son temps ne sont pas authentiques. De chaque apôtre, on compte dans les sanctuaires de la chrétienté plus de quatre corps, « et de chaque saint pour le moins deux ou trois ». Pour jeter le discrédit sur cette superstition, il suffisait donc de dresser l'inventaire de ces corps multiples.

C'est ce qu'il fait, dans une énumération paisible, dont la lenteur même n'est pas sans humour. Mais le plus souvent Calvin contient mal l'indignation que lui inspirent l'ignorance et la crédulité. Il gronde; il fouaille ses adversaires de plaisanteries épaisses; il éclate en injures.

Le style de Calvin, dans les pamphlets religieux, est plein de mouvement et de vie, parce qu'il rend les vigoureuses émotions qui agitent l'auteur. Il mêle à l'exposé des faits et des idées une humeur goguenarde, des sarcasmes et, à l'occasion, des insultes.

L'INSTITUTION DE LA RELIGION CHRÉTIENNE

G. Lanson, l'Institution chrétienne de Calvin (Revue historique, *1894*); *A. Lefranc,* Introduction *à la réimpression du texte de 1541 (1911); J. Demeure,* l'Institution de la religion chrétienne de Calvin; examen de l'authenticité de la traduction française (Revue d'histoire littéraire, *1915*); *J. W. Marmelstein,* Étude

comparative des textes latins et français de l'Institution de la religion chrétienne, *Groningue, 1921.*
Nos citations sont faites d'après le texte de 1541.

Quelle fut l'occasion de la publication de son ouvrage capital, Calvin l'a raconté lui-même. Comme il demeurait à Bâle, en 1536, « caché et cognu de peu de gens, on brusla en France plusieurs fidèles et saincts personnages... Ces bruslemens furent trouvez fort mauvais par une grande partie des Allemans », dont le roi François Ier recherchait l'alliance. Pour apaiser leur colère, des agents officieux du roi firent courir certains livrets qui traitaient les novateurs religieux en France d'anabaptistes, de séditieux, d'ennemis de tout ordre public. Afin de répondre aux calomnies de ces « pratiqueurs de cours » et de montrer quelle foi « tenaient » ceux que l'on diffamait vilainement, Calvin publia en latin un exposé de sa doctrine chrétienne, avec une lettre-dédicace à François Ier.

Trois ans après, il en donnait, à Strasbourg, une seconde édition, revue et augmentée, sous le pseudonyme d'*Alcuinus*, anagramme de *Calvinus*. En 1541, il la translatait en français, « désirant communiquer ce qui en povait venir de fruict à nostre nation françoise ». En usant de la langue vulgaire pour répandre sa doctrine, il suivait l'exemple de Luther et les principes des Évangéliques français, qui voulaient mettre la théologie à la portée de tous les fidèles. L'ouvrage parut à Genève. Le Parlement de Paris rendit un arrêt pour interdire la vente de la version française, ainsi que celle de l'original latin. Des exemplaires des deux éditions furent brûlés au parvis Notre-Dame.

Deux révisions du texte latin se succédèrent en dix ans. Elles furent suivies d'une nouvelle version française, en 1551.

Enfin, en 1559, Calvin donna en latin une rédaction définitive de son œuvre, qui parut, un an après, traduite en français.

Ainsi, l'*Institution de la religion chrétienne*, le premier ouvrage de théologie qui ait été publié en français, est une traduction, en idiome vulgaire, d'un texte rédigé dans la langue usuelle de la philosophie et de la théologie au XVIe siècle, le latin.

Cette traduction est-elle du moins l'œuvre de Calvin lui-même ? Il n'y a pas d'hésitation possible pour la version de 1541 : elle a été, nous est-il dit dans le titre, « composée par Jean Calvin et translatée en françois par luy mesme ». L'argument, ou préface, contient une déclaration non moins explicite.

La version de 1560 a paru suspecte, en raison des négligences et même des contresens qu'elle comporte. A vrai dire, des bévues assez lourdes se rencontrent déjà dans la translation de 1541. Elles sont dues à l'inattention des secrétaires auxquels Calvin dictait et à l'incurie des imprimeurs. Si ces inadvertances se sont multipliées dans l'édition de 1560, c'est, nous le savons par un témoignage de l'un de ses amis, qu'il n'a pas écrit, mais dicté toutes les additions que comportait ce texte nouveau, et qu'il a laissé à l'un de ses secrétaires le soin de préparer le manuscrit destiné

aux imprimeurs. On doit donc tenir pour authentiques dans leur ensemble les deux états principaux du texte de l'*Institution chrétienne*, celui de 1541 et celui de 1560.

Il y a entre eux des différences assez sensibles : celui de 1541 est plus nerveux et plus concis ; celui de 1560, plus prolixe, plus agrémenté et plus fleuri, comme le texte latin de 1559. Mais les procédés de traduction sont pareils, et pareils les mérites. La rédaction latine était destinée aux « gens d'estude ». La translation en idiome vulgaire veut « subvenir aux simples... et quasi leur prester la main, pour les conduire et les ayder à trouver la somme de ce que Dieu nous a voulu enseigner en sa parole ». C'est un ouvrage de vulgarisation. Aussi Calvin a-t-il supprimé les vocables trop techniques, ajouté des termes explicatifs, et surtout usé de la langue familière toutes les fois que le sujet le comportait.

L'*Institution*, « en laquelle est comprinse », suivant la déclaration du sous-titre, « une somme de piété et quasi tout ce qui est nécessaire à congnoistre en la doctrine de salut », est essentiellement un exposé des dogmes du christianisme.

Dans la première édition (1536), toute cette matière était distribuée en six chapitres : I, la Loi, d'après le Décalogue ; II, la Foi, résumée dans le symbole des Apôtres ; III, la Prière, d'après l'oraison dominicale ; IV, les Sacrements du Baptême et de la Cène ; V, les Sacrements ajoutés par l'Église aux sacrements primitifs ; VI, la Liberté chrétienne, le Pouvoir ecclésiastique et l'Administration civile.

Au cours des accroissements de l'ouvrage, ce plan a subi des déformations ; mais, dans son ensemble, il a été respecté. L'ordonnance de l'ouvrage est simple : elle n'a rien d'original. Elle ne procède d'aucune conception particulière de la théologie ou de la philosophie : elle suit, sauf peut-être dans sa dernière partie, l'ordre adopté traditionnellement dans l'enseignement élémentaire de la doctrine chrétienne.

Aussi bien Calvin ne se targue point de traiter des questions religieuses selon les méthodes théologiques. Il ne procède pas à la façon d'un docteur en Sorbonne, par définitions rébarbatives, distinctions, suppositions et autres modes scolastiques de raisonnement. La Sainte Écriture, affirme-t-il dans l'argument du livre, contient une doctrine parfaite, à laquelle on ne peut rien ajouter. Mais une personne qui n'y est pas exercée a besoin de quelque conduite et adresse pour savoir ce qu'elle y doit chercher, afin « d'atteindre à la fin où le Saint Esprit l'appelle ». L'office de ceux qui ont reçu de Dieu plus de lumière que les autres est d'aider quiconque désire être instruit de la doctrine du salut. C'est à cette fin que le livre est composé : il n'est dans la pensée de Calvin qu'une introduction à la lecture de l'Ancien et du Nouveau Testament.

Le fondement de la doctrine est donc l'Écriture sainte, qui est inspirée de Dieu. Calvin y découvre certains traits qui lui font rejeter la thèse de l'inspiration littérale et verbale : par exemple, l'ordre des temps n'est pas toujours observé, le Nouveau Testament offre des citations erronées de l'Ancien, etc. Il ne

INSTITV
TION DE LA RELI-
GION CHRESTIENNE : EN LA-
quelle est comprinse vne somme de pieté,
& quasi tout ce qui est necessaire a congnoistre en la doctrine de salut.

Composée en latin par IEAN CALVIN, &
translatée en françois, par luymesme.

AVEC LA PREFACE ADDRES-
sée au Treschrestien Roy de France, Françoys
premier de ce nom : par laquelle ce present liure
luy est offert pour confession de Foy·

Habac. 1.
IVSQVES A QVAND
SEIGNEVR?

M.   D.   XLI.

PREMIÈRE ÉDITION de l'« Institution de la religion chrétienne » en français (1541). — CL. LAROUSSE.

s'attache donc pas au texte même du livre, mais à sa substance, et il estime que la Bible est suffisamment claire, pourvu qu'on en recherche les enseignements avec le cœur plutôt qu'avec l'esprit.

Ainsi se trouvent éliminées toutes discussions de philologie et toutes argumentations de caractère scolastique. Il n'y a rien de technique dans la méthode de Calvin, rien qui doive rebuter ceux à qui il adresse son livre, les « simples ».

En quoi consiste donc pour Calvin la substance de l'Écriture sainte ? Quelles sont les idées maîtresses de sa théologie ? Encore qu'il n'ait point cherché à les mettre particulièrement en évidence, elles ont frappé immédiatement ses contemporains. Rabelais l'appelait le « prédestinateur », et la doctrine de la prédestination était, en effet, l'élément original de cette théologie. Elle est exposée dans un chapitre intitulé : *De la prédestination et de la providence de Dieu*, qui offre le double avantage de nous faire connaître une des pièces capitales du système théologique de Calvin et de nous montrer quelle est sa méthode ordinaire d'exposition.

Calvin, ayant constaté que « l'Alliance de vie n'est pas également prêchée à tout le monde et que, même où elle est prêchée, elle n'est pas également reçue de tous », examine comment il se fait que le salut est « offert aux uns » et que les autres en sont « forclos ». Ainsi est posée la question de la prédestination.

Deux règles doivent être observées dans cette enquête : 1° Il ne faut pas prétendre connaître les choses que Dieu a voulu tenir cachées; il nous a « testifié en sa parolle les secrets de sa volonté qu'il a pensé être bon de nous communiquer; il n'y a point de honte à ignorer quelque chose en ceste matière... il y a une ignorance plus docte que l'erreur »; 2° on ne doit pas renoncer à s'enquérir de ce que l'Écriture nous apprend sur cette question de la prédestination, sous prétexte que cette recherche est périlleuse. Il est licite, il est prescrit « d'ouvrir les oreilles à toute la doctrine qui est adressée de Dieu ».

Or, « en suivant simplement la propriété du mot », sans s'embarrasser des diverses acceptions que des contentions superflues ont données à ce vocable, nous appelons Prédestination le conseil éternel de Dieu par lequel il a déterminé ce qu'il vouloit faire d'un chascun homme. Car il ne les crée pas tous en pareille condition, mais ordonne les uns à vie éternelle, les autres à éternelle damnation... Selon donc que l'Escriture monstre clairement, nous disons que le Seigneur a une fois constitué en son conseil éternel et immuable lesquelz il vouloit prendre à salut, et lesquelz il vouloit laisser en ruine. Ceux qu'il appelle à salut, nous disons qu'il les reçoit de sa miséricorde gratuite, sans avoir esgard aucun à leur propre dignité. Au contraire que l'entrée de vie est forclose à tous ceux qu'il veult livrer en damnation et que cela se fait par son jugement occulte et incompréhensible, combien qu'il soit juste et équitable. »

Ce dogme, Calvin le dégage de l'enseignement de « l'Apôtre », c'est-à-dire de saint Paul. Il réfute brièvement les opinions de saint Ambroise, de saint Jérôme, d'Origène, de saint Augustin, écarte une « subtilité » de Thomas d'Aquin; puis il développe sa propre thèse nettement, en insistant sur le rôle du « bon plaisir » de Dieu dans cette élection et cette réprobation. Il prévoit la révolte de l'esprit de l'homme contre une idée si contraire à son instinct de justice, et il s'empresse d'apaiser sa protestation : « Dieu l'a voulu ainsi ! » Tout ce qu'il veut doit être tenu pour juste, parce qu'il le veut. Si nous ne comprenons pas les raisons de ses jugements, « il nous faut prendre cela patiemment et ne refuser point d'ignorer quelque chose ». — Mais encore, pourquoi Dieu a-t-il prédestiné à la damnation des gens qui ne l'avaient point mérité, « veu qu'ilz n'estoient pas encores ? » — Eh quoi ! ne sommes-nous

pas tous « corrompuz et contaminez en vices »? « Si ainsi est que tous hommes, de leur condition naturelle, soient coulpables de condamnation mortelle, de quelle iniquité, je vous prie, se plaindront ceux lesquelz Dieu a prédestinez à mort ? Que tous les enfans d'Adam viennent en avant pour contendre et debatre contre leur Créateur, de ce que, par sa providence éternelle, devant leur nativité ilz ont esté desvouez à calamité perpétuelle ! Quand Dieu au contraire les aura amenez à se recognoistre, que pourront-ils murmurer contre cela ? S'ilz sont tous priz d'une masse corrompue, ce n'est point la merveille s'ilz sont assubjectz à dampnation. Qu'ilz n'accusent point donc Dieu d'iniquité, d'autant que, par son jugement éternel, ilz sont ordonnez à damnation, à laquelle leur nature mesmes les meine. »

L'homme ne peut vouloir le bien par sa seule volonté, celle-ci étant corrompue par le péché originel. Il n'a pas de libre arbitre. Il incline fatalement au mal.

C'est vainement que l'on alléguera, assure-t-il, quelques sentences de saint Paul et le mot du prophète Ézéchiel : « Dieu ne veut pas la mort du pécheur. » Calvin réfute l'objection tirée de ces autorités : « Le Seigneur, en promettant ainsi, ne signifie autre chose, sinon que sa miséricorde est exposée à tous ceux qui le chercheront. Or nul ne la cherche, sinon ceux qu'il illuminez. Finalement, il illumine ceux qu'il a prédestinez au salut. » En d'autres termes, le mérite des œuvres est nul; l'homme ne saurait vouloir le bien sans la grâce de Dieu, et cette grâce ne lui est octroyée que s'il est prédestiné au salut.

Telle est la thèse de Calvin sur le problème de la prédestination. Les théologiens catholiques — Bossuet, par exemple, dans son *Traité du libre arbitre* — maintiennent comme évidentes et l'existence du libre arbitre et la prescience divine; ils renoncent à les concilier, en alléguant, eux aussi, « qu'il ne faut point refuser d'ignorer quelque chose ». Calvin, résolument, sacrifie le libre arbitre de l'homme, qu'il estime incompatible avec la grandeur de Dieu et inconcevable dans l'état de misère où sont plongés les enfants d'Adam.

De cette dure doctrine, jamais Calvin n'atténua la rigueur. C'est elle qui provoqua une scission définitive entre les Évangéliques et lui, entre l'Humanisme et la Réforme. Qu'importaient au dictateur de Genève les murmures de quelques tièdes « Nicodémites »? Il appréhendait avec plus d'inquiétude le découragement où cette espèce de fatalisme pouvait jeter les âmes des simples. N'allaient-ils point renoncer « à toute solicitude et cure de bien vivre »? Pernicieuse nonchalance, contre laquelle il réagit par des exhortations à la patience chrétienne, dans une émouvante paraphrase de la parole du Christ : « Bienheureux ceux qui pleurent ! »

La controverse ne tient pas une moindre place dans ce traité de théologie que l'exposé de la doctrine. Tel chapitre, sur *Cinq autres cérémonies faussement appelées sacrements*, n'est qu'une discussion critique des enseignements traditionnels de l'Église. C'est là que se révèlent toutes les ressources de la dialectique de l'orateur. Il puise largement dans son érudition de juriste, d'humaniste, d'évangélique versé dans la pratique de l'Écriture sainte. Ici, dans une peinture de la résignation chrétienne, il évoque, en contraste, le sage idéal qu'avaient imaginé les stoïciens : « homme magnanime..., dépouillé de son humanité..., vain simulacre de patience, lequel ne s'est jamais trouvé entre les hommes ». Ailleurs, il allègue des textes du Décret, le grand recueil de droit canonique, ou encore il cite ironiquement Pierre Lombard, que les scolastiques qualifiaient de Maître des sentences. Le plus souvent, c'est à l'Écriture qu'il emprunte ses exemples et ses arguments.

Au reste, rien de sec ni de pédant dans cette controverse. Une flamme de passion l'échauffe et en varie le ton. Là, Calvin accable de mépris les théologiens qui, à son gré, discutent en sophistes : « Messieurs noz maistres peuvent bien, sans grande difficulté, disputer de ces matières estans en leurs escholles, assiz mollement sur des coyssins. Mais quand le Souverain Juge apparoistra du ciel, en son throsne judicial, tout ce qu'ilz auront déterminé ne profitera guères, ains s'esvanouyra comme fumée. Or, c'estoit ce qu'il failoit icy cercher, quelle fiance nous pourrons apporter pour nous deffendre en cest horrible jugement et non pas ce qu'on en peut babiller ou mentir en quelque anglet d'une Sorbonne. »

Tantôt il s'échauffe à presser ses adversaires, tantôt il cite en témoignage contre eux « tous ceux qui ont la crainte de Dieu ». Parfois il éclate en imprécations farouches pour protester de sa sincérité : « Si je destourne les mots en autre sens que saint Augustin ne les a escrits, qu'ilz me crachent au visage ! »

Il est évident que Calvin n'a jamais cherché, dans son style, la cadence régulière ou la fluidité de la phrase, ni le bel équilibre des périodes : de telles élégances répugnaient à l'austérité de sa pensée. Ses mérites sont ailleurs. La qualité qu'il prisait entre toutes est la brièveté. Il blâmait chez Sénèque et saint Augustin la prolixité. Il se piquait d'être concis : « Que je sois déclamateur, écrivait-il, il (Westphal) ne le persuadera à personne et tout le monde sait combien je sais presser un argument et combien est précise la brièveté avec laquelle j'écris. » « C'est se donner en trois mots », dit justement Bossuet, « la plus grande gloire que l'art d'écrire puisse attirer à un homme ! » De cette brièveté même, Calvin entrevoyait les inconvénients. Il se demande, dans une lettre à Farel, si sa pensée n'est point trop condensée pour rester aisément intelligible.

Il savait le prix d'une belle ordonnance des idées. Il regrettait, dans son commentaire du *De clementia*, de ne pas trouver chez Sénèque l'ordre, cette lumière du discours. Dans le détail de l'expression, comme il écrivait pour les « simples », il visait avant tout à être clair. C'est pourquoi, dans le texte français de l'*Institution*, il renforçait au besoin par une image familière l'expression abstraite du texte latin primitif; il remplaçait les substantifs abstraits, de formation savante, par des infinitifs employés substantivement; il rajeunissait en 1560 le texte de sa traduction de 1541, la débarrassant des tours qui tendaient à tomber en désuétude.

Le mouvement est un autre caractère de son style. Parce que Bossuet, dans son parallèle fameux entre Luther et Calvin, a déclaré que le style de Calvin est plus triste (et aussi « plus suivi et plus châtié ») que celui de Luther, on se représente volontiers cette prose comme empreinte d'une austérité monotone. En fait, elle est sévère plutôt que triste, et cette sévérité est loin d'être continue. Divers sentiments se partagent l'âme du réformateur et donnent à son style un ton âpre et mordant, du mouvement, parfois de la fougue. C'est l'ironie du Picard, qui se plaît aux quolibets; c'est la passion du dialecticien qui anime l'argumentation, et c'est la colère, même, qui profère ces injures dont le « beau style » de l'écrivain serait « souillé », au jugement de Bossuet; c'est surtout le désir d'accommoder la doctrine « à la plus simple forme d'enseigner », qui, par une foule de détours, de locutions proverbiales, de métaphores familières, voire de termes triviaux, donne au texte

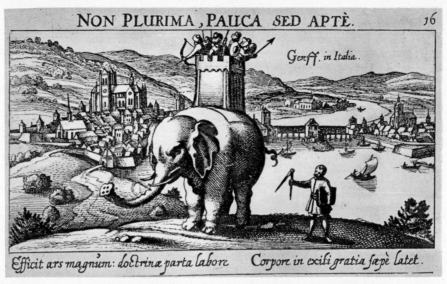

GENÈVE, d'après la « Sciographia » de Meisner, édition de 1678. L'éléphant de guerre est donné comme l'emblème de la forteresse calviniste. — CL. LAROUSSE.

français de l'*Institution* une saveur populaire absente de l'original latin.

Rapporté à la date de sa publication, le grand ouvrage de Calvin est d'une originalité littéraire qu'il convient de souligner. En 1541, un livre de théologie en langue vulgaire est une innovation. Depuis la restitution des bonnes lettres, la prose française n'avait été illustrée que par des vers, des romans et des contes. Dans l'*Institution de la religion chrétienne*, notre « vulgaire » parlait pour la première fois — avec quelle éloquence ! — de philosophie, de théologie, de morale, de spiritualité. Calvin est une des gloires les plus originales de nos lettres du XVIᵉ siècle.

VI. - L'ÉVEIL DE LA POÉSIE PERSONNELLE : MARGUERITE DE NAVARRE

Sœur aînée de François Iᵉʳ, pour qui, toute sa vie, elle eut une tendresse passionnée, elle naquit à Angoulême en 1492. Elevée sous la surveillance de sa mère, Louise de Savoie, elle apprit le latin, l'italien, l'espagnol. Elle étudia plus tard le grec et, peut-être, l'hébreu. De son éducation elle garda, toute sa vie, le goût d'écrire et celui de philosopher.

Mariée en 1509, veuve en 1525 (le duc d'Alençon, son mari, meurt après Pavie), elle épousa Henri d'Albret, roi de Navarre, plus jeune qu'elle de onze ans. Elle n'aima pas son premier mari ; elle ne fut pas aimée du second, pour qui elle avait une vive affection. Duchesse de Berry, elle protégea l'université de Bourges, où elle attira le juriste Alciat. Reine de Navarre, elle séjourna longuement à Pau et à Nérac. Elle fit de son royaume le refuge des humanistes suspects d'hérésie : elle y reçut Marot, Calvin et Lefèvre d'Etaples qui vint y mourir.

Sa fin fut attristée par des discussions avec son frère qui la contraignit à marier sa fille, Jeanne d'Albret, au duc de Clèves, puis par la mort du roi qu'elle chérissait malgré tout. Elle chanta sa douleur en de longs poèmes allégoriques et mystiques. Elle mourut à Odos en Bigorre, en 1549.

Éditions modernes de ses poésies : les Poésies de Marguerite de Navarre, p. p. F. Frank, 4 vol., 1880 ; les Dernières Poésies de Marguerite de Navarre, p. p. Abel Lefranc, 1895 ; — poésies inédites, p. p. P. Jourda (Revue du XVIᵉ siècle, *1926-1930*) ; Comédie de la Nativité, *p. p. P. Jourda, 1939* ; — Théâtre profane, *p. p. V. L. Saulnier, 1946* ; — la Coche, *p. p. R. Marichal* (Humanisme et Renaissance, *V, 1938*).

A consulter : Pierre Jourda, Marguerite d'Angoulême, duchesse d'Alençon, reine de Navarre, *1930* ; Répertoire analytique et chronologique de la correspondance de Marguerite d'Angoulême, *1930*, et Une princesse de la Renaissance, Marguerite d'Angoulême, *1932*.

Le rôle joué par la reine de Navarre — la Marguerite des Princesses — dans le développement de l'humanisme et de la Renaissance est, quoique moins spectaculaire, plus important que celui de François Iᵉʳ. En grec, en latin, en italien, en français, on a chanté ses qualités ; on ne lui a pas ménagé les louanges les plus flatteuses : elles furent méritées.

On l'a dite jolie : clause de style. Elle ne l'était pas. Elle avait l'allure virile des Valois : une haute taille, des traits marqués, le nez assez gros ; plus de force que de grâce. Mais une physionomie rayonnante d'intelligence et de douceur. Au moral, elle faisait preuve d'une bonté, d'un bon sens qui frappaient les diplomates : l'ambassadeur de la Sérénissime République mandait à Venise qu'elle était l'esprit le plus sage du royaume. Au total, plus de charme que de beauté.

Toute jeune, elle avait reçu la plus solide culture, et la plus variée, la plus étendue. Des mouvements d'idées qui agissaient alors en France, elle n'ignora aucun. Elle avait lu Dante, dont elle s'inspira, et les pétrarquistes, et Platon : elle favorisa les humanistes qui traduisaient, les premiers, ses dialogues. Elle donna des gages à l'Évangélisme, avant de s'en tenir, sur sa fin, très librement, à un mysticisme tout voué à l'amour de Dieu. Elle s'entoura de lettrés et de poètes : Marot, Des Périers, Brodeau. « Corps féminin, cœur d'homme et tête d'ange », disait d'elle Marot qui la connaissait bien et la jugeait sagement. Plus encore que l'intelligence, la bonté fut son trait dominant. Elle se donna toute à ceux qu'elle aimait : sa fille, son mari, son frère, qui ne la payèrent pas de retour. Une de ses plus belles chansons, presqu'une ode déjà, la montre dans l'angoisse impatiente que lui cause une maladie du roi. Les malheureux, les âmes troublées (elles étaient nombreuses !) eurent toujours en elle la plus fidèle protectrice. « Elle estoit, dit Brantôme, très bonne, douce, gracieuse, charitable, grand-aumosnière et ne dédaignait personne. »

Elle ne vécut que pour son frère, pour sa fille et pour Dieu. Son existence ne fut que sacrifice : amour et charité. Elle entretint longtemps une correspondance spirituelle, d'une préciosité amphigourique, mais qui témoigne des plus riches curiosités mystiques et des plus hauts élans, avec Briçonnet. Elle ne ménagea pas aux siens les conseils pieux : le thème religieux anime la majeure partie de son œuvre. Ses dernières poésies sont un émouvant cri de confiance en Dieu qui, seul, ne la déçut pas. De la sorte, elle est, avant Ronsard, mais maladroitement, le premier de nos poètes modernes. La première, elle a osé confier à ses vers ses émois les plus intimes, ses doutes, ses rares joies, ses inquiétudes, ses tourments. Obéissant à diverses inspirations, elle a le mérite de la variété. Sa foi profonde, incertaine parfois, parfois aussi très confiante, lui dicte de

MARGVERITES DE LA MARGVERITE DES PRINCESSES, TRESILLVSTRE ROYNE DE NAVARRE.

A LYON, PAR IEAN DE TOVRNES. M. D. XLVII. *Auec Priuilege pour six ans.*

ÉDITION PRINCEPS des « Marguerites de la Marguerite des Princesses » (Jean de Tournes, 1547). — CL. LAROUSSE.

longs poèmes. Effusions mystiques diffuses et touffues : le *Miroir de l'âme pécheresse*, le *Triomphe de l'Agneau*, où l'on découvre des déclarations évangélistes ; poèmes didactiques d'un tour très personnel et souvent prenant : le *Dialogue en forme de vision nocturne* ; comédies pieuses : sur l'enfance de Jésus, où l'on découvre de beaux élans et des passages touchants à côté de pénibles obscurités, ou comédie jouée à Mont-de-Marsan, dans laquelle elle a tenté de définir la véritable vie chrétienne comme celle du cœur ravi en Dieu. Son goût pour la pensée platonicienne lui a inspiré de curieux poèmes sur l'amour ou le sens de la vie : plus qu'aucun autre des poètes du temps elle laisse parler son cœur. Ses poésies profanes ne sont pas sans valeur : elle a décrit « l'honneste amour » en des « débats » à la manière des poètes du XVᵉ siècle. Surtout dans ses *Chansons spirituelles*, dans *la Navire* ou *les Prisons* a dit, trop souvent verbeusement, parfois avec des accents poignants, sincères, émouvants, ses émotions, ses angoisses et ses déceptions. La forme, inférieure à l'idée, l'a trahie : insouciante de l'esthétique, elle ignore les techniques de l'art, même si elle use de formes très variées, depuis la terzine dantesque jusqu'à certaines chansons qui sont déjà des odes. Mais elle a de beaux mouvements, souples et sûrs, des cris de colère puissants, des plaintes douloureuses : les premiers beaux élans, les premiers cris sincères de notre poésie. Elle reste un poète de transition, malhabile et émouvant. Une première Marceline, aussi spontanée et moins adroite encore.

Mais elle aimait à rire : Rabelais lui a dédié son *Tiers Livre*. A bon droit : il savait qu'elle n'était pas toute à ses pensées « extatiques ». Elle l'a lu avec plaisir. De ce goût pour le rire autant que de ses préoccupations spirituelles est né l'*Heptaméron*, recueil de nouvelles qu'elle dictait à ses secrétaires aux heures de détente, le plus souvent lorsqu'elle voyageait au pas lent de ses mules : le premier recueil moderne de notre littérature romanesque tant par sa technique que par ses préoccupations.

VII. — CONTEURS ET ROMANCIERS

L'HEPTAMÉRON

La reine de Navarre a voulu composer un Décaméron *français. L'œuvre de Boccace avait déjà provoqué, en 1462, la rédaction des* Cent Nouvelles nouvelles. *A la demande de Marguerite, un de ses secrétaires, Antoine Le Maçon, donna, en 1545, une traduction du* Décaméron. *Elle avait dès lors conçu l'idée de rédiger un recueil de nouvelles originales. Elle ne put l'achever. A sa mort, elle n'avait pu rédiger que le prologue de son livre, soixante-douze (ou peut-être soixante-seize) des cent contes projetés, et les conversations qui les relient.*

Une première édition, très incorrecte, parut en 1558, par les soins de Pierre Boaistuau : Histoires des amans fortunez. *Boaistuau avait profondément remanié le texte qu'il imprimait. En 1559, Claude Gruget donna une nouvelle édition, plus exacte. Le dernier éditeur moderne, M. Michel François, se demande — hypothèse suggestive — si la reine n'a pas poussé son ouvrage plus loin qu'on ne l'admet, et s'il ne reste pas des contes inédits à découvrir. Gruget intitula le recueil l'Heptaméron du fait qu'il ne comprend que soixante-douze nouvelles, racontées en un peu plus de sept jours complets.*

Edition moderne : la dernière édition, et la plus sûre, est celle de M. Michel François, 1943.

A consulter : E. V. Telle, l'Œuvre de Marguerite d'Angoulême et la querelle des Femmes, 1937 ; — Michel François, Adrien de Thou et l' « Heptaméron » (Humanisme et Renaissance, V, 1938); — L. Febvre, Autour de l' « Heptaméron », 1944.

Si le *Décaméron* a servi de modèle à la princesse, elle ne doit à peu près rien à Boccace, sauf le plan d'ensemble de son œuvre. Elle imagine que cinq hommes et cinq femmes, les « devisants », princes, seigneurs ou grandes dames, bloqués dans une abbaye des Pyrénées à la suite d'un orage et contraints d'y séjourner dix jours, décident de se distraire en racontant chacun, chaque jour, une anecdote vraie qui provoque les discussions du groupe entier. L'ouvrage comprend donc deux parties distinctes : des récits, des conversations.

On a prétendu que la princesse avait emprunté le sujet de la plupart de ses contes à ses devanciers. On ne saurait nier qu'elle a lu Boccace, le Pogge, les *Cent Nouvelles*. Elle ne leur doit rien : une comparaison objective des textes permet d'écrire qu'elle a ignoré l'œuvre des *novellieri* d'Italie, inédite encore, dans l'ensemble, vers 1540; loin d'imiter Bandello, comme on l'a écrit, elle lui a fourni plusieurs sujets. Si elle emprunte — et c'est possible, mais qui le prouverait ? — à la tradition orale, c'est parce qu'elle l'a crue une fidèle reproduction de la vérité. Une seule nouvelle, la soixante-dixième, est inspirée (et Marguerite l'avoue) du petit roman de la *Châtelaine de Vergy*. Elle affirme, au contraire, n'écrire « nulle nouvelle qui ne soit véritable », et qui n'ait été entendue « par des gens de bonne foi ». Est-ce à dire que toutes soient prises au réel? Non, certes. Mais on ne saurait douter des intentions de l'écrivain, et il convient de les souligner. On lit dans son livre nombre d'anecdotes prises dans la vie quotidienne de la cour, dans les propres souvenirs de la princesse, et qui étaient, peut-on dire, de notoriété publique : ainsi l'histoire du président Carles, du procureur de Saint-Aignan, celle de Lorenzaccio ou de Jambicque, sans parler de celles où, avec un sourire, Marguerite narre les exploits amoureux de François Ier ou se met elle-même en scène. Elle doit simplement à Boccace le cadre de son livre, l'esprit qui l'anime, le souci de mêler du tragique au comique gaillard (et par là elle se sépare des auteurs de fabliaux), la technique du récit enfin. Comme lui, elle se préoccupe moins de conter que d'analyser des sentiments; plus que lui, elle désire instruire ; plus que lui, peut-être, elle désire faire vrai. On soulignera d'abord le réalisme, primitif, mais réel, de son livre, qu'il lui vienne de Boccace, des conteurs français ou de sa propre tendance.

Il apparaît d'abord dans la mise en scène : dans le paysage pyrénéen qui sert de décor au livre. La princesse le connaissait bien. Des gentilshommes se sont retrouvés à Cauterets en septembre : les uns y sont venus pour « boire de l'eaue, se y baigner, et pour prendre de la fange »; d'autres

MARGUERITE DE NAVARRE vers 1545. Cire coloriée du XVIe siècle (musée de Cluny). — CL. GIRAUDON.

ARMES ET EMBLÈMES D'HENRI D'ALBRET ET DE MARGUERITE DE VALOIS. Miniature de l' « Initiatoire instructive en la religion chretienne » (Bibl. de l'Arsenal, ms. 5096). CL. LAROUSSE.

pour y suivre la dame de leurs pensées. Les pluies d'automne arrivent; ils se séparent. Mais les routes du retour sont coupées : les ponts du gave béarnais emportés, les voyageurs se réfugient dans la montagne : des bandouliers les attaquent; l'un des voyageurs est tué, un autre fuit en chemise dans les bois; des ours assaillent la troupe et dévorent les serviteurs de deux dames; un gentilhomme manque d'être emporté par un torrent. La compagnie se trouve réduite à cinq hommes et cinq femmes rassemblés à l'abbaye de Notre-Dame de Serrance. Ils attendront dix jours que soit reconstruit le pont détruit par le gave d'Oloron. Comment passer le temps ? La plus âgée des dames, Oisille, propose de consacrer les matinées à la lecture de la Bible. Une autre, Parlamente la Bien-Nommée, imagine que, l'après-midi, chacun contera une histoire « qu'il aura veue ou bien oy dire à quelque homme digne de foy ». Ainsi sera parachevé au bout de dix jours un *Décaméron* français que l'on offrira au roi. Tout, dans ce prologue, inspiré des souvenirs personnels de Marguerite, est vrai : les noms de lieux, les particularités topographiques, l'atmosphère de la vie aux bains vers 1540, voire les incidents de route.

Les devisants eux-mêmes sont ses parents ou ses familiers. Leurs pseudonymes cachent à peine leurs noms réels : la vieille Oisille est sa mère, Louise de Savoie. Marguerite se met en scène, et, avec elle, son mari, sous les noms de Parlamente et d'Hircan. Ennasuicte est Anne de Vivonne, femme de François de Bourdeille que l'on reconnaît en Simontault, et ce sont la mère et le père de Brantôme, tous deux de la maison de la princesse. On a identifié en Géburon M. de Burye, lieutenant général en Guyenne, lui aussi familier de la reine. Longarine est Mme de Silly; Dagoucin paraît être Nicolas Dangu, évêque de Séez, fils naturel du cardinal Duprat, et curieux de platonisme, que Marguerite avait connu à Alençon. Saffredent et sa femme Nomerfide sont M. et Mme de Montpezat.

Réalisme du décor : les contes se déroulent en Béarn, en Touraine, à Angoulême, à Paris, en Italie. La reine précise souvent le lieu de l'anecdote : c'est Alençon, Amboise, le couvent de Gif près de Paris. Réalisme des faits : on a pu établir la véracité de nombre de ces récits et sur d'authentiques documents d'archives. Réalisme des mœurs : élément banal, traditionnel chez les conteurs médiévaux, mais qui, chez Marguerite, prend plus de précision peut-être. C'est la vie de son temps qu'elle décrit : elle montre la diversité des classes sociales, rustres et « gens mécanicques » qu'elle connaît mal et peint de façon assez vague; moines paillards auxquels elle fait une large place; noblesse qu'elle connaît bien et sur laquelle elle abonde en détails précis. Elle sait distinguer les variétés du costume féminin : les Allemandes s'habillent de noir, les Françaises ornent leur chevelure d'un *scoffion*, abaissent leur *cornette* sur leur visage ou le masquent d'un *touret de nez*. Elle montre les hommes vêtus d'étoffes brillantes ou bardés de fer : on met, pour aller à la chasse, un *hallecret*, une cuirasse en forme de corset; on se coiffe d'un chapeau de soie noire orné d'une *enseigne* — une médaille — « enrichie de pierreries ». C'est toute la vie mondaine qu'elle décrit, la liberté des mœurs parfois brutales, les vicissitudes de la vie conjugale surtout, thème éternel. Réalisme psychologique enfin : la reine a voulu peindre des types humains variés, analyser les formes du sentiment amoureux, du plus trivial au plus éthéré; surtout elle a tenté de montrer en lui non plus un élément comique, mais la source de trop de tragédies douloureuses et sanglantes, telles l'histoire de Mme de Saint-Aignan ou celle de la duchesse de Vergy, toutes deux causant la mort de leurs amants. Le conte n'est plus un simple récit plaisant, agréable par ses péripéties ou par sa drôlerie ; instrument d'analyse ou d'observation, il veut plaire, mais aussi instruire. Prélude lointain aux tendances classiques.

Rien de plus neuf à cet égard que les propos des devisants, vivante image psychologique d'un groupe de gentilshommes. Leurs réflexions, leurs discussions, le plus souvent enjouées, parfois acides, sont toujours vraisemblables : le dialogue va légèrement, relevé par les bouderies des dames, les saillies malicieuses de leurs compagnons, les allusions aux travers des uns et des autres, les gauloiseries d'Hircan, les analyses délicates de Dagoucin. On rit, comme on devait rire à Nérac chez Marguerite. Non sans lourdeur : les plaisanteries manquent un peu de finesse ou de vivacité ; l'art de la conversation est encore dans l'enfance, mais il est né.

Tout naturellement, hommes et femmes parlent d'amour, dans le mariage et hors de lui. A quelles qualités physiques, à quelles grâces ou à quelles vertus les femmes doivent-elles leur charme ? Que leur impose ou que leur permet la dure loi de l'honneur ? Et pourquoi l'homme a-t-il droit à d'autres libertés qu'elles ? Pourquoi cette différence entre les deux sexes ? Qu'est-ce qui fait le parfait amant ? Autant de problèmes sur lesquels on revient sans cesse. Ce qu'en dit Marguerite, c'est ce que l'on pensait autour d'elle de ces questions délicates. L'*Heptaméron* annonce l'*Astrée* et la vie de salon.

L'amour, tel qu'on le conçoit à la cour, dérive de l'amour courtois défini par les troubadours, et dans ces « livres de la Table ronde » qu'invoque Géburon (on a déjà signalé la vogue des romans du moyen âge au XVIe siècle); il est, avec la guerre, l'essentiel de la vie : « Si nous pensions les dames sans amour, nous vouldrions estre sans vie. » Mieux vaudrait, au pire, être marchand et « amasser du bien ». L'homme n'a d'autre but, dans la vie, le harnois de guerre déposé, que de « pourchasser » les dames. Or, l'amour vrai, l'amour total n'existe qu'en dehors du mariage. Un mari ne saurait être fidèle à une femme qu'il a épousée le plus souvent sans l'aimer : il est — et ne s'en cache pas — le serviteur de celle qui a pour lui des attraits. Que doit être cet amour ? On en dispute : respect aveugle, soumission totale à l'élue, disent les femmes qui veulent être servies — et ne rien accorder qu'une affection sentimentale ; et de poursuivre de leurs critiques « celui qui n'hésite pas à mettre en danger l'honneur de sa dame et ne se propose pas d'autre fin que d'obtenir le don d'amoureuse mercy ». L'homme ne doit rien demander, la femme rien céder, car elle a « la crainte et la chasteté pour refuser ». Si elle s'abandonne, si elle fait « son maître de celui qui doit être son serviteur », elle est perdue : « La plus grande vertu, c'est de vaincre son cœur. » Chimène ne dira pas mieux, ni Émilie. Idéal difficilement réalisable : les hommes ne le cachent pas. Ici encore apparaît le réalisme de Marguerite qui sait définir une théorie, mais aussi en marquer les limites. On ne croit guère aux serments amoureux : « Toutes ces oraisons qui commencent par l'honneur finissent par le contraire. » Amour éternel ? Autant en emporte le vent. La fidélité ? Un rêve. L'amour passe « selon la coutume, comme la beauté des fleurs des champs ».

Autant d'idées que la reine expose avec habileté et fait discuter, au nom de la banale vérité, par trois de ses gentilshommes : Hircan, Saffredent et Simontault, qui jugent de l'amour avec verdeur. Les serments ? Mensonges ! « Hircan jura, quant à luy, qu'il n'avait jamais aimé femme, hormis la sienne, à qui il ne désirât faire offenser Dieu bien lourdement... » L'aveu en dit long. L'honneur des femmes ? Simple tactique destinée à pimenter un jeu plaisant. Il en est de lui comme des protestations de leurs amants : c'est le voile dont elles couvrent leur hypocrisie, un moyen de se faire désirer un peu plus : « Nature n'a rien oublié en elles non plus qu'en nous et, pour la contrainte qu'elles se font de n'oser prendre le plaisir qu'elles désirent, elles ont changé ce vice en un plus grand qu'elles tiennent pour hon-

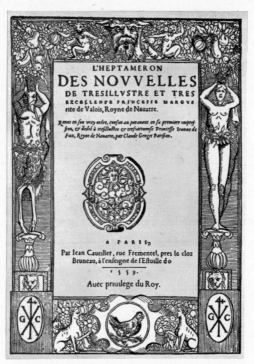

TITRE de l'édition de l' « Heptaméron » donnée en 1559 par Claude Gruget. — CL. LAROUSSE.

nête. C'est une gloire et cruauté par quoi elles espèrent acquérir nom d'immortalité et ainsi se glorifient de résister au vice de la loi de Nature, si Nature est vicieuse... »

Écho du naturalisme médiéval, qui rappelle Rabelais, qui annonce Molière. L'amour courtois ? Une chimère ! Hircan a beau jeu de citer le *Roman de la Rose :*

> Nous sommes faits, beau fils, sans doute
> Toutes pour tous, et tous pour toutes.

Et de conclure : « Parquoy je ne croiray jamais que, si l'amour est une fois au cœur d'une femme, l'homme n'en ait bonne issue, s'il ne tient à sa bêterie. »

A la théorie de l'amour courtois, aux gaillardises d'Hircan, Dagoucin oppose l'amour tel que l'a défini Platon, non pas fondé sur la beauté fragile de la femme, mais sur un idéal. Le véritable amant ne peut désirer rien qui risque de blesser l'honneur de sa Dame. Et les devisants de rétorquer : simple rêve, fiction aussi vague que « la chose publique de Platon qui s'écrit et ne s'expérimente point », construction d'une âme qui n'a jamais aimé. Si, répond Dagoucin : « J'ai aimé, et j'aimerai tant que je vivrai. Mais, j'ai si grand peur que la démonstration fasse tort à la perfection de mon amour, que je crois que celle à qui je devrais dédier l'amitié semblable l'entende ; et même je n'ose penser ma pensée, de peur que mes yeux en révèlent quelque chose. »

Parlamente, c'est-à-dire Marguerite même, est seule avec Dagoucin à défendre cette conception de « l'honneste amitié ». Les gauloiseries la blessent, et la brutalité masculine ; la théorie de l'amour courtois lui paraît conduire à l'adultère : elle le repousse au nom de la religion. « Votre plaisir, dit-elle aux gentilshommes, gît à déshonorer les femmes, et votre honneur à tuer les hommes en guerre, qui sont deux points formellement contraires à la loi de Dieu. » « Celuy qui se venge de son ennemy et le tue pour un démenti en est estimé plus gentil compagnon. Ainsi est-il quand on aime une douzaine avec sa femme... » L'honneur, hypocrisie chez la femme, l'est aussi chez l'homme : un nom dont il voile sa colère et sa concupiscence. Marguerite est trop sentimentale pour rejeter l'amour, trop chrétienne pour le concevoir à la manière de ses contemporains : aux uns elle enseigne que l'on peut aimer dans le mariage ; pour eux, elle se fait l'avocate émue, sincère et un peu déçue de l'amour conjugal ; pour les autres, elle tente de concilier christianisme et platonisme : « J'appelle parfaicts amans ceulx qui cherchent en ce qu'ils aiment quelque perfection, soit beauté, bonté ou bonne grâce, toujours tendans à la vertu et qui ont le cueur si hault et si honneste qu'ils ne veulent, pour mourir, mettre leur fin aux choses basses que l'honneur et la conscience réprouvent ; car l'âme, qui n'est créée que pour retourner à son souverain bien, ne faict, tant qu'elle est dedans ce corps que désirer d'y parvenir... »

Mais elle s'élève à de plus hauts problèmes. Elle a fait dans ses contes une large place à ses inquiétudes religieuses. Elle cite saint Paul, saint Jacques, l'Évangile, dont elle est nourrie, l'Évangile, « vraye touche pour discerner les paroles vraies des mensongères » ; elle aborde les questions les plus délicates : celle des œuvres, celle du culte et des formes superstitieuses qu'il peut prendre ; celle de la justification par la foi. Elle la traite, comme il était possible de la traiter avant les décisions du concile de Trente, dans un esprit tout proche de l'évangélisme fabrisien. Paradoxe, a-t-on écrit, que ce mélange du profane le plus cru et du sacré. Il ne le semble pas. Souci de réalisme plutôt : la princesse montre les aspects antithétiques de la société où elle vit, rude encore et grossière (voyez Brantôme), mais assoiffée de divin (voyez Érasme ou Calvin, en attendant François de Sales). On s'étonne que cet esprit « abstrait, ravy et exstatic » — ainsi le définit Rabelais — ait pu écrire des contes qui semblent légers. A quoi

HENRI D'ALBRET TROUVANT LA PERLE UNIQUE, MARGUERITE. Miniature de l' « Initiatoire instructive en la religion chretienne » (Bibl. de l'Arsenal, ms. 5096). — CL. LAROUSSE.

elle a répondu d'avance en marquant fortement sa volonté d'édifier ; à une histoire particulièrement grossière elle coud cette conclusion : « Les maulx que nous disons des hommes et des femmes ne sont point pour la honte particulière de ceulx dont est faict le compte, mais pour oster l'estime de la confiance à des créatures en monstrant les misères où ils sont subjectz, afin que nostre espoir s'arreste et s'appuye à Celuy seul qui est parfaict. »

On doit ici marquer fortement la variété de l'*Heptaméron* où la farce voisine avec le récit romanesque, le drame avec l'anecdote ou le fait divers. On sent chez Marguerite le souci de la vraisemblance et de la simplicité. Les faits, pourtant, la retiennent moins que les sentiments : d'où la sécheresse du récit proprement dit, la rareté des descriptions et des portraits physiques, mais, en revanche, l'abondance des analyses naturelles et vraies. Car le récit n'a pas de valeur en lui-même : il vaut par sa signification morale que dégagent les devisants ; il tourne parfois au sermon. Et nous voici bien loin de l'amoralité et de l'immoralité des devanciers de Marguerite. L'*Heptaméron*, livre de haute portée, veut enseigner à une société, rustique encore, les éléments d'une morale qui sera, au XVIIe siècle, celle de la société polie. L'intérêt moral et psychologique du livre prime sa valeur d'art. Par là, Marguerite transforme l'esprit de la nouvelle : d'un récit grossier, parfois ordurier, simplement plaisant, elle fait une leçon. Loin de s'amuser de la débauche des moines, de l'hypocrisie des prêtres, loin d'approuver certaine forme gaillarde et brutale de l'amour, elle les flétrit au nom de la morale.

AMADIS DE GAULE.

« Quels furent les rois Garinter et Périon et d'un combat qu'eut iceluy Périon contre un lyon qui devoroit un cerf. »

« Comment Urgande la Descognue aporta une lance au Damoysel de la Mer. »

Le premier livre d' « Amadis de Gaule », mis en françoys par le seigneur des Essars, Nicolas d'Herberay, 1548. — CL. LAROUSSE.

On regrette que le livre ne soit pas mieux écrit : le vocabulaire en est pauvre et incolore, la phrase molle et sans force, le style banal et lâché. La reine sait, au prix de quelques longueurs, conduire un dialogue, mais elle prête trop souvent à ses personnages des discours d'une prose fluide et plate : psychologiquement vrais, ils restent peu vraisemblables et nuisent à la vigueur du récit. Les conversations des devisants ont plus de vérité. Les récits, exacts, justes, manquent de force et de mouvement.

L'*Heptaméron* reste le premier recueil de contes de notre littérature moderne. Vrai, vivant, riche et significatif, c'est « un gentil livre pour son estoffe », dit Montaigne qui le cite souvent, tout en s'étonnant de la place qu'y tient la théologie : « Les femmes ne sont guères propres à traiter [ces] matières », écrit-il. Le lecteur regrette que la technique, chez la reine de Navarre, soit inférieure à la pensée.

LES ROMANCIERS :
LES AMADIS ; HÉLISENNE DE CRENNE

Éditions modernes : la Vie de Bayard *par le Loyal Serviteur, p. p. Roman (Société de l'Histoire de France, 1878); H. Vaganay a réimprimé, pour la Société des Textes français modernes, les quatre premiers livres des* Amadis *(1918).*

Consulter : G. Reynier, le Roman sentimental avant l'Astrée *(1908), les* Origines du roman réaliste *(1912); A. Tilley, les* Romans de chevalerie en prose *(Revue du XVIᵉ siècle, 1919).*

Si le XVIᵉ siècle est d'abord le siècle de la nouvelle, morale ou réaliste, austère ou gaillarde, didactique ou pittoresque et facétieuse, il voit aussi renaître le roman chevaleresque et naître le roman sentimental.

Les premiers imprimeurs tirèrent de l'édition des remaniements en prose des romans médiévaux une grande partie de leurs revenus. Avec les livres de piété, les textes anciens et les commentaires critiques, les romans furent leurs principales publications. Entre 1478 et 1549 on compte environ quatre-vingts adaptations de chansons de geste ou de romans; quelques-unes furent plusieurs fois réimprimées.

On peut, sur le choix des textes, juger des goûts du public. Du cycle de Charlemagne, on n'a retenu que trois

textes : la *Chronique de Turpin, Fierabras* et *Galien Rhétoré*. Les compagnons de François Iᵉʳ, et ses sujets, un Bonnivet, un Montmorency, préféraient à l'épopée nue les récits où se mêlaient féerie et chevalerie, aventures d'amour et de guerre, exploits extraordinaires : *Huon de Bordeaux, Ogier le Danois, Lancelot du Lac, Tristan, Perceval le Gallois, Perceforest*.

C'est l'esprit de ces romans qui animait les cavaliers de Marignan et de Pavie, ou les piétons de Cérisoles : François Iᵉʳ, Bayard, le duc d'Enghien, parfois même le sage Monluc, voire les romanesques héroïnes de l'*Heptaméron*. Leur écho lointain résonne dans la *Très joyeuse, plaisante et récréative histoire du gentil chevalier de Bayard*, composée par son loyal serviteur, Jacques de Mailles, qui, pour narrer la vie de son héros, a retrouvé le tour naïf et les enthousiasmes des vieux romanciers. Bayard, le dernier des chevaliers...

Cette mode assura au milieu du XVIᵉ siècle le succès durable des *Amadis*. De ce roman espagnol écrit au milieu du XVᵉ siècle, Nicolas Herberay des Essars traduisit huit livres. L'œuvre fut continuée après sa mort : l'histoire de la lignée d'Amadis passa par la suite de l'espagnol au français, puis à l'italien. Ces romans se différencient de leurs modèles médiévaux : on en gardait, certes, quelques éléments essentiels : l'aventure chevaleresque, les grands coups, le merveilleux, la constance amoureuse; mais on y ajoutait un élément nouveau : la description voluptueuse de scènes d'amour, inspirée par les poètes italiens, l'Arioste ou le Tasse, et qui risquait de donner à ces récits une influence pernicieuse. La Noue le constate, et Brantôme qu'on ne s'attend pas à voir si austère.

Parallèlement s'affirmait en France, sous de multiples influences (celles du platonisme, du pétrarquisme, des conteurs italiens ou espagnols), une conception de l'amour très différente de l'attachement qu'un Gauvain ou un Lancelot vouaient à leur dame. L'amour n'est plus le dévouement désintéressé du chevalier médiéval; il devient galant, sentimental, avant de devenir précieux. Aux âmes éprises de pureté, nombreuses, s'il faut en croire Marguerite de Navarre, s'offrent, pour la première fois, de délicates, de douloureuses histoires où le cœur tient plus de place que la chair. (On en trouve dans l'*Heptaméron*, tel le récit des *Amours de Floride et d'Amadour*, longue nouvelle ou court roman.)

En 1532 paraît, traduite de Boccace, la *Complainte de Fiammette à son ami Pamphile*, trois fois réimprimée en six ans, court récit qui vaut non par l'aventure, mais par l'analyse : une femme mariée s'éprend d'un jeune homme et le séduit. Le sort les sépare. L'amante languit. Elle apprend le mariage de celui qu'elle aime : la jalousie la dévore. Dépourvu d'intrigue et de péripéties, la seule étude des sentiments fait l'intérêt de ce petit volume. A l'Italie on demande désormais autant et plus que des contes badins ou grivois, les éléments du roman sentimental. La traduction de *Fiammetta* est bientôt suivie de celle du *Filocolo*, du même Boccace. Une édition partielle, parue dès 1523, intitulée *Treize élégantes demandes d'amour*, montre ce que le lecteur français attendait de pareils écrits : « Si l'homme peut être amoureux par honneur; quel est le plus grand plaisir : de voir la présence ou penser en l'absence... », etc. Questions déjà débattues par les poètes du XVe siècle — Alain Chartier, par exemple —, mais que l'on reprend alors : ainsi Marguerite de Navarre dans certains de ses contes et de ses poèmes (la *Coche* pour n'en citer qu'un), ainsi encore l'auteur anonyme des *Contes amoureux de Madame Jeanne Flore* (1543). Nouvelle forme de l'influence italienne, des traductions souvent réimprimées révèlent au public français le *Courtisan* de Balthazar Castiglione, le *Peregrin* de Caviceo, l'*Hécatomphile* de Léon-Baptiste Alberti, autant d'œuvres qui éveillent le goût des discussions sentimentales, de l'analyse psychologique, des conclusions morales, goût dont on retrouve la trace dans l'*Heptaméron*.

On en dirait autant de livres espagnols : la *Prison d'Amour* de Diego de San Pedro (1526), qui eut douze éditions au XVIe siècle, le *Jugement d'Amour* et la *Déplorable Fin de Flamecte* de Juan de Flores (1530-1535), dont le premier fut réimprimé six fois avant 1550 et douze fois de 1550 à 1600, tous ouvrages qui peignent l'amour comme un sentiment presque purificateur.

Et c'est, timide, maladroite, mais significative, la naissance du roman sentimental français promis à si belle carrière. Une femme, Hélisenne de Crenne, publie, en 1538, les *Angoisses douloureuses qui procèdent d'amours*, autobiographie longue et confuse, mais qui n'est pas sans délicatesse : mariée trop jeune à un homme qu'elle n'aime pas, Hélisenne s'éprend d'un jeune homme; elle résiste pourtant à sa passion, mais son mari finit par la découvrir; son amant l'enlève; les fugitifs sont poursuivis; l'amant tue les cavaliers qui l'attaquent; Hélisenne, bouleversée, se reprend et demande à celui qui l'aime de renoncer à son amour charnel. Confession sincère, étude habile de la tentation, du remords, du repentir, ce petit livre représente autant que l'*Heptaméron* et plus que les *Amadis* la naissance d'une nouvelle conception de l'amour, celle qui fleurira au XVIIe siècle, la passion amoureuse non plus sujet de plaisanteries gauloises, mais source de plaisirs émouvants et cause de tragiques douleurs. Deux femmes, Hélisenne de Crenne et Marguerite de Navarre, presque en même temps, sont les premières à voir dans l'amour autre chose que le contact de deux épidermes. Elles inaugurent un genre nouveau.

Tous ces livres, romans chevaleresques, traductions, ébauches d'études sentimentales, ont eu pour mérite principal d'aider à l'éveil, au moins superficiel, de la politesse mondaine. On peut voir en chacun d'eux un traité de civilité. On découvrit rapidement dans les discours, les dialogues, les lettres qui s'y trouvent, des modèles à imiter, ou, pour parler comme Pasquier, des modèles de la « vraye courtizanerie ». Leur succès fut immense : « Je voudrais avoir autant de centaines d'écus, écrit Brantôme, comme il y a eu des filles, tant du monde comme religieuses, qui se sont jadis émues par la lecture des *Amadis*. » Autant que dans le *Plutarque* d'Amyot, c'est là que le XVIIe siècle ira cueillir « les plus belles fleurs de notre langue française ».

Ainsi naissait, maladroite encore, la littérature mondaine au moment où se succédaient les quatre livres de Rabelais, le premier chef-d'œuvre de notre littérature moderne, où se conjuguent curieusement la tradition et les tendances les plus nouvelles.

VIII. — FRANÇOIS RABELAIS

On discutera toujours de la date de naissance de Rabelais : 1483? ou 1493? Il doit être venu au monde près de Chinon, à la ferme de la Devinière, domaine de son père, l'avocat Antoine Rabelais. De sa jeunesse on ne sait rien que par des traditions du XVIIe siècle : il aurait été novice chez les cordeliers de La Baumette, près d'Angers. On le trouve, vers la fin de 1520, chez les cordeliers du Puy Saint-Martin, à Fontenay-le-Comte, en Bas-Poitou, sans pouvoir dire où, pourquoi et comment il est entré en religion. A Fontenay, il est le familier d'un cercle d'humanistes, des juristes surtout, tel l'avocat André Tiraqueau qui le déclare « Vir utriusque linguae clarissimus »; il savait donc le grec. Il était déjà, grâce à l'un de ses compagnons d'études, Pierre Amy ou Lamy, en relations avec Budé. Mais les cordeliers suspectent Rabelais et Amy de tendances hérétiques, et leur confisquent leurs livres. Amy s'enfuit. Rabelais, grâce à l'amitié de Geoffroy d'Estissac, évêque de Maillezais, passe des cordeliers chez les bénédictins de Maillezais.

Il est alors, pour quelque temps, le familier de G. d'Estissac, et, peut-être, son secrétaire. Il le suit à l'abbaye de Ligugé, près de Poitiers. Grâce à lui, il se lie avec d'autres humanistes : le rhétoriqueur Jean Bouchet, l'abbé de Fontenay-le-Comte, Ardillon. On perd sa trace de 1526 à 1530 : il est possible qu'il ait alors séjourné un an ou deux à Paris où il aurait commencé ses études de médecine.

On le retrouve à Montpellier à la fin de 1530 : là, sous l'habit du prêtre séculier, il conquiert ses grades et enseigne la médecine selon les méthodes nouvelles. Novembre 1532 : médecin de l'Hôtel-Dieu à Lyon, où il fréquente les cercles humanistes, il donne ses premières publications : éditions des Aphorismes d'Hippocrate, fruit de ses leçons à Montpellier, des Lettres médicales du Ferrarais Gio-

La Devinière, où naquit Rabelais (B. N., collection Gaignières).
CL. LAROUSSE.

AU PAYS DE RABELAIS : le village de Seuilly, où la tradition veut que Rabelais ait été baptisé (B. N., collection Gaignières). — CL. LAROUSSE.

vanni Manardi, du Testament de Lucius Cuspidius, *puis des ouvrages facétieux : le* Pantagruel, *qu'il signe d'un pseudonyme (Alcofrybas Nasier), et la* Pantagruéline prognostication *(1533). Il dut en publier d'autres : on en a récemment signalé une de 1544.*

Médecin de Jean Du Bellay, évêque de Paris et ambassadeur auprès du Saint-Siège, il le suit à Rome, dont il explore les ruines. De retour à Lyon, il donna une édition de la Topographia antique Romae *de Marliani, puis la* Vie inestimable du grant Gargantua, père de Pantagruel *(1534), qui consacra sa gloire de conteur.*

On le retrouve à Rome, en 1535, avec Jean Du Bellay, promu cardinal. Il envoie à G. d'Estissac de longues lettres où il analyse les dessous de la vie à la cour du souverain pontife. Il envoie à son protecteur de menus cadeaux : graines de cardes, de citrouilles et de salades à planter dans son jardin de Ligugé, et, pour sa nièce, des curiosités du Levant. Deux fois, il a quitté sans autorisation son poste à l'Hôtel-Dieu de Lyon : il s'y trouve remplacé. Mais il rapporte de Rome une absolution pour ses infractions à la règle et un bénéfice de chanoine à l'abbaye de Saint-Maur-les-Fossés, qu'il doit à Jean Du Bellay.

Il revient à la médecine, qu'il exerce en 1537 à Narbonne, à Lyon, à Montpellier où il coiffe le bonnet de docteur et professe brillamment, puis retourne en Italie à la suite de Guillaume Du Bellay, frère de Jean, gouverneur du Piémont.

Rentré en France, maître des requêtes du roi (mais ce n'est pas sûr), il publie, en 1546, le Tiers Livre des faicts et dictz héroïques du noble Pantagruel. On le

retrouve à Metz en 1546, *puis à Rome avec le cardinal Jean Du Bellay. Il publie, en 1548, les premiers chapitres du quatrième livre de* Pantagruel. *Il envoie de Rome au cardinal de Guise une relation des fêtes données par Du Bellay à l'occasion de la naissance du futur Charles IX, qu'il publie sous le titre de* Sciomachie. *Il est pourvu, à son retour, de deux bénéfices, les cures de Saint-Christophe de Jambet (Sarthe) et de Meudon : il n'exerce pas ses fonctions. Il meurt à Paris en 1553, après avoir publié l'édition complète du* Quart Livre.

En 1562 paraissait l'Isle sonnante, les seize premiers chapitres du Cinquième Livre de Pantagruel, puis, en 1564, l'édition complète de ce dernier livre.

Sur les éditions originales, consulter la Bibliographie rabelaisienne *de P. Plan, 1904, ou les* Éditions anciennes de Rabelais, *de A. Tchemerzine, 1933. Éditions modernes : J. Plattard (Belles lettres, 1929), ou J. Boulenger (la Pléiade, 1934). Édition critique en cours de publication sous la direction d'Abel Lefranc, par J. Boulenger, H. Clouzot, P. Dorveaux, J. Plattard et L. Sainéan, 5 volumes publiés de 1914 à 1931 (Gargantua, Pantagruel, Tiers Livre).*

Études d'ensemble sur Rabelais : les introductions aux tomes I, III, V de l'édition Lefranc. Une revue spécialement consacrée à Rabelais, la Revue des études rabelaisiennes, *a paru de 1903 à 1912. Elle est devenue la* Revue du XVIe siècle *(1913-1933), à laquelle font suite* Humanisme et Renaissance *(1934-1939) et* Bibliothèque d'Humanisme et Renaissance *(1940 sqq.). A consulter : J. Plattard, l'Œuvre de Rabelais (sources, invention et composition), 1910 ; François Rabelais, 1932 ; P. Villey, Marot et Rabelais, 1923 ; G. Lote, la Vie et l'œuvre de F. Rabelais, 1938 ; L. Sainéan, la Langue de Rabelais, 1922-1923, et L. Febvre, le Problème de l'incroyance au XVIe siècle, la Religion de Rabelais, 1943.*

L'HOMME ET L'ÉCRIVAIN

Il y a une légende de Rabelais, voire des légendes : l'ivrogne barbouillé de lie peint par Ronsard; le « rire énorme » qui est un des « gouffres de l'esprit » cher à Hugo, lequel écrit aussi : « Rabelais a fait cette trouvaille : le

AU PAYS DE RABELAIS : la ville de Chinon (collection Gaignières). — CL. LAROUSSE.

FRANÇOIS RABELAIS. — Rabelais est représenté avec le bonnet à quatre bourrelets, auquel avaient droit les docteurs (musée de Versailles; école française : l'original est antérieur à 1694). — CL. LAROUSSE.

ventre »; le sceptique qui, mourant, aurait murmuré : « Tirez le rideau, la farce est jouée. » On a fait de lui un Panurge et un philosophe, un bouffon et un mage. La réalité ? Elle paraît plus simple. Rabelais ? Un médecin fort savant, parfait honnête homme, familier des grands de son temps, qui surent l'apprécier, écrivain à la rencontre : pour servir son roi, mais aussi, et d'abord, pour s'amuser, se divertir et nous divertir, enfin pour exposer ses idées. Tel il apparaît après une enquête historique serrée menée durant plus de vingt ans par M. Abel Lefranc et ses élèves.

Il est bourgeois, bourgeois de province, et d'une bourgeoisie de robe assez cossue. Tout jeune, il révèle une intelligence apte à tout comprendre et un furieux appétit de savoir : il apprend le grec à une heure et dans un milieu où la chose était difficile. Il est encore inconnu qu'il a déjà lié de solides amitiés avec des humanistes : elles ne se démentiront pas. Par Pierre Amy, il connaît G. Budé qui, en grec et en latin, lui témoigne son estime. Toute sa vie il sera le protégé de grands seigneurs ouverts aux idées nouvelles : Geoffroy d'Estissac, Jean et Guillaume Du Bellay, la reine de Navarre, le roi lui-même, dont il se fera discrètement le publiciste officieux. Encouragé par eux, il n'a cessé d'apprendre. A Fontenay-le-Comte, près de Tiraqueau, il aborde le droit; il a trente-six ou quarante-six ans (suivant que l'on adopte telle ou telle date pour sa naissance) quand il commence sa médecine; il a quarante ou cinquante ans lorsqu'il s'adonne, à Rome, à l'archéologie et à la botanique. Si quelqu'un réalisa cet ardent désir de tout savoir qui caractérise l'Humanisme, c'est bien lui.

Et c'est ce qui explique son existence : il a cru d'abord qu'un bénéfice ecclésiastique lui assurerait la liberté matérielle pour satisfaire son insatiable curiosité. La règle monacale l'écarte du couvent? Il croit trouver dans la médecine un moyen de vivre. L'exercice de la profession lui demande trop de temps? Il pratique à la rencontre, et quand il ne peut faire autrement. Mais il lui était impossible de se fixer, même lorsqu'il eut trouvé sa voie et gagné la protection des grands. Ni les privilèges ni les places ne le retinrent. Toujours il fut à la recherche d'un savoir nouveau, interrompant l'étude de la médecine pour voyager, puis revenant coiffer le bonnet doctoral, pour repartir encore vers l'inconnu. Les voyages de Pantagruel et ses études — ce Pantagruel qu'il montre « amateur de pérégrinité » et désirant « tous jours veoir et tous jours apprendre » —, ce sont les siens.

Il publia de savants travaux, qui sont d'un humaniste pur, puis, par hasard, un livre joyeux dont la verve drue et la copieuse abondance tranchaient sur les publications contemporaines. Le vif succès qu'il connut lui fit écrire trois ouvrages du même esprit. Simples délassements de médecin et d'érudit, écrit-il, qui veut distraire ses malades, goutteux ou vérolés. Au vrai, livres d'un maître écrivain, d'un penseur curieux, d'un comique génial. Et qui révèlent sa personnalité profonde, singulièrement attachante. Nul savant ne fut moins pédant que Rabelais, nul plus que lui n'aima la vie joyeuse. On peut en croire sur ce point et Marot et Ronsard, dont l'épitaphe qu'il lui consacra, pour

être caricaturale, n'en est pas moins vraie. Il aima boire et manger, copieusement et du meilleur. Il goûta toutes les douceurs de la vie : les femmes, à la rencontre, mais avec quelque dédain, en bon gaulois qu'il était (il eut deux enfants naturels, à Paris, d'une veuve), la grandeur de Rome et l'animation de Lyon, les jardins de Jean Du Bellay à Saint-Maur, « paradis de salubrité, aménité, sérénité », les châteaux du Val de Loire et les tavernes de Chinon ou de Paris, Thélème et Chambord, et la société des gens d'esprit : étudiants montpelliérains, humanistes de France et d'Italie, diplomates et grands seigneurs qui, à leur tour, surent l'apprécier. Capable de se divertir à la manière de Panurge et de parler de Platon avec Marguerite de Navarre, épris surtout de liberté, il ne demande à la vie que des plaisirs, mais des plaisirs sains et naturels. Nulle complication en ce Chinonais qui chanta la nature qu'il croyait bonne et à qui, dans son œuvre, il a dédié le plus bel hymne d'optimisme qu'elle ait inspiré. Un bouffon? Non certes. Un ivrogne? Moins encore. Un de ces « esprits conducteurs des êtres » qui portent au front un « signe grave et doux »? Pas davantage. Un homme simplement. Un Français de la Renaissance.

PANTAGRUEL

A l'été de 1532 paraît à Lyon, imprimé en caractères gothiques, un petit livre intitulé : les Grandes et inestimables Cronicques du grant et enorme géant Gargantua, contenant sa généalogie, la grandeur et la force de son corps, aussi les merveilleux faictz d'armes qu'il fist pour le Roy Artus.

Le succès en fut si grand que Rabelais, pour l'exploiter, publie, à l'automne de 1532, les Horribles et espovantables faictz et prouesses du tres renommé Pantagruel, Roy des Dipsodes, fils du grant geant Gargantua, qui eurent aussitôt plusieurs éditions et contrefaçons.

On trouvera le texte des Cronicques dans diverses éditions modernes de l'œuvre de Rabelais, notamment dans Marty-Laveaux, t. IV, pp. 22-56. M. Seymour de Ricci a donné dans la Revue des études rabelaisiennes, 1906, le texte et le fac-similé d'une édition inconnue de ces Cronicques, qui est peut-être de 1533. Babeau, Patry et Boulenger ont donné, dans la même revue, une réimpression d'un texte de Pantagruel (1534) dont il ne reste qu'un exemplaire conservé à Dresde. La plus récente édition du Pantagruel, excellente, a été donnée, en 1946, par Verdun L. Saulnier : elle reproduit le texte de 1532 et les variantes de 1542.

Les *Grandes et inestimables Cronicques* content, sans art, les aventures extraordinaires d'un géant doué d'une force et d'un appétit sans pareils. Au service du roi Artus, il se bat contre les Gos et les Magos, les « Irlandoys et les Holendoys ». Le récit veut être comique. Il l'est, maladroitement, grossièrement, par le contraste entre le monde normal et la taille gigantesque du héros, ou par certains épisodes faciles, propres à faire rire le populaire. Mais c'est un pauvre récit que celui-là, écrit sans couleur et sans verve, d'un style traînant. Il n'est pas de Rabelais, qui se borne à en constater le succès : « Il en a esté plus

GARGANTUA. La figure du bon géant, telle qu'elle sera reproduite, à partir de 1532, d'édition en édition. — CL. LAROUSSE.

vendu... en deux moys qu'il ne sera acheté de Bibles en neuf ans », écrit-il, mais il n'en brigue pas la paternité. Tout au plus exploite-t-il sa vogue pour lancer son *Pantagruel*, fils de Gargantua.

Pantagruel, comme Gargantua, est un géant, et son histoire est celle des héros de romans, *Fierabras, Huon de Bordeaux*, les *Quatre Fils Aymon*, dont elle suit la trame : une naissance merveilleuse, des « enfances », des aventures. Plan traditionnel : Rabelais le respecte. Là n'est pas l'originalité du livre. Pantagruel naît dans une saison d'une effroyable sécheresse. Encore enfant, il fait preuve d'une force démesurée : il dévore le jarret de la vache qui l'allaite, étrangle un ours qui lui lèche le visage, brise en pièces, d'un seul coup de poing, son berceau. Jeune homme, après avoir étudié à Poitiers, il visite, comme beaucoup de jeunes gens en 1530, la plupart des universités françaises : Bordeaux, Toulouse, Montpellier, Bourges, Orléans, Paris enfin où il rencontre un joyeux drôle, « lequel ayma toute sa vie », Panurge. Et Rabelais conte parallèlement la vie de Pantagruel et de Panurge au quartier latin, en faisant à celui-ci la plus large part, une part inattendue. Mais Pantagruel doit repartir pour son royaume d'Utopie envahi par les Dipsodes. Ici le roman s'engage en de fantastiques aventures qui se déroulent en un pays imaginaire. Parti de Honfleur, Pantagruel longe l'Afrique, double le cap de Bonne-Espérance, et aborde en Asie dans ce pays de Cathay — la Chine — si mystérieux encore en 1530. Il y accomplit, aidé par Panurge, d'étonnants exploits, écrase l'armée adverse, et prenant pour massue le corps de Loup Garou, capitaine de la garde du roi son ennemi, tue d'un seul coup trois cents soldats armés de pierres de taille. Le roi Anarche, vaincu, deviendra crieur de sauce verte, et, dans son royaume, Pantagruel établit une colonie d'Utopiens.

On saisit les disparates d'un livre écrit très vite, pour amuser, et selon les méthodes du feuilleton : il unit l'invraisemblable à un réalisme déjà très net. Fantaisistes, les enfances et les aventures guerrières de Pantagruel. Réaliste, son tour de France universitaire. L'unité de l'œuvre est fragile — ou complexe — : elle est, d'abord, dans la vie et le mouvement du récit, toujours plaisant, souvent comique, parfois aussi satirique ; Rabelais dresse le catalogue de la bibliothèque de l'abbaye Saint-Victor à Paris, énumérant ainsi une foule d'ouvrages de théologie aux titres fantaisistes et ridicules qui sont autant de traits décochés contre la scolastique. Épistémon, un des compagnons de Pantagruel, descend aux enfers : Rabelais donne la liste des damnés illustres qu'il y rencontre, papes, empereurs, rois, grands de la terre, et les crible de sarcasmes. Elle est surtout dans la figure des deux héros : Pantagruel et Panurge (dualisme d'intérêt qui prouverait que le livre a été improvisé).

Pantagruel a toujours soif, et provoque chez ceux qui l'approchent une soif inextinguible, tel l'écolier limousin qui sera, de la sorte, châtié de son jargon pédant, tel le grandissime clerc Thaumaste qui, argumentant contre Pantagruel, se sent soudain le gosier sec : la dispute finie, il n'y eut parmi les assistants « celuy qui ne beut vingt-cinq

LA PREMIÈRE ÉDITION de « Pantagruel » (1532), portant comme nom d'auteur l'anagramme de Françoys Rabelais, Alcofrybas Nasier.
CL. LAROUSSE.

à trente muids ». Pour vaincre les Dipsodes, Pantagruel sème du sel sur eux pendant qu'ils dorment « la gueule baye et ouverte ». Et Rabelais donne de son nom une étymologie significative : « *Panta*, en grec, vault autant comme à dire Tout, et *Gruel*, en langue hagarene, vault autant comme Altéré ». Pantagruel règne sur les Dipsodes : les Altérés. Ce nom, ce caractère, ce pouvoir, Rabelais ne les a pas inventés : ils lui viennent de la tradition médiévale. On trouve, parmi les diables des Mystères, un démon prince de la mer, Panthagruel, qui provoquait chez les hommes une soif ardente. Son nom était un synonyme de soif. « Le Panthagruel le gratte », disait-on d'un individu altéré ; autant dire : il a soif. Rabelais lui-même donne le sens du mot : Pantagruel entre dans Orléans ; aussitôt le vin se pique et chacun se sent « tant altéré de avoir beu ces vins poulsez qu'ilz ne faisoient que cracher aussi blanc comme cotton de Malthe disans : Nous avons du Pantagruel et avons les gorges sallées ».» Ce trait revient sans cesse dans le récit : il incarne le caractère essentiel du géant, celui qui le rattache à la tradition populaire. Mais Rabelais crée un personnage neuf lorsqu'il incarne en lui la force bienfaisante et secourable, à l'inverse des romans et des chansons de geste qui peignaient les géants comme des êtres bêtes et brutaux. Peut-être s'est-il souvenu des géants italiens, le Morgante Maggiore de Pulci, le Fracasse dont Folengo, dit Merlin Coccaïe, avait narré, en un latin macaronique, les aventures amusantes. Le personnage reste élémentaire, dessiné à grands traits, sans nuances et sans psychologie.

Il n'en est pas de même de Panurge. Rabelais doit, sans doute, l'idée de ce second personnage à Folengo. Le conteur italien montrait son géant suivi par un certain nombre de personnages doués chacun d'une qualité particulière. De même Pantagruel est entouré d'« apostoles », Carpalim, Eusthènes, Épistémon, Panurge enfin, dont les noms, tirés de mots grecs, sont parlants : le Rapide, le Fort, le Sage, l'Homme à tout faire. Les trois premiers ne sont que des comparses. Panurge seul a une personnalité (peu cohérente, du reste, si on l'étudie dans l'ensemble de l'œuvre). A lire la guerre contre les Dipsodes, il incarne la ruse : grâce à lui six cent soixante chevaliers ennemis sont déconfits et le camp d'Anarche ravagé par l'inondation ; c'est à lui, que fait appel Pantagruel quand il se voit désarmé par Loup Garou ; c'est lui qui ressuscite Épistémon décapité. Il n'est jamais à court d'un stratagème, et, devant lui, Pantagruel reconnaît qu' « engin vault mieux que force », idée neuve en 1532, au lendemain de Pavie.

Mais à ce Panurge guerrier, un peu monotone et assez roide, s'oppose le Panurge étudiant que Pantagruel a rencontré rue Saint-Jacques : bohème décidé, dépourvu de tout scrupule, héritier du pauvre Villon, Panurge compte soixante-trois manières de se procurer de l'argent, « dont la plus commune estoit par façon de larrecin furtivement faict ». Avec cela « pipeur, beuveur, bateur de pavez, ribleur s'il en estoit à Paris, au demourant le meilleur filz du monde ». Panurge rosse le guet. Panurge se gausse des maîtres de l'Université. Panurge joue, aux femmes qui

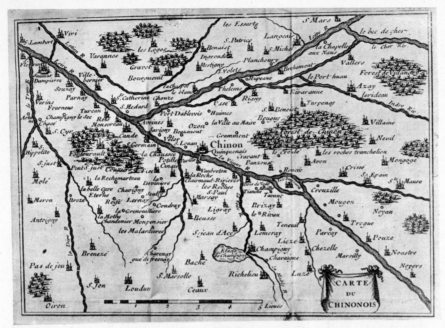

LE CHINONAIS, théâtre de l'expédition guerrière de Gargantua, d'après l'édition de 1725 des « Œuvres » de Rabelais. — CL. LAROUSSE.

lui résistent, les pires tours. Ce clerc dévoyé a de l'esprit, du pire et du meilleur, de la culture, une intelligence avisée, et c'est comme tel, bien plus que comme stratège, que nous le connaissons.

Le *Pantagruel*, juxtaposition élémentaire de bouffonneries grossières et de prouesses chevaleresques, ne serait qu'un livre du moyen âge où éclate un magnifique talent d'écrivain et d'amuseur si, par un chapitre, il n'annonçait les temps nouveaux. Mais ce chapitre est capital : c'est l'étonnante lettre de Gargantua à Pantagruel, cri d'enthousiasme et de foi, qui révèle et l'allégresse des humanistes et les progrès faits dans les mœurs par les idées nouvelles.

GARGANTUA

Le succès de Pantagruel poussa Rabelais à narrer les aventures du père de son géant. Gargantua parut à Lyon, en 1534, probablement en août à l'occasion de la grande foire. Dès lors, dans les rééditions suivantes, Pantagruel viendra tout naturellement après Gargantua, quoique composé avant lui. En 1542, à Lyon, François Juste donna une édition de Gargantua et de Pantagruel revue par Rabelais, qui fit disparaître de son texte tous les passages capables d'indisposer la Sorbonne et les théologiens. Cette édition de 1542 a été adoptée comme texte de base par la plupart des éditeurs modernes, notamment Abel Lefranc et J. Plattard.

A consulter : P. Jourda, le Gargantua de Rabelais, 1948.

Pas plus que pour son *Pantagruel*, Rabelais ne s'est mis en peine de chercher un plan aux péripéties originales. La vie de Gargantua se développe sur le même rythme, avec les mêmes épisodes, que celle de son fils : il

GARGANTVA

LA VIE INESTIMA-BLE DV GRAND Gargantua, pere de Pantagruel, iadis cōposée par L'abstracteur de quite elsece.

Liure plein de pantagruelisme.

M.D.XXXV.

On les vend à Lyon chés Françoys Iuste deuant nostre Dame de Confort.

TITRE de l'édition de « Gargantua » donnée en 1535 par François Juste, à Lyon. — CL. LAROUSSE.

naît de façon miraculeuse ; nous le suivons durant ses « enfances », au manoir paternel, puis à Paris ; il participe à la guerre qu'un roi voisin, Picrochole, fait à son père ; il fonde, en souvenir de sa victoire, l'abbaye de Thélème : la ligne générale du récit est donc celle de *Pantagruel*.

Rabelais a tiré les éléments de son récit de sources diverses : quelques-uns dérivent de la légende populaire de Gargantua, résumée dans les *Cronicques* ; ce sont les moins importants : les noms du géant et de ses parents, Grandgousier et Gargamelle, la description de son costume, le récit d'un voyage qu'il fait sur une jument monstrueuse à travers la Beauce, le rapt des cloches de Notre-Dame. Tout le reste est de l'invention de Rabelais, qui se donne libre cours ici, et se détache de la tradition pour utiliser ses souvenirs et ses rêves.

Le récit se fait plus réaliste. Le fantastique n'y occupe qu'une place limitée. Hormis la naissance anormale de Gargantua, il n'existe que dans l'antithèse entre le monde réel, peint tel qu'il est, et les énormes proportions, la force gigantesque de Gargantua, les conséquences démesurées de ses gestes. Cette réserve faite, Rabelais ne conte ou ne décrit qu'aventures ou scènes vraisemblables, même s'il force la note jusqu'à d'étonnantes caricatures, ainsi l'ambassade de Janotus de Bragmardo qui vient, vêtu d'un lyripipion antique, précédé de trois bedeaux « à rouge museau » et suivi d'un cortège de maîtres ès arts « bien crottez », réclamer à Gargantua, au nom de l'Université de Paris, les cloches de Notre-Dame. Son discours, émaillé de citations pédantes, de formules scolastiques, d'onomatopées sonores, même si Rabelais force le trait, reste une satire étonnamment vraie de l'éloquence des sorbonicoles. A côté de cette page aux couleurs violentes, que de passages simplement copiés sur la réalité ! C'est le récit en diptyque de l'éducation de Gargantua selon les méthodes archaïques et d'après les principes humanistes. Ce sont les propos de frère Jean des Entomeures. C'est surtout, réserve faite des agrandissements voulus par la taille du géant, le récit de la guerre picrocholine qui se déroule en Chinonais, près du manoir paternel de Rabelais. Elle est une vivante description des mœurs paysannes en Touraine et se termine par la fondation d'une abbaye construite sur les plans des châteaux du Val de Loire : Amboise, Bonnivet ou Chambord, et dont les habitants portent le costume à la mode en 1530.

Les personnages, voire les géants mêmes, sont plus proches que ceux de *Pantagruel* de la commune humanité. Gargantua n'est qu'un hobereau de Touraine, et nous oublions la taille de Grandgousier à le voir se chauffer, après son souper, à un « beau, clair et grand feu » où grillent des châtaignes et dans la cendre duquel il écrit avec « un baston bruslé du bout » dont il « echarbotte le feu », tandis qu'il fait aux siens « de beaux contes du temps jadis ». Gargantua dirige les opérations contre Picrochole comme les dirigerait un lieutenant de François Ier. Il reste un personnage un peu élémentaire. Pantagruel avait à ses côtés Panurge; Gargantua fait son familier d'un moine, frère Jean des Entomeures, le véritable héros de la guerre picrocholine : frère Jean « jeune, guallant, frisque, dehayt (de bonne humeur), bien à dextre (adroit), hardy, adventureux, délibéré, hault, maigre, bien fendu de gueule, bien adventagé en nez, beau despescheur d'heures, beau desbrideur de messes, beau descrotteur de vigiles, pour tout dire sommairement vray moyne si oncques en feut depuys que le monde moynant moyna de moynerie, au reste clerc jusques es dents en matière de breviaire ». Le moine, campé de si pittoresque façon dès son entrée en scène, s'affirme au long du récit comme un homme d'action, prompt à se décider comme à tout risquer, toujours prêt à se battre comme à manger et à boire. Du moine traditionnel, il a la saleté (à table la roupie lui pend au nez), la gaillardise (au moins en ses propos, car il dédaigne les femmes), la gourmandise et la gloutonnerie (il a l'estomac toujours ouvert comme la panse d'un avocat), l'ignorance (il n'étudie pas de peur d'avoir les « auripeaulx » : les oreillons). Avec cela, il est autrement sympathique que Panurge : il n'a pas sa subtilité, mais il est franc et il est actif. Il parle une langue haute en couleur, émaillée de citations bibliques et de jurons qui sont, comme on sait, « couleurs de rhétoricque cicéroniane ». Gargantua néglige ses défauts en raison de ses qualités : il lui donne en récompense de son aide l'abbaye de Thélème. Personnage pittoresque et coloré, on le sent pris sur le vif : en lui se résume toute l'expérience que Rabelais gardait de sa vie de couvent; elle n'était pas faite que de rancœurs. Nul doute qu'il n'y ait en ce moine, ardent aux coups d'épée comme aux coups de vin, beaucoup de Rabelais : on sent que l'écrivain a dessiné son personnage avec amour.

LE TIERS LIVRE DES FAICTZ ET DICTZ HÉROÏQUES DU NOBLE PANTAGRUEL

Paru en 1546 chez Christian Wechsel sous le nom de « M. François Rabelais, docteur en médecine et calloïer des Isles Hieres ». En 1547, Claude La Ville donnait à Valence la première édition collective des trois premiers livres. Rabelais avait dédié ce Tiers Livre, *en un dizain admiratif, à la reine de Navarre. L'ouvrage fut censuré par la Faculté de théologie de Paris comme l'avaient été* Gargantua *et* Pantagruel.

A consulter : A. Lefranc, le Tiers Livre de Pantagruel et la Querelle des femmes *(Grands Écrivains français de la Renaissance, 1914).*

Avec le *Tiers Livre*, Rabelais se détache de ses modèles. Il n'est plus question d'aventures, ni, malgré le titre, de « faictz et dictz héroïques ». Pantagruel, s'il reste un géant,

Tiers liure des
FAICTZ ET DICTZ
Heroïques du noble Pantagruel: cõposez par M. Franç. Rabelais docteur en Medicine, & Calloïer des Isles Hieres.

L'auteur susdict supplie les Lecteurs beneuoles, soy reseruer à rire au soixante et dixhuytiesme liure.

A PARIS,

Par Chrestien wechel, en la rue sainct Iacques a l'escu de Basle: et en la rue sainct Iehan de Beauuoys au Cheual volant.
M. D. XLVI.

AVEC PRIVILEGE DV
Roy, pour six ans.

ÉDITION PRINCEPS du « Tiers Livre ». Rabelais signe pour la première fois son ouvrage de son vrai nom. — CL. LAROUSSE.

se conduit comme un homme ordinaire. Il n'est plus que rarement question de sa taille et de sa force. On a presque oublié qu'il provoque la soif. En s'humanisant, sa physionomie se précise : il est bienveillant, il est bon, il fait preuve d'un calme bon sens : « Jamais ne se tourmentoit; jamais ne se scandalisoit ». Il pratique une sérénité philosophique, une sorte d'épicurisme supérieur que Rabelais baptise pantagruélisme et définit « certayne gayeté d'esprit conficte en mépris des choses fortuites ».

Pantagruel a renoncé pour un temps aux exploits et aux courses lointaines. Le *Tiers Livre* est fait presque uniquement de conversations, de discours, de discussions enlevés de main d'ouvrier, où Rabelais révèle une érudition sans pareille et le plus beau talent satirique.

Dans un prologue savoureux, il dit son dessein d'écrire pour divertir ses concitoyens occupés à garder le royaume et à fortifier les frontières, tel Diogène remuant son tonneau pour ne pas rester oisif parmi les Corinthiens menacés par Philippe. Le début du livre se rattache au *Pantagruel;* le roi vainqueur installe une colonie de ses sujets utopiens en pays conquis : cette colonisation de la Dipsodie est pour Rabelais l'occasion d'exprimer ses idées en matière de politique extérieure et de colonisation, idées toutes proches de celles qui sont développées dans *Gargantua;* il condamne les guerres de conquête provoquées par l'ambition. Panurge réapparaît alors. Pantagruel lui a donné le château de Salmigondin. Quinze jours ne lui sont pas nécessaires pour dilapider trois ans de revenus : il justifie ses dépenses par un brillant et paradoxal éloge des « debteurs » et emprunteurs. Fantaisie étincelante que ce développement où le bon compagnon se vante de pratiquer les vertus cardinales : « de Prudence, en prenant argent d'avance...; de Justice commutative en achceptant cher (je dyz à crédit), vendant à bon marché (je dyz argent comptant), distributive, donnant à repaître aux bons et gentilz compaignons; de Force, en abastant les gros arbres comme un second Milo ; de Tempérance, mangeant mon bled en herbe, comme un hermite... » Tout, dans le monde, affirme-t-il, n'est que dettes et emprunts. Pourquoi agirait-il autrement ? Jamais la verve de Rabelais n'a été plus savoureuse que dans ces pages où la dialectique médiévale est mise au service d'une pensée très personnelle.

Mais Panurge, ses dettes payées par Pantagruel, forme le projet de se marier. Un seul point l'inquiète : sera-t-il ou non heureux en ménage? Et voici abordé le véritable thème du *Tiers Livre* : la question des femmes. Panurge demande la solution de la question qui l'inquiète à Pantagruel, aux « sorts virgiliens », aux songes, à la sibylle de Panzoust, au muet Nazdecabre qui s'exprime par signes, au vieux poète Raminagrobis, à l'astrologue Her Trippa, à frère Jean des Entomeures, au théologien Hippothadée, au médecin Rondibilis, au philosophe Trouillogan, au fol Triboulet. Il n'a pu consulter le juge Bridoye, occupé à défendre devant le parlement de Myrelingues, une sentence qu'il a rendue, comme il l'a fait toute sa vie, « au sort des dés », et qui, fait anormal, paraît discutable : le plaidoyer qu'il prononce, farci de citations juridiques

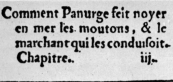

PAGE DE LA PREMIÈRE ÉDITION PARTIELLE du « Quart Livre » (Lyon, 1548). — CL. LAROUSSE.

TITRE DE LA PREMIÈRE ÉDITION COMPLÈTE du « Quart Livre » (Paris, 1552). — CL. LAROUSSE.

condamné à son tour, à la demande de la Sorbonne.

La plus récente édition est celle de M. Robert Marichal, 1947. Elle reproduit le texte de 1552.

A consulter : Abel Lefranc, les Navigations de Pantagruel, 1905 ; J. Plattard, le Quart Livre de Pantagruel (édition dite partielle, Lyon, 1548), texte critique avec une introduction, 1909 ; A. Tilley : Rabelais and geographical Discovery (Modern Language Review, juillet 1907 et avril 1908).

Au *Quart Livre* recommencent les aventures de Pantagruel parti avec Panurge à la recherche de la Dive Bouteille. C'est la seconde « navigation » du géant, qui avait gagné, à la fin du premier livre, la Dipsodie, située en Chine. Premier écho, maladroit, mais réel, des grandes découvertes. Sujet de grande actualité : depuis la fin du XVᵉ siècle les voyageurs avaient été nombreux qui, par le cap de Bonne-Espérance ou le cap Horn, s'étaient lancés à la recherche de l'Eldorado. Mais, journaliste officieux, l'auteur de *Pantagruel* met en scène les voyages de Français appuyés par le roi, ceux d'Alphonse le Saintongeois (1542), ceux surtout de Jacques Cartier (1534-1542) qui, cherchant la route du Cathay non par le sud, mais par le nord-ouest, venait de découvrir le Canada. Pantagruel prend l'itinéraire suivi par J. Cartier : pour gagner la Chine où il cherche la Dive Bouteille, il part de Saint-Malo et suit la route du nord Atlantique, ce qui explique certains épisodes du récit, telle la rencontre du « Physetère monstrueux », un cachalot ou une baleine.

Élément réel qui n'empêche pas le récit d'être des plus fantaisistes, et de garder trace des traditions médiévales, fort peu scientifiques, on le sait. Qu'est-ce que l'île de Médamothi où, près du cercle polaire, les voyageurs découvrent des licornes ? D'où vient le navire, rencontré par l'escadre de Pantagruel, sur lequel Dindenaut transporte ses moutons ? Qui connaît l'isle des Ennasins, qui ressemblent aux Esquimaux, ou le saint roi Panigon, maître de l'île de Cheli ? L'île de Procuration, peuplée de Chicanous, rappelle l'*Enfer* de Marot et le Châtelet de Paris plus qu'une terre arctique. Ces Chicanous, rossés souvent par leurs victimes, et que Rabelais montre gagnant leur vie à être battus, ne sont qu'une simple transposition d'une classe sociale française. Comme Marot, maître François pratique l'allégorie. La flotte fait escale à l'île des Macréons, et Rabelais insère, dans une digression sur la mort des héros, des réflexions émues sur la mort de son protecteur, Guillaume Du Bellay, puis une paraphrase d'une page célèbre de Plutarque sur la mort du Grand Pan. Le récit suit un plan linéaire : escales sur escales, à l'île de Tapinois, domaine du monstrueux Quaresme Prenant, symbole du jeûne catholique, au manoir des Andouilles, adversaires de Quaresme, aux îles des Papefigues et des Papimanes, ennemis et partisans du Pape, à l'île de Messer Gaster, maître du monde, qui inventa « toutes machines, tous mestiers, tous engins et subtilités », de qui Rabelais écrit

et de bons mots, est une plaisante satire de l'éloquence judiciaire et des tribunaux.

Des réponses qu'il reçoit, contradictoires ou vagues, Panurge ne se satisfait pas. Il ira consulter l'oracle de la Dive Bouteille, et Pantagruel l'accompagnera. On arme une escadre à Saint-Malo; on charge les navires d'une herbe capable d'usages multiples : le pantagruélion, dont Rabelais donne une longue et savante description, et qui n'est autre que le chanvre. Et l'on se prépare à partir.

Des quatre livres publiés par Rabelais lui-même, c'est celui où s'étale pleinement son humanisme. Rabelais se révèle ici médecin, botaniste, juriste, historien. Le problème qu'il traite — celui du mariage —, il l'avait entendu débattre à Fontenay-le-Comte, dans le cercle de Tiraqueau, où ce dernier, en réponse à une apologie de la femme écrite par son ami Amaury Bouchard, préparait, lors du séjour de Rabelais, une seconde édition de son *De legibus connubialibus*. Le problème était redevenu à la mode en 1540, grâce au développement du platonisme, aux progrès de la vie de cour : poètes, conteurs, gentilshommes et nobles dames prenaient parti pour ou contre la femme, pour ou contre le mariage. La controverse n'était pas neuve. Rabelais y apporte les arguments d'un moine, d'un médecin et d'un héritier de la tradition médiévale. Faut-il dire qu'il ne partage pas les théories de l'*Heptaméron*, et que l'idéalisme n'est pas son fait ?

LE QUART LIVRE DES FAICTZ ET DICTZ HÉROÏQUES DU NOBLE PANTAGRUEL

Le Quart Livre *parut en deux fois. Édition partielle (prologue et onze chapitres) : Lyon, 1548 (deux fois réimprimée).*

Édition complète : Michel Fezandat, 1552, dédiée au cardinal de Châtillon, comprenant un prologue et soixante-sept chapitres; deux réimpressions en 1552, à Lyon et Rouen. Le 1ᵉʳ mars 1552, le Quart Livre *fut* un éloge enthousiaste. Et le récit s'arrête brusquement au moment où, passant près de l'île de Ganabin, Pantagruel fait tirer le canon, pour le plus grand effroi de Panurge.

LE CINQUIÈME LIVRE

*L'*Isle Sonante, *par M. François Rabelais, édition partielle du cinquième livre, parut en 1562, après sa mort. Elle comprend seize chapitres, le dernier étant celui de l'*Ile des Apedeftes. *Le* Cinquiesme et dernier livre... *fut édité en 1564. Il compte quarante-sept chapitres (celui de l'*Ile des Apedeftes *ne s'y trouve plus). Il se termine par un quatrain signé :* Nature Quite.

Un manuscrit du XVIe siècle, conservé à la Bibliothèque nationale, comprend deux chapitres étrangers au texte imprimé, et de nombreuses variantes.

L'authenticité du Cinquième Livre *fut mise en doute dès sa publication. On a cru, aux XVIIe et XVIIIe siècles, y retrouver l'esprit et le style de Rabelais. La critique actuelle se refuse à admettre que le livre entier soit de lui. Il est possible que Rabelais ait laissé dans ses papiers des ébauches, des brouillons plus ou moins avancés qui ont été mis en œuvre par un imitateur. Consulter sur cette question* Jacques Boulenger, *édition critique de l'*Isle Sonante *(t. III de la* Revue des études rabelaisiennes, *1905) et* Lazare Sainéan, Problèmes littéraires du XVIe siècle, *1927.*

La flotte de Pantagruel poursuit sa route : la voici à l'Isle Sonante, vibrante du chant de ses cloches et de ses oiseaux, Clergaux, Monagaux, Prestregaux, Abbegaux, Evesgaux, Cardingaux et Papegaux (celui-ci unique « en son espèce »), l'Isle Sonante, prétexte à une violente satire de l'Église et de ses institutions : célibat ecclésiastique, mœurs relâchées, attaquées avec audace sur un ton très différent des critiques jusque-là joyeuses et gaillardes que Rabelais n'avait pas ménagées à Rome.

Après, ou avec l'Église, le Palais a son tour. On fait escale à l'île des Chats-Fourrés, « bestes moult horribles et espouvantables » que gouverne l'archiduc Grippeminaud. La satire devient féroce : Rabelais avait jusqu'alors raillé la justice avec plus de bonhomie et d'esprit.

Les voyageurs s'arrêtent ensuite à l'île d'Entéléchie, que gouverne la reine Quinte-Essence. Le récit traîne en longueur, à peine égayé par l'épisode des frères Fredons, qui ne parlent que par monosyllabes, et par la description du pays de Satin où règne Ouy-Dire : Rabelais se gausse heureusement des historiens peu sûrs de leurs données. Et l'on parvient enfin au temple de la Dive Bouteille, que le conteur imagine d'après l'architecture des palais italiens décrits par Colonna dans le *Songe de Poliphile*. La prêtresse Bacbuc guide les voyageurs vers l'oracle. Ils l'interrogent. Il répond : *Trink ;* Buvez ! Prétexte pour Panurge et frère Jean à

LE « PHYSETÈRE (CACHALOT) MONSTRUEUX », que Pantagruel voit venir droit vers ses navires, « jectant eaulx de la gueule en l'air devant soy, comme si feust une grosse rivière tombant de montaigne ». Rabelais décrit longuement la prise et le dépeçage du monstre, pour satisfaire la curiosité de lecteurs épris de récits de navigations (d'après la « Cosmographie » de Thevet, 1575). — CL. LAROUSSE.

boire frais, pour les initiés (dirons-nous les *happy few?*) à boire aux sources de la science.

Malgré certaines descriptions bien venues, malgré certaines indications morales ou satiriques qui ont leur valeur, ce cinquième livre est loin d'avoir les qualités de ses aînés. Le récit se traîne en épisodes longs et diffus, la narration manque de couleur et de vie. On ne retrouve plus ici la verve joyeuse de Rabelais.

RABELAIS, PEINTRE DE LA SOCIÉTÉ DE SON TEMPS

On a, pendant quatre siècles, porté sur son œuvre toute sorte de jugements ; on l'a interprétée parfois de façon extravagante. A force de « rompre l'os » et de « sucer la substantifique moelle », on y a découvert d'obscures allégories. L'enquête menée depuis quarante ans révèle, et de façon précise, le réalisme de Rabelais.

La part faite aux exagérations qu'exigeait le sujet, il reste que les faits ou les problèmes qu'il étudie sont des faits ou des problèmes contemporains. La guerre picrocholine n'est que la transposition d'un procès mené par son père, Antoine Rabelais, au nom d'un certain nombre de ses amis contre leurs voisins, les seigneurs de Sainte-Marthe. *Gargantua* apparaît ainsi comme le récit romancé d'une querelle de clocher. C'est en pays chinonais que se déroule la guerre, et ce n'est pas la moindre découverte d'Abel Lefranc que de l'avoir révélé. Grandgousier et Gargantua habitent la Devinière, la maison natale de Rabelais ; Picrochole réside au château

LA DIVE BOUTEILLE. On lit ici l'« épilènie » (chant du pressoir) que « la princesse Bacbuc, dame d'honneur de la Dive Bouteille et pontife de tous les mystères », fait prononcer par Panurge avant que la bouteille rende son oracle (d'après l'édition de 1605 du « Cinquième Livre »). — CL. LAROUSSE.

de Lerné, demeure de ce Gaucher de Sainte-Marthe, médecin de l'abbaye de Fontevrault, contre lequel les bourgs du Chinonais étaient en procès. Gargantua naît dans La Saulsaye ou Saullaye, qui est une prairie proche de la Devinière. Les places fortes de son père Grandgousier portent les noms de fermes appartenant aux Rabelais : Chavigny en Vallée ou Quinquenays, et les bourgs qui s'allient à lui et lèvent des troupes pour l'aider sont ceux-là mêmes qui élurent Antoine Rabelais pour défenseur. Les opérations qui opposent les deux armées, enfin, se déroulent non loin de la Devinière, entre Seuilly et La Roche-Clermaut, dans un décor de vallées, de rivières, de collines, de lieuxdits que l'on repère aujourd'hui encore sur la carte et sur le terrain. La place faite à l'éducation de Gargantua et de Pantagruel dans leurs « faictz et dictz héroïques », correspond à l'importance prise dans les esprits par le problème des méthodes pédagogiques et le désir de les moderniser. Avec le *Tiers Livre* et la question du mariage, autre sujet d'actualité. Sujet d'actualité encore, la navigation vers la Dive Bouteille, simple adaptation romancée des voyages de Jacques Cartier, décrite à l'aide de traits concrets et techniques empruntés aux relations des voyageurs partis de La Rochelle. Et les attaques vigoureuses multipliées depuis le *Gargantua* jusqu'au *Cinquième Livre* contre les juges, les moines, les professeurs, ne sont, elles aussi, que l'écho des préoccupations du temps : celles d'Érasme, de Marot, de Marguerite de Navarre.

Réalisme des sujets — qui se révèle à l'analyse. Plus encore, réalisme de détail. Toutes les classes sociales de la France de 1530 sont peintes avec une exacte fidélité, quoique parfois d'un trait poussé jusqu'à la caricature. Les classes populaires ont leur place dans ces récits. Le conteur ne parle d'elles qu'avec sympathie : voici les fouaciers de Lerné, prompts à la plaisanterie et aux coups, et les bergers de Seuilly, simples, patients et bons enfants. La rixe qui les oppose est l'origine de la guerre picro-

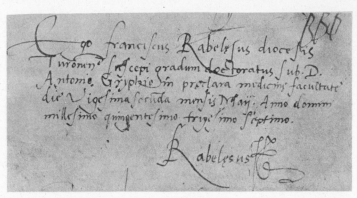

choline : Rabelais, à la Devinière, a entendu leurs propos, assisté à leurs disputes, et les transpose avec un sens des masses sans égal. Voici les artisans parisiens, velouatiers, tisserands, teinturiers, forgerons, marchands dont Gargantua visite les boutiques ou les ateliers pour s'instruire, les jours où la pluie lui interdit les exercices physiques, et à qui, généreusement, il offre à boire, peut-être chez ce rôtisseur qui chasse loin de son auberge les gueux avides des fumées de ses grillades. Voici le maquignon Dindenault, si habile et si bête à la fois, orgueilleux, retors et maladroit. Paysans et citadins, Rabelais nous les montre avec un même sourire amusé, mais sa sympathie va, d'abord, aux paysans, laboureurs, bergers, vignerons, avec lesquels Grandgousier boit si joyeusement ou échange des propos gaillards à la Saullaye, près du gué de Vède, assis familièrement au bout de la table, comme l'a fait, sans doute, maître François lui-même.

Plus qu'aux gens du peuple, sa curiosité va aux bourgeois parmi lesquels il a vécu, et surtout aux représentants des professions libérales, ses égaux, ceux dont il partage la vie. Les médecins ? Voici Rondibilis, maître Rondelet, professeur à l'École de Montpellier et l'un des patrons de Rabelais, Rondibilis qui disserte avec tant de faconde sur les cinq moyens enseignés par Hippocrate pour refréner la concupiscence, et qui réclame ses honoraires avec une persuasive insistance. Il parle avec gravité, argumente solidement, s'appuie sur les autorités reconnues : les médecins grecs et latins. Le type du médecin humaniste.

Le monde du Palais tient une large place dans l'œuvre rabelaisienne. Parce que Rabelais avait des raisons de ne pas l'aimer ? Peut-être. Parce que la tradition voulait qu'on le moquât ? Assurément. Parce qu'il le connaissait bien ? Sans aucun doute. N'était-il pas fils d'avocat ? N'avait-il pas, à Fontenay-le-Comte, fréquenté l'érudit Tiraqueau, le procureur Jean Bouchet ? Il s'en prend également aux juges, aux avocats et aux plaideurs : il décrit le procès grotesque des seigneurs de Baisecul et de Humevesse; l'épisode du juge Bridoye, qui tire au sort des dés ses jugements, est une plaisante satire de la fragilité de la justice; il montre avec une intime satisfaction les Chicanous dupés et raillés par un gentilhomme campagnard. Autant de tableaux vigoureux qui révèlent un Rabelais parfaitement au courant de la vie au Palais, des études, des méthodes, du langage des légistes : il n'ignore rien du « monde palatin » : les dés des juges, les citations pédantes des avocats, les références classiques au Code, au Digeste, aux Décrétales sur quoi un avocat habile fonde les plus spécieuses argumentations : Bridoye, pour excuser sa vieillesse et ses faiblesses, s'appuie sur le commentaire des Décrétales, *distinctio* 86 du *canon Tanta*; le même Bridoye, pour se justifier, cite à contresens une locution traditionnelle : *Alea judiciorum*, le hasard des jugements,

LA ROCHE-CLERMAUT, qui vit l'écrasement de l'armée picrocholine. Au premier plan, on reconnaît la petite rivière que Rabelais appelle la Vède (B. N., collection Gaignières). — CL. LAROUSSE.

qu'il prend au sens précis du mot : les dés des jugements. Beaucoup de ces plaisanteries nous échappent : leur caractère technique plaisait aux initiés. Elles ne laissent pas aujourd'hui d'alourdir le texte. Il en est, heureusement, de plus claires. La satire de Rabelais est tour à tour joviale et féroce. On pardonne avec lui au vieux Bridoye qui radote, mais reste un brave homme. On ne pardonne pas à Grippeminaud et aux chats fourrés.

Plus encore que le Palais, Rabelais a peint l'Université, qu'il connaissait bien pour avoir vécu de sa vie. Le tableau est aussi riche, aussi coloré; plus poussé peut-être. Il tient une bonne part de *Pantagruel* et la moitié de *Gargantua*. Pantagruel a fait le tour des universités de France : il a étudié à Poitiers, où il a créé des traditions estudiantines — monter sur la Pierre Levée, boire à la fontaine de Croutelle —, puis à Bordeaux, Toulouse, Montpellier, où il hésita entre le droit et la médecine, en Avignon, terre papale, où il fut amoureux, à Valence, Bourges et Orléans. De chaque université, le conteur, d'un mot précis, signale une particularité, le plus souvent de celles qui ont trait aux plaisirs des étudiants. Il achèvera ses études sur la montagne Sainte-Geneviève, là-même où son père Gargantua, mal formé par Thubal Holoferne, qui lui apprenait son alphabet à rebours, est venu refaire son éducation. Ce séjour de Gargantua à Paris permet à Rabelais de décrire la vie au quartier latin, avec ses fêtes, ses actes solennels, ses argumentations pédantes, les farces jouées par les étudiants à leurs maîtres, aux bourgeois et au guet, ou les querelles de préséance entre les quatre Facultés.

Maître François s'en donne à cœur joie de dauber sur des personnages qu'il n'aime pas, les théologiens de Sorbonne. Il leur en veut de maintenir — à l'heure où les bonnes lettres sont restituées — des traditions routinières. Il leur en veut de la baisse des études : un vieux « tousseux de Sorbonne », maître Jobelin Bridé, n'a-t-il pas manqué de peu étouffer l'intelligence de Gargantua sous le poids de livres grotesques, tel le *De modis significandi*, qui prouvait longuement que « de modis significandi non erat scientia ». Négligés et sales, l'esprit obtus, intéressés, méchants

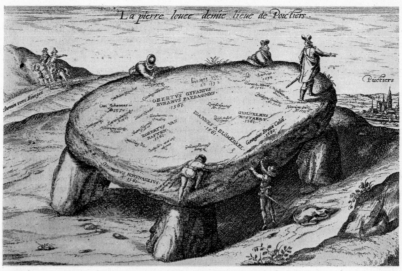

LA PIERRE LEVÉE. « De faict Pantagruel vint à Poictiers pour estudier, et y profita beaucoup. Auquel lieu, voyant que les escholiers estoient aucunes fois de loisirs et ne sçavoient à quoi passer temps, il en eut compassion, et un jour print, d'un grand rochier qu'on nomme Passelourdin, une grosse roche... et la mit sur quatre pilliers au milieu d'un champ bien à son aise; afin que lesdicts escholiers, quand ils ne sauroient autre chose faire, passassent temps à monter sur ladicte pierre, et là banqueter à force flacons, jambons et pastés, et escrire leurs noms dessus avec un cousteau, et, de présent, l'appelle on la Pierre Levée. » (Illustration tirée du « Theatrum Urbium », 1580.) — CL. LAROUSSE.

et querelleurs, prompts à l'injure grossière : Rabelais n'a pas de mots assez forts pour montrer leur ignorance, leur bêtise et leurs ridicules. Il a la cruauté piquante de les faire proclamer — et dans quels termes ! — par le plus crasseux d'entre eux, Janotus de Bragmardo, dont les harangues sont un chef-d'œuvre de vérité caricaturale : « Raison, déclare Janotus, qui réclame des chausses et des saucisses, récompense à lui promise pour s'être magnifiquement acquitté d'une ambassade auprès de Gargantua, Raison, nous n'en usons point céans. Traistres malheureux, vous ne valez rien ! La terre ne porte gens plus meschans que vous estes... Je advertiray le Roy des énormes abuz qui sont forgez céans, et par vos mains et menées, et que je soye ladre s'il ne vous fait tous vifz brusler comme bougres, traîtres, hérétiques et séducteurs, ennemys de Dieu et de vertuz. » Le ton s'élève. Rabelais se fâche : c'est qu'il défend ici, et le sait bien, l'esprit de la Renaissance.

A l'égal des théologiens, il s'en prend aux moines, et pour mêmes raisons. Thème banal, mais repris par lui avec une originalité puissante. Il aime, en frère Jean, figure exceptionnelle, le fait qu'il est aussi peu moine que possible. Comme ses contemporains, Marguerite de Navarre, Henri Estienne, il en veut aux religieux de leur inconduite, de leur paresse, de leur saleté, de leur ignorance. Humanistes, évangéliques, orthodoxes même sont d'accord, de 1520 à 1600, de Marot à d'Aubigné, pour reprocher aux réguliers leurs pratiques machinales, leurs intrigues, leur sensualité. Les moines sont gourmands, paillards, intéressés. Savent-ils seulement remplir leur office ? La prière, pour eux, n'est qu'un rite : « Ils marmonnent grand renfort de légendes et pseaulmes nullement par eux entenduz. Ils content force pastenostres entrelardées de longs Ave Mariaz sans y penser ny entendre. Et ce je appelle mocquedieu, non oraisons. » Certains d'entre eux — et le *Gargantua* rejoint ici l'*Heptaméron* — vont jusqu'au crime, n'hésitent pas, s'ils y trouvent profit, à aider l'enlèvement de filles honnêtes et à bénir des mariages clandestins. L'utilité de l'institution monacale ? Elle est nulle. Le singe est un animal inutile,

L'ÉDUCATION DE PANTAGRUEL. De Bordeaux, Pantagruel « vint à Toulouse où il apprint fort bien à dancer et à jouer de l'espée à deux mains, comme est l'usance des escholiers de ladicte Université ». (Illustration tirée de « la Noble Science des joueurs d'espée », Anvers, 1538.) — CL. LAROUSSE.

de même le moine : « Semblablement un moyne (j'entends de ces ocieux moynes) ne laboure comme un païsant, ne garde le pays comme l'homme de guerre, ne guérist les maladies comme le médecin, ne presche ni endoctrine le monde comme le bon docteur évangélicque et pédagogue, ne porte les commoditez et choses nécessaires à la republicque comme le marchant. Ce est la cause pourquoy de tous sont huez et abhorrys. » Attaque violente, attaque directe : elle n'a d'égale que celles lancées contre les ambitions des papes et les conquêtes guerrières des rois.

Ainsi, le réalisme de Rabelais se nuance presque toujours de satire. Il ne se borne pas à peindre ce qu'il voit. Il juge, le plus souvent sans acrimonie. Seuls les théologiens, les moines et les chats fourrés (si le *Cinquième Livre* est de lui) éveillent sa colère qui se traduit en d'âpres invectives. Presque toujours sa critique est malicieuse et souriante : il se borne à constater les travers de ses contemporains, les faiblesses de certaines institutions, et à les décrire avec une verve et un pittoresque truculents.

RABELAIS HUMANISTE

Rabelais se révèle partout comme un humaniste. Ce n'est pas le caractère le moins original de son œuvre que la présence constante d'une solide érudition. Ce roman populaire révèle à chaque page une science très poussée. Rabelais a lu, sans doute, tout ce que l'on connaissait, de son temps, des littératures grecque et latine. Mais il s'attache de préférence à certaines catégories de textes. Il ne semble pas que, sauf pour y prendre des leçons de « rhétorique cicéronienne », il ait beaucoup fréquenté les orateurs grecs et latins. Pas davantage les poètes épiques, lyriques ou tragiques. Il ne paraît pas avoir beaucoup lu Aristophane, peu connu encore et mal compris, non plus que Plaute et Térence. Les historiens, les moralistes, les philosophes, les érudits, voilà son gibier : « Voluntiers me délecte, écrit Gargantua à Pantagruel, à lire les Moraulx de Plutarche, les beaulx discours de Platon, les Monumens de Pausanias et Antiquitez de Atheneus. » Ne cherchons pas davantage : Rabelais dit ici les noms de ses auteurs préférés.

Plutarque, d'abord : il est, de loin, celui qu'il a le plus aimé, empruntant à ses *Vies*, et surtout à ses *Œuvres*

UN DÉCOR A L'ANTIQUE, tel que Rabelais en rêvait pour l'abbaye de Thélème : des « piliers de cassidoine et porphyre, de beaux arcs antiques, au dedans desquels estoient belles galeries longues et amples... ». Gravure extraite du « Songe de Poliphile », de l'Italien Francesco Colonna ; les illustrations de cet ouvrage, traduit en français en 1546 et en 1554, séduisirent l'imagination des hommes de la Renaissance. — CL. LAROUSSE.

morales, où le philosophe grec avait étudié tant de problèmes pratiques et concrets. Avec lui, Lucien, que Rabelais a aimé parce que celui-ci s'en était pris à l'ignorance et à la crédulité : il lui doit bon nombre d'anecdotes plaisantes. Platon, enfin : le seul philosophe qu'il ait vraiment pratiqué, et qu'il admire pleinement. Il cite le *Banquet*, le *Timée*, la *République*. On ne peut déceler un emprunt précis à ces pages, mais les chapitres à idées de son livre sont imprégnés de théories platoniciennes répandues par l'école de Florence et Marsile Ficin. Il doit, enfin, beaucoup à Pline l'Ancien, dont il a bien lu l'*Histoire naturelle* : de là viennent l'éloge du Pantagruélion et celui de Messer Gaster.

Autant que les moralistes, il a pratiqué les historiens. Surtout les auteurs de biographies, les collectionneurs d'anecdotes. Il ignore les historiens philosophes : Polybe et Thucydide. Mais il a lu abondamment Suétone, Strabon, Athénée, Pausanias, l'*Histoire Auguste*. De l'histoire, il retient moins les grandes lignes, les grands courants, que les faits singuliers propres à amuser ou étonner le lecteur. De là son goût pour les compilateurs et les érudits : Varron, Aulu-Gelle, Valère-Maxime, Macrobe, et leurs successeurs modernes : Cœlius Rhodiginus, Ravisius Textor. C'est là qu'il puise, de seconde main, les éléments de sa prodigieuse érudition. Ces sortes de dictionnaires ou d'encyclopédies, *Exemplorum libri*, *Antiquae lectiones*, lui fournissaient abondance de menus faits piquants ou curieux. Il y avait du Fulgence Tapir en Rabelais, qui aimait à étaler son érudition : elle fatigue parfois. C'était, au XVIe siècle, un élément d'intérêt, et non le moindre.

Mais constater l'étendue de l'érudition rabelaisienne n'est pas définir son humanisme, c'est-à-dire marquer l'influence des lettres classiques sur sa pensée. Il lisait Platon : nous conservons un exemplaire des œuvres du philosophe qui lui a appartenu. Cela suffit-il pour affirmer qu'il a tiré de la *République* ou des *Lois* ses idées sur la politique, sur les devoirs d'un chef d'État, ou sa condamnation de la guerre ? C'étaient là thèmes déjà vulgarisés par Érasme ou Budé. Est-ce aux philosophes anciens, est-ce aux humanistes qu'il doit ses idées générales ? On est porté à répondre qu'il tient des humanistes, d'abord. Il ne demande aux Anciens que des références ou des preuves. Dans l'ensemble, Rabelais est de son temps plus que de l'antiquité. Il suit Érasme plus que Platon. Et d'abord sur ce point capital que le progrès de l'humanité a pour condition première la rupture avec l'esprit du moyen âge, le retour aux textes, l'abandon des commentaires.

Ainsi du droit, de la médecine, de l'architecture, de l'éducation ; pour ne retenir que les problèmes auxquels il s'attacha. Le droit ? On sent Rabelais plein de révérence pour le droit romain, plein de mépris pour les glossateurs, les Accurse, les Bartole. Pantagruel est net qui déclare : « Il n'y a livres tant beaux, tant aornés, tant élégants, comme sont les *textes* des Pandectes (je souligne) ; mais la brodure d'iceulx, c'est assavoir la *glose* des Accurse (je souligne encore) est tant salle, tant infâme et punaise que ce n'est qu'ordure et villenie. » Antithèse catégorique. Et Rabelais développe amplement sa condamnation des commentateurs : comment eussent-ils pu interpréter les textes, eux qui, de l'antiquité, ignoraient tout, les langues, l'histoire, la philosophie ? Disciple de Budé, et parce qu'il a lu le *De Asse*, Rabelais prêcha donc le retour aux textes, éclairés par toutes les ressources de la philologie et de l'histoire. A cette condition seule, le droit se dégagera des brouillards cimmériens où il reste noyé.

Même thèse en ce qui concerne la médecine. Ici Rabelais a prêché d'exemple. Il a été médecin, et

LE CHATEAU DE BONNIVET, d'après une gravure du XVIIᵉ siècle (B. N., Cab. des Estampes). Au temps où Rabelais vivait en Poitou, l'amiral Bonnivet faisait bâtir, à quatre lieues de Poitiers, ce magnifique édifice, un des chefs-d'œuvre de notre architecture franco-italienne, aujourd'hui disparu. C'est sur le modèle de ce château, et aussi des châteaux de Chambord et de Chantilly, que Rabelais, il nous le dit lui-même (« Gargantua », chapitre LV), a construit son « manoir des Thélémites ». — CL. LAROUSSE.

L'ABBAYE DE THÉLÈME : le bain des dames. « Devant ledict logis des dames, afin qu'elles eussent l'esbatement, entre les deux premières tours, au dehors, estoient... les bains mirifiques à triple solier *(degré)*, bien garnis de tous assortiments et foison d'eau de myrthe. » (Illustration tirée du « Songe de Poliphile », 1554.) — CL. LAROUSSE.

bon praticien. On découvre en ses livres nombre de notions de physiologie toutes modernes. Et l'on voit volontiers en lui un précurseur des théories expérimentales. Ce n'est exact qu'en partie. Sans doute a-t-il recommandé et pratiqué lui-même la dissection. Mais il a compté surtout, pour renouveler la médecine, sur une meilleure interprétation des textes classiques négligés au profit de l'empirisme qu'enseignaient les médecins arabes. Bachelier en médecine, Rabelais expliqua, pendant trois mois, à Montpellier, les *Aphorismes* d'Hippocrate, et l'*Art médical* de Galien. Il s'attacha à comparer à un manuscrit qu'il possédait les commentaires traditionnels, constata des erreurs et des lacunes dans le texte de la Vulgate latine, et publia, en 1541, une édition corrigée d'après son manuscrit. Révision purement philologique : il ne lui vint pas à l'idée de faire appel à son expérience pour discuter Hippocrate. Son respect pour les textes grecs est tel qu'il ne songe pas à en contrôler l'exactitude sur les faits. C'est là une des limites de l'Humanisme à ses débuts : il fait table rase des commentaires; il ne sait pas encore soumettre les textes à une vérification expérimentale.

Comme ses contemporains, Rabelais rêve d'une rénovation de l'architecture par un retour à l'antique. Si Thélème garde certains caractères des constructions médiévales, Rabelais n'en a pas moins rêvé déjà du style classique, fait d'éléments gréco-latins : colonnes à chapiteaux, pilastres, frontons, entablements. Il a, peut-être, lu Vitruve; il le cite, peut-être sous l'influence de Philibert Delorme. Ici encore, il est de son temps et subit l'influence de l'Italie. Il n'a pas été, à Rome, sensible à la poésie des ruines comme le sera Du Bellay, mais il a compris la grandeur de l'art gréco-romain, et rêvé de l'adapter au génie français.

Enfin et surtout, il a rêvé d'une éducation nouvelle où passeraient largement les souffles venus d'Italie. C'est un des caractères de l'Humanisme que de s'être préoccupé de la formation des esprits. Deux fois Rabelais a défini ses théories sur ce problème. Ce sont, ou peu s'en faut, celles des contemporains. Son originalité réside dans la forme vivante qu'il leur a donnée. Comme eux, il rêve d'une éducation encyclopédique qui ne négligerait aucune des connaissances humaines : à Pantagruel, Gargantua trace le plus vaste programme qu'on ait jamais conçu et il le dit : « Somme, que je voye en toy un abisme de science. » Langues anciennes, histoire, philosophie, sciences abstraites ou appliquées, rien n'est oublié dans cette énumération qui se développe, enthousiaste, comme un hymne au savoir. De même, Gargantua, délivré de ses « vieux tousseux » de Sorbonagres, étudiera sous la conduite de Ponocrates et d'Anagnostes tout ce qu'un homme peut apprendre : l'écriture, pour asseoir sa foi, l'astronomie et les sciences naturelles, l'arithmétique et le dessin, la géométrie et la musique. Enseignement composite dans ses méthodes que celui-là : il fait appel à la fois à l'expérience et aux textes anciens. A table, par exemple, on parle au jeune Gargantua « du pain, du vin, de l'eau, du sel, des viandes, poissons, fruictz, herbes, racines et de l'apprest d'icelles »; mais on a soin de rapporter aussitôt ce qu'en disent « Pline, Athénée, Dioscorides, Julius Pollux, Galen » et bien d'autres. Mieux : « Iceulx propos tenus faisoient souvent, pour plus estre asseurez, apporter les livres susdictz à table. » De même, si Gargantua passant par « quelques prez ou aultres lieux herbuz » herborise, il a soin de « conférer » arbres et fleurs « avec les livres des Anciens qui en ont escript, comme Théophraste, Dioscorides, Marinus, Pline, Nicander, Macer et Galen ». Se promène-t-il pour se distraire ? Il répète par cœur « quelques plaisans vers de l'*Agriculture* de Virgile, de Hésiode, du *Rusticque* de Politian ». Au-delà et au-dessus des faits, il y a les Anciens et leurs livres.

Éducation donc toute gréco-latine, et d'abord livresque. Éducation qui, si elle fait sa place, et largement, à la culture physique la plus pratique, suppose un effort démesuré, car les distractions même, aux heures de détente, servent au travail : l'esprit n'est jamais en repos. Ce furieux appétit d'apprendre, partout et toujours, de ne pas perdre une minute, c'est encore un des caractères de l'Humanisme. Éducation, enfin, qui fait, à peu près uniquement, appel à la mémoire, qui meuble l'esprit plus qu'elle ne le forme. L'heure n'est pas encore venue de la tête « bien faite ». Dans l'ivresse de la découverte, on s'en tient à la tête « bien pleine », sans assez lui apprendre à raisonner.

Dans ces pages ardentes, discutables, mais sincères, vibre l'enthousiasme de l'Humanisme français qui, devant la découverte de l'antiquité, rejette le moyen âge, et va, d'instinct, aux moralistes et aux érudits. Ainsi l'histoire de Gargantua et de Pantagruel se trouve, en certaines de ses pages les plus graves, refléter l'ivresse joyeuse des humanistes au temps qu'ils pouvaient croire à un nouvel âge d'or.

LE NATURALISME DE RABELAIS

Mais la pensée du conteur va plus loin que l'Humanisme. Rabelais dépasse son temps. Sur les problèmes éternels, il apporte une conception personnelle et neuve. En matière d'éducation, par exemple, ses idées sont d'un précurseur et d'une curieuse modernité.

Médecin, il insiste sur les nécessités de l'hygiène : il

est le premier à le faire. Parce qu'il s'est formé lui-même loin des « collèges de pouillerie », il veut mêler les études à la vie, et c'est pourquoi Ponocrates a grand soin de conduire son élève chez les artisans, et d'ajouter à l'étude des arts libéraux celle, jusqu'alors méprisée, des arts mécaniques. L'initiateur des modernes leçons de choses, qui est-ce, sinon Rabelais, qui, sur ce point, allie au goût du savoir livresque la joie de s'initier à toutes les activités humaines ? C'est encore son goût du réel, son amour de la vie qui le font tracer à Gargantua un étonnant programme d'éducation physique qu'il a fallu près de quatre siècles pour mettre en pratique. Les humanistes déploraient le régime étroit des collèges où la jeunesse risquait de se faner, mais, dans leur désir d'instaurer les études anciennes, ils négligeaient dans leurs écrits pédagogiques de faire sa place au développement du corps. Rabelais, au contraire, a soin de montrer

UN CHŒUR DE FRANCS BUVEURS.
CL. LAROUSSE.

UNE FAMILLE DE GÉANTS.
CL. LAROUSSE.

que Ponocrates s'attache à faire de Gargantua non seulement un savant, mais un athlète : le géant ne se borne pas à pratiquer, comme un bon chevalier, l'équitation et les armes; il est soumis à un entraînement physique complet, et surtout pratique : nage, aviron, course (on dirait volontiers : *cross-country*), grimper, saut, jusqu'à la « marche avec chant » (« Pour se exercer le thorax et pulmon, crioit comme tous les diables »), il n'est pas une forme de sport moderne que ne pratique le fils de Grandgousier.

C'est que Rabelais va plus loin que les humanistes : dans l'homme, il ne voit pas seulement l'âme et l'intelligence, mais le corps. Des manifestations, des fonctions de la vie, il ne méprise aucune, et l'on a le droit de parler de son naturalisme. Par là encore, il se détache de l'Humanisme français. Né dans la haute bourgeoisie, la noblesse de robe et la cléricature, apanage surtout d'intellectuels austères, l'Humanisme, en France, n'a pas eu ce caractère païen qu'il a souvent chez les Italiens. Les athées, les libertins spirituels, les rationalistes sont rares parmi nos humanistes : pour un Dolet, ou un Berquin, que de chrétiens sincères qui espèrent concilier l'intelligence et la foi, la raison et le dogme, Platon et l'Évangile !

Quelle est, à cet égard, la position de Rabelais ? Il a, sans aucun doute, comme beaucoup de ses contemporains, donné des gages à l'Évangélisme, dans les deux premiers livres surtout, avant la crise de 1534. Il condamne l'abus des pratiques pieuses qu'il juge pure superstition : prières machinales, murmurées du bout des lèvres, et non du cœur, pèlerinages, jeûnes et pénitences; il critique l'institu-

UN JOYEUX LURON de la suite de Pantagruel.
CL. LAROUSSE.

tion monacale, et dans quels termes ! Il rêve d'un couvent où s'assembleraient hommes et femmes, et ouvre largement l'abbaye de Thélème aux évangéliques. Il fait une large place, dans l'éducation de Gargantua, à l'étude de l'Écriture sainte. Cela suffit-il pour le déclarer protestant, voire, comme on l'a fait, athée ? On ne saurait oublier qu'il a rompu avec « l'impie et démoniacle » Calvin, et que, s'il a raillé les Papimanes, sectateurs de Rome, il s'est aussi bien moqué des Papefigues, adversaires du Saint-Siège. En revanche, aucun texte ne permet d'affirmer qu'il a rompu avec l'orthodoxie. Nulle part on ne le voit s'en prendre au dogme. Il parle avec émotion de Jésus, « le grand servateur des fidèles, qui feut, en Judée, ignominieusement occis »; il montre ses géants priant avec piété; il vénère la « sacrosaincte parolle de bonnes nouvelles, c'est l'Évangile ». On l'a, pourtant, taxé d'athéisme. A tort, semble-t-il. Les épigrammes des poètes néolatins, où l'on veut voir une accusation lancée contre lui, ne semblent pas le concerner : aucune ne le désigne nommément. Quant à ces épisodes de son œuvre où l'on veut qu'il ait parodié l'Écriture — la naissance miraculeuse de Gargantua, la descente d'Épistémon aux enfers et sa résurrection, par exemple, il s'agit là de facéties joyeuses dont personne alors ne songeait à se scandaliser. Il est probable que Rabelais, nourri comme il l'était de l'œuvre d'Érasme, est resté plus près de l'orthodoxie qu'on ne l'admettait récemment. L'enquête menée par M. Febvre est significative à cet égard; au moins en ce qui concerne le dogme et la foi. Car il en ira autrement pour la morale. La pensée de Rabelais demeure loin de l'esprit du christianisme, tel surtout qu'il s'affirme au début de la Réforme. Catholiques, partisans de l'évangélisme et calvinistes sont d'accord pour affirmer fortement l'infirmité humaine : l'homme est incapable par ses seules forces d'assurer son salut, soit par sa raison, soit par ses œuvres ; l'homme, être déchu, est un être mauvais dont l'instinct l'entraîne au mal. Le point de vue de Rabelais est tout autre : il a pleine confiance dans la nature humaine : la raison, le cœur de l'homme éclairés par la science et le sentiment de l'honneur lui permettent de tout espérer. L'éloge du Pantagruélion ? Un hymne enthousiaste à la puissance humaine. Que ne peut-on attendre d'un être qui, par ses seules forces, a su tirer d'une humble plante tant de profits ! Et Rabelais de rêver à d'étonnantes découvertes, continuation dans le futur de celles du passé : « ... peut-être sera inventée herbe de semblable énergie, moyennant laquelle pourront les humains visiter les sources des gresles, les bondes des pluyes et l'officine des fouldres... » C'est déjà, au XVIᵉ siècle, le *Plein Ciel* de Hugo, avec moins de lyrisme, mais non moins de foi.

Que l'on relise la description de Thélème. Jamais plus beau cri d'optimisme n'a magnifié le pouvoir de la créature. La règle des Thélémites ? « Fay ce que vouldras... » Où sont les commandements de Dieu ? Et pourquoi cette confiance en l'homme ? « Parce que gens liberes, bien nez, bien instruicts, conversans en compaignies honnestes, ont par *nature* (je souligne) un instinct et aiguillon qui toujours les pousse à faictz vertueux et retire de vice, lequel ilz nommoient honneur... » ; la nature tend à la vertu. Il paraît difficile de voir là un enseignement chrétien. On dira, sans doute, que l'abbaye de Thélème est un mythe, que Rabelais a voulu définir une société idéale, constituée par des êtres d'élite, une aristocratie de l'esprit et du cœur, soumise aux règles de l'honneur. On n'en disconvient pas. Mais on doit aussi constater que cet acte de foi dans la nature humaine paraît étrangement loin du pessimisme de Calvin, voire de la simple espérance chrétienne. Resterait à savoir — et c'est impossible — si Rabelais définissait ainsi une vérité ou un idéal.

L'ART DE RABELAIS

Humaniste ou philosophe, Rabelais reste d'abord un incomparable conteur, l'un des plus grands, avec Balzac, de notre littérature. L'étonnante diversité de ses « manières », de la bouffonnerie la plus crue à la haute éloquence, vient de la diversité de son tempérament.

Homme du peuple, ou peu s'en faut, il s'est inspiré de la littérature populaire : il a lu les *Quatre Fils Aymon* et *Fessepinte*, entendu narrer aux veillées de la Devinière force fabliaux, feuilleté des almanachs, joué des farces. D'où tout le côté populaire de son livre : gros mots et mots gras, facéties enfantines, calembours élémentaires, farces salées, effets vulgaires qu'il aime comme les aimaient ses lecteurs : le XVIᵉ siècle à ses débuts ignore la préciosité. Il aime les jeux de mots les plus simples, les lapsus, les contrepèteries, les assonances et les allitérations. Trois chapitres de *Pantagruel* (XI-XIV) ne sont qu'une suite de coq-à-l'âne. Pantagruel et Panurge, faisant l'éloge du fou Triboulet, alignent deux cents adjectifs destinés à définir les qualités du bouffon (*Tiers Livre*, XXXVIII). Verve grossière qui plaisait environ 1540, et qui a laissé des traces jusqu'à nos jours.

A cet art populaire se rattachent les devinettes, les mystifications, nombreuses surtout dans le *Pantagruel* où se déroule complaisamment le récit des hauts faits de Panurge, qu'il rosse le guet, raille ses maîtres, fasse quinaut le clerc Thaumaste ou se venge grossièrement de cette grande dame qui a repoussé ses avances. Tout cela dérive directement du fabliau ou de la farce, et Rabelais transpose

dans son récit nombre de plaisanteries et d'anecdotes traditionnelles : il est peuple, comme le sera Molière, et ne recule pas devant certaines formes de comique qui risquent de déplaire aux délicats.

Son récit se déroule sur un ton familier, celui de la causerie, d'une conversation libre et joyeuse où, sans cesse, intervient le narrateur : il n'écrit pas ; il parle, semant sa phrase de jurons joyeux, d'exclamations plaisantes, d'interpellations au lecteur qui devient presque un auditeur. Le récit s'arrête : une parenthèse, une digression l'interrompent un instant. On ne lit pas Rabelais ; on l'écoute ; on le voit ponctuer sa narration d'un geste qui accompagne une apostrophe. Ce sont propos rustiques ou facétieux, baliverneries de haute graisse, mais d'une autre verve, d'une autre couleur que ceux de Noël Du Fail.

On a parfois reproché à Rabelais la surabondance de ce style, l'excès des parenthèses, des pléonasmes et des redites. Il manque d'ordre ; il manque de tenue. Défauts ? Ce n'est pas sûr. Qualités d'un style vivant, au contraire, et qui, dans son laisser aller, sa verdeur et son réalisme, va jusqu'à reproduire le ton, l'accent, les défauts de prononciation des personnages ; aucun prosateur français, sauf Molière et Balzac, ne donne à un égal degré l'impression d'un style parlé, vivant, et vrai. Au reste, cela n'empêche pas Rabelais, quand il veut, d'atteindre à la plus haute éloquence, et la plus sincère, ou, simplement, à la rhétorique la plus savante. La lettre de Gargantua à Pantagruel, la « concion » de Gargantua aux soldats de Picrochole vaincu, le discours de Gargantua à Pantagruel sur les mariages contractés contre le vœu des parents, autant de pages solides, un peu trop préparées peut-être, où l'on sent une imitation très sûre, trop sûre de la « rhétorique cicéronienne ». Pastiches que ces pages où Rabelais, l'humaniste Rabelais, se montre un trop bon élève, et trop consciencieux. On leur préfère des mouvements plus naturels, plus directs, qui sont d'un orateur maître de ses moyens, l'éloge des dettes par Panurge, ou cette page étonnante — l'éloge de Messer Gaster — que scande ce refrain : « Et tout pour la tripe ! »

Rabelais n'aurait pas été de son temps s'il n'avait « despumé » la « verbocination latiale ». Il a pu se moquer de l'écolier limousin : il n'a pas évité ses travers ; on ne trouve que trop de termes obscurs dans son œuvre, directement transcrits du grec ou du latin ; il a devancé la Pléiade au point de se voir obligé de joindre au *Quart Livre* un court lexique : la *Briefve déclaration d'aucunes dictions plus obscures*, tout comme Muret expliquera le vocabulaire de Ronsard.

Mais, écrivain populaire ou humaniste, Rabelais a su être lui-même et atteindre à une parfaite originalité. Le réalisme du fond, que nous avons analysé, s'accorde à un réalisme de la forme, qui fait de Rabelais un précurseur de Balzac : nul de ses contemporains, ni la reine de Navarre, plus occupée à peindre les âmes que les corps, ni même Des Périers ou Du Fail n'ont, comme lui, le sens du détail concret, du mot propre, à la fois technique et coloré. Nul n'a le même souci de la réalité en même temps qu'une prodigieuse faculté d'invention : sur des données banales, populaires, on dirait parfois usées, nul n'a brodé de plus riches variations. Sur un thème que lui fournit la tradition ou l'actualité — car il se soucie peu d'inventer un sujet, et, dans ce sens, il est déjà classique —, il développe d'étonnants récits, où la multiplicité des détails — décor, gestes, paroles — pris dans la réalité même, grâce à une prodigieuse faculté d'observation, donne l'impression d'une vie ardente. L'invention, chez Rabelais, est toute dans le développement.

Elle est servie, à la fois, par un vocabulaire d'une surprenante richesse où se mêlent archaïsmes, latinismes, italianismes, termes dialectaux issus du terroir, termes techniques, dont Rabelais, avec un art très sûr, savoure les prestigieuses ou amusantes sonorités, par une langue d'un mouvement très souple et très varié, par un sens du comique que, seul, Molière a égalé, par une abondance d'images, de métaphores, de faits et d'idées qu'aucun prosateur n'avait encore connue. Personne avant lui n'avait pareillement étoffé une narration, ne lui avait donné autant de vie et de pittoresque, n'avait fait agir ou parler ses personnages avec autant de justesse. Personne encore n'avait, avec autant de maîtrise, joué avec les idées : la louange des « debteurs et emprunteurs », les propos des « bien ivres », le récit de l'assaut lancé contre l'abbaye de Seuilly et la défense dirigée par frère Jean, l'épisode des moutons de Panurge, la description de la tempête, ou, dans le genre plus modeste de l'anecdote rapide, l'histoire du rôtisseur payé de la fumée de son rôt par le son de l'argent que fait tinter le gueux qu'il interpelle, celle aussi des religieuses de Fontevrault, autant de pages où se révèlent la diversité, l'ampleur, la plénitude, parfois même la démesure du talent de Rabelais : elles font de lui un écrivain unique dans notre littérature.

LE GÉANT PANTAGRUEL et deux de ses « apostoles » ou « acolytes ». Vignette populaire, ornant « le Disciple de Pantagruel », ouvrage faussement attribué à Rabelais (1538). — CL. LAROUSSE.

LE COMIQUE DE RABELAIS

Il l'est encore, au sens absolu, parce qu'il est le seul, depuis quatre siècles, qui se soit donné pour seul but de provoquer le rire. Il le dit. Pourquoi ne pas le croire ? Il ne faudrait pas retomber dans l'erreur commise par les éditeurs de l'édition Variorum qui cherchaient dans son œuvre des allusions secrètes, ni, comme les romantiques, voir en lui un mage aux intentions ésotériques. Les recherches récentes ont permis de définir avec netteté les éléments concrets de son réalisme, l'étendue de sa culture humaniste, la valeur exacte de son naturalisme, les procédés de l'artiste. On ne saurait oublier, pour cela, qu'il a voulu être et qu'il reste un auteur plaisant. Il y a là un aspect du génie rabelaisien sur lequel on ne met plus assez l'accent. A tort. Car, pour le lecteur du XXᵉ siècle, Rabelais reste, d'abord et avant tout, le narrateur incomparable d'histoires joyeuses :

> Mieux vault de ris que de larmes escripre
> Pour ce que rire est le propre de l'homme...

« C'est une entreprise difficile de faire rire les honnêtes gens... », écrivait Molière, qui s'y connaissait. Or, les honnêtes gens — même La Bruyère, si difficile, si délicat — ont toujours aimé Rabelais. Et nous l'aimons encore. On oubliera les pages ordurières où la scatologie et l'ivresse (rarement l'obscénité) tiennent trop de place : elles pouvaient plaire au XVIᵉ siècle ; elles paraissent aujourd'hui excessives, et nul ne songe plus à rire de tels exploits de Pantagruel ou de Gargantua ; certaines inventions où la canaillerie de Panurge se donne libre cours ne s'expliquent que par les mœurs du temps. Que l'on relise Brantôme : on sera convaincu.

Mais il n'y a pas que ces pages malodorantes. On négligera, avec elles, les chapitres, parfois pédants, où s'étale l'esprit étudiantin. Rabelais ne fait que trop usage du latin macaronique et de l'argot de collège, comme d'une intempérante érudition : l'autorité de Pline ou de Jamblique ne nous touche plus, et nous sommes insensibles à bien des passages dont les humanistes ont dû s'en-

chanter. Ils créent pourtant une tradition, que l'on retrouve jusque sous la plume d'Anatole France ou de Jean Giraudoux.

On reste un peu plus sensible à tel thème traditionnel, celui, par exemple, des malheurs conjugaux. Rabelais relie, en le développant, la farce moliéresque, le conte voltairien, la comédie parisienne aux plus anciennes formes comiques de notre littérature : grâce à lui, point de coupure entre le Meunier d'Arleux, Arnolphe, Boubouroche et M. Bergeret. Et l'on ne peut, aujourd'hui encore, lire le *Tiers Livre* sans être secoué d'un rire spontané. La tromperie féminine : sujet d'éternelles plaisanteries, trop vraies souvent, toujours drôles, et que nul n'a traité avec autant de verve et de sincérité, avec moins de méchanceté aussi.

C'est là souvent que l'on va chercher le comique rabelaisien. Il en est de meilleures formes : le comique gigantal, d'abord, fourni par la donnée même du roman, et où il entre une part de parodie qui nous laisse indifférents, mais aussi une part de grossissement souvent excellente, grossissement fait du contraste entre les dimensions de la réalité connue et la taille des héros rabelaisiens. Le procédé n'est pas sans valeur, même s'il est facile : Swift et Voltaire l'utiliseront. Le comique des chiffres destiné à donner la preuve expérimentale et irréfutable d'une invraisemblance qui sollicite la confiance et provoque le rire par ses exagérations : c'est après une sécheresse de « trente-six mois, trois sepmaines, quatre jours, treize heures et quelque peu dadvantage » que naît Pantagruel ; la massue dont Loup Garou manque assommer Pantagruel pèse exactement 9 700 quintaulx « deux quarterons », et l'on sent l'importance de ces deux quarterons ! Soulignons, enfin, l'existence d'un comique d'érudition géographique, historique, médicale ou botanique destiné, lui aussi, à donner apparence de vérité à la plus extravagante fantaisie.

Mais le génie de maître François éclate surtout dans la grosse farce, et Panurge y est passé maître, la farce où un plaisantin est berné par plus fin que lui (ainsi Thaumaste, ainsi l'écolier limousin, ainsi Dindenault), la farce qui ne va pas sans impertinence ; — dans la fantaisie où joue l'imagination la plus débridée et la plus créatrice qu'ait connue notre littérature, la fantaisie qui permet à certains critiques récents de classer Rabelais parmi les auteurs « baroques », la fantaisie qui conduit le conteur à traiter sur un ton de suprême ironie les thèmes de haute philosophie ; — dans la satire, enfin et surtout, satire des hommes et des institutions où les petitesses humaines sont mises à nu par l'observateur le plus sûr, tour à tour indulgent ou féroce : moines, avocats, juges, professeurs, bourgeois, paysans, il n'est pas une classe sociale qui échappe aux railleries de Rabelais, et ses sarcasmes, au bout de quatre siècles, restent véridiques.

Toutes formes de comique servies par une abondance verbale sans pareille ; il y a, chez l'auteur du *Gargantua*, du bonisseur, du charlatan : des à-peu-près les plus simples, des queues de mots vulgaires, des contrepèteries obscènes aux calembours les plus fins, aux comparaisons inattendues, aux métaphores éblouissantes, tout lui est bon. C'est un cliquetis de mots pittoresques et sonores, où les noms propres ont un rôle important, un flux verbal irrésistible qui emporte le lecteur dans son tourbillon sans le laisser respirer.

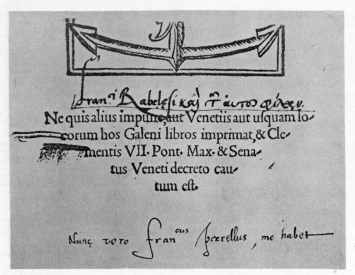

UN EX-LIBRIS AUTOGRAPHE DE RABELAIS : « Ce livre appartient à Rabelais et à ses amis. » — CL. LAROUSSE.

Comique fondé sur la fantaisie verbale et sur la verve du style autant que sur l'observation, sur une prodigieuse habileté à trouver le mot juste, l'adjectif caricatural, le verbe expressif qui arrache le rire. Mais comique presque toujours sans amertume. Comique grossier parfois, mais d'une saine grossièreté. Rabelais a été médecin, et, de l'exercice de la médecine, il a gardé l'habitude de voir les choses telles qu'elles sont, de les peindre sans voile. Il s'est hâté d'en rire, pour ne pas en pleurer. Et c'est pourquoi, plus que celui de Molière même, son rire est franc, libre, sans arrière-pensée. Molière défend des thèses, Beaumarchais s'attaque aux institutions; Becque, Mirbeau, Courteline crient leur dégoût des faiblesses humaines. Rabelais, pour avoir soigné des hommes, sait trop le prix de la vie, et juge que, malgré ses laideurs, la vie vaut d'être vécue tant qu'on peut la vivre, et bien vécue : sainement, joyeusement. D'où ce comique débridé, à la sonorité sans pareille, que n'offusque jamais l'ombre d'une amertume, que nul en France n'a jamais égalé.

INFLUENCE ET RÉPUTATION DE L'ŒUVRE DE RABELAIS

A consulter : J. Boulenger, Rabelais à travers les âges, *1925; L. Sainéan*, l'Influence et la réputation de Rabelais, *1930.*

Si les théologiens condamnèrent son œuvre, moins pour son impiété très relative, voire pour son « obscénité », que pour la part de satire qui les concernait, le roi, sa sœur, la cour, les lettrés, les artistes applaudirent en Rabelais un descendant de Lucien. Montaigne ne voit en lui qu'un auteur plaisant, comme Boccace, et c'est aussi l'opinion des classiques : le XVIIe siècle le tient pour un maître du comique. Molière lui fait quelques emprunts pour le *Médecin malgré lui* et le *Mariage forcé* ; il est des auteurs favoris de La Fontaine, qui puise longuement dans son œuvre. Mais La Bruyère ne laissait pas d'être choqué par le mélange de grossièreté, de finesse et de savoir qui est, extérieurement, le caractère le plus frappant de son œuvre : il voyait en lui une « énigme, quoi qu'on veuille, inexplicable », le « charme de la canaille » comme le « mets des plus délicats ». Avec lui, le goût des esprits raffinés se détourne un peu de Rabelais. Voltaire, qui l'avait d'abord dédaigné, finit par reconnaître son originalité. Dans l'ensemble, il a rebuté les classiques par ses grossièretés. Le romantisme, avec Mérimée ou Gautier, vit en lui le plus joyeux et le plus fantaisiste des conteurs; avec Hugo, le

classa parmi les Mages. On fait alors de Rabelais une « bouche d'ombre » ou, comme Michelet, « un monstre à cent têtes », et l'on cherche à découvrir en son œuvre une philosophie condamnée, des systèmes profonds. Balzac le pastiche dans ses *Contes drolatiques*, mais Sainte-Beuve lui reproche encore son obscénité.

L'enquête historique menée depuis cinquante ans permet d'interpréter plus largement et plus sûrement le génie de Rabelais : artiste incomparable et tumultueux, en marge de toutes les écoles et obéissant à sa seule fantaisie, l'un des plus grands et des plus originaux de nos lettres, satirique puissant et lucide, conteur capable des meilleurs effets comiques, moraliste sage et réaliste, confiant en la bonté de l'homme, aimant la vie sous tous ses aspects, optimiste convaincu, tel apparaît aujourd'hui maître François : nous lui demandons de succulentes joies esthétiques et des leçons de bon sens.

Sa réputation, son influence ont pu varier. Il reste comme le représentant le plus original de notre première Renaissance, comme un écrivain inégalé, comme un penseur bon et généreux.

IX. — LA PREMIÈRE RENAISSANCE

En 1549, la publication de la *Deffence et Illustration de la langue françoise* marque l'étape décisive, la naissance du classicisme français appelé à rayonner sur l'Europe. Mais si Dorat a suscité Ronsard et Du Bellay, c'est parce qu'il avait lui-même profité de la première Renaissance. Il convient donc d'établir le bilan de ce demi-siècle d'efforts sincères, enthousiastes, mais désordonnés.

De quoi est faite cette première Renaissance française ? De survivances médiévales d'abord : persistance de l'esprit gaulois, chez les poètes comme chez les conteurs; persistance de certaine tendance à la satire des hommes, des idées, des institutions; persistance surtout et affermissement de la tendance à observer et à peindre les mœurs, de l'extérieur et par l'extérieur surtout, mais déjà aussi par l'intérieur; goût du comique et de la caricature : tous éléments venus des fabliaux, de la farce, du roman allégorique, et qui s'affirment de façon plus ou moins marquée chez Rabelais ou Marot; mais aussi d'éléments étrangers et neufs : les influences gréco-latines, incertaines au moyen âge, commencent à jouer dès le règne de Louis XI, les influences italiennes à l'avènement de Charles VIII; elles tendent à se confondre. D'Italie, gentilshommes ou étudiants apportent en France le culte du vrai et le culte du beau. A vrai dire, le premier surtout se développa de 1500 à 1550, et s'adapte pleinement à certaines tendances de l'esprit français. Dès 1500, nos érudits découvrent la pensée antique : aussitôt naît en France l'esprit critique; il s'applique à la fois à la pensée pure comme à la pensée pratique, à la spéculation philosophique, politique ou religieuse comme à la morale, théorique ou concrète. D'autant qu'aux influences italiennes s'ajoute celle, déterminante, d'Érasme.

Et c'est, parallèlement, l'essor de l'Humanisme et de la Réforme, antérieurs tous deux à tout renouveau, à toute Renaissance purement esthétique, et bien vite séparés. De ce qui nous vient d'au-delà des Alpes, ce sont les idées surtout, ce sont les idées d'abord qui agissent : alors que tout de suite les arts s'adaptent, l'architecture, la sculpture, bientôt la peinture s'inspirant de l'art italien, et de l'art classique, Héroet, Des Périers, la reine de Navarre, Rabelais même se révèlent plus sensibles à la pensée qu'à l'art païen. L'heure n'est pas encore venue du pétrarquisme français, et si la sœur de François Ier suit l'Alighieri, c'est de ses préoccupations mystiques surtout qu'elle s'inquiète. L'invention du sonnet par Marot et Saint-Gelais paraît accidentelle. En revanche, le platonisme florentin, le rationalisme padouan, la pensée antique, tranchons le mot : la pensée païenne pénètrent les esprits et se conjuguent avec ce besoin de vérité psychologique traditionnel chez les Français. D'où la curiosité marquée pour les lettres gréco-latines, la place plus large faite par les conteurs au réalisme psychologique. D'où aussi et surtout l'esprit critique.

Initiation aux littératures oubliées ou négligées, et, par elles, découverte de l'homme : tel est le premier résultat de cette première Renaissance. Parallèlement, et par voie de conséquence, découverte des problèmes moraux. La France ici va plus loin que l'Italie, trop préoccupée d'art. D'emblée. Parce qu'elle suit sa tradition. Une Marguerite de Navarre, un Rabelais se révèlent, à des titres différents, des moralistes : ils ouvrent un chemin sur lequel s'engagera, dès Montaigne, toute la génération classique, pour plus d'un siècle. La spéculation pure n'est pas, ne sera pas le fait du XVIIe siècle. A la base de la méditation cartésienne s'affirme un souci concret : il vient des penseurs du XVIe siècle qui, d'abord, veulent agir. Et c'est, une fois de plus, une forme du réalisme français.

Une exception : Calvin. Avec lui, la Réforme, sœur cadette de l'Humanisme, se sépare à la fois et de l'orthodoxie religieuse et de la pensée littéraire. Au désir de savoir, se juxtapose, dès 1536, le souci de critiquer le dogme, de l'élaguer, de le purifier. Si, d'une part, Rabelais annonce la littérature à tendance psychologique et morale,

Calvin, de son côté, ouvre la voie à l'exégèse; autant et plus peut-être que Luther, car, à l'influence de Wittenberg, va se juxtaposer celle de Genève. A la littérature collective qui trouvera sa plus parfaite expression chez les classiques du XVIIe siècle, va s'ajouter la littérature individuelle, qui, tardivement, mais avec quelle force ! s'ajoutera, s'opposera à la pensée orthodoxe : Calvin, sans le savoir, prépare Bayle, Rousseau et Mme de Staël.

Il manque cependant à nos lettres, pour atteindre leur forme d'expression la plus pure, la notion de l'art : la première Renaissance s'affirme comme intellectuelle plus qu'esthétique. C'est à Ronsard et à ses amis qu'il appartiendra d'achever l'évolution commencée au temps de Charles VIII. Mais, dès 1540, les bases sont jetées : Rabelais et Calvin ont appris non seulement à la France, mais à l'Europe de nouvelles façons de penser. Au catholicisme de saint Thomas d'Aquin s'oppose une conception plus terrestre de l'humanité. L'Humanisme français, la Réforme française vont rayonner sur l'Europe. C'est par la France que les idées venues d'Italie vont gagner le continent. De Paris, de Lyon, de Genève, elles vont lentement gagner du terrain au point que l'Humanisme s'imposera bientôt, comme méthode de formation d'abord, puis, après la découverte de la notion d'art, comme forme d'expression, à toute l'Europe de l'ouest, de Salamanque à Varsovie, de Naples à Édimbourg.

Importé en France à la fin du XVe siècle, l'Humanisme, devenu très vite l'Humanisme français, imposera deux siècles plus tard, au continent, le Classicisme français

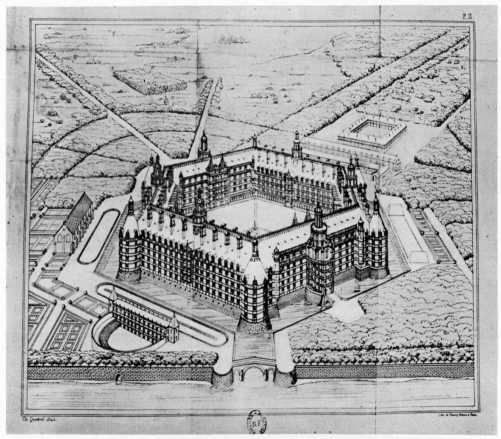

RESTITUTION DE L'ABBAYE DE THÉLÈME, d'après Ch. Lenormant (« Rabelais et l'architecture de la Renaissance », 1840). — CL. LAROUSSE.

LES GRANDS FAITS POLITIQUES ET SOCIAUX DE 1547 A 1594

L'histoire de notre pays en ce demi-siècle se divise en deux parties de durée inégale : le règne de Henri II, abrégé par le fatal coup de lance de Montgomery, puis le tragique déclin de la dynastie, la mort prématurée de trois princes, le meurtre du quatrième, et la dévastation du royaume.

Hors de France, de grands événements s'accomplissent : en Angleterre, Élisabeth clôt la période des convulsions religieuses et développe la puissance maritime du pays ; les Pays-Bas se révoltent contre le despotisme de Philippe II, qui annexe le Portugal et ses immenses colonies ; l'Espagne organise et exploite les Amériques ; l'expansion maritime des Turcs est arrêtée par la victoire de Lépante. Mais la plupart d'entre eux n'ont eu chez nous qu'une faible répercussion : les projets de croisade contre les Turcs fournissaient à nos poètes le thème de vers éloquents et imagés et de plaintes sur la désunion des Chrétiens, mais, en France, ils n'étaient pas pris au sérieux. Coligny dirige vers le Brésil et la Floride quelques expéditions, qui, au vrai, se solderont par des échecs ; les récits de voyages et les descriptions des terres nouvelles satisfont la curiosité des Français cultivés ; les observations faites sur la faune et la flore exotiques contribuent à ébranler la confiance dans la science des Anciens ; le personnage du bon sauvage *apparaît déjà. Mais l'opinion publique n'a pas soutenu les projets de colonisation ; et, si l'on excepte un Montaigne qui note les mœurs singulières des Indiens, fait un éloge paradoxal des Cannibales, et s'indigne de la cruauté des Espagnols, nos écrivains ne se sont guère intéressés aux terres et aux peuples d'Amérique et d'Asie ; point d'exotisme littéraire.*

Sous Henri II, notre politique extérieure s'emploie à lutter contre l'hégémonie de Charles-Quint. Le traité de Cateau-Cambrésis consacrera la faillite des ambitions des Valois en Italie. De tant de prouesses, parmi lesquelles la résistance des Français dans Sienne sera immortalisée par la plume de Monluc, il ne restera politiquement rien. Mais, si la période des « fumées d'Italie » se termine en 1559, en revanche, le désastre de Saint-Quentin ne nous empêche pas de conserver dans le Nord et l'Est de précieux agrandissements : Boulogne repris en 1550, les Trois-Évêchés conquis en 1552, Calais arraché aux Anglais en 1558.

Tout changera avec la régence de Catherine de Médicis et avec nos guerres civiles. Cette Italienne, entourée de compatriotes (d'où un mouvement d'italophobie, qui sera remplacé, plus tard, par la haine des Espagnols), use d'une politique changeante, qui finira par inspirer de la méfiance à tous ses voisins : pour résister à la pression de Philippe II, elle fait des avances à Élisabeth, aux Pays-Bas révoltés ; plus souvent elle est dans le camp des puissances catholiques. D'autre part, les guerres de religion ruinent notre puissance et notre influence en Europe : le roi d'Espagne, Élisabeth et les princes protestants d'Allemagne se combattront sur le sol français, par l'intermédiaire des deux partis antagonistes ou par intervention directe.

En 1559, la France était une monarchie absolue et centralisée. Malgré le piteux état des finances publiques, malgré les crises latentes, religieuse, sociale et économique, elle semblait un des États les plus puissants, et la Cour était la plus brillante d'Europe. A partir de 1562, huit guerres de religion vont répandre dans toute la France la misère et l'anarchie ; après la première, où les deux partis commirent d'innombrables violences, il y eut, de 1563 à 1567, une longue accalmie ; la troisième, marquée par les sanglantes batailles de Jarnac et de Moncontour (1569), fut suivie d'une paix qui dura jusqu'à la Saint-Barthélemy. Quelques courtes guerres suivirent. Mais, après la mort du dernier frère de Henri III (1584), la situation ne fit qu'empirer ; et, en 1595, lorsque les chefs ligueurs eurent fait leur paix avec Henri IV, le pays était politiquement et économiquement ruiné. De ces malheurs la littérature subira le contrecoup ; et même quand Henri IV aura mis en bonne voie la restauration de la France, on sentira dans les vers de Malherbe, sous l'optimisme officiel, la crainte qu'ils ne renaissent soudain.

UN TRIOMPHE DANS LE GOUT ANTIQUE. « Or voyez doncques le beau triumphe d'Apollo, avec ses Muses et autres dames compaignes qui nous monstrent à l'œuil commant au moyen des bonnes lettres et sciences tout homme en bien usant peut parvenir à consommé honneur et immortalité de son nom. » (Geoffroy Tory, « Champfleury », 1529 et 1549.) — CL. LAROUSSE.

PALAIS DU LOUVRE : FAÇADE DE PIERRE LESCOT, DÉCORÉE PAR JEAN GOUJON (1546-1559).

DEUXIÈME PARTIE

DE HENRI II A HENRI IV (1547-1594)

I. — LA SECONDE GÉNÉRATION DE L'HUMANISME

En attendant l'Histoire générale de l'humanisme qui nous manque encore, on peut consulter : Abel Lefranc, Histoire du Collège de France, 1893 ; H. Chamard, les Origines de la poésie française de la Renaissance, 1920 ; Pierre de Nolhac, Ronsard et l'humanisme, 1921 ; d'Irsay, Histoire des Universités, t. I, 1933. On se reportera aussi à la pénétrante étude de A. Renaudet, Autour d'une définition de l'humanisme (Humanisme et Renaissance, 1945).

Pour l'étude de la littérature néo-latine, la thèse rapide de D. Murarasu, la Poésie néo-latine et la renaissance des lettres antiques en France, 1928, ne peut servir que d'introduction, portant seulement sur la première moitié du siècle ; P. Van Tieghem a tracé un vaste tableau de la littérature néo-latine en Europe dans Humanisme et Renaissance, 1944.

Sur les courants philosophiques liés à l'humanisme, on consultera H. Busson, les Sources et le développement du rationalisme dans la littérature française de la Renaissance, 1922. La thèse de A.-M. Schmidt, la Poésie scientifique en France au XVIe siècle, donne de curieux aperçus sur l'humanisme scientifique.

Sur les traducteurs, voir : Bellanger, Histoire de la traduction en France, 1892 et 1903, et le précieux recueil de Pierre Villey, les Sources d'idées au XVIe siècle, 1912.

Quelques monographies ou études particulières ont été consacrées à divers représentants de l'humanisme après 1547. Citons : P.-H. Brown, George Buchanan, Édimbourg, 1890 ; Dejob, M.-A. Muret, 1881 ; Machart, édition commentée des Juvenilia de Th. de Bèze, et Maigron, De Th. Bezae poematis, 1898 ; Tilley, Dorat and the Pleiad (Studies in French Renaissance), 1922 ; M. Forget, les Relations et les amitiés de P. Danès (Humanisme et Renaissance, 1936-1937) ; Waddington, Ramus, 1855 ; Desmaze, Ramus, sa vie, ses écrits, sa mort, 1864.

La vie et les œuvres des principaux humanistes de langue française : Pasquier, Fauchet, H. Estienne, Amyot, mériteraient mieux que des notes sommaires.

Étienne Pasquier (1529-1615), formé au droit à Toulouse sous Cujas, à Pavie sous Alciat, débuta au barreau de Paris et se rendit fameux par le plaidoyer qu'il prononça en 1564 pour empêcher les jésuites d'être incorporés à l'Université de Paris. Il prit part, en 1579, aux Grands Jours de Poitiers, il fréquenta en cette ville le salon littéraire des dames des Roches et fut l'initiateur de ce recueil mi-galant mi-pédant, la Puce, réuni en souvenir d'une puce découverte sur le sein d'une des Égéries de ce cénacle ; il avait déjà publié, au début de sa carrière, un volume de vers amoureux, le Monophile. Loyal envers l'autorité du roi, adversaire constant de la Ligue, il fut nommé avocat général à la Cour des comptes par Henri III. Élu député aux États de Blois, il embrassa la cause royale ; il rentra avec Henri IV dans Paris, en 1594. Sa vie s'acheva par une sereine vieillesse. Son œuvre poétique est constituée par le Monophile (1554), les pièces de la Puce (éditées en 1582) et la Jeunesse de Pasquier (1610), qui joint au Monophile des pièces latines et françaises et divers opuscules. Dans son œuvre militante s'inscrivent le Pourparler du Prince (1560), esquisse d'une théorie de la royauté libérale, l'Exhortation aux princes et seigneurs du conseil privé du Roy (1561), plaidoyer pour la liberté de conscience et le Catéchisme des Jésuites (1602), violent pamphlet contre la Compagnie. Son œuvre érudite se résume dans les Recherches de la France, dont la publication s'échelonne de 1560 à 1621. Ses Lettres ont été éditées en 1586 et, plus amplement, en 1619. Ses Œuvres complètes parurent en 1723, en deux volumes. Léon Feugère a donné, en 1849, des Œuvres choisies, précédées d'un Essai sur sa vie et ses écrits. On a réédité les livres VII et VIII des Recherches, qui constituent une histoire littéraire du XVIᵉ siècle. On consultera également : M.-J. Moore, É. Pasquier, historien de la poésie et de la langue française, 1934, et P. Bouteiller, Un historien, É. Pasquier (Humanisme et Renaissance, 1945).

Claude Fauchet (1530-1602) est un magistrat : des études de droit à Paris et Orléans, un voyage en Italie, une charge de conseiller au Châtelet, puis de second, enfin de premier président à la Cour des monnaies (1581). La Journée des Barricades interrompt cette carrière égale. Comme Pasquier, Fauchet quitte Paris avec la Cour et ne rentre qu'en 1594, dans la suite de Henri IV. Il trouve sa bibliothèque pillée, et, malgré la faveur royale, sa fortune ruinée. Il résigne sa charge en 1599 et meurt pauvre. C'est aussi un lettré : dès 1556, il figure, à côté de Pasquier, comme interlocuteur de Ronsard, dans un dialogue de Louis Le Caron sur la poésie. En 1579, il publie la première partie de ses Antiquitez gauloises et françoises, qui ne seront achevées qu'en 1602 ; il imprime, en 1581, un Recueil de l'origine de la langue et poesie françoise. La figure véritable de Cl. Fauchet a été révélée par Mᵐᵉ Espiner-Scott dans sa thèse sur Claude Fauchet, sa vie, son œuvre, accompagnée d'un volume de Documents et d'une édition du premier livre du Recueil (1936).

Henri Estienne (1531-1598) est d'une autre race. Petit-fils de Henri Iᵉʳ Estienne, fondateur de l'illustre maison de typographes, fils de Robert, imprimeur de François Iᵉʳ, puis de Calvin, il est élevé parmi les humanistes parisiens et fréquente à la fois les cercles savants d'Italie et d'Angleterre et les poètes de la Brigade. Mais le testament paternel le contraint de résider à Genève. Il mène dans cette ville une vie de labeur incessant, traversée des pires difficultés matérielles et morales : imprimeur, ses publications le ruinent ; calviniste modéré, il est censuré par le Conseil de la ville et, par trois fois, emprisonné. Il mourut à l'hôpital de Lyon, alors qu'il se rendait en France pour rétablir ses affaires. Sa publication des œuvres d'Anacréon (1554) fut une révélation pour la Brigade, dont elle influença fortement la manière ; il multiplia par la suite les publications de textes antiques, avec préfaces et commentaires ; il donna, en 1572, le Thesaurus linguae graecae, comme son père avait publié un Thesaurus linguae latinae. Défenseur de la langue française, nous lui devons : la Conformité du langage françois avec le grec (1565), Deux dialogues du nouveau langage françois italianizé (1578) et le Project du livre intitulé de la Precellence du langage françois (1579). Calviniste, il composa, avec l'Apologie pour Hérodote, un violent pamphlet contre le catholicisme. On consultera Louis Clément, Henri Estienne, son œuvre française, 1898, et Ed. Huguet, édition de la Precellence, 1896.

Amyot est né d'une humble famille à Melun, en 1513. Élève de Danès, il enseigne à l'université de Bourges pendant une dizaine d'années, jusqu'en 1543. Il devient alors précepteur des enfants du secrétaire du roi, l'helléniste Guillaume Bochetel. On le retrouve ensuite à Venise, au concile de Trente, à Rome. Rentré d'Italie en 1552, il supplée Danès comme précepteur du Dauphin et devient en titre précepteur des futurs Charles IX et Henri III. Titulaire de l'abbaye de Bellozane, il résigne ce bénéfice en faveur de Ronsard, en 1564 ; il est, d'ailleurs, depuis 1560, grand aumônier de France. Nommé évêque d'Auxerre en 1570, il fait de sa ville épiscopale un centre important d'humanisme, tout en consacrant le meilleur de ses travaux aux études ecclésiastiques. L'hostilité de la Ligue, le pillage de son palais assombrissent sans la ternir cette vieillesse que la mort clôt en 1593. Ses principales traductions jalonnent sa carrière : Héliodore, Théagène et Chariclée, 1547 ; Sept livres de Diodore de Sicile, 1554 ; Longus, Daphnis et Chloé, 1559 ; surtout Plutarque, Vies des hommes illustres, 1559 (éditions corrigées en 1565, 1572 et 1583), et Œuvres morales, 1572. La traduction de Daphnis et Chloé, revue par Paul-Louis Courier, a été réimprimée plusieurs fois. Des éditions critiques de la traduction de Plutarque ont été données par J. Normand (Vies de Démosthène et de Cicéron, 3ᵉ tirage, 1929) et L. Clément (Vies de Périclès et de Fabius Maximus, 2ᵉ tirage, 1934); des Lettres d'Amyot ont été publiées par P. de Nolhac dans les Mélanges de l'École de Rome, 1885. On consultera en outre : A. de Blignières, Essai sur Amyot, 1850 ; J. de Zangroniz, Montaigne, Amyot et Saliat, 1906 ; R. Sturel, J. Amyot, traducteur des Vies parallèles de Plutarque, 1909 ; P. Emard, Jacques Amyot, grand aumônier de France (Revue du seizième siècle, 1927-1928), et Cioranescu, Vie de Jacques Amyot, 1941.

Il est moins simple, peut-être, de maintenir une tradition que de la créer : avec la seconde « volée » de l'humanisme français, la tradition première connaît tout à la fois de brusques rebondissements et de singulières inflexions.

L'atmosphère morale du siècle est, en effet, profondément altérée. L'humanisme avait trouvé, dans l'évangélisme et la pré-Réforme, son climat véritable : une même hostilité contre la scolastique et ses méthodes surannées, un même goût pour les langues antérieures au latin dans l'évolution chrétienne, une même croyance dans les vertus du libre examen appliqué à l'étude des idées et des textes ; Lefèvre d'Étaples symbolise cette fraternité spirituelle qui se traduisit plus d'une fois par une solidarité de fait. Mais l'évangélisme aboutit au calvinisme, foncièrement ennemi de la libre critique et il est facile aux ministres rigoureux de déceler un affaiblissement de l'esprit chrétien chez les tenants trop fidèles de la sagesse antique : dès 1544, Calvin écrit, dans l'Excuse à MM. les Nicodémistes : « J'aimerois mieux que toutes les sciences humaines fussent exterminées de la terre que si elles estoient cause de refroidir ainsi le zèle des chrestiens et les destourner de Dieu. » Après lui, des poètes comme Louis Des Masures reprennent l'anathème ; la querelle soulevée par les Discours de Ronsard pose nettement le problème de l'humanisme et de la foi ; les accusations de paganisme et d'athéisme — notions d'ailleurs vagues — se multiplient et aigrissent, sans l'éclairer, le débat. Une hostilité plus discrète, ou plus exactement une réserve un peu gênée, se remarque chez certains catholiques sincères en face de la poésie antique et de ses modernes continuateurs. Et pourtant, papiste ou prédicant, il faut choisir. Robert Estienne se retire à Genève, en 1552, P. Ramus abandonne son enseignement au Collège royal, se réfugie en Allemagne et ne revient en France que pour périr dans le massacre de la Saint-Barthélemy, Turnèbe attaque les Jésuites et semble étranger au dogme. Mais la plupart rompent avec les adeptes de la nouvelle foi et suivent bonnement « le train de leurs aïeux » : tel Danès, tel Amyot, que Ronsard saluera, après 1560, comme des champions du catholicisme.

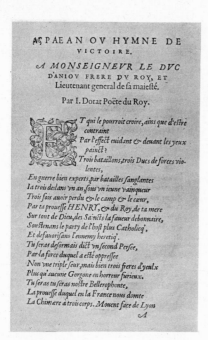
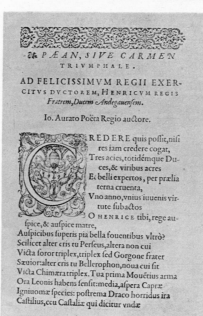

Un exercice cher aux humanistes. Jean Dorat a écrit la même poésie en français, en latin, en grec (« Pæanes », Joanne Aurato poeta regio et aliis doctis poetis auctoribus, Lutetiæ, 1569). — Cl. Larousse.

A l'incertitude spirituelle, il est un bon remède : le refuge dans la technique. Les humanistes en usèrent largement, s'il faut croire, avec plus d'un historien de la littérature, qu'après 1550, ils cédèrent peu à peu le pas aux philologues purs.

Cette thèse pourrait faire état du développement de la littérature néo-latine, si florissante et si étroitement liée aux productions en langue vulgaire que sa place doit être marquée dans une histoire de la littérature française.

Tandis que Mellin de Saint-Gelais poursuit, en face de Ronsard, les traditions poétiques médiévales et qu'Héroet, Maurice Scève platonisent en français, toute une école de versificateurs travaille, non sans habileté et sans bonheur, à reproduire les grâces de Catulle, l'esprit d'Horace, la sensibilité érudite d'Ovide; leurs vrais initiateurs et leurs émules sont, en ce genre, des Italiens : Pontano, Marulle, Sannazar. Ronsard leur devra plus d'une souple image, les artistes leur emprunteront plus d'un motif, qu'il s'agisse d'orner les fontaines d'un château royal ou d'honorer, par des constructions éphémères, l'entrée d'un prince dans une ville en liesse; parfois encore, les muses latines et grecques de nos poètes de cour seront mobilisées au profit de l'actualité politique ou littéraire : témoin le curieux recueil de *Pæanes* réuni, en 1569, à la gloire des vainqueurs de Jarnac et de Moncontour, et les *Tombeaux* de Du Bellay, de Belleau, de Ronsard, plus riches d'hexamètres que d'alexandrins. Cette littérature ne semble pas aux contemporains inférieure en dignité à la poésie française; elle ne l'est pas davantage en abondance : une anthologie publiée quelques années après la fin du siècle, *Delitiae Poetarum Gallorum*, ne révèle pas moins de cent neuf auteurs.

On ne saurait évoquer ici que les plus grands : Salmon Macrin est le chef incontesté de ce cénacle; on le nomme l'Horace français. Dorat, Ronsard, Du Bellay le tiennent en amitié; la pureté de sa langue, sa science consommée des mètres antiques méritent de tels suffrages; l'Écossais Buchanan compose des tragédies latines, des *Elégies*, des *Sylves*, des *Hendécasyllabes*, des épigrammes, sans compter un long poème en hexamètres, *De Sphaera ;* Marc-Antoine Muret prend part à la pompe du bouc, figure comme chef de chœur dans le poème des *Isles fortunées ;* mais cet ami de Ronsard, juriste et philosophe par surcroît,

s'entend comme pas un à nourrir de la mythologie la plus savante des satires, des élégies, des épigrammes en latin. Les plus graves n'échappent pas à cette mode : Théodore de Bèze, avant de jouer un rôle décisif dans l'histoire de la Réforme, dédie à sa dame, Candida, des *Poemata juvenilia*, dont la légèreté élégante sera pour lui un encombrant souvenir; Michel de L'Hospital défend en latin les hardiesses de la Muse française; plus tard, il présente à François II une longue épître latine sur l'art de bien régner. Ceux-là même qui se donnent comme tâche d'illustrer la langue française ne craignent pas de lui être infidèles : Ronsard avoue avoir été séduit d'abord par la poésie latine et ne l'avoir abandonnée que par impuissance (ses pièces latines sont, de fait, rares et médiocres); Baïf, après ses *Mimes*, donne des *Carmina ;* la production latine de Du Bellay est fort abondante; le recueil de ses *Épitaphes* le désigne comme « poète latin et françois », et des savants, Turnèbe, Cl. d'Espence, pleurent en lui un humaniste plus qu'un maître des vers; Remy Belleau compose des poèmes macaroniques et traduit en distiques les sonnets de Ronsard; Jodelle, Pontus de Tyard latinisent à leur heure. On ne saurait s'étonner de cette dualité de langage, même si l'on se reporte aux invectives de la *Deffence* contre ceux qui s'obstinent à n'écrire qu'en latin. Car cette littérature néo-latine — pour nous chose morte — n'est point pur exercice. Ses tenants ont conscience de faire œuvre révolutionnaire, d'opposer à la tradition médiévale une tradition antique renouvelée : ils comptent bien parmi les humanistes qui préparent et soutiennent la jeune poésie de 1550; la langue est différente, mais l'entreprise, au fond, est commune. De cette communauté, le témoin le plus sûr est Jean Dorat. Ses vers français sont rares et valent peu; mais on sait quel merveilleux professeur d'humanisme il fut pour les futurs poètes de la Pléiade, et comment il sut éveiller en eux une flamme poétique qui ne l'embrasait guère; ses odes pindariques latines donnèrent à Ronsard l'idée d'une de ses entreprises les plus hardies, et ses doctes vers à l'antique ne dédaignent pas de célébrer l'équipée d'Arcueil, l'apparition de la *Deffence*, le retour en France de Du Bellay : la figure du professeur limousin, savant, attentif et gauche, méritait d'être retenue comme image terminale.

La prose latine n'est pas moins florissante. Philologie,

ÉTIENNE PASQUIER.

CLAUDE FAUCHET.

Gravures de Léonard Gaultier (B. N., Cabinet des Estampes). — Cl. LAROUSSE.

histoire et philosophie suffisent à alimenter une production dont l'abondance suppose un public large et éclairé. La Brigade a son cicéronien, Pierre de Paschal : devenu historiographe du roi, en 1554, il promet à chacun une honorable « concession » dans ses œuvres futures; mais ces œuvres s'obstinent à rester inédites; au bout de dix ans, ce docte imposteur disparaît de la scène littéraire. Aussi bien la querelle assez vaine du cicéronianisme s'éteint : l'âge des amples discussions doctrinales se clôt, et s'ouvre celui des précises études philologiques. P. Danès (1497-1577), élève de Lascaris et de Budé, premier « lecteur royal », édite Justin, Florus, Pline, rédige des *Élégies* et des *Opuscules*. Son collègue Turnèbe (1512-1565) enseigne la philosophie grecque, dirige l'Imprimerie royale pour les livres grecs, édite Homère et les lyriques. Ramus (1515-1572), lecteur royal en 1551, philosophe et grand adversaire de l'aristotélisme, féru de mathématiques par surcroît, édite des grammaires latine, grecque et française; contre lui, Denis Lambin (1519-1572), lecteur royal pour le grec depuis 1560, défend Aristote; minutieux et lent, il multiplie cependant les éditions ou les commentaires de Cn. Nepos, Cicéron, Horace, Lucrèce, Démosthène, et ne dédaigne pas de rédiger ces *Lettres galantes* qui, récemment publiées, jettent un jour fort curieux sur sa vie et celle de son temps. Joseph-Juste Scaliger, esprit universel, voyageur infatigable par curiosité ou, après sa conversion au calvinisme, par prudence, triomphe dans la critique des textes, cultive la jurisprudence et collabore au *Thesaurus inscriptionum latinarum*, qui fonde, en France, l'épigraphie. A Isaac Casaubon (1559-1614), on doit, à la fin du siècle, des commentaires sur Théocrite, sur Strabon, des éditions de comiques et d'historiens anciens, ainsi qu'un *Nouveau Testament* en grec. Cependant que Pontus de Tyard, expert en langue hébraïque, achève sa carrière d'érudit par un traité fort savant : *De recta nominum impositione*. Ainsi, la philologie humaniste, antique de curiosité et de propos, reste-t-elle antique d'expression.

Lorsque Ramus s'avisa d'employer le français du haut de sa chaire royale, ce fut un beau scandale et Dorat cria — en latin — à la profanation. C'est pourtant parmi les humanistes que la langue française devait trouver ses meilleurs défenseurs; des ouvrages paraissent sous ces titres : *Precellence du langage françois, Recherches de la France.* Ils ont pour auteurs Henri Estienne et Étienne Pasquier.

Les *Recherches de la France* illustrent, mais ne résument pas en soi tout un mouvement de curiosité pour le passé de notre pays; elles répondent, assez librement, à une conception nouvelle, ou renouvelée, de l'histoire. Les *Grandes Chroniques de France*, réimprimées en 1477, ne suffisent plus; l'âge nouveau exige un style nouveau; il est animé, surtout, d'une curiosité plus large : que l'historien ne soit pas seulement de son couvent ou de sa province; qu'il entre de plain pied dans les grandes affaires de l'État, négociations, traités, jeu des institutions, qu'il recherche les causes, suive les effets, explique au lieu de narrer, et que l'histoire, dépouillée de merveilleux et enrichie de signification morale, égayée de tableaux et de harangues, soit enfin digne de Tite-Live et de Tacite, redevenus vivants grâce aux humanistes d'Italie. Comme ces humanistes italiens ont traité, en italien, de l'histoire d'Italie, nos humanistes traiteront de l'histoire de France en français : pour un Papire Masson, dont les *Annales Francorum* restent fidèles à la langue savante, on pourrait citer, en l'espace de dix ans, de 1570 à 1580, l'*Histoire de France* de Gérard Du Haillan, les *Memoires et recherches* de Jean Du Tillet, les *Grandes Annales et histoire generale de France* de F. de Belleforest, le *Sommaire de l'Histoire des François* de Nicolas Vignier et, sous leur première forme, les *Antiquitez gauloises et françoises* de Claude Fauchet. Sens très vif du passé national et de la continuité des institutions; souci d'expliquer, par l'étude de ses origines, le train présent du royaume; ardeur, surtout, dans la chasse au document, qui scelle entre l'érudition et l'histoire une alliance fâcheusement dénouée au siècle suivant, tels sont, presque toujours, les mérites de ces ouvrages.

Tels sont ceux des *Recherches de la France*. Pasquier a composé son livre « pour revanger nostre France contre l'injure des ans ». Partial, souvent, et paradoxal quand il néglige les bienfaits de la civilisation romaine pour la plus grande gloire de nos « bons vieux peres Gaulois et Francs », il éclaire d'un jour vrai les origines de notre race, l'histoire de nos ducs, de nos maires du palais, les fondements de nos traditions politiques, la naissance de nos usages et jusqu'à la signification de nos proverbes; l'un des premiers, il étudie sur pièces, avec respect et émotion, le procès de Jeanne la Pucelle. Histoire loyale, scrupuleuse, établie sur documents, avec un souci neuf de la critique des sources et des témoignages : plus que la matière de son livre, la méthode de Pasquier fait son originalité vraie. L'imagination y a aussi sa part, et la désinvolture. Son souci d'expliquer conduit aux hypothèses subtiles; le narrateur le cède au raisonneur : « manie argumentative » dont parlera Augustin Thierry. Ailleurs, faute d'évidence, il se contente d'une présomption; le lecteur en fera son profit, s'il lui plaît; en cela, Pasquier est bien de son temps. Il l'est encore par son indifférence à la composition. Chaque chapitre porte un titre, mais c'est un cadre vide que Pasquier remplit des remarques les plus diverses; d'édition en édition, il en modifie l'ordonnance, ajoute une anecdote, une réflexion, une référence, sans modifier le texte ancien : c'est le procédé de Montaigne, et parfois son allure même. De Montaigne encore, cette présence de l'auteur dans son œuvre. Non point que Pasquier étale son moi; nous ignorerons toujours ses humeurs et ses coliques. Mais, lorsqu'il expose le développement des institutions françaises (*Recherches*, I, II), n'est-ce pas pour opposer la loi au roi et pour exalter le rôle des cours souveraines, conseils permanents de la monarchie, fondements de la grandeur française ? L'esprit parlementaire apparaît à plein dans ses *Recherches* comme dans ses *Lettres*, comme dans son *Pourparler du Prince*. Son histoire de la cour de France et de l'Église de Rome (*Recherches*, III) est d'un gallican; elle annonce le *Catechisme des Jésuites*, ces *Provinciales* du XVIe siècle. Pasquier insère dans son livre la harangue qu'il prononça au nom de l'Université de Paris contre les régents du collège de Clermont dans le dessein de leur faire interdire le droit d'enseigner. La cause était mauvaise, puisque ce collège devint un bon serviteur de l'Université française et ce discours mémorable, « prononcé à la vue de dix mille et que l'étranger avait réputé comme un chef-d'œuvre » n'emporta pas la décision du Parlement. Mais il marque un immense succès pour Pasquier, un moment décisif dans sa carrière : le rapporter, c'est faire œuvre de mémorialiste plus que d'historien. Ainsi, partout se devinent des tendances ou des souvenirs personnels et s'affirme un tempérament.

Quiconque veut s'informer de la France ne saurait, au XVIe siècle, négliger la littérature : quelques chapitres des *Recherches* constituent la première histoire moderne des lettres françaises. Pasquier avait été étroitement associé aux premières tentatives de la Brigade et ses amitiés, plus que ses propres vers, marquèrent sa place dans la vie poétique de son temps. Familier de Ronsard et de Pontus de Tyard, il apporte le témoignage le plus vivant et le plus éloquent sur « la grande flotte de poëtes que produisit le regne du roy Henry deuxiesme » et « la nouvelle forme de poësie par eux introduite », en compagnon affectueux et fidèle, qui n'abandonne, pour autant, ni l'ironie légère ni la clarté du jugement : belle tentative, écrit-il, où chacun se promettait de se faire immortel « et toutes fois quelques-uns se trouvent avoir survécu leurs livres ». De ceux-là même il connaît les défauts, les excessives prétentions : Jodelle, trop facile, Baïf, trop savant, Ronsard, trop courtisan. De pareilles réserves ne viennent point après coup : on les rencontre non seulement dans les *Recherches*, mais dans les *Lettres*. Elles ne font pas oublier que Pasquier a compris la grandeur du dessein de la Pléiade, qu'il a aidé à son accomplissement, et ce ne serait guère fausser la réalité que de lui attribuer, auprès de Ronsard, le rôle de Boileau auprès de Racine.

Mais, de Boileau, il n'a pas le mépris du passé. Là encore, il recherche les origines; il découvre à la poésie du moyen âge mille titres de gloire : nos chansons de geste, notre poésie lyrique, sans en excepter la poésie provençale; autant d'évocations médiévales en plein siècle de l'humanisme.

Claude Fauchet semble moins attachant. Mais il est, de tous les historiens du XVIe siècle,

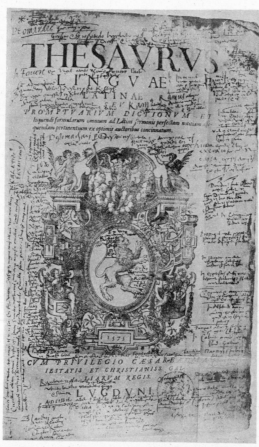

NOTES ET CORRECTIONS dont Henri Estienne avait couvert le « Thesaurus linguae latinae » (édition de Lyon, 1573), vraisemblablement en vue d'une nouvelle édition (Bibl. de la ville de Genève). — CL. LAROUSSE.

celui dont la méthode se rapproche le plus de la nôtre. Ses *Antiquitez gauloises et françoises* ont une place de choix dans l'histoire de l'érudition. L'histoire littéraire retient surtout son *Recueil de l'origine de la langue et poésie françoise*. Claude Fauchet partage les goûts littéraires de son temps; les subtilités pétrarquistes ont plus de prix pour lui que la poésie médiévale. Mais il a le singulier mérite d'avoir déchiffré, catalogué, résumé les œuvres de cent vingt-sept écrivains français antérieurs à l'an 1300.

Henri Estienne fonde la philologie historique du français. Petit-fils et fils d'imprimeurs, il parle latin dès son enfance, court l'Italie à la recherche de manuscrits rares; il est humaniste par filiation et par tempérament, homme de lettres par goût et par mode; il se lie avec Dorat, Ronsard et Du Bellay, admire la Pléiade, s'égaie doucement de ses ambitions et s'indigne, pour finir, de son « paganisme ». Car Henri Estienne est réformé, libéral à dire vrai; il réside à Genève, où la piété filiale et les nécessités de son commerce le retiennent plus que l'inclination; il lui arrive parfois de fuir jusqu'à Paris les tracasseries du Grand Conseil et de mener, près du roi, une vie de demi-courtisan. Ainsi, la France et ses écrivains ne sont jamais absents soit de sa vie, soit de ses regrets.

A la langue française il n'a pas consacré moins de cinq ouvrages. En 1556, il publie la traduction en latin de la *Grammaire françoise* de son père et la complète, en 1582, par un commentaire continu. En 1565, il donne le *Traicté de la conformité du langage françois avec le grec*. Il est en train de préparer son *Thesaurus linguae graecae* ; la langue grecque est pour lui la reine des langues; or, parmi les idiomes modernes, nul autre ne présente avec elle plus d'affinités de vocabulaire, de syntaxe et d'esprit que le français : un tel langage lui semble donc « le premier entre ceux qui sont aujourd'hui » et son exercice permet, mieux que tout autre, de pénétrer l'hellénisme. Ainsi se perpétue, grâce à Henri Estienne, cette familiarité avec la culture grecque qui fut pour notre Renaissance un principe de grandeur, ainsi se fondent en science philologique les revendications présentées par la *Deffence* en faveur de notre « vulgaire » avec plus de hardiesse que d'autorité.

Seules, la littérature et la langue italiennes pouvaient, par leur prestige, menacer cette primauté. Henri Estienne les attaque de front dans ses *Dialogues du nouveau langage françois italianizé* (1578). L'entreprise n'était pas neuve. Depuis vingt ans et plus, Du Bellay, dans la pièce intitulée *A une Dame*, Ronsard, dans la *Nouvelle continuation des Amours*, avaient renié leurs maîtres italiens, dont Jodelle dénonçait « l'indiscrète singerie »; bientôt après, dans les *Regrets* et le poème *les Armes*, ils raillaient l'abus, devenu flagrant, des italianismes, cependant que Ronsard s'indignait, dans les *Discours*, que toutes les bonnes places fussent accordées au premier intrigant venu de la

Péninsule. Mais, en 1578, le moment était mieux choisi qu'il ne le fut jamais; de Venise, le roi avait ramené, avec Desportes, féru de poésie quattrocentiste, un amour immodéré de l'Italie; l'Italie était partout présente, dans le costume et le langage, et en littérature jusque dans la poésie d'un Ronsard repentant de ses anciens dédains. Henri Estienne avait beau jeu à dauber sur ces mœurs nouvelles dont le bruit s'était répandu à Genève; il charge de ce soin, dans ses *Dialogues*, Celtophile (l'ami du français) et Philalèthe (l'ami de la vérité, entendez l'auteur luimême); ces deux personnages remportent sur Philausone (l'ami de l'Italie) une victoire que l'on dirait facile si elle n'était acquise au prix de discussions souvent trop diffuses à notre gré.

Cette satire d'une cour italianisée valut à son auteur la faveur de Henri III; le détour pourrait surprendre si l'on ne connaissait la curiosité du roi pour tout ce qui touchait aux lettres. Réfugié à Paris, Henri Estienne présenta au souverain, pour répondre à ses instances, le *Project* d'un traité qu'il eût intitulé *De la precellence du langage françois* : l'ouvrage ne parut jamais, mais le *Project* est déjà copieux et signifiant. L'auteur s'en prend aux Italiens, qui prétendent humilier notre langue devant la leur, et tout à la fois aux latinisants, qui tentent de regagner sur le français le terrain régulièrement perdu depuis 1550; il s'efforce d'établir que le français est incomparable pour la gravité, la douceur, la grâce, la richesse — il néglige la clarté, qui, un siècle plus tard, deviendra notre privilège le moins contesté. A considérer dans le détail les démonstrations dont la *Precellence* est prodigue, un linguiste moderne trouverait presque toujours en défaut la science de son auteur : la douceur italienne lui semble simple monotonie, et il raille déjà, avant Voltaire, l'uniformité des finales en *o* et en *a ;* c'est oublier que l'accent tonique ne porte point sur ces syllabes; notre amour des diminutifs fait la gentillesse de notre parler, mais ce procédé, si cher à la Pléiade, est hérité de l'Italie; quant aux similitudes de vocables, si fréquentes entre les deux langues, nous n'y voyons plus la preuve d'un larcin à notre détriment, mais la marque d'une commune filiation. Henri Estienne, pour finir, offre à l'Italie un accommodement : qu'elle nous laisse la première place, et nous l'aiderons à conserver la deuxième, convoitée par les Espagnols ; avouons que nous attachons peu de prix à cette politique philologique des pactes. Aussi bien, le propos de comparer deux langues entre elles est-il si vain; seules les littératures permettent d'établir, si l'on en a le goût, de semblables palmarès. Henri Estienne est plus heureux lorsqu'il dresse l'inventaire de nos richesses verbales : images et métaphores, mots expressifs empruntés aux techniques des métiers et des jeux, proverbes et vocables qui fleurent la vieille France, tout un trésor de mots que la *Deffence*, déjà, invitait à piller. La *Precellence* est plus ambitieuse; la Pléiade ne revendiquait en somme pour le français que le libre exercice dans le domaine de la poésie ; mais, depuis lors, Pasquier avait tenté d'étendre au droit, à l'éloquence, à l'histoire, l'usage de notre langue; Pontus de Tyard, en tête d'un de ses dialogues, le *Second Curieux*, réclamait éloquemment pour elle l'accès à la philosophie. Dans les pages les plus précieuses de son ouvrage, Henri

Estienne élargit indéfiniment, jusqu'aux régions les plus éloignées et les plus hautes du savoir, le champ d'action du français. A l'heure même où la Pléiade avait pratiquement terminé son œuvre, une semblable prétention permet de mesurer les progrès accomplis au cours d'une expérience de trente ans. Et tel est bien le mérite de la *Precellence* : non pas tant de formuler une sorte de déclaration des droits du français à je ne sais quelle abstraite prééminence, que d'établir le bilan de ses récentes conquêtes.

L'*Apologie pour Hérodote* est d'une autre encre. Elle constitue, en fait, une violente satire contre la société catholique. Le procédé est déjà tout voltairien; un titre inoffensif, un propos bénin : défendre contre l'accusation de naïveté le vieil historien grec, trop accueillant aux fables antiques. Mais l'âge biblique et l'âge moderne ne sont-ils pas fertiles en miracles plus incroyables encore, qui sont pourtant matière de foi ? Le prétexte est bon pour tracer un tableau des mœurs religieuses de l'époque. Henri Estienne prend de toute main, sans critique, sans ordre, tout ce qui peut servir à la satire du clergé. Historien passionné, incapable de pénétrer l'âme du moyen âge chrétien; conteur alerte et licencieux, habile à égayer son ouvrage d'anecdotes prises au vieux fonds de nos fabliaux et des nouvellistes italiens, avec un cynisme et une crudité de langage dont s'indigna Genève; polémiste éloquent, surtout lorsqu'il s'agit de protester contre l'asservissement des consciences et la cruauté des persécutions.

Érasme sut, comme Henri Estienne, associer un respect éclairé pour l'antiquité et l'Italie à une parfaite liberté d'esprit, et une érudition immense au souci le plus vivant des problèmes religieux et moraux. Mais le catholique de Bâle conserva plus d'ouverture intellectuelle et de sérénité vraie que le réformé de Genève. Différence de tempéraments et de doctrines, ou bien, plutôt, différence de générations ?

La propagande humaniste n'allait pas, l'institution des lecteurs royaux le prouve bien, sans le souci de la vulgarisation. Elle ne pouvait négliger les bons offices des traducteurs.

La traduction était pour les marotiques un véritable genre littéraire : Thomas Sebillet lui consacre un chapitre entier de son *Art poëtique*. Il n'en fallut pas davantage pour que Du Bellay proscrivît cet exercice comme une profanation « des reliques de l'antiquité »; aussi bien réservait-il ses foudres aux traducteurs des poëtes; s'agissant de philosophie et de science, l'entreprise lui paraissait « utile et nécessaire »; cependant, Peletier, plus équitable, levait, bientôt après, cette condamnation. Ces vues théoriques importent peu ; elles ne pouvaient valoir contre la vigueur d'une tradition singulièrement vivante depuis le temps où Claude de Seyssel, conseiller de Louis XII, avait mis en français Xénophon, Diodore et Thucydide. Il ne faut s'étonner, dès lors, si Du Bellay lui-même s'attaque à deux chants de l'*Énéide*, si Baïf truffe ses œuvres de « versions », si Belleau commence sa carrière littéraire par un *Anacréon* français. Après 1550, on continue ainsi à traduire, un peu au hasard — personne n'ayant plus l'amicale autorité de Marguerite, chef du chantier platonicien —, au gré des occasions et des modes. Les vieux poètes grecs, et les orateurs, et Aristote et Platon; parmi les latins, Virgile,

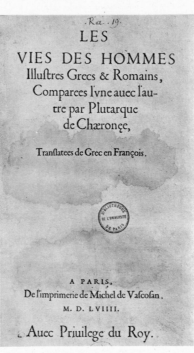

Rei. 19.

LES
VIES DES HOMMES
Illuſtres Grecs & Romains,
Comparées l'vne auec l'au-
tre par Plutarque
de Chæronçe,

Tranſlatees de Grec en François.

A PARIS,
De l'imprimerie de Michel de Vaſcoſan.
M. D. LVIIII.

Auec Priuilege du Roy.

ÉDITION PRINCEPS des « Vies » de Plutarque, traduites par Amyot. — CL. LAROUSSE.

Tacite, Salluste, Pline, tous servent de pâture aux traducteurs, et aussi les Italiens, Dante, l'Arioste, le Tasse, Machiavel, Ficin, d'autres encore, sans oublier ce Léon Hébreu dont Montaigne sourit de trouver les *Dialogues d'amour* au chevet de ses chambrières. Ce fut, à côté de plus grands noms, l'œuvre de Blaise de Vigenère, de Le Blanc, F. de Belleforest, Jean Martin, Claude Chappuys et Michel de Tours, travailleurs obscurs qui avaient appris le secret de leur art dans un traité d'Étienne Dolet, *De la maniere de bien traduire d'une langue en aultre* (1540).

Ainsi l'humanisme compta-t-il maint traducteur; les traducteurs comptèrent un grand écrivain : Jacques Amyot.

Amyot plaçait au plus haut sa mission : mettre à la portée de tous « ce qu'il y a de plus beau et de meilleur » dans « les nobles langues anciennes ». Il choisit d'abord le roman grec d'Héliodore, *les Amours de Théagène et de Chariclée*, dont le jeune Racine devait s'enchanter, puis Diodore de Sicile, dont il venait de découvrir un manuscrit à Venise. Il poursuivit par un récit pastoral de Longus, *Daphnis et Chloé;* toute une antiquité riante allait orner de paysages champêtres et peupler de silhouettes voluptueuses nos *Idylles* et nos *Bergeries*.

Mais, pour les contemporains comme pour la postérité, le nom d'Amyot est inséparable de Plutarque. La traduction de Plutarque est l'œuvre de sa vie.

Il l'entreprit non pas comme un *Télémaque* avant la lettre, à l'intention de ses élèves, le futur Charles IX et le futur Henri III,

JACQUES AMYOT. Gravure de Léonard Gaultier.
CL. LAROUSSE.

mais « par le commandement du feu grand roy François », son bienfaiteur; de 1542 à 1559, date de la première édition des *Vies des hommes illustres*, il ne cessa d'y travailler, en humaniste désintéressé, n'épargnant pendant près de vingt années ni son temps ni sa peine, cependant qu'il élaborait déjà la traduction des *Œuvres morales*, publiée en 1572 : Montaigne n'avait pas tort de louer « la constance d'un si long travail ».

On connaît la popularité de ces ouvrages; il n'est que de relire les écrivains de ce temps, ou de feuilleter le catalogue des dix-sept éditions ou contrefaçons des *Vies* imprimées au XVIe siècle. A qui attribuer ce succès?

D'abord à Plutarque. Depuis le début du siècle, peu d'auteurs avaient été plus souvent édités ou traduits, en langue vulgaire comme en latin, à travers toute l'Europe. Une version française des *Vies de Pompée, de Cicéron et de Scipion* par Simon Bourgouyn figurait déjà dans la bibliothèque de Louis XII; Arnauld Chandon, un prieur, un ambassadeur, Lazare de Baïf, un évêque, Georges de Selve poursuivirent l'entreprise, et le roi François Ier prisait fort certains de leurs manuscrits qu'il avait eu l'occasion de lire : déjà, avant Amyot, Plutarque était familier à tous les bons esprits. On le retrouve dans les méditations des poètes — l'hymne ronsardien *De la Mort* dérive de la *Consolation à Apollonios* —, sur les planches — Muret lui doit le sujet de son *Julius Caesar* et Jodelle celui de sa *Cleopatre* — et jusque dans les devoirs d'écolière de Marie Stuart. Présenter à un large public et pour la première fois la série entière des *Vies* et l'ensemble des *Œuvres morales*, c'était satisfaire une curiosité. Ce fut aussi répondre à une attente. Car la France des guerres de religion se plut à trouver en Plutarque un enseignement pratique, fait de hauts exemples de vertu et de sagesse

humaine, éloigné tout à la fois de la complaisance et du fanatisme, didactique par endroits, mais plus souvent égayé d'anecdotes, exaltant, vivant et souple comme peut l'être la biographie d'un héros. Montaigne l'exprime noblement, après avoir lu, repensé et pillé le Plutarque d'Amyot : « Nous aultres ignorants estions perdus, si ce livre ne nous eust relevé du bourbier; ... c'est nostre breviaire. »

Quelle est, dans cette œuvre, la part du traducteur? Avouons-le : ce bon connaisseur de grec n'a pas l'érudition prodigieuse des grands humanistes, et ses contemporains ne se firent pas faute de relever chez lui des inexactitudes et des erreurs; dans son *Journal de voyage*, Montaigne nous introduit dans un groupe de savants occupés, au cours d'une réunion chez notre ambassadeur à Rome, à critiquer et regratter son texte. Mais lui-même eut soin de consulter d'érudits hellénistes, Turnèbe surtout et Lambin, et de faire profiter les nouvelles éditions de son ouvrage des résultats de sa critique personnelle. Les doctes de ce temps le tenaient pour l'un des leurs.

Amyot n'écrivait point pour les satisfaire. Une fidélité passive n'est pas son fait. Ici, il efface une nuance de pensée ou de sentiment; là, il bouleverse l'ordre de toute une phrase pour obéir aux exigences de logique qui s'imposent déjà à notre langue; ailleurs, il insère une explication ou souligne un trait de mœurs; ailleurs encore, il substitue, pour plus de clarté, à un terme antique son équivalent moderne : un licteur est pour lui un massier, et un stratège, un capitaine général.

Plus subtilement, moins consciemment peut-être, Amyot nous fait un Plutarque à la mesure du XVIe siècle et à l'image de son tempérament. Le philosophe systématique et un peu maniéré des *Vies* et des *Œuvres morales* est chez lui détendu, familier et souriant; sa phrase, souvent heurtée ou sèche, ralentit son mouvement, muse parmi les incidentes, s'attarde pour accueillir une trouvaille charmante ou une vive saillie, et, se reprenant soudain, conduit sans peine le lecteur à la cadence finale. On évoque Montaigne, on devine saint François de Sales, et toute une littérature morale pour « honnêtes gens ».

De telles œuvres n'épuisèrent pas l'effort de l'humanisme d'après 1550; en restreindre la formule à la philologie et à l'histoire serait méconnaître singulièrement sa fécondité. Il est vrai que les principales conquêtes de la science sont alors le fait de chercheurs étrangers à la culture gréco-latine; une découverte comme celle de Copernic restera, jusqu'à la fin du siècle, en marge du mouvement général de la pensée. Mais les grandes entreprises intellectuelles du premier âge humaniste seront poursuivies. Le platonisme, le rationalisme demeurent vivants; on y associe, parfois généreusement, des doctrines arabes ou juives. Ce n'est pas sans raison que la plupart des ouvrages de cette lignée adoptent la forme du dialogue, accueillante aux contradictions. Le *Solitaire premier* de Pontus de Tyard, *ou Prose des Muses et de la fureur poëtique*, est tout platonicien; mais les *Discours philosophiques* du même auteur exposent les principaux problèmes de la nature de l'âme, de l'esprit et du monde, à la double lumière de la raison et de la sagesse antique. Les *Dialogues* de Guy de Bruès, ceux de Jacques Tahureau, amis de Jean de Morel et de Ronsard, diffèrent de contenu et de ton, mais expriment un même effort de pénétration, sinon de synthèse. Cette philosophie se distingue mal de la science. Peletier donne, en français, une *Arithmetique* et une *Algebre*, et une géométrie euclidienne en latin ; Pontus de Tyard, une *Arithmetique memoriale*. C'est aussi le beau temps de l'astronomie et de l'astrologie. Uranie, muse des mouvements célestes, règne sur la littérature et l'astrolabe devient un emblème aussi familier que la lyre. Tyard publie des *Ephemerides octavae sphaerae*, un *Discours du Temps, de l'an et de ses parties*, et un *Discours des parties et de la nature du Monde, l'Univers*. Il s'interroge, dans sa *Mantice*, sur la divination par astrologie, que le *Democritic* de Tahureau raille à son tour. Les *Hymnes* de Ronsard, les *Meteores* de Baïf, l'*Encyclie* de Le Fèvre de La Boderie et sa *Galliade*, les *Semaines* de Du Bartas sont les points d'affleurement de cette pensée profonde à l'univers poétique. Jamais, sans doute, philosophes et poètes ne mirent plus d'ardeur à déceler les secrètes harmonies des nombres, des astres et des hommes. Ils en cherchent le secret dans Platon, dans le Cicéron du *De natura Deorum*, dans Claudien, Ficin, Cornelius Agrippa ; bref, dans toute la tradition philosophique et mystique de l'Antiquité et de l'Italie. C'est bien à l'humanisme que la pensée de ce temps emprunte ses vives clartés comme ses rayons obscurs.

Les humanistes ne se perdent point toujours dans ces nuées. Magistrats, hommes d'Église, imprimeurs, ils vivent dans le siècle et dédaignent la solitude quasi religieuse chère à Pétrarque. L'humanisme français est fait de rencontres et d'amitiés.

Jean de Morel, maître d'hôtel du roi, maréchal des logis de Marguerite de France, a maison ouverte pour les écrivains et les savants, rue Pavée, près de l'église Saint-André-des-Arcs. Il étudia jadis sous Érasme, avant d'épouser une femme férue de langues anciennes et de poésie française ; ses filles, Camille, Lucrèce et Diane, ont eu pour précepteur Charles Utenhove, l'humaniste gantois ; l'aînée parle le grec, écrit l'hébreu, compose des vers latins et français ; les poètes célèbrent en toutes langues ses mérites et ses grâces. Du Bellay se réfugie aux heures sombres dans cette demeure accueillante ; il y rencontre Dorat, accompagné de Ronsard et de Baïf, Jean Mercier, beau-fils du maître de maison et successeur de Vatable dans la chaire d'hébreu du Collège royal ; Michel de L'Hospital vient, en voisin, lire ses poésies latines ; on lui présente comme auditeurs le maître du genre, Salmon Macrin, Lancelot Carle, l'Écossais Buchanan, qui s'apprête à passer à la Réforme, Jérôme de La Rovère, futur cardinal : toutes les tendances spirituelles, mais aussi toutes les disciplines se donnent rendez-vous dans cette maison amie — *sacra Musarum aedes*, écrira Sainte-Marthe. Pontus de Tyard a pris comme devise *Solitudo mihi provincia est ;* ne l'en croyons pas trop. Dans son château de Bissy, en Mâconnais, se retrouvent tous les humanistes de la région, à côté de voyageurs en route vers l'Italie. Jacques Peletier s'y attarde et

discute avec Pontus de Tyard de l'astrologie, sur laquelle ils ne s'entendent guère, « se recreant avec luy selon qu'infinis sujets se presentoient pour philosopher ensemble » ; Amyot y apparaît parfois, mais les fidèles sont Philibert Bugnyon, jurisconsulte et poète, Du Moulin, précurseur de la physiognomonie, Bauderon, auteur d'une pharmacopée qui deviendra classique, le médecin Benoît Textor, Jacques Mollan, pourfendeur d'astrologues ; Guillaume Des Autels y dirige de longues discussions philologiques que Tabourot Des Accords égaie de vives anecdotes. Rien de pédant dans ces réunions ; on boit sec (le maître du lieu s'y entend), puis on va regarder les étoiles ; ou bien encore, on se promène en devisant : nous allâmes, écrit Pontus, « sous le couvert d'une petite futaye, fermée en parc joignant ma maison... Sur ce point, voicy entrer quelques musiciens lesquels, sachans que j'estois là en telle compagnie, nous firent rompre le propos et achever le reste du jour avec le passe-temps que le chanter, le jouer d'instrumens musicaus nous pouvoit apporter. »

On trouverait, épars à travers la province française, plus d'un groupe semblable ; leurs familiers ne furent pas toujours de grands érudits ; l'humanisme était, pour les uns, une coquetterie de grand propriétaire foncier qui s'avise de penser ; pour d'autres, robins fils de marchands, une habilitation sociale ; pour la plupart, une source de délices intellectuelles qu'ils ne séparaient pas de la générosité de leur terre. Tous aidèrent au moins l'humanisme français à trouver sa formule véritable, dans un pays où la vie sociale est une condition nécessaire au libre exercice de la pensée.

LA PORTE DES ILLUSTRES MARCHANDS, A LYON (musée de Lyon). Art lyonnais (seconde moitié du XVIᵉ siècle), fortement inspiré de l'art italien : le panneau central est décoré en très bas relief d'un combat de divinités marines, scène imitée d'une composition de Mantegna.

II. — LA PLÉIADE
LES POÈTES LYONNAIS

Les bords de la Saône et du Rhône voient naître des poètes qui, s'ils ne constituent pas précisément une école, se reconnaissent néanmoins à certains signes : admiration commune pour l'Italie, conscience très vive de la valeur et du rôle de la poésie, mépris du vulgaire et fidélité à un style poétique raffiné, mélange de sensualité et d'idéalisme dans une conception de l'amour pénétrée de néo-platonisme. Au premier rang de ces poètes, il faut citer Maurice Scève, né à Lyon, vers 1510, d'une famille de magistrats : son prestige personnel, le caractère hautain de son inspiration, la découverte qu'il fit, en 1534, du tombeau de Laure près d'Avignon, contribuèrent grandement à faire de lui, aux yeux du monde littéraire, l'exécuteur testamentaire du pétrarquisme. C'est à Lyon qu'il publia, en 1544, les dizains de la Delie, en 1547, la Saulsaye, eglogue de la vie solitaire, et, en 1562, le Microcosme. Sa mort, vers 1564, n'est entourée que de silence. Auprès de lui, Pernette Du Guillet, née à Lyon vers 1520, morte en 1545, Louise Labé, de cinq ans plus jeune et qui mourut en 1565, exprimèrent avec des sensibilités diverses les aspirations de l'âme lyonnaise partagée entre le culte de l'amour et la recherche d'une sérénité plus profonde, entre l'Italie et le monde antique. Mais, si les Rymes de Pernette furent publiées en 1545, les Euvres de Louise Labé ne parurent qu'en 1555, alors que triomphait déjà l'école de Ronsard : elles doivent fort peu à la Delie.

On associe généralement aux poètes lyonnais le Parisien Héroet (1492-1568) dont la Parfaicte Amye fut imprimée à Lyon, dès 1542.

La meilleure édition de la Delie est l'édition critique de Parturier (Textes français modernes, 1916). Les Œuvres poétiques complètes de Scève ont été réunies par P. Guégan, collection Garnier, 1927, avec une bonne introduction et une bibliographie. Les Euvres de Louise Labé ont été réimprimées notamment par Charles Boy (1887) et Sekeur (1927) ; une édition de ses Sonnets a été donnée par L. Pichon (1920). Pour Pernette Du Guillet, il faut encore se référer, en attendant l'édition de V.-L. Saulnier, aux recueils de Perrin (1830) et de Scheuring (1864). F. Gohin a donné une bonne édition critique de la Parfaicte Amye (Textes français modernes, deuxième édition, 1943).

On pourra consulter avec profit les ouvrages suivants : A. Baur, Maurice Scève et la Renaissance lyonnaise, 1906 ; Buche, la Littérature à Lyon depuis le XVIᵉ siècle, 1920 ; J. Aymard, les Poètes lyonnais précurseurs de la Pléiade, 1924 ; J. Vianey, le Pétrarquisme en France au XVIᵉ siècle, 1909 ; H. Chamard, les Origines de la poésie française de la Renaissance, 1920 ; Festugière, la Philosophie de l'amour de Marsile Ficin et son influence sur la littérature française de la Renaissance, 1943. M. V.-L. Saulnier, qui va faire paraître une thèse décisive sur Maurice Scève, a donné à la Bibliothèque d'Humanisme et Renaissance, en 1944, une étude très complète sur Pernette Du Guillet. M. Valéry-Larbaud a illustré, dans ses Notes, les rapports de Scève et des symbolistes modernes.

A l'aurore du XVIᵉ siècle, Lyon bénéficiait de sa situation exceptionnelle au carrefour des routes d'Italie, de Suisse et d'Allemagne. Ville traditionnelle d'échanges commerciaux, aux quatre foires par an, elle avait vu sa richesse s'accroître par la naissance de deux industries nouvelles : l'imprimerie et la soie. L'une attirait les humanistes, mettait à la portée d'un public cultivé et exigeant les irréprochables éditions de Cl. Nourry, Fr. Juste, C. Sabon, S. Gryphe, puis des maîtres que furent Jean de Tournes et G. Roville ; l'autre, augmentant le luxe, favorisait les habitudes de vie élégante et facile, propice à l'épanouissement des arts, représentés par des peintres comme Benedict, des graveurs comme Bernard Salomon, Guillaume Leroy, des architectes comme Philibert Delorme, Sebastiano Serlio.

Ville ni mystique ni pédante, mais avide de savoir pratique, jalouse de ses prérogatives, prompte à se passionner pour tous les problèmes qu'agitait l'humanisme, elle

UN CURIEUX EXEMPLE du contact des lettres italiennes et françaises à Lyon : « Colloque tenu à Lyon entre Claude d'Herberé, gentilhomme français, et Alessandro degli Uberti, gentilhomme florentin, au sujet de quelques passages des Cent Nouvelles de Boccace » (à Lyon, chez Guillaume Roville, 1557). — CL. LAROUSSE.

avait ses grands médecins, Symphorien Champier, Tolet, ses jurisconsultes, Nevizan, Guillaume Mellier, ses professeurs, B. Aneau, Fontaine, Sainte-Marthe, autant d'érudits, rompus au commerce des lettres grecques et latines, parfois de l'hébreu, ouverts à toutes les influences philosophiques ou religieuses, pythagorisme, cabale, gnose. Des cercles d'amis se nouaient et se dénouaient suivant la fortune des temps, qui se réunissaient tantôt chez les imprimeurs où travaillaient des poètes comme Du Moulin, des musiciens comme Géroult, des humanistes comme Dolet, tantôt chez certains magistrats, mécènes éclairés, comme les Builloud ou les Laurencin. C'était, selon le mot de Ducher, une véritable « confrérie », la sodalitas amicorum Lugdunensium.

La poésie s'était d'abord attachée à la résurrection des mètres anciens. Ducher dans ses Epigrammes, Visagier dans ses Xenia célébraient en des poèmes à la manière d'Horace les louanges de l'humanisme et des temps nouveaux, cependant que la décadence latine inspirait les Baisers de Jean Second et toute une littérature romanesque et molle dont quelques traces demeurent dans la poésie de Louise Labé. Parallèlement, les mœurs et coutumes accusèrent longtemps ce caractère de dévotion archéologique et savante : cortèges de chevaliers ou de bourgeois, vêtus à la romaine ou à la grecque, mascarades ou « momeries » représentant des divinités ou des tableaux mythologiques en rapport avec les thèmes, blasons, énigmes et emblèmes sur lesquels s'exerçait au même moment la poésie lyonnaise.

L'influence italienne balançait presque le prestige de l'antiquité. Plus grave, plus tendue, poésie des peines du cœur et des divinités stellaires, mêlée de croyances et de légendes poétiques non sans exigence de pureté, c'était bien la poésie qui convenait à des esprits mi-chrétiens, mi-païens, avides de jouissances, mais traversés aussi d'une sourde inquiétude religieuse. Jean de Tournes vibrait en imprimant les Opere toscane d'Alamanni ; l'année suivante (1534) Maurice Scève découvrait le tombeau présumé de Laure, près d'Avignon. Pendant quelques années, le culte de Pétrarque connut un renouveau de ferveur. Il est peu de poètes qui n'aient alors célébré, en vers latins ou français, quelque dame réelle ou mythique, répondant aux noms plus ou moins symboliques de Cynthia, Gellia ou Flora. Les éditions de Pétrarque le disputaient pour le succès aux traductions ou imitations encore timides de Marot ou de Forcadel, patronnées par les riches mécènes florentins qu'étaient l'Elbene, les Strozzi, les Altoriti, et reçues chez les dames avec une faveur que note Héroet, dans sa Parfaicte Amye.

Mais tout cela manquait encore de profondeur et de sincérité. Il manquait à la poésie néo-latine ou pétrarquisante l'assise d'une influence spirituelle. Les ouvrages florentins révélèrent l'importance des théories platoniciennes qui s'étaient répandues, à la suite de Ficin, dans l'entourage de Laurent de Médicis. Le Livre de la nature d'*Amour* d'Equicola, le *Courtisan* de Castiglione, les *Dialogues d'Amour* de Léon Hébreu alliaient, après les *Azolains* du vieux Bembo, au culte de la beauté féminine, à l'affinement des mœurs amoureuses, une conception plus générale de l'amour et du monde; le « vray amour » devenait le symbole de la pureté retrouvée; il s'identifiait à la transmutation radicale rêvée des alchimistes. En même temps, la cabale faisait une nouvelle apparition avec l'ouvrage du Vénitien Georges : ses *Harmonies du monde* (1525) mettent une véritable symbolique des éléments au service de la poésie amoureuse. Ainsi s'élaborait un art subtil, quintessencié, mais non sans passion, véritable religion de l'amour, avec son dogme, sa liturgie, ses mystères.

Le développement de la vie mondaine accrut rapidement l'influence des femmes; les cercles d'érudits devinrent des cercles aux propos plus légers, d'où toute affectation de science était bannie. Après 1544, érudits et poètes prirent l'habitude de se réunir chez une femme célèbre par son talent et sa beauté, Louise Labé, dite « la belle Cordière ». Des Périers, Jacqueline Stuard, Symeoni, Pontus de Tyard comptaient parmi les familiers; des voyageurs s'y arrêtaient, que la diplomatie ou l'exil conduisaient en Italie : Marot, et plus tard — trop longuement, peut-être, pour la sérénité de son cœur — Olivier de Magny. Mais les deux étoiles du groupe étaient sans contredit Maurice Scève et Pernette Du Guillet.

Héroet n'est point de ce cercle : pensionné de Marguerite de Navarre, il se dévoua, comme tous les familiers de la princesse, à l'étude de Platon, dont il adapta l'*Androgyne* en vers français; il trace, dans la *Parfaicte Amye*, l'image véritable de l'amour pur; mais il ignore les recherches de style, les subtiles concordances des vocables ou des rimes; son art est d'un poète parisien, d'un Marot, d'un Saint-Gelais touché par la grâce platonicienne.

Maurice Scève est d'une autre race. Sans doute com-

MAURICE SCÈVE. Gravure figurant dans l'édition princeps de « Delie » (1544). — CL. LAROUSSE.

mença-t-il par publier, dans des recueils comme l'*Hecatomphile* ou *les Fleurs de poesie françoyse* (1536 et suiv.), des blasons, épigrammes françaises ou latines d'un tour assez leste et fort peu idéalistes. Son blason du sourcil lui valut l'estime de Marot, ainsi que sa traduction de l'Espagnol Juan de Flores : la *Deplourable fin de Fiamette*. Il travaillait cependant à un recueil de longue haleine qui devait le placer bien audessus des poètes de son temps. Achevée dès 1537, mais publiée seulement en 1544, la *Delie, object de plus haulte vertu* montrait par son titre même — *Delie* est l'anagramme de l'*Idée* — les tendances de sa poésie. Composée avec un soin extrême, elle résumait en quatre cent quarante-neuf dizains commandés par cinquante emblèmes, les diverses étapes de l'ascension qui mène de l'amour des sens à l'amour de l'Idée. Elle reste proche, en sa première partie, de Pétrarque et de ses imitateurs, sacrifiant au jeu facile des pointes et hyberboles, cher aux strambottistes italiens, tels Cariteo, Tebaldeo, Serafino dell' Aquila; mais elle s'élève vers la fin à un ton vraiment personnel, liant la finesse de l'idée à la recherche d'une harmonie musicale très sûre, obtenant, par l'économie des coupes et des muettes, le charme d'un équivalent sonore de la pensée.

De toy la doulce et fresche souvenance
Du premier jour, qu'elle m'entra au cœur...
Et sur la nuict tacite, et sommeillante,
Quand tout repose, encor moins elle cesse.

La même recherche dans le monde des images multipliait les résonances, élargissant parfois, pour le sens, à un poème entier la coulée de certains vers.

Le succès de la *Delie* fut vif, quoique discuté. Scève joua quelque rôle dans les fêtes qui marquèrent le passage du roi Henri II à Lyon. Mais son génie s'accommodait mal du monde et du bruit. En 1547, il publia la *Saulsaye, eglogue de la vie solitaire*, sorte de poème pastoral qui contient des vers pittoresques et d'heureuses recherches de style. Avec le *Microcosme*, en 1562, il revient à la poésie philosophique, plus abstraite qu'elle ne fut jamais, mais plus puissante aussi, et plus achevée, décrivant en trois volumes de mille vers l'analogie profonde des rythmes de l'âme et du monde, multipliant les heurts et les raccourcis expressifs à côté de passages informes et obscurs. Ainsi passe-t-il, avant d'entrer dans l'ombre, à la limite extrême de son génie.

Il n'est pas étonnant de retrouver chez Pernette Du Guillet, qui fut peut-être la Delie du poète, les mêmes thèmes que chez Scève. Dans ses *Rymes*, elle identifie elle aussi son amour à la lumière, aux

VI.

Libre viuois en l'Auril de mon aage,
De cure exempt soubz celle adolescence,

...Ou l'œil, encor non expert de dommage,
Se veit surpris de la doulce presence...
Et des ce jour continuellement
En sa beauté gist ma mort, et ma vie.

LX.

Si c'est Amour, pourquoy m'occit il dõcques,
Qui tant aymay, & onq ne sceuz hair?

...Et me tuant, a vivre il me desire,
Affin qu'aymant aultruy, je me desayme.
Qu'est il besoing de plus oultre m'occire,
Veu qu'asses meurt, qui trop vainement ayme?

EMBLÈMES extraits de l'édition de 1544 de la « Delie » de Maurice Scève. — CL. LAROUSSE.

rayons qui viennent pacifier et illuminer l'âme encore obscurcie de ténèbres :

> Mais quand je vy que l'aulbe apparoissoit
> En couleurs mille et diverse, et seraine
> .... commençay à louer à voix haultaine
> Celluy qui fait pour moy le jour au monde.

Poète d'une langue très intellectuelle, mais chargée d'envoûtements sensibles, moins enchevêtrée que celle de Maurice Scève, elle trouve parfois par son rythme sautillant, capricieux, des mouvements dont la séduction tient en partie à l'ambiguïté volontaire du sens et des termes. Bien que le ton des huitains soit assez platonisant, certaines audaces des chansons et des pièces à l'italienne laissent entendre que souvent chez elle les mots sont à prendre dans leur sens propre et que la pudeur n'exclut pas la passion. Peu férue de théories, elle a souvent noté, sans vaine érudition, quoiqu'elle fût elle-même fort instruite, l'innocence et la simplicité du désir amoureux.

Le ton est beaucoup plus direct chez Louise Labé. Son œuvre poétique, qui tient en trois élégies, vingt-quatre sonnets et un *débat*, rappelle, par la violence des sentiments et le réalisme du style, tour à tour Sapho, les vers de l'Arétin, certains poèmes de l'*Anthologie* et les *Baisers* de Jean Second. Un amour malheureux, peut-être pour Olivier de Magny, peut-être pour quelque chevalier de la Cour, suffit à marquer profondément une vie d'autre part fertile en événements romanesques. Tempérament plus ardent et plus souple que celui de Pernette, exprimant toutes les nuances de l'amour comblé ou dépité avec les ressources d'une langue plus précise que celle de Marguerite de Navarre, elle laisse une œuvre nourrie de souvenirs de Pétrarque, suivant pas à pas les *Rime* dans la description des troubles physiques et des tortures morales de l'amour, mais avec des accents transfigurés parfois par une sorte de réalisme mystique :

> Lorsque souef plus il me baiseroit,
> Et mon esprit sur ses levres fuiroit,
> Bien je mourrois, plus que vivante, heureuse.

Les *Euvres* de Louise Labé sont, par l'édition, contemporaines des *Amours à Marie* de Ronsard et de l'*Amour de Francine* de Baïf : déjà, avec elle, le groupe de Lyon se survit. Avec d'autres encore. Pontus de Tyard, rejoignant la troupe des ronsardisants, ne laissera pas oublier que ses premières *Erreurs amoureuses* sont toutes lyonnaises. Philibert Bugnyon, son compatriote et son disciple, reste fidèle à l'esprit de Scève. Guillaume de la Taissonnière, en 1555, donne à l'éditeur lyonnais G. Roville ses *Amoureuses occupations* ; on y reconnaît la tendresse éthérée familière aux abords de Fourvière ; Claude de Taillemont vient de composer, en 1553, son *Discours des champs faez*, suite étrange de dialogues mystiques et platoniciens entre l'Amant et l'Amie ; trois ans plus tard, sa *Tricarite* célébrera les beautés purement idéales de sa dame : longtemps, entre Saône et Rhône, erreront de chastes sœurs de Delie. Mais déjà leurs poètes les chantent sur le mode ronsardien ; déjà se devine chez eux le souci de ne point rester en deçà de l'actualité littéraire et d'éviter les vers « mal plaisants » : l'orthodoxie lyonnaise est, dès 1552,

LA VIE SOLITAIRE. Cette gravure tirée du « Songe de Poliphile » (traduction française, 1554) peut évoquer la retraite champêtre de Maurice Scève sur les rives de la Saône. — CL. LAROUSSE.

quelque peu entamée. Il n'importe : les amis et disciples de Scève ont, à cette date, pleinement rempli leur rôle d'intercesseurs.

LA FORMATION DE LA PLÉIADE

Dans sa Responce à quelque Ministre, *en 1563, Ronsard pouvait dire aux poètes de son temps :*

> Vous estes tous yssus de la grandeur de moy,
> Vous estes mes sujets et je suis vostre Roy.

Raconter comment cette royauté se fonda, c'est retracer l'un des épisodes les plus attachants de notre histoire littéraire, et l'un des plus riches d'enseignements ; c'est montrer ce que peut une jeune allégresse, quand elle s'appuie sur l'habileté et sur le génie.

On consultera, sur l'histoire de la Pléiade, l'œuvre maîtresse de H. Chamard, Histoire de la Pléiade, *4 volumes, 1939-1940, et Marcel Raymond,* l'Influence de Ronsard, *2 volumes, 1927. Pour l'étude des doctrines, on pourra se reporter à : H. Franchet,* le Poète et son œuvre d'après Ronsard, *1922 ; Patterson,* Three centuries of french poetry. A critical history of the chief arts of poetry in France, *1935 ; Sebillet,* Art poëtique françois, *édition Gaiffe, 1910, réédition, 1932 ; H. de Noo,* Th. Sebillet et son Art poëtique françois rapprochés de la Défense et Illustration de la langue françoise, *1927 ; Du Bellay,* Deffence et Illustration de la langue françoise, *édition critique H. Chamard, 1904 ; P. Villey,* les Sources italiennes de la Deffence, *1908 ; Peletier,* Art poëtique, *édition Boulanger, 1930.*

La révolution de la Pléiade ressemble à toutes les révolutions : préparée par un mouvement secret des esprits, mûrie à l'étranger avant d'éclater en France, elle étonne par une apparente brusquerie, intimide par une arrogance

LOUISE LABÉ. Gravure de Pierre Woeriot.
CL. LAROUSSE.

PARIS vu du quartier de l'Université au temps de la Pléiade. Gravure de Léonard Gaultier figurant au titre de l'ouvrage de Jean Passerat : « Commentarii in Catullum, Tibullum et Propertium », Paris, 1608, in-folio. — La grande église la plus voisine des murailles est l'abbaye Sainte-Geneviève. Dans les murailles, la porte Saint-Victor ; sur les fossés voisins se trouvait l'habitation de Baïf. Tout à gauche, au bord de la Seine, le Louvre en construction. Les collines du fond du paysage sont celles de Montmartre, avec ses moulins ; plus loin encore s'aperçoit l'abbaye de Saint-Denis. — CL. LAROUSSE.

spontanée et concertée à la fois ; elle rencontre des résistances vite lassées, des réticences muées, après ses premiers succès, en ralliements ; elle s'assagit dans le triomphe, opère quelques remaniements dans son directoire ; elle se laisse dépasser par une génération nouvelle et se prépare des héritiers qui, à l'âge suivant, feront figure de réactionnaires ou d'attardés.

Le groupe des révolutionnaires employa plusieurs années à recruter dans l'humanisme ses principaux maîtres et ses membres les plus actifs. Le 6 mars 1543, venu assister avec son père aux funérailles du sieur de Langey, Guillaume Du Bellay, cousin de sa famille, Pierre de Ronsard recevait la tonsure des mains de René Du Bellay, évêque du diocèse. L'évêque avait un jeune secrétaire de vingt-six ans, curieux autodidacte, habile à passer sans effort des mathématiques à la poésie, Jacques Peletier. Peletier méditait pour l'heure, à l'exemple des Italiens, d'enrichir notre langue nationale par l'imitation des Anciens, et il avait sur le chantier une traduction en vers français de l'*Art poétique* d'Horace. Il accueillit son cadet comme le méritait l'aveu que lui fit Ronsard d'adorer le latin, de tenir Virgile pour le premier capitaine des Muses et de préparer des *Odes* françaises à la manière du poète de Tibur. Ronsard quitta Le Mans fortifié dans son amour de l'antiquité romaine et tout pénétré, déjà, des idées que Peletier allait développer dans la préface de sa traduction.

JEAN DORAT. Portrait attribué à Nicolas Denisot (B. N., Cab. des Estampes). — CL. LAROUSSE.

d'un savant helléniste, réveil de la science morte, Jean Dorat. Évoquant ces leçons, Ronsard entrouvre à Du Bellay tout un monde ignoré et divin. Et Du Bellay décide de le suivre à Paris, à la découverte de la Grèce.

Cependant, Dorat, devenu directeur du collège de Coqueret, sur la montagne Sainte-Geneviève, voit s'élargir le cercle de ses auditeurs. Parlementaires et courtisans et, comme jadis auprès des maîtres italiens, étrangers de toutes nations forment ce « grand peuple » d'écoliers qu'il « tire par l'oreille ». Les jeunes poètes l'entourent avec confiance ; ils se rencontrent à sa table, dans sa maison des Fossés-Saint-Victor ou dans quelque coin de banlieue, sur les rives de Seine ou de Bièvre, à Vanves, Meudon, Gentilly, Arcueil. Ils se retrouvent autour de sa chaire : parlant à des auditeurs venus pour reconnaître les trésors qu'ils pilleront demain, Dorat leur traduit surtout des poètes et les révèle devant eux par larges pans, en de longues lectures ; d'abord Homère, chez lequel, comme le moyen âge fit pour Virgile, il recherche sous un voile d'allégorie et retrouve toute la sagesse antique ; puis Hésiode, Eschyle, poètes divins ; puis la « jeune bande des poètes humains », Sophocle, Théocrite, et, avec une particulière dilection, les alexandrins, Apollonios, Lycophron. Des comparaisons assidues avec les poètes latins apprennent à ces jeunes hommes qu'une littérature s'ennoblit par l'imitation : Rome s'est enrichie des dépouilles d'Athènes, la France

Trois ans plus tard, deux jeunes gentilshommes se rencontrent au hasard d'un voyage. Ils découvrent qu'ils sont voisins (l'un est Vendômois, l'autre Angevin), qu'ils ont le même âge, quelques ancêtres communs, et surtout un égal amour de la poésie ; ainsi se noue l'amitié de Ronsard et de Joachim Du Bellay. Cette « avant-naissance » de la Pléiade, comme on disait alors, a toute la fraîcheur d'une camaraderie juvénile. Elle a tout le sérieux des confidences de jeunes gens épris de gloire, qui tentent de deviner leur destin. Ils jurent de doter la France d'une poésie digne d'elle, et, déjà, échangent leurs projets : Peletier va publier, dans son prochain recueil, leurs premiers vers, qui vaudront à notre langue le lustre des lettres latines. Mais il est une autre littérature, plus secrète et plus prestigieuse, de qui la Rome antique emprunta son éclat ; Ronsard raconte à son nouvel ami comment, ayant perdu son père trois ans plus tôt, il est venu s'installer à Paris chez Lazare de Baïf, l'un de ses premiers protecteurs et de ses premiers maîtres en doctrine antique ; de compagnie avec le fils de Lazare, Antoine, il y reçoit l'enseignement ne peut-elle s'enrichir des dépouilles antiques ? Et des dépouilles de l'Italie moderne, ajoute Peletier qui, devenu principal du collège de Bayeux à Paris, vient les visiter et leur prêche l'enrichissement de notre langue. Cependant, leur camarade Denisot, peintre autant que poète, les fait pénétrer dans le monde des artistes : nulle nourriture ne manque à ces esprits avides. Ainsi, à travers les « folastrissimes voyages » et les veillées studieuses — l'un prolongeant le soir, l'autre devançant l'aube —, se fonde en amitié, en labeurs et en divertissements communs l'unité d'un groupe docte et turbulent, qui n'a point le visage d'une école littéraire. Quand il s'agit de lui donner un nom, Ronsard choisit un vocable un peu pédant, puisqu'il vient d'être emprunté à l'italien *brigata*, mais d'un sens modeste entre tous ; ni Cénacle ni Parnasse, *troupe* tout simplement : Du Bellay, Baïf et lui-même, Denisot, Lambin, philologue déjà expert, René d'Urvoy, gentilhomme breton, Pierre Des Mireurs, futur médecin et futur poète, Capel, qui traduira Machiavel, Julien Pacate et Jean Urteloire et le gros Bergier aux vers « bedonniques » constituent la *Brigade*.

Les poètes de la Brigade ne nourrissent point de desseins agressifs lorsqu'en juin 1548 paraît l'*Art poëtique* de Thomas Sebillet. Ses thèses les irritent et les inquiètent ; fidèle au passé, Sebillet accorde trop aux genres traditionnels ; conscient des rénovations nécessaires, il risque d'enlever à l'entreprise de la Brigade le mérite d'une totale nouveauté.

Il est urgent de le combattre et de le prévenir. On charge donc Du Bellay, le plus spirituel et le plus belliqueux de la troupe, porteur, par surcroît, d'un grand nom, de développer en pamphlet une épître qu'il méditait d'imprimer quelque jour pour expliquer la nouveauté de ses propres vers. Signée de ses initiales, mais issue de la collaboration du groupe tout entier, la *Deffence et Illustration de la langue françoise* paraît aux environs de Pâques 1549. Par sa fierté de ton et son ardeur au combat, la *Deffence* sonne le boute-selle de la jeune poésie. Ce fut, note Pasquier, une belle guerre.

La carrure logique de l'œuvre et sa fermeté dans les principes font impression ; mais on s'irrite de son arrogance et du caractère personnel de ses attaques. En face de la révolution, Thomas Sebillet représente une évolution pacifique, la conciliation entre la tradition nationale et les nouveautés nécessaires ; il se concilie les modérés intelligents. Mellin de Saint-Gelais unit, à l'élégance de Marot, le raffinement de la préciosité italienne ; il a pour lui la cour. On commence donc à se battre à coups de préfaces, de pamphlets et d'intrigues. Aux pages mises par Sebillet en tête de sa traduction de l'*Iphigene* d'Euripide (fin de 1549), au *Quintil Horatian* de Barthélemy Aneau, pédant sans grâce (février-mars 1550), Du Bellay répond par sa préface de l'*Olive* (1550, deuxième édition), par son ode *Contre les envieux poëtes* (1550) et par une épître liminaire à sa traduction de l'*Éneide* (1552). Ronsard, en tête de ses *Odes* de 1550, définit et complète la doctrine de la jeune école. Mellin de Saint-Gelais tente de le ridiculiser à la cour, Ronsard le raille sans pitié dans la deuxième édition du *Tombeau de Marguerite de Valois* (1551). Cependant, tout un groupe éclectique de magistrats et de diplomates, qui fréquente chez Jean de Morel, sent le besoin de faire la paix. Nos poètes eux-mêmes ont eu le loisir de méditer sur leur tentative et de mettre à profit les amicales remontrances de Morel, de L'Hospital, de Denisot. Ronsard a fait sa crise de pindarisme ; dans les *Odes* de 1552, il

PORTRAITS extraits de la « Chronologie collée ». — CL. LAROUSSE.

baisse le ton ; la même année, Du Bellay abandonne la mythologie pour la lyre chrétienne : autant de pas vers les Marotiques. La diplomatie de L'Hospital s'emploie activement : le 1er janvier 1553, une ode de Ronsard à Saint-Gelais scelle, entre le jeune poète vainqueur et le vieux poète vaincu, une réconciliation sans abaissement.

Entre temps, la Brigade a vu grossir ses rangs. L'École de Lyon a réalisé, quinze ans après la *Delie*, une unité réelle d'inspiration et de doctrine. Mais Maurice Scève s'est retiré dans la sérénité des philosophes ; Pontus de Tyard, plus jeune et plus souple, assure la relève de la poésie platonicienne et pétrarquiste. Un mouvement naturel le porte vers la Brigade ; Ronsard et ses amis, pour leur part, voient en Maurice Scève et ses disciples, sinon des précurseurs, du moins des garants. Dès la fin de 1550, la *Musagnœomachie* de Du Bellay range Pontus parmi les champions de la cause nouvelle et Pontus célèbre l'année suivante, côte à côte avec Maurice Scève, l'auteur de l'*Olive* et Ronsard, nouveau Terpandre. Guillaume de La Taissonnière, Claude de Taillemont, autres Lyonnais, s'apprêtent à ronsardiser. Les survivants du groupe lyonnais s'engagent ainsi, dès le début, dans la lutte contre l'ignorance, sans jamais sacrifier pourtant une certaine autonomie d'inspiration et de facture.

L'école de Marot offrit moins de résistance ; elle mourait d'elle-même, incapable de renouvellement et ayant épuisé tout ce que peuvent donner à la poésie l'esprit et la facilité. L'opposition de Saint-Gelais fut moins celle d'un chef d'école que celle d'un poète lauréat qui défend sa position personnelle. Guillaume Des Autels ne céda pas sans scrupule ; l'obscurité et l'insolence de la Brigade à ses débuts, son ingratitude pour les vieux poètes l'avaient choqué ; mais, dès 1550, ayant fait encore une fois l'éloge de Marot et de Saint-Gelais, il se rendit et mit Ronsard au premier rang de nos poètes. Deux ans plus tard, Sebillet se réconciliait avec Du Bellay ; Charles de Sainte-Marthe, François Habert se convertissaient à leur tour. La paix de 1553 acheva le ralliement des marotiques; Lancelot Carle, Charles Fontaine se firent les imitateurs de Ronsard et ses avocats.

Cette même année 1553, une tragédie de Jodelle, *Cleopatre*, était représentée au collège de Boncourt. Sous la direction de l'humaniste Marc-Antoine Muret, auteur lui-même d'une tragédie latine, Boncourt était devenu, pour l'art dramatique, ce que Coqueret était pour le lyrisme; on comptait, parmi ses élèves, outre Jodelle, Remy Belleau, Jean de La Péruse, qui préparait une *Medée*, Jean de La Taille, futur auteur d'un *Darius* et d'un *Alexandre*. Entre les deux maisons, les relations étaient plus que de bon voisinage; Dorat échangeait des louanges poétiques avec Muret, lequel élaborait un commentaire des *Amours* de Ronsard. La Brigade vint applaudir Jodelle; une cérémonie carnavalesque et un peu pédante, la « pompe du bouc », scella à Arcueil, au milieu des libations, l'union des deux groupes.

Lorsqu'en ce printemps de 1553 Ronsard s'embarque, en pensée, vers les « Isles fortunées », il serait long de dénombrer tous les amis qu'il invite à le suivre ; encore la liste serait-elle incomplète, tant cette seconde Brigade est riche en nouveaux venus. De cette compagnie un peu mêlée, une élite doit se dégager. Ronsard s'y emploie aussitôt; dans son *Elegie à Jean de La Peruse*, il associe plus étroitement à son propre nom ceux de six poètes, choisis avec un sens aigu de la tactique littéraire : Du Bellay et Baïf représentent Coqueret, Jodelle et La Péruse, Boncourt; Pontus de Tyard confirme l'adhésion des Lyonnais et apporte avec lui le prestige d'un grand nom ; Des Autels, marotique et lyonnais à la fois, évoque les premiers ralliements. Quelques années plus tard, Peletier, en hommage à son *Art poëtique*, reçoit la place de Des Autels, Belleau, devenu célèbre par son *Anacréon*, succède à La Péruse, que la peste vient d'enlever : un marotique se substitue à un marotique, un homme de Boncourt à un homme de Boncourt ; l'équilibre n'est pas rompu. A la fin de sa vie, Ronsard devait combler le vide laissé par la mort de Peletier en inscrivant le nom de son vieux maître Dorat. La postérité a fixé, en son dernier état, cette liste glorieuse. Sept noms; il y a sept étoiles dans la constellation, sept poètes dans l'école d'Alexandrie, qui furent l'une et l'autre baptisées *Pléiade*. En 1556, Ronsard risqua ce terme, comme une simple métaphore; ses adversaires protestants se gaussèrent de l'outrecuidance de cette référence céleste, mais leurs railleries rendirent le mot familier ; la gloire de Ronsard fit le reste : le nom de *Pléiade* s'inscrivit dans l'histoire de nos lettres pour désigner l'élite des poètes du « verd laurier ».

Il reste associé au souvenir d'une des révolutions les plus nécessaires qu'ait connues notre littérature, et des plus vivement menées. Sans doute le triomphe de la Pléiade fut-il préparé par une lente élaboration artistique; mais il lui suffit de quatre ans pour s'affirmer; la révolution romantique elle-même couva plus longtemps et s'imposa avec plus de peine. Sans doute, aussi,

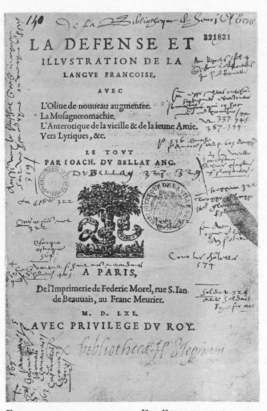

EXEMPLAIRE DES ŒUVRES DE DU BELLAY ayant appartenu à Henri Estienne, qui l'a couvert de notes (Bibl. de Lyon). — CL. LAROUSSE.

la nouveauté de ses doctrines fut-elle moindre qu'elle ne le prétendit. Mais sa vraie nouveauté, en face d'une école poétique épuisée par sa propre facilité, facilement résignée à prolonger hors de leur temps les prestiges d'une tradition mourante que de simples velléités de renouvellement ne parvenaient pourtant pas à abattre, sa vraie nouveauté fut de proclamer brutalement la nécessité d'une rupture, de tracer au poète un difficile idéal de grandeur et de hausser l'exercice littéraire au niveau du divin.

LA DOCTRINE DE LA PLÉIADE

La Brigade aurait pu ne révéler sa doctrine que graduellement, par les caractères mêmes de sa pratique littéraire éclairée de quelques préfaces; elle aurait pu différer la publication de son art poétique jusqu'à l'achèvement de son expérience : ainsi advint-il de la doctrine classique après 1660. L'intervention de Sebillet l'obligea à démasquer brusquement ses batteries et à affirmer d'emblée ses théories et ses ambitions. La *Deffence et Illustration de la langue françoise* permit à chacun des jeunes poètes de prendre le départ nanti de conceptions précises — on dirait parfois de consignes ou de recettes — sur le destin de notre langue et de notre poésie.

Le dessein patriotique de Joachim Du Bellay le conduisit à défendre, d'abord, l'idiome national contre ceux qui le condamnaient aux besognes serviles, hommes d'église ou régents de collèges, humanistes, cicéroniens et virgiliens. Les langues, dit-il, ne sont point nées à la façon des herbes et des arbres, les unes débiles, les autres robustes et aptes à porter le faix des conceptions humaines. Si la langue française est plus pauvre que les langues anciennes, n'y voyez pas infirmité de nature; ce n'est que négligence et dédain. Du Bellay n'a pas, comme aura Henri Estienne, l'illusion que le français doive se prévaloir de singulières vertus : toutes les langues se valent, les plus glorieuses ne l'emportent que par l'assiduité de l'exercice et le bénéfice de certains ornements.

Cet exercice, le français se le voit refuser par ces « reblanchisseurs de murailles qui jour et nuyt se rompent la teste à immiter. Que dy-je immiter ? mais transcrire un Virgile et un Cicéron ». Ils errent, car il est impossible d'égaler les Anciens en leur langue. Usons donc, bravement, de la nôtre. Mais ne la laissons pas pauvre et nue : la défense de la langue exige son illustration.

Pauvre, elle doit être enrichie. Du Bellay abonde en recettes : on accueillera des archaïsmes, des néologismes, des termes de métier; la dérivation, la composition, le provignement permettront de créer des vocables nouveaux ; on multipliera les tours, et les figures, « methaphores, alegories, comparaisons, similitudes... »; ainsi se créera un style poétique, distinct de la prose, avec ses mètres variés, ses rythmes, son harmonie. De pareilles suggestions sont de grande conséquence; mais, pour l'heure, elles laissent surtout apparaître, dans le détail des prescriptions, une science philologique médiocre et une singulière imprécision de pensée.

Nue, la langue française doit être ornée, fût-ce « des plumes d'autruy ». C'est poser en termes un peu vifs un impératif nouveau de la littérature : l'imitation. « Sans l'immitation des Grecs et Romains — on y ajoutera, dans la pratique, l'Italie —, nous ne pouvons donner à notre langue l'excellence et lumiere des autres plus fameuses. » Cette imitation a ses formules, encore vagues dans la *Deffence*, plus nettes dans la préface de l'*Olive ;* elle consiste à s'imprimer, par la lecture des bons livres, « quelques traictz en la fantaisie qui après... coulent beaucoup plus facilement en la plume qu'ilz ne reviennent en la memoire ». Elle a ses limites : on écartera, au moins en poésie, sa forme la plus grossière, qui est la traduction : traduire, c'est trahir ; on ne l'appliquera pas à la tradition nationale : il est vain d'imiter dans sa propre langue.

Un semblable principe entraîne l'abandon des vieux genres, issus des formes de vie médiévales et que l'antiquité avait ignorés, rondeaux, ballades, chants royaux ; qu'on laisse aux Jeux floraux de Toulouse et au Puy de Rouen de telles « episseries » ; mais que l'on cultive l'épigramme, la satire, l'églogue ; Marot les a déjà pratiquées, Sebillet en formule les règles ; ce sont, à dire vrai, de petits genres. La gloire véritable réclame les grands genres : tragédie, comédie, épopée, ode, et cette autre forme de l'ode, que l'Italie vient d'illustrer, le sonnet.

A la grandeur des sujets répond la grandeur de l'exercice poétique. Du Bellay, sans pousser bien loin l'analyse, parle magnifiquement de la nécessité de l'art et de ses servitudes : « Qui veut voler par les mains et bouches des hommes doit longuement demeurer en sa chambre : et qui desire vivre en la memoire de la posterité doit comme mort en soy mesmes suer et trembler maintefois, et autant que noz poëtes courtizans boyvent, mangent et dorment à leur oyse, endurer de faim, de soif et de longues vigiles » : la poésie est une ascèse.

Il n'importe après cela que la nouveauté de la *Deffence* ne soit telle qu'en apparence. Par un curieux destin, l'apologie de notre langue nationale est empruntée à l'étranger ; Du Bellay se souvient de la querelle qui opposait en Italie le toscan au latin, et il transpose, traduit parfois, le *Dialogo delle lingue* composé sept ans plus tôt par Sperone Speroni. En France même, Geoffroy Tory, dans son *Champ fleury* plaidait, dès 1529, la cause du français contre le mépris des doctes, et Étienne Dolet, un cicéronien pourtant, prophétisait en tête de son traité de la traduction que le labeur des savants égalerait notre « vulgaire » au latin et au grec ; Charles Fontaine se vantait de ne rimer qu'en son parler natal et, l'année même de la *Deffence*, François Habert réclamait que l'on secourût notre langage. Il y a plus : Du Bellay emprunte à Quintilien, quelquefois mot à mot, sa théorie de l'imitation ; sa théorie des grands genres est déjà chez Sebillet, qui vante le sonnet, l'épopée et l'ode à côté du cantique et de la chanson ; la conception

TITRE DE L'ÉDITION PRINCEPS de l' « Art poëtique » de Jacques Peletier du Mans (1555). — CL. LAROUSSE.

aristocratique et quasi religieuse de la poésie est devenue dès longtemps familière aux Lyonnais. Mais, pour la première fois, ces thèmes sont unis en un système cohérent, avec le courage d'un choix, la sincérité d'une adhésion totale, la clarté d'une rupture ; on n'accommode plus le passé ; on ouvre l'avenir. Tant il est vrai que, malgré ses contradictions et ses lacunes, et dans le désordre de l'enthousiasme, la *Deffence* porte en elle les intuitions essentielles de la poésie moderne.

La fierté du ton donne l'allure du définitif ; mais on ne va pas contre la chronologie : écrite en 1549, la *Deffence* ne pouvait être qu'un point de départ. La tâche serait longue de relever tous les textes qui, à la lumière de l'expérience poétique, surent la compléter et l'humaniser. L'un des plus importants est l'*Art poëtique* de Jacques Peletier. Publié en 1555, élaboré durant les séjours que l'auteur fit à Poitiers, puis à Lyon après 1549, il représente l'opinion, plus modérée, des cercles provinciaux ; il laisse en même temps deviner l'abandon par la Brigade de certains de ses engouements. Ferme sur la nécessité d'illustrer la langue, Peletier est infiniment plus précis sur les moyens d'y parvenir : il lui suffit de codifier les « inventions » récentes de ses amis ; avec lui les théories linguistiques de la Pléiade prennent enfin corps. Mais il est beaucoup plus circonspect sur le chapitre de l'esthétique. Il lève la condamnation portée contre les marotiques : Ronsard ne vient-il pas de se réconcilier avec eux ? il réhabilite les traducteurs : Du Bellay s'est déjà enrôlé dans leur troupe ; il marque peu de goût pour l'Italie : la Pléiade est rassasiée déjà du pétrarquisme ; à l'ésotérisme, dont la *Deffence* faisait une vertu poétique, il oppose les droits traditionnels de la clarté ; le temps n'est plus de ceux qui se délectaient des choses obscures : de fait, Ronsard est descendu, il n'y a pas tant, des nuées pindariques. L'imitation lui semble une règle fondamentale de l'art ; mais il note qu'elle a conduit les poètes de la Brigade à une servilité dont ils ont fini par sentir et rejeter le poids ; Peletier réclame pour le poète la faculté de n'être plus « imitateur juré ni perpetuel » et de rester fidèle à sa nature propre : conception d'une imitation personnelle et libre qui sera celle de nos siècles classiques. Ainsi, chaque fois que l'évolution des six dernières années le lui permet, Peletier adoucit l'intransigeance de la *Deffence* grâce à son sens de la mesure et par un recours constant à la tradition des lettres françaises ; si Du Bellay avait eu l'intuition du classicisme, Peletier en découvre déjà les formules.

L'*Abbregé de l'Art Poëtique françois*, hâtivement composé par Ronsard en 1565, n'ajoute guère que des préceptes, fort nombreux, de métrique et de style ; pour le reste, il témoigne surtout de la fidélité de Ronsard à son idéal et de la permanence des doctrines d'une Pléiade assagie.

Un historien des formes littéraires devrait dépasser ces écrits théoriques ; il lui faudrait montrer comment, par sa pratique même, la Pléiade sut donner à la poésie une langue et une rythmique, fixer la structure du sonnet à la française, ordonner les strophes lyriques, établir l'alternance des rimes, restaurer l'alexandrin : trois siècles de poésie sont sortis de cet effort. On retiendra plutôt ici quelques principes qui, mollement esquissés dans la *Deffence*, devaient se révéler les plus précieux et les plus neufs de l'esthétique ronsardienne.

Deux traditions s'accordent à donner à la musique une place importante auprès de la poésie. Les disciples de Marot ont aimé associer la mélodie à leurs vers; les *Psaumes* de leur maître ont connu un succès qui n'est point alors totalement retombé. Les néo-platoniciens et, à leur suite, les poètes lyonnais voient dans la musique une image de l'harmonie universelle; comment la poésie pourrait-elle lui rester étrangère, si elle prétend être, elle aussi, une expression du monde? Pontus de Tyard développe éloquemment ces thèses dans son *Solitaire second* (1552). Il existe d'étranges concordances : la matière a autant d'éléments, l'année autant de saisons que le tétracorde a de cordes; des proportions musicales unissent les astres : un demi-ton entre Mercure et Vénus, un ton entre Mercure et la Lune; une harmonie existe encore à l'intérieur de notre être, entre notre corps et nos passions, merveille de la « musique humaine ». Une même et admirable accointance règle la marche commune de la poésie et de la musique; elle rend leur union nécessaire : « En bonne foy, si vous laissez la Musique en arriere, les vers de la Poësie non chantez perdront beaucoup de leur grâce. »

Mais le moment est difficile : le contrepoint s'est développé, et la technique compliquée d'autant. On faisait jadis un musicien avec du goût; il y faut maintenant de la science; les deux arts semblent condamnés au divorce par leur propre perfection et Pontus se plaint déjà que les musiciens soient sans lettres et que les poètes méprisent la musique.

Ce ne fut donc pas un mince mérite pour la Pléiade que de préserver et de resserrer l'alliance entre les deux arts. Moins soucieux de philosophie que de technique poétique, Ronsard s'imposa des pratiques sévères pour que ses poèmes fussent « accommodés à la lyre »; il se ménagea le concours des meilleurs compositeurs de son temps pour ses dernières *Odes* et pour ses *Amours* : cette collaboration dura jusqu'à sa mort, l'examen de ses œuvres dira avec quel bonheur. Baïf devait pousser jusqu'à l'extrême et jusqu'à l'échec la logique de ce programme. Il demeura au moins de ces tentatives la notion que, si la poésie est une peinture, elle est plus encore une harmonie.

A ces théories de l'art, la Pléiade associa une théorie du génie. En 1552, Pontus de Tyard publie une *Prose des Muses ou de la fureur poëtique*. La « fureur » est cette folie sacrée qui saisit le poète lorsqu'il est inspiré, ce « ravissement de l'ame, au moyen duquel elle est esveillée, esmue, et incitée par chans et autres poësies à l'instruction des hommes ». On reconnaît l'analyse platonicienne de l'inspiration. Figée dans la traduction et les commentaires de Marsile Ficin en une systématisation scolaire et un peu pédante, elle va retrouver chez Ronsard sa souplesse et son ampleur, à défaut de l'ironie légère dont le philosophe grec l'avait revêtue. De l'*Ode à Michel de L'Hospital* à la Préface posthume de la *Franciade*, ce sont mêmes affirmations hautaines. Exempt de vice, purifié comme un prêtre, le poète est l'interprète de Dieu parmi les hommes. Lorsque la divinité l'habite, ce « mâche-laurier », comme une autre Pythie, connaît la folie et les brusques extases du délire sacré :

> Je suis fol, Predicant, quand j'ay la plume en main :
> Mais quand je n'escry plus, j'ai le cerveau bien sain.

Ne nous y trompons pas : s'il invoque les Muses, Ronsard ne se prête pas à la facilité d'une métaphore; toute une cosmologie est en jeu; les Muses sont les dispensatrices de la fureur poétique, comme les Démons leurs frères sont les maîtres de l'inspiration scientifique; leurs révéla-

tions ouvraient aux poètes antiques les secrets du monde; les poètes modernes sont les derniers maillons de cette chaîne, qui part d'Orphée, ordonnateur du chaos; des êtres surnaturels hantent leurs rêves, les génies des lieux solitaires leur parlent au milieu de la nature sauvage; tout en eux dépasse l'homme et affleure au divin. Animés d'un « gentil » désir de gloire — la *virtù* des humanistes italiens —, ils conquièrent, pour finir, l'immortalité : ces trafiqueurs des Muses sont les maîtres du temps.

La Pléiade apporta des préceptes aux poètes; bons ou mauvais, les poètes n'en manquaient guère. Ce qui leur manquait davantage, ce qu'elle leur a donné de plus précieux, c'est bien la conscience de leur éminente dignité.

LES HOMMES ET LES ŒUVRES

PIERRE DE RONSARD

L'imagination et la piété ont longtemps encombré de légendes la biographie de Ronsard. Lui-même se glorifiait de tirer sa race « d'où le fleuve Danube est voisin de la Thrace ». On ne croit plus aujourd'hui à cette origine roumaine ou morave, ni à ce Baudouïn Rossart venu, avec le roi de Bohême, Jean de Luxembourg, combattre l'Anglais à Crécy. Mais l'inspiration de Ronsard doit beaucoup, peut-être, à ce mirage oriental et à ce rêve d'une naissance voisine de celle d'Orphée. En fait, il est Français, un Français de l'Ouest, poitevin et vendômois à la fois. Parmi ses ancêtres maternels, on trouve des courtisans, des guerriers et même un maréchal de France, héros de la guerre de Cent Ans ; parmi ses ancêtres paternels, des « sergents fieffés » — gardes-chasse ou gardes forestiers — de la forêt de Gastine ; Ronsard reçoit en héritage la double tradition qu'il fera revivre : celle de l'homme de cour et celle de l'homme des champs. Son père rapporte des guerres d'Italie la gloire militaire, la faveur des princes et l'amour des arts nouveaux. Il reconstruit à l'italienne le manoir familial de la Possonnière. C'est dans cette atmosphère de Renaissance que naît Pierre de Ronsard, le 11 septembre 1524 (les dates du 11 septembre 1522 et du 2 septembre 1525 ont été mises en avant). Son père le fait instruire, jusqu'à l'âge de neuf ans, par un « docte », puis le confie pour quelques mois au collège de Navarre. Mais on le destine à la Cour : le voici page dans la maison des Enfants de France ; il connaît l'Écosse, et les tristes épouses des Stuarts ; il suit Lazare de Baïf en Alsace au « convent » de Haguenau, est peut-être touché par la Réforme. Il rentre demi-sourd, et, quittant le service des Grands, s'engage au service des Muses, par faiblesse et renoncement. Une rencontre avec Peletier du Mans, la protection de Lazare de Baïf et, plus encore, les leçons de l'humaniste Dorat l'y engagent avec une ardeur toute neuve. Il élabore, avec Joachim Du Bellay, la Deffence et Illustration *de la langue françoise (1549) et illustre les théories nouvelles dans ses* Odes *(1550), ses* Amours *(1552), son* Bocage *(1554) et ses* Hymnes *(1555). Ces recueils, étoffés de nombreuses plaquettes secondaires, forment la matière de la première édition collective de ses œuvres, en 1560. Protégé des rois, ami des princes, Ronsard apparaît comme le maître de la jeune poésie française.*

Surgissent les discordes civiles. Favori des Guises, mais fidèle aux Chastillons, qui inclinent à la Réforme, Ronsard se fait le champion de la politique conciliatrice de la reine dans ses premiers Discours des Miseres de ce Temps. *Mais, s'il n'est pas prêtre, il est d'Église : tonsuré en 1547, il jouit de cures et d'un canonicat ; peut-être même doit-il prendre les armes contre les réformés de la région du Mans : ses derniers* Discours *sont d'un catholique véhément, qui n'écarte point, pour autant, le souci de l'unité française.*

Il revient alors aux genres courtois : épitaphes, sonnets, églogues, mascarades, bergeries. Les seconde et troisième éditions collectives de 1567 et de 1571 s'enrichissent de ces poèmes nouveaux. L'édition de 1573 y ajoute la Franciade, *pensum dès longtemps accepté. La disparition de Charles IX le rejette de la Cour vers ses prieurés de Vendômois et de Touraine et vers la vie rustique et studieuse de ses rêves. Une dernière flambée amoureuse pour Hélène de Surgères lui offre l'occasion d'une rivalité poétique avec le jeune Desportes. Mais déjà il travaille à donner sa forme dernière à son message poétique : ses éditions collectives de 1578 et de 1584, ainsi que l'édition posthume de 1587 disent son souci de la perfection et de la gloire.*

Le 27 décembre 1585, « decharné, denervé, demusclé, depoulpé », Ronsard mourait en son prieuré de Saint-Cosme-lès-Tours. Un Tombeau collectif permit aux

LE CHATEAU DE LA POSSONNIÈRE, où naquit Ronsard.

écrivains et aux humanistes d'apporter, en français, en grec, en latin, en italien, un exceptionnel hommage au prince des poètes de ce siècle.

Des éditions complètes de Ronsard continuèrent à être imprimées jusqu'en 1623. Plusieurs éditions modernes leur font suite. Ce sont : l'édition Prosper Blanchemain, 8 volumes, 1857-1867, maniable, mais d'un texte peu sûr ; l'édition Marty-Laveaux, 1887-1893, 6 volumes, reproduisant l'in-folio de 1584, dernier texte publié du vivant de l'auteur ; l'édition Paul Laumonier, 1914-1919, 8 volumes, suivant le même texte, mais avec des compléments et un commentaire très précieux ; l'édition Hugues Vaganay, 1923-1924, 7 volumes, restituant assez fidèlement le texte de 1578, généralement estimé par les contemporains comme supérieur au texte de 1584, mais qui porte déjà la marque de cette sévérité avec laquelle Ronsard remania et retrancha ; l'édition Gustave Cohen, 1936, fondée sur le texte de 1584. La Société des textes français modernes a confié à M. Paul Laumonier l'édition critique des œuvres de Ronsard, réimprimées dans leur texte original et dans l'ordre de publication de chaque pièce ; 12 volumes ont paru de 1914 à 1946, comprenant toute la production de Ronsard de 1550 à 1560, ainsi que les Discours de 1562-1563 ; la notation systématique des variantes, la qualité et l'abondance du commentaire font de cette édition un instrument de travail incomparable. Parmi les éditions partielles, il faut citer : Vaganay, les Amours, *édition critique avec le commentaire de Muret, 1910 ; Sorg, Sonnets pour Hélène, 1921 ; Lavaud, Sonnets pour Hélène, 1947, et surtout la savante édition critique de l'hymne les* Daimons, *procurée par A.-M. Schmidt, 1939 ; une édition critique des Discours des Miseres de ce Temps, par Jean Baillou, est actuellement sous presse. Le « Choix » de Sainte-Beuve a une valeur historique, puisqu'il marqua le retour à l'admiration du poète dédaigné par les classiques ; le « Choix » de Pierre de Nolhac, 1923, et l'Anthologie de Laumonier, Ronsard et sa province, 1924, méritent de retenir l'attention.*

De nombreux ouvrages ont été consacrés à Ronsard

depuis les thèses magistrales de Paul Laumonier, Ronsard, poète lyrique, 1909, deuxième édition 1923, et la Vie de Ronsard, par Claude Binet, édition critique, 1909. Citons, outre les ouvrages mentionnés plus haut : H. Longnon, P. de Ronsard, les ancêtres, la jeunesse, 1912 ; J.-J. Jusserand, Ronsard, 1913 ; P. de Nolhac, Ronsard et l'humanisme, 1921 ; G. Cohen, Ronsard, sa vie et son œuvre, 1924 ; Charbonnier, la Poésie française et les guerres de religion, 1919, et Pamphlets protestants contre Ronsard, 1923 ; P. Champion, Ronsard et son temps, 1925 ; Mlle de Schweinitz, les Épitaphes de Ronsard, 1925 ; Maugain, Ronsard en Italie, 1926 ; Marcel Raymond, l'Influence de Ronsard, 1927, et Bibliographie critique de l'influence de Ronsard en France, 1927. On consultera également les thèses de Mme Hulubei sur l'Églogue au XVIe siècle, 1938, et de A.-M. Schmidt sur la Poésie scientifique au XVIe siècle, 1939.

Ronsard — c'est bien lui le guide et le maître — laisse Du Bellay publier des sonnets amoureux et de minces plaquettes de vers lyriques ; il choisit pour lui-même la tâche la plus rude et le genre le plus haut : les quatre premiers livres de ses *Odes* ouvrent, en 1550, sa carrière poétique ; complétés par un cinquième livre, en 1552, ils fondent d'un coup, en France, la grande poésie. L'événement est assez considérable pour que l'on ne chicane pas Ronsard sur la priorité qu'il revendique en ce genre. Il est vrai que le nom d'*ode* apparaît déjà, incidemment, chez Jean Lemaire, chez Barthélemy Aneau, chez Rabelais ; mais, sauf dans la poésie latine avec Salmon Macrin et Jean Second, jamais encore il n'avait servi de titre à un poème réel quand Ronsard inséra, en 1547, dans les *Œuvres poëtiques* de Peletier, l'ode *Des beautez qu'il voudroit en s'amie.* Il est vrai aussi que Sebillet avait donné les règles du genre, mais il le distinguait mal du *cantique* et de la *chanson.* Il est vrai, enfin, qu'enhardi par les timides essais de Peletier, Du Bellay, plus pressé et moins scrupuleux, avait rimé, un an avant les quatre livres de

Ronsard, une trentaine d'odes, tandis que Pontus de Tyard produisait, dans les *Erreurs amoureuses*, des pièces de même facture; mais tous ces poèmes se déguisaient sous les titres de *vers liriques*, *recueil de poësie*, *chants mesurés* : à Ronsard reviennent bien, avec le propos délibéré du dessein, l'élargissement du genre, l'ampleur et l'éclat de l'œuvre.

Horace fut son premier maître. Au temps de sa jeunesse, il avait composé à sa manière des odes agréables, mais qui sentent l'écolier : l'incertitude du sort, l'inconstance de la cour, la sérénité du sage, les douceurs de l'amour et du vin, ce ne sont point thèmes personnels et nouveaux. Choqué sans doute de leur irrégularité rythmique, Ronsard relégua ces premiers essais à la fin de son volume de 1550, dans la pénombre de son *Bocage*.

Non qu'il se soit éloigné du poète des *Carmina* : tout les rapproche, l'élan vers la vie et le plaisir, l'amour d'une nature familière et modérée et jusqu'à la qualité de leur mélancolie. Mais l'élève de Dorat a vu s'élargir son horizon littéraire; Catulle, Tibulle, Properce, Ovide, Jean Second lui ont été révélés; l'adolescent a grandi, son regard a appris à se détourner des livres pour se poser sur de beaux paysages ou de belles filles de son pays. A l'imitation de son modèle, il chante les dieux et les muses, et les mœurs des hommes; il célèbre l'amour, les bois et les fontaines; mais ces muses sont ses inspiratrices, ces hommes, ses compagnons ou ses rivaux, ces bois et ces fontaines se nomment Gastine et Bellerie; sans se défaire totalement de son allure latine, Horace, un peu dépaysé, s'installe en Vendômois.

Les odes horatiennes n'apportaient à la littérature d'autre révélation que celle d'un souple talent. L'audace majeure de Ronsard fut de composer ces odes pindariques, objets de fierté, d'admiration et de scandale, qui figurent, à la place d'honneur, en tête de son recueil.

L'idée première ne lui appartient pas. Déjà Benedetto Lampridio, qui fut à Padoue le professeur de Michel de L'Hospital, Luigi Alamanni, ce réfugié de Florence qu'admirait la Brigade, Dorat lui-même avaient produit, en latin et en italien, des poèmes de titre ou de forme semblables. Mais la France ignorait Pindare, que Barthélemy Aneau se vantait de n'avoir jamais lu.

Ronsard l'avait lu, et il le montre trop. Pindare chantait des athlètes victorieux; Ronsard trouve, sans peine, ses héros : le roi, la reine, les princes, les hommes d'Église, groupés en tête des *Odes* par ordre de préséance, comme dans un tableau de famille; il cherche des vainqueurs : Enghien lui offre une bataille, Cérisoles; Jarnac, un duel avec La Châteigneraie; L'Hospital et les poètes, une victoire sur l'ignorance. Les célébrant, il ne songe point à user d'autres moyens que ne faisait le Thébain pour ses triomphateurs, leurs ancêtres et leur cité. Il multiplie les mythes, les tableaux, les sentences; il use de métaphores et de références, lumineuses pour les Grecs, mais obscures à nos Français à l'égal des termes savants qu'il calque sur son modèle; les *Odes* de Pindare étaient adaptées aux évolutions d'un chœur, d'où leur division en strophe, antistrophe et épode: le chœur a disparu, la triade pindarique demeure; les philologues

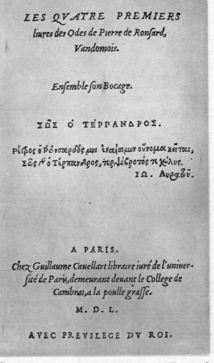

ÉDITION PRINCEPS des « Odes » de Ronsard.
CL. LAROUSSE.

et les imprimeurs du XVIᵉ siècle avaient accoutumé de morceler à l'excès le texte de Pindare, Ronsard fait sienne cette perspective erronée et aligne, en des strophes trop longues, des vers trop courts. On a signalé mille fois ce qu'une telle poésie comportait d'artifice ; on y a même apporté une excessive complaisance. Car Ronsard a pris soin, autant que le permettait son enthousiasme pindarique, de faire œuvre française : il a restreint la part des mythes au profit des maximes, rapproché l'ode de l'épître morale, chère à notre tradition littéraire, et son style, après tout, n'est point si barbare en sa science : Ronsard n'a rien de l'écolier limousin qui, écorchant sa langue, « cuyde pindariser »; je n'en veux pour preuve que le succès de ce parler nouveau qui envahit, d'un coup, toute la littérature du temps. Mais, surtout, Ronsard a visé au plus haut; il a élevé la poésie vers des régions jusqu'alors inconnues, et l'artifice compte peu en face de la grandeur. Grandeur de l'inspiration, car jamais encore on n'avait parlé en de tels termes du sacerdoce des poètes, et de la vertu, de la gloire, de l'immortalité. Grandeur de l'exécution aussi; l'*Ode à Michel de L'Hospital*, pour n'en point citer d'autres, est une énorme machine qui grince parfois, mais dont l'architecture demeure admirable. Or, ce qu'il fallait à la poésie, experte déjà en dizains marotiques ou en sonnets à la Pétrarque, c'était bien un grand architecte, et qui édifiât sur les sommets.

Le chœur des poètes entonna, en l'honneur des *Odes*, des louanges choisies; le public montra plus de réserve et la cour s'égaya des audaces du « nouveau Terpandre ». Ronsard dut reconnaître qu'un langage moins haut était plus sûr ; l'accueil réservé à l'*Olive* et aux *Erreurs amoureuses* acheva de le convaincre. Ce maître en tactique littéraire, deux ans après avoir ironisé, en 1550, sur le compte de ceux « qui n'admirent qu'un petit sonnet petrarquizé », publiait à son tour un volume de sonnets pétrarquistes. On ne pouvait sacrifier plus délibérément à la mode. Voici bientôt trente ans, nous était revenue d'Italie la vieille tradition française de l'amour courtois, vivifiée par le néo-platonisme florentin et élevée, par le génie de Pétrarque et le talent de ses successeurs, à la dignité d'un art majeur. Depuis le temps que Marot traduisait quelques sonnets du maître et calquait ses épigrammes sur les *strambotti* de ses disciples, le bon ton voulait qu'on louât Pétrarque et que l'on s'inspirât des pétrarquistes. Les uns — Mellin de Saint-Gelais, Maurice Scève, surtout, et à sa suite Pontus de Tyard — tentaient d'égaler, par l'ingéniosité de l'expression, les subtils et brillants poètes de cour du XVᵉ siècle, Cariteo, Tebaldeo et l'inimitable Serafino. D'autres, plus au fait des récentes modes italiennes et moins prisonniers des premières formules du pétrarquisme français — Du Bellay, bientôt Baïf — cherchaient un maître en Bembo : celui-ci demandait à Pétrarque non plus des règles de virtuosité, mais les secrets d'un art exigeant et probe; ses *Rime*, publiées en 1530, venaient d'en donner le modèle, et des anthologies répandaient en Europe les œuvres de ses disciples. Ainsi se partageaient, entre les diverses générations des pétrarquistes italiens, les prédilections de nos poètes. Tous s'accordaient à faire de l'amour une convenance sociale et de son expression une convenance littéraire ; après quelques sonnets épars dans les *Œuvres poëtiques* de Peletier, Du Bellay et Pontus de Tyard venaient de publier chacun un *canzoniere*. Ronsard lui-même composait, depuis cinq ou six ans, pour se faire la main, des odes et des sonnets amoureux ; il en avait publié quelques-uns dans le volume de Peletier, puis à la suite de son *Hymne de France* et dans le recueil de ses *Odes*.

Comment n'aurait-il pas cédé à la séduction de cet exercice lorsqu'en 1551, las déjà des batailles littéraires, il se retira dans son Vendômois natal ? En ces heures d'abattement que connut plus d'une fois son âme sensible et fière, il y retrouvait l'image d'une jeune passion. On connaît cette touchante histoire. Le 21 avril 1545, à Blois où il suivait la cour, il rencontra dans un bal une toute jeune fille de quinze ans, à la beauté candide ; elle chantait un branle de Bourgogne en s'accompagnant de son luth. Il emporta avec lui, les fêtes terminées, cette vision charmante. Le bon génie qui manqua rarement à mettre d'accord les épisodes de la vie de Ronsard avec les intérêts de sa carrière d'écrivain ne pouvait mieux choisir que Cassandre Salviati : un prénom évoquant le destin de Troie et les amours d'Apollon, une famille italienne à demi, fixée depuis longtemps au château de Talcy en Blésois et vaguement apparentée aux Ronsard. Il fit mieux encore : un an après qu'il eut suscité cette rencontre, Cassandre épousait un seigneur du pays, Jehan Peigné : la passion de Ronsard se trouvait vouée à la pureté de l'inaccessible, article majeur du code d'amour à la Pétrarque. L'étudiant de Coqueret, écolier qui se souvient d'une belle cousine entrevue pendant les vacances, trouva, dans son imagination et dans ses lectures, de quoi parer cette lointaine image : quelques nouvelles rencontres — promenades, parties de barres ou de chasse, lecture, par Ronsard, de vers à la gloire de l'aimée — n'altérèrent point le prestige de l'absence. Ronsard devait, dix ans durant, parmi l'inconstance des modes poétiques, chanter et servir sa dame. En 1569, un dernier entretien fit revivre leur amour, puis Cassandre vieillit ; elle mourut vers 1600, oubliée et chenue.

Ronsard la célébra en pétrarquiste averti. Entendons qu'il dédaigna la manière périmée des quattrocentistes pour se référer à Bembo, et, mieux encore — homme de goût plus que n'était Du Bellay — à Pétrarque lui-même ; des souvenirs mythologiques, des décalques de l'Arioste ajoutent à la grâce pudique du Florentin la dignité des mythes et la volupté délicate des allégories. Ainsi Cassandre prend-elle place dans le chœur de ses sœurs divines, parées des beautés un peu rigides que plusieurs siècles d'adoration ont parfaites. Le pétrarquisme avait créé un canon de beauté singulièrement artificiel ainsi qu'ont pu le faire le roman mondain du XIXe siècle et de nos jours le cinéma. Comme Laure, Olive ou Pasithée, Cassandre a des lèvres de corail, des yeux dont l'éclat rend jaloux le soleil, un sein plus blanc que l'albâtre ; comme elles — Cassandre fut-elle blonde par nature ou par artifice ? les érudits en ont doctement discuté —, elle égale Phœbus par l'or de ses cheveux. Comme elles, enfin, elle est docte et

ÉLES AMOVRS
DE P. DE RONSARD
VANDOMOYS.
Ensemble
Le cinquiesme de ses Odes.

AVEC PRIVILEGE DV ROY.

A PARIS.
Chez la veufue Maurice de la porte, au clos
Bruneau à l'enseigne S. Claude.
1552.

ÉDITION PRINCEPS des « Amours ». La devise grecque est du maître de Ronsard, Dorat. — CL. LAROUSSE.

vertueuse et élève jusqu'au ciel l'amour de qui la sert. En Ronsard se perpétuent les tourments et les extases de Pétrarque : habité de tristesse et d'espoir, familier des soupirs et des larmes, il meurt de l'absence, retrouve vie dans un sourire bénin ; ami de la solitude, il fait à la nature confidence de ses peines, il s'exalte dans la contemplation de célestes beautés ; il espère et craint, il brûle, il est de glace ; il se révolte, il est serf et constant ; il bénit, il maudit son martyre.

Tout n'est-il donc qu'artifice dans ce premier livre des *Amours* ? La critique des sources révèle que, sur plus de cent quatre-vingts sonnets, une quarantaine seulement doivent toute leur matière à l'imitation. Ailleurs, un mouvement de style, une métaphore brillante, ou bien encore — et il fallut le commentaire de Muret pour les éclaircir — une allusion à la fable ou un vocable inusité attestent seuls l'origine savante de l'inspiration. Le lecteur sensible ne s'y trompe pas. Il reconnaît les accents d'une passion jeune et vraie ; il retrouve sans peine une figure vivante sous les parures empruntées ; il reconstruit les perspectives naturelles du paysage vendômois, avec la douceur de ses prairies, de ses rivières et de ses bois propices aux promenades et aux aveux. Tel vers, telle pièce à l'accent plus direct laissent deviner d'autres amours plus faciles, revanche d'un tempérament sensuel sur les extases obligées. Le moindre charme des *Amours* ne réside pas, sans doute, dans ces jeux d'une passion aux brûlantes exigences, d'une imagination peuplée de fantômes livresques et d'un style poétique fidèle aux modes italiennes. Or, pour un élève de Dorat disciple des Antiques, et en un temps où le pétrarquisme pénétrait si profondément toute sensibilité amoureuse, être docte et pétrarquiser, n'était-ce pas une façon, encore, d'être sincère ?

Le recueil de 1552 se terminait par une trentaine de feuillets de musique, contenant les airs qu'avaient composés, sur un grand nombre de sonnets à Cassandre et d'*Odes* du cinquième livre, divers compositeurs : Certon, Goudimel, Muret et Janequin.

Pour Ronsard, la musique est le prolongement naturel de l'effusion amoureuse et du transport lyrique. Mais il ne conçoit point cet accompagnement d'autre manière que son époque ; il y a là, pour l'esthétique moderne, quelque motif d'étonnement.

Ce qu'on demande alors à la musique, c'est de fournir un cadre où insérer des pièces de forme identique, mais différentes d'inspiration, de coloration et de mouvement ; ces airs passe-partout, ces mélodies à toutes fins satisfont les exigences musicales du XVIe siècle ; les deux quatrains chantés sur le même thème, les deux tercets unis en un seul mouvement qui progresse d'un trait jusqu'au dernier vers sans se préoccuper d'aucune répétition conventionnelle, une pièce ainsi composée servira à chanter cinquante sonnets ou davantage. Ce mépris de la prosodie musicale, l'indifférence qu'elle suppose au musicien pour le thème traité peuvent paraître choquants. Ils fournirent au moins à la poésie l'occasion de se contraindre à des formes plus régulières ; la nécessité, pour toute strophe ou pour tout sonnet, de s'adapter à l'accompagnement musical de la strophe initiale ou du sonnet type imposa, dans ces diverses cellules métriques, une même répartition des rimes, des finales muettes ou sonores. Le poème lyrique y gagna la régularité strophique; le sonnet y perdit la belle liberté italienne dans la construction des tercets, il se figea en deux formules immuables, dont est issu le sonnet classique; l'alternance des rimes masculines et féminines apparut dans les pièces « mesurées à la lyre » et s'imposa bientôt à toute notre poésie.

La composition des œuvres musicales ne surprend pas moins. En Italie, depuis Bembo, la *musica*, polyphonique, l'avait emporté sur le *canto*, populaire et monodique; de même, l'accompagnement des œuvres de Ronsard fut à quatre — plus tard à six, sept ou huit — voix, tantôt allant ensemble, tantôt indépendantes selon une formule chère à l'école belge : étrange procédé qui confie à une collectivité vocale l'expression des sentiments les plus individuels; faut-il vraiment quatre chanteurs dont deux femmes pour que Ronsard avoue à Cassandre qu'il l'aime ? La clarté y perd autant que la vraisemblance : le texte est disloqué par le contrepoint, tronqué par des silences, encombré par des répétitions de partie à partie. A dire vrai, la pratique s'établit de remplacer les voix inférieures par des instruments; le chant se détachait de la polyphonie, et le luth, que Ronsard a tant aimé, accompagnait une seule mélodie : Cassandre suffisait à chanter ses vers. Du même coup pouvait-on faire sa part au souci de l'expression : Janequin traduisit à ravir la légèreté de la joie, la grâce de vers vifs et rieurs; Goudimel trouva, pour l'*Ode à Michel de L'Hospital*, une mélodie ample et sereine d'une ordonnance magistrale, égale en tous points à la grandeur du texte. Les *Amours* et les *Odes* venaient de fonder une tradition qui se perpétua et qui conduisit, avec la seconde génération des musiciens de Ronsard, à l'œuvre admirable d'Orlando de Lassus.

Cependant Ronsard l'inquiet et le sourcilleux se sent asservi par son amour et compromis par sa propre grandeur. Il regrette son ancienne franchise d'esprit, trop longtemps aliénée :

> Quand je souliois en ma jeunesse lire
> Du Florentin les lamentables vois,
> Comme incredule alors je ne pouvois
> En le moquant me contenir de rire.

Ses amis de la cour l'ont réconcilié avec Mellin de Saint-Gelais; ils se montrent inquiets des excès pédantesques des *Odes*, et le commentaire de Muret a souligné, malgré ses intentions amicales, les obscurités et l'artifice des *Amours*; or, Du Bellay, désinvolte, vient de renier le pétrarquisme; dans ses *Amours de Meline*, Baïf, quand il a bien cassandrisé, s'éjouit en chansons « mignardes » et lascives. Ronsard peut s'avouer à lui-même sa lassitude de la grandeur, il peut céder au désir, toujours vivant en lui, d'un renouvellement; voici venue l'heure du naturel et de la joie.

> En ceste coupe d'or
> Verse, page, et reverse encor :
> Il me plait de noyer ma peine
> Au fond de ceste tasse pleine.

Ronsard a changé de ton; il laisse paraître, en 1553, sans que l'anonymat trompe personne, le *Livret des Folastries*, brusque détente d'une vigueur contenue depuis le temps qu'il hasardait dans ses *Odes* quelques strophes voluptueuses. Déjà il se construisait en pensée une carrière de poète érotique, il chante maintenant Catin la bigote, et les « pucelettes grasselettes » ou « maigrelettes »; il narre l'équipée d'Arcueil et la pompe du bouc; il se plaît à traduire de satiriques épigrammes de l'*Anthologie* grecque.

> Verse donq et reverse encor
> Dedans cette grand coupe d'or,

répète-t-il à son valet; mais il ajoute :

> Je vois boire à Henry Estienne,
> Qui des enfers nous a rendu
> Du vieil Anacreon perdu
> La douce lyre Teïenne.

Du vieil Anacréon, Henri Estienne vient de publier, en 1554, quelques pièces authentiques, et, en même temps, sous son nom, toute une série de pastiches alexandrins et byzantins; les humanistes admirent pêle-mêle : c'est pour eux toute la grâce antique retrouvée. On s'enchante en même temps de l'*Anthologie*, du *Florilège* de Stobée, du recueil de gnomiques grecs tout récemment procuré par Turnèbe et des œuvres néo-latines de Marulle, de Navagero. Sans doute fallait-il que Ronsard trouvât ces garants dans la poésie antique et humaniste pour qu'il livrât les trésors de simplicité et de naturel qui étaient en lui. Le *Bocage* et les *Meslanges*, de 1554 et 1555, les *Odes* de 1555 marquent le triomphe de ce lyrisme aimable. L'ode y devient une odelette vive et sautillante sur ses rythmes rapides; l'Amour cesse d'être un tyran cruel, maître des hommes et des dieux; c'est un enfant malicieux, malfaisant et rieur; qui ne connaît ces petits tableaux de genre : l'Amour piqué, l'Amour logé, l'Amour mouillé ? Des épitaphes, des épîtres, des blasons rustiques, des poèmes bachiques, des épopées en miniature chantent des morts sans pathétique, des dieux à la mesure de l'homme, des destins souriants, dans un bruissement d'animaux familiers et un foisonnement de roses :

> La rose est l'honneur d'un pourpris,
> La rose est des fleurs la plus belle,
> Et dessus toutes ha le pris :
> C'est pour cela que je l'apelle
> La violette de Cypris.
>
> La rose est le bouquet d'Amour,
> La rose est le jeu des Charites,
> La rose est pleine tout au tour,
> Au matin, de perles eslites
> Qu'elle emprunte du point du jour...

Dans ce décor aimable, le destin de Ronsard, toujours opportun, introduisit un personnage nouveau, Marie l'Angevine.

Cela commence comme la rencontre de Proust et des jeunes filles en fleur sur la plage de Bolbec. Passant, au printemps de 1555 — peut-être 1554 — près de Bourgueil, aux confins du Maine et de l'Anjou, Ronsard aperçoit trois sœurs allant au soir se promener sur l'eau. De Cassandre, il est las, s'il n'est pas délivré; va-t-il abuser sa jeunesse et sa Muse dans le giron d'une seule maîtresse ? Il a trente ans; ses jours « comme poudre s'en vont ». Séduit par la fraîcheur des jeunes paysannes, il les « souhaite » toutes trois; mais la plus jeune l'emporte par la grâce et les ris; il aime, il va chanter Marie. *La Continuation* et *la Nouvelle Continuation des Amours* sont issues de cette aventure. Elles ont toute la variété des amours faciles : des imitations de l'*Anthologie*, des odes, des élégies, des poèmes officiels et, dans le second volume, d'élégantes chansons, genre marotique réhabilité soudain, voisinent avec des sonnets et rompent la monotonie d'un *canzoniere*. Diverses figures féminines s'y devinent, puis s'effacent, Anne et Thoinon, Marie la Parisienne et Cassandre toujours vivante, dont les noms changent parfois au gré des éditions nouvelles sans que l'on soit certain que chaque pièce évoque celle qui l'inspira vraiment. Mais la reine du recueil est bien Marie l'Angevine. Elle déconcerte le biographe : on hésite sur son nom — Guiet, Pin ou sans doute Dupin —, sur sa condition : servante d'auberge, fille de fermiers, plutôt, en tout cas simple paysanne de quinze ans, et bien réelle à coup sûr, en dépit des doutes qui se sont élevés sur son existence. Son histoire est à chercher, et là seulement, dans les poèmes de Ronsard, qui forment son poème. La voici donc, telle que nous l'ont faite les prestiges de la tendresse, de l'imagination et, pour finir, de l'immortalité : légère et rieuse, accueillante et facile hors sur le point que l'honneur défend, glacée aussi, parfois, devant ce soupirant grison et chauve, ecclésiastique à demi et que l'on dit glorieux. Ronsard apporte, en cette affaire, une sincérité toute neuve, à l'expression délicate et touchante; de la sensualité aussi, avec je ne sais

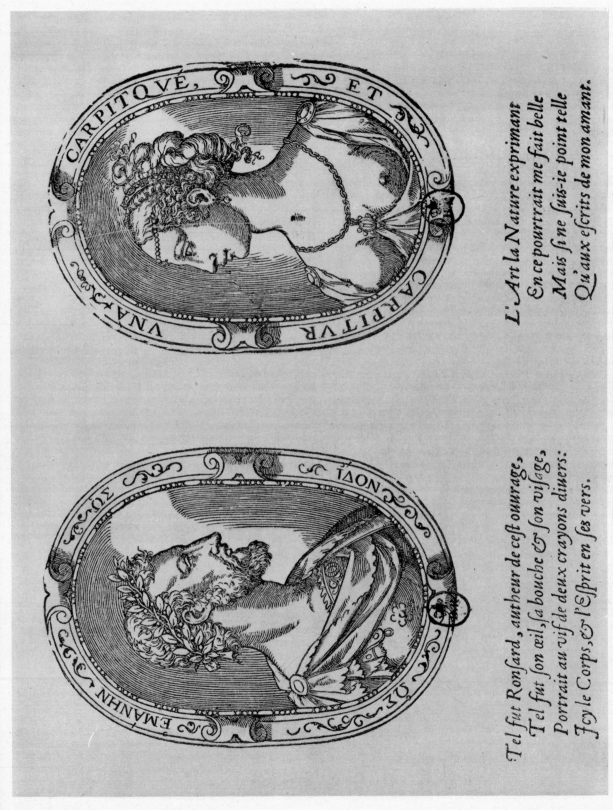

L'Art la Nature exprimant
En ce pourtrait me fait belle
Mais si ne suis-ie point telle
Qu'aux escrits de mon amant.

Tel fut Ronsard, autheur de cest ouvrage,
Tel fut son œil, sa bouche & son visage,
Portrait au vif de deux crayons divers:
Icy le Corps, & l'Esprit en ses vers.

PORTRAITS DE RONSARD ET DE CASSANDRE. Ces gravures figurent en tête des « Amours » dans l'édition in-folio de 1552. Des inscriptions indiquent que le poëte est représenté à vingt-sept ans et la jeune femme à vingt ans. On peut attribuer les dessins originaux à Nicolas Denisot, poëte et peintre qui faisait partie de la « Brigade » poétique de Ronsard. — Cl. LAROUSSE.

quelle désinvolture libertine et une singulière promptitude à la souffrance ; devant cette enfant, il s'irrite, il lui reproche la médiocrité de son savoir et de sa naissance, il regrette les amours doctes et flatteuses ; il se montre orgueilleux sans tact, et jaloux sans discernement. Ainsi chante-t-il Marie :

> D'un style varié entre l'aigre et le dous.

A dire vrai, ces jeux du sentiment ont moins de nouveauté que le décor des poèmes : resté sensible à la nature ornée des élégiaques italiens ou latins, Ronsard redevient, avec délices, un campagnard angevin ; ses vers sentent le lait caillé et l'herbe humide ; les passereaux, les tourterelles et les chevreuils hantent ses sonnets ; son amour a la fraîcheur de l'aube :

> Marie, levez-vous, ma jeune paresseuse,
> Ja la gaye alouette au ciel a fredonné...

Authentique poésie de la province française : l'Anjou de Ronsard ressemble au Valois de Nerval, et les paysannes de Bourgueil aux jeunes filles de *Sylvie*, qui dansent en rond sur la pelouse, chantant en un français naturellement pur de vieux airs transmis par leurs mères.

Le « servage » de Ronsard dura peu de saisons ; supplanté par un rival, le poète partit, jurant de ne plus revenir. Il revint. En avril 1560, des noces campagnardes réunissaient, près de Tours, sur les bords de Loire, la Francine de Baïf et la Marie de Ronsard ; nos amoureux accourent, se lamentent, supplient ; mais la mère de Marie, survenant, embarque en hâte sa fille sur une barque prochaine ; il ne reste à Ronsard, de son amour, que l'image d'une voile qui s'éloigne... Pétrarque terminait son *canzoniere* par les sonnets *In morte di Madonna Laura*. Les *Amours de Marie* s'enrichirent, en 1578, d'un recueil de sonnets et de pièces lyriques *Sur la mort de Marie*. Il importe peu que cette Marie ne soit point celle de Ronsard, mais une jeune maîtresse de Henri III, Marie de Clèves ; Hugo a bien associé au souvenir de Léopoldine celui de jeunes mortes non moins touchantes. L'aisance avec laquelle Ronsard associe à des plaintes très pures la grâce des déplorations païennes témoigne de sa virtuosité ; mais tant de pathétique contenu et de sérénité malgré tout vibrante montre ce qu'un prénom aimé peut réveiller en lui de mélancolie vraie et d'ancienne tendresse :

> Je lamente sans reconfort,
> Me souvenant de ceste mort
> Qui desroba ma douce vie ;
> Pensant à ces yeux qui souloient
> Faire de moy ce qu'ils vouloient,
> De vivre je n'ay plus d'envie...

Entre la paysanne et la princesse, la postérité, non plus que la mort, ne consent à distinguer.

Dans le même temps qu'il laisse son cœur rimer les *Amours de Marie*, Ronsard triomphe dans la grande poésie. Nous sommes assez familiers de ces brusques renouvellements qui sont chez lui un réflexe poétique plus encore qu'un dessein concerté pour ne pas attribuer ce changement de ton au seul souci de son ambition, alors déçue, et au désir de chanter les princes sur un mode qui ne soit plus inégal à leur grandeur.

Les *Hymnes* de 1555 et de 1556 n'ont point le caractère lyrique que, depuis le romantisme, l'on attribue à ce genre de poèmes :

> ...Les Hynnes sont des Grecs invention premiere.

A la manière de Callimaque, le principal modèle, et de Théocrite, d'Apollonios, d'Aratos — Ronsard, changeant de sujet, reste fidèle aux Alexandrins —, les *Hymnes* seront héroïques, épiques et didactiques. Ainsi rejoignent-ils la tradition illustrée en italien par les *Inni* d'Alamanni et, dans la poésie néo-latine, par Salmon Macrin ou,

avant lui, plus que lui, par Marulle. Ils ne sont pas non plus sans parenté avec les blasons, de douteuse mémoire, chers à l'école marotique et dont Baïf venait de faire revivre la mode. Mais les *Hymnes* de Ronsard sont d'une autre ampleur. L'artifice n'en est pas absent, et l'on aurait quelque peine à défendre tel poème à la gloire du roi, où l'excès d'une érudition mythologique pour nous bien froide cache mal l'excès du zèle courtisan. Ronsard est plus à l'aise pour chanter les héros antiques : les hymnes *Calaïs et Zetès*, et *Pollux et Castor* valent par l'ampleur du mouvement, la vigueur des tableaux, la somptuosité des comparaisons : ce n'est pas dans la *Franciade*, c'est là qu'il faut chercher Ronsard poète épique. Mais c'est à la pensée religieuse, philosophique et morale que les hymnes doivent tout leur prix. Que l'on néglige quelque complaisance pour les lieux communs et, tout à la fois, la gaucherie et l'étrangeté de certaines conceptions, il reste à admirer un singulier frémissement devant le secret de l'univers, l'univers de l'insaisissable et du mystère, et aussi l'univers concret aux perspectives infinies. La philosophie est alors à la mode ; c'est le temps où l'on se bat pour ou contre Aristote, où Ramus et Vicomercato, professeurs au Collège royal, réveillent les vieilles querelles autour du rationalisme padouan. Ronsard n'est pas encore touché par l'averroïsme ; resté ferme dans sa foi, il sent pourtant les atteintes de l'inquiétude philosophique, il subit l'attrait du mystère, il en devine aussi la fécondité pour la poésie. L'hymne *Les Daimons* est une descente aux enfers : dans ce monde sublunaire errent les Larves, les Lémures, les Succubes, les Naïades et les Fées, tous les maîtres des incantations et des paniques terreurs, tous les demi-dieux dont rêvèrent les philosophies antique, byzantine et néo-platonicienne. Paganisme et christianisme se rejoignent de même dans le poème de l'*Hercule chrestien ;* conçue peut-être pour se concilier les âmes scrupuleuses que les *Folastries* avaient effarouchées, cette œuvre étrange a choqué ; elle ne fait pourtant que reprendre, entre Hercule et le Christ, une comparaison familière à la pensée humaniste et médiévale ; mais jamais le parallélisme n'avait été poussé aussi loin, jamais on ne s'était avisé de mettre en regard Amphitryon et saint Anselme, le mystère de l'Incarnation et l'adultère de Zeus. Une subtilité d'un goût aussi médiocre trahit au moins un effort, ailleurs fécond, vers l'unité de la croyance. La fable n'est plus, pour Ronsard, un magasin d'accessoires ; on lui demande moins d'être ornée que d'être signifiante ; elle apparaît comme une théologie allégorique, une sorte d'imagerie des vérités éternelles : tous les dieux sont Dieu,

> Car Jupiter, Pallas, Apollon sont les noms
> Que le seul Dieu reçoit en meintes nations.

Sur cet Olympe des idées, Ronsard installe de nouveaux Immortels, la Jeunesse, la Vertu, l'Éternité, la Philosophie, allégories parfois trop studieusement construites, mais qui révèlent en lui un prodigieux créateur de mythes : la Philosophie est bien divine et vivante, telle qu'il la montre dans son palais escarpé, comme eussent fait les auteurs du *Roman de la Rose*, ou comme faisaient les peintres humanistes lorsque, ainsi que Mantegna, ils retraçaient le triomphe des Vertus et des Dieux. Cette unité de la sagesse et de la foi donne à l'*Hymne de la Mort*, inspiré pourtant de Cicéron, de Lucrèce et de Plutarque, une résonance toute chrétienne ; elle permet à la mythologie de découvrir le monde sensible : l'*Hymne des Astres*, l'*Hymne du Ciel* donnent accès à un univers construit encore selon l'architecture de Ptolémée, mais tout animé par le glissement des sphères et la « dance ordonnée » des astres.

D'aussi hautes conceptions ne se peuvent soutenir que par la grandeur de l'imagination et du style. Avec les *Hymnes*, l'alexandrin, dont les *Amours de Marie* ont déjà marqué la place dans la poésie élégiaque, s'inscrit pour toujours dans le registre de la poésie grave; il reçoit la qualification de « vers héroïque » jusqu'alors réservée au décasyllabe; il trouve sa consécration, longuement préparée par des essais antérieurs, dans la souplesse et la force que Ronsard apporte à le manier. Tantôt un développement moral évoque l'heureuse abondance de Lamartine :

> Je te salue, heureuse et profitable Mort,
> Des extremes douleurs medecin et confort...

tantôt surgit une poésie cosmique digne de Lucrèce, de Chénier ou de Supervielle, et deux vers suffisent à percer une trouée vers l'infini :

> Je vous salue, Enfans de la premiere nuit,
> Heureux Astres divins, par qui tout se conduit...

Abrupts, déconcertants, insoucieux d'éviter le pire et de plain-pied pourtant avec le sublime, les *Hymnes* de Ronsard fondent cette lignée d'où sortiront les derniers poèmes d'Hugo. Comme eux, ils marquent un des sommets de notre poésie.

Des pièces de circonstance, des épîtres familières, quelques poèmes d'amour animent, après 1556, le demi-silence de l'inspiration d'un poète dont les *Hymnes* ont bien assis la gloire et que la faveur du roi se décide enfin à combler. En 1560, Ronsard donne la première édition collective de ses œuvres, soigneusement émondées de ce qui peut heurter un goût déjà classique.

Prince des poètes, fier d'une œuvre immense en dix ans conçue, cet éternel inquiet voit déjà venir l'heure de la lassitude. Il se croit vieilli, Pégase est rétif, les lauriers sont séchés, et la Muse s'enfuit et les belles chansons. La grandeur l'a tenté, il aspire à descendre :

> Un mestier moins divin que le mien je souhaitte.

Il sera exaucé, et même au-delà. Car c'est le temps des luttes terrestres : déjà ses amis, Du Bellay, Des Autels, se sont jetés dans la querelle qui divise la France. Certes, la tâche est délicate pour qui, comme Ronsard, va « craignant Dieu, les princes et les loix », car Dieu a deux voix, les princes sont divisés, les lois méprisées et changeantes. Dieu? Ronsard, s'il n'est prêtre, est clerc et d'Église : les convenances, les devoirs de son état l'inclinent à ce respect de la foi de ses pères que l'ombre de Louis de Ronsard, dans une prosopopée, l'exhortait à ne point trahir. Les Grands? le loyalisme est, chez lui, une tradition familiale en même temps qu'un sentiment sincère et profond : mais, fidèle au « sang valesien », il est aussi le chantre attentif de la maison de Lorraine, bastion du catholicisme, et le protégé des Chastillons, qui déjà donnent des gages au protestantisme. Ses amis ne sont pas moins divisés : Carle est évêque, Belleau, pour l'heure, chante les Guises, Baïf est clerc à simple tonsure; mais Robert de La Haye penche vers la Réforme, Louis Des Masures et Grévin, le disciple aimé, ont déjà fait profession de foi calviniste. Avec une telle variété d'amis et de protecteurs, Ronsard ne peut s'engager dans les luttes religieuses sans danger ni sans regret. Sa polémique est d'abord bénigne : les Élégies *A Des Autels* et *A Des Masures* donnent une image fidèle de ses attachements personnels comme des craintes et des espoirs communs aux hommes de bonne volonté : l'auteur préconise une réforme intérieure de l'Église et, contre les protestants, une véritable campagne de presse : rien là que de très pacifique; il répugne encore à l'engagement; catholique, dans une cour qui semble incliner à la Réforme, il est normal qu'il regarde vers les Guises; mais, sujet fidèle, il ne peut se détourner de la reine; surtout, amoureux de la paix, il ne veut pas désespérer des tentatives de conciliation; il s'exalte en cette grande saison des rencontres, des confrontations et des colloques : il n'est pas mûr pour être un partisan. Aux incertains, le loyalisme est une attitude raisonnable :

PIERRE DE RONSARD. Médaille de Jacopo Primavera.
CL. GIRAUDON.

c'est à son jeune souverain qu'il consacre son *Institution pour l'Adolescence du Roy*, poème pédagogique et moral, inspiré d'œuvres antérieures aux luttes religieuses, d'une magnifique sérénité. La guerre éclate; l'année 1562 voit les églises pillées, les images détruites, cependant que les catholiques massacrent les huguenots. Le *Discours à la Royne* est contemporain de ces événements; il se présente à la fois comme une Institution pour une reine mère et comme un appel à une régente politique. Rébellion, vandalisme, recours à l'étranger : dénonçant tous ces maux, Ronsard n'en fait point grief aux seuls protestants; son *Discours* n'est pas un pamphlet, mais une déploration de la guerre civile; c'est assez dire que sa politique est celle de Catherine et du Chancelier; plus encore, celle d'un grand citoyen. On l'écoute peu; Paris, accablé sous les pluies d'un lourd été et où la peste naît de la boue, connaît d'incessantes émeutes; au pays de Ronsard, la bataille fait rage, lui-même prend les armes. La *Continuation du Discours des Miseres de ce Temps* inaugure la polémique ardente : moraliste, Ronsard peint l'orgueil des réformés; théologien, il dénonce leurs variations; historien passionné, il énumère longuement les méfaits de Genève. Ce ne sont point thèmes nouveaux; ce qui est nouveau, c'est la violence de l'invective, l'appel au châtiment, le parti pris de mettre à la charge des huguenots — les abus de l'Église sont bien oubliés — tous les malheurs présents. Cependant, la guerre continue; aux approches de l'hiver, Condé s'établit à Arcueil et à Montrouge. Tandis que les Parisiens préparent des chaînes à tendre dans les rues, que soldats et mercenaires étrangers parcourent la ville, que la foule suit ou imagine, heure après heure, avec ses épisodes énervants — allées et venues de la reine, apparition des estafettes de Condé, trève conclue, trève rompue —, le déroulement des négociations dont dépendent la paix ou l'assaut, Ronsard s'enferme trois jours « renfrongné de despit » et compose la *Remonstrance au peuple de France*. Le poème tout entier respire la guerre; il laisse apparaître parfois le désarroi et comme un soupçon de fièvre obsidionale : par son inspiration, son rythme, sa résonance, la *Remonstrance* est bien le poème d'une ville en alerte. Tandis que l'édit d'Amboise apaise pour un temps les discordes civiles, une guerre de pamphlets s'allume contre Ronsard; il rend coup pour coup et sa *Responce aux injures*

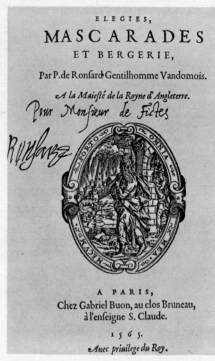

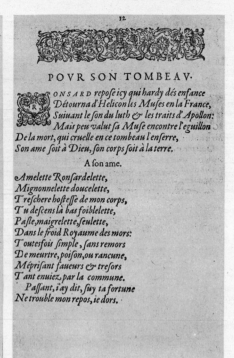

ELEGIES, MASCARADES ET BERGERIE. La signature est de la main de Ronsard. - CL. LAROUSSE.

LES DERNIERS VERS de Pierre de Ronsard, gentilhomme vendômois (1586). - CL. LAROUSSE.

et calomnies de je ne sçais quels *Predicans, et Ministres de Geneve* adopte un ton nouveau, celui de la polémique personnelle. Le poète reprend, sans négligence, les « calomnies » qui vont devenir banales parmi ses adversaires : sa « prêtrise » et son athéisme, sa vénalité et son amour du gain, sa paillardise et ses misères physiques ; il y ajoute un tableau familier de sa vie ; en guise d'apologie, il y expose son credo et s'élève, d'un coup, au-dessus des simples querelles de personnes ; si bien que l'on ne sait ce qu'il défend avec le plus d'ardeur, de son honneur, de sa patrie ou de son Dieu. Merveilleuse diversité que celle des *Discours* : tantôt une souple dialectique et tantôt une effusion mystique ; une tendresse contenue lorsqu'il parle de la France, et, lorsqu'il s'adresse aux huguenots, un cliquetis d'images guerrières et une inégalable virtuosité dans l'insulte ; des ornements puisés de toute main dans la mythologie, dans l'Arioste, dans la vie de chaque jour ; un souffle biblique qui amène dans la strophe, à peine déguisées, des pages entières de l'Apocalypse ; un réalisme brutal — que l'on songe à l'exorcisé « hideux, fangeux, bourbeux » — ; des métaphores poétiques ou cocasses, des mots pittoresquement fabriqués ; tout cela entraîné dans le mouvement d'amples tirades oratoires, avec de l'abondance, de la désinvolture et de la logique : la grande satire politique est née, celle de d'Aubigné et celle de Barbier ; l'unité de symbole en plus, ce serait celle d'Hugo.

Après 1564, Ronsard reçoit le loyer de ses peines ; prieurés et canonicats récompensent sa fidélité à la politique royale : le prince des poètes est, fort officiellement, le poète des princes. Tâche plaisante ; Catherine tente de regrouper autour d'elle la noblesse française par des fêtes et des voyages triomphaux. La poésie devient mondaine, et Ronsard n'a point de peine à accorder sur ce mode nouveau sa lyre prébendée. Des élégies, des mascarades, des bergeries, des épigrammes, des cartels, quelques poèmes dédiés à ses amours nouvelles pour Genèvre et Isabeau de Limeuil marquent la souplesse de son talent. Il reprend un vieux projet de sa jeunesse et tente de célébrer Francus, mythique fondateur du royaume de France ; mais cette légende, jadis vivante, a mal résisté au scepti-

cisme de Pasquier; les *Recherches de la France* ont ébranlé la créance des doctes ; prisonnier d'un dessein qui a cessé de le séduire, gêné et pressé par l'insistance royale, Ronsard ne rime plus qu'avec un enthousiasme d'esclave ; la *Franciade* n'est pas autre chose qu'une erreur de talent.

Triomphant à la cour de Charles IX, vieillissant déjà sous Henri III, Ronsard ne cessera jamais de censurer ses propres œuvres — avec quelque excès de scrupule — ni de polir ses éditions collectives. De les enrichir aussi ; les *Sonnets pour Hélène* sont l'une des dernières fleurs de sa poésie. Ce sont des fleurs de serre : rentrant à Paris en août 1570, après deux ans passés dans ses prieurés à grelotter de fièvre quarte, Ronsard se sent dépaysé. La mode est revenue de l'italianisme, et du pire ; on s'engoue des quattrocentistes, que la Pléiade avait presque toujours sagement négligés, et de leurs récents imitateurs, Costanzo, Tansillo, Philoxeno, qui font fureur outre-monts ; on platonise à outrance ; Leone Ebreo et ses *Dialoghi d'Amore* offrent leurs élégantes et délicates rêveries ; le jeune Desportes est le roi du jour ; ses poésies, avant de paraître en 1573, courent déjà dans les salons. De ces salons, le plus brillant est celui de la maréchale de Retz, et Ronsard ne manque pas d'y fréquenter. Il y rencontre à point nommé une petite cousine de la maréchale, fille d'honneur de la reine, point jolie malgré ses vingt ans, pâle et mélancolique dans les habits de deuil qu'elle porte en souvenir d'un fiancé perdu ; docte, ayant toujours quelque livre en la main, férue de science et habile à philosopher ; vertueuse par surcroît et orgueilleuse de sa vertu. Tous les poètes chantent à l'envi Hélène de Surgères, cette Minerve, cette dixième Muse ; Ronsard la prend comme héroïne d'un nouveau *canzoniere*. Le souci de plaire à sa dame et plus encore aux délicats explique la subtilité toute pétrarquiste des *Sonnets pour Hélène*, leur insistant appel à une mythologie, d'ailleurs peu savante, et leur conformisme — subi sans bonne grâce et avec de brusques rébellions — à un idéal de pureté platonicienne. Mais Ronsard, se mettant à l'école de Desportes, reste un disciple hautain et fort indépendant. Si ce dernier tome des *Amours* contient quelques-uns de ses plus beaux vers, il le doit à leur sincérité. Certes, entre une jeune fille et le poète, vieilli avant l'âge dans le commerce des Muses et de quelques divinités fort terrestres, on ne peut imaginer une tendresse comblée. Il reste aux sonnets de Ronsard toute la riche complexité d'une amitié amoureuse et la mélancolie d'un amour hors saison :

> Nous promenant tous seuls, vous me distes, Maistresse
> Qu'un chant vous desplaisoit, s'il n'estoit doucereux,
> Que vous aimiez les plaints des tristes amoureux,
> Toute voix lamentable et pleine de tristesse.

La tristesse ne cessera plus d'habiter Ronsard. Quelques pièces officielles, de beaux poèmes encore viendront enrichir ses œuvres ; mais à la cour de Henri III, il n'est plus guère qu'un attardé : « Je hais la court comme la mort. » Et la mort vient. Il se retire, pour l'attendre, dans ses prieurés, au pays de sa jeunesse. Ses derniers vers, les plus

UN ÉPILOGUE MÉLANCOLIQUE AUX « SONNETS POUR HÉLÈNE ». Hélène de Surgères, ayant appris que Ronsard se proposait d'insérer, dans le recueil qui porte son nom, quelques sonnets de ses « Amours diverses », inspirés par d'autres que par elle, s'en plaignit à Scévole de Sainte-Marthe. Ronsard répond, avec désinvolture — et quelque hargne —, en invoquant les droits souverains de la poésie. (Bibl. Nat.)

pathétiques qu'il écrivit jamais, disent la résignation et l'effroi, en face de la divinité redoutable qu'il saluait jadis en ses *Hymnes*, d'un poète qui consacra son génie à chanter, sans les distinguer toujours, Dieu, la beauté, les plaisirs et la gloire.

LA LIGNÉE DE COQUERET : JOACHIM DU BELLAY, JEAN-ANTOINE DE BAÏF

J. Du Bellay n'eut pas l'heureuse éducation dont profita Ronsard. Issu de la branche aînée — la moins fortunée — de l'illustre maison angevine, il naît, en 1522, près de la petite ville de Liré, aux confins de l'Anjou et de la Bretagne. De bonne heure orphelin, il se destine à la diplomatie et aux armes, comme Ronsard, mais, comme lui atteint de surdité, il fait des études de droit à Poitiers, puis gagne Coqueret. L'un des plus ardents de la Brigade, il signe, en 1549, la Deffence et Illustration de la langue françoyse, *publie la même année l'*Olive *(rééditée et augmentée en 1550) et un* Recueil de Poësie, *puis, en 1552, des traductions en vers du IVᵉ chant de l'*Énéide *et de divers poèmes antiques. En 1553, il accompagne à Rome son cousin le cardinal Jean Du Bellay, chargé de mission par Henri II ; pendant quatre ans, au milieu des tracas que lui imposent ses fonctions de secrétaire et d'intendant, il s'initie à la culture antique et aux mœurs romaines. Rentré en France en 1557, il fait imprimer l'année suivante les* Antiquitez de Rome *et les* Regrets, *ainsi que les* Divers jeux rustiques *et quatre livres de poèmes latins. Il se mêle à la vie de Cour, obtient un bénéfice, publie sa satire du* Poète courtisan *et compose des* Discours *au Roi (le premier est traduit de Michel de L'Hospital.) L'amitié de Jean de Morel ne parvient pas à écarter la tristesse et les soucis d'une vie qui se clôt prématurément en 1560.*

Ses amis donnèrent de ses œuvres plusieurs éditions partielles, enrichies souvent d'inédits et, en 1568, une édition collective, cinq fois réimprimée au cours du XVIᵉ siècle. De notre temps, ses œuvres françaises ont été publiées par Marty-Laveaux, 1866-1867 (2 vol.), et par Henri Chamard (Textes français modernes, 1908-1931, 6 tomes, édition critique de base) ; l'édition Courbet, Garnier, 1918, y ajoute les œuvres latines. Parmi les éditions partielles, outre celles de la Deffence *par H. Chamard (1904 et 1948), on notera les* Lettres, *publiées par P. de Nolhac, en 1883, 1894 et 1899 et recueillies par Van Bever à la fin de son édition des* Jeux rustiques, *1912 ; les* Regrets, *édition R. de Beauplan, 1921, édition L. Cerf, 1927 ; les* Antiquitez *et les* Regrets, *édition Droz, 1945 ; les* Divers Jeux rustiques, *édition V.-L. Saulnier, 1947. Sur Du Bellay, on consultera surtout la thèse fondamentale de Henri Chamard, 1900 ; on y ajoutera les ouvrages cités déjà à propos de la* Deffence, *et Addamiano,* Delle opere francesi di J. Du Bellay e delle sue imitazioni italiane, *1921 ; Merrill,* The platonism of J. Du Bellay, *1926 ; Vianey, les* Regrets de Joachim Du Bellay, *1930 ; F. Ambrière a donné, en 1930, une biographie romancée du poète.*

Antoine de Baïf, né à Venise, en 1532, de Lazare de Baïf et d'une mère italienne, partage à Coqueret les études de Ronsard. Après un poème Sur la paix avec les Anglois *(1550), il dédie en 1552 à une* Méline *imaginaire un volume d'*Amours *qui eut peu de succès. Dépité, il se retire à Poitiers en compagnie de son ami Tahureau, et s'y éprend de Françoise de Gennes ; son* Amour de Francine *est issu de cette aventure (1555). Cependant, une brouille l'écarte de Ronsard, déjà dissipée en 1556. Encouragé par la faveur de Charles IX, qui le range parmi ses secrétaires, il publie en 1567 un poème* Des Meteores *et fait représenter une libre adaptation du* Miles Gloriosus, *le* Brave. *Il fonde, en 1570, sous le patronage du*

roi, une « Académie de Poësie et de Musique ». En 1573, il réunit en un recueil assez disparate ses Euvres *en rime, publie une tragédie,* Antigone, *et une traduction de l'*Eunuque *; en 1576, il donne sa meilleure production sous le titre de* Mimes, Enseignemens et Proverbes ; *il enrichira cet ouvrage jusqu'à sa mort qui survient après une longue maladie, en 1589.*

Ses œuvres ont été rééditées par Marty-Laveaux, 1881-1890 (5 vol.) ; Blanchemain a procuré une édition des Mimes, *1880 (2 vol.) ; Becq de Fouquières a publié des* Poësies choisies *(1874), Augé-Chiquet une édition critique des* Amours de Méline, *1909. On consultera : Augé-Chiquet,* la Vie, les idées et l'œuvre de J.-A. de Baïf, *1909 ; Frémy, l'*Académie des derniers Valois, *1887.*

Du Bellay n'entre pas dans la carrière littéraire avec des allures de disciple. En fait, il y entre seul; ses odes comme ses sonnets amoureux précèdent d'un an le premier recueil de Ronsard. Cette promptitude s'explique par le choix de routes plus faciles. Médiocre helléniste, mais latiniste consommé, il s'écarte des sentiers abrupts qui mènent à Pindare; sa muse s'installe à l'aise sur ces coteaux modérés que hanta jadis le génie d'Horace. Horace est partout présent dans les poèmes lyriques qu'il publie de 1550 à 1552, *Vers lyriques, Recueil de Poësie*, odes jointes à la deuxième édition de l'*Olive* et à la traduction de l'*Énéide*. Il traduit, il contamine; on devine plus d'une fois que, sans le poète de Tibur, il ne saurait reconnaître la fragilité des destins humains ni goûter le charme du printemps. Mais il imite d'un geste si naturel qu'Horace l'aide à devenir lui-même. De lui, il apprend l'amour du pays natal, et à chanter les louanges de son Anjou ou de ce « fleuve paternel » sur les bords duquel il veut dormir son dernier sommeil; il apprend la dignité de l'artiste et, de trois pièces des *Carmina*, surgit cette ode *De l'immortalité des poètes* qui sonne, mieux que la *Deffence*, les espoirs et l'orgueil de la jeune Brigade :

> Les lauriers, prix des frontz scavans,
> M'ont ja fait compaignon des Dieux...

Soudain, sa fidélité aux modes antiques se lasse et naît alors un poème sincère et nu : la *Complainte du desesperé* contient toute la détresse d'un poète mourant, flétri avant l'âge par le labeur et le souci :

> Las, helas, quelle journée
> Fut onq' si mal fortunée
> Que mes jours les plus heureux?...

Ce désespoir mène normalement à Dieu. Dans l'atmosphère allègrement païenne de la Brigade, à l'heure où Ronsard s'apprête à publier les *Folastries*, Du Bellay médite de diviser ses œuvres en deux livres : le livre profane et le livre chrétien. Déjà, son *Hymne chrestien* et sa *Lyre chrestienne* sont des poèmes de contrition humaine et de repentir poétique :

> Si les vieux Grecz et les Romains
> Des faux Dieux ont chanté la gloire,
> Seron' nous plus qu'eulx inhumains,
> Taisant du vray Dieu la memoire?

Ainsi se range-t-il pour un temps dans cette pieuse tradition qui emprunte aux ronsardiens la forme de leur style, mais abhorre leurs faux dieux, et qu'illustrent Nicolas Bargedé, auteur d'*Odes penitentes* fort archaïques (1550), ou Nicolas Denisot, que l'on voit, nouveau Silène, chevaucher un âne lors du folastrissime voyage d'Arcueil, mais qui rime éloquemment, en 1553, d'édifiants *Cantiques*. Des blessures cachées et sensibles, une assidue confrontation de son destin et de son âme conduisent de la sorte Du Bellay à un non-conformisme qui est sans doute l'un des secrets de sa nature d'écrivain.

Sa poésie amoureuse le montre bien. Le recueil de 1549, enrichi en 1550 de sonnets nouveaux, répond fidèlement aux exigences du code pétrarquiste : rencontre fortuite de l'aimée, adoration soudaine, puis assidue de ses beautés humaines et célestes, dédains, espoirs, larmes; *Olive*, — est-ce mademoiselle de Viole, est-ce Olive de Sévigné, cousine de l'auteur ? — ressemble bien à Laure. Qui s'en étonnerait, sachant que Du Bellay imite, traduit parfois Pétrarque, Arioste et les poètes bembistes familiers aux lecteurs des *Rime diverse* ? Sur les cent quinze sonnets qui constituent l'*Olive*, plus de la moitié sont de provenance italienne. Ce choix n'est pas fortuit; nul mieux que Du Bellay ne pouvait se faire, en France, l'interprète sincère de ces sentiments empruntés; étranger aux rêveries voluptueuses de Ronsard, sa chasteté et sa mélancolie le destinaient à être le chantre de l'amour pur. Que l'on pardonne donc à l'*Olive* sa monotonie, son artifice et son clinquant, on restera sensible à la pureté de certains sonnets, qui évoquent l'amour mystique d'une Marguerite de Navarre, on cédera à ce mouvement ascendant qui entraîne toute l'œuvre des premiers aveux d'une passion humaine à la sérénité de l'extase platonicienne :

JOACHIM DU BELLAY. Crayon d'un imitateur de Jean Cousin (B. N., Cab. des Estampes). — CL. LAROUSSE.

Que songes-tu, mon ame emprisonnée ?
Pourquoy te plaist l'obscur de nostre jour,
Si pour voler en un plus cler sejour
Tu as au dos l'aele bien empanée ?...

Maurice Scève avait fait entendre de pareils accents. La nouveauté vraie de l'*Olive* résidait moins dans le contenu que dans la forme du poème; c'était la première fois qu'à l'exemple de leurs confrères de Venise ou de Bologne les libraires parisiens (les libraires lyonnais allaient faire de même, quelques mois plus tard, avec les *Erreurs amoureuses* de Tyard, conçues dans le même temps) publiaient un recueil cohérent de sonnets. Et de sonnets d'un type inconnu des Français : non plus une variété de l'épigramme, comme le concevaient Marot et Saint-Gelais, mais un poème ayant ses propres secrets de perfection. De ces secrets, Du Bellay se rend maître d'emblée. Si l'ode, trop ample, lasse parfois son inspiration, et languit, avant de reprendre mouvement, en des plages désertes dont la vigueur de Ronsard s'évade aisément, le sonnet s'accorde à ravir avec la finesse et la subtilité de Du Bellay, et l'*Olive* scelle l'union féconde entre une forme d'art et un tempérament poétique; elle installe du même coup dans la littérature française un genre qui en sera l'honneur.

Du Bellay renchérit encore sur le platonisme; impressionné sans doute par le succès des *Erreurs amoureuses*, il publie, en 1552, les *XIII sonnetz de l'honneste Amour* :

Rien de mortel ma langue plus ne sonne.

Elle sonne, hélas! en une langue contournée, parmi les abstractions, les allégories et les quintessences, comme le Mâconnais en ses pires moments.

Et voici, soudain, un plus tard, la palinodie : s'adressant *A une Dame*, il écrit la plus brillante satire de la littérature amoureuse, et la plus avertie; feintes douleurs, soupirs semblables à l'orage, beautés factices, solitudes théâtrales, rêveries métaphysiques qui se perdent au firmament, rien n'est épargné du pétrarquisme de Ronsard ou

de Du Bellay lui-même, non plus que du platonisme de Pontus; comme pour le romantisme Musset, qu'il rappelle si souvent, Du Bellay est, pour la Pléiade, un enfant terrible.

Terrible parce que meurtri. Le surmenage a ruiné sa santé, la mort de son frère aîné le laisse en butte aux tracas et aux procès; il a trente ans et n'a pu forcer la faveur ni de la Cour ni de la gloire. Comment n'eût-il pas accepté avec joie d'accompagner en Italie son cousin Jean Du Bellay ? Un maître portant un grand nom, son propre nom, humaniste réputé — il avait protégé jadis Rabelais et les lecteurs royaux —, ambassadeur du roi, dont il venait de reconquérir la confiance : c'était pour Du Bellay la promesse d'une vie fastueuse, de plaisirs flatteurs et de mille hasards heureux, dans la familiarité des grandes affaires, des secrets d'État et des hommes illustres Il eut d'abord, en face de la Ville, le frisson sacré; puis vint le désenchantement : peu de diplomatie et beaucoup de « mesnage »; une besogne fastidieuse d'intendant, le renoncement, durant quatre années, à ses amitiés et à ses ambitions parisiennes : c'était payer bien cher la fréquentation des Antiques. De cet enthousiasme et de cette déception sont nées les œuvres qu'il publia à son retour en France : les *Poemata* latins, les *Antiquitez de Rome* et les *Regrets*.

Du Bellay, Romain par accident, se fit poète latin par ambition et par mode. Il ne pouvait manquer d'aspirer aux suffrages des humanistes qui se pressaient alors dans la Ville, et dont le cercle ne tarda pas à s'ouvrir pour lui. Dans la célèbre bibliothèque de Fulvio Orsini se rencontraient des servants plus fidèles qu'admirables, notoires au demeurant, de la muse latine : Gulielmo Sirleto, et Basilio Zanchi, Scipione Tetti, Lorenzo Gambara, Antonio Possevino, auteurs d'épopées, d'églogues, d'élégies, d'épigrammes. Du Bellay se mit à leur école; là étaient pour lui les convenances, là, les promesses de gloire et cela valait bien que l'on oubliât pour un temps les anathèmes de la *Deffence* contre la poésie néo-latine. Les *Elegiae*, les *Epigrammata* et les *Tumuli* de Du Bellay sont d'un Français qui se souvient de ses protecteurs et de ses amis; le roi, Ronsard, Dorat, Guise et Lorraine, Brinon, Morel y ont leur place. Mais Rome y est partout présente avec ses écrivains, ses papes, Jules III et Marcel II, ses nobles œuvres d'art, son tumulte, ses vices et ses ruines; elle fait de son nouveau poète tantôt un satirique à la manière des burlesques et de Berni, tantôt un élégiaque de l'exil qui a feuilleté Ovide, plus souvent encore un philosophe de l'histoire, méditant sur la chute des Empires. Tous ces thèmes et ces tons se retrouvent dans des poèmes, tels que *Patriae deploratio*, *Romae descriptio* — qu'admira Sainte-Beuve — et dans les *Tumuli* où, parmi tant de morts récents, la Rome antique, *Roma vetus*, est la plus chère et noble ensevelie. Que l'on mette à part les *Amores* — la science de l'expression, la liberté, le paganisme des sentiments et du langage y appartiennent aux néo-latins et Faustine n'est point sœur de l'*Olive* —,

UNE RUINE ROMAINE. D'après l'édition française du « Songe de Poliphile » de Francesco Colonna (1554). — CL. LAROUSSE.

les œuvres latines de Du Bellay restent fort proches de ses œuvres françaises ; elles contiennent, d'avance, les *Antiquitez* et les *Regrets*.

Montant au Capitole, en compagnie de son ami Louis de Bailleul, pour contempler le spectacle d'une Rome déchue, Du Bellay empruntait une des voies royales de l'humanisme. Pétrarque, le premier, avait senti la majesté auguste de ces ruines ; le Pogge, après lui, et Buchanan, et des archéologues, des architectes, des poètes, des philosophes avaient pris les mesures de ce cadavre et de ce destin. Du Bellay, dans ses *Antiquitez*, se souvient de leurs œuvres ; il transcrit de Baldassare Castiglione l'un de ses plus beaux sonnets, de même qu'il s'inspire d'Horace, de Virgile, de Properce, d'Ovide et de Lucain. Mais il est le premier de son temps qui consacre aux ruines de Rome tout un recueil — quarante-sept sonnets, dont quinze pour le *Songe ou Vision* qui forme la seconde partie de l'œuvre — et le premier en notre langue qui s'essaie à chanter

L'antique honneur du peuple à longue robbe.

Il le fait en philosophe plus qu'en peintre ; la magnificence des images ne doit rien, dans les *Antiquitez*, au pittoresque descriptif ; elles tendent perpétuellement à ce symbolisme qui triomphe assez gauchement, pour finir, dans les sonnets du *Songe*. En pouvait-il être autrement en face de cette Rome du XVIe siècle qui déçut tant de nos Français avec ses ruines ensevelies ? « On ne voïoit rien de Rome, écrira Montaigne, que le ciel sous lequel elle avoit esté assise et le plan de son gîte... ceux qui disoint qu'on y voyoit au moins les ruines de Rome en disoint trop... ce n'estoit rien que son sepulcre. » Mais n'avoir de Rome, comme Montaigne, qu'une « science abstraite et contemplative », c'était renoncer à l'art ; et c'était se condamner aux tableautins et esquiver la grandeur que d'en décrire en ses aspects particuliers le paysage vivant, moins

riche de temples que de ronces et de chèvres. Du Bellay n'est point si abstrait ni si minutieux. Il évoque en quelques traits la splendeur passée de la cité couronnée de tours, foisonnante d'enfants et de dieux. Puis il se fait le poète de sa déchéance, des arcs brisés, des plaines poudreuses, des grands monceaux pierreux où rôdent de pâles ombres. La méditation naît de ce contraste : méditation d'historien sur le destin de cette ville portant, dans sa prospérité, les germes de sa ruine et dont on n'eût point imaginé, avant de voir son grand corps abattu, qu'elle pût être si grande ; méditation de philosophe sur le fatal élan qui conduit de la puissance au déclin toutes choses humaines : on reconnaît ces grands lieux communs de l'histoire et de la morale, dont vivra notre siècle classique. Du même coup, Du Bellay fonde, en France, la poésie romaine. Il est cornélien avant Corneille :

Rome fut tout le monde, et tout le monde est Rome...

Il annonce, par son analyse politique de la monarchie et des guerres civiles, le Montesquieu des *Considérations ;* il invente, bien loin du romantisme, la poésie des ruines ; Claude Lorrain, Piranèse, Hubert Robert eussent pu illustrer les *Antiquitez :* que de fantômes de la littérature et de l'art hantent son poème, mêlés aux « palles esprits » dont il peuple les vestiges de la Ville morte !

La Ville vivante s'anime dans les *Regrets*. Dans le groupe de sonnets qui lui sert de prélude, Du Bellay a soin d'affirmer le caractère impressionniste du nouveau recueil :

Soit de bien, soit de mal, j'escris à l'adventure.

C'en est donc fini, semble-t-il (et la conversion de Ronsard à la poésie simple n'est certes pas étrangère à cette attitude), des nobles ambitions, des imitations érudites et de l'inspiration hautaine ; Du Bellay en éprouve un sentiment de libération et, tout à la fois, de mélancolique déchéance :

J'escry naïvement tout ce qu'au cœur me touche.

C'est fonder — ou recréer — en France la poésie vraiment personnelle. Les *Regrets* se présentent ainsi comme une série de cartes postales adressées par un voyageur à ses amis lointains. La liste de leurs destinataires constitue un agenda des amitiés de Du Bellay et de ses servitudes hiérarchiques ou mondaines : le roi, le cardinal son maître, l'ambassadeur d'Avanson, Morel, surtout, et les hommes de lettres, de Scève et Sebillet à Ronsard, si souvent invo-

LE SENTIMENT DES RUINES. Une inscription funéraire ; un vase brisé, qui porte, entre autres inscriptions, la maxime : « Rien n'est plus certain que la mort. » Illustration de l'édition française du « Songe de Poliphile ». — CL. LAROUSSE.

qué, ses compagnons d'exil, enfin, Magny, Panjas, se partagent, un peu au hasard, les dédicaces des sonnets. Il n'y manque même pas ces missives tardives que l'on rédige en hâte au retour, en essayant de les antidater, pour réparer un oubli ou s'assurer une bienvenue : tels les derniers sonnets, qui forment un quart du volume et que Du Bellay, rentré à Paris, rima à l'intention de quelques amis négligés — Jodelle, Tyard — ou à la gloire des Grands — le roi, le dauphin, la favorite, le chancelier, et, en une place de choix, la sœur du roi, « l'unique Marguerite ». Des cartes postales comme toutes les autres : au recto, une gravure pittoresque — c'est la satire de Rome; au verso, quelques impressions sincères — c'est la nostalgie de Du Bellay.

Cette nostalgie ne s'exprime point en complaintes neuves. Virgile et les élégiaques latins ont légué au poète plus d'un trait ou d'une image sensible; par une confusion touchante, il use, pour pleurer la patrie lointaine, des mêmes procédés que les pétrarquistes se lamentent sur leur dame absente. Il se souvient des *Tristes* et des *Pontiques*; il doit à Ovide la mélancolie de son titre et l'idée de faire un poème de l'exil de ce recueil où le « rire sardonien » sonne plus haut que les soupirs. On soupçonne parfois chez lui moins d'élan vers la douleur que d'ingéniosité à exploiter un thème, moins de regrets dans sa vie que dans ses vers.

Et pourtant — l'accent ne peut tromper — ce poème est un poème de bonne foi. Expliquer les sentiments de Du Bellay par une déception, par l'agacement d'une vie dispersée et médiocre parmi les créditeurs, les mémoires et les comptes, ou bien encore par les blessures d'une âme délicate en un monde plein de Mars, de trompettes et de tambourins, c'est expliquer trop peu. N'en doutons point : la comparaison est assidue entre ce qu'il est venu chercher à Rome et ce qu'il y a trouvé; frustré comme le marinier qui « rapporte des harengs en lieu de lingots d'or », il ne lui reste qu'à s'écrier : « Sot que je suis ! » Mais lorsqu'il parle vaguement, obstinément, de son ennui, de son malheur, c'est dans une couche plus secrète du cœur qu'il faut chercher les sources de sa douleur : la poésie des *Regrets* n'est pas tant la poésie de la déception que la poésie de l'abandon.

> France, France, respons à ma triste querelle !
> Mais nul, sinon Echo, ne respond à ma voix.

La France, c'est son Anjou natal dont il détaille les attraits, avec une minutie simple qui fait de lui l'un de nos premiers poètes intimistes. C'est aussi la Cour et Paris, propices aux amours et féconds en faveurs. Cependant qu'il languit au rivage étranger, Baïf s'enchante d'une belle maîtresse, Ronsard courtise les rois, voit son « archet doré » et « sa lyre crossée »; à Paris se multiplient les chefs-d'œuvre, car la Muse demande « le théâtre du peuple et la faveur des rois ». Ainsi s'allient curieusement en Du Bellay le regret de l'amitié — à ses amis vont ses dédicaces, comme celles de Ronsard vont aux dames —, une pointe de jalousie contre ses anciens compagnons de lutte

ROME. — ... Plus me plaist le sejour qu'ont basty mes ayeux,
Que des palais Romains le front audacieux :
Plus que le marbre dur me plaist l'ardoise fine... CL. LAROUSSE.

littéraire et je ne sais quelle subtilité à expliquer par une rupture de sa carrière la stérilité poétique dont il sent les sourdes atteintes :

> Las, où est maintenant ce mespris de Fortune ?
> Où est ce cœur vainqueur de toute adversité,
> Cest honneste desir de l'immortalité,
> Et ceste honneste flamme au peuple non commune ?
>
> Où sont ces doulx plaisirs, qu'au soir soubs la nuict brune
> Les Muses me donnoient, alors qu'en liberté
> Dessus le verd tapy d'un rivage esquarté
> Je les menois danser aux rayons de la lune ?

Certes, l'exil a ses douleurs propres; mais il est plus lourd lorsque, aidant par la rupture des habitudes à un retour sur soi, il révèle un autre exil, qui est, celui-là, de l'ordre du temps : l'exil de l'homme loin de ses aspirations, de ses illusions et de ses vertus premières.

> Mais tu diras que mal je nomme ces Regrets,
> Veu que le plus souvent j'use de mots pour rire...

Le rire, un rire « sardonien », telle est bien, en effet, l'attitude la plus familière au poète. Cette nature douce a des susceptibilités et des emportements de malade, et

LIRE. — ... Plus mon Loyre gaulois que le Tybre latin,
Plus mon petit Lyré que le mont Palatin,
Et plus que l'air marin, la doulceur Angevine. CL. RENOU.

Du Bellay ne pouvait que juger sans douceur une Rome qu'il connaissait trop bien et n'arrivait point à parfaitement comprendre. La tradition littéraire l'inclinait en même temps à la satire : les mordants sonnets de Burchiello, les éloges paradoxaux de Berni étaient à la mode; on lisait les œuvres de Pulci, de Serafino, et les *Cento Sonetti* de ce Piccolomini, qui, exilé de Sienne à Rome, y publiait quelques années plus tôt comme une ébauche italienne des *Regrets*. Le *Roland furieux* et les *Satires* de l'Arioste avaient de pareils accents : satire des villes, satire des courtisans, c'étaient genres bien établis.

De la Ville et de la Cour, Du Bellay a connu les spectacles et les acteurs. S'il semble étranger au grand mouvement de réforme catholique qui se prépare alors, il fréquente les cercles humanistes, assiste, comme conclaviste, aux élections des papes; il est au fait des intrigues qu'un secrétaire de cardinal ne peut ignorer, dans cette ville la mieux informée du monde, et où retentit le suprême combat livré par la France pour la suprématie dans la Péninsule.

Du Bellay juge avec passion les événements et les hommes; le vertueux Marcel II lui inspire des vers de chrétien, Paul IV Caraffa, « claire lampe luisante dans Rome », devient vite, sa brouille avec le cardinal aidant, « une vieille caraffe ». Mais que de justesse et de couleur dans la peinture des habitudes, des manières et des gestes ! Du Bellay a vu les cardinaux entassés au conclave, il a vu les quémandeurs et les créanciers, les courtisans et les agents doubles se presser dans les somptueuses résidences de son cousin; il connaît la rudesse des moines et la morgue des princes, le luxe des courtisanes et de leurs équipages, les mascarades de l'ambition et celles du carnaval. Nul ne s'entend comme lui à isoler une souriante ou ironique scène de genre, à rendre sensibles les mouvements et les foules, par touches multiples, en pointilliste.

Il achève du même coup de se peindre lui-même; car le principal personnage des *Regrets*, c'est bien encore leur auteur : une âme sensible et fière, ardente et repliée sur soi; un artiste qui, ayant découvert le secret délicat des vers faciles, a enrichi notre littérature de formes d'art inédites, et de manières nouvelles la sensibilité poétique.

Une dernière œuvre romaine permit au talent de Du Bellay de se diversifier encore. Il y a de tout dans les *Divers jeux rustiques* : des pièces pastorales comme la chanson *d'un vanneur de blé, aux vents*, des épitaphes, un éloge paradoxal à la Berni, *l'Hymne de la surdité*, de subtils et voluptueux poèmes d'amour, des traductions et des

satires qui annoncent l'une de ses dernières œuvres, le *Poëte courtisan*. Recueil de détente, comme les poètes de la Pléiade aimaient à en inscrire dans la suite de leurs ouvrages médités; Marot y rejoint le Ronsard des *Meslanges*. C'est, pour reprendre un titre de Des Autels, « le repos de plus grand travail ».

Ce repos, la mort allait l'éterniser. Mais onze ans de travail littéraire avaient suffi à Du Bellay pour se faire, aux yeux de ses contemporains, l'égal de Ronsard, et pour se concilier, peut-être, la secrète prédilection de la postérité.

Si Ronsard et Du Bellay sont les deux grands poètes et les théoriciens majeurs de la Pléiade, Baïf en est l'expérimentateur. Prodigieusement érudit, d'une facilité volontiers prolixe, il n'est guère de genre qu'il n'ait abordé dans son œuvre copieuse; parfois imitateur docile et comme à la remorque, plus souvent inventeur à la pointe extrême de la recherche poétique. Il commence par un médiocre poème de circonstance, bute sur le théâtre, se replie vers la littérature d'amour. Méline, Iris en l'air, lui inspire des vers savamment conformes à la mode pétrarquiste; mais déjà sa curiosité se fait jour; aux sonnets se mêlent des pièces de forme nouvelle dans un recueil de ce genre : odes, odelettes, chansons, séquences lyriques; son *Amour de Francine* doit davantage à la réalité : il s'associe étroitement à l'amour de Ronsard pour Marie, et par l'expérience et l'expression littéraire. La seule originalité de Baïf est alors d'égayer l'inspiration austère des sonnets par des pièces lascives ou gaillardes : échappées d'un tempérament porté au plaisir, souvenir de la tradition marotique, désir de se tailler une place à part dans le chœur des poètes amoureux de son temps ? Il y a de tout cela dans le choix de cette manière.

Mais là n'est point l'originalité vraie de Baïf.

Rompant un long silence, il publie, en 1567, *le Premier des Meteores*. Les *Hymnes* et l'*Amour des Amours* datent déjà : Ronsard a changé de ton, Peletier se consacre maintenant à la science pure, Tyard a choisi la prose pour ses œuvres d'astronomie, Scève est oublié : une place s'offre, au sein de la Pléiade, pour un poète de la science. C'est une science aimablement descriptive que celle de Baïf; s'il évite l'obscurité de Peletier, il n'atteint pas à la grandeur de Ronsard; il ne partage pas non plus son horreur sacrée devant la nature, ses superstitions et son fatalisme. La Muse des *Meteores* est une Uranie chrétienne, ennemie du bizarre, éprise de sagesse et maîtresse de sérénité; aux obscurités des mythes elle préfère la clarté du genre descriptif et, à la raideur de l'inspiration, la douceur de l'églogue.

> ... Heureux l'homme qui sçait
> Les segrets de Nature, et coment tout se fait !

C'est Lucrèce tempéré par Virgile : le poème des *Meteores* ne méritait pas l'oubli.

D'aimables pièces des *Passetems*, des poèmes de facture variée, des églogues, des épigrammes, des saynètes mythologiques, des adaptations du théâtre grec et latin marquent, dans les *Euvres* de 1573, la présence de l'Antiquité et de l'Italie. On y aime d'agréables strophes, d'heureuses réminiscences associées à un réalisme discret. On y reconnaît ce qu'une carrière poétique de vingt ans, qu'elles résument, comporte de labeur et de fécondité, de tentatives à demi réussies et d'occasions manquées.

Cependant, Baïf avait en tête d'autres nouveautés. Le siècle se passionnait pour les questions d'orthographe et de grammaire. Après Geoffroy Tory et Étienne Dolet, Louis Meigret avait mis au point un système d'orthographe phonétique pour lequel Ramus venait de créer des signes nou-

PAGE DE TITRE d'un recueil de poésies de Jean-Antoine de Baïf mises en musique. — CL. LAROUSSE.

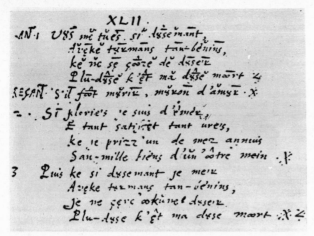

AUTOGRAPHE DE BAÏF (B. N., ms. franç. 19140). LES MÊMES VERS MIS EN MUSIQUE.

Baïf s'est efforcé de « mesurer » les vers français, par longues et par brèves, comme dans la versification grecque et latine. On remarquera aussi son essai d'orthographe phonétique : il a au moins le mérite de nous renseigner exactement sur la prononciation du temps. — CL. LAROUSSE.

veaux. La Pléiade s'était intéressée à ces tentatives qui valurent à notre littérature nombre de traités et de dialogues. Baïf s'en fit le champion; il y voyait le moyen de traduire plus exactement les divers sons de notre langue et de réaliser la réforme métrique dont il espérait la gloire. Il était fier d'avoir créé un vers nouveau, le baïfin, fort prosaïque avec ses deux hémistiches de sept ou de huit syllabes, et qui ne vécut point. Il s'agissait maintenant de fonder une nouvelle versification française sur le jeu des longues et des brèves, à la manière des Anciens; l'idée n'était pas nouvelle; elle s'exprimait déjà dans un *Art poëtique* du XVe siècle finissant, et la *Deffence* l'avait relevée. Baïf en fit la matière d'un traité et joignit l'exemple au précepte : ses *Etrénes de poézie fransoëze an vers mezurés* se fondent sur l'orthographe et la métrique nouvelles; on sait que notre poésie resta fidèle à ses graphies et à ses rythmes traditionnels. Mais en son étrangeté, s'inspirait d'un des plus nobles soucis esthétiques du XVIe siècle : accommoder l'une à l'autre la poésie et la musique, expressions diverses d'une même et divine réalité. Pontus de Tyard avait posé le problème en philosophe, les musiciens de Ronsard l'avaient résolu empiriquement, quittes à trébucher quelquefois, sans autre exigence qu'un agencement régulier des rimes masculines et féminines. Baïf avait d'autres ambitions théoriques. Aux recherches de cet ordre, il consacra une partie de sa vie; et le roi fonda tout exprès l'*Académie de Poésie et de Musique*. Des lettres patentes de novembre 1570, délivrées à Baïf et au musicien Thibault de Courville, assignaient à la jeune compagnie la charge « de remettre en usage la Musique selon sa perfection, qui est de representer la parole en chant accomply de son harmonie et melodie ». Durant trois ans, l'Académie multiplia les assemblées et les concerts, tantôt dans la maison de Baïf et tantôt à Boncourt; la Cour et la Ville s'y trouvaient conviées, et Charles IX ne dédaignait pas d'y venir, à titre de « premier auditeur ».

Cet effort d'un genre si neuf fut de peu de fruit : les guerres civiles, la mort du roi mirent fin aux travaux de l'Académie baïfienne. L'*Académie du Palais* lui succéda, dans le cabinet du nouveau souverain; mais Henri III était plus féru de philosophie que de musique et de poésie; les dissertations platoniciennes prirent la place des concerts. Cependant, l'alliance entre Baïf et les compositeurs de son temps ne se dénoua point; les airs admirables dont Claude le Jeune et Jacques Mauduit égayèrent ses *Chansonnettes* et ennoblirent ses *Psautiers* font regretter que sa hardiesse n'ait pas connu meilleur destin.

Les *Mimes, Enseignemens et Proverbes*, dont les éditions jalonnent sa vieillesse, marquent sa dernière tentative de renouvellement. L'œuvre est singulière : fables dont la grâce fait évoquer Marot et La Fontaine; discours politiques où se retrouve la véhémence ronsardienne pour pleurer, aux heures sombres de la Ligue, les nouveaux malheurs de ce temps; fragments gnomiques, maximes et sentences où la sagesse antique et chrétienne s'exprime en poèmes étroits que n'eût pas désavoués Thomas Sebillet, il y a tout cela dans ce recueil, le plus original et le plus fort que nous devions à Baïf.

Dernier survivant de la Pléiade, mort mystérieusement, Baïf n'eut pas de *Tombeau* poétique : ce fut l'ultime refus de la gloire, qu'il tenta toujours de forcer, mais qui ne cède point aux attaques, pour hardies qu'elles soient, si elles ne sont appuyées par la constance et la force d'un génie vrai.

LA LIGNÉE DE BONCOURT :
JODELLE, LA PÉRUSE, BELLEAU

Jodelle et La Péruse intéressent surtout le théâtre. L'œuvre lyrique de Jodelle (1532-1573) est marquée par les publications suivantes : Recueil des inscriptions... ordonnées en l'Hostel de Ville à Paris le Jeudi 17. de Fevrier 1558, 1558 ; lês Œuvres et Meslanges poëtiques, édition coll. posthume comprenant des Amours, des poèmes religieux et des pièces satiriques, 1574. Éditions modernes : Marty-Laveaux, 1868-1870 (2 vol.) ; Van Bever, édition des Amours, 1907. Voir Horvath, Étienne Jodelle, Budapest, 1932.

La Péruse (1529-1554) a joint à sa Medée, sous le titre Autres poësies, des odes, des chansons, des élégies (1556). Édition moderne : Œuvres poétiques, p. p. Gellibert des Séguins, 1867. Voir la thèse de Banachevitch, Paris, 1923.

Remy Belleau naît à Nogent-le-Rotrou, en 1528. Après de solides études au collège de Boncourt, sous Muret, il débute dans la vie poétique par quelques pièces insérées dans les œuvres de Denisot, de Magny et de Ronsard. Sa traduction d'Anacréon (1556), suivie de ses Petites inventions, constitue un important événement littéraire. Il va guerroyer un an en Italie, à la suite du marquis d'Elbeuf, frère cadet du duc de Guise. Il compose quelques poèmes de circonstance, incline un moment vers la Réforme, devient précepteur du fils du marquis d'Elbeuf au château de Joinville et, dans ce milieu courtisan, conçoit sa Bergerie, publiée en 1565 et augmentée en 1572. En 1567, il donne un commentaire au deuxième livre des Amours de Ronsard. Protégé de la maison de Lorraine, il poursuit son œuvre par de nombreux sonnets, odes et pièces liminaires. Son dernier ouvrage est composite ; la première partie s'intitule : les Amours et nouveaux Eschanges des Pierres precieuses ; *la seconde partie contient des poèmes bibliques (1576). Belleau meurt l'année suivante. L'édition posthume de ses œuvres (1578, rééditions en 1585, 1592, 1604) comprend, entre autres nouveautés, une traduction d'Aratos et une comédie,* la Reconnue. *Des éditions ont été procurées de notre temps par A. Gouverneur (la plus complète), 1867 (3 vol.) ; Marty-Laveaux, 1877-1878 (2 vol.), et, pour les* Amours, *par Van Bever, 1909 ; les* Odes d'Anacréon *ont été réimprimées en 1928 (la Connaissance). On consultera Eckhardt,* Remy Belleau, *1917.*

Les écoliers de Boncourt ont noué, avec le théâtre, la même familiarité que les étudiants de Coqueret avec la poésie. Lorsqu'ils s'aventurent dans le lyrisme, je ne sais quelle incertitude du goût, quelle hésitation dans le choix font mesurer tout ce qui sépare l'empirisme de l'initiation.

Jodelle, glorieux par sa *Cleopatre*, compose des sonnets amoureux, des discours politiques, des chansons, des poèmes didactiques, des odes, des élégies. Il a de la force et de la gravité ; il sait exprimer, en « furieux », des souffrances vraies et des aspirations véhémentes ; un poème en rimes tierces, *A ma Muse*, mérite de survivre. Que n'a-t-il évité ailleurs, en des développements prolixes, en des tirades heurtées ou traînantes, le mépris de la mesure et de l'harmonie.

La Péruse est plus artiste. Il a le don du lyrisme vers lequel, aussitôt après sa *Medée*, inclina son jeune talent. Il pindarise sans lourdeur, puis se tourne, avec aisance, vers la poésie légère ; ses « mignardises » répondent aux

LES OEVVRES
& Meſlanges Poetiques
D'ESTIENNE IODELLE
SIEVR DV LYMODIN.

Premier Volume.

DIA VISINE
CONCO / DIA VINC

A PARIS,
Chez Nicolas Cheſneau, rue ſainct Iacques
à l'enſeigne du Cheſne verd:
ET
Mamert Patiſſon, rue ſainct Iean de Beauuais,
deuant les Eſcholes de Decret.
M. D. LXXIII.
AVEC PRIVILEGE DV ROY.

PAGE DE TITRE des « Œuvres et Meslanges poëtiques » d'Étienne Jodelle.
CL. LAROUSSE.

Folastries de Ronsard ; la mythologie galante et la grâce d'Ovide se retrouvent dans ses odes et ses sensibles élégies. De la facilité et de l'éclat, un sens très sûr des valeurs poétiques qui lui fait, avant Ronsard, deviner les vertus de l'alexandrin : ce poète, mort jeune, était un vrai poète.

Lorsque s'ouvre la carrière poétique de Belleau, la Brigade a déjà fait sa crise de pindarisme et de pétrarquisme. L'ode est devenue odelette, on aime le délicat, le léger, le joli. L'*Anacréon* d'Henri Estienne, l'anthologie grecque, les strambottistes italiens ont mis à la mode de petites pièces descriptives, parfois lyriques, plus souvent facétieuses ; Ronsard les désigne bonnement du nom de *poëmes* ; la critique moderne, se souvenant d'un genre voisin cultivé par les Marotiques, les nomme *hymnes-blasons. La Grenouille, le Freslon, le Fourmi*, tels sont les sujets que traite maintenant Ronsard. La jeunesse de Belleau lui a évité de sacrifier à des modes plus ambitieuses qui se fussent mal accordées avec sa « gentillesse ». Entrant à point nommé dans le cercle de la Pléiade avec une version française d'Anacréon, ce cadet prend d'emblée des allures de maître. Ronsard recommande noblement au public sa traduction vite célèbre ; il insère dans ses propres œuvres des « hymnes » de Belleau, *le Papillon, la Cerise*, d'autres encore. Ce succès marque Belleau : il blasonnera toute sa vie. A ce genre mineur, il apporte tout ce que peut donner une imitation intelligente des Italiens, des vieux Grecs, des Alexandrins et d'Ovide, et tout ce que peut créer un talent un peu grêle, mais fin et délicat : des descriptions rapides et souples, une sensualité expressive, un toucher léger qui jamais ne s'attarde. Ses *Bergeries* ne doivent point à Sannazar tout le charme de leur décor ; plus d'un trait y sent la nature, une nature mignarde et vraie. Ses personnages sont de médiocres amoureux ; ils pétrarquisent à la manière de Tebaldeo et doivent aux néo-latins leurs élans sensuels. Mais ils ont de la grâce, silhouettes souples, danseuses vêtues de satin blanc, porteuses de paniers pleins de lis et de roses. Belleau triomphe dans ces tableaux étroits : c'est bien l'art du blasonneur.

Ce l'est encore dans les *Amours et nouveaux Eschanges des Pierres precieuses*. Belleau consacre ce recueil au diamant, à la topaze, au rubis, à la cornaline. Il détaille leurs propriétés physiques, et leurs vertus occultes. Il attire à lui toute la science incluse dans les écrits des Anciens et dans les *lapidaires* du moyen âge. Mais il la traduit en style ronsardien, sur des mètres variés. Il illustre les attirances et les transmutations des gemmes par des mythes inspirés des *Métamorphoses* d'Ovide. En cela, il est bien de son siècle. Car jamais on ne s'inquiéta pareillement des correspondances secrètes entre les astres, les nombres et les êtres mortels. Belleau a choisi les gemmes : c'est le poète de l'incorruptible.

Belleau est aussi l'auteur d'un commentaire érudit et sensible des *Amours* de Ronsard ; il est l'auteur de poèmes bibliques, de paraphrases pathétiques du *Livre de Job*, de l'*Ecclésiaste* et du *Cantique des Cantiques*. Et pourtant la postérité — peut-être faut-il en accuser Sainte-Beuve — ne retient guère de lui que quelques strophes aériennes sur « Avril, l'honneur des bois et des mois ». Est-ce justice ?

« AVRIL, L'HONNEUR DES PREZ VERS... » Assiette en émail de Pierre Raymond (milieu du XVIe siècle). — CL. GIRAUDON.

LES ATTARDÉS ET LES RALLIÉS : PELETIER, TYARD, DES AUTELS

Jacques Peletier naît au Mans, en 1517. Il est, en 1540, secrétaire de l'évêque du Mans, puis devient principal du collège de Bayeux, à Paris. Lorsqu'il abandonne cette fonction, en 1548, commence pour lui une vie errante qui le conduit à Bordeaux, à Poitiers, à Lyon, au Piémont, à Bâle, en Savoie. A peine rentré à Paris, en 1572, il repart pour Bordeaux où il dirige, pendant un an, le collège de Guyenne ; il demeure dans cette ville jusqu'en 1578. Il est alors chargé d'un cours de mathématiques à Poitiers, puis se fixe à Paris à la fin de 1579. On lui confie le collège du Mans, proche de Coqueret ; il y meurt en juillet 1582. Cette vie vagabonde est jalonnée d'œuvres notables : il débute par une adaptation libre de l'Art poétique d'Horace (1544), suivie, en 1555, de son propre Art poétique, que prolongent ses Opuscules en vers (1555). Ses Œuvres poétiques sont de 1547, son Amour des Amours s'y ajoute en 1555. Ses dernières œuvres sont un poème, la Savoye (1572) et des Euvres poëtiques, intitulez Louanges (1581). Il y faudrait joindre de nombreuses publications scientifiques, en français et en latin. Les Œuvres poëtiques de 1547 ont été rééditées en 1904 par L. Séché (édition médiocre, accompagnée d'un bon commentaire de P. Laumonier), l'Art poëtique par A. Boulanger, en 1930, l'Amour des Amours par Van Bever en 1926, la Savoye par Dessaix et par Pagès en 1856 et 1897. On consultera : Jugé, Peletier, 1907 ; Chamard, De J. Peletarii Arte Poetica, 1900 ; Guy, la Savoye de J. Peletier, Mélanges Kastner, Cambridge, 1932 ; A.-M. Schmidt, op. cit.

Si Peletier est de bonne bourgeoisie, Pontus de Tyard est de bonne noblesse. Il naît, en 1511, en Mâconnais, dans une famille apparentée au chancelier de France, Jean de Ganay. Il fait ses études à Paris, rentre dans sa province et s'adonne très vite à la poésie, dans le cercle de Lyon. Chanoine de Mâcon en 1552, protonotaire apostolique en 1553, il mène, dans son château de Bissy, et sans renoncer à ses activités poétiques, une vie de philosophe et de savant. Il ne néglige ni la Cour ni Rome. En 1578, il devient évêque de Chalon-sur-Saône. C'est un grand homme en sa province, que le clergé délègue, en 1588, aux États de Blois. Presque seul de son ordre, il y défend le roi ; ce modéré est en butte aux attaques de la Ligue, qui, en 1591, pille son château. Il s'éloigne de son diocèse et abandonne, en 1594, ses fonctions épiscopales. Le roi Henri IV, qui lui avait demandé de l'instruire dans la foi catholique, l'honore de son amitié. Quelques années sombres le conduisent à la mort, en son château de Bragny, en 1605. La Bourgogne le pleura, ne sachant trop ce qu'elle devait le plus regretter en lui, le poète et le philosophe, le pieux évêque, le citoyen courageux, le bibliophile ou l'amateur de bons vins. Pontus de Tyard débuta dans la vie poétique par un jeu de mots. Pontus est le nom d'un des chevaliers errants de la Table ronde : le poète publia, en 1549, des Erreurs amoureuses, qu'il compléta par de nouveaux livres en 1551 et 1555. Entre temps, il avait traduit les Dialoghi d'Amore de Leone Ebreo (1551) Il se tourna alors vers la philosophie et vers la science : ses traités (les

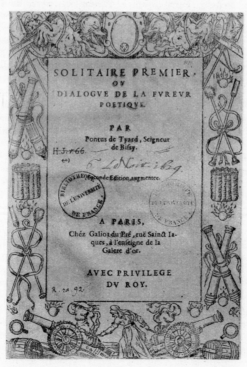

PAGE DE TITRE du « Solitaire premier » de Pontus de Tyard (édition de Paris, 1573). — CL. LAROUSSE.

Solitaires) sur la fureur poétique et sur la musique, ses ouvrages sur l'astronomie, l'astrologie, la philosophie (les Curieux, la Mantice) furent réunis, en 1587, dans ses Discours philosophiques. En 1573, il avait publié, comme faisait Baïf, une édition collective de ses œuvres, enrichie d'un nouveau livre. Il composa, pour finir, quelques travaux de philologie, et, dans le cadre de son activité politique et religieuse, des Homelies et des diatribes contre les Jésuites.

Marty-Laveaux a réédité, dans un volume de la Pleiade françoise, ses œuvres poétiques et des extraits de ses œuvres en prose (1875) ; les Erreurs amoureuses ont été réimprimées en 1925 (Dijon, à l'Enseigne du raisin, 1 vol.). On consultera : Jeandet, Pontus de Tyard, 1860, ouvrage utile, mais peu sûr ; Flamini, Du rôle de P. de Tyard dans le pétrarquisme français (Revue de la Renaissance, 1901) ; J. Vianey, le Pétrarquisme en France, 1909 ; Merrill, Platonism in Pontus de Tyard's « Erreurs amoureuses » (Modern Philology, 1937).

Guillaume Des Autels naît en 1529, d'une famille apparentée aux Tyard. Après des études de droit à Valence, il se rend, en 1549, à Romans, dans l'Isère. C'est encore un homme du moyen âge : il y fait représenter, devant le cardinal de Tournon, un dialogue moral à cinq personnes. Mais il est depuis longtemps en rapport avec les cercles lyonnais. Rencontrant, à Romans, celle qui va devenir sa Saincte, il se prend à pétrarquiser. Il publie, des recueils de poèmes amoureux, le Repos de plus grand travail (1550), la Suite du repos (1551) et l'Amoureux Repos (1553) ; déjà sa Replique à Louis Meigret amorçait, en 1550, son glissement vers Ronsard : en 1553, il figure dans la première liste que le futur chef de la Pléiade donne de ses amis. Suivent des années de silence, remplies de vaines démarches auprès des Grands ; il ne parvient pas à fixer la faveur du Louvre et, le Charollais, sa province natale, étant cédé au roi d'Espagne par le traité de Cateau-Cambrésis, il passe aux Pays-Bas, séjourne à Anvers, ambitionne vainement le titre d'historiographe de Philippe II. Sa Remonstrance au peuple françoys (1559) et sa Harengue au peuple françois contre la rebellion (1560) se rattachent à ces épisodes. Rentré déçu à Paris, 'l y mène, parmi de flatteuses amitiés littéraires, une existence médiocre. On ne s'accorde pas sur la date de sa mort.

Les œuvres de Des Autels n'ont pas été rééditées. On consultera : G. Colletet, Vie de Des Autelz, publiée avec un commentaire par Van Bever (Rev. de la Renaissance, 1906) ; Hans Hartmann, G. Des Autels, ein französischer Dichter und Humanist, 1907 ; J. Madeleine, G. Des Autels et les « Jeux de Romans » (Revue d'Histoire littéraire, 1911) ; Marcel Raymond, op. cit.

Peletier est un savant. Or, la science est une : elle est étude de la nature et des cieux ; mais elle est aussi poésie ; la loi des rythmes est une loi des nombres : Peletier rêve, à l'exemple des grands humanistes italiens, d'une synthèse de la poésie et de la science. Peletier est de formation marotique et lyonnaise ; son amitié pour Tyard, le platonicien, le savant, est, de ses amitiés, la plus étroite et la plus riche de sens ; il précède Ronsard ; c'est, en matière poétique, un pré-réformateur. Ainsi s'explique chez lui la grandeur de la conception et la gaucherie de la mise en œuvre, le caractère complexe du style, et une vertu de suggestion sans mesure avec l'habituelle médiocrité des vers. Ses *Œuvres poëtiques* de 1547 ne sont pas très différentes de celles des disciples les plus savants de Marot : des traductions, des paraphrases et des vers lyriques originaux où la nature est heureusement évoquée sur le mode virgilien, tantôt avec un excessif dépouillement, tantôt avec le charme d'une naïveté un peu grêle. L'*Amour des Amours* mérite de retenir davantage ; n'est-ce point, pour Peletier, l'œuvre entre toutes aimée ? La première partie en est un simple *canzoniere* pétrarquiste, tel que la mode l'exige et tel que le lui inspire sa familiarité avec Tyard ; au vrai, un simple décalque des *Erreurs amoureuses*. Puis commence un voyage platonique, à la suite de sa Dame, à travers les secrets de l'amour céleste jusqu'au royaume de la muse Uranie. C'est alors la révélation de toute une cosmogonie ; on y peut regretter l'abus du didactisme, la sécheresse périmée de certains *blasons* ; mais on retiendra l'ampleur de quelques poèmes, comme celui de l'*Er* ; l'ivresse de la science avive les images, précipite les développements, élargit les perspectives, et, comme dans les meilleurs *Hymnes* ronsardiens, fait partout circuler l'esprit.

Il plane alors, sur la vie de Peletier, un grand silence de l'inspiration poétique. Son poème *la Savoye* est sagement, pauvrement descriptif ; son dernier recueil, *les Louanges*, réunit quelques hymnes-blasons en l'honneur des Grâces, de la Parole, de la Science. On en a dit l'indigence esthétique. Peut-être ne faut-il voir dans cette apparente stérilité qu'ascétisme volontaire, renoncement, au nom de la rigueur, à ces parures dont s'enchantait la jeune poésie. Sa *Louange de la Science* présente, malgré l'intempérance des notations techniques, une émouvante ferveur et des accents religieux ; elle méritait d'être son dernier message.

Pontus de Tyard prit soin d'affirmer que ses premiers sonnets étaient composés déjà du temps que la Brigade ne s'était point avisée encore de pétrarquiser. La précaution était inutile : il suffit de lire le premier livre des *Erreurs amoureuses* pour reconnaître leur ascendance lyonnaise. Pontus invoque Scève comme son maître. Sans doute, abandonne-t-il le dizain pour le sonnet, un sonnet de type marotique. Mais *Pasithée* est fille de *Delie*. Elle est mystérieuse comme elle : quoiqu'elle semble avoir existé vraiment, nous ignorons son « tetragramme nom » ; comme elle, Pasithée inspire à son servant l'amour le plus noble, maître de pureté platonicienne ; et les beautés dont elle se pare sont empruntées aux poètes pétrarquistes du Quattrocento. Alors que Du Bellay s'inspire des poètes des *Rime diverse*, Tyard se tourne, comme Scève, vers Tebaldeo et Cariteo. A leur exemple, il associe au sonnet des sextines, des rimes tierces, des « chants mesurés » ou non mesurés : son recueil n'aura pas l'unité de l'*Olive*. Il a appris d'eux l'art des métaphores et des *concetti*, les jeux subtils des soupirs, des espoirs et des regrets, et cette physique ou cette chimie psychologique dont les formules nous étonnent : « alambic » des passions à distiller les pleurs, larmes se changeant en fumée lorsqu'elles tombent sur une âme brûlante, flèches qui ricochent sur le cœur trop dur de la dame et viennent transpercer son amant. Il y a mieux, dans les *Erreurs*, que ces contestables gentillesses : une sorte de résignation dans la douleur, une élégante et molle tristesse, bien éloignée des révoltes farouches de Ronsard et des siens, et surtout un respect profond de l'art ; comme Maurice Scève, Tyard s'efforce à construire une poésie difficile, que pourront pénétrer les seuls initiés, et les doctes ; ainsi en préservera-t-il le caractère sacré. Ses compagnons de la Pléiade développèrent, mais ne suivirent pas longtemps cette théorie ; ils sentaient si bien qu'elle était la chose de Pontus, et par lui seul fondée en philosophie, qu'ils l'invoquèrent sans cesse, quand l'exigeait la

polémique, comme un garant de l'obscurité dans l'art.

Le second livre des *Erreurs*, qui est de 1551, reste fidèle à la même esthétique ; on y reconnaît pourtant quelques accents des *Odes ;* la mythologie y apparaît, non plus comme un système de secrètes références, mais avec toute la souplesse de héros vivants.

Lorsque, en 1555, Pontus publie son troisième livre, il y a deux ans déjà que Ronsard l'a reconnu comme l'un des siens. Les *Erreurs* font place, maintenant, à quelques odes légères ; aux souffrances de l'amour se mêlent par instants les plaisirs de la vie rustique ; et l'atmosphère de la passion a changé : toujours même concentration et même ardeur, mais je ne sais quoi de plus clair, comme dans un air moins confiné, sous un ciel devenu à la fois plus vaste et plus lumineux. Cependant rien, dans l'inspiration ni dans le style, ne marque une concession au goût nouveau de la Pléiade pour la poésie simple. Tyard demeure un Lyonnais.

Il va poursuivre ses recherches philosophiques et scientifiques, entreprises dès 1550, et auxquelles il accorda toujours beaucoup plus qu'à son activité poétique. Elles en sont inséparables. Ses vers se comprendraient mal si l'on ne se référait à ces étranges *Dialoghi d'Amore* de Leone Ebreo, dont il traduisit en français, en 1551, les rêveries néo-platoniciennes et cabalistes. La justification de son obscurité s'inscrit dans son *Solitaire premier*, dialogue de la fureur poétique. Savant, il étudie le ciel, et l'action des astres, et les correspondances invisibles qui unissent tous les éléments du monde : sa poésie sera une quête subtile de ces conjonctions secrètes ; ses comparaisons même s'en trouvent magnifiées : sa dame est son astre, les yeux de sa dame, son soleil ; ce qui, pour d'autres, n'est que jeu d'esprit ou de style est pour lui l'expression de rapports substantiels entre le grand univers et le petit univers de l'âme.

Lorsque, en 1573, Tyard donna l'édition collective de ses *Œuvres Poëtiques*, il y inséra un « recueil » de poèmes nouveaux. Ce sont surtout des pièces amoureuses et galantes. La maréchale de Retz, qu'il faut évoquer à propos de Mlle de Surgères, inspira cette passion tardive : ces *Nouvelles œuvres* sont les *Sonnets pour Hélène* de Pontus de Tyard. Moins plaintives que les *Erreurs*, moins obscures aussi et plus riches d'emprunts à la littérature antique — la Pléiade a passé par là —, elles reprennent, sans contrainte, les thèmes platoniciens et leur expression pétrarquiste chère au poète de *Pasithée* : c'est le temps où, avec Desportes, triomphe de nouveau la préciosité ; l'italianisme a retrouvé sa vogue et Leone Ebreo reconquis sur les dames cette chaste influence dont enrage Ronsard.

Ainsi s'achève la carrière de Pontus de Tyard sans que l'autonomie de son inspiration ait été entamée à travers les aventures poétiques du siècle, unissant la fidélité d'un provincial pour son langage natal au dédain d'un grand seigneur pour les modes passagères.

La parenté littéraire de Tyard et de Des Autels ressemble à leur parenté familiale : la Muse de Guillaume est cousine de celle de Pontus, et de moins haut lieu. Son amour pour sa *Saincte* connaît les mêmes extases dont Pasithée reçut l'hommage ; si, dans son *Repos de plus grand travail*, il glisse, parmi ses sonnets pétrarquistes, quelques odes, il les nomme *chants*, à la manière des Lyonnais. Dans son *Amoureux repos*, il « erre » encore plus qu'il ne ronsardise ; mais il fait des concessions au goût du vulgaire, et, en s'excusant auprès de son cousin, chante quelques amours heureuses ; surtout, il s'essaie au pindarisme, avec plus d'ardeur que de perfection.

Les événements de 1559 le conduisent à la poésie militante, comme Ronsard. Mais tandis que Ronsard essaie de concilier le loyalisme traditionnel de sa famille avec son amitié pour les Guises, Des Autels ne peut se dégager de ses ambitions neuves, qui l'attachent aux princes lorrains et l'inféodent à la politique de l'Empire. Son poème, *la Paix venue du Ciel*, est imprimé à Anvers, et il le fait suivre d'un *Tombeau de Charles-Quint*. Mais il y a dans la *Remonstrance au peuple françoys* et dans l'*Eloge de la Paix* de nobles accents, des exhortations dignes de Ronsard en faveur de la conciliation. Le tumulte d'Amboise l'affermit dans cette attitude. Sa *Harengue au peuple françoys contre la rebellion* fait de lui le compagnon de lutte politique de Ronsard. De telles œuvres, plus que ses poèmes d'amour ou que ses tentatives lyriques, recommandent Des Autels à la postérité.

AUTOUR DE LA PLÉIADE

Les choix des élus que fit Ronsard lorsqu'il fixa la composition, d'ailleurs changeante, de sa Pléiade, n'épuisent point la liste des poètes notables de ce temps.

Olivier de Magny (1529-1561) vient de son Quercy natal à Paris chercher la gloire à l'ombre de Hugues Salel. C'est le Méridional de notre littérature au XVIᵉ siècle. Il se lie avec Ronsard et fait partie de la Brigade. Comme Ronsard, il publie quelques hymnes, puis se met à pétrarquiser; ses *Amours* « cassandrisent » fort correctement. La grande aventure de sa vie est son voyage à Rome, à la suite de l'ambassadeur d'Avanson. Olivier et Joachim y connaissent les mêmes occupations, les mêmes déceptions, et les *Souspirs* sont voisins des *Regrets* : satires de vices semblables, ennui de qualité voisine, avec, pour Magny, quelques diversions galantes. Olivier de Magny finit par où commença Ronsard. Il avait publié, en 1554, des *Gayetez*, proches parentes des *Folastries*. En 1559, il compose les *Odes graves*, de mode pindarique. Ses derniers poèmes, qui restèrent longtemps inédits, laissent penser qu'il eût, au temps des guerres civiles, donné à la poésie militante beaucoup de courage et de talent. Il n'est donc point seulement le gai Quercinois que la tradition a accoutumé de nous présenter. Son talent, mûri par l'âge et l'épreuve, s'affirmait déjà dans la poésie grave; il eût dépassé cette facilité un peu molle que nous aimons en lui.

La mort prématurée de Jacques Tahureau fut pour la poésie du XVIᵉ siècle une perte aussi sensible, plus sensible peut-être, que celle d'Olivier de Magny. Ses *Premieres poësies* contiennent surtout des odes graves; mais son pindarisme n'est point servile; il reste sobre, ennemi des fables obscures et des vocables trop savants; ses poèmes ont le haut vol des odes ronsardiennes, mais aussi toute la souplesse d'élégies graves. Les *Sonnets, Odes et Mignardises à l'Admirée* doivent quelque peu au pétrarquisme — quoique le poète se soit rendu coupable de cette hérésie : épouser sa dame —; elles doivent plus encore à la sensualité des néo-latins ou de Baïf et au libertinage des *Folastries*. Mais Tahureau garde beaucoup d'originalité lorsqu'il chante ces singuliers délices avec une verve élégante et sobre. Ce poète des baisers laissait derrière lui, lorsqu'il mourut à l'âge de vingt-huit ans, des *Dialogues* dont le scepticisme savant annonce Montaigne. Ce génie si divers, cette vie si brève se sont trompés de siècle : Tahureau eût dû être Racan, ou le La Fontaine d'*Adonis*.

Les œuvres de Tahureau illustrent ce cénacle provincial qui se groupa à Poitiers autour de Baïf, brouillé pour un temps avec Ronsard.

Le grave Scévole de Sainte-Marthe publia, à Poitiers, ses premiers vers français; Vauquelin de La Fresnaye y

ATTESTATIONS EN FAVEUR DE NICOLAS GOULU : « *Ego, Petrus Ronsardus, affirmo me audisse publice legentem grecè Nicolaum Gulonium et dignissimum regia legendi facultate existimare.* » Aux côtés de Ronsard, plusieurs poètes : Dorat, Belleau, de Baïf, ont examiné, de concert avec les lecteurs royaux, les titres de cet helléniste, candidat à l'une des chaires du Collège de France.
CL. LAROUSSE.

composa ses *Foresteries* : sa muse rustique et pastorale doit plus à Théocrite, à Virgile et à Sannazar qu'aux poètes de la Pléiade; ses bergers sont fidèles aux leçons de mièvre libertinage que leur ont données Baïf et Tahureau; ils fondent cependant en France la poésie bucolique. Poitiers devait connaître, vingt-cinq ans plus tard, une nouvelle flambée poétique. Le salon des dames Des Roches est un centre de vie littéraire et mondaine; la maîtresse de maison et sa fille cultivent les Muses, attirent à elles des hommages poétiques, et lorsque, en 1579, les Grands Jours de Poitiers attirent dans la ville l'élite de nos Parlements, c'est chez elles que se rencontrent les magistrats en mal de littérature; le grave Pasquier, qui, après un laborieux *canzoniere*, le *Monophile*, s'est tourné vers la poésie légère, anime le groupe : ainsi naît le recueil d'hymnes-blasons resté célèbre sous le titre de *la Puce*. Charles d'Épinay est un grand personnage en sa Bretagne. Ses *Sonnets amoureux* de 1559 montrent que l'influence de Bembo et de Ronsard s'étend jusqu'à sa province lointaine. Conseiller au Parlement de Bordeaux, La Boétie a, lui aussi, sa dame; il lui dédie une cinquantaine de sonnets assez obscurs, où le platonisme de l'inspiration s'allie à une facture toute ronsardienne. Cependant la province lyonnaise voit se perpétuer la tradition de Scève, éclairée d'une vive lumière par la jeune poésie. Le Mâconnais Philibert Bugnyon est un docte disciple de Tyard. Ses *Erotasmes de Phidie et Gelasine* (1557) — un titre bien lyonnais — empruntent cependant à Ronsard plus d'un thème et d'un rythme; Guillaume de La Taissonnière associe, dans ses *Amoureuses Occupations* (1555), la tendresse éthérée de Scève et de Pontus à la hardiesse et à la liberté ronsardiennes. Les *Champs Faez* de Claude de Taillemont sont une œuvre étrange, roman coupé de vers mystiques; mais ce christianisme platonicien se détend, trois ans plus tard, dans sa *Tricarite* de 1556. Ainsi se forme autour du poète de Bissy un groupe cohérent, qui sacrifie parfois aux modes du jour sans rien abandonner de son âme profonde. Marc-Claude Buttet a quitté sa Savoie natale pour s'enrôler dans la Brigade; il compose des odes graves en l'honneur des Grands, puis se retire près du lac du Bourget. Un pétrarquisme attentif et intelligent mérite à son *Amalthée* (1560) de justes suffrages; mais, si Buttet a sa Cassandre, il a aussi sa Marie et nous lui devons des vers légers, qui fleurent les prairies de montagne. Ainsi, de province en province et de Bretagne au Piémont, se révèlent d'estimables poètes, ambitieux de gloire littéraire, ou plus simplement attentifs à orner, selon le goût du jour, de doctes et élégants loisirs.

Le problème fut moins simple pour plus d'une âme scrupuleuse, en qui luttèrent les aspirations poétiques et les inquiétudes de la foi.

Nicolas Denisot est un des plus joyeux compagnons du voyage d'Arcueil; mais c'est aussi le savant précepteur des filles du comte d'Hertford, expert en distiques latins, et aussi bon peintre, au demeurant, que bon humaniste. Catholique sincère, il s'effraie du paganisme de la Brigade, condamne le recours aux fables mensongères et rêve d'une poésie chrétienne qui célébrerait le vrai Dieu dans le langage de la nouvelle école. Ses *Cantiques* de 1553 réalisent, non sans talent, ce dessein, et Ronsard s'en souviendra lorsqu'il composera son *Hercule chrestien*.

Les réserves qu'un trop constant recours à l'inspiration antique provoquait chez plus d'un poète catholique s'affirment plus clairement parmi les huguenots. Théodore de Bèze renonce vite aux grâces poétiques; sa traduction des *Psaumes* en vers français (1563) ignore, par ascétisme, l'illustration neuve de la poésie française; Jean Tagaut se dit « Pasithéophile » et rime en l'honneur de sa dame des *Odes*, récemment publiées, où triomphent Pétrarque et Platon; mais il se convertit; il ne composera plus que des vers étroits, marqués de contrition. Les *Œuvres poëtiques* publiées en 1557 par Louis Des Masures contiennent des épigrammes, des élégies, des odes. On y aime tantôt la force, tantôt, dans les odes rustiques, une grâce aimable. C'est Horace, avec de la lenteur, mais de la plénitude. Une traduction en vers de l'*Énéide* s'ajoute à cette production profane qui valut à Des Masures l'amitié assidue de Ronsard et des siens. Mais, en 1558, le poète adhère au calvinisme, devient ministre à Metz : il ne s'emploiera plus qu'à la composition de ses *Tragedies saintes*.

Peu de poètes furent accueillis avec plus d'amitié que Grévin dans le cercle des ronsardisants. Ce tard venu promet de combler le vide laissé par la mort de Du Bellay et par celle de Tahureau. A vingt et un ans, en 1559, il a déjà publié une comédie, trois plaquettes de vers et une *Pastorale*. Poésie tantôt savante et de haut parler, plus proche des *Hymnes* que des *Odes*, et tantôt régulière et calme, mêlant au goût antique une douce saveur de terroir. Ses vers d'amour sont dédiés à Nicole Estienne. Moins italien que ses prédécesseurs en pétrarquisme, plus retenu que Ronsard en ses pièces légères, il est langoureux sans trop de conviction et sans excès d'originalité. Son recueil — *l'Olympe* — accompagné de ses autres œuvres poétiques assied sa notoriété. Vient l'orage : Grévin se convertit au protestantisme, s'engage dans la querelle des *Discours des Miseres de ce Temps* et publie ce *Temple de Ronsard*, qui l'oppose si durement à son maître et à ses anciens amis. Ainsi s'accuse la rupture entre la Pléiade et tout le groupe des poètes huguenots.

Il faudrait citer d'autres noms : le docte Charondas, Ellain, Filleul, et Maclou de La Haye, d'autres encore. Mais déjà, vers 1560, on se plaint que la France compte trop de poètes et que ce beau nom « vienne au nonchaloir du peuple ». Ce fut au moins le mérite de la Pléiade d'avoir éveillé ces talents, si elle ne les contrôla toujours, et d'avoir, sur notre terre, fait reverdir l'antique laurier.

III. — LE THÉÂTRE

Aucune œuvre dramatique de la Renaissance française n'est plus jouée, et ne mérite de faire partie du répertoire « classique ». Mais c'est à cette époque que les Français ont importé deux genres où ils surpasseront plus tard tous leurs rivaux, et qu'ils ont fixé le cadre et le style de chacun d'eux. En outre, l'histoire de notre théâtre pendant le XVIᵉ siècle présente un grand intérêt; elle se caractérise par un long conflit entre les traditions médiévales et l'imitation de l'Antiquité. D'abord, le théâtre médiéval régna sans concurrence; puis la comédie et la tragédie s'introduisirent chez nous sous la forme latine, et ensuite en français; elles s'imposèrent au détriment des anciens genres. Mais, vers la fin du siècle, ce théâtre à l'antique s'altéra, on vit apparaître la tragédie irrégulière, et la farce retrouva une grande faveur.

LE DÉCLIN DES GENRES MÉDIÉVAUX ET L'APPARITION DU THÉÂTRE A L'ANTIQUE

Les pièces du XVIᵉ siècle qui ont été conservées ne représentent qu'une faible partie de ce qui a été écrit à cette époque pour être joué. Dernières productions du théâtre médiéval : les Comédies *de Marguerite de Navarre (éd. Schnéegans, 1923), sa* Nativité *(éd. Jourda, 1939), et son* Théâtre profane *(éd. Saulnier, 1946), le* Théâtre mystique *de F. Du Val (éd. Picot, 1882), la* Moralité de Pyramus et Tisbée *et l'*Histoire de l'orgueil de l'empereur Jovinien *(Bulletin du bibliophile, 1901 et 1912).*

Consulter Petit de Julleville, les Mystères; *R. Lebègue, la* Tragédie religieuse en France de 1514 à 1573 *et le* Mystère des Actes des Apôtres, 1929. *Sur les origines et le développement de la tragédie française, cf. G. Lanson,* Esquisse d'une histoire de la tragédie française, 1920, *et R. Lebègue, la* Tragédie française de la Renaissance, 1944.

En France, la première manifestation du théâtre moderne date de l'hiver 1552-1553 : c'est alors que Jodelle fit jouer devant la Cour et les humanistes parisiens la tragédie de *Cléopâtre* et une comédie en français. On vit dans cet événement la résurrection du théâtre des Anciens. Mais, en littérature, il n'y a pas de changements brusques : la représentation de *Cléopâtre* et de *la Rencontre* était l'aboutissement d'un demi-siècle d'efforts et de tâtonnements.

Jusqu'aux environs de 1540, le théâtre médiéval conserva chez nous son ancienne vogue. Les villes rivalisaient de faste dans la représentation des grands Mystères bibliques. Les Miracles, les Histoires, les Moralités et les Farces n'étaient pas moins nombreux. On imprimait un grand nombre de ces pièces. Mais le déclin suivit de près l'apogée. Le plus estimé de ces genres, le Mystère, fut frappé de stérilité : les « fatistes » se contentèrent de copier servilement les procédés des frères Gréban et de Jean Michel. On ne trouve un peu d'originalité que dans le *Saint Louis* de Gringore, qui resta inédit, et dans les petites pièces lyriques et symboliques que Marguerite de Navarre a écrites autour de la Nativité. Un divorce se produisit dans le public des Mystères : tandis que le peuple affluait à ces spectacles, où l'on accumulait, pour lui plaire, prodiges, supplices et bouffonneries, pour des raisons littéraires et des raisons religieuses l'élite s'en détourna. Après l'arrêt du Parlement de Paris (1548), on ne joua presque plus de Mystères dans les grandes villes, et on n'en imprima presque aucun. Les Miracles cessèrent d'être joués par les confréries; on n'a pas conservé de Miracles postérieurs à l'année 1550.

Les autres genres médiévaux ne tombaient pas sous le coup des interdictions parlementaires. Mais l'activité dramatique des sociétés joyeuses fut entravée par le gouvernement de François Ier et d'Henri II, et paralysée par les guerres de religion. Dans la seconde moitié du XVIe siècle, on n'entend plus guère parler des Enfants sans Souci. Chez les Basochiens de Paris, la dernière représentation connue date de 1582. Les Sots parisiens restèrent associés aux Confrères de la Passion, et contresignèrent, en 1548, leur achat de l'hôtel de Bourgogne, rue Mauconseil; au début du XVIIe siècle, on y jouait encore des espèces de sotties, que l'on appelait *pois pilés*, et dont aucune n'a été conservée. Mais le titre de *sottie* disparut peu après 1550. La nouvelle école poétique tourna en dérision les personnages allégoriques de la Moralité, et aucun dramaturge de valeur ne daigna pratiquer ce genre.

L'Histoire et la Farce semblent avoir mieux supporté les vicissitudes du goût. L'Histoire était plus proche de la tragédie historique, telle que l'ont pratiquée les Anglais, que du Mystère. L'*Histoire d'un empereur qui tua son neveu*, publiée en 1543, est un drame assez court dont l'action est bien enchaînée; après avoir tué son neveu, coupable d'un viol, l'empereur est miraculeusement absous par Dieu avant de mourir. De nombreuses pièces de ce genre furent jouées à Paris et en province; leur tradition s'est prolongée jusqu'à l'*Histoire tragique de la pucelle d'Orléans* (1580) et au-delà. Mais, comme ces Histoires n'étaient pas calquées sur les tragédies des Anciens, nos poètes humanistes les ont dédaignées, et très peu d'entre elles ont été conservées. La Farce fut confondue avec la Comédie jusqu'aux environs de 1540; la Pléiade affecta de la mépriser, mais ce genre manifestera, à la fin du siècle, une vitalité persistante.

Le théâtre de la Renaissance française naquit de l'imitation des Anciens. Nos humanistes étudiaient dans les livres de Vitruve, d'Alberti et de Serlio ou dans les monuments de l'Italie et du midi de la France la disposition des théâtres et amphithéâtres romains. Ils acceptaient les

FRONTISPICE du « Térence » de Trechsel (1493). C'est ainsi que les humanistes, à l'extrême fin du XVe siècle, se représentaient la scène romaine. — CL. DIDIER.

UNE REPRÉSENTATION des « Adelphes » au XVIe siècle. Illustration tirée du « Térence » de Roigny (1552). — CL. DIDIER.

définitions que Donat et Diomède donnaient de la tragédie et de la comédie, et les préceptes de l'épître aux Pisons. Les éditions annotées de Térence, de Plaute et de Sénèque le Tragique se multipliaient. Quelques-unes contiennent des gravures sur bois, représentant un théâtre romain demi-circulaire et un décor sommaire où les maisons sont réduites à des portes et des rideaux; ce décor servait, sans doute, aux représentations scolaires. On rêva de construire des théâtres à l'antique.

LE THÉÂTRE SCOLAIRE

Sur le succès des modèles anciens, on consultera H. W. Lawton, Térence en France au XVIe siècle, 1926, et Mme Delcourt, les Traductions des tragiques grecs et latins en France, 1925, et la Tradition des comiques anciens en France, 1934.

George Buchanan (1506-1582) est un humaniste cosmopolite, qui enseigna à Paris de 1528 à 1531, à Bordeaux de 1539 à 1543, à Paris en 1544-1545, à Coïmbre de 1547 à 1549, à Paris depuis 1552. Plus tard, il retourna dans son Écosse natale. Ses poésies latines ont eu un succès européen. Cf. sur l'humaniste cicéronien Muret, le livre de Dejob, 1881.

C'est dans les collèges que naquit à nouveau l'art dramatique des Anciens. Certains maîtres firent jouer par leurs élèves non plus des dialogues, des moralités et des farces, mais des pièces antiques et des comédies latines composées par eux. Dès 1530, Buchanan, qui enseignait à Sainte-Barbe, mentionne parmi les occupations professorales les comédies et les tragédies. Dix ans plus tard, il faisait jouer par ses élèves bordelais deux tragédies latines de son cru, *Baptistes* et *Jephthes*. Cette dernière sera publiée à Paris en 1554. Il semble être le premier, chez nous, qui ait tiré d'un épisode de l'histoire sainte un drame à l'antique. A l'exemple d'Euripide, dont il imitait les plus belles scènes d'*Iphigénie à Aulis*, il divisa *Jephthes* en épisodes séparés par les chants du chœur. L'action est concentrée, le style orné et brillant.

Vers 1545, le jeune professeur Muret composa la première tragédie à sujet profane que nous ayons conservée : son *Julius Caesar*, publié en 1553, ouvrit la voie à tous nos drames tirés de l'histoire romaine. Pendant leurs séjours dans le sud-ouest de la France et à Paris, Buchanan et Muret ont développé chez leurs collègues et leurs élèves le goût de la tragédie à l'antique : la plupart des jeunes poètes qui, vers 1550-1560, osèrent écrire des tragédies en latin et en français étaient en relations avec ces deux humanistes et avec Dorat.

Vers 1550, tandis que les Confrères parisiens de la

Passion s'attardaient à jouer des farces, des moralités et des histoires, les humanistes éditaient ou traduisaient les dramaturges anciens, plusieurs professeurs composaient des tragédies latines, et l'on jouait, au collège de Coqueret, une version française de *Plutus*, due à Ronsard (et à Baïf ?). Si l'on en croit Binet, le biographe de Ronsard, ce « fut la première comédie française jouée en France ». Les principaux foyers de la renaissance dramatique étaient les collèges de Boncourt et de Coqueret. La théorie de la tragédie était déjà fixée : ce drame représente une illustre infortune, qui succède à la prospérité ; comme dans le théâtre latin, il est divisé en cinq actes, séparés par des strophes chorales ; les personnages sont de rang élevé ; le style est orné et emphatique ; l'action commence *in medias res*, peu avant le dénouement ; le dénouement pitoyable prouve la fragilité de la condition humaine, et les sentences contribuent à l'enseignement moral. Il ne restait plus qu'à jouer et à publier des tragédies écrites en français ; cette initiative fut prise non à Paris, mais en Suisse romande : ce fut, en 1550, la représentation à Lausanne et la publication à Genève de l'*Abraham sacrifiant*.

LE THÉÂTRE PROTESTANT

Théodore de Bèze (1519-1605), né à Vézelay, s'adonna d'abord à la poésie profane en latin (Juvenilia, *1548*); *puis il s'établit en Suisse. Dès lors, pendant plus d'un demi-siècle, il consacra son activité à la propagande calviniste. Il compléta la paraphrase du Psautier par Marot. Son* Abraham sacrifiant *a eu quarante éditions. Le Tournaisien Louis Des Masures (1515?-1574) est, lui aussi, un humaniste converti à la Réforme. Il a traduit l'*Énéide. *Sa trilogie de David (Genève, 1563) a été rééditée en 1907. Autres textes : la* Tragédie du sac de Cabrières, *1927, et la* Comédie du pape malade, Philadelphie, *1934.*

Les protestants comprirent de bonne heure que le théâtre en langue vulgaire était un puissant moyen de propagande, qui atteignait même les illettrés. Aussi ont-ils développé un théâtre édifiant et polémique, dont la langue et le style étaient accessibles à tous. Ils ne copièrent servilement ni le théâtre religieux traditionnel, dont les bouffonneries et les épisodes apocryphes les scandalisaient, ni la technique des dramaturges païens. En général, leurs pièces tiennent plus de notre théâtre médiéval que du théâtre à l'antique.

Ils ont composé de nombreuses pièces antipapistes, apparentées à la farce ou à la moralité, des moralités édifiantes telles que la *Tragique Comédie de l'homme justifié par Foi*, de Barran (1554), des tragédies tirées de l'actualité, et d'autres empruntées à l'Ancien Testament. La meilleure de ces œuvres de propagande est l'*Abraham sacrifiant*, que Bèze écrivit pour ses élèves de l'Académie de Lausanne. Sur ce sujet, souvent traité au XVIe siècle, il mit la marque de sa foi religieuse et de sa culture classique. Il propose à ses coreligionnaires l'exemple d'Abraham, de l'élu de Dieu, qui est en butte aux épreuves et aux tentations ; la Foi le soutient, et la Grâce le fait triompher des conseils de Satan. Bèze ne respecte pas les unités de temps et de lieu ; mais, lui aussi, il se souvient d'*Iphigénie à Aulis*. En mettant au

THÉODORE DE BÈZE. Peinture conservée à la bibliothèque de la Société d'histoire du protestantisme français. — CL. LAROUSSE.

premier plan le conflit intérieur d'Abraham, il fondait, cent ans avant Corneille, la tragédie psychologique. Tout en restant simple et clair, le style s'élève parfois au sublime.

Malheureusement, la formule que Bèze avait inventée ne fut guère appliquée. Des Masures ne manquait pas de talent psychologique, mais les crises de conscience qu'éprouve son David sont noyées parmi les prières, les discours édifiants, et les épisodes pittoresques imités des Mystères. D'ailleurs, un rigorisme excessif mit bientôt fin au théâtre protestant en français.

LA TRAGÉDIE A L'ANTIQUE

Textes : Jodelle, *Cléopâtre,* Philadelphie, *1946 ;* Grévin, *Théâtre, 1922 ;* Jean de La Taille, *Saül le furieux,* Leipzig, *1908, De l'art de la tragédie,* Manchester, *1939 ;* Pompée, *Nuremberg, 1934. Études :* Horvath, *Jodelle,* Budapest, *1932 ;* Banachévitch, *La* Péruse, *1923 ;* Pinvert, *Grévin, 1899 ;* Lebègue, *Tableau de la tragédie française de 1573 à 1610 (Bibliothèque d'Humanisme et Renaissance, V, 1944).*

Étienne Jodelle naquit à Paris, en 1532. Dès sa jeunesse, ardent et orgueilleux, il donna de grands espoirs, bâclant sonnets, odes, poésies en vers mesurés, pièces de théâtre. En 1573, il mourut dans la misère, ne laissant aucune œuvre d'un mérite achevé. D'autres auteurs tragiques ont eu une brève existence : La Péruse et Jacques de La Taille moururent tout jeunes, de la peste ; Jacques Grévin, qui partagea son activité entre la poésie et la médecine, mourut à Turin, à l'âge de trente-deux ans. Jean de La Taille prit part aux guerres de religion et vécut jusqu'au début du XVIIe siècle.

La tentative de Bèze, qui s'était produite à l'étranger, n'eut pas d'influence sur le développement de la tragédie en France. Mais, trois ans plus tard, les représentations de *Cléopâtre* eurent un retentissement comparable à celui des journées d'*Hernani*. A l'hôtel de Reims, prêté par le cardinal de Lorraine, la pièce fut jouée devant le roi dans « le magnifique appareil de la scène antique ». Au collège de Boncourt (dont l'emplacement se trouve rue Descartes), tandis que Belleau, La Péruse et d'autres acteurs de bonne volonté récitaient les rôles, professeurs, étudiants et lettrés se pressaient dans la cour et aux fenêtres. Muret, Ronsard, Baïf, Belleau et quelques autres fêtèrent, à Arcueil, le succès de Jodelle, et le bruit s'en répandit dans les villes de province.

Du récit que Plutarque a laissé de la mort d'Antoine et de Cléopâtre, un auteur moderne tirerait un drame passionnel, bariolé de couleur locale ; un dramaturge classique eût concentré la lumière sur les caractères des personnages. Jodelle, lui, y a vu la matière de copieuses lamentations : Antoine est déjà mort, son Ombre se lamente sur ses fautes et ses malheurs, puis Cléopâtre déplore la fin de son amant et se prépare à mourir. A la fin, nous apprenons son suicide. Cette pièce ne vaut ni par le mouvement, ni par l'analyse psychologique, ni par le style. Mais elle représente bien les tragédies à l'antique qui vont se succéder pendant trente ou quarante ans : rupture complète avec le théâtre médiéval, peu d'action, beaucoup de lamentations, de sentences et de rhétorique.

Tandis que Jodelle appliquait les mêmes procédés à la mort de Didon, des jeunes gens qui, comme lui, croyaient suppléer à l'expérience de la vie par l'imitation fidèle des Anciens, empruntaient à l'histoire gréco-latine ou à la Bible des sujets de tragédie. Quelle que fût la matière, ils appliquaient la même technique, et prenaient pour principal modèle le théâtre de Sénèque. Il est regrettable qu'ils lui aient emprunté ses personnages peu naturels et sa rhétorique emphatique; mais cette imitation a eu aussi de bons effets : on a essayé, souvent avec succès, d'égaler la brièveté énergique de ses sentences, de ses antithèses et de ses dialogues stichomythiques.

La consécration que ces poètes espéraient, c'était une représentation devant le roi et la Cour. Mais celle des Valois aimait mieux voir, à la salle du Petit-Bourbon ou à Fontainebleau, des ballets, des mascarades, des pièces joyeuses et galantes que des drames lugubres. Parmi les rares tragédies qui furent jouées devant la cour de France, il faut citer la *Sophonisbe* du Trissin : à la demande de Catherine de Médicis, Saint-Gelais, aidé d'Amyot, la traduisit en quatre jours. Cette version fut jouée en avril 1556, au château de Blois, sans doute dans une cour. Il n'y eut pas de décors, semble-t-il. Marie Stuart, les petites Élisabeth et Claude de France, Diane d'Angoulême, la maréchale de Saint-André, Mlle de Rohan, le comte de La Rochefoucauld, etc., tenaient les rôles. Les costumes étaient en toile d'argent, velours, satin, taffetas, ou damas. Il y avait des masques. Sophonisbe portait une cotte de taffetas bleu, bordée de vair. Mégère tenait un flambeau, et ses cheveux « serpentins » étaient de satin blanc. Par souci de couleur locale, les Mauritaniens portaient des « chapeaux à la turque », des « turbans »!

A défaut de cette faveur insigne, les dramaturges étaient heureux de faire jouer leurs œuvres dans les collèges de Paris et de province. Enfin, tandis que les confrères parisiens de la Passion restaient hostiles au théâtre à l'antique, il se forma, en province, des compagnies d'acteurs professionnels, qui allaient de ville en ville, et même à l'étranger, et qui jouaient dans les jeux de paume des tragédies et des histoires, des comédies et des farces, avec accompagnement de chants et de violes ou de flûtes. Sauf pendant les périodes de guerre civile, ces représentations étaient assez fréquentes. La diffusion de la tragédie fut facilitée par le petit nombre des personnages et par la simplicité de l'action, qui se passait dans un lieu indéterminé devant un palais, une tente, etc. Ainsi, les Français purent se passer d'édifices spécialement construits pour les représentations théâtrales.

Plus nous avançons vers la fin du XVIe siècle, plus la tragédie en français se développe. De 1550 à 1569, on imprime chez nous seulement quatorze tragédies, dont six traduites du latin ou de l'italien; de 1570 à 1589, leur nombre s'élève à vingt-six, dont sept traduites. Les auteurs se recrutaient parmi les régents de collège, les jeunes gens qui achevaient leurs études, les magistrats, les bourgeois et les nobles. Les représentations et les éditions firent connaître ce genre à travers la France.

Étant des œuvres d'imitation, ces tragédies ressemblent beaucoup les unes aux autres. Mais, parmi de nombreux et médiocres auteurs, il y eut quelques poètes,

LE DÉCOR DE LA TRAGÉDIE, d'après l'ouvrage de Sebastiano Serlio, « il Primo Libro d'Architettura » (édition de Paris, 1545). — CL. LAROUSSE.

Grévin, Jean de La Taille, Garnier, et Montchrestien, qui furent de bons artisans du vers, ou qui eurent le sens de l'action dramatique.

A l'âge de vingt-trois ans, Grévin fit jouer, au collège parisien de Beauvais, sa tragédie de *César*. Son style l'emporte par la fermeté et le mouvement sur celui de Jodelle. Dès le début, les pressentiments et l'incertitude de César créent l'intérêt tragique. Comme chez Muret, le second acte nous présente les conjurés. Au troisième, une péripétie rend la catastrophe inévitable : D. Brutus décide César, malgré les supplications de Calpurnie, à se rendre au Sénat. Le récit du meurtre remplit le quatrième acte. Le dernier révèle, chez Grévin, le goût des effets tragiques : d'abord, comme chez Muret, les conjurés, brandissant leurs poignards sanglants, apprennent au peuple la mort du tyran; puis, après leur départ pour le Capitole, Antoine paraît et soulève les soldats contre Brutus, en étalant la toge ensanglantée du dictateur.

Jean de La Taille est le Français du XVIe siècle qui a le plus réfléchi sur la nature de la tragédie. Son *Art de la tragédie* reflète les idées d'Aristote commentées par Castelvetro. Le héros ne doit être ni très bon, ni très méchant. La Taille est le premier chez nous qui ait formulé à la fois les règles des unités de temps et de lieu : « Il fault toujours représenter l'histoire ou le jeu en un mesme jour, en un mesme temps, et en un mesme lieu. » Mieux que ses émules, il comprit que l'action devait être variée et rapide : « C'est le principal point d'une tragédie de la sçavoir bien disposer, bien bastir... Qu'elle soit bien entrelassée, meslée, entrecoupée, reprise... Qu'il n'y ait rien d'oisif, d'inutil. » La première de ses deux tragédies bibliques fut écrite avant 1563; elle s'intitule *Saül le furieux, tragedie prise de la Bible, faicte selon l'art et à la mode des vieus autheurs tragiques*. Ce sujet est à la fois biblique et grec : La Taille se souvient de l'*Hercule furieux* de Sénèque et des héros grecs qui sont accablés par la Némésis. Dès le début, nous sommes jetés en pleine action : on voit Saül pris de folie furieuse; puis l'intérêt est entretenu jusqu'à la fin par les plaintes du roi déchu, l'apparition et la prophétie de l'esprit de Samuel, le récit de la mort de Jonathas, la résolution de Saül de périr en combattant. Le style est médiocre; mais, dans le théâtre français du XVIᵉ siècle, aucune pièce n'est aussi dramatique, aucune figure tragique n'a autant de complexité et de relief.

ROBERT GARNIER

Né vers 1545, à La Ferté-Bernard, Garnier étudia le droit à Toulouse. A Paris, où il rejoignit son ami Pibrac, il se lia avec les poètes de la Pléiade, et publia Porcie *(1568). Puis il exerça des fonctions judiciaires dans le Maine jusqu'en 1586. La fin de sa vie fut assombrie par des malheurs familiaux et par les guerres civiles. Il mourut en 1590. Tous ses contemporains lui ont reconnu la première place parmi nos auteurs tragiques. Consulter Émile Faguet, la* Tragédie française au XVIᵉ siècle, *1883; R. Lebègue, les* Juives, *1944; et la* Revue des Cours et Conférences, *XXXIII.*

Ce grave et fervent catholique, qui, à part quelques scènes de *Bradamante*, n'a rien écrit de comique, songeait moins à la gloire littéraire qu'à la diffusion d'un enseignement moral et religieux. Comme il l'écrivait lui-même,

Pleurant nos propres maux sous feintes
[etrangeres,

il a parsemé de conseils moraux et d'allusions ses œuvres dramatiques, et c'est pour faciliter les applications qu'il a choisi dans les guerres civiles de Rome les sujets de trois de ses sept tragédies. Il s'efforce de persuader ses compatriotes que leur désunion est la source de tous leurs maux, que Dieu les punit de leurs fautes, et que, s'ils reviennent à lui, ils retrouveront la paix et la prospérité.

Il n'a jamais su construire solidement l'action et la faire progresser, à travers les péripéties, vers le dénouement. Rien de plus mal bâti que sa *Porcie* et sa *Cornélie*. Mais c'est un grand poète lyrique et tragique : aucun dramaturge du XVIᵉ siècle n'a tiré de l'alexandrin et des strophes chorales des effets aussi heureux et aussi variés.

Nous ignorons s'il a eu l'occasion de voir jouer ses pièces par des collégiens ou par une troupe d'acteurs. Mais il est évident que, en vue de la représentation, il a multiplié les gestes et les tableaux pathétiques. Sa dernière tragédie, *les Juives* (1583), est le chef-d'œuvre dramatique de notre Renaissance. L'exposition est lente, l'action piétine. Mais l'auteur a donné à ce tableau des malheurs de Jérusalem et de la famille royale une unité religieuse : sur toute l'action plane la volonté du Dieu de vengeance et de pardon; Garnier a retrouvé les sentiments et même le style du Psalmiste et des Prophètes. Les personnages, surtout Amital et la reine d'Assyrie, ont un caractère original et nuancé; comme dans le théâtre classique, le contraste les fait valoir les uns les autres. Garnier a renoncé à la boursouflure, mais son vers reste ferme et coloré. Les tableaux émouvants se succèdent : les Juives se jettent aux pieds de la femme de Nabuchodonosor, Sédécias enchaîné défie son vainqueur, ses femmes couvrent de baisers leurs enfants qui leur sont enlevés pour toujours. Enfin, au cinquième acte, après le lugubre récit de la cata-

ROBERT GARNIER. Portrait figurant en tête de l'édition de 1585 de ses « Tragédies ». — CL. LAROUSSE.

strophe, Sédécias aveuglé reparaît et demande au prophète pourquoi Dieu permet le triomphe du méchant. Alors que l'horreur et l'affliction sont à leur comble, le prophète explique le rôle des fléaux de Dieu, puis, dans un transport, il prédit le châtiment de Nabuchodonosor, le retour des Juifs, et l'avènement du Messie. Connaît-on beaucoup de tragédies dont le dernier acte soit aussi spectaculaire et présente une gradation aussi émouvante ?

Garnier a régné sur la tragédie française jusqu'au début du XVIIᵉ siècle, et nos plus grands auteurs tragiques ont imité ses vers.

MONTCHRESTIEN

Les aventures d'Antoine de Montchrestien prouvent combien, après la secousse de nos guerres civiles, l'ordre était encore mal rétabli dans les vies privées comme dans l'État. Né à Falaise, vers 1575, il fait jouer, à Caen, sa tragédie de Sophonisbe, et la publie dans cette ville, en 1596. En 1601, il en donne, à Rouen, une réédition entièrement corrigée, accompagnée de quatre autres tragédies : l'Escossoise, les Lacènes, David, Aman, *et de quelques poèmes. Ses* Tragédies *paraissent de nouveau à Rouen, en 1604, avec une nouvelle pièce :* Hector. *Désormais, il ne publiera plus qu'un seul poème.*

Il a des procès et des duels. Dans l'un d'eux, il tue son adversaire; il s'enfuit alors en Angleterre. Il en revient au bout de quelques années, et se consacre à la coutellerie. L'expérience qu'il a acquise en Angleterre, en Hollande et en France lui inspire l'important Traité de l'économie politique, *qu'il dédie, en 1615, au jeune roi et à sa mère. La pensée n'en est pas très originale, et il a fait maint emprunt à Bodin et à Laffemas. Il appuie sa doctrine protectionniste sur des observations précises. Ce livre, bien connu des économistes, se recommande au grand public par sa langue pure et par son style éloquent et imagé.*

Enclin aux idées protestantes, il se jeta, en 1621, dans l'insurrection. Après avoir participé aux délibérations des Huguenots à La Rochelle, il essaya de soulever la Basse-Normandie. Il périt bientôt près de Domfront.

Éditions du Traité *(1889), des* Tragédies *(1891), de* Sophonisbe *(Marbourg, 1886), de la* Reine d'Écosse *(1905) et d'*Aman *(Philadelphie, 1939). Voir R. Lebègue, Malherbe correcteur de tragédie (Revue d'Histoire littéraire, XLI, 1934).*

Montchrestien, qui avait trente ans de moins que Garnier, fit, à son exemple, des tragédies régulières, où les situations pathétiques et les lieux communs de morale tiennent la plus grande place. L'action y languit. Il a tiré de la mort de Marie Stuart une pièce fort touchante; tout en nous apitoyant sur la victime, il a pris soin de prêter à Élisabeth des sentiments généreux; mais, après deux actes consacrés aux délibérations de la reine d'Angleterre, deux autres sont remplis par les plaintes douloureuses de l'Écossaise, et par ses adieux à la vie; ensuite, on raconte et on déplore sa mort. La tragédie devient, ici, une élégie dramatique.

Ce qui distingue Montchrestien de ses devanciers, c'est d'abord une originalité relative. Il ne prend pas un modèle dans le théâtre antique, et les emprunts qu'il fait à telle ou telle tragédie ancienne ou moderne restent discrets : sous ce rapport, il est déjà un classique. Par la bouche du chœur, il énonce souvent des réflexions personnelles sur la vie humaine; la mélancolie dont elles sont empreintes est due, sans doute, à sa condition d'orphelin. D'autre part, il se conforme à l'évolution littéraire de son temps; comme Desportes, il recherche l'harmonie, et ses vers lyriques sont fluides, « doux-coulants » :

> Qu'est-ce, ô Dieu, que de l'homme! une fleur passagere,
> Que la chaleur flestrit ou que le vent fait choir;
> Une vaine fumée, une ombre fort legere
> Que se joue au matin et passe sur le soir.

Il a subi l'influence du pétrarquisme galant et précieux. Masinissa, David, Assuérus expriment leur désir amoureux avec les métaphores et les *concetti* à la mode. Pour les cheveux blonds de Marie Stuart, il trouve cette charmante image baroque :

> Forest d'or où l'Amour comme un oiseau nichoit.

En même temps, il a appliqué les principes malherbiens : il avait soumis la première rédaction de sa *Sophonisbe* à un critique sévère (tout porte à croire que c'était Malherbe lui-même); celui-ci le força à renoncer aux mots archaïques et aux néologismes, à trier soigneusement les métaphores, à éviter les répétitions involontaires, les hiatus, les cacophonies, les enjambements. Bien qu'après 1599 il ait cessé pour longtemps de voir Malherbe, Montchrestien conserva l'habitude de corriger minutieusement la forme de ses tragédies. Aussi son style est-il plus correct et plus élégant que celui des autres dramaturges de son temps.

Tel fut le développement de la tragédie à l'antique. On peut regretter le divorce qui s'est opéré entre le peuple et le théâtre sérieux : une représentation dramatique n'est plus une œuvre municipale, à laquelle collaboraient tous les métiers, toutes les classes d'une ville; elle est désormais exécutée par quelques collégiens ou acteurs. D'autre part, ce n'est plus un spectacle complet, où entraient tous les arts. Mais l'œuvre littéraire prend enfin la première place : le temps est passé où les charpentiers, qui faisaient les « feintes » du Mystère, avaient autant d'importance que le « fatiste »! Nos dramaturges s'efforcent d'inspirer la terreur et la pitié, et expriment dans une langue poétique et élevée les sentiments et les passions. S'il n'avait été précédé par cette tragédie d'humanistes, notre théâtre classique aurait-il eu un si beau développement?

Mais les défauts de ces œuvres trop souvent scolaires sont grands. Bien que leurs auteurs aient souvent coulé dans un moule ancien des sentiments modernes, elles nous semblent, avec leurs chœurs, leurs Ombres et leurs messagers, des pastiches du théâtre antique : ces humanistes ont été des imitateurs trop respectueux. Ils n'ont guère songé à étudier directement la nature humaine, à faire dépendre l'action du caractère des personnages, à inventer des conflits intérieurs. Enfin, entre le fait tragique et le public, ils interposent presque toujours la rhétorique de leurs récits et de leurs lamentations. Il n'est pas étonnant que les contemporains des guerres de religion, que la réalité habituait à des visions affreuses, aient finalement préféré une tragédie plus mouvementée et plus spectacu-

laire : cette tragédie plus ou moins irrégulière prospérera à partir de 1590 environ, le *Scédase* et l'*Alcméon* de Hardy en sont des spécimens caractéristiques.

LA COMÉDIE

Textes : Ancien théâtre français, *t. IV-VII ; Édouard Fournier*, le Théâtre français au XVIᵉ siècle, *1871 ; Jean de La Taille*, Œuvres, *1879, t. IV. Consulter : P. Toldo*, la Comédie française de la Renaissance, (Revue d'histoire littéraire, *IV-VI*) ; *R. Lebègue*, Tableau de la comédie française de la Renaissance (Bibliothèque d'Humanisme et Renaissance, *VIII*, *1946*) ; *Lintilhac*, la Comédie : Moyen âge et Renaissance.

Il en a été de la comédie comme de la tragédie : le mot a été employé par les Français longtemps avant qu'ils n'écrivent en leur langue de véritables comédies. Dès le début, on s'attacha à la définition antithétique que Donat avait fournie des deux genres; elle était reproduite en tête des éditions de Térence : « Dans la comédie, les personnages sont de condition médiocre, les dangers sont sans gravité, le dénouement est joyeux. Les débuts de l'action présentent du trouble, la fin apporte l'apaisement. Les sujets sont fictifs. Dans la tragédie, c'est tout le contraire. » Par suite, dans la première moitié du siècle, on a donné le titre de *comédie* à des farces ou à des moralités dont le dénouement était heureux : ainsi la *Morale comédie de celui qui avoit espousé une femme mute*, que Rabelais joua à Montpellier, vers 1531.

Mais les régents de collège expliquaient à leurs élèves les pièces de Térence, ceux-ci les jouaient, ainsi que des imitations, et elles étaient souvent traduites en français. (Les traductions de Plaute et d'Aristophane furent beaucoup plus rares.) On se familiarisa avec la comédie latine. Les humanistes, tels que Ch. Estienne, en 1542-1543, et Sebillet, en 1548, s'appliquèrent à distinguer la comédie de la farce : celle-ci n'était pas divisée en actes et en scènes, et dépassait rarement cinq cents vers; ajoutons que l'intrigue amoureuse, qui fait le fond de la comédie romaine, est peu développée dans la farce ou en est absente.

LE DÉCOR DE LA COMÉDIE, d'après Sebastiano Serlio. — CL. LAROUSSE.

L'Eugène de Jodelle est la première comédie en français que nous ayons conservée. Alix, femme de Guillaume, partage ses faveurs entre le militaire Florimond et l'abbé Eugène. Celui-ci se débarrasse de son rival, en lui donnant pour maîtresse sa propre sœur, Hélène, qui, d'ailleurs, aimait Florimond. La pièce est peu comique et mal composée. L'auteur se vante à bon droit de n'avoir pas copié les Anciens, mais sa comédie n'est pas aussi originale qu'il l'affirme. Aux Latins, il doit le prologue et la division en cinq actes, et, bien qu'il affiche du mépris pour les « farceurs », il emprunte à la farce non seulement l'octosyllabe, qui restera, au XVIᵉ siècle, le mètre habituel de nos comédies en vers, mais ses traits satiriques contre les professions et ses personnages : une épouse hypocrite et débauchée, un prêtre paillard et cynique, un mari incroyablement naïf et complaisant.

Il est difficile de faire, à partir de 1552, l'histoire de la comédie française; car on a imprimé fort peu de comédies à l'antique qui ne fussent pas des traductions : en 1561 *la Trésorière* et *les Esbahis* de Grévin, en 1573 *les Corrivaux* de Jean de La Taille, en 1574 *l'Eugène*, en 1576 *le Muet insensé* de Le Loyer, en 1577 *la Reconnue* de Belleau, en 1584 *les Néapolitaines* de Fr. d'Amboise et *les Contens* de Turnèbe, en 1586 *les Escoliers* de Perrin, en 1594 *les Desguisez* de Godard. On publia beaucoup moins de comédies régulières que de tragédies. Est-ce à dire que ce genre fût négligé? Non. La comédie a eu un si grand essor que les acteurs professionnels ont pris le nom de comédiens, et non de tragédiens. Depuis 1560-1570, elle fut jouée dans de nombreuses villes par les collégiens et par les troupes d'acteurs. On représentait devant la Cour, soit en français, soit en italien. Dans une petite ville comme Saint-Maixent, on représente des comédies au moins en 1576, en 1578, en 1581 et en 1584. Quant aux auteurs ou traducteurs, ce ne sont pas seulement d'obscurs régents et collégiens; on rencontre parmi eux des membres de la Pléiade, des poètes connus : Ronsard, Jodelle, Grévin, Belleau, Baïf, Jean de La Taille, Passerat. Mais la plupart de ces pièces n'ont été conservées ni en imprimé, ni en manuscrit; car la comédie était moins estimée des poètes et des humanistes que la tragédie; Deimier écrira, en 1610 : « La Comédie... semble estre accompagnée d'un subjet trop bas et populaire pour meriter les veilles d'un esprit excellent! » L'auteur d'une comédie avait plaisir à faire jouer sa pièce par des amis, des collégiens ou des acteurs professionnels; mais il en remettait à plus tard la publication, et souvent elle ne voyait pas le jour.

La Trésorière et *les Esbahis* furent les premières comédies originales et régulières qui aient été publiées en France. La trésorière est une femme avide et infidèle, qui poursuit simultanément une intrigue avec un gentilhomme et avec un jeune protonotaire; le style est meilleur que celui de Jodelle, mais le sujet n'offre rien de nouveau. La seconde pièce, qui fut jouée en 1571, est plus intéressante. C'est la première comédie française où se manifeste l'influence de cette *commedia erudita*, qui était jouée parfois devant la cour de France (*la Calandria*, à Lyon en 1548, la *Flora*, d'Alamanni, à Fontainebleau en 1555, etc.), et dont on avait déjà traduit quelques spécimens (les *Ingannati*, mis en français par Ch. Estienne en 1543, les *Suppositi* et le *Negromante* de l'Arioste, traduits par J. P. de Mesmes et par Jean de La Taille). L'intrigue devient plus compliquée, il y a un travestissement, un quiproquo, et une reconnaissance qui fait coup de théâtre et dénouement; on voit apparaître le barbon amoureux, le valet intrigant, l'entremetteuse, et un fanfaron ridicule, qui s'appelle Panthaleone. Grévin sait animer ces personnages, et les faire parler.

Au début de 1562, Jean de La Taille écrit *les Corrivaux*, « comedie faite au patron, à la mode et au pourtrait des anciens Grecs, Latins, et quelques nouveaux Italiens ».

En fait, il s'est inspiré surtout des Italiens; comme eux, il a écrit sa pièce en prose. Restitue, fille de Jacqueline, a été séduite par Filadelfe, et est enceinte. Celui-ci aime maintenant Fleurdelis, qui a une intrigue avec Euvertre. Des incidents compliquent l'action : Jacqueline, inquiète de la santé de sa fille, la fait examiner par un médecin : celui-ci révèle son état. Chacun des deux rivaux tente, au même moment, d'enlever Fleurdelis, ils se battent, et le guet les mène en prison. Au moment où le trouble est à son comble, le bourgeois messin Benard, qui avait perdu, en 1552, sa fille et qui avait mis Filadelfe en pension chez Jacqueline, arrive à Paris; il reconnaît en Fleurdelis sa fille, et on libère les deux prisonniers. A la fin, Filadelfe reporte son amour sur Restitue et l'épouse, Fleurdelis se marie avec Euvertre, et Benard convole en secondes noces avec Jacqueline. Les personnages sont caractérisés, l'action est bien conduite, et le style est savoureux.

Pierre de Larivey, né en Champagne, en 1540 ou 1541, est le plus fécond auteur comique de notre Renaissance. Il a publié à Paris, en 1579, ses *Six Premières Comédies facétieuses*, trois autres paraîtront à Troyes, en 1611, et trois qu'il devait mettre au jour n'ont jamais paru. Mais ce fils d'un immigré italien s'est contenté de traduire les œuvres de huit auteurs transalpins. Il ne change presque rien au fond : il lui suffit de transporter l'action d'Italie à Paris ou en Champagne et de remplacer les interventions de corsaires par nos troubles civils. Il a écrit ses pièces en vue de la représentation. Nous ne savons pas si elles ont été jouées, mais elles furent plusieurs fois rééditées sous Henri IV. Elles rendront populaires chez nous les types de la comédie italienne : le vieillard avare ou amoureux, le Fierabras, le pédant, l'entremetteuse, la courtisane, et elles habitueront le public français à l'imbroglio romanesque, aux substitutions, aux travestissements, aux péripéties, jeux de scène, et reconnaissances. Son originalité consiste, surtout, dans le style. Larivey n'introduit guère de mots italiens, mais il conserve, autant que possible, les expressions figurées et populaires, ou bien il les remplace par des dictons de chez nous; souvent il en ajoute. C'est ainsi qu'il traduit *travagli* par *tintouins*, *cervello* par *caboche*, *bestia* par *grue*, *la cosa va a un altro modo* par *l'affaire chemine sur un autre pied*, *quando la mori* par *quand elle eut la terre sur le bec*. Ce style contribue, avec les péripéties et les jeux de scène, à produire l'impression comique. Molière, pour *l'Avare* et pour *les Femmes savantes*, a fait quelques emprunts aux *Esprits* et au *Fidelle* de Larivey.

La meilleure comédie française de la Renaissance, c'est la pièce que le fils de l'humaniste Turnèbe laissa en manuscrit, et qui fut publiée trois ans après sa mort prématurée. Sans doute, l'intrigue des *Contens* n'apporte aucun élément nouveau, et certains personnages sont traditionnels. Mais les caractères sont dessinés avec réalisme : la vieille entremetteuse Françoise n'est éclipsée ni par la Célestine de Rojas, ni par la Macette de Régnier; les dialogues sont pris sur le vif. Écoutez ce début :

LOUYSE

Et bien! avez-vous tantost assez musé? ne serez-vous preste d'aujourd'huy! Vrayement, voilà bien fait des misteres! Quand j'estois fille comme vous, si j'eusse esté si longue à m'habiller et à me coiffer, ma bonne mere, à qui Dieu face pardon, m'eust bien hasté d'aller autrement. Mais à qui parlé-je? Geneviefve!

GENEVIEFVE

Plaist-il, ma mere?

LOUYSE

Serez-vous tantost assez desbarbouillée? Sus, qu'on se despesche de descendre; car je veux qu'aujourd'huy qu'il est feste à nostre parroisse, nous oyons la messe du point du jour.

Ne croirait-on pas entendre Mᵐᵉ Pernelle?

Bien que nos auteurs comiques prétendent souvent donner un enseignement moral, leurs pièces sont aussi peu décentes que les comédies et les contes italiens qui leur ont servi de modèles. Leur morale se réduit à la punition du barbon amoureux ou avare et du fanfaron. Les

domestiques parlent fort crûment de leurs plaisirs, et,
avant le mariage final, le
jeune amoureux n'hésite pas
à prendre, de gré ou de
force, « un pain sur la four-
née ». L'imbroglio est conventionnel, les personnages
sont ceux de la comédie
latine, un peu modifiés par
les Italiens modernes, souvent ils sont faiblement
caractérisés : l'auteur imite
les livres plutôt que la vie.
L'action n'est pas subordon-
née à une idée directrice.
Mais on rencontre çà et là
des situations vaudevilles-
ques, des tirades ou des
dialogues savoureux, une
esquisse de caractère.

Vers la fin du siècle, cette
comédie subit la concurrence
de la farce nationale et de la
commedia dell'arte. En province et à l'hôtel de Bourgogne, les troupes jouaient
une farce après la pièce sérieuse ou la comédie ; on
imprimait des farces, sur-
tout l'immortel *Pathelin* ; et certaines « comédies », comme
la Tasse, doivent beaucoup à ce genre. Quant à la
commedia dell'arte, des troupes italiennes la répandirent
chez nous à partir de 1571 ; Henri III et sa mère en
raffolaient. Les courtisans, les Parisiens et les provinciaux goûtaient leurs lazzi et leur comique « gestueux »,
qui, au reste, n'étaient pas très différents des bouffonneries

UNE FARCE représentée sur une scène foraine. Estampe populaire de l'extrême fin du XVIᵉ siècle.
CL. LAROUSSE.

et des cabrioles de nos Sots. Agnan Sarat, acteur français
qui se fit applaudir à l'hôtel de Bourgogne, collabora
avec eux.

LES AUTRES GENRES

Consulter H. Prunières, le Ballet de cour en France
avant Benserade, *1913 ; A. Hulubei,* l'Églogue en
France au XVIᵉ siècle, *1938 ; J. Marsan,* la Pastorale
dramatique en France, *1905 ; H. C. Lancaster,* The
french tragi-comedy, *1907.*

La cour des Valois-Angoulême remplaça les mômeries
et les moresques par les ballets et les mascarades, importés
d'Italie. Saint-Gelais, les poètes de la Pléiade, et leurs
successeurs collaborèrent avec les artistes pour ces divertissements : ils composaient les pièces de vers qui étaient
distribuées aux dames, les chansons, les discours en vers,
les intermèdes à l'italienne, et les cartels des chevaliers.
Ronsard publia, en 1565, un copieux recueil de mascarades
et de cartels, et Baïf, qui portait un grand intérêt à la
musique, s'occupait des divertissements chantés et dansés.
Ces fêtes magnifiques et coûteuses se succédaient, selon
les voyages de la Cour, à Paris, à Fontainebleau, à Bayonne,
à Gaillon, etc. Beaujoyeulx inventa, en 1581, pour les
noces de Joyeuse, le « ballet comique » de Circé, premier
exemple de ballet dramatique, à intrigue suivie ; un aumônier du roi fournit les paroles ; des musiciens et un peintre
collaborèrent à ce spectacle, qui fut donné devant près de
dix mille personnes, et qui coûta, selon d'Aubigné, quatre
cent mille écus.

A l'Italie, on emprunta aussi l'églogue allégorique et
dialoguée, qui se jouait devant la Cour. A Gaillon, en 1566,
Filleul fit représenter, devant le roi, des églogues où il
célébrait Charlot et sa mère Catin ; elles furent suivies de
sa galante comédie pastorale des *Ombres,* en cinq actes.
C'est alors qu'apparut en France la pastorale dramatique ;
les collégiens et les acteurs ambulants se mirent à en jouer ;
mais ce genre ne prendra un grand développement qu'à
partir du règne d'Henri IV.

La tragi-comédie, où se confondent deux genres que
les théoriciens distinguaient soigneusement, est sortie

« CIRCÉ OU BALLET COMIQUE DE LA REINE », de Balthazar de
Beaujoyeulx (1581). Gravure du livret (Bibl. de l'Opéra).
CL. LAROUSSE.

LE DÉCOR DE LA PASTORALE, d'après Sebastiano Serlio. — CL. LAROUSSE.

du mot *tragicomoedia*, qui figure dans le prologue de l'*Amphitryon* de Plaute. A l'étranger, il y eut des tragi-comédies en latin dès la fin du XVᵉ siècle; Barthélemy de Loches donna ce nom à ses *Momiae*, publiées à Paris, en 1512 ou 1513. Mais on ne commença à imprimer des tragi-comédies en français qu'en 1554. Dans les débuts, ce furent surtout des pièces religieuses, qui tenaient de la Moralité ou du Mystère. Mais, en 1576, Le Jars publie sa tragédie en prose de *Lucelle*, qui sera rééditée sous le titre de tragi-comédie; le sujet est fictif, et les personnages sont de condition moyenne; quand la situation est tragique, le style devient emphatique; le dénouement est heureux, et il y a des scènes de gros comique.

La *Bradamante* de Garnier, publiée en 1582, est la seule tragi-comédie du XVIᵉ siècle qui ait une valeur dramatique et littéraire. Elle a eu beaucoup de succès. Comme le feront souvent ses successeurs, Garnier a choisi le sujet dans une œuvre romanesque : c'est au *Roland furieux* qu'il a emprunté son héroïne. Les personnages sont de rang élevé. Le sujet est constitué par l'amour de Bradamante et de Roger, que contrarient les parents de la jeune fille. Après un duel où Bradamante est vaincue par Roger, qui combattait sous le nom et les armes de son ami Léon de Grèce, Roger est reconnu, et un double mariage termine heureusement la pièce. L'action est animée. Le ton n'est pas uniforme : les monologues tragiques des amants séparés l'un de l'autre alternent avec des conversations de ton bourgeois et des épisodes comiques. Garnier a mis en scène un couple de nobles un peu ridicules, le vieux duc Aymon, dont la bouillante ardeur est trahie par un corps usé, et sa femme, la vaniteuse Béatrix; ces deux portraits sont tracés avec habileté.

IV. — LA LITTÉRATURE PENDANT LES GUERRES DE RELIGION

Nos guerres civiles eurent pour effet inévitable l'abaissement de la culture et de la moralité. Les collèges dépérirent. Combien Henri IV et ses compagnons étaient moins lettrés que les derniers Valois! Mais cette crise favorisa le développement d'une littérature morale : satires des vices contemporains, poèmes gnomiques (les quatrains de Pibrac paraissent en 1574), recueil de vers sentencieux publié par Corrozet en 1571, « discours » ou traités en prose. « Pour se consoler des misères publiques », ainsi que l'écrivait le fils de Chalvet, on fit appel à la morale stoïcienne : un stoïcisme plus ou moins christianisé, dont Du Vair fut le principal représentant, imprima sa marque en de nombreux esprits; on le reconnaît dans les œuvres de Garnier, Montaigne, Montchrestien, Malherbe...

Presque tous les écrivains prirent part à la crise politique et religieuse qui commença en 1559 : dès la mort d'Henri II, L'Hospital, Du Bellay, Ronsard critiquèrent les abus et proposèrent des réformes; après le début des hostilités, de nombreux poètes attaquèrent en vers le parti adverse. Mais ces poésies de circonstance le cèdent en nombre aux pamphlets en prose que les huguenots, les ligueurs et les « politiques » ont échangés jusqu'à la pacification définitive. En outre, surtout après la Saint-Barthélemy, certains protestants mirent en discussion, dans des ouvrages politiques, le pouvoir du roi et le devoir d'obéissance du sujet; plus tard, les ligueurs reprirent à leur compte les théories de ces novateurs. Depuis les *Discours* de Ronsard et les tragédies de Garnier jusqu'aux *Essais* et aux odes de Malherbe, innombrables sont les œuvres littéraires où résonne l'écho des troubles et des guerres de cette époque.

LA POÉSIE

Aux éditions de d'Aubigné, de Du Bartas et de Desportes, se sont ajoutées, en 1927, celle de Brantôme et, en 1945, celles de J. de Sponde et de Béroalde de Verville. Voir M. Raymond, l'Influence de Ronsard sur la poésie française (1550-1585), 1927; R. Lebègue, la Poésie française de 1560 à 1630, 1945; F. Charbonnier, la Poésie française et les guerres de religion, 1920.

Deux inspirations se partagent les œuvres poétiques écrites sous les derniers Valois. D'un côté, la poésie amoureuse, imitée des néo-pétrarquistes italiens, règne à la Cour; et, à l'exemple de Desportes et de l'amant d'Hélène de Surgères, une foule de poètes se plaignent de la cruauté d'une belle. De l'autre, la poésie grave, à thème philosophique ou religieux, obtient une large audience; la première *Semaine* de Du Bartas est lue avidement, et suscite des entreprises analogues; et, tandis que les écrits historiques et polémiques des protestants aboutissent à la vaste « geste » de d'Aubigné, les écrivains catholiques retournent contre les protestants leurs armes littéraires. Cet aspect de la Contre-Réforme en France est peu connu : aux poèmes huguenots, on opposa des sonnets chrétiens, des paraphrases de Psaumes et d'autres livres bibliques, des tragédies tirées de la Bible ou de la vie des saints. L'influence d'Henri III contribua à l'essor de cette poésie catholique, où l'on découvre, à côté des *Juives* et des *Larmes de saint Pierre*, mainte œuvre estimable.

Quant à la forme, ces innombrables poésies présentent entre elles des différences sensibles. Certains provinciaux s'intéressaient encore au chant royal, au rébus de Picardie, et aux autres jeux désuets des rhétoriqueurs. D'autre part, l'ironie badine et la bonne humeur « gauloise » résistèrent aux dédains de la Pléiade : ces qualités marotiques se retrouvent chez J. Passerat, docte professeur et poète enjoué (1534-1602). Mais l'influence de la Pléiade est prédominante : les *Regrets* servent de modèle aux auteurs de sonnets satiriques, et Ronsard eût pu adresser à presque tous les jeunes poètes sa fière déclaration de 1563 :

> Vous êtes tous issus de la grandeur de moi.

Cette influence est diverse : d'Aubigné et Régnier professent la théorie de la fureur poétique, si chère à Ronsard; croyant posséder le don divin, ils se dispensent de polir et repolir leurs vers. Du Bartas, Du Monin, P. Matthieu poussent à l'extrême les théories que Du Bellay et Ronsard avaient formulées en 1549-1550 : ils s'enorgueillissent de forger des mots, de construire des odes pindariques, ou d'affecter un pédantisme obscur. Gilles Durant, lui, cultive les thèmes gracieux et sensuels que la Pléiade avait, plus tard, empruntés à Catulle et aux néo-latins. D'autres pillent les *Discours* ou les *Hymnes*. Tout en prônant la clarté, la douceur et la mesure et en recommandant les sujets chrétiens, Vauquelin de La Fresnaye reproduit, dans son confus *Art poétique*, les théories de la Pléiade. Rapin et d'Aubigné, suivant l'exemple de Jodelle et de Baïf, se fourvoient dans la composition de vers « mesurés à l'antique ».

Tout cela, c'est un passé plus ou moins vivace qui se prolonge. Voici, maintenant, les nouveautés : la satire est cultivée par le fécond et médiocre Vauquelin et par d'autres poètes; le sonnet sert à tous usages, mais la poésie lyrique se restreint, l'ode est supplantée par la stance, venue d'Italie. Dans les tragédies, les sonnets, les stances et les poèmes à rimes plates, le vers alexandrin obtient la prééminence.

Les poètes qui cherchent à plaire à la Cour, se mettent à la portée de leurs lecteurs. Ils fuient toute apparence de pédantisme et visent à être clairs. Ils ne conservent de la mythologie que les légendes et les personnages les plus connus. Leur syntaxe évite l'ambiguïté; leurs métaphores sont claires; ils excluent les mots archaïques, forgés, ou « écorchés » d'une langue étrangère.

En second lieu, ils ont grand souci de l'harmonie. Desportes est admiré de tous pour ses vers « doux-coulants », mais un Bertaut, un Du Perron, un Montchrestien ont su trouver, eux aussi, des accents mélodieux :

> Leur rêveuse mollesse où ma peine se mire...
> DU PERRON.

L'hiatus devient de plus en plus rare. Quelques poètes sentent d'instinct que chaque hémistiche doit avoir un ou deux accents judicieusement placés.

Cette évolution apparaît très visiblement, quand on compare les états successifs des poésies de Ronsard, de Garnier, de Jamyn, de Desportes; elle aboutira à la doctrine de Malherbe. Mais on se tromperait gravement si l'on pensait que le Classicisme a été l'unique successeur de la Renaissance; en fait, deux tendances coexistent à cette époque, dont l'une est « pré-classique », et l'autre a droit au titre de baroque. Le poète baroque ne se soucie point de la mesure et des proportions : il accumule les descriptions minutieuses et les comparaisons détaillées. Il cherche à produire un effet très fort, en recourant à l'emphase, en portant au paroxysme les sentiments exprimés, en entrechoquant les idées et les mots dans des antithèses. Et, comme les idées qu'il développe sont banales, il cherche l'originalité en leur donnant une forme nouvelle et subtile, il s'efforce de l'emporter sur ses rivaux par des images neuves, des périphrases inattendues, des contradictions apparentes, et des concetti. Le poète « pré-classique », lui, ne demande au monde matériel que des symboles, car il ne s'intéresse qu'aux sentiments et aux idées; il s'élève du fait individuel à l'idée générale, à la sentence; il prend pour règles la raison, l'ordre, l'équilibre, les bienséances; il a enfin le souci de la perfection formelle : « L'excellence des vers consiste comme en un point indivisible de perfection, de sorte que, s'il s'y peut mettre un seul mot plus propre, ou plus significatif, ou même plus agréable à l'oreille, il ne peut être dit parfait. » (*Perroniana.*)

AGRIPPA D'AUBIGNÉ

Théodore-Agrippa d'Aubigné est né en Saintonge, en 1552. Il appartenait à une famille noble de huguenots pieux et lettrés. Son père lui fit donner, dès l'enfance, une instruction d'humaniste : latin, grec et hébreu. Dans la suite, il étudia les sciences les plus diverses : logique, droit, théologie, sciences occultes, musique, mathématiques.

*Mais, en 1560, à Amboise, il a prêté à son père le serment de venger les conjurés, dont il voyait les têtes exposées. Il tiendra parole : dès 1562, il bravera la menace du bûcher. A seize ans, il prendra les armes, et désormais, sauf pendant les trêves et les semaines nécessaires à la guérison de ses blessures, il se battra pour la cause protestante. En 1573, il devient le compagnon de Henri de Navarre. Sous la Régence, il boudera en ses terres, et poussera ses coreligionnaires à la résistance armée; en 1620, il se réfugie à Genève. Là, ce septuagénaire continue de mener une vie active : il fortifie Genève, Berne, Bâle; il se remarie avec une veuve âgée de cinquante-cinq ans; il gère son domaine du Crest; il compose, révise et publie ses œuvres, parmi lesquelles le Faeneste, par sa verve gaillarde, inquiète le Petit Conseil. Il a la douleur de voir son seul fils légitime — le père de M*ᵐᵉ *de Maintenon — trahir la religion protestante et commettre des infamies. Il connut enfin le repos, le 9 mai 1630; il comptait alors cinquante-quatre ans de services militaires.*

Par scrupule religieux, semble-t-il, il a renoncé à la publication des poèmes profanes de sa jeunesse : le Printemps du sieur d'Aubigné ne sera pas imprimé

AGRIPPA D'AUBIGNÉ. Tableau de Sarbruck (musée de Bâle).

avant 1874. Les Tragiques *ont paru sans nom d'auteur, en Saintonge, en 1616 ; d'Aubigné en donna une édition revue et corrigée à Genève, en 1623 (édition critique Garnier et Plattard, 1932).* L'Histoire universelle *(de 1550 à 1601) a paru en 1619-1620 (édition De Ruble, 1886-1909 ; supplément pour les années 1619-1622 publié par Plattard, en 1926). De ses deux pamphlets anti-catholiques, le plus ancien, la* Confession catholique du sieur de Sancy *a vu le jour seulement en 1660 ; l'autre, les* Aventures du baron de Faeneste, *a paru en 1617, et a été réimprimé, avec des additions, en 1619 et en 1630 (édition Mérimée, 1855). De 1873 à 1892, Réaume et Caussade ont publié les* Œuvres complètes, *moins l'His-toire, et plusieurs textes qui sont conservés dans les manuscrits Tronchin et que P.-P. Plan a édités en 1945.*

Consulter sur d'Aubigné les livres d'Aim. Garnier (1928), de Plattard (1931) et de Rocheblave (1930).

Sainte-Beuve reconnaissait en d'Aubigné l'image abré-gée du xvi⁰ siècle. Rien de plus juste : en lui font bon ménage la Renaissance humaniste et la Réforme protes-tante. Traducteur du *Criton*, à l'âge de sept ans, admirateur de Ronsard, il s'enivre de science comme Gargantua à Paris, et, dans ses *Tragiques*, il se souvient de Juvénal et de Lucain. Mais il n'y a pas, à cette époque, de huguenot plus attaché à sa foi, plus disposé à tout lui sacrifier. Son livre de chevet est la Bible ; aucun écrivain français n'en a subi l'influence autant que lui. Comme le Psalmiste, il adresse au Seigneur des prières et des actions de grâces ; comme les Prophètes, il se lamente, il prédit (souvent après coup), il admoneste, il injurie. Il est convaincu que Dieu l'inspire et le dirige, et il a des visions.

Malgré ses défauts, il a une personnalité attachante. Brave, comme tant d'acteurs de ces guerres, il se distingue d'eux par ses qualités morales et par une très vive sensibi-lité. Les misères des paysans, opprimés par les troupes des deux partis, lui inspiraient une généreuse pitié. Mais c'était un ami aussi susceptible que dévoué, dont l'humeur quinteuse dut parfois lasser la patience d'Henri IV ; et, par sa vanité, ce Saintongeais s'apparentait aux Gascons. Malgré son souci de dire la vérité, on ne peut accorder un crédit illimité à un homme aussi passionné et aussi imaginatif.

Il ne pouvait avoir des amours semblables à celles des poètes de son temps, bien qu'il se fût épris de la nièce de la Cassandre de Ronsard : Diane Salviati. Un jour qu'il avait reçu en duel de graves blessures, il fit, pour la revoir une dernière fois, une folle chevauchée. Il n'en mourut pas ; mais, en 1573, le père de Diane lui refusa, à cause de la différence de religion, la main de sa fille. Son chagrin fut violent ; quant à Diane, fiancée à un autre, elle mourut bientôt de regret, si nous en croyons d'Aubigné. Quel étrange *Printemps* que cette « hécatombe » en vers que l'auteur offre à sa Diane ! Sans doute, il a appris et il sait jouer le jeu pétrarquiste à la mode ; mais son tempérament ardent et sa sombre imagination bouleversent les rites conventionnels. Nous entendons une note unique au xvi⁰ siècle. La tristesse de l'amant malheureux se complaît dans la vue d'une forêt dépouillée par l'automne, de rocs crevassés, d'ossements ; il a l'esprit hanté par des visions de mort, de sang, et d'incendie. Il imagine que plus tard il apparaîtra spectralement à l'infidèle, dont le beau visage sera devenu hideux... Un jour qu'il avait obtenu quelques faveurs, il composa ces stances étonnantes, dont aucun poète, jusqu'à Gérard de Nerval, ne nous a donné l'équi-valent :

A l'escler viollant de ta face divine,
N'étant qu'homme mortel, ta celeste beauté
Me fist gouster la mort, la mort et la ruyne,
Pour de nouveau venir à l'immortalité.

Ton feu divin brusla mon essence mortelle,
Ton celleste m'esprit et me ravit aux Cieulx,
Ton ame estoit divine, et la mienne fut telle :
Deesse, tu me mis au rang des aultres Dieux.

Ma bouche osa toucher ta bouche cramoysie
Pour cueillir sans la mort l'immortelle beauté,
J'ay vescu de nectar, j'ay sucé l'ambroysie,
Savourant le plus doux de la divinité.

Aux yeux des Dieux jalloux, remplis de frenaisie,
J'ay des autels fumants conu les aultres Dieux,
Et pour moy, Dieu segret, rougit la Jalousye
Quant un astre incognu ha deguizé les Cieux.

. . . .

Ces humains aveuglez envieux me font guerre,
Dressant contre le ciel l'eschelle, ils ont monté,
Mais de mon Paradis je mesprise leur terre,
Et le ciel ne m'est rien au prix de ta beauté.

Combien les *Victoires de la Constance* de l'école malher-bienne paraissent ternes en comparaison ! A l'autre extré-mité de sa vie, d'Aubigné écrivit sur son « hiver » des stances, où, comme dans *la Vigne et la Maison*, la saison froide symbolise la vieillesse du poète, mais une vieillesse enfin apaisée et résignée :

Voici moins de plaisirs, mais voici moins de peines :
Le rossignol se tait, se taisent les Syrenes...

La conception des *Tragiques* date de 1577. L'auteur venait de recevoir cinq nouvelles blessures. Se croyant perdu, il dicta « comme pour testament » une première rédaction du poème ; il la compléta en 1578-1579, et beau-coup plus tard il y fit des additions. Sept chants : les *misères* de la France à partir de 1562, les vices des *princes*, fils d'Henri II, et de la Cour, les cruels arrêts de la *Chambre dorée*, les *feux* qui ont consumé sur les bûchers les protes-tants condamnés, les *fers* qui s'entrechoquent depuis le massacre de Wassy, les *vengeances* exercées par Dieu, depuis la création du monde, sur les criminels avant leur mort, et, enfin, le *Jugement* dans lequel le Fils récompen-sera ses fidèles et punira leurs persécuteurs. Ce poème échappe à toute classification : il est historique, lyrique, épique, satirique, prophétique ; selon les sujets, le style est bas, moyen, ou élevé. Ce qui en fait l'unité, c'est la ferveur religieuse et l'inspiration biblique. Ces évocations de l'Ancien Testament sont parfois excessives : qu'est-ce que cet Adonibesec à qui « le doigt de Dieu coupa les doigts » ? Et Jerubaal ? et cette plante quicajon ? et ce regard de hasmal ? Mais l'action du Dieu d'Israël, ses attributs humains, la piété des Juifs fidèles, leurs prières, leur style imagé, leur syntaxe, tout cela se mêle continuel-lement et sans disparate à l'histoire poétique des hugue-nots. Lisant la Bible dans le texte hébreu, d'Aubigné en a fait passer en français les beautés littéraires. Il s'est sur-passé dans le dernier livre ; ses qualités d'observateur réa-liste et de visionnaire l'ont si bien servi qu'aucun poème biblique n'égale son évocation de la résurrection des corps ou de la gloire du Juge suprême :

L'air n'est plus que rayons, tant il est semé d'Anges,

les reproches des Éléments aux méchants, la description des souffrances éternelles des damnés.

Violent à l'égard des persécuteurs, d'Aubigné s'attendrit sur les victimes : la France meurtrie par ses propres enfants, les paysans, les martyrs jeunes et vieux ; aussi, parmi tant de tableaux lugubres et d'imprécations, on rencontre par-fois des vers doux et reposants :

Une rose d'automne est plus qu'une autre exquise :
Vous avez esjouï l'automne de l'Église.

Hélas ! d'Aubigné, qui avait les dons d'un grand poète, n'a pas doté la France d'une *Divine Tragédie*, et il est impos-sible de lire sans fatigue un seul de ses chants. Nous gar-dons l'impression amère d'une œuvre sublime et fumeuse, emphatique et obscure. Il a péché par excès de conscience, en mentionnant dans ses vers toutes les victimes dont il connaissait les noms ; ces énumérations de gens souvent inconnus sont d'une fastidieuse monotonie. Et surtout, il manque de goût et de mesure. Poète d'inspiration, il dédaigne le travail minutieux du vers; il amplifie sans s'arrêter, et il sacrifie largement au mauvais goût baroque. Le lecteur est fréquemment arrêté par des obscurités : anacoluthes, inversions ambiguës, brachylogies... Publiée trente ans trop tard, l'œuvre de d'Aubigné est restée dans l'oubli jusqu'au XIXᵉ siècle et, si l'on peut en extraire de très beaux vers d'anthologie, on n'y trouve pas, à la suite, deux pages sans défaut.

DU BARTAS

Guillaume de Saluste, seigneur du Bartas, naquit en 1544, près d'Auch. « Loin d'ambition et d'avarice », il mena jusqu'à la trentaine, en son « cher Bartas », une existence paisible et studieuse ; puis il combattit dans les rangs des protestants. Henri de Navarre lui confia des missions en Angleterre et en Écosse (1587). En 1590, il mourut prématurément des suites de ses campagnes militaires. Il avait eu le temps de publier des milliers d'alexandrins : le Triomphe de la foi, Judith, l'Uranie, la Semaine (1578), la Seconde Semaine (1584, incomplète), et le Cantique de la victoire d'Ivry (1590). Ses vers de jeunesse, en français et en gascon, n'ont pas été conservés. Après sa mort, on a mis au jour des fragments de la Seconde Semaine. Voir l'édition Holmes, 1935, et G. Pellissier, la Vie et les œuvres de Du Bartas, 1882.

LA CRÉATION DU MONDE. Page de titre de l'édition de 1583 de « la Semaine » de Du Bartas. — CL. LAROUSSE.

Ce très estimable gentilhomme huguenot est un tout autre homme que d'Aubigné. Évitant le fanatisme religieux, il fait œuvre de poète uniquement chrétien. Aussi a-t-il été lu par les catholiques comme par les protestants. Son immense succès s'explique par le caractère édifiant et didactique de ses poèmes. Les rigoristes, qui reprochaient à la poésie du temps l'usage de la mythologie et la prédominance du thème de l'amour, reconnaissaient en lui le maître incontesté de la poésie grave : il n'a publié aucune œuvre frivole.

Il aimait les grands sujets : dans la première *Semaine*, il raconte la création du monde; il se proposait de retracer, dans *la Seconde Semaine*, les grandes époques de l'humanité, depuis le Paradis terrestre jusqu'au Jugement dernier. Sa culture classique s'unissait à ses convictions religieuses pour lui inspirer des vers éloquents et de ton élevé. Ses descriptions de la nature sont précises et parfois grandioses. Les hymnes dispersés dans la première *Semaine* ont de l'ampleur et de l'élan. S'il eût vécu plus longtemps, l'auteur du *Cantique d'Ivry* eût été pour Malherbe un rival digne de considération.

Mais la science encyclopédique qui remplit les sept Jours de la première *Semaine* a cessé bientôt d'être admirée; car, dépourvu d'esprit critique, Du Bartas répète les erreurs des Anciens; en outre, ces catalogues d'animaux ou de plantes nous semblent fastidieux. Mêlant à l'emphase la trivialité, il manque de goût; il regrettait, d'ailleurs, de ne pouvoir se rendre à Paris, pour y fréquenter les lettrés.

Ce provincial applique jusqu'à l'excès les anciennes théories poétiques de Ronsard et Du Bellay, employant des archaïsmes et des termes dialectaux, inventant des mots dérivés, des adjectifs composés et des redoublements *(pépétillant)*, recherchant puérilement l'harmonie imitative. A ces défauts s'ajoutent ceux qui sévissaient en son temps, antithèses, métaphores prolongées, pointes : « Rhodes, écrit-il, tremble plus qu'un tremble tremble. » Aussi, bien que sa *Semaine* ait obtenu, à la fin du XVIᵉ siècle, un succès européen, nos premiers théoriciens classiques, Du Perron, Deimier, l'ont fort critiqué ; Boileau ne daignera même pas le nommer.

DESPORTES

La vie de Philippe Desportes fut celle d'un arriviste prudent et habile, attentif à plaire aux gens en place et à ne se compromettre ni dans les exhortations et remontrances, ni dans la littérature satirique ; il ne perdait pas son temps à louer les protecteurs défunts et les gens de lettres. Ce fut une belle réussite, et il désarma l'envie par ses bons procédés et sa large hospitalité. Il naquit à Chartres, en 1546, d'une famille de commerçants aisés. Tonsuré de bonne heure, il fit, à la suite d'un évêque, un voyage à Rome. Dès le début de 1567, on récita des vers de lui, devant le roi, à la représentation du Brave. Désormais, il réside surtout à Paris. Il y fréquente l'hôtel de la maréchale de Retz, qui, comme plus tard sa petite-cousine, la marquise de Rambouillet, entretient avec ses amis un commerce de bel-esprit galant ; on voit chez elle Hélène de Surgères, des courtisans, Ronsard, Jodelle, Jamyn, et d'autres poètes qui célèbrent ses mérites.

Bientôt les poésies de Desportes se répandent à la Cour sous forme de copies manuscrites. Il met sa plume au service des amoureux de haute naissance. Les Premières Œuvres qu'il dédie, en 1573, à Henri d'Anjou, chantent successivement Diane et Hippolyte ; sous le nom de l'imaginaire Diane, il groupe des poésies composées surtout pour plusieurs maîtresses d'Henri ; Hippolyte n'était autre que la jeune Marguerite de Navarre, courtisée par Bussy d'Amboise. Ces Premières Œuvres seront fréquemment rééditées avec de nombreuses corrections et des poèmes nouveaux. En 1583, il livre au jour ses Dernières Amours, où il chante, sous le nom de Cléonice, Héliette de Vivonne. Il adresse aussi des reproches véhéments à une infidèle, qui paraît être Madeleine de l'Aubespine, femme de Villeroy.

Après avoir accompagné Henri en Pologne, il devient le poète favori du nouveau roi ; en 1578, il déplore en vers la mort de ses mignons. Il participe aux réunions de l'Académie du Palais et du Conseil étroit, et reçoit, en 1582-1583, un canonicat à la Sainte-Chapelle et les abbayes de Tiron et de Josaphat, et, en 1588, celle des Vaux-de-Cernay. Pour flatter les goûts dévots du roi, ce poète épicurien se mit, dès 1575, à publier quelques poésies religieuses ; sa traduction des Psaumes commença à paraître en 1587.

Après la mort de Joyeuse et d'Henri III, il s'attacha à la fortune de Villars, et participa aux négociations entre ce Ligueur et Sully. Henri IV lui restitua les abbayes

PHILIPPE DESPORTES. Médaillon en bronze provenant de son monument funéraire (musée du Louvre). — CL. GIRAUDON.

qu'il avait confisquées, et, plus tard, il songea à lui confier l'éducation du dauphin. Desportes occupa sa vieillesse à terminer la traduction des Psaumes (soixante en 1591, cent-cinquante en 1603) et à continuer la révision de ses œuvres. On ne le voyait pas à la Cour, mais il donnait aux lettrés un large accès à sa table et à sa belle bibliothèque. Il mourut, le 5 octobre 1606, en son abbaye de Bonport, laissant un fils naturel.

Voir J. Lavaud, Philippe Desportes, 1936.

Desportes, qui était très instruit, n'employa pas son talent et sa science à frayer des voies nouvelles, mais à satisfaire les goûts littéraires des Grands et de la Cour. Sous François Ier, il eût recherché la faveur royale en faisant de doctes traductions de l'antiquité. A la cour de Catherine et chez la maréchale, il est sûr de plaire, en chantant d'après l'Arioste et l'Arétin la folie amoureuse de Roland et les aventures de la belle Angélique (*Imitations de quelques chants de l'Arioste*, 1572) et en cultivant le pétrarquisme. Il puisait si volontiers son inspiration chez les Italiens qu'en 1604 un anonyme publia la *Rencontre des Muses de France et d'Italie*, où il reproduisait, face à face, quarante-trois pièces de M. Des Portes et leurs modèles transalpins. Depuis, on a sensiblement allongé la liste des emprunts qu'il a faits à Pétrarque, Pamphilo Sasso, Tebaldeo, Costanzo, etc. : sur six cent trente pièces qu'il a publiées en plus des Psaumes, au moins

deux cents sont adaptées de l'italien ou de l'espagnol.

Ronsard avait élargi le domaine poétique aux dimensions de l'univers. Desportes le rétrécit. Un seul thème : l'amour. Point de développements philosophiques, politiques, ou scientifiques; pas de réflexions sur la destinée de l'homme et sur l'au-delà; à peine une demi-douzaine d'allusions aux guerres civiles qui font rage... La nature est décrite rarement et avec des termes généraux; le poète ne lui demande guère, ainsi qu'aux sciences, que des images et des comparaisons se rapportant à l'amour. Le monde concret cède la place à celui des sentiments. Tandis que les sonnets de Ronsard pour Hélène nous font assister à leurs entretiens et contiennent maintes circonstances précises, les vers de commande que Desportes compose à la même époque peuvent servir à plusieurs protecteurs; car la belle qui y est célébrée, n'est douée d'aucune particularité physique ou morale; sauf dans les élégies, aucun incident n'est évoqué; et les sentiments exprimés sont conformes à la plus banale tradition : souffrances de l'amant, rigueur de l'aimée. Les formes poétiques sont réduites au sonnet, aux stances, à la chanson et à l'élégie; l'ode a presque complètement disparu. Sauf dans les imitations de l'Arioste, la langue manque de richesse et de variété.

Dans les sonnets, Desportes a cultivé le bel-esprit tarabiscoté qui sévissait chez les Italiens. Il imitait les antithèses, les chocs de mots et les contradictions : *de vivantes morts, déshonneur glorieux, assurance incertaine, je me plains que je ne m'ose plaindre* ; les métaphores prolongées : *mes pleurs sont le Styx, mes soupirs le Phlégéton, ma bouche Cerbère* ; les métaphores prises au propre et rapprochées d'une action réelle : *ces ruisseaux que je pleure éteindront le fourneau dans mon cœur allumé; comme Artémise a bu les cendres de son mari, buvez le peu de cendre en quoi je suis changé !*

Ces gentillesses alambiquées, qui ont charmé la Cour des derniers Valois, ne parviennent pas à cacher la pauvreté du fond. Quand on lit beaucoup de pièces de Desportes, on n'en retient qu'une impression de fade monotonie. Quant aux défauts de la forme, Malherbe les a soulignés sur son exemplaire avec une patience implacable : redondance, « bourre », fautes contre la logique, impropriétés, faiblesse de la rime, enjambements... Mais de la condamnation totale que cet Aristarque a prononcée, il convient de faire appel. Desportes sut assouplir l'expression du sentiment amoureux, et il apporta parfois de fines observations psychologiques. Plusieurs pièces des *Diverses Amours* semblent inspirées par une jalousie personnelle; elle y est exprimée avec autant de force que de justesse. Au reste, on trouve dans ses poésies imitées de l'Ancien Testament et dans ses Psaumes une éloquence vigoureuse et un réalisme qui ne craint pas les termes triviaux : *pourriture, braire, ulcère.* Quelques-uns de ses sonnets profanes ont un tissu ferme et serré, entre autres celui d'Icare.

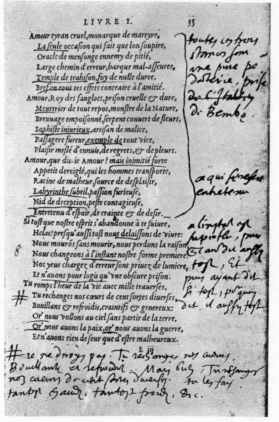

ANNOTATIONS DE MALHERBE sur son exemplaire de l'édition de 1600 des « Premières Œuvres » de Desportes (Bibl. Nat.). — CL. LAROUSSE.

Il a aimé le rythme ample du sizain d'alexandrins, et les strophes très variées de son *Psautier* ont plus d'étoffe que celles des *Psaumes* de Marot.

Mais ses qualités habituelles sont autres : c'est la clarté, l'aisance et l'harmonie. A la différence de la préciosité de Scève, la sienne reste toujours intelligible, et c'est souvent par souci de clarté qu'il délaie. L'aisance se manifeste surtout dans de charmantes chansons, aux légers octosyllabes. L'harmonie de ses vers est due à l'heureux emploi des consonnes liquides, des voyelles claires et des nasales, des *e* muets, des allitérations :

Cypre, Paphos, Eryce, Amathonte et
[Cythère.

Les songes, le repos, le silence et la
[crainte.

Clairs miroirs de mon âme, yeux des
[miens tant aimés.

...Sous le voile ombreux de la nuit
[solitaire.

Or que l'humide nuit guide ses noirs
[chevaux.

Pareil au jeune lis que l'orage a touché

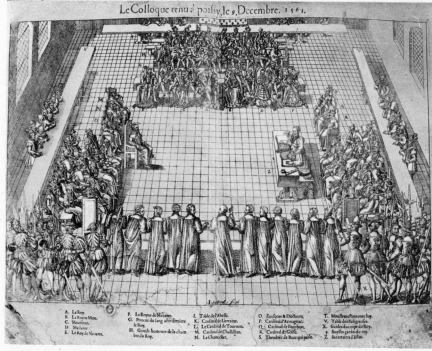

Le Colloque tenu à poissy, le 9 Decembre. 1561.

A. Le Roy.
B. La Royne Mere.
C. Monsieur.
D. Madame.
E. Le Roy de Navarre.

F. La Royne de Navarre.
G. Princes du sang assis derriere le Roy.
H. Gentils hommes de la chambre du Roy.

I. Table de l'Abesse.
K. Cardinal de Lorraine.
L. Cardinal de Tournon.
M. Cardinal de Chastillon.
N. Le Chancelier.

O. Evesques & Docteurs.
P. Cardinal d'Armagnac.
Q. Cardinal de Bourbon.
R. Cardinal de Guise.
S. Theodore de Beze qui parle.

T. Ministres estans avec luy.
V. Table des Religieuses.
X. Gardes du corps du Roy.
Y. Suysses gardes du roy.
Z. Secretaires d'estat.

LE COLLOQUE DE POISSY, d'après le Recueil de Tortorel et Périssin. Au premier plan, accompagné d'autres ministres, de Bèze expose les doctrines protestantes. — CL. LAROUSSE.

(rédaction antérieure : *ainsi qu'un beau bouton trop soudain arraché*).

Bien que Ronsard ne cachât point son dédain pour cette poésie sans grandeur, Desportes a été très imité en son vivant : Jamyn, Bertaut, Du Perron, La Roque, Régnier, Malherbe lui-même, quel rimeur parisien ou provincial n'a, en ce temps, plus ou moins « desportisé » ?

JEAN DE SPONDE

Parmi les émules de Desportes, il en est un qui a fait entendre une note personnelle, c'est Jean de Sponde, né à Mauléon, en 1557, mort prématurément, en 1595.

Ce protestant converti au catholicisme a laissé une cinquantaine de poèmes sur l'amour et sur la mort, qui sont de bons spécimens d'art baroque. On y goûte la vigueur de l'attaque, la netteté des contours, la richesse des images :

Mais si faut-il mourir, et la vie orgueilleuse,
Qui brave de la mort, sentira ses fureurs,
Les Soleils haleront ces journalières fleurs,
Et le temps crevera ceste ampoule venteuse.

Ce beau flambeau qui lance une flamme fumeuse,
Sur le verd de la cire esteindra ses ardeurs,
L'huile de ce Tableau ternira ses couleurs,
Et ces flots se rompront à la rive escumeuse.

J'ay veu ces clairs esclairs passer devant mes yeux,
Et le tonnerre encor qui gronde dans les Cieux,
Où d'une ou d'autre part esclatera l'orage.

J'ay veu fondre la neige et ces torrens tarir,
Ces lyons rugissans je les ay veus sans rage,
Vivez, hommes, vivez, mais si faut-il mourir.

PRÉDICATION, CONTROVERSE, PAMPHLETS

En ce temps, la passion politique et religieuse envahit tout. Elle trouble l'éloquence de la chaire ; elle fausse la controverse, qui ne cherche plus qu'à fanatiser les foules pour la lutte ; elle inspire d'innombrables pamphlets.

Pour les sermonnaires catholiques, voir les textes recueillis par Migne, Collection des orateurs sacrés, *tome I. Études : Charles Labitte*, De la démocratie chez les prédicateurs de la Ligue, *1865 ; Gisbert*, Histoire critique de la chaire française depuis François Ier (Revue Bourdaloue, *1902 et 1903*); *É. Pasquier*,

Un curé de Paris pendant les guerres de religion : René Benoist, le pape des Halles, *1913.*

Du côté protestant, il faut citer d'abord Pierre Viret (1511-1571). Disciple de Lefèvre d'Étaples, il a écrit et prêché à Lausanne, où il fut ministre de 1536 à 1558, puis à Genève ; enfin, dans diverses villes de France où il a séjourné à partir de 1561. Parmi ses nombreux écrits satiriques, les plus connus : le Monde à l'empire *et le* Monde démoniacle *(1561) reprennent en les développant ses* Dialogues du désordre qui est à présent au monde *(1545), où il veut établir, à grand renfort de science encyclopédique, que l'humanité va toujours se dépravant, et cela avec la complicité de l'Église de Rome. Voir Philippe Godet*, Viret, *1896 ; J. Barnaud*, Pierre Viret, sa vie et son œuvre, *1911.*

Théodore de Bèze (1519-1605), après d'excellentes études (il a composé dans sa jeunesse de délicats vers latins, qu'il regrettera plus tard), renonce, à trente ans, à toute carrière mondaine pour se consacrer au service de Calvin. Il exerce son ministère à Lausanne, où il enseigne le grec ; il remplit pour Genève diverses missions en Allemagne et en France, joue un rôle important dans les tentatives de conciliation des Églises de France, et devient le chef de l'Église de Genève après la mort de Calvin (1564). Voir Henry Martyn Baird, Théodore de Bèze, *1900.*

Sur le rôle de Philippe de Mornay, seigneur du Plessis (1549-1623), consulter R. Patry, Du Plessis-Mornay, *1933.*

On trouvera de nombreux textes de pamphlets dans les Mémoires de l'estat de la France sous Charles neuviesme, *3 vol., 1576. Parmi les plus importants, citons :* le Tigre, *de Hotman (1560), dirigé contre les Guises, l'Apologie pour Hérodote, d'Henri Estienne, le Discours merveilleux des déportements de Catherine (1574). Voir Ch. Lenient*, la Satire en France au XVIe siècle, *1866.*

Calvin avait donné à la prédication chrétienne du sérieux, de la dignité ; et, d'autre part, dans le camp catholique, où persistaient les traditions de trivialité des moines mendiants du XVe siècle, les efforts de la contre-réforme promettaient une amélioration. Dans une occasion solennelle, au colloque de Poissy (septembre 1561), l'éloquence modérée et nourrie de Théodore de Bèze fit impression; et la réplique du cardinal de Lorraine ne manqua pas de talent. Mais, à moins de six mois de là, Théodore de Bèze était entraîné dans la guerre, rédigeait les manifestes de Condé, courait tantôt aux églises de la Loire pour les décider à prendre les armes, tantôt en Allemagne pour y chercher des secours. La prédication caractéristique de l'époque est celle des prêtres de la Ligue : la vulgarité de leur langage et leurs vociférations n'ont rien de commun avec la gravité que réclame l'éloquence de la chaire. Il faudra la victoire d'Henri IV pour que revienne l'ère des grandes conférences d'accord, et pour que la contre-réforme reprenne son œuvre dans la paix.

Les pamphlets avaient, eux aussi, un grand rôle à jouer dans la Réforme. C'est principalement à Genève qu'on les imprimait : de là, on les colportait dans toutes les directions, ils se répandaient notamment par la vallée du Rhône; ils pénétraient dans toutes les villes et dans tous les villages de France pour saper dans les cœurs l'antique respect de Rome. Là encore, Calvin avait donné les modèles. Ses seconds, Viret et de Bèze, l'aidèrent, chacun selon sa nature. Théodore de Bèze, aristocrate de tempérament, spirituel, incisif, a composé une satire alerte, l'*Épître de Benoît Passavant* (1553); mais ses pamphlets sont écrits en latin. Viret, le fils du tondeur de drap d'Orbe, est un controversiste plébéien : infatigable en dépit de sa débilité corporelle, il ne cesse d'improviser des pamphlets, d'ordinaire en forme de dialogues, où il mêle l'enseignement au sarcasme. Il ne fut pas sans action sur les esprits, puisque, par deux fois, ses adversaires tentèrent de l'assassiner. Sa langue est celle du peuple, et c'est dire qu'elle est souvent drue et savoureuse. Mais il abuse de l'esprit de mots, ainsi qu'on le voit au seul titre de son meilleur dialogue, *le Monde à l'empire* (c'est-à-dire « le monde tourné vers le pire », calembour d'ailleurs traditionnel depuis le XIIe siècle). Sa plaisanterie est épaisse, et surtout il reste comme écrasé sous le poids de son érudition.

On a parlé plus haut de l'*Apologie pour Hérodote* d'Henri Estienne (1566). Le *Traité de la vérité de la religion chrestienne contre les athées, païens, juifs, mahumédistes et autres infidèles*, publié quinze ans après l'*Apologie pour Hérodote*, en 1581, présage l'apaisement, du côté du parti réformé. C'est, dans le tumulte des passions, un appel à la raison, à la concorde aussi, pour opposer aux infidèles les chrétiens unis entre eux. Du Plessis-Mornay, qui l'a écrit en majeure partie à l'étranger, devait à une haute culture et à une largeur de vues acquise au cours de ses voyages la faculté de s'élever au-dessus des préjugés de parti. Mais l'exécution ne répondit pas à son dessein. Aucune de ces œuvres protestantes n'a mérité de survivre; pas même, en dépit du cas qu'en ont voulu faire quelques critiques, le *Tableau des différends de la religion*, de Marnix de Sainte-Aldegonde, composé en Hollande à la fin des guerres (1598). C'est une compilation désordonnée et indigeste. Dans le camp des catholiques, la disette de talents se fit encore plus cruellement sentir.

LE CARDINAL DE PLAISANCE, EN CHARLATAN. « Le charlatan espagnol estoit fort plaisant, jouant des régales (sorte d'épinette); à son eschaffaut estoit attachée une grande peau de parchemin escrite en plusieurs langues, ... portant ces mots : ... *Catholicon composé.*» («Satire Ménippée. ») — CL. LAROUSSE.

LA SATIRE MÉNIPPÉE

Parmi les pamphlets de cette époque, seule la Satire Ménippée fait figure de chef-d'œuvre. Parodie des États généraux réunis à Paris par les chefs de la Ligue, le 10 février 1593, elle exprime les sentiments du parti des Politiques, qui triomphe par la victoire d'Henri IV.

Elle comprend trois parties. En premier lieu, des pièces préliminaires : parade de deux charlatans, l'un Espagnol, l'autre Lorrain, débitant leur drogue, le « catholicon », à la porte du Louvre ; parodie de la procession organisée par les ligueurs, le 16 janvier 1593 ; description de tapisseries allégoriques ornant la salle, etc. Vient ensuite le corps de l'ouvrage, constitué par les harangues des grands personnages (le lieutenant général Mayenne, le légat du pape, le cardinal de Pellevé, le recteur de l'Université, Rose) et des représentants des trois ordres (l'archevêque de Lyon, représentant du clergé ; le sieur de Rieux, qui parle au nom de la noblesse ; M. d'Aubray, qui parle au nom du tiers) : toutes harangues de pure fantaisie comme les pièces précédentes, mais attribuées à des personnages réels. La troisième partie comprend des descriptions de tableaux allégoriques placés près de la salle, et diverses épigrammes et pièces de vers latins ou français. Le titre de Satire Ménippée trahit les préoccupations érudites des auteurs : Satire est le mot latin satura, pris soit au sens de « mélange de prose et de vers », soit au sens d' « écrit satirique » ; Ménippée, du nom du philosophe cynique Ménippée, est un mot emprunté à Varron, et exprime le caractère de libre gaieté de l'œuvre.

Un chanoine de Rouen, aumônier du cardinal de Bourbon, Jean Leroy, en composa le plan et une esquisse très poussée. D'Aubigné donne Leroy pour l'auteur unique de la Satire; de Thou lui prête un collaborateur ; mais, d'après le témoignage d'un contemporain bien informé, Pierre Dupuy, plusieurs auteurs ont aidé Jean Leroy. A Jacques Gillot, conseiller-clerc au Parlement de Paris, revient la harangue du légat ; à Florent Chrestien (1540-1596), ancien précepteur d'Henri IV, celle du cardinal de Pellevé ; Rapin (1535-1608), gentilhomme du Poitou, prévôt de la connétablie de Paris, et poète humaniste, a mis la main aux discours de l'archevêque de Lyon et du recteur Rose ; Pierre Pithou (1539-1596), avocat et grand érudit, a écrit celui de d'Aubray ; Passerat (1534-1602), professeur au Collège royal, est l'auteur des vers sur la bataille de Senlis et de plusieurs autres pièces ; d'autres vers sont de Rapin, et le Trépas de l'âne ligueur est de Gilles Durant (1550-1615).

Une version, restée longtemps manuscrite, date sans doute de la fin de 1593, et offre déjà toutes les parties essentielles de la Satire, mais beaucoup moins développées que dans le texte imprimé au XVIe siècle ; il n'est pas impossible qu'elle représente l'œuvre première de Leroy. La première édition parut à Tours, vers le mois de mai 1594. Aussitôt après, en l'espace de quelques semaines, quatre autres éditions furent publiées à Paris. Une édition de la fin de 1594 ajoute la pièce de Gilles Durant et un instructif Discours de l'imprimeur.

Le succès de la *Ménippée* n'est pas dû exclusivement à ses mérites littéraires : c'est une œuvre de circonstance,

LA PROCESSION DE LA LIGUE. En tête, le recteur Guillaume Rose. — CL. LAROUSSE.

qui parut à l'heure opportune. La Ligue avait été virtuellement vaincue le jour où, dès les premières séances des États généraux de février 1593, Henri IV avait proposé la paix et promis sa conversion. La bourgeoisie de Paris, qui avait été la force de l'Union, loyaliste au fond, fatiguée des privations de la guerre, irritée des outrances des Seize, des atermoiements de Mayenne et de la morgue de Philippe II, s'était ralliée aussitôt que sa conscience catholique avait été rassurée. Tout de suite, elle se défia des États, qui, convoqués pour élire un roi, siégeaient sous la protection de garnisons étrangères. Les députés étaient déconcertés par les offres du roi : liés par leur passé, corrompus par l'or de l'Espagne, ils ne pouvaient pas les accepter; et pourtant ils ne se décidaient pas à élire un roi étranger, que la France eût répudié; impuissants d'ailleurs à choisir parmi tant de prétendants : l'Espagnol, le Lorrain, le Savoyard, dont les intrigues se contrecarraient. Au cours de négociations incohérentes et de louches tractations, ils étaient tombés, et la Ligue avec eux, dans un complet discrédit. La publication de la *Ménippée* est postérieure de plus d'un an à la conférence de Suresnes (29 avril 1593), où se négocièrent la paix et la conversion d'Henri de Navarre; postérieure de neuf mois à son adjuration, postérieure même à la cérémonie du sacre et à l'entrée du roi dans Paris (22 mars 1594). C'était une première bonne fortune pour le pamphlet que d'apparaître ainsi à l'heure de la victoire totale, au moment où la bourgeoisie, assurée par l'événement d'avoir pris le bon parti, ne demandait qu'à rire de ceux qui l'avaient bernée. C'en fut une autre que sa destinée se trouvât liée au triomphe d'une famille qui devait pendant deux siècles régner avec tant d'éclat sur la France. N'allait-on pas même s'obstiner longtemps à attribuer à la *Satire Ménippée* un rôle important dans la victoire?

L'œuvre est inégale. L'entrain et la belle humeur font l'agrément des harangues comiques : on y sent l'allégresse de la victoire. Écoutez le recteur Rose : « Tresillustre, tresauguste et trescatholique synagogue, tout ainsi que la vertu de Themistocles s'eschaufoit par la consideration des triomphes et trophées de Miltiades, ainsi me sens-je eschaufer le courage en la contemplation des braves discours de ce torrent d'éloquence, Monsieur le chancelier de la lieutenance, qui vient de triompher de dire. Et à son exemple je suis mu d'une indicible ardeur de mettre avant ma rhétorique et estaler ma marchandise en ce lieu...» Sans « réfriquer les choses passees » ni capter notre « benevolence » par un long exorde, l'orateur nous présente le brillant état de son Université : plus de tapage ni de désordre, plus de brigues, plus de représentations satiriques; jamais, depuis ses « cunabules », l'Université n'a connu tant d'ordre et de discipline; et cela grâce aux chefs de la Ligue, puisque, par leur œuvre, il n'y a plus d'écoliers, plus d'imprimeurs, plus de libraires, ou autres « gens de

papier », qui étaient bien trente mille; plus de professeurs pour nous rompre la tête : ils étaient tous des Politiques, des partisans du roi. Fier de ses périodes ampoulées, de ses termes d'école, de son latin, de ses syllogismes en forme, de ses grosses plaisanteries, Rose est le type du pédant dépourvu de tout bon sens, précieux et cynique tour à tour; l'horizon de sa pensée se limite à ses pensions, ses langues de bœuf et sa bouteille de vin. Son discours est un long coq-à-l'âne qui fait irrésistiblement penser au maître Janotus de Rabelais. Mais c'est un Janotus qui se serait fait prédicateur de la Ligue : il tempête, il invective, il s'en prend aux amis comme aux ennemis, pêle-mêle, se contredit, conclut contre lui-même, écrase tout le monde sous les textes, et toujours triomphe sans modestie.

Seulement, les cinq autres harangues comiques ont le défaut d'être bâties un peu trop sur un même type. Le procédé consiste à faire exprimer par les chefs de la Ligue eux-mêmes les mobiles honteux de leur conduite et les secrètes turpitudes de leurs âmes. Et c'est là une forme de pamphlet amusante : d'Aubigné la reprend avec bonheur dans plusieurs chapitres de sa *Confession de Sancy*. On s'abandonne entre compères, on laisse voir le fond de son cœur avec une magnifique inconscience. A la longue, pourtant, le procédé lasse, et les auteurs, qui ont bien vu le danger, n'y ont paré qu'insuffisamment en mêlant au français de l'italien, du latin, voire du latin macaronique, et en s'efforçant, non sans bonheur quelquefois, de varier le ton avec les personnages.

Défaut plus grave : la plaisanterie est souvent lourde. Comment a-t-on pu parler d'atticisme à propos de la *Ménippée*? Dans le feu de la bataille, la tentation est forte de travestir ses adversaires en monstres ou en niais. Voyez cet exorde de Mayenne : « Messieurs, vous serez touts tesmoings que depuis que j'ay pris les armes pour la Saincte Ligue, j'ay tousjours eu ma conservation en telle recommandation que j'ay preferé de tresbon cœur mon interest particulier à la cause de Dieu, qui sçaura bien se garder sans moy et se vanger de touts ses ennemis... »

Mais, tout à coup, la scène change : voici d'Aubray, politique notoire, qui va parler pour le Tiers. Plus de plaisanteries, mais un terrible réquisitoire. Une éloquence ardente, brutale, tombe sur Mayenne abasourdi : « Par nostre Dame, messieurs, vous nous l'avez belle baillee!... Nous n'avons plus rien de propre que nous puissions dire : cela est mien; tout est à vous, messieurs, qui nous tenez le pied sur la gorge, et qui remplissez nos maisons de garnisons. Nos privileges et franchises anciennes sont à vau-l'eau; nostre hostel de ville, que j'ay veu estre l'asseuré refuge du secours des rois en leurs urgentes affaires, est à la boucherie; notre cour de Parlement est nulle... Mais l'extremité de nos miseres est qu'entre tant de malheurs et de nécessitez il ne nous est pas permis de nous plaindre, ny demander secours, et faut qu'ayants la mort entre les dents, nous disions que nous nous portons bien, et que sommes trop heureux d'estre malheureux pour une si bonne cause. O Paris, qui n'es plus Paris, mais une spelunque de bestes farouches, une citadelle d'Espagnols, Wallons et Napolitains, ung asyle et seure retraicte de voleurs, meurtriers et assassinateurs,... ne veux-tu jamais te guerir de ceste frenesie qui, pour ung legitime et gracieux roy, t'a engendré cinquante roytelets et cinquante tyrans ?... Tu n'as peu supporter ton roy si debonnaire, si facile, si familier, qui s'estoit rendu comme concitoyen et bourgeois de ta ville, qu'il a enrichie, qu'il a embellie de sompteux bastiments, accreüe de forts et superbes rampars, ornee de previleges et exemptions honorables. Que dy-je, peu supporter ? C'est bien pis : tu l'as chassé de sa ville, de sa maison, de son lict. Quoi, chassé ? Tu l'as poursuivy. Poursuivy ? Tu l'as assassiné, canonisé l'assassinateur, et faict des feux de joye de sa mort... »

L'éloquence de d'Aubray, on le voit, n'est pas exempte de déclamation : ni le bon goût, ni le sens de la composition ne sont ses qualités maîtresses. Mais la phrase, qui n'est empesée que dans quelques morceaux de bravoure, est en général variée, souple, nerveuse, hachée quelquefois, quelquefois ample, souvent relevée d'antithèses, de comparaisons, de dictons populaires, ou martelée de trivialités cinglantes. L'apostrophe est un des secrets de sa vigueur.

Pour notre goût, certaines parties, le récit des événements de la Ligue par exemple, sont un peu longues. Mais outre que près des faits on en jugeait sans doute autrement, les tableaux vigoureux abondent : peinture poignante des misères des Parisiens, parallèle entre le siège de Jérusalem raconté par Josèphe et le siège de Paris, etc. Il faut lire surtout le puissant résumé de l'histoire de France pendant la seconde moitié du XVIe siècle, où d'Aubray démasque les origines de la Ligue, car il remonte aux causes. Il les découvre, non comme le pauvre peuple abusé par ses tyrans, dans le choc des croyances religieuses qui s'affrontent, mais bien dans le heurt de deux familles, celle de Lorraine et celle de Montmorency, engagées dans une rivalité sans cesse renaissante et se couvrant du prétexte de la religion; excitées d'ailleurs par le roi d'Espagne, dont la politique est d'affaiblir la France par des luttes intestines. Cette conception des faits est un peu sommaire peut-être, et partiale; mais elle n'en jette pas moins une vive clarté sur les événements de cette lugùbre époque, et elle donne à l'exposé un relief inoubliable.

Le contraste entre la gravité vengeresse des discours d'Aubray, et la saveur comique des autres est l'une des originalités de la *Satire Ménippée ;* tous deux traduisent, chacun à sa manière, le patriotisme ardent et le solide bon sens des cinq auteurs.

ÉCRITS POLITIQUES

Sur l'ensemble des doctrines très neuves qui s'élaborent à cette époque et annoncent de. loin les idées de la Révolution, voir Georges Weill, les Théories sur le pouvoir royal en France pendant les guerres de religion, 1892 ; Lureau, les Doctrines démocratiques chez les écrivains protestants, 1900 ; P. Mesnard, l'Essor de la philosophie politique au XVIe siècle, 1936.

Le Discours sur la Servitude volontaire ou le Contr'un, d'Étienne de La Boétie (1530-1563), l'ami de

JEAN PASSERAT, un des auteurs de la « Satire Ménippée ». Portrait par Thomas de Leu, ornant le « Recueil des Œuvres poétiques de J. Passerat » (1606).

Montaigne et son collègue au Parlement de Bordeaux, composé, selon Montaigne, vers 1546-1548, et remanié peu après 1550, fut publié pour la première fois, en 1576, dans les Mémoires sur l'estat de la France sous Charles neuviesme. — Œuvres de La Boétie, éd. Paul Bonnefon, 1892. (Il y manque le Mémoire sur l'Édit de Janvier, qui a été publié en 1922 avec le Discours.)

Après Étienne de La Boétie, les principaux auteurs de traités de politique sont François Hotman, dont la Franco-Gallia, parue en 1573, a été traduite en français l'année suivante (voir Blocaille, Étude sur François Hotman, Dijon, 1902) ; — Duplessis-Mornay, qui a publié, en 1578, ses Vindiciae contra tyrannos; — Jean Bodin, dont le principal ouvrage, les Six Livres de la République, a paru en 1576, et dont la Réponse à M. de Malestroit a été rééditée en 1932 ; des extraits de son Heptaplomeres ont été traduits par Chauviré en 1914, et sa Methodus ad facilem historiarum cognitionem, par P. Mesnard en 1941 (consulter Chauviré, J. Bodin, 1914 ; la Province d'Anjou, 1929 ; Moreau-Reibel, J. Bodin et le droit public comparé, 1933).

Sur les orateurs, voir Du Vair, De l'éloquence françoise, éd. Radouant, 1907 ; A. Cabos, Pibrac, 1922.

L'orateur le plus célèbre du XVIe siècle est Michel de L'Hospital (1505-1573), qui fut chancelier de France de 1560 à 1568. L'édition la plus récente de ses Œuvres est celle qu'a publiée Dufey, en 1824. (Voir H. Amphoux, Michel de L'Hospital et la liberté de conscience, 1900 ; Dupré Lasale, Michel de L'Hospital avant son élévation au poste de chancelier de France, deux parties, 1875 et 1899.)

Parmi les nombreux publicistes de l'époque, signalons l'humaniste Louis Le Roy (1510?-1577), auteur d'une traduction avec commentaire de la Politique d'Aristote (1576), et La Noue (1531-1591), qui donna en 1587 ses Discours politiques et militaires. (Voir A.-H. Becker, Louis Le Roy, 1896, et Henri Hauser, François de La Noue, 1892.)

Les progrès du pouvoir absolu en France avaient peu à peu imposé la doctrine de la souveraineté de droit divin.

Deux courants de pensée vont brusquement l'assaillir. L'un vient de l'antiquité profane, qui avait célébré les Harmodius et les Brutus; l'autre de l'Évangile, interprété par les réformés. Bien que Luther et Calvin se fussent à l'origine montrés respectueux des autorités politiques, il y avait dans le précepte « Rendez à Dieu ce qui appartient à Dieu » un principe d'indépendance peu compatible avec l'idée du pouvoir absolu des rois. Les catholiques à leur tour s'élèveront contre cette idée, quand la monarchie leur semblera renoncer à défendre l'unité religieuse.

Dans le *Contr'un* d'Étienne de La Boétie, c'est une inspiration venue de l'Antiquité qui a ressuscité la doctrine, bien connue d'ailleurs au moyen âge, de la souveraineté populaire. Le thème est fourni par un texte de Plutarque : des réminiscences d'Hérodote, qui oppose la liberté grecque à la tyrannie perse, ou de Tacite, qui flétrit les empereurs, servent à le développer. Pourquoi, demande La Boétie, les sujets, au lieu d'opposer au tyran un « non » collectif, se complaisent-ils dans une servitude volontaire ? En républicain d'Athènes ou de Rome, pour qui la liberté est de droit naturel, il ne voit là qu'une déformation morale, imputable à des mobiles dont il dénonce la bassesse. L'intérêt du *Contr'un* n'est pas dans l'analyse, parfois un peu sommaire, de ces mobiles, mais dans l'indignation juvénile qui inspire à La Boétie de chaudes tirades en l'honneur de la liberté. On a maintes fois recherché dans son ouvrage des allusions à des faits contemporains. C'est en fausser l'esprit. Écrit avant la bataille, le *Contr'un* est l'œuvre d'un jeune homme qui n'a encore vécu que dans les livres ; c'est une déclamation d'école, ardente, mais d'une ardeur toute littéraire. Le *Mémoire sur l'Édit de janvier*, que La Boétie composa un an avant sa mort, montre bien qu'il n'avait rien d'un révolté ; qu'il fut un sujet loyal, dévoué à la chose publique. Son *Contr'un* ne devint séditieux que du jour où, en pleine mêlée, les protestants le publièrent et que leur passion le transfigura.

A partir de la Saint-Barthélemy, les polémistes du parti réformé n'affectent plus de s'en prendre aux Guises seulement : puisque le roi s'est souillé du sang de ses sujets, c'est la souveraineté du roi qu'ils rejettent. En sa *Franco-Gallia*, Hotman s'efforce de ruiner l'absolutisme par l'histoire, car il prétend ne rencontrer dans la suite des siècles qu'une forme unique de gouvernement : la monarchie constitutionnelle et élective. C'était refaire l'histoire au gré de ses désirs et l'on a dit avec esprit qu' « Hotman bâtit l'utopie du passé ». Duplessis-Mornay considère ces problèmes non plus en historien, mais en théoricien : il développe l'idée d'un contrat politique, corollaire de la souveraineté populaire, et la pousse jusqu'à ses conséquences extrêmes, jusqu'à proclamer le droit à la rébellion et au tyrannicide. Ces doctrines, qui passent des livres en latin à d'innombrables pamphlets en langue vulgaire et que la Ligue adoptera, devancent et préparent les écrits des Althusius et des Grotius et le *Contrat social* de Jean-Jacques Rousseau.

Mais contre ces doctrines se préparent des ripostes loyalistes. L'avocat Jean Bodin est un bourgeois que l'anarchie montante a inquiété. Lui qui, naguère (dans la *Methodus*, 1566), proclamait les droits imprescriptibles de la nation sent maintenant le devoir de défendre l'autorité royale. Il publie, en 1576, un massif in-folio, la *République*, dont le titre, pris à Platon, et toutes les allures indiquent qu'au milieu de controversistes passionnés et de violents pamphlétaires, l'auteur se fait fort de retrouver la sérénité des antiques philosophes. La *République* est essentiellement une réplique à la *Franco-Gallia* d'Hotman, c'est-à-dire qu'elle s'applique à ruiner l'idée de souveraineté populaire. Mais Bodin s'oppose aussi, par un effort contraire, à la doctrine de l'absolutisme, dont Machiavel, tenu pour responsable de la Saint-Barthélemy, passait alors pour le théoricien. Sa réfutation de Machiavel est puissante, d'abord parce qu'elle repose sur une enquête historique plus large que celle du Florentin et qui s'étend à un plus grand nombre d'institutions et de constitutions ; puis, parce qu'au premier rang des facteurs politiques Bodin place des forces trop méconnues par Machiavel : les forces morales, religion, droit, justice. La critique des deux théories extrêmes, celle d'Hotman et celle de Machiavel, le conduit à dégager une conception moyenne, celle d'une monarchie puissante, mais modérée et contenue par divers freins, entre autres par le droit qu'il reconnaît aux

FRANÇOIS DE LA NOUE.   JEAN BODIN.

Portraits conservés à la Bibliothèque nationale (Cab. des Estampes). — CL. LAROUSSE.

États généraux de consentir l'impôt. La *République* de Bodin répondait aux besoins des hommes les plus sages du pays ; elle exprime à merveille les aspirations de ce parti des « politiques », qui va grandir au détriment des partis violents et qui sortira triomphant des guerres civiles.

Comme ils vivifient les doctrines, les malheurs du temps exaltent l'éloquence politique. Deux vertus que le chancelier de L'Hospital pratiqua toute sa vie, la tolérance et la justice, font aussi la grandeur de son éloquence. Sans doute, c'est à Jean Bodin — ce ligueur qui a sympathisé avec le protestantisme, le judaïsme et le déisme — qu'il appartiendra d'établir les bases philosophiques de la tolérance ; dans son *Heptaplomeres*, ce curieux dialogue entre sept personnages appartenant à sept religions différentes, il s'élèvera jusqu'à la notion d'une religion naturelle qui engloberait et concilierait tous les cultes. Mais un quart de siècle plus tôt, à une époque où cette idée était encore singulièrement hardie, le chancelier de L'Hospital s'était efforcé de la faire passer dans la pratique. Ses harangues de Pontoise, de Saint-Germain, de Poissy — sans parler de celle d'Orléans, si souvent citée — proclament avec une admirable fermeté le devoir de tolérance religieuse. Et pour la justice, en même temps que ses ordonnances tentent de corriger les abus, ses discours aux parlements qu'il visite rappellent les magistrats au sentiment de leur mission.

Il n'y abuse pas, comme d'autres orateurs, des réminiscences de l'Antiquité. Le ton de ses harangues est simple ; la bonhomie des allures fait passer la réprimande ; et l'honnêteté transparente d'une grande âme tient lieu de tous ornements. C'est pourquoi l'on a dit que l'éloquence du chancelier, tout lettré qu'il fût et délicat auteur de vers latins, se rattache plus à la tradition nationale qu'à la Renaissance. Et c'est sans doute aussi pourquoi le président Du Vair n'a pas nommé L'Hospital dans son *Traité d'éloquence*. Mais ne nous y trompons pas : cette sobriété vigoureuse porte la marque de la culture classique. Lorsque, disgracié, L'Hospital ne put plus servir ses idées par la parole et par l'action, il les servit par la plume. Aucune œuvre n'honore plus sa mémoire que son courageux *Discours sur la pacification des troubles de l'an 1567*, et jamais il n'a dit sa foi dans la tolérance avec plus de force qu'à l'heure où cette foi l'écartait du pouvoir.

Beaucoup d'autres écrivains se piquent d'indiquer des remèdes aux malheurs du temps ; mais la ferme pensée de

L'Hospital ne se retrouve pas chez eux. Louis Le Roy, dans son *Exhortation aux Français de vivre en concorde* (1570), ne donne guère que les conseils d'une prudence banale. Il a beau prétendre à la philosophie de l'histoire dans sa *Vicissitude ou Variété des choses en l'Univers* (1575) : son mérite reste celui d'un vulgarisateur. Il a traduit Platon ; il a, traduisant Aristote, fait connaître l'œuvre du fondateur de la science politique et décrit un grand nombre de constitutions anciennes et modernes. Ni ces indications, ni ces matériaux ne seront tout à fait perdus.

Les *Discours politiques et militaires* de La Noue offrent un tout autre caractère. Il s'agit de l'œuvre d'un soldat. Pendant vingt ans, à travers mille aventures, La Noue a combattu pour sa foi protestante. Captif, il occupe ses loisirs à écrire sur les souffrances de son pays. Son amour de la France, sa loyauté, son large esprit de tolérance ont forcé l'admiration de ses adversaires eux-mêmes.

MICHEL DE L'HOSPITAL. Peinture du XVIᵉ siècle (musée Condé, à Chantilly). — CL. GIRAUDON.

MÉMOIRES ET OUVRAGES D'HISTOIRE

Cette époque dramatique éprouva le besoin de se raconter. Dans les deux camps, des Mémoires *s'élaborent : ceux du duc de La Force, de Sully, de Marguerite de Valois (éd. Bonnefon, 1920) ;* Journal, *de Pierre de L'Estoile, et tant d'autres. Sur ces auteurs, consulter Henri Hauser, les* Sources de l'histoire de France, *XVIᵉ siècle, 1912. Nous nous arrêterons seulement aux* Commentaires *de Blaise de Monluc.*

Ils ont été publiés d'abord en 1592, de façon très incorrecte. Monluc en avait composé, en 1571-1572, une première rédaction, que nous ont conservée deux manuscrits de la Bibliothèque nationale. Mais il n'a cessé jusqu'à sa mort de remanier son ouvrage, en sorte qu'il nous est parvenu en trois états. Ils sont bien distingués dans l'édition P. Courteault (1911-1925). Voir P. Courteault, Blaise de Monluc historien, 1907.

Les Œuvres *de Brantôme (vers 1540-1614) n'ont paru qu'en 1665-1666, à Leyde. Il avait laissé ses manuscrits bien en ordre, avec mission à ses héritiers de les faire imprimer « en belle et grande lettre, et grand volume, pour mieux paraître » ; mais l'impression fut faite d'après des copies infidèles qui circulaient dans le public. Voir l'édition Lalanne (11 volumes, 1864-1882, plus un volume de biographie, 1896). Nous n'avons pas encore le texte définitif, qui devra être établi d'après les manuscrits de la Bibliothèque nationale. (Pour la description de ces manuscrits, voir Omont, Bibl. de l'École des Chartes, 1904.) Sur Brantôme historien, consulter E. Pingaud, Revue des questions historiques, 1876. Ses poésies de jeunesse ont été rééditées en 1927.*

Les Historiae sui temporis libri CXXXVIII, *de Jacques-Auguste de Thou (1553-1617) ont paru en cinq parties (7 vol. in-folio), de 1604 à 1620 ; ils ont été traduits en français (16 vol. in-4º) en 1734. Voir J. Rance, De Thou, son Histoire universelle et ses démêlés avec Rome, 1881.*

Dans le même temps, des érudits étudient le passé de notre nation : Étienne Pasquier (1529-1615) compose ses *Recherches de la France, qui commencent à paraître en 1560. (L'édition complète parut en 1621.) Claude Fauchet (1530-1602) publie, en 1579, ses* Antiquités gauloises et françoises, *en 1581 son* Recueil de l'origine de la langue et poésie françoise, rimes et romans. *Sur ces écrivains, voir pages 221 à 225. Du Haillan donne, en 1576, une* Histoire générale des rois de France, *qui fera longtemps autorité (dernière édition, 1627). Voir Paul Bonnefon, l'Historien Du Haillan (Revue d'histoire littéraire de la France, 1915).*

Enfin, Jean Bodin fonde la philosophie de l'histoire dans sa Methodus ad facilem historiarum cognitionem *(1566).*

Né vers 1502, Blaise de Lasseran-Massencome, seigneur de Monluc (château situé près de Damazan, en Guyenne), servit de très bonne heure le duc Antoine de Lorraine, d'abord comme page, puis comme archer. A partir de 1521, il sera de presque toutes les guerres. Il est à La Bicoque (1522), à Pavie (1525), où il est fait prisonnier. Il prend part à l'expédition de Naples (1527), il combat à Cérisoles (1544). Gouverneur de Sienne, il défend héroïquement cette ville contre les Impériaux (1555) ; il est au siège de Thionville (1558). Il reçoit sous Charles IX la lieutenance générale de la Guyenne, la province la plus agitée de France ; il est mêlé aux troubles des années 1560 et 1561, puis aux trois premières guerres de religion. Au siège de Rabastens (juillet 1570), il reçoit une terrible arquebusade, qui l'obligera le reste de sa vie à porter une sorte de masque, ce qu'il appelle un « touret de nez ». Il a franchi, depuis le grade d'enseigne, tous les degrés de la hiérarchie militaire, quand il reçoit, en 1574, le bâton de maréchal de France. Il a assisté, dit-il, à cinq batailles rangées, il a dix-sept fois donné l'assaut à des forteresses, il a soutenu onze sièges, il a combattu dans plus de deux cents escarmouches. Il mourut en 1577, dans son château d'Estissac en Agenais.

Monluc contait volontiers ses aventures de guerre, et François Iᵉʳ aimait à lui faire redire son récit de la bataille de Cérisoles. Brantôme, qui l'a beaucoup fait parler, lui reconnaît « une fort belle éloquence militaire ». Mais il n'avait rien du lettré ni de l'homme de plume. S'il se mêla d'écrire, ce fut un grand hasard et l'effet d'une mésaventure. Tombé en disgrâce en 1570, il venait de perdre le gouvernement de la Guyenne, et comme on s'appliquait alors, en vertu du traité de Saint-Germain, à restituer aux protestants les biens qui leur avaient été indûment enlevés, des plaintes s'élevèrent contre sa gestion : il prit peur. Pour défendre à la fois sa réputation et la grande fortune qu'il avait amassée, il décida d'écrire au roi et d'énumérer les services rendus par lui au cours de quatre règnes. Bientôt il cessa d'être inquiété : il reçut de Charles IX une « lettre d'abolition » et un bon de titre de pension (avril 1572). Son plaidoyer devenait sans objet, mais il se trouva qu'à l'écrire il avait pris le goût de raconter sa vie. Il revient donc à son manuscrit, mais c'est désormais à la postérité qu'il songe ; il aspire à la gloire de César, d'où le titre qu'il choisit : les *Commentaires*. Il amplifie sa première rédaction, la précise, la polit. Il cherche plus à fond dans sa mémoire. Il refond ses harangues, il multiplie ses conseils aux jeunes capitaines; il confronte sa narration à celles de Paul Jove, de Du Bellay, de Paradin, de Rabutin, non pour substituer leur témoignage au sien, mais pour retrouver, grâce à eux, des noms ou des dates, et surtout pour tâcher de leur ravir quelque chose de leur art. Il vivra ainsi en compagnie de son livre, qu'il retouche sans cesse et que, sans doute, il fait aussi retoucher, pour ce qui est de sa forme, par de plus habiles que lui.

Ambitieux, indifférent au rôle qu'il joue, pourvu qu'il joue un rôle, souple, au besoin, devant les grands, cupide et avare (au moins dans sa vieillesse), point très délicat en matière d'argent, maintes fois compromis en d'assez louches aventures, Monluc sait habilement masquer ses tares. Malgré ces réticences que dissimule une fausse naïveté, son personnage apparaît dans ses *Commentaires* plein de vie et, somme toute, de vérité. Il devait être tel qu'il s'est peint, admirable de sang-froid et de bravoure dans le péril, prompt à la décision, cruel avec sérénité parce qu'il s'est laissé emporter au branle de la férocité ambiante, toujours résolu, toujours trépignant. Au demeurant, point du tout fanatique, à peine dévot, hésitant même à certaines heures entre les catholiques et les protestants, il agit surtout par besoin d'agir : beau type de ces individualités fortes et encore indomptées que le prétexte de la religion avait déchaînées.

La forme est appropriée à cette matière tumultueuse. Les révisions successives n'ont chassé de son livre qu'une petite part des impropriétés, des gaucheries, des tours embarrassés.

BLAISE DE MONLUC. Ecole des Clouet. — CL. SAUVANAUD.

En dépit des coups de lime, la phrase est restée âpre et rugueuse. Mais ce style spontané a comme une saveur de fruit sauvage.

Le portrait de Monluc peint par lui-même et un tableau fort coloré de son époque, voilà donc surtout ce que nous cherchons dans les *Commentaires*. On y rencontre aussi, malgré des erreurs de chronologie, une quantité d'informations et d'éclaircissements, surtout dans les récits de batailles, dont maints épisodes, sans ce livre, eussent été perdus pour l'histoire.

C'est bien la même image de la société que nous présente son voisin et ami Brantôme : société aux tempéraments débridés, aux passions brutales. Mais, chez Brantôme, combien l'homme paraît grêle auprès du défenseur de Sienne! combien l'information est de moins bon aloi! Gascon, lui aussi, turbulent, avantageux, Pierre de Bourdeille, seigneur et abbé commendataire de Brantôme, a vécu les premières guerres de religion en condottière et en aventurier. Il a vu l'Italie, l'Écosse, l'Angleterre; entre deux guerres civiles, il va guerroyer au Maroc, revient par le Portugal et l'Espagne; puis part pour Malte, portant partout son ardente et insatiable curiosité. Un accident — une chute de cheval — le condamna, lui aussi, à manier la plume au lieu de l'épée (1584). Mais, dans sa retraite, quels souvenirs lui remonteront d'abord à la mémoire? Ce seront des histoires d'amour, des anecdotes scandaleuses. Ce qu'il regrette, c'est sa vie de courtisan, les longs

bavardages dans la chambre de la reine ou dans celle de Marguerite de Valois, c'est l'escadron fringant des filles d'honneur. Pour se dédommager, il écrit d'abord les *Vies des dames*. Quand il aborde les *Vies des grands capitaines*, même frivolité : que de contes dans ses biographies des contemporains de Louis XII, voire de Charles VIII et de Louis XI! Étourdi, crédule, sans critique, il avance sans plan, au gré des historiettes qui le mènent. Mais qu'il est donc amusant, ce gros livre si pauvre de jugement! Des choses, Brantôme n'a vu que la couleur et le mouvement. Tout ce qui est spectacle, pompe, processions, tournois, toilettes, le fascine comme un enfant. Et quel plaisir de converser encore, après trois siècles, avec ces grandes dames de jadis, de retrouver leurs mots, leurs gestes, jusqu'au son de leur voix ! Supposez l'œuvre de Brantôme perdue, notre connaissance de l'histoire politique n'y perdrait presque rien, celle de l'histoire des mœurs serait singulièrement mutilée.

Les qualités de l'historien, c'est chez Jacques-Auguste de Thou qu'on les trouve. Magistrat, il porte dans l'examen des événements publics de son temps les habitudes d'enquêtes minutieuses qu'il a contractées au Parlement. Ardemment gallican, il tient pour la liberté de conscience. Lié avec des protestants qu'il estime, il n'a nulle violence à se faire pour juger la Réforme avec équité. Droiture, intégrité, exactitude scrupuleuse, faculté de comprendre les événements et de les apprécier avec intelligence, tels sont bien ses mérites principaux. Le malheur est qu'ébloui par ses grands modèles, Tite-Live et Tacite, de Thou écrivit en leur langue et leur emprunta les ornements de son style. Il estimait sans doute avec Montaigne que les transformations de la langue française étaient trop rapides pour qu'on lui confiât une œuvre destinée à durer. Son calcul s'est trouvé faux : le latin a pu favoriser d'abord le succès de son Histoire à l'étranger, mais il a détourné d'elle la postérité.

Les modèles latins ont pesé lourdement sur les historiens de ce temps, même sur ceux qui ont écrit en français, comme Du Haillan. Du Haillan a le mérite (qui manque si fort à Hotman) de tenir son ouvrage à l'écart des passions du jour. Mais il inaugure chez nous, et pour deux siècles, la tradition de l'histoire à la romaine, engoncée dans sa dignité, empesée de rhétorique, encombrée de discours fictifs, de débats inventés et de lieux communs de haute politique. De plus, à la manière de ses modèles italiens, Du Haillan réduit l'histoire du royaume à n'être guère que l'histoire du roi et de la cour. Trop d'historiens du XVIIe et du XVIIIe siècle l'imiteront.

Les guerres de religion ont fait surgir, en somme, quelques personnalités vigoureuses. Mais la discipline d'art que la Renaissance s'efforçait d'imposer à la France s'est relâchée. Voilà pourquoi sans doute nous avons enregistré si peu de réussites complètes. Avec Montaigne, nous allons trouver l'équilibre : une matière bien vivante, la discipline de la sagesse antique et le recueillement nécessaire à l'élaboration de l'œuvre d'art.

OUVRAGES CONSACRÉS A LA TECHNIQUE DES MÉTIERS ET DES ARTS

La France compte, au XVIᵉ siècle, plusieurs excellents écrivains qui se sont appliqués à décrire des sciences, des arts, des métiers en employant le français, et non le latin.

La vie d'Ambroise Paré (1509?-1590) fut consacrée au perfectionnement des principes, des méthodes, des instruments de la chirurgie ; son œuvre, qui commence en 1545 par une Méthode *de traiter les plaies faites par harquebuttes, enregistre les résultats successifs de son admirable effort. Édition J.-F. Malgaigne, 1840. Voir M. Broussais, Ambroise Paré, 1900 ; P. Delaunay, A. Paré, 1929.*

Olivier de Serres, seigneur du Pradel (1539-1619), a médité pendant trente ans son Théâtre d'agriculture et ménage des champs, *qu'il publia en 1600 : il y représente « tout ce qui est requis et nécessaire pour bien conduire une maison rustique ». Voir les pages choisies, publiées en 1941, et A. Lavondès, O. de Serres, 1937.*

Bernard Palissy, le plus original peut-être de ces écrivains, naquit vers l'an 1510, dans l'Agenais à ce qu'on croit ; la Saintonge fut sa patrie d'adoption. Il fut d'abord vitrier : « Les vitriers, écrira-t-il plus tard, avoient grande vogue, à cause qu'ils faisoient des figures es vitraux des temples. » Il parcourt la France, change de métier, se fait arpenteur : on dirait qu'il attend avec impatience l'heure où une vocation irrésistible va décider de toute sa vie. Elle se révèle : « Il me fut monstré une coupe de terre, tournée et esmaillée, d'une telle beauté que j'entray en dispute avec ma propre pensée... » Il cherche passionnément, dès lors, « l'invention de faire des émaux ». Ses travaux sont d'ailleurs troublés par les « misères du temps » : il prend parti pour la Réforme, n'évite pas la prison et risque la mort ; l'édit d'Amboise (1563) lui assure, enfin, une tranquillité relative. Ce grand artiste est aussi un savant ingénieux ; il invente les conférences publiques, où il communique à des auditeurs empressés ce qu'il sait des « fontaines, métaux et autres natures » (1575 et 1576). Physicien, chimiste, géologue, il se révèle comme un des maîtres de la science expérimentale. Il meurt à la Bastille, où il est enfermé pour cause de religion, à l'âge de quatre-vingts ans.

Ses Œuvres *ont été rééditées par Anatole France en 1880, et par Benjamin Fillon en 1888. Voir Ernest Dupuy, Bernard Palissy, 1894 ; Désiré Leroux, la Vie de B. Palissy, 1927.*

DES JARDINAGES, pour avoir des herbages et fruits potagers, des herbes et fleurs odorantes. Gravure mise en tête du livre VI du « Théâtre d'agriculture et ménage des champs » d'Olivier de Serres, édition de 1646. — CL. LAROUSSE.

Dans sa *Recepte véritable par laquelle tous les hommes de la France pourront apprendre à multiplier et augmenter leurs trésors* (1563), Bernard Palissy donne « le secret et enseignement des fumiers »; il y joint « le dessein d'un jardin autant délectable et d'utile invention qu'il en fut oncques vu »; et, par surcroît, « le dessein et ordonnance d'une ville de forteresse la plus imprenable qu'homme ouït parler ». — Dans ses *Discours admirables de la nature des eaux et des fontaines* (1580), il parle non seulement des fontaines et des eaux, mais des métaux, des sels et salines, des pierres, des terres, du feu et des émaux, de la marne... Quels rapports de tels traités peuvent-ils avoir avec la littérature ?

On aurait tort, pourtant, de les reléguer parmi ces œuvres que les progrès des sciences naturelles ont rendues caduques, et qui n'offrent plus qu'un intérêt de curiosité. Qu'il s'agisse d'un chirurgien, d'un agriculteur ou d'un potier, les écrivains que nous groupons ici ont donné en leur temps, aux contemplateurs des idées pures, une indispensable leçon, et qui dure. Ils luttent contre l'abstraction envahissante ; ils ramènent aux réalités pittoresques ; ils font jaillir, dans le grand jardin des lettres, une source inépuisable de mots précis, colorés, savoureux. Ils ont la charge de rappeler que le secret de l'art est de désigner les choses par leur nom. Ambroise Paré décrit une plaie, ou expose l'ingénieux mécanisme d'un instrument de chirurgie par lui nouvellement inventé ; point ne serait besoin de figures pour illustrer son texte : son vocabulaire parle aux yeux. Olivier de Serres énumère patiemment, minutieusement tous les travaux qu'exige la terre pour rendre en moissons les semences qu'on lui a confiées : c'est tout profit pour la palette française, qui ne pèche point, d'ordinaire, par un excès de couleurs, et qui a besoin d'être souvent enrichie. De même pour Bernard Palissy : il est resté comme le type de ces bons ouvriers qui travaillent en marge de notre littérature. Son exemple suffirait à inspirer l'horreur du style prétendu noble, et le goût du style vrai. Rien qu'à le voir distinguer les qualités diverses de cette terre qu'il façonne avec amour, déterminer les nuances,

AMBROISE PARÉ. Gravure d'Étienne Delaune, figurant au frontispice du « Discours de la mumie, de la licorne, des venins et de la peste » (1582). CL. LAROUSSE.

rendre sensibles les caractères spécifiques de la matière, on ne peut s'empêcher d'admirer un vocabulaire si sincère et si précis. Il évite même l'excès des appellations techniques — défaut fréquent chez les profanes, qui se servent d'elles comme d'une parure d'emprunt — : il dit tout ce qu'il faut dire, rien de plus.

Sa manière révèle une personnalité puissante et complexe. Il donne volontiers à son style l'allure d'un raisonnement tout logique. Qu'ils sont à plaindre, ces mortels abusés par la cupidité, qui cherchent vainement le secret de fabriquer de l'or! Il importe de les détromper. D'où une démonstration tenace : « Ami lecteur, le grand nombre de mes jours et la diversité des hommes m'ont fait connaître les diverses affections et opinions indicibles qui sont en l'univers, entre lesquelles j'ay trouvé l'opinion de la multiplication, génération et augmentation des métaux plus invétérée en la cervelle de plusieurs hommes que nulle des autres opinions. » Pour la combattre, cette opinion invétérée, il faut beaucoup de fermeté, beaucoup de patience. Deux interlocuteurs sont en présence : l'un, qui s'appelle *Théorique*, énonce une erreur; l'autre, qui s'appelle *Pratique*, examine cette erreur, et la confond : *Pratique* ramène *Théorique* vers la vérité.

BERNARD PALISSY. Peinture sur vélin du XVIᵉ siècle (musée de Cluny). — CL. LAROUSSE.

Or, cette démonstration s'anime : on y sent passer, par moments, un souffle de poésie. Bernard Palissy a le sentiment de la nature, et il l'exprime avec délicatesse. A force d'avoir observé la terre et les eaux, il est devenu l'ami des choses : il sait tout ce qu'un jardin contient de vie. Mais, surtout, on devine sous sa dialectique une rare puissance d'émotion. Qu'il se défende lui-même, qu'il attaque les maîtres d'erreur, qu'il laisse transpercer son amour de l'humanité : et sous l'artiste, sous « l'inventeur des rustiques figulines du Roy et de la Reine Mère », on trouve l'homme; l'homme aux passions frémissantes, au grand cœur. « Je ne vis jamais homme si opiniâtre que toi, dit *Théorique*; car, depuis que tu as quelque chose en tête, il est impossible de te faire croire le contraire! » Opiniâtre, sans doute, mais sensible, au moins autant.

Voilà pourquoi ses traités aux amples titres contiennent encore plus qu'ils ne promettent. Ils montrent le dessein continu d'embellir ce monde où nous vivons, de révéler aux hommes de bonne volonté les secrets très simples qui peuvent rendre l'existence plus douce et plus facile. Ils révèlent un âpre désir de comprendre la nature et de dévoiler ses mystères. Ils proposent une méthode : pour arriver à saisir la vérité dans la mesure où elle nous est accessible (car il faut faire sa part à l'inconnaissable), nous devons nous tenir à égale distance de l'empirisme et des systèmes d'idées fausses. Tous ont besoin d'une philosophie, même les humbles paysans penchés vers le sol : mais ne prenons point pour des philosophes ceux qui cherchent à lire dans les astres les lois de la destinée, ou autres rêveurs absurdes. La raison comme principe et l'expérience comme contrôle : telle est la méthode que Bernard Palissy prône et applique. « Voilà comment il faut parler des choses, avec preuves fondées sur quelque raison... » *(Discours admirables; III, Traité de l'or potable)*. L'autorité des Anciens ne prévaut point contre la raison et l'observation.

Encore la méthode servirait-elle de peu, sans les qualités morales qui sont nécessaires pour diriger l'action. Au précepte, notre observateur ajoute l'exemple. Où trouver un plus admirable modèle de volonté? Il nous raconte les épreuves qu'il a subies avant de réussir à fabriquer ces émaux dont il entrevoyait la rare beauté. Que d'années de labeur! Que de tentatives manquées! Que de déceptions! « Quand j'avais appris à me donner garde d'un danger, il m'en survenait un autre, lequel je n'eusse jamais pensé. » Il est près de renoncer à la tâche qu'il s'est imposée; il touche aux limites du désespoir. Il continue cependant, sacrifiant tout son bien, bravant la calomnie : car on l'appelle faux monnayeur, et il s'en va par les rues, « tout baissé comme un homme honteux ». Mais il se redresse; il rallume son fourneau; il a trouvé, sinon les causes, au moins l'une des causes de son insuccès; il veut essayer un procédé nouveau. Et, fort de sa volonté, confiant en sa raison, averti par l'expérience, il recommence son œuvre. Elles n'ont pas vieilli, les pages où Bernard Palissy nous raconte cette émouvante histoire, qui est comme le symbole du labeur de l'humanité; elles n'ont pas vieilli : elles sont immortelles.

V. — MONTAIGNE

Montaigne s'élève au-dessus de son époque agitée, et la domine. Sachons-lui gré d'avoir contribué au mouvement de notre Renaissance en instaurant le culte de la sagesse antique; sachons-lui gré aussi d'avoir enrichi les lettres françaises d'un genre nouveau. Mais il y a plus. Montaigne veut voir clair en lui-même; il ne se contente pas d'analyser ses actions, il tient à connaître leurs raisons profondes; il pénètre jusqu'en ces domaines incertains de l'âme où s'agitent confusément les idées et les sentiments qui n'affleurent pas, les mobiles inavoués, les passions secrètes; il tire au jour tout ce tréfonds inexploré.

Loin d'être au nombre de ces esprits inflexibles qui s'appliquent, leur vie durant, à ramener l'univers à leur petite mesure, il cherche, il tâtonne, il doute; il ne se fait pas scrupule de changer de route et d'aller vers la lumière, chaque fois qu'il croit la distinguer mieux. Si jamais titre convint à la nature profonde d'une œuvre, c'est bien celui d'*Essais*. Montaigne s'essaye à trouver la sagesse. Il évolue; et c'est dans cette évolution même que nous voudrions le saisir.

SON ENFANCE ET SA JEUNESSE

Michel de Montaigne est né le 28 février 1533, au château de Montaigne, en Périgord. Il appartenait à une de ces familles commerçantes qui passaient doucement de la riche bourgeoisie à la noblesse; son père, Pierre Eyquem, avait abandonné le négoce pour vivre sur sa terre : il exerça plusieurs fonctions publiques, et prit part aux guerres aventureuses d'Italie. Michel de Montaigne abandonna ce nom d'Eyquem, qui rappelait ses origines bourgeoises. Aussi bien fut-il élevé en gentilhomme : on fit venir d'Allemagne un précepteur qui, ne sachant pas un mot de français, avait charge de ne lui parler que latin : tous les habitants de la maison, et jusqu'aux domestiques, apprirent ce qu'il fallait de cette langue pour jargonner avec l'enfant. « Nous nous latinizames tant », écrira-t-il plus tard, « qu'il en regorgea jusques à nos villages tout autour, où il y a encores... plusieurs appellations latines d'artisans et d'outils. » Quand il eut sept ans, on le mit au collège de Guyenne, à Bordeaux. La maison était illustre, les professeurs fameux : Guérente, Buchanan, Muret ; il y resta six ans, sans aucun profit, à l'en croire (Essais, I, XXVI). Il étudia le droit et, à vingt et un ans, entra dans la magistrature ; il fut conseiller à la Cour des Aides de Périgueux (1554-1557), conseiller au Parlement de Bordeaux (1557-1570). Il ne semble pas qu'il ait jamais eu beaucoup de goût pour ses fonctions. Un des grands événements de sa vie morale fut l'amitié qu'il contracta avec Étienne de La Boétie, conseiller, comme lui, au Parlement de Bordeaux ; une épidémie lui enleva, dès le mois d'août 1563, cet ami incomparable (Essais, I, XXVIII). Nous avons de lui, datant de cette période, une lettre qu'il écrivit à son père sur cette mort (elle fut publiée avec les œuvres de La Boétie, en 1570), et la traduction d'un traité composé par un théologien qui avait professé à Toulouse au XVᵉ siècle : la Théologie naturelle de Raimond Sebon (1569).

La plus savoureuse biographie de Montaigne est constituée par les Essais eux-mêmes. Voir, pour la compléter : Paul Bonnefon, Montaigne, l'homme et l'œuvre, 1893 ; id., Montaigne et ses amis, 1898 ; Jean Prévost, la Vie de Montaigne, 1926 ; Paul Courteault, la Mère de Montaigne (Revue Historique de Bordeaux, 1933) ; Jean Plattard, Montaigne et son temps, 1935 ; Laumonier, Madame de Montaigne, d'après les « Essais » (Mélanges Lefranc, 1936) ; Strowsky, Montaigne, sa vie publique et privée, 1938 ; Nicolaï, Montaigne intime, 1942. La plaquette de Jean Plattard, État présent des études sur Montaigne, 1935, outre qu'elle précise les points encore obscurs de la biographie, est utile à consulter sur tous les problèmes soulevés par la lecture de Montaigne.

Les citations des Essais sont faites d'après l'édition de Bordeaux, 1906-1920.

Quand Montaigne commence à composer les *Essais*, il n'est pas loin de la quarantaine. Bien des circonstances, au cours de lentes années de préparation, ont conspiré à former son génie : il est curieux d'observer comment.

Lorsqu'on veut étudier ses semblables, il importe d'avoir un observatoire commode et d'être bien placé. Il est fort agréable, lorsqu'on veut se consacrer aux bonnes lettres et à la philosophie, d'avoir de la fortune. Point de gêne, point d'embarras d'argent, pas même de soucis : si les blés ou les vignes rendent un peu moins cette année, qu'importe ? Si on veut entreprendre un lointain voyage, on se met en route sans songer à la dépense. Or, Montaigne était, comme on dit, d'une famille considérée dans le pays, puisque son père fut maire de Bordeaux. Et Montaigne était riche.

Son éducation fut dominée par un principe que ce père aimable avait rapporté d'Italie : à savoir qu'il fallait développer l'âme des enfants « en toute douceur », sans obligation ni contrainte. En vertu de quoi on l'éveillait en musique tous les matins. Cette confiance dans la nature, qui exprime une des tendances profondes de l'époque, se retrouvera dans les *Essais*.

On lui épargna les ennuis de la grammaire : c'est peut-être pour cela qu'il ne se rebuta point, et qu'il fut tout imbu de culture antique. A vrai dire, et bien qu'on eût imaginé un jeu tout exprès pour lui apprendre déclinaisons et conjugaisons, il ne devint jamais, à proprement parler,

un helléniste : au moins connut-il la philosophie grecque par les vulgarisateurs latins ; et les traductions d'auteurs grecs, qui se multiplient entre 1530 et 1575, vinrent à point nourrir sa curiosité. Quant au latin, sa « langue naturelle », il le possédait comme le français.

Le collège, où son père finit par l'envoyer, aurait pu le dégoûter des livres ; indolent, et sans mémoire, il n'était pas fait pour le surmenage érudit qui sévissait alors dans l'éducation des enfants. Mais son père veillait : il mit auprès de lui des précepteurs particuliers, instruits de ses doctrines. Michel de Montaigne se sentira fort obligé à l'un d'eux, « homme d'entendement », qui fermait les yeux lorsqu'il lisait à la dérobée les *Métamorphoses*, l'*Énéide*, Plaute, ou les comédies italiennes. Ainsi son âme, « toute sienne », se formait librement ; et la pédagogie qu'il exposera plus tard se trouve en germe dans sa propre éducation.

A Toulouse, il a vécu près d'hommes distingués et sages comme Coras, Turnèbe, Bunel, Pibrac enfin, dont il citera plus tard les fameux *Quatrains*. Nul doute que ce contact n'ait contribué à l'éveiller à la pensée et à la méditation morale.

De même, les années passées par lui au Parlement de Bordeaux ne seront pas des années perdues. Dans les *Essais*, souvent il parle des lois, de la manière de les faire et de les appliquer, des gloses des jurisconsultes ; il disserte, ici sur la magistrature française, et là sur l'utilité des juges : nous reconnaîtrons dans ces propos les fruits de sa propre expérience de magistrat. Quand nous l'entendrons critiquer la torture ou la question, nous nous rappellerons qu'il en a vu les effets. Quand il nous dira qu'il ne croit pas aux sorciers, nous songerons qu'il a peut-être statué sur le sort de malheureux que la crédulité publique vouait au bûcher.

Les parlementaires bordelais, ses collègues, étaient gens fort cultivés. Il était lié par des liens de parenté avec plusieurs d'entre eux ; et Françoise de La Chassaigne, qu'il épousa en 1565, était petite-fille, fille et sœur de magistrats. A Bordeaux, dit Scaliger, « entre soixante sénateurs, il y en avait plus de vingt habiles et doctes personnages ». Près de Montaigne, Arnaud Du Ferron travaille à son *Histoire de France*, Nicolas Bohier à ses œuvres juridiques, tandis que l'ami de son âme, La Boétie, écrit ses poésies latines et ses versions de Xénophon et de Plutarque.

La Boétie est un sage à la manière antique ; c'est, dit Montaigne qui l'admire, « une âme à l'ancienne marque ». Son *Discours de la Servitude volontaire*, ou *Contr'un*, est tout plein des grands sentiments que des auteurs comme Lucain et comme Tacite avaient exprimés contre la tyrannie. Les pièces latines qu'il compose pour Montaigne sont des exhortations à la vertu. On saisit ici l'influence, ou tout au moins l'accord : La Boétie a choisi Montaigne « parmy tant d'hommes pour renouveller cette vertueuse et sincere amitié de laquelle l'usage est, par les vices, dez si long temps esloingné d'entre nous, qu'il n'en reste que quelques vieilles traces en la memoire de l'antiquité ». C'est ainsi qu'il s'exprime à son lit de mort ; et il parle aussi des « discours philosophiques » qu'ils tenaient ensemble pour s'apprendre à « bien vivre et à bien mourir ». Au reste, cette mort prématurée est celle du sage. La Boétie dit, la sentant venir : « Je suis chrestien, je suis catholique ; tel ay vescu, tel suisje deliberé de clorre ma vie : qu'on me face venir un presbtre, car je ne veulx faillir à ce dernier debvoir d'un chrestien. » Mais, plus que la foi du chrétien, c'est la sagesse du philosophe qui lui donne sa fermeté d'âme. Dans une lettre à son père sur la mort de La Boétie, qui fut son premier écrit, Montaigne raconte comment l'incomparable ami lui donna sa dernière leçon :

« Il m'interrompit, dit-il, pour me prier d'en user ainsin, et de montrer, par effect, que les discours que nous avions tenus ensemble pendant nostre santé, nous ne les portions pas seulement en la bouche, mais engravez bien avant au cœur et en l'ame, pour les mettre en execution aux premieres occasions qui s'offriroient ; adjoustant que c'estoit la vraye prastique de noc estudes et de la philosophie. Et me prenant par la main : « Mon « frere, mon amy, me dict il, je t'asseure « que j'ay faict assez de choses, ce me semble, « en ma vie, avecques autant de peine et « difficulté que je fois ceste cy. Et quant « tout est dict, il y a fort long temps que « j'y estois preparé, et que j'en sçavois « ma leçon toute par cœur. » Quoi d'étonnant à ce qu'après un si noble exemple Montaigne s'applique dans ses *Essais* à « accointer » la mort ?

En traduisant la *Théologie naturelle* de Raimond Sebon, il achève de s'initier aux grands problèmes. Le théologien qui est l'auteur du livre s'efforce, en effet, d'étayer la foi chrétienne par la raison. Quels sont donc les rapports de la raison et de la foi ? Et comment s'opère la connaissance elle-même ? Questions essentielles qu'il faut avoir méditées quand on aspire à la sagesse. Ainsi se prépare cette *Apologie de Raimond Sebon* qui élargira si magnifiquement l'horizon des premiers *Essais*.

LA « LIBRAIRIE » DE MONTAIGNE, au second étage de la tour de l'ancien château.
CL. R. RITTER.

SA RETRAITE

Après la mort de son père (juin 1568), Montaigne résigne sa charge de conseiller (juillet 1570). Il se rend alors à Paris et y publie, en les accompagnant de dédicaces de sa façon, les œuvres que La Boétie lui avait léguées, à l'exception du Contr'un *et du* Mémoire sur l'Édit de janvier. *Puis il rentre dans son domaine patrimonial, et nous ne savons presque rien de sa vie pendant les années suivantes. Le fruit de sa retraite sera son grand ouvrage, les* Essais, *qu'il se mit à composer peu après son retour : les parties les plus anciennes datent du début de 1572.*

De sa retraite, on a donné plusieurs explications. Voulut-il vivre en seigneur sur ses terres, suivant la tradition paternelle ? Il parlera, non sans fierté, de la souveraineté du gentilhomme rural en France, véritable roi dans ses domaines. Un de ses sentiments les plus touchants est l'admiration qu'il voua à son père, grand acquéreur de biens, propriétaire résidant et assidu. On devine chez lui, à le lire, une première velléité de suivre, par fidélité, cet exemple. Les criailleries des valets et les roueries des intendants devaient lui faire bientôt abandonner le soin de toute administration à sa femme qui avait « la science du mesnage et la vertu economique ».

Il eut aussi une déception. La Chambre des enquêtes, où il siégeait, était la moins élevée en dignité des chambres du Parlement. Il souhaitait d'occuper un poste à la Grand-Chambre : on le lui refusa, parce que son beau-frère y siégeait déjà, et on l'informa, en outre, que l'accès de la Tournelle, où siégeait un autre de ses parents, lui serait pareillement interdit. Ce sont ces déboires, sans doute, qui achevèrent de dégoûter de la magistrature « l'homme le moins chi-

caneur et praticien de la terre », comme l'appelle Pasquier.

Mais, plus probablement, il voulut se ménager la retraite du sage. Lire et méditer à la manière d'un philosophe antique, et penser librement, loin des occupations communes, voilà ce qui le séduisit. Qu'on lise, en effet, son engagement solennel envers les Muses, l'inscription en latin qu'au premier retour de son anniversaire il fait graver dans son cabinet de travail : « L'an du Christ 1571, à l'âge de trente-huit ans, la veille des calendes de mars, anniversaire de sa naissance, Michel de Montaigne, depuis longtemps déjà ennuyé de l'esclavage de la cour du parlement et des charges publiques, se sentant encore dispos, vint à part se reposer sur le sein des doctes vierges dans le calme et la sécurité; il y franchira les jours qui lui restent à vivre. Espérant que le destin lui permettra de parfaire cette habitation, ces douces retraites paternelles, il les a consacrées à sa liberté, à sa tranquillité, et à ses loisirs. »

Sur les travées de sa « librairie », tout autour de lui, il a fait graver de même des inscriptions que ses yeux rencontreront toujours : ce sont des sentences philosophiques qui condensent l'expérience des sages. Elles disent la vanité de l'homme, l'inutilité de notre savoir, la folie de notre présomption. Telles sont les pensées avec lesquelles il veut vivre.

C'est là que notre imagination aime à se représenter l'auteur des *Essais*, dans cette « librairie » qu'il a aménagée lui-même au haut de sa tour, pour abriter sa méditation, pour se soustraire à la « communauté et conjugale et filiale et civile ». Il est assis devant sa table de travail, feuilletant son cher Plutarque; ou bien, tout en marchant de long en large, il « remâsche » la lecture qu'il vient d'achever. Il est comme

LA MESNAGERIE DE XENOPHON.
Les Regles de mariage, DE PLVTARQVE.
Lettre de consolation, de Plutarque à sa femme.

Le tout traduict de Grec en François par feu M. ESTIENNE DE LA BOETIE. Conseiller du Roy en sa court de Parlement à Bordeaux. Ensemble quelques Vers Latins & François, de son inuention.

Item, vn Discoirs sur la mort dudit Seigneur De la Boëtie, par M. de Mont...

A PARIS.
De l'Imprimerie de Federic Morel, rue S. Ian de Beauuais, au Franc Meurier.
M. D. LXXI.
AVEC PRIVILEGE

LES ŒUVRES DE LA BOÉTIE, éditées par les soins de son ami Montaigne.
CL. LAROUSSE.

enveloppé de ces mille volumes qui, rangés sur des pupitres à cinq degrés, font cercle autour de lui et lui proposent leurs titres tentateurs. Quand il est sur sa terre de Montaigne, il passe dans cette retraite aimée « et la plus part des jours..., et la plus part des heures du jour »; il s'y « fait particulierement la cour ». Il faut cependant lutter contre l'image facile d'un Montaigne enfermé dans sa tour : il n'y aurait eu que l'horizon des livres. Au contraire, ce n'est pas sans raison que son tombeau supporte un gisant en armes. Dans les *Essais*, on trouve fréquemment exprimée, avec l'âge, une certaine nostalgie de la vie militaire et du tumulte gaillard des camps. Noble, Montaigne doit toujours son « service » au Roi : pendant ses années de Bordeaux, il a déjà rejoint quatre fois, à intervalles rapprochés, la Cour où il dira plus tard avoir passé « partie de sa vie »; il a accompagné François II sur le chemin de Bar-le-Duc, et suivi, en 1561, Charles IX au siège de Rouen. Retiré dans son domaine, il ne s'y terre pas. En 1574, la rédaction des *Essais* est déjà commencée lorsque, du camp royal où il est présent dans le Bas-Poitou, le duc de Montpensier l'envoie auprès du Parlement de Bordeaux pour une négociation. Ce n'est pas comme un châtelain inconnu que le roi le fait chevalier de Saint-Michel, récompense modeste il est vrai. Et l'année suivante, en 1577, Henri de Navarre le nomme gentilhomme de sa chambre.

En même temps, Montaigne voisine avec les nobles d'alentour, tantôt catholiques, tantôt protestants. Les noms de d'Estissac, La Rochefoucauld, Lézignan, Monluc le situent dans un monde qui n'est pas étroit. Les petites fenêtres de la fameuse tour ont donc des vues beaucoup plus lointaines sur la vie et les hommes. Pendant les années où il ne semble que rêver et rédiger nonchalamment à l'écart de la « presse », Montaigne est aussi un très important personnage de sa province auquel on fera appel plus tard dans des circonstances difficiles : sa retraite est bien celle d'un sage qui, volontairement, complète et contrôle par la lecture et la méditation les données de la vie.

LE PREMIER DESSEIN DE MONTAIGNE SON ATTITUDE STOÏQUE DANS LES PLUS ANCIENS ESSAIS

Les deux premiers livres des Essais *ont paru à Bordeaux, chez Millanges, en 1580 (réimpression par Dezeimeris et Barckhausen en 1870, avec les additions de l'édition de 1582).*

Une cinquième édition (la quatrième que nous connaissons), publiée en 1588 à Paris, chez L'Angelier, contient six cents additions aux deux premiers livres, et un troisième livre entièrement nouveau (réimpression par H. Motheau et D. Jouaust, 1872-1876).

Montaigne préparait une sixième édition quand il mourut. Il avait chargé de corrections et d'additions, pour l'envoyer aux imprimeurs, un exemplaire de l'édition de 1588. C'est d'après une copie de cet exemplaire que Pierre de Brach et Mlle de Gour-

MADEMOISELLE DE GOURNAY (B. N., Cab. des Estampes). « J'ai pris plaisir à publier en plusieurs lieux l'espérance que j'ay de Marie de Gournay le Jars, ma fille d'alliance, et certes aymée de moi beaucoup plus que paternellement, et enveloppée, en ma retraite et solitude, comme l'une des meilleures parties de mon propre estre. Je ne regarde plus qu'elle au monde... » (« Essais », II, xvii.) — CL. LAROUSSE.

nay publièrent, en 1595, une édition posthume, qui fut longtemps considérée comme définitive (réimpression par E. Courbet et Ch. Royer, 1872-1900).

Mais la copie était fautive, et, d'autre part, P. de Brach et Mlle de Gournay s'étaient permis de nombreux remaniements. Il a donc fallu revenir à l'exemplaire annoté par Montaigne, qui est conservé à la bibliothèque de la Ville, à Bordeaux. On en a donné une reproduction en phototypie (Paris, 1912, 3 vol., in-4°). En outre, sous les auspices de la Ville de Bordeaux, MM. Fortunat Strowski, François Gebelin et Pierre Villey ont publié à nouveau les Essais *d'après l'exemplaire de Bordeaux, avec les variantes manuscrites et les leçons des plus anciennes impressions, des notes, des notices et un lexique, 1906-1933, 5 vol. in-4°. Plusieurs éditions fondées sur l'exemplaire de Bordeaux ont été procurées par P. Villey (1923-1925 et 1930-1931), Strowski (1929), A. Armaingaud (1924-1928), J. Plattard (1931-1933) et M. Rat (1941). Une précieuse édition de l'Apologie de Raimond Sebon a été donnée par P. Porteau (1937). — Sur l'évolution de la pensée de Montaigne et les aspects divers de son œuvre, on devra consulter surtout P. Villey, les Sources et l'Évolution des « Essais » de Montaigne, 1908 et 1933; F. Strowski, Montaigne, 1906; G. Lanson, la Morale selon les « Essais » de Montaigne (Revue des Deux Mondes, 1924) et les « Essais » de Montaigne, 1929; P. Villey, les « Essais » de Montaigne, 1932, et Montaigne, 1933; P. Moreau, Montaigne, l'homme et l'œuvre, 1939.*

Pour suivre les diverses phases du développement des Essais, *il faut d'abord discerner quels sont, dans l'édition princeps (1580), les « essais » les plus anciennement composés. Les chapitres II à XX et XXXII à XLVIII du livre Ier, sauf peut-être une partie de l'essai XXXIX et l'essai XL, remontent aux années 1572-1573. Un peu plus tard viennent les essais II à VI du livre II. On y voit de quelles lectures se nourrissait alors Montaigne : il lisait Plutarque, qui lui fournit un grand nombre d'exemples; Sénèque, dont il étudie particulièrement les Lettres à Lucilius; puis quelques historiens : il emprunte des anecdotes aux Mémoires des frères Du Bellay; il pratique les Annales d'Aquitaine de Jean Bouchet, et l'Histoire d'Italie de Guichardin. Il connaît aussi les œuvres des compilateurs contemporains. Mais le grand intérêt que présentent ces anciens essais est de nous montrer quel fut le premier dessein de Montaigne et sa première attitude philosophique.*

Quoi de plus original que les *Essais* de Montaigne ? Ce titre même ne se rencontre nulle part avant lui, ni chez les Italiens, ni dans les littératures de l'Antiquité. Et, pourtant, Montaigne a commencé par faire comme tout le monde. Son premier dessein a été, semble-t-il, fort modeste : il se contentait de tenir registre des exemples, des sentences les plus remarquables qu'il rencontrait dans ses lectures, et de les faire valoir par de courtes dissertations. C'était une mode, pratiquée avant lui par divers écrivains, de vulgariser les enseignements de l'Antiquité, conseils moraux et cas singuliers, en de petites compositions très simples, faites de quelques maximes frappantes, de quelques exemples bien choisis, assaisonnés de morale. On leur donnait des titres divers : on les appelait volontiers des « leçons », c'est-à-dire, modestement, des lectures. Montaigne, qui nous raconte tout, nous fait savoir qu'il hésita entre la forme des lettres, dont l'Espagnol Antoine de Guevara avait fourni le modèle dans un recueil traduit en français dès 1556, et la forme des dissertations, qui avait valu une grande réputation à un autre Espagnol, Pierre de Messie, dont les *Diverses leçons* avaient été traduites en français par Claude Gruget.

Ces « leçons », qui n'exigeaient ni grand effort ni continuité dans le travail, étaient bien l'affaire de notre gentilhomme. Ses développements du début se ramènent à deux types. Voici le premier : il cite un exemple qui l'a frappé, en ajoute quelques autres pour confirmer ou pour contredire, rappelle une sentence qu'il a tirée d'un auteur ancien. S'il s'en était tenu là, son nom n'aurait pas été connu de la postérité. Voici

PREMIER TIRAGE DE L'ÉDITION PRINCEPS des « Essais de Michel de Montaigne », à Bordeaux, par S. Millanges. (Bibl. de la Ville de Bordeaux). CL. LACARIN.

L'HISTOIRE DES FRANCS, D'AIMOIN : exemplaire ayant appartenu à Montaigne et revêtu de sa signature (volume appartenant à M. Raymond Lebègue). — CL. LAROUSSE.

son second procédé : au lieu de partir d'un exemple, il part d'une idée ou d'un thème général : il traitera de la douleur, ou de la mort, ou du détachement qu'il faut professer à l'égard des biens périssables. Mais la manière dont il étoffe son développement montre qu'il n'ose pas se fier à ses propres forces : il utilise des séries d'exemples déjà réunis dans les recueils contemporains ; il compile : « faible de reins », il fait parler les Anciens à sa place. Les chapitres XIV, XIX, XX, XXXIX, XLII du premier livre, les chapitres I et III du livre second ne sont pas construits autrement.

Au moins peut-on le juger d'après les choix qu'il opère, et qui le montrent imbu de la sagesse stoïcienne. La mort surtout le préoccupe. Puisqu'elle est toujours à nos côtés, comment vivre en paix si nous la redoutons ? Pour cesser de la redouter, il faut la regarder en face et la braver. Notre raison et notre volonté s'uniront pour la mépriser. Pensons constamment à elle, et rappelons-nous les beaux trépas dont l'Antiquité nous fournit l'exemple. « Ostons luy (à cet ennemi) l'estrangeté, pratiquons le... n'ayons rien si souvent en la teste que la mort ; à tous instans representons la à nostre imagination et en tous visages ; au broncher d'un cheval, à la cheute d'une tuille, à la moindre piqueure d'espleingue *(épingle)*, remachons soudain : « Et bien, quand ce seroit la mort mesme ? » Et là dessus roidissons nous et efforçons nous. Parmy les festes et la joye, ayons toujours ce refrein de la souvenance de nostre condition... Ainsi faisoyent les Ægyptiens, qui, au milieu de leurs festins et parmy leur meilleure chere, faisoient apporter l'anatomie seche *(la momie)* d'un corps d'homme mort, pour servir d'advertissement aux conviez. Il est incertain où la mort nous attende : attendons la partout. La pre-

meditation de la mort est premeditation de la liberté. Qui a apris à mourir, il a desapris à servir. Le sçavoir mourir nous afranchit de toute subjection et contrainte. » (*Essais*, I, xx.)

Au contraire, le vulgaire évite la pensée de la mort. Mais de quelle « brutale stupidité » faut-il que les hommes soient possédés pour qu'ils manifestent une telle nonchalance ? Et de quelle agitation, au moment suprême, de quel affolement ne payent-ils pas leur erreur ? Car le moment de la mort donne la mesure de notre philosophie : philosopher, c'est proprement apprendre à mourir.

Le modèle de Montaigne, à ses débuts, est Caton d'Utique, « cette vraie image de la vertu stoïque, ce patron que Nature choisit pour montrer jusques où l'humaine vertu et fermeté pouvoit atteindre ». Son précepteur est Sénèque : son précepteur, et son grand fournisseur de formules. Entendons bien que le stoïcisme de Montaigne n'est pas la pure doctrine de l'École, mais une tendance. Montaigne ne se fait pas scrupule, en effet, d'emprunter des préceptes aux sectes les plus diverses : on en trouve chez lui qui viennent d'Épicure aussi bien que de Zénon. Du stoïcisme, il abandonne la métaphysique et ne prend que la morale : encore est-elle fort mélangée. Le plus clair est sa confiance dans la raison et dans la volonté pour corriger les accidents naturels. L'effort de ces deux facultés a le pouvoir de muer ces accidents en choses indifférentes, puisque « le goust des biens et des maux dépend de l'opinion que nous en avons ». Si nous savons penser et vivre, nous ne souffrirons ni de la pauvreté, ni de la maladie, ni de la mort des personnes qui nous sont chères. La raison est maîtresse de sagesse, il faut lui prêter foi.

Pour nous assurer de cette grande paix de l'âme, préparons-nous aux maux qui peuvent survenir. A vrai dire, Montaigne ne va pas jusqu'à conseiller aux riches de jeter leurs richesses à la mer pour s'exercer à la pauvreté. Le jeu de l'imagination doit suffire ici, et la méditation, et les beaux exemples tirés de l'histoire. La raison se fortifie encore en s'exerçant à la vertu, laquelle consiste, comme celle de Caton, à dominer la nature; en s'accoutumant à « prendre son contentement en l'âme » et à « n'avoir pas trop de commerce avec le corps ». A cette époque de sa pensée, le suicide ne laisse pas de séduire Montaigne, parce que le suicide suppose une préparation parfaite et une pleine victoire de l'esprit sur la matière. Il achève de marquer la grande inégalité qui règne entre le sage, toujours maître de son destin, et le vulgaire grossier. Entre le sage et le vulgaire, il y a plus de différence, dit Montaigne, qu'entre le vulgaire et l'animal.

Cette crainte de la mort n'est point lâche ni vile; elle aboutit, au contraire, à une doctrine très fière, bien appropriée aux malheurs de cette époque troublée. Mais convenait-elle tout à fait au tempérament de l'auteur? à l'éducation molle et voluptueuse qu'il avait reçue au foyer paternel? Ce riche gentilhomme au caractère indolent, et qui menait un large train de vie, était-il fait pour l'âpre stoïcisme? « Aucuns de mes premiers essais puent à l'estran-

ger », dira-t-il plus tard. Il a raison : cette philosophie stoïque, qui marque la première étape du développement de sa pensée, ne laisse pas de sentir « l'estranger » : il va la modifier maintenant.

SA CRISE DE SCEPTICISME

Au début de 1576, Montaigne fait frapper une médaille bien significative : une balance aux plateaux en équilibre figure l'inaptitude du jugement à pencher vers une solution plutôt que vers une autre; la devise qu'on y lit : *Que sais-je?* est empruntée à Sextus Empiricus, l'interprète de Pyrrhon le sceptique. Des parties importantes de l'*Apologie de Raimond Sebon* (*Essais*, II, XII), où Montaigne donne une pleine adhésion aux doctrines pyrrhoniennes, ont chance d'appartenir à cette période. Comme Raimond Sebon avait entrepris d'établir la vérité de la religion par les seules lumières rationnelles, et qu'on le critiquait, Montaigne, son traducteur, entreprend de le défendre, et, en réalité, l'accable. Il prouve, en effet, que la raison est trop faible pour démontrer quelque vérité que ce soit. Faut-il conclure que Sebon ne pouvait pas faire mieux qu'il a fait? Faut-il, au contraire, le blâmer d'avoir entrepris une démonstration impossible? Montaigne n'a cure de l'opinion du lecteur sur Raimond Sebon : ce qui lui tient à cœur, c'est de nous persuader de suspendre notre jugement.

Déjà, dans quelques-uns de ses premiers essais — en particulier les essais XXXII et XLVII du livre Ier —, Montaigne avait manifesté un sens critique qui va servir à son évolution intérieure. Mais, surtout, il faut tenir compte de l'immense apport que la science vient alors verser dans les esprits. Vers ce temps-là, les bornes du monde intellectuel reculent presque à l'infini. Du fond du passé comme des points les plus éloignés de l'espace, des faits nouveaux viennent assaillir la pensée, des faits étranges, incroyables, qui bouleversent les idées qu'on se faisait sur l'homme et sur le monde. Les compilateurs présentent à la curiosité publique des coutumes bizarres, des croyances extravagantes, des institutions qui paraissent insensées, et qui, pourtant, sont normales en d'autres régions de l'univers; il décrivent des êtres qui semblent monstrueux, animaux et plantes, et qui, pourtant, ont existé ou existent encore. Montaigne ne se contente pas de lire les auteurs anciens ; il est curieux des livres qui lui parlent des contrées lointaines, des Indes occidentales ou orientales ; il a interrogé à Rouen des sauvages, à Bordeaux des voyageurs qui reviennent du pays des cannibales. Sur cet esprit toujours en quête de la vérité, une expérience aussi brusquement élargie ne pouvait pas ne pas agir.

Comment distinguer, désormais, le vrai du faux, puisque l'incroyable est souvent le réel? Les hommes, écrit-il dès 1572, décident qu'ils

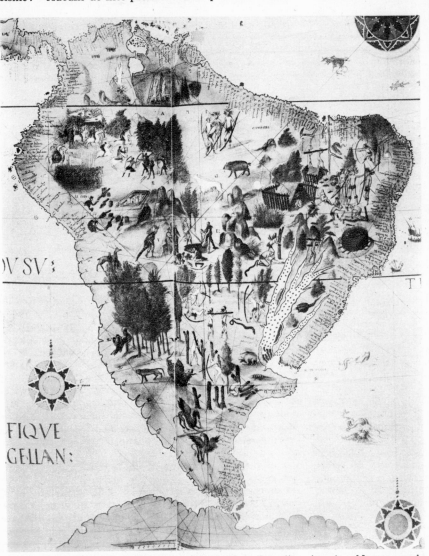

LE NOUVEAU MONDE, d'après une mappemonde de Desceliers (1553). « Nostre monde vient d'en trouver un autre : et qui nous respond si c'est le dernier de ses freres, puisque les daemons, les sibylles et nous avons ignoré cettuy-cy jusqu'asture ? » (« *Essais* », III, VI.) — CL. LAROUSSE.

admettent telle vérité et qu'ils n'admettent pas telle autre, chacun selon son petit jugement : prétendraient-ils avoir dans leur esprit les limites du possible et de l'impossible ? Ce qui paraissait impossible hier peut devenir demain un fait d'expérience. S'il faut choisir entre deux témoignages, ce sera d'après l'autorité du témoin, non plus d'après le jugement de la raison. Et, moins par crédulité que par prudence, Montaigne accueille même des contes à dormir debout.

Bientôt il dégage de son expérience nouvelle une autre idée : nos usages, qui s'imposent à nous par la double autorité de la raison et de la morale, ne doivent ce privilège qu'à la force de l'habitude. Les coutumes des autres peuples nous font horreur : elles s'imposent pourtant à ces peuples avec le caractère d'obligation que les nôtres ont pour nous. Ainsi, quand Darius propose aux Indiens de brûler leurs parents morts, comme font les Grecs, il ne leur inspire pas moins de répugnance qu'aux Grecs, quand il leur propose de manger leurs parents morts, comme font les Indiens. Si nous remontons à l'origine de nos coutumes les plus sacrées, nous les trouvons sans fondement rationnel ; notre moralité n'est que le pli que l'habitude a donné à notre nature ; et notre raison, qui disserte avec tant de superbe sur le bien et le mal, est la dupe d'illusions que dissipe l'expérience, le jour où elle cesse de se confiner aux limites de notre pays.

Montaigne, à force d'accueillir des notions troublantes, transforme sa pensée ; il ne sait plus à quels principes s'arrêter. Ce très vif esprit, qui aime passionnément le jeu des idées, subit la répercussion d'un mouvement général, qui agite aussi ses contemporains. Il fait de larges emprunts, en effet, à des auteurs qui, dans le même temps, sous l'action des mêmes causes, ressuscitaient les doctrines des sceptiques et des académiciens : au traité *De la vanité des sciences* de Corneille Agrippa, déclamation indigeste, vieille d'un demi-siècle, mais qui offre aux curieux nombre de faits surprenants ; aux *Dialogues contre les nouveaux académiciens* du jurisconsulte languedocien Guy de Bruès. Il semble qu'il ait existé dans la région de petits groupements de sceptiques : un Sanchez, qui publiera en 1581 son *Quod nihil scitur*, a fait ses études à Bordeaux, et professe en 1575 à l'université de Toulouse ; c'est à Bordeaux, où il a résidé de 1572 à 1579, qu'un Peletier du Mans compose sa réfutation des doctrines pyrrhoniennes ou académiciennes : or Peletier du Mans s'est entretenu de ces questions avec Montaigne, auquel il a rendu visite en son château. L'influence décisive fut celle des *Hypotyposes* de Sextus Empiricus, qu'Henri Estienne venait de traduire en latin. Le jour où Montaigne lut cet interprète de Pyrrhon, les raisons qu'il avait de douter, jusqu'alors latentes, se précisèrent et pesèrent sur sa conscience au point de l'accabler.

L'homme, parce qu'il est doué de raison, se croit le centre des choses créées. Et le tort de Raimond Sebon est de l'entretenir dans cette illusion, et de lui faire place au-dessus des autres êtres, très haut, près du trône de Dieu. Aussi, cette partie des *Essais* qui s'appelle l'*Apologie de Raimond Sebon* est-elle destinée à réfuter expressément cette erreur. Dans un premier développement, Montaigne fait voir comment il convient de rejeter l'homme au sein de la nature. Les astres, dit-il, sont des êtres doués d'une puissance infiniment supérieure à la nôtre, et qui dominent nos destinées. Quant aux animaux, il n'est aucune de nos facultés, aucune de nos vertus qui ne se retrouve en eux : des exemples surabondants le

UN EXEMPLE DE L'INTOLÉRANCE et de la cruauté des conquistadores stigmatisées par Montaigne : Balboa livre aux crocs des molosses les Indiens convaincus de sodomie (d'après Th. de Bry, « Americae Pars IV », 1594). — CL. LAROUSSE.

prouvent, et la prétendue supériorité de notre raison n'est qu'une folie de notre orgueil. Démonstration qui procède, elle aussi, de croyances communes à l'époque : tout le XVIe siècle a pensé que les astres étaient animés, et Képler lui-même, en 1597, partira de cette persuasion ; les savants les plus accrédités acceptent les aimables histoires de renards, d'éléphants, de chiens, voire de poissons, qui pratiquent toutes les vertus, jusques et y compris les vertus évangéliques : elles étaient vraies, à n'en pas douter, puisqu'on les lisait dans Plutarque, et dans Pline aussi. Faut-il ajouter qu'en les rapportant Montaigne se laisse aller au plaisir de conter, non sans une pointe de paradoxe ? Tout cela ne va pas sans un sens profond. Ce que notre philosophe exprime ici, c'est la transformation radicale que les temps modernes opèrent dans l'idée de l'homme, jadis centre de la création, désormais simple accident dans l'univers.

La deuxième partie de l'*Apologie* est consacrée à critiquer la raison dans ce qui fait sa gloire : la science. La science, d'après Montaigne, n'est pas seulement fatale au bonheur de l'homme, qu'elle détourne de la moralité : elle est vaine, et n'arrive, en dépit de ses prétentions, à établir aucune vérité solide.

Il continue, et, poussant plus avant sa critique, il montre dans une troisième partie les motifs de cette faiblesse de la science. Elle vient de ce que les instruments de la connaissance sont imparfaits, impuissants. Contradictions de la raison, assujettissement aux passions et aux influences du milieu, incapacité de démontrer la loi morale, erreurs des sens, qui altèrent toutes les notions extérieures en nous les apportant : Montaigne accumule ici les preuves. Voilà pourquoi, à cette époque de son évolution, il appelle les pyrrhoniens « le plus sage parti des philosophes » ; voilà pourquoi, exaltant leur doctrine, il déclare qu' « il n'est rien en l'humaine invention où il y ait tant de verisimilitude et d'utilité ».

Des conséquences pratiques résultent en effet de cette attitude intellectuelle. Lorsqu'il mettait par écrit ses premières « leçons », il croyait qu'on atteignait le bonheur par un laborieux effort, par une tension constante de l'énergie ; il pensait que l'on peut, au prix d'un vouloir obstiné, se hisser jusqu'aux cimes où les passions n'arrivent plus. Et voici qu'il méprise cette raison dont il attendait tout. Le bonheur ne lui semble possible maintenant que si elle sommeille et ne contrarie pas la pente de la nature. L'art, la nature : ces deux termes s'opposent dans l'esprit de Montaigne. L'art est ce qui procède de la raison humaine, et il faut s'en défier. Défions-nous des médecins, par exemple, parce que leur art a la prétention d'arrêter le cours naturel des maladies. Il irait volontiers, comme dans le chapitre *Des cannibales*, jusqu'à prêcher le renoncement à toute civilisation, la civilisation n'étant qu'un produit de la raison. Ce n'est encore qu'une saillie : nous verrons la doctrine se développer plus tard. Mais il indique déjà qu'il cherchera ses modèles chez les ignorants, et non plus chez les philosophes; il critique les stoïciens et son cher Sénèque; il est contraint d'avouer que toute la raison du monde ne nous donnerait pas, dans la tempête, la sécurité du pourceau de Pyrrhon.

En disant que Montaigne passe du stoïcisme au scepticisme, ne nous trompons cependant pas sur la qualité de sa philosophie.

Son scepticisme, d'abord, n'est pas radical : Montaigne déclarera formellement plus tard que son doute n'est qu'une réaction contre l'outrecuidance des philosophes dogmatiques : « Cette fantasie de Carneades, si vigoureuse, nasquit, à mon advis, anciennement de l'impudence de ceux qui font profession de sçavoir et de leur outrecuidance desmesurée. On mist Æsope en vente avec deux autres esclaves. L'acheteur s'enquit du premier ce qu'il sçavoit faire. Celui-là pour se faire valoir respondit monts et merveilles qu'il sçavoit et cecy et cela. Le deuxiesme en respondit de soy autant ou plus. Quand ce fut à Æsope et qu'on luy eust aussi demandé ce qu'il sçavoit faire : « Rien, « fit-il, car ceux-ci ont tout preoccupé; ils savent tout. » Ainsin est-il advenu en l'escole de la philosophie : la fierté de ceux qui attribuoyent à l'esprit humain la capacité de toutes choses causa en d'autres, par despit et emulation, cette opinion qu'il n'est capable d'aucune chose. » Ce que Montaigne a compris fortement, dans la compagnie de Sextus Empiricus, c'est la relativité de la connaissance. Il cherchait la substance et trouvait l'éternel écoulement des choses; il cherchait la Justice et trouvait des justices que sépare une montagne ou un fleuve. Et son scepticisme n'était, dans un certain sens, que sa déception.

Ce scepticisme, ensuite, n'est pas définitif : dès 1579, Montaigne propose un système de pédagogie; pour réformer l'institution des enfants, il faut bien avoir des croyances, et même des principes. Mais cette crise n'aura pas été sans profit : elle aura cette conséquence paradoxale de lui donner plus de confiance en son propre jugement. Poursuivi, en effet, par le sentiment de la relativité des choses, il voudra fournir une base solide à ses idées, et les établir sur des faits positifs. Il se convaincra que sa critique est plus scrupuleuse que celle des autres, sa pensée plus sûre; et pour avoir été plus exigeant envers lui-même, il accordera aux résultats de sa recherche plus de valeur. Ainsi cette crise de scepticisme, qui nous montre déjà un esprit plus hardi et plus conscient de ses besoins, prépare une dernière transformation, qui va nous conduire au dessein qu'eut Montaigne de se peindre et aux essais vraiment personnels.

MONTAIGNE PEINT PAR LUI-MÊME

Les essais VI à X et XVI à XXXVII du livre II peuvent être datés de 1578 à 1580; de même pour d'importantes parties de l'Apologie de Raimond Sebon. Parmi les essais composés peu de temps avant la publication de la première édition, soit de 1579 à mars 1580, signalons en particulier : l'Institution des enfants, I, XXVI; Des livres, II, X; De la ressemblance des enfants aux peres, II, XXXVII; et probablement, au moins pour une part, De la presumption, II, XVII. C'est alors que Montaigne entreprend de se peindre lui-même; il le dit dans son avis au lecteur (mars 1580) et dans les essais VIII et XVIII du livre II.

Même dans ses premiers essais, lorsque l'occasion se présentait de parler de lui-même, Montaigne ne l'avait point manquée, mais, peu à peu, il en vient à l'unique projet de faire assidûment son propre portrait.

Il y est encouragé par ses bons amis les livres. C'est à Plutarque qu'il revient le plus souvent; Plutarque, auquel il ne fait pas moins de deux cents emprunts avant 1580; Plutarque, qu'il met en parallèle avec Sénèque, et qu'il préfère, parce que ses opinions sont « plus douces » et « plus commodes ». Or ce philosophe, son favori, qui excelle à disserter sur les cas de conscience, oblige qui le lit à faire sans cesse retour sur lui-même. Plutarque excelle aussi dans la biographie des hommes célèbres : exemple séduisant que Montaigne est tenté de suivre, en se racontant comme Plutarque a raconté les autres.

Les *Commentaires de César* l'enthousiasment, et les poètes latins du temps d'Auguste, dont les œuvres portent un caractère personnel nettement marqué; et Horace, encore, qui avoue mollement son idéal de vie facile et voluptueuse, au point que Montaigne, en citant ses vers, pourrait se les appliquer à lui-même. Et puis, en l'an 1578, à quarante-cinq ans, il reçoit une visiteuse imprévue : la souffrance entre dans sa vie. La maladie de la pierre, héréditaire dans sa famille, vient brusquement l'assaillir. Plusieurs crises l'amènent aux portes de la mort. C'était le cas de voir ce que pouvait sa philosophie contre les accidents naturels, d'essayer parmi ses maximes celles qui resteraient efficaces. Il est obligé de s'étudier constamment, pour dompter le mal avec lequel il sera désormais toujours aux prises.

C'est ainsi qu'il en est venu peu à peu à cette formule : « Je n'ai d'autre objet que de me peindre moi-même. » Elle l'a séduit, parce qu'un pareil dessein était très neuf, et que personne, même dans l'Antiquité, ne l'avait expressément formé; ensuite, parce qu'elle convenait à un gentilhomme qui voulait écrire, mais d'un air dégagé et sans qu'on pût le prendre pour un pédant; et enfin, parce qu'elle lui permettait de poursuivre ses expériences morales, tout en sauvegardant son sens du relatif. Il présentait ce qu'il trouvait en lui-même, sans plus : aux autres de voir ce que ces observations valaient pour eux. Ce n'en était pas moins un programme, qui allait diriger dès lors la composition des *Essais*.

Le portrait moral et physique qu'il va nous donner, il ne l'entreprend d'abord, s'il faut en croire l'avis au lecteur qui précède l'édition de 1580, que pour ses parents et ses amis : de manière qu'après sa mort ses familiers puissent le retrouver dans son œuvre. Dans un passage des *Essais*, qui date de la même époque, il va jusqu'à dire que, s'il fait imprimer son livre, ce n'est pas pour le public — car le public n'en a que faire —; il veut seulement s'épargner la peine d'en faire exécuter plusieurs copies manuscrites. Conception dangereuse, si elle avait engagé l'auteur à ne se peindre que par ses traits les plus particuliers.

Heureusement, et par un nouveau progrès, il l'abandonnera pour voir plus largement les choses. Tout homme, dira-t-il en 1588, porte en soi « la forme entière de l'humaine condition »; quiconque me lit peut se reconnaître en moi et tirer profit de mon expérience. Ne me dites donc pas que ma vie ne présente aucun événement digne de retenir votre attention : il n'y a pas que les héros de Plutarque qui vaillent la peine d'être examinés, car « on attache aussi bien toute la philosophie morale à une vie populaire et privée qu'à une vie de plus riche estoffe ». Conception féconde, cette fois : Montaigne passe du particulier à l'universel.

En 1588 aussi, dans l'essai intitulé *De l'experience*, il a indiqué ses idées sur la méthode de la connaissance et donné à la peinture du moi sa pleine signification. S'il a renoncé à croire que l'esprit humain est incapable de distinguer la vérité, il estime que ses contemporains tournent le dos à la route qui seule peut conduire vers elle. Savoir, pour eux, c'est répéter une leçon; un exemple n'a de valeur que s'il est imprimé; ils confondent l'érudition avec la sagesse. Au contraire, fermons les livres et observons la nature; ou, si le livre reste ouvert, qu'il nous aide seulement à déchiffrer les choses! L'expérience, que nos savants méprisent, nous instruira, et les faits les plus familiers, si nous savons les observer, seront pleins d'enseignements. Ainsi le « Connais-toi toi-même » devient le précepte essentiel. Les idées de Montaigne en matière de morale auront une valeur pratique et une valeur universelle, parce que, dégageant du moi la forme entière de l'humaine condition, elles seront les conclusions de l'expérience.

Montaigne n'a pris une claire conscience de cette dernière conception qu'après 1580; mais, en fait, elle inspire déjà, à des degrés divers, la plupart des essais qu'il composa au cours de l'année qui précède la première édition de son ouvrage, en 1579. Dans le chapitre *Des livres*, où nous trouvons la peinture de son jugement, dans certaines parties du chapitre *De la presomption*, où il a dressé un portrait en pied de lui-même, dans le chapitre *De la ressemblance des enfants aux peres*, où il dégage les enseignements que lui suggère sa maladie, le terme d' « essai » a déjà pris une signification plus riche : il n'a plus le sens modeste de coup d'essai, de tentative; ce que Montaigne nous donne, ce sont les essais de sa vie.

Suivons-en le cours, qui devient celui même de l'ouvrage. Outre la maladie qui vient de surprendre Montaigne, trois événements tiendront une grande place dans ce troisième livre des *Essais* qui enrichira l'édition de 1588 : le voyage de 1580; l'exercice des fonctions publiques que Montaigne occupera, de 1581 à 1585; et les calamités de l'année 1585.

SINCÉRITÉ DE LA PEINTURE DU MOI
LE JOURNAL DE VOYAGE

A partir de 1580, nous connaissons plus en détail la vie de Montaigne. Après la publication des deux premiers livres des Essais, il quitte son château, le 22 juin : il entreprend un grand voyage, à la fois pour soigner sa maladie en diverses villes d'eaux, et pour le plaisir. A la lecture de l'essai De la vanité (III, IX), un des plus révélateurs de sa pensée définitive, on sent bien, en effet, que le souci de sa « colique » ne fut pas la seule raison de son voyage. En partant, Montaigne se libère à la fois des contraintes du « mesnage » et du spectacle désolant des guerres civiles; il a aussi le désir de vérifier la diversité du monde et des usages que ses lectures lui ont enseignée; à son retour, son sens de la relativité sera satisfait. Après avoir, une fois encore, visité la Cour pour présenter son ouvrage au roi, et assisté en passant au siège de La Fère, il est à Plombières au mois de septembre 1580; en Suisse, il visite Bâle; en Allemagne, il prend les eaux de Bade; il traverse Lindau, Augsbourg et, par Munich et le Tyrol, gagne l'Italie. Il fait deux séjours à

LE TOMBEAU DE CAECILIA METELLA, d'après Franzini. — CL. LAROUSSE.

LE FORUM. Gravure extraite de la « Rome antique et moderne » de Franzini (1599). — CL. LAROUSSE.

Rome, l'un du 30 novembre 1580 au 19 avril 1581, l'autre pendant la première moitié d'octobre 1581 : entre temps, il visite la Toscane et fait deux cures aux bains della Villa. Il rentre en son château le 30 novembre.

Son Journal de voyage a été édité pour la première fois en 1774; voir les éditions d'Alessandro d'Ancona (1889), de Louis Lautrey (1906; 2ᵉ éd., 1909), de A. Armaingaud (2 vol., 1930), de d'Espezel (1931), de E. Pilon (1932) et de M. Rat (1942). Voir aussi Ch. Dédéyan, Essai sur le « Journal de voyage » de Montaigne, 1946.

Le *Journal de voyage* de Montaigne n'est pas une œuvre littéraire. Il était si peu destiné au public qu'un secrétaire en a rédigé une partie, et qu'une autre partie est écrite en italien, à titre d'exercice. Nous devons nous en féliciter, puisqu'il nous permet de saisir Montaigne sans apprêt, et de le contrôler pour ainsi dire par lui-même.

Dans le chapitre *De la vanité* (*Essais*, III, IX), où s'enregistre une partie de ses expériences de cette époque, il nous a fait de ses voyages une peinture quelque peu avantageuse : ne se flattait-il point? Or, voici le même Montaigne irrécusable dans le *Journal* : même humeur vagabonde qui le détourne de son chemin chaque fois qu'un spectacle imprévu le sollicite; même souplesse à se plier aux usages des pays qu'il traverse; même insouciance joviale; même faculté de jouir de tout ce qui se présente. Il souffre; sa douloureuse « colique », qui le tenaille, ne l'arrête pas, tant sa curiosité le porte en avant; un jour de crise, il fait d'une traite dix heures de cheval. Les *Essais* nous vantent sa patience à supporter la douleur; même patience dans le *Journal*. Même sagesse en face de la mort; et jusque sous ses menaces, même allégresse raisonnée, qui l'invite à cueillir le plaisir des heures qui passent. Même fidélité au souvenir de La Boétie, dont le regret ne cesse pas de le poindre après dix-sept ans écoulés.

L'activité spontanée de son esprit s'exerce devant nous, sous nos yeux. Quand nous voyons le *Journal* rempli

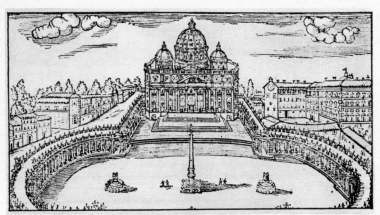

SAINT-PIERRE DE ROME, d'après la « Rome antique et moderne » de Franzini (1599). Montaigne ne fut pas moins curieux de la Rome chrétienne que de la Rome antique ; c'est à Saint-Pierre qu'il réserva une de ses premières visites.
CL. LAROUSSE.

mesme ; que ces petites montres de sa ruine, qui paressent encores au dessus de la biere, c'estoit la fortune qui les avoit conservées pour le tesmoignage de ceste grandeur infinie que tant de siecles, tant de fus, la conjuration du monde reiterée tant de fois à sa ruine n'avoint peu universelemant esteindre ; mais estoit vraisamblable que ces mambres desvisagés qui en restoint, c'estoint les moins dignes ; et que la furie des ennemis de ceste gloire immortelle les avoit portés premierement à ruiner ce qu'il y avoit de plus beau et de plus digne ; que les bastimans de ceste Rome bastarde qu'on aloit asteure atachant à ces masures, quoiqu'ils eussent de quoi ravir en admiration nos siecles presans, lui faisoint resouvenir propremant des nids que les moineaus et les corneilles vont suspandant en France aus voutes et parois des eglises que les huguenots viennent d'y démolir... »

d'observations sur les peuples qu'il a visités, nous ne nous étonnons pas que Montaigne se soit donné pour tâche d'étudier l'homme à travers tous les siècles de l'histoire, sous tous les climats, dans tous les témoignages rapportés par les livres. Quand nous constatons avec quel soin minutieux il analyse son mal, en note les phases, en décrit les symptômes, nous comprenons comment il a pris son moi pour centre de son œuvre. Concédons-lui, dans les *Essais*, une pointe de vanité quand il parle de sa famille, quelque affectation à se plaindre de son défaut de mémoire : la sincérité de l'œuvre n'en reste pas moins hors de doute, car le *Journal* nous montre la même avidité de connaître l'homme, la même curiosité inlassable et pour ainsi dire instinctive ; il prouve que les *Essais* ont capté à leur profit le cours habituel de la pensée de Montaigne.

Ajoutons que, pour ne pas viser à l'effet littéraire et si limitées qu'elles soient par une certaine insensibilité esthétique, par exemple dans le domaine de la peinture, ces impressions de voyage n'en présentent pas moins de fort belles pages. On voit ici s'éveiller, timidement encore, le sens du pittoresque ; le *Journal*, après les sonnets de Du Bellay, contient en germe plus d'un développement qui fera fortune, et que reprendront les pèlerins d'Italie, au cours des siècles à venir : sur le grouillement du peuple dans les rues de Rome ; sur la visite au pape, sur les ruines et le destin de Rome. « Il disoit (Montaigne, dans le *Journal*, parle à la troisième personne quand il se met en scène) qu'on ne voïoit rien de Rome que le ciel sous lequel elle avoit esté assise, et le plan de son gîte ; que ceste science qu'il en avoit estoit une science abstraite et contemplative, de laquelle il n'y avoit rien qui tumbast sous les sens ; que ceux qui disoint qu'on y voyoit au moins les ruines de Rome en disoint trop ; car les ruines d'une si espouvantable machine rapporteroint plus d'honneur et de reverence à sa mémoire : ce n'estoit rien que son sepulcre. Le monde, ennemi de sa longue domination, avoit premierement brisé et fracassé toutes les pieces de ce corps admirable ; et, parce qu'encore tout mort, ranversé et défiguré, il lui faisoit horreur, il en avoit enseveli la ruine

MONTAIGNE ET LA POLITIQUE

Ce n'était pas une « mairie » facile que celle de Bordeaux au moment où Montaigne, succédant au duc de Biron, y arrivait en 1581. La ville appartenait aux États du roi de France, mais dépendait du roi de Navarre, qui y était représenté par un lieutenant-gouverneur, Matignon, d'ailleurs nommé par Henri III. De plus, le château Trompette, citadelle de la ville, se trouvait occupé par les ligueurs. Entre tous ces intérêts, Montaigne, à force d'habileté, de négociations et de droiture, parvint toujours à maintenir loyalement les droits d'Henri III et à sauvegarder sa ville. Mais on devine que, malgré ses affirmations, il ne put le faire nonchalamment ; on devine surtout quelle pleine expérience de la politique pouvait armer les jugements et les considérations dont le troisième livre des Essais, en 1588, présentera l'ensemble.

En 1585, son second mandat presque expiré, la peste éclata. Le soin de la santé publique incombait aux jurats. Montaigne, absent, ne crut pas bon de revenir, et il estima que la remise symbolique des clefs, qui marquait la fin de sa magistrature, n'exigeait pas sa présence dans la ville « vu le mauvais état en quoi elle était ». D'où une accusation de lâcheté que la postérité, plus que les contemporains, fait peser sur lui. Mais l'épidémie ne le laissa pas vivre dans une quiétude égoïste. La terre de Montaigne fut atteinte par la peste. Six mois durant, maître, famille et domestiques durent fuir, voyant se fermer devant eux les châteaux amis, exposés aux bandes de pillards et de partisans. C'est une période abominable qui fait suite, pour Montaigne, à l'expérience difficile de la mairie. Il en tire une nouvelle et triste connaissance des hommes, parfois éclairée par certains exemples de courage et de vraie constance.

Voir ses lettres, publiées dans l'édition Royer et Courbet, 1872, et dans la Revue du XVIᵉ siècle, 1916. Voir aussi Grün, la Vie publique de Michel de Montaigne, 1855, et P. Courteault, Montaigne, maire de Bordeaux, 1933.

Montaigne était aux bains della Villa quand il apprit son élection. Il

SAINT-ONUPHRE, d'après Franzini.
CL. LAROUSSE.

ne se hâta pas de rentrer à Bordeaux : il retourna même jusqu'à Rome, où il séjourna trois semaines, puis revint à petites journées. Son premier mouvement avait été de refuser. Et il assure qu'à son arrivée, il « se deschiffra » à ses électeurs tel qu'il se sentait être, défauts et qualités, « fidelement et consciencieusement », afin qu'ils ne se fissent aucune illusion. Surtout, il les avertit de ne pas attendre de lui le dévouement qu'ils avaient trouvé jadis chez son père : il serait « tresmarry que chose quelconque fit autant d'impression en *sa* volonté comme avoyent faict autrefois en la sienne leurs affaires et leur ville pendant qu'il l'avoit en gouvernement ».

Il donna plus qu'il n'avait promis. Sa correspondance avec le maréchal de Matignon montre qu'il s'est acquitté avec conscience de

CIVITATIS BVRDEGALENSIS IN AQVITANEA, GENVINA DESCRIP.

LA VILLE DE BORDEAUX (Braun, « Civitates orbis terrarum », 1572). — CL. LAROUSSE.

ses fonctions. S'il avait démérité, comment l'aurait-on réélu ? Quant à l'affaire de la peste, s'il n'y fut pas héroïque, ce fut avec toute son époque, désarmée devant le fléau, et où la seule conduite admise était la fuite. D'ailleurs, Montaigne n'a jamais prétendu être un héros, et il l'a dit.

Les deux occasions de la mairie et de la peste permettent de préciser dans quelle mesure il se prêta à la Cité : toute son attitude et sa pensée politiques en sont éclairées. Certes, il proclame son éloignement de l'action et des affaires dans un de ses essais : « *De mesnager sa volonté* » (III, x). Le sage, dit-il en substance, parce qu'il n'est ni ambitieux ni vaniteux, parce qu'il confie les rênes de sa vie à la raison, ne se laisse jamais aller à cette agitation ostentatoire qui fait impression sur le vulgaire. Il ne s'exagère pas l'importance de ses fonctions : ce n'est pas lui qui souhaiterait des calamités publiques pour avoir l'occasion de rendre des services éclatants. Montaigne ajoute qu'il n'oublie jamais que le premier devoir de l'homme est son devoir envers lui-même; il n'abandonne pas « le sainement et le gaiement vivre pour en servir autrui ». Ceux qui ne connaissent pas exactement le degré de l'amitié que nous nous devons à nous-mêmes, ne sont pas du cabinet des Muses. Le sage se réserve et se conserve. Dominant de très haut la mêlée, il offre en même temps qu'une chandelle à saint Michel une chandelle au serpent, pour le cas où le serpent l'emporterait sur saint Michel. Mais les faits sont là : Montaigne, l'heure venue, ne s'est pas dérobé. C'est que, sous la nonchalance et l'égoïsme, il existe chez cet homme nourri des plus nobles lectures, et toujours prêt aux formules contrastées, une certaine conception du civisme antique. Ne nous offrons jamais de nous-mêmes aux affaires « venteuses », semble-t-il dire, mais, au besoin, sachons oublier suffisamment notre repos pour accomplir le service nécessaire et le bien accomplir. Réservons-nous, cependant, le dernier droit de juger, par interprétation personnelle, de l'utilité ou de la vanité de ce service, et, à l'instant où notre action n'est plus indispensable, redevenons sans remords homme privé. C'est, du moins, l'attitude qu'il adopta. Après quoi, il put reprendre ses belles déclarations d'indifférence et de retraite avec, au surplus, le sentiment d'avoir mieux connu une de nos « vanités ».

En effet, au contact des réalités politiques, toute la méfiance dont il a témoigné dans l'*Apologie* à l'égard de la raison se trouve renforcée. Pyrrhon, déjà, lui enseignait que l'homme, se contredisant chaque fois qu'il veut juger, n'a pas à imaginer une loi idéale, mais doit simplement se plier aux institutions régnantes. A ce sujet, la pensée définitive de Montaigne s'exprime bien mieux, à la suite de son expérience, dans les essais capitaux du livre III. Il a vécu et a dû agir dans une période où, au milieu des troubles religieux et politiques, certains esprits avaient tendance à s'interroger sur le pouvoir, la constitution du royaume, la légitimité : c'est l'époque de la *Franco-Gallia* de Hotman et de la *République* de Bodin. Contre tous ceux qui, au nom de la raison individuelle, songeaient à des « nouvelletés », Montaigne enseigne la soumission aux faits. Les « loix » sont pour lui une présence presque physique à laquelle il est vain de vouloir rien changer. Elles « se maintiennent en crédit non parce qu'elles sont justes, mais parce qu'elles sont loix. C'est le fondement mystique de leur authorité; elles n'en ont point d'autre ». Voilà pourquoi il dénie toute valeur aux « polices feintes par art » qui seraient peut-être efficaces dans un monde nouveau, mais qui restent impossibles lorsqu'elles trouvent « les hommes obligez desjà et formez à certaines coustumes ». Sans écarter l'éventualité de modifications pratiques — car ce serait alors l'illusion d'une réalité arbitrairement figée et soustraite aux changements de la vie —, il en fixe, dans l'essai *De la vanité*, les limites. « Rien ne presse un estat que l'innovation... Quand quelque piece se démanche on peut l'estayer : on peut s'opposer à ce que l'alteration et corruption naturelle à toutes choses ne nous esloingne trop de nos commencemens et principes. Mais, d'entreprendre à refondre une si grande masse et à changer les fondemens d'un si grand bastiment, c'est à faire à ceux qui pour descrasser effacent... Toutes grandes mutations esbranlent l'estat et le desordonnent. » Montaigne témoigne ainsi d'un prudent conservatisme où la raison même n'a pas de part, puisqu'il s'agit d'un conformisme empirique à un ordre de faits dont on sait l'absence de légitimité logique. Une telle position explique aussi, en partie, son attitude religieuse.

MONTAIGNE ET LA RELIGION

Depuis l'offensive janséniste du XVIIe siècle contre Montaigne et sa « nonchalance de salut », la question est posée de sa sincérité et de son orthodoxie. C'est un débat où, en fin de compte, l'impression personnelle du lecteur est seule apte à conclure. Outre les pages fameuses de Sainte-Beuve dans son Port-Royal, *et les ouvrages déjà cités, voir, sur ce point précis : J. Coppin,* Montaigne, traducteur de Raimond Sebon, *1925 ; H. Janssen,* Montaigne fidéiste *(Nimègue, 1930) ; P. Ballaguy,* la Sincérité de Montaigne *(Mercure de France, 1933) ; M. Dréano,* la Pensée religieuse de Montaigne, *1937 ; M. Citoleux,* le Vrai Montaigne, théologien et soldat, *1937 ; E. Seillière,* le Naturisme de Montaigne, *1938.*

Politique et religion sont intimement mêlées à l'époque de Montaigne. C'est encore au nom de la raison que l'on prétend alors innover en matière religieuse. Or l'auteur des *Essais*, tout d'abord, constate déjà les « variations » de l'Église protestante, comme venait de le faire Ronsard dans ses *Discours* et comme le fera plus tard Bossuet ; de plus, il voit le pays souffrir des horreurs dues au fanatisme qu'entraînent les « nouvelletés arrogantes ». Aussi trouve-t-il le même refuge naturel et la même sécurité de conscience qu'en politique dans une soumission instinctive à la religion où le ciel l'a fait naître. Il se dit chrétien comme on est Périgourdin. Il a sa chapelle, écoute la messe, pratique en bon et simple catholique : aucun des esprits vraiment religieux qu'il a fréquentés ne le soupçonne de froideur. S'agit-il d'une simple prudence et quel fait de conscience intime recouvrent ces dehors exacts ? Quelle est, du moins, la mesure de son orthodoxie, alors que sa morale est tout entière dominée par l'idée de Nature qui offusque le christianisme ?

L'apologétique chrétienne traditionnelle fonde le Credo sur deux ordres de vérités apportées les unes par la raison, les autres par la foi. Il apparaît bien qu'après la critique radicale de la raison humaine telle qu'elle ressort en définitive de l'*Apologie*, Montaigne dénie à notre entendement toute valeur dans les préambules de la foi. Au contraire, il a un plein recours à la « créance » et il proclame que seule celle-ci « embrasse vivement et certainement les hauts mystères de nostre religion ». Il est donc, à proprement parler, un de ces *fidéistes* dont l'hétérodoxie ne sera dénoncée que plus tard par l'Église. A son époque, son scepticisme appliqué à la raison humaine en fait un allié du catholicisme, parce qu'il anéantit la faculté dangereuse qui permet le libertinage dont l'orthodoxie a tout à craindre.

Pour la critique moderne, si divisée sur ce point, Montaigne, s'il est loin d'être un véritable apologiste, si même il reste étranger à la pure ferveur et à l'abandon mystique, demeure pour les uns le type du chrétien mesuré, sincère, un peu libre sur le fait du dogme, mais dont la religion aimable et apaisée tranche sur une époque de fanatisme ; pour d'autres, qui le conçoivent comme un sceptique conservateur, le partage qu'il fait entre les domaines de la religion et de la foi offre le danger d'une pensée indépendante, tout imprégnée de sagesse païenne et de naturisme dans le domaine de la morale individuelle.

LE SAGE ET LA MORALE INDIVIDUELLE

Au milieu des malheurs de l'année 1585, Montaigne eut la satisfaction de constater, en essayant sa philosophie, qu'il faisait bonne figure à l'adversité. Seulement, il dut constater aussi le renversement qui s'était opéré dans sa pensée depuis 1572. La nature humaine, telle qu'il la surprenait en lui, ne tirait aucun fruit des arrogantes règles des stoïciens. Et puis, il voyait les paysans mourir en foule sous ses yeux : certes, les pauvres gens ne s'y étaient pas préparés par cette méditation de tous les instants qu'il

considérait jadis comme nécessaire ; et, pourtant, ils mouraient sans terreur, simplement ; et même ils creusaient parfois à l'avance la terre où ils allaient reposer. Quel philosophe n'eût envié leur calme ? Cette nonchalance du vulgaire, qu'il qualifiait jadis de « brutale stupidité », était en réalité la sagesse même.

Il faut donc changer de méthode ; et, au lieu de se préparer à la mort en la considérant sans cesse, détourner d'elle sa pensée, « se divertir ». Penser constamment à la mort, c'est constamment en mesurer l'atrocité, c'est augmenter la crainte qu'elle inspire : si bien que, le dernier jour venu, celui qui s'est préparé à mourir devra faire face non seulement à la mort, mais à sa propre préparation. Imitons bien plutôt les paysans, qui ne songent pas à la mort. De même, chassons la douleur, non pas en la bravant, mais en « divertissant » notre pensée ; et pour les passions, au lieu de les vouloir dominer, fuyons-les : il est plus sûr d'en éviter « les avenues ».

La vertu lui paraissait consister, jadis, dans un effort de la raison et de la volonté pour corriger la nature ; elle supposait un obstacle dont il fallait triompher, et elle grandissait avec l'obstacle. Elle lui paraît consister, aujourd'hui, dans le déploiement d'une force naturelle : ses caractères sont l'aisance et le plaisir ; elle est, en effet, la « mère nourrice des plaisirs humains ». Ceux qui la conçoivent autrement ont tort : « Pour n'avoir hanté cette vertu supreme, belle, triumfante, amoureuse, délicieuse pareillement et courageuse, ennemie professe et irreconciliable d'aigreur, de desplaisir, de crainte et de contrainte, ayant pour guide nature, fortune et volupté pour compaignes, ils sont allez, selon leur foiblesse, faindre cette sotte image, triste, querelleuse, despite, menaceuse, mineuse, et la placer sur un rocher à l'escart, emmy des ronces, fantosme à estonner les gens... »

Peu s'en faut que Montaigne — comme il a changé ! — ne critique les grands exemples de vertu légués par l'Antiquité, la mère de Pausanias dénonçant son fils, ou Posthumius condamnant le sien. Les voluptés corporelles sont suspectes à la philosophie : mais elles nous sont données par la nature comme celles de l'esprit, et on suit la vertu quand on sait en jouir pleinement. « J'accepte ce que Nature a fait pour moi, et m'en agrée, et l'en remercie... » Et Montaigne efface la phrase où il recommandait de « n'avoir pas trop de commerce avec le corps » ; à la fois contre Zénon, qui ne considérait que l'âme, et contre Aristippe, qui ne considérait que le corps, il proclame leur union intime et demande leur collaboration fraternelle : l'âme se mêlant aux plaisirs du corps, au lieu de « les laisser friponner aux sens », les savourant et leur imposant du reste la modération, faute de laquelle ils deviendraient douloureux.

La perfection d'une vertu ainsi comprise est l'épanouissement harmonieux de toutes les facultés de l'être. L'idéal ne « consiste pas à aller haut, mais ordonnément », à « vivre à propos », à « conduire l'humaine vie conformément à l'humaine condition ». On ne reconnaît pas le sage à quelques actions d'éclat, mais à sa constante et parfaite adaptation aux circonstances les plus diverses. Les plus belles âmes sont les plus variées et les plus souples, les « âmes à divers estages », dont la supériorité se manifeste jusque dans les circonstances les plus familières. Sauf exception, le modèle n'est plus Caton, « toujours monté sur ses grands chevaux », mais Épaminondas, qui, sans effort, et tout en se mêlant aux danses des garçons de sa ville quand l'occasion s'en présentait, pratiquait les plus admirables vertus du soldat, du citoyen, de l'homme privé. Ou, mieux encore, le modèle est Socrate, dont la vie semble nous révéler toutes les ressources de l'homme.

Dans la nature, donc, se trouvent à la fois le bonheur et la vertu. Le devoir est de travailler sans cesse à ce qu'aucune parcelle du champ qui nous a été confié ne reste infructueuse. Ne nous laissons pas distraire de cette besogne par les théories chimériques et les « humeurs venteuses » des philosophes, ni par les occupations vaines de la plupart des hommes, ni par les tentations de la gloire. « C'est une absolue perfection, et comme divine, de sçavoyr jouyr loialement de son estre. »

. Pour avoir fait l'apologie des voluptés, Montaigne s'est vu ranger parmi les disciples d'Épicure. Mais à tort; car s'il doit beaucoup aux épicuriens, il continue, suivant son habitude, à emprunter à toutes les sectes, même aux stoïciens; et il ne fait qu'es-sayer les idées anciennes, sa pierre de touche étant tou-jours son expérience person-nelle. Sa morale est l'expres-sion de cette personnalité même; et il a pu justement écrire que, si les Anciens les lui ont mises en mains, ses idées demeurent toutes sien-nes. L'idéal qu'il nous pro-pose n'est pas d'une grande élévation ; sa morale vaut moins par la doctrine que par la méthode ; avouons même que cette méthode se-rait impropre à dompter des passions violentes, ou à cor-riger des vices rebelles. Mais elle peut suffire aux âmes bien nées. Elle se recom-mande par la sincérité abso-lue du sujet envers lui-même. Voir parfaitement clair en soi, sans illusions, sans com-plaisances, comme Montai-gne nous enseigne à le faire par son exemple, c'est déjà purifier son âme. Elle se recommande encore par le constant appel à la cons-cience, sans l'intervention d'une autorité étrangère. Montaigne, en effet, a su dégager ce fait de conscience : « J'ay mes loix et ma court pour juger de moy », dit-il; — et sans se préoccuper d'hypothèses métaphysiques au sujet de l'impératif qu'il affirme ainsi, il constate l'effi-cacité de ses sanctions : le remords ou la satisfaction du devoir accompli. Il réussira si bien à constituer la morale en discipline indépendante, reposant sur la seule nature humaine, que pour son fervent disciple Charron, qui d'avocat se fit prêtre, on doit être homme de bien non parce qu'on est chrétien, mais parce que telle est la volonté de la nature et de la raison.

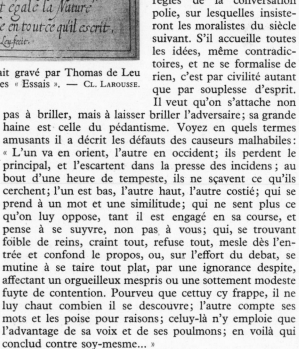

MICHEL DE MONTAIGNE. Portrait gravé par Thomas de Leu en tête de l'édition de 1608 des « Essais ». — CL. LAROUSSE.

MONTAIGNE HONNÊTE HOMME
SA PÉDAGOGIE ET SA SAGESSE

Voir G. Compayré, Histoire des doctrines de l'édu-cation en France, *1880*; *J. Langlais*, la Pédagogie de Rabelais et de Montaigne (Revue de la Renais-sance, *1905*); *et Paul Porteau*, Montaigne et la vie pédagogique de son temps, *1935*.

Il était, nous dit-il, « né à la société et à l'amitié »; nous savons par un témoignage contemporain que « sa conversation était la plus douce et enrichie de grâces, et

reluisante de diverses perfections... » Il est déjà l'honnête homme du XVIIe siècle : par goût des plaisirs délicats et par conformité à cette morale qu'il s'est construite, et qui demande le plein rendement de tout l'être. Et, décrivant cet honnête homme qu'il trouve en lui-même, il contribue du même coup à déterminer le type et à le propager.

L'essai *De l'art de conferer* (*Essais*, III, VIII) nous fait part des observations que son expérience lui a suggérées. Son expérience italienne , d'abord: il avait été frappé, en effet, du grand nombre d'académies et de salons qu'il avait vus au cours de son voyage. Il expliquait par leur fréquentation la vivacité des esprits au-delà des Alpes. La vie de société y avait ses théoriciens. Montaigne les a pratiqués, et surtout l'au-teur illustre du *Courtisan*, ce Castiglione qui a eu la gloire de présenter à l'huma-nité un modèle supérieur qu'elle s'est appliquée à sui-vre. Au temps de son voyage, nous le voyons lire la *Civil Conversazion*, de Guazzo, autre code du bon usage. Il possédait dans sa librairie le Recueil de jeux de société de Ringhieri : chez lui, on jouait quelquefois à des jeux d'es-prit. Il ajoute à ces livres, comme toujours, l'expérience du monde. De là viennent les maximes de l'*Art de conferer*: la conversation est « le plus fructueux et naturel exercice de nostre esprit ». Il en trouve « l'usage plus doux que d'aucune autre action de nostre vie », au point que, s'il fallait choisir, il préfére-rait la cécité à la surdité. Il dégage déjà plusieurs des règles de la conversation polie, sur lesquelles insiste-ront les moralistes du siècle suivant. S'il accueille toutes les idées, même contradic-toires, et ne se formalise de rien, c'est par civilité autant que par souplesse d'esprit. Il veut qu'on s'attache non pas à briller, mais à laisser briller l'adversaire; sa grande haine est celle du pédantisme. Voyez en quels termes amusants il a décrit les défauts des causeurs malhabiles: « L'un va en orient, l'autre en occident; ils perdent le principal, et l'escartent dans la presse des incidens ; au bout d'une heure de tempeste, ils ne sçavent ce qu'ils cerchent; l'un est bas, l'autre haut, l'autre costié; qui se prend à un mot et une similitude; qui ne sent plus ce qu'on luy oppose, tant il est engagé en sa course, et pense à se suyvre, non pas à vous; qui, se trouvant foible de reins, craint tout, refuse tout, mesle dès l'en-trée et confond le propos, ou, sur l'effort du debat, se mutine à se taire tout plat, par une ignorance despite, affectant un orgueilleux mespris ou une sottement modeste fuyte de contention. Pourveu que cettuy cy frappe, il ne luy chaut combien il se descouvre; l'autre compte ses mots et les poise pour raisons; celuy-là n'y emploie que l'advantage de sa voix et de ses poulmons; en voilà qui conclud contre soy-mesme... »

Inversement, il a tracé dans l'essai *De trois commerces* (*Essais*, III, III) le portrait de «l'honneste et habile homme» et de «l'honneste femme» dont il recherche la compagnie. La lecture elle-même n'est en quelque manière qu'une prolongation de la causerie. Il lui demande avant tout du plaisir, et de lui révéler des âmes plutôt que de l'abreuver de science. Ses jugements littéraires, qui ne s'inspirent que de son goût, inaugurent en France la critique impressionniste et mondaine, par opposition à la critique dogmatique.

Il a eu des lumières sur toutes choses. Il serait long de suivre dans le détail les richesses ondoyantes de sa féconde pensée. Au moins faut-il fixer quelques-uns de ses «dicts» les plus notables; et d'abord ses idées sur la pédagogie, par laquelle il voulait préparer une génération d'hommes tels qu'il les souhaitait. Son *Institution des enfans* (*Essais*, I, XXVI), adressée à Diane de Foix, comtesse de Gurson, pour l'aider à diriger l'éducation de son fils, offre ceci de particulier qu'elle est expressément destinée à la noblesse. Celle-ci, d'après des témoignages contemporains unanimes, restait fort ignorante : comme les programmes des collèges n'étaient, à aucun degré, appropriés à ses besoins, elle n'en rapportait que la haine des livres. Le problème est d'instituer pour les jeunes nobles une éducation qui fasse d'eux des hommes de bonne compagnie — car Montaigne pense que «dans une monarchie, tout gentilhomme doit estre dressé au port d'un courtisan».

Point de sciences; ils n'en ont que faire dans la vie, et Montaigne le sait, qui n'en a «gousté que la crouste première». Grammaire, rhétorique, dialectique sont pour les pédants. Au lieu de charger leur mémoire, formons leur jugement : Montaigne est fier de son jugement, et n'a pas de mémoire : comme lui, les jeunes gens préféreront «une teste bien faicte» à une tête «bien pleine». Seule importe la science des mœurs, qui règle notre vie. On ne l'enseignera pas aux enfants par des formules retenues à force d'application, et par cœur : il faut, tout au contraire, les inviter à réfléchir sur des problèmes moraux, leur proposer diverses opinions à choisir; et s'ils ne peuvent choisir, ils s'en tiendront au doute. Pour pratiquer une telle méthode, qui n'est pas l'affaire des collèges, il faut un précepteur particulier. Mais le plus nécessaire est la pratique de la vie. Tout y sert de livre : «la malice d'un page, la sottise d'un valet, un propos de table», ce sont autant de nouvelles matières à exercer le jugement. L'école n'est autre que le commerce des hommes sous toutes ses formes : conversation, voyages, lecture «des histoires», qui nous permettent de lier commerce avec tous les sages du présent et du passé. La culture physique, si utile au gentilhomme, n'est naturellement pas oubliée. Elle rendra le jeune noble «commode à toutes les compagnies»; elle lui donnera un corps vigoureux, capable d'exercer toutes les activités humaines — toutes, sans exception. Car, de même que Socrate est le modèle du sage, le modèle de l'honnête homme est Alcibiade, qui était le premier partout, à Sparte par son austérité, en Perse par son faste et son goût des plaisirs.

On reconnaît dans cet idéal d'éducation la pratique de Montaigne lui-même : sa pédagogie est encore son portrait, qu'il accommode à l'usage des générations futures. Il faut y voir aussi une réaction vigoureuse contre l'enseignement de la Renaissance, lourd d'érudition, chargé de pédantisme : Montaigne est sur plusieurs points d'accord avec Rabelais, qu'il goûtait fort, et avec divers auteurs italiens, qui avaient exprimé avant lui les mêmes idées. Mais, tandis qu'il retrace sa propre image et qu'il obéit à des préoccupations contemporaines, il émet aussi des vérités qui dépassent sa personne et son temps, et donnent une valeur éternelle à son *Institution des enfans*. «Une tête bien faite, plutôt qu'une tête bien pleine» : ne serait-ce pas la devise de toute saine pédagogie?

Voyons encore quelques opinions de ce sage, affranchi des préjugés par son culte de l'expérience et sa soumission au fait. Autour de lui est engagée la grande querelle du machiavélisme; on reproche communément à l'auteur du *Prince* d'avoir traité la politique en pur réaliste, d'avoir recherché les moyens qui conduisent au succès sans tenir compte de la morale. Montaigne prend l'attitude contraire, estimant que Machiavel ne s'est pas montré suffisamment positif. Car enfin, il a bien vu (et les faits lui donnent tous les jours raison) que le vice est nécessaire à l'action politique, et que les princes tirent bon parti de la ruse et du crime; mais il n'a pas vu que la sincérité, aussi, est une force : elle double le crédit par la confiance qu'elle inspire; un prince qui tromperait toujours finirait par n'être cru de personne. Ainsi Montaigne érige la politique en discipline indépendante, comme il avait fait pour la morale; mais dans cette discipline il fait rentrer le pouvoir de la vertu.

Les monstres sont pour ses contemporains des manifestations de la volonté divine, qui présagent guerres, pestes et horrifiques fléaux. Un Ambroise Paré lui-même, qui étend aussi loin que possible le champ des expériences rationnelles, admet que les monstres sont quelquefois les signes de grands malheurs, et intitule un des chapitres de son *Traité des monstres* : «*Exemples de l'ire de Dieu.*» Montaigne, au contraire, n'a jamais rencontré un fait qui justifie cette interprétation. Les monstres s'expliquent par des causes naturelles; et le voilà qui formule un postulat d'une singulière hardiesse : «Rien n'est que selon nature, quel qu'il soit.»

Pareillement, le fanatisme surexcité par les guerres de religion provoquait en France une recrudescence de procès de sorcellerie. Un magistrat de Nancy parle de neuf cents condamnations prononcées en Lorraine pour des crimes de ce genre, de 1577 à 1592. Jean Bodin, que Montaigne estimait pour son jugement, allait jusqu'à requérir contre les incrédules en la matière les mêmes peines que contre les sorciers eux-mêmes. Montaigne ne se laisse pas intimider; il a vu de prétendus sorciers, il a entendu leurs confessions : nulle part il n'a reconnu le doigt de Satan; à ces malheureux, il ordonnerait quelques grains d'ellébore plutôt que le bûcher. — Mais ils ont avoué? — Sans doute. Il en est aussi qui se sont accusés d'avoir tué des personnes qu'on a retrouvées vivantes par la suite : les faits ont prévalu contre leur propre aveu.

La question préalable à laquelle on soumet non seulement les sorciers, mais les prévenus de toute sorte, arrache des aveux aussi bien aux innocents qu'aux coupables. Elle est une épreuve de constance, sans plus. La torture qu'on inflige aux condamnés est également une barbarie inutile. Montaigne, en s'élevant avec force contre ces injustes pratiques, montre bien qu'il compatissait à la douleur d'autrui; la cruauté, le plus coutumier des vices de son temps, en était pour lui le moins tolérable. Quand il flétrit la conduite des conquérants espagnols envers les Indiens, il s'élève jusqu'à la grande éloquence. S'il a devancé son époque, ce n'est pas seulement par la pénétration de son sens critique : c'est par la vertu de sa sensibilité; c'est par son cœur.

MONTAIGNE ÉCRIVAIN

Après la publication des deux premiers livres des Essais, *très augmentés, et du troisième livre qui vient s'adjoindre à eux, Montaigne rentre en son château (décembre 1588). Vieillissant, et souvent malade, il fait de sa tour son refuge favori. Jusqu'à sa mort (septembre 1592), il va corrigeant, annotant, amplifiant un exemplaire des* Essais, *dont les marges spacieuses se couvrent de son écriture. Il lit beaucoup; il lit même des auteurs qui l'ennuyaient autrefois, comme Platon ou Cicéron : aussi, bien que son dessein reste le même, et qu'il continue à se peindre dans ce livre «consubstantiel à son auteur et membre de sa vie* », le lecteur a quelquefois l'impression d'une surcharge, due à de trop fréquents emprunts.

Le précieux exemplaire de Bordeaux permet de suivre le travail du style. Outre les pages de G. Lanson, dans son Art de la prose, on consultera : J. Coppin, Étude sur la grammaire et le vocabulaire de Montaigne, *1925.*

Pouvoir étudier de page en page, à travers le manuscrit d'un auteur, le travail de perfectionnement qui l'amène à la pleine maîtrise de sa forme, c'est une rare et belle fortune. Montaigne (n'est-ce pas une condition de l'art d'écrire ?) n'arrive pas sans travail à donner à son style cette facilité indolente qui nous séduit. Nous le prenons sur le fait : il peine à la recherche du terme exact ; il fait la chasse aux répétitions et aux négligences ; il élague les mots et les propositions parasites, qui alourdissent la phrase et l'embarrassent.

L'originalité de son style s'est développée en même temps que l'originalité de sa pensée : cela va presque sans dire. Les chapitres les plus anciens, ceux de 1572, laissaient voir une tension assez laborieuse ; on y sentait quelque raideur. Le style, qui d'ailleurs ne manquait point de nerf, s'ornait volontiers de traits, de formules, de « sentences » à la manière de Sénèque : et c'étaient quelquefois des traductions littérales. Il est curieux d'observer qu'à la même époque, dans ses préfaces aux œuvres de La Boétie, Montaigne s'essayait à la période, non sans gaucherie, non sans emphase. En somme, ni sa personnalité ni son expression littéraire n'avaient encore leur marque propre.

La peinture du moi lui fournira, en même temps qu'une grande diversité de matières, l'occasion de trouver son accent personnel. Pour l'analyse et pour la confidence, il faut s'assouplir et se détendre. Ainsi fait Montaigne. Il est familier, il est simple, il est spontané. Il adopte l'allure de la conversation ; il cause bonnement avec son lecteur, ravi : car le lecteur n'est pas habitué à trouver, chez les écrivains qu'il pratique, cette amabilité, cette aisance. La composition est souple, indifférente à la ligne droite, fertile en détours, d'où l'on revient quelquefois par des chemins sinueux, et quelquefois brusquement. Point de divisions scolastiques ; et, grâce au ciel, pas de transitions. Il est convenu une fois pour toutes qu'on passe d'une idée à une autre sans avertissement préalable ; et cette liberté, si rare, est exquise. Des censeurs malavisés pourraient trouver que ce désordre est exagéré ; que Montaigne, pour avoir voulu supprimer les artifices de la composition, est quelquefois artificiel ; qu'il aurait mieux fait d'éviter ce « pédantisme à la cavalière », qu'on lui a

TITRE DE L'ÉDITION DE 1588 des « Essais ». — CL. LAROUSSE.

reproché, et ils citeront enfin, comme de piquants exemples de désordre, l'essai *Des coches* (III, VI) ou l'essai *De la vanité* (III, IX). Mais c'est la rançon de qualités profondément originales dans notre littérature, qui pécherait plutôt par abus de logique formelle que par excès de fantaisie. Laissons-nous aller, bien plutôt, au charme unique de cette libre allure, de ce mouvement capricieux. Le style est « tel sur le papier qu'en la bouche », éloigné de l'affectation, déréglé, décousu et hardi : « chaque lopin y face son corps. » Il accepte tous les tours usités « emmy les rues françoises ». Et « que le gascon y aille, quand le françois n'y peut aller ! »

Ce qui caractérise ce style, en même temps que le naturel, c'est le jaillissement continu des images. Il est constamment avivé, en effet, par l'imagination et la sensibilité de Montaigne, que l'étude du moi ne cesse jamais de mettre en jeu. Son pittoresque est dû à des causes multiples : usage de l'antithèse et de la pointe, qui illuminent la pensée comme un éclair ; emprunts au langage populaire ; mise en valeur des dictons et des proverbes. Montaigne tire parti de tout : de Plutarque, de Sénèque, de nos vieux conteurs, de Rabelais ; mais il demande surtout à sa propre verve cette luxuriante végétation d'images. Sa fertilité est inlassable ; elle multiplie les trouvailles ingénieuses et amusantes ; de la quête des idées, elle fait un jeu et une fête. Si on laisse au mot *poète* son sens de créateur de formes, on peut dire sans paradoxe que le style de Montaigne est tout paré de poésie.

SON INFLUENCE

P. Villey, l'Influence de Montaigne sur les idées pédagogiques de Locke et de Rousseau, *1911 ;* Montaigne et Bacon (Revue de la Renaissance, *1911-1912*); Montaigne en Angleterre (Revue des Deux Mondes, *septembre 1913*); Montaigne et les déistes anglais (Revue du XVIᵉ siècle, *1913*); *Victor Bouillier,* la Renommée de Montaigne en Allemagne, *1921 ;* la Fortune de Montaigne en Italie et en Espagne, *1922 ; L. Brunschvicg,* les Progrès de la conscience dans la philosophie occidentale, *1927 ; P. Villey,* Montaigne devant la postérité [*jusqu'en 1610*], *1935 ; Alan M. Boase,* The Fortune of Montaigne. A history of the Essays in France, 1580-1669, *Londres, 1935; R. Pintard,* le Libertinage érudit dans la première moitié du XVIIᵉ siècle, *1943, et Chr. Dédéyan,* Montaigne chez ses amis Anglo-Saxons, *1946.*

L'affirmation stoïque, le doute, la sagesse pratique où l'on se réfugie comme dans un port tranquille : ce sont là, semble-t-il, des étapes que l'esprit humain retrouve nécessairement, lorsqu'il poursuit la vérité; il peut choisir l'une ou l'autre, mais il les traverse toutes. Ajoutons l'analyse de l'âme, tant d'aperçus nouveaux, tant de traits où nous reconnaissons notre propre image, cette personnalité séduisante, ce naturel et ce pittoresque de la forme : comment les *Essais* n'auraient-ils pas conquis les lecteurs les plus divers ? Ils sont propres à ces métamorphoses successives que la postérité impose aux œuvres, et qui sont pour elles la condition de la durée; car chaque siècle et chaque pays y trouvent une nouvelle raison de les aimer.

En France, plus de cent éditions attestent cette vitalité. Les contemporains de Montaigne, et la génération qui suivit, admirèrent en lui le sage, et lui demandèrent de leur apprendre à bien vivre et à bien mourir. Au XVIIᵉ siècle, quand plusieurs raisons risquent d'écarter de lui — sa langue qui vieillit, sa composition trop libre, sa philosophie jugée inquiétante —, le « scrutateur universel de l'homme intérieur » ne peut manquer de séduire encore une société dont toute la littérature a pour objet la connaissance du cœur humain; aussi Mᵐᵉ de La Fayette déclare-t-elle qu'elle aimerait à avoir Montaigne pour voisin. Aucune édition de ses œuvres complètes ne paraît entre 1669 et 1724; il est mis à l'Index en 1676; mais il est recueilli, pour ainsi dire, par les libertins, adopté par l'opposition, qui le lègue au XVIIIᵉ siècle : alors il apparaît, dans sa gloire retrouvée, comme l'adversaire du dogmatisme. On oublie que sa critique a fini par aboutir au conservatisme : on néglige la conclusion, on retient les prémisses. Depuis le XIXᵉ siècle, il semble que l'admiration des lecteurs aille de plus en plus à l'artiste.

Un critique anglais a pu dire que, de tous nos écrivains, Montaigne est celui qui a eu le plus d'influence en Angleterre. Deux traductions célèbres, celle de Florio et celle de Cotton, ont, dès le XVIIᵉ siècle, vulgarisé les *Essais* de l'autre côté du détroit. C'est le moment de l'admirable essor du drame, et il arrive que Webster, que Marston puisent dans l'amas des expériences morales accumulées par lui : c'est un honneur pour Montaigne que Shakespeare l'ait pratiqué, l'ait cité. Des moralistes comme Burton, Drummond, Browne, séduits par le caractère pratique des *Essais*, s'en nourrissent pour leur propre édification. Un peu plus tard, les déistes, qui cherchent des auxiliaires dans leur besogne de démolition des préjugés et des dogmes, le rencontrent juste à point. Curieuse fortune des œuvres littéraires! On dirait que Montaigne, pendant la période où il est moins goûté chez nous, s'exile en Angleterre; les *Essais* nous reviennent dans la belle édition de Coste, publiée à Londres par un réfugié protestant, avec les souscriptions des grands personnages du royaume; Blount et Bolingbroke enseignent à nos philosophes le parti qu'ils peuvent tirer de ce livre inépuisable. Il n'a plus cessé d'être lu outre-Manche; en même temps que son sens des réalités morales, en même temps que ses tendances empiriques, qui devaient plaire dans la patrie des Bacon, des Locke, des Read, une des raisons qui ont attiré à lui le public anglais, c'est sans doute le mélange d'une extrême liberté de pensée et d'un respect très prudent de la tradition, si conforme au caractère anglo-saxon. Le genre de l'essai, adopté en Angleterre au lendemain de la mort de Montaigne, y a été cultivé sans relâche; on sait de reste combien il y a prospéré.

Si Montaigne a eu moins de lecteurs en Allemagne, au moins Gœthe, Schopenhauer, Nietzsche l'ont-ils admiré : c'est une belle compensation. Mais ne faudrait-il pas marquer sa place, non seulement dans les littératures nationales qui l'ont accueilli comme un hôte de choix, mais encore dans l'évolution de la pensée européenne ?

Du grand effort critique des *Essais* dépend, en effet, la philosophie spéculative du XVIIᵉ siècle. Il fallait faire table rase du passé avant de reconstruire. Descartes part du doute de Montaigne pour arriver plus tard à la certitude du *cogito;* Pascal réagit contre le doute de Montaigne pour arriver à la foi. Comme Bacon, qui le cite, Montaigne trouve dans l'expérience le moyen de dépasser le doute : il est, à sa manière, le fondateur de la méthode expérimentale, dont nous sommes loin, même aujourd'hui, d'avoir épuisé les effets. Pour nous, qui pouvons présentement suivre le développement de notre littérature, toute libre et dévouée à la recherche de la vérité personnelle, nous devons voir d'abord, en lui, l'origine d'une longue lignée d'écrivains qui conduit jusqu'à André Gide et à nos plus modernes romanciers. A tous ceux-là, les *Essais* ont appris à maintenir au premier plan les droits de l'individualisme, de la pensée active et de la lucidité. Et ils ont bien compris la leçon de Montaigne puisqu'aucun ne lui ressemble. Son seul véritable enseignement n'est-il pas, en effet, que pour être à soi, il faut avant tout s'être soi-même découvert ?

LE TOMBEAU DE MONTAIGNE, à la Faculté des Lettres de Bordeaux.

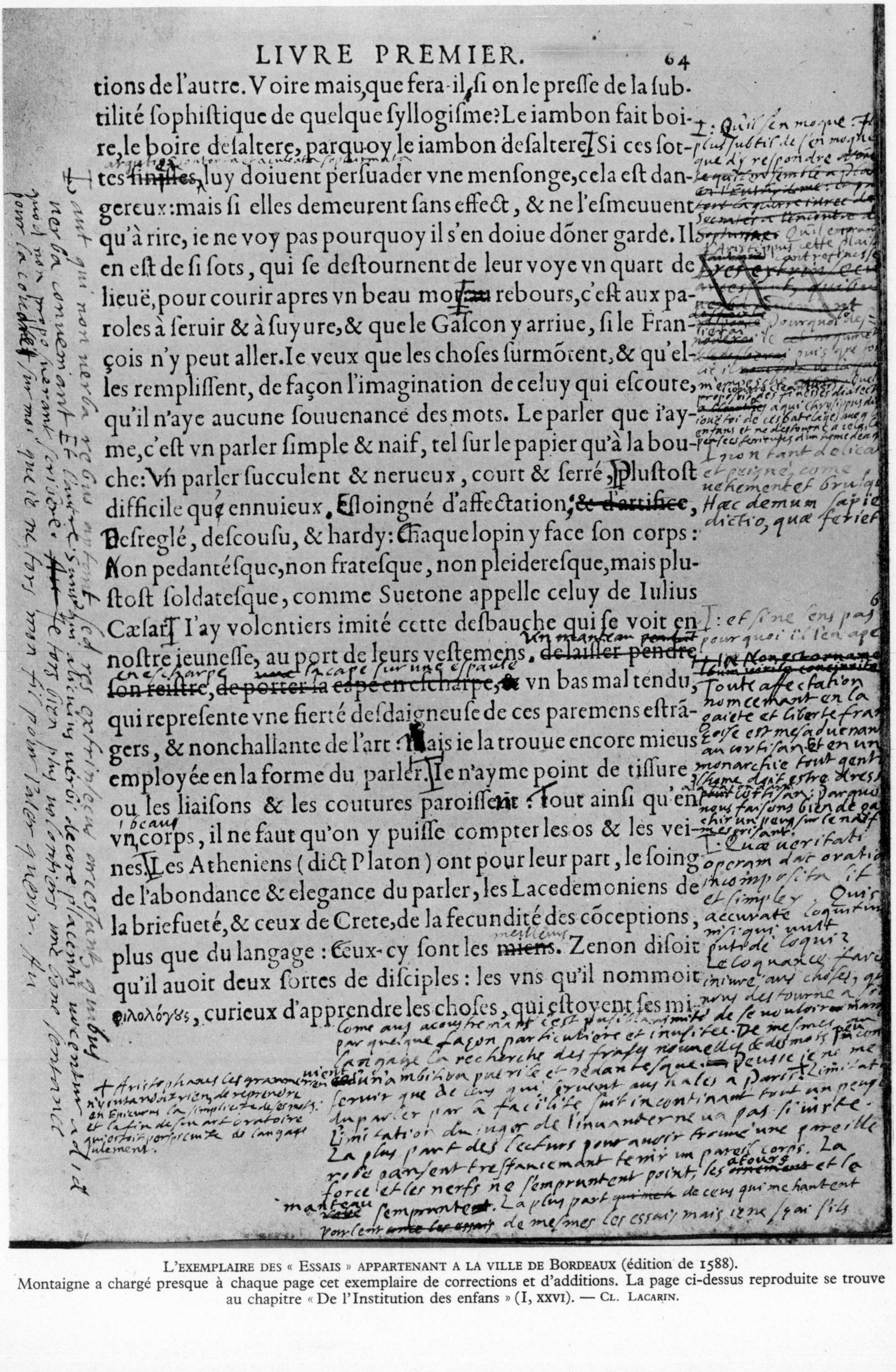

tions de l'autre. Voire mais, que fera-il, si on le presse de la subtilité sophistique de quelque syllogisme? Le iambon fait boire, le boire desaltere, parquoy le iambon desaltere? Si ces sottes finesses, luy doiuent persuader vne mensonge, cela est dangereux: mais si elles demeurent sans effect, & ne l'esmeuuent
qu'à rire, ie ne voy pas pourquoy il s'en doiue dôner garde. Il
en est de si sots, qui se destournent de leur voye vn quart de
lieuë, pour courir apres vn beau mot, ou rebours, c'est aux paroles à seruir & à suyure, & que le Gascon y arriue, si le François n'y peut aller. Ie veux que les choses surmôtent, & qu'elles remplissent, de façon l'imagination de celuy qui escoute,
qu'il n'aye aucune souuenance des mots. Le parler que i'ayme, c'est vn parler simple & naif, tel sur le papier qu'à la bouche: Vn parler succulent & nerueux, court & serré, Plustost
difficile qu'ennuieux, Esloingné d'affectation, & d'artifice,
Desreglé, descousu, & hardy: Chaque lopin y face son corps:
Non pedantesque, non fratesque, non pleideresque, mais plustost soldatesque, comme Suetone appelle celuy de Iulius
Cæsar. I'ay volontiers imité cette desbauche qui se voit en
nostre jeunesse, au port de leurs vestemens, de laisser pendre
son reistre, de porter la cape en escharpe, vn bas mal tendu,
qui represente vne fierté desdaigneuse de ces paremens estrã-
gers, & nonchallante de l'art: Mais ie la trouue encore mieus
employée en la forme du parler. Ie n'ayme point de tissure
ou les liaisons & les coutures paroissent: Tout ainsi qu'en
vn corps, il ne faut qu'on y puisse compter les os & les veines. Les Atheniens (dict Platon) ont pour leur part, le soing
de l'abondance & elegance du parler, les Lacedemoniens de
la briefueté, & ceux de Crete, de la fecundité des côceptions,
plus que du langage: Ceux-cy sont les miens. Zenon disoit
qu'il auoit deux sortes de disciples: les vns qu'il nommoit
φιλολόγες, curieux d'apprendre les choses, qui estoyent ses mi-

---

L'EXEMPLAIRE DES « ESSAIS » APPARTENANT A LA VILLE DE BORDEAUX (édition de 1588).
Montaigne a chargé presque à chaque page cet exemplaire de corrections et d'additions. La page ci-dessus reproduite se trouve
au chapitre « De l'Institution des enfans » (I, XXVI). — CL. LACARIN.

LA FRANCE ET L'ÉTRANGER
DANS LA SECONDE MOITIÉ DU XVIᵉ SIÈCLE

Pendant la première moitié du XVIᵉ siècle, on l'a vu, les rapports entre la littérature française et la littérature italienne sont intimes ; on n'a pu considérer l'une sans l'autre. Ces rapports demeurent très étroits après la mort de François Iᵉʳ. Tandis qu'en nombre croissant les Italiens font fortune à la cour de France, à la tête d'évêchés, aux armées, ou dans la banque, les Français continuent à passer les monts, même après que nos troupes ont évacué la péninsule. Les jeunes gens viennent achever leurs études dans les villes universitaires, d'où certains reviennent débauchés ou incroyants. Nos ambassadeurs emmènent à Rome un Du Bellay, un Régnier. Ceux-ci y rencontrent des compatriotes tels que Muret, des érudits et des poètes italiens. Montaigne fait visite au Tasse et promène son inlassable curiosité à Venise et à Rome. Ils assistent, en Italie, à des représentations théâtrales, et rapportent des livres plaisants ou sérieux.

Notre Cour est à ce point italianisée qu'on y joue des comédies en langue toscane. A partir de 1571, des troupes transalpines répandent chez nous la Commedia dell' arte : Zani, Pantalon et Arlequin deviennent aussi célèbres en France qu'en Italie. De nombreux mots italiens s'introduisent dans la langue ; presque tous ceux qui avaient une utilité technique (beaux-arts, musique, escrime, équitation, art militaire...) sont restés.

Les Français lisent dans le texte ou en traduction un grand nombre d'historiens, de théoriciens politiques, de moralistes, de conteurs, et d'auteurs comiques italiens ; Machiavel est discuté avec passion. Notre littérature amoureuse puise en Italie les inspirations les plus diverses : on raffole des histoires galantes de l'Arioste, et on goûte aussi les platoniciens tels que Léon Hébreu, dont Ronsard offre à Charles IX, pour étrennes, les Dialogues d'amour ; le néo-pétrarquisme fait fureur à la Cour des derniers Valois. Desportes et ses émules s'approprient les concetti et les antithèses des poètes transalpins. C'est encore ceux-ci qui fournissent à maints poètes les thèmes de leurs sonnets chrétiens et de leurs Larmes édifiantes. Vauquelin de La Fresnaye francise les satires de l'Arioste et de ses compatriotes. Pour les théories poétiques et dramatiques, Du Bellay pille Speroni, et Jean de La Taille s'inspire du commentaire d'Aristote que Castelvetro a publié en 1570.

Le courant inverse était beaucoup plus faible. Cependant, on publia, en 1590, une traduction partielle des Essais. La première Semaine de Du Bartas trouva grâce devant les Italiens de la contre-réforme ; la traduction en italien eut du succès, et le Tasse s'est inspiré du texte original pour ses Sette Giornate. On sut gré à Ronsard de ses Discours contre les protestants ; les

lettrés italiens ont reconnu son talent, et Chiabrera imita ses poésies lyriques.

Quoique moins importante, l'influence de la littérature espagnole fut loin d'être négligeable. Le traité de Cateau-Cambrésis facilita les relations avec le royaume de Philippe II. Brantôme en rapporta, en 1564, un bon nombre d'anecdotes et de rodomontades. Dans les collèges que les Jésuites fondent en France, des Pères italiens et espagnols viennent enseigner. L'Espagne nous approvisionne en lectures sérieuses : histoires de l'Amérique et de l'Inde, compilations morales de Guevara et de Mejia (Messie), écrits religieux de Louis de Grenade. En outre, le roman espagnol obtient un succès croissant : nos moralistes s'alarment du prodigieux succès que remportent, en France, les aventures aussi galantes qu'héroïques d'Amadis et de ses descendants. Plus tard, un chanoine traduit la Diana, roman pastoral de Montemayor, où seul « l'amour honnête » et mélancolique est admis, et qui sera imité dans l'Astrée et dans maintes pastorales françaises. Quant au roman picaresque, il s'introduit chez nous, en 1561, avec la traduction française de Lazarille de Tormes. Enfin, nos poètes de la fin du siècle cherchent parfois leur inspiration dans les œuvres lyriques qui s'impriment au-delà des Pyrénées. Sur l'autre plateau de la balance, nous placerons seulement la Creacion del Mundo, que le chanoine Acevedo a publiée à Rome, en 1615, et pour laquelle il a largement utilisé une traduction italienne de Du Bartas.

Nos voisins septentrionaux, eux, sont nos débiteurs. Tous, ils ont admiré, traduit, imité Du Bartas. La vogue de Ronsard, que le Polonais Kochanowski était fier d'avoir vu à Paris, durera plus longtemps en Suède avec Sternhjelm et en Allemagne avec Opitz qu'en France ! Les conceptions poétiques de la Pléiade règnent sur la littérature néerlandaise. En Angleterre, on traduit les versions françaises de Plutarque, d'Aristote, de Thucydide, de Bandello. Une bonne partie de la littérature italienne de la Renaissance y pénètre sous la forme de traductions et d'imitations françaises. Les sonnettistes anglais imitent Ronsard et Desportes, et Spenser traduit les Antiquités de Rome. Shakespeare et ses émules utiliseront la traduction de Montaigne par Florio, et Bacon publiera, lui aussi, des Essais. Quant à Rabelais, il inspire le polémiste anglais Th. Nashe, tandis qu'à Anvers Marnix de Sainte-Aldegonde nourrit d'expressions rabelaisiennes ses pamphlets anti-papistes, et que Fischart paraphrase, en allemand, la Pantagruéline pronostication et le Gargantua.

Ainsi donc, les courants littéraires viennent d'Italie et d'Espagne en France ; et les pays protestants du Nord demandent à notre littérature de leur révéler la Renaissance.

ACTEURS DE LA COMMEDIA DELL' ARTE : Pantalon « le Magnifique », la Courtisane vénitienne et Zani le serviteur. Gravure de Goltzius pour l' « Habitus variarum gentium » de J. J. Boissard (1581). —
CL. LAROUSSE.

LE XVIIE SIÈCLE

CL. GIRAUDON.

LES GRANDS FAITS POLITIQUES ET SOCIAUX DE 1594 A 1630

Peu de périodes méritent autant que celle qui est comprise entre l'abjuration d'Henri IV et l'affermissement du pouvoir de Richelieu, le nom de période de transition. D'abord, le chef de la nouvelle dynastie, aidé de Sully, réprime les menées et les complots, impose l'édit de Nantes, rétablit les finances, développe l'agriculture et l'industrie, met à la raison le duc de Savoie. Les poètes vantent les mérites d'Henri IV et le bonheur des Français. Mais tout dépendait de la vie d'un homme : lorsque, après l'échec de nombreux attentats, Ravaillac eut réussi à tuer le roi, on revit une régence néfaste, le règne d'un favori, le pillage des finances, les soulèvements des princes, les remuements des protestants et les intrigues étrangères. Le meurtre de Concini, en 1617, ne mit pas fin aux troubles du royaume. Et, lorsque Richelieu fut devenu chef du Conseil, il dut vaincre bien des obstacles avant d'ébranler l'hégémonie espagnole et d'établir sur des bases solides la monarchie absolue.

La vie religieuse de la France à cette époque donne l'impression d'un bouillonnement intense. Les guerres ayant cessé entre catholiques et protestants, Henri IV favorise les controverses théologiques (Du Perron et Du Plessis-Mornay à Fontainebleau en 1600); des protestants de bonne condition se convertissent. La Contre-Réforme prend un très grand essor. Le cardinal Du Perron tient la première place parmi nos théologiens; il combat les idées de Du Plessis-Mornay dans son monumental Traité du Saint-Sacrement de l'Eucharistie (1622). Les jésuites occupent ou fondent de nombreux collèges; les ordres anciens entreprennent de se réformer; des ordres nouveaux sont introduits en France ou sont créés : les Ursulines en 1594, les Carmélites en 1604, la Visitation en 1610, l'Oratoire en 1611, la Congrégation de la Mission en 1625... On lit les théologiens et les mystiques d'outre-monts : Louis de Grenade, la « mère Thérèse », etc. Le catholicisme s'accommode de la morale stoïcienne, et Charron met le scepticisme à son service.

Mais, au sein de l'Église de France, des querelles éclatent, surtout entre les gallicans, qui règnent à la Sorbonne et dans les Parlements, et les ultramontains. D'autre part, le « libertinage » est assez répandu pour inquiéter les docteurs catholiques plus que ne le fait le protestantisme. Les infiltrations italiennes continuent : trois ans avant d'être brûlé à Toulouse, Vanini publie à Paris son De admirandis naturae arcanis (1616); Théophile de Viau est influencé par ses idées. Des nobles étalent leur incrédulité, qu'accompagne souvent le libertinage des mœurs. Certains libraires lancent force recueils de poésies obscènes et hardies; mais le procès intenté à Théophile par le Parlement de Paris (1623-1625) mettra fin à ces publications; le minime Mersenne et le jésuite Garasse accableront les « déistes, athées et libertins » sous le poids d'ouvrages massifs.

Les survivants des guerres de religion, qui étaient grossiers et brutaux, cèdent la place à des générations un peu plus policées. De 1605 à 1615, la reine Marguerite accueille les poètes en l'hôtel de Sens et y maintient, en paroles, la tradition de l'amour platonique. La vicomtesse d'Auchy et Mᵐᵉ Des Loges reçoivent chez elles des beaux-esprits; sous la régence, Malherbe fréquente l'hôtel de Rambouillet. L'Astrée, l'Introduction à la vie dévote, l'Honnête homme de Faret (1630), d'autres romans et manuels de civilité concourent à l'amélioration des mœurs et des manières.

MÉDAILLE SYMBOLIQUE gravée par N. Guinier, en 1602, à la gloire de Henri IV. — CL. LAROUSSE.

LE GOUVERNEMENT DE LA REINE. Tableau de Rubens (musée du Louvre). — CL. LAROUSSE.

LA LITTÉRATURE SOUS LE RÈGNE DE HENRI IV ET PENDANT LA RÉGENCE DE MARIE DE MÉDICIS

LES SCIENCES ET LES LETTRES

Les sciences continuent de se libérer du joug des Anciens, et s'appuient sur la raison, l'observation et l'expérience. Viète (1540-1603) fonde l'algèbre. Peiresc est au courant des travaux de Bacon, de Képler et de Galilée, et se procure des lunettes astronomiques; dès 1610, cet astronome amateur commence ses découvertes. A Paris, historiens, philologues, mathématiciens se rencontrent chez le président de Mesmes, chez le garde des sceaux Du Vair, et surtout à l'hôtel de l'historien De Thou, dont la magnifique bibliothèque est conservée, depuis 1617, par Pierre et Jacques Dupuy; tous les doctes de France et des pays étrangers fréquentent l'« Académie putéane ». Deux illustres philologues terminent leur carrière à l'étranger : Casaubon à Londres, et Joseph Scaliger à Leyde.

La littérature, elle aussi, est une littérature de transition. Le public se détourne de la poésie néo-latine, et les vers mesurés à l'antique sont abandonnés. Les modes poétiques se succèdent rapidement. Ronsard et Du Bartas conservent, surtout en province, des admirateurs fervents; les auteurs protestants ou catholiques d'épopées religieuses ou de nouvelles *Franciades* emploient encore les néologismes de la *Franciade* et des deux *Semaines*. Mais les œuvres de Ronsard sont rééditées pour la dernière fois en 1630, l'année même de la première édition de celles de Malherbe. Sponde, Desportes, Bertaut, Du Perron, Motin connaissent tour à tour la vogue, puis la défaveur.

L'ode, qui était délaissée, est remise en vogue par Malherbe, qui la consacre au grand lyrisme; les poètes de la génération suivante en étendront l'emploi au lyrisme enjoué, aux thèmes de la morale horatienne, aux sujets champêtres ou bachiques. Auteur de nombreuses Consolations en vers, Malherbe met ce genre à la mode.

L'évolution vers le classicisme que nous avons signalée sous les derniers Valois, s'accentue. Les vers deviennent plus réguliers. François de Sales, dans l'*Introduction à la vie dévote*, et d'Urfé dans l'*Astrée* emploient une phrase coulante et harmonieuse; le cardinal d'Ossat (1537-1604) fournit le modèle de la correspondance diplomatique; l'évêque Coeffeteau (1570-1623) et Malherbe préparent la voie à Balzac et à Vaugelas, l'un par sa traduction de Florus (1615) et par son *Histoire romaine* (1621), l'autre par ses traductions de Tite-Live (1616 et 1621) et de Sénèque, et par ses Consolations en prose; tous deux soignaient leurs périodes. La publication, en 1624, d'un volume de lettres vaut au jeune Guez de Balzac une célébrité soudaine.

La langue évolue, elle aussi. Elle est épurée et fixée par les soins de Malherbe, de Coeffeteau, de Deimier, de Maucors, de gens de la bonne société parisienne.

Mais ce vaste mouvement littéraire n'est pas uniforme. Des contre-courants persistent ou s'amplifient. Hardy, le poète satirique Sonnet de Courval, et en général les écrivains provinciaux conservent une langue qui semble dater de la Pléiade. Mlle de Gournay défend avec ardeur les principes de cette école et les vieux mots. Des poètes, qui ne manquent ni de fécondité ni de talent, rejettent le joug des nouvelles doctrines, et affirment les droits de la libre inspiration; ils exagèrent la préciosité pétrarquiste jusqu'à la subtilité, ou, par réaction, le réalisme jusqu'à la trivialité et à l'obscénité; et la plupart des pièces de théâtre sont irrégulières et baroques. N'est-il pas piquant qu'en 1621 La Ceppède fasse paraître, avec des vers liminaires de Malherbe, des sonnets sur la Rédemption qui, par leur réalisme « bas » et macabre, semblent écrits au temps des *Larmes de saint Pierre?*

I. — LA POÉSIE

BERTAUT ET DU PERRON

Jean Bertaut (1552-1611) et Jacques Davy Du Perron (1556-1618) sont tous deux Normands et contemporains de Malherbe. Le premier a mené une vie unie, vertueuse, sans grand éclat. Il fut au service d'Henri III, et, après sa mort, il fut protégé par le jeune cardinal de Bourbon. Henri IV fit de lui un aumônier de la reine, un abbé d'Aunay et un évêque de Séez. Il reçut les ordres en même temps que le titre d'évêque.

De 1597 à 1625, ses vers ont tenu une grande place dans les recueils collectifs. Mais il ne s'est soucié de les réunir en volume qu'en 1601; il en donna une seconde édition en 1605. D'autre part, son frère publia, en 1602, sans le nommer, les vers amoureux de sa jeunesse. Consulter l'édition Chennevière, 1891; Mgr Grente, J. Bertaut, 1903; J. Vianey, le Pétrarquisme en France au XVIe siècle, 1909; R. Lebègue, Deux poèmes de Bertaut (Bibliothèque d'Humanisme et Renaissance, VII).

Du Perron fut un enfant prodige. Ayant abjuré le protestantisme, il plut à Henri III par son talent oratoire et par sa science universelle. Il devint lecteur du roi, et prononça, en 1586, l'éloge funèbre de Ronsard. Ayant pris parti pour Henri de Navarre, il travailla à sa conversion. Il fut récompensé, en 1591, par l'évêché d'Évreux, en 1604 par le cardinalat, en 1606 par l'archevêché de Sens. Il brilla dans la controverse orale et écrite avec ses anciens coreligionnaires, et joua un grand rôle politique et religieux dans ses missions à Rome et aux états généraux de 1614. Après avoir été publiés dans les recueils collectifs, ses vers ont été rassemblés dans l'édition posthume de 1622. Le Perroniana a été imprimé en 1667 et en 1669.

Sur les poètes de cette époque, voir G. Allais, Malherbe et la poésie française à la fin du XVIe siècle, 1891; M. Raymond, l'Influence de Ronsard sur la poésie française, 1927; A. Cart, la Poésie française au XVIIe siècle, 1939; et les anthologies de Th. Maulnier.

Ces deux écrivains ont commencé par écrire des pièces galantes, puis ils cultivèrent la poésie officielle et religieuse, et, enfin, ils se sont consacrés à leurs fonctions ecclésiastiques. Appartiennent-ils à la Renaissance, au baroque, ou au classicisme? Leurs œuvres échappent aux classifications rigides. Mais on ne peut nier qu'ils furent les précurseurs de Malherbe.

Bertaut se sentit poète, à quinze ans, en lisant les vers de Ronsard; puis il admira la « douceur » et la « facilité » de Desportes. Il doit beaucoup à l'exemple de ce dernier. Sans doute, il pratique l'imitation des Italiens avec plus d'originalité que ne le faisait Desportes, et il lui laisse les métaphores tarabiscotées. Mais ce sont les mêmes plaintes d'amoureux transi, la même langue abstraite. Il est impossible de découvrir dans ses poésies galantes une circonstance précise. Aussi Mme Guyon pourra-t-elle appliquer à l'amour divin sa fameuse strophe *Félicité passée.*

Comme Desportes, il recherche la clarté et l'harmonie. Au sonnet il préfère les stances, le cantique, et le poème en alexandrins à rimes plates (Discours, Élégies). Il affectionne les mêmes systèmes d'alexandrins que Desportes : huitains, quatrains, et surtout sizains. Ce flux de vers de douze pieds donne une impression de monotonie. Du

Perron reprochait aux poésies de Bertaut de n'avoir pas assez de vigueur et de nerf, et Ronsard avait raison de le qualifier de « poète trop sage ».

Il se distingue de ses émules par quelques cadences très harmonieuses et par son culte de l'antithèse. En effet, il aime opposer l'un à l'autre les hémistiches d'un vers ou les deux derniers vers d'une strophe; voici un exemple pris entre cent :

> Tous les jours sa bonté nos merites surpasse,
> Et jamais sa rigueur n'egale nos pechez.

Il n'a pas attendu l'arrivée de Malherbe à la Cour pour réformer ses vers : rééditant, en 1601, un poème de 1586, il s'est appliqué à remplacer les mots plats par des termes forts et à supprimer les impropriétés, les ambiguïtés, les répétitions involontaires, les allusions pédantes et obscures à la mythologie, les hiatus et les cacophonies. Dans des corrections ultérieures, il s'est probablement inspiré de l'enseignement de Malherbe. De son côté, celui-ci lui a emprunté des traits, des thèmes de poésie officielle, et surtout les procédés de la symétrie et de l'antithèse.

Les poésies de Du Perron sont peu connues, et on ne sait pas assez sa contribution à la formation du goût et de la langue classique. Les jugements sur Ronsard et les autres membres de la Pléiade, sur Desportes, Bertaut, et Du Bartas, qui sont dispersés dans le *Perroniana*, mériteraient d'être confrontés avec l'*Académie* de Deimier et avec le commentaire de Desportes par Malherbe.

Son œuvre poétique, qui est peu étendue, comprend des traductions, des paraphrases de psaumes, des poèmes officiels, et quelques pièces amoureuses. La poésie biblique lui semblant trop « sèche », Du Perron développe les images du psalmiste, ou il en ajoute. Mais, d'habitude, il emploie des termes généraux et abstraits. Il soigne la forme plus que ne le faisaient Desportes et Bertaut; on rencontre des vers bien frappés, des formules condensées et expressives, de délicates harmonies :

> Au bord tristement doux des eaux je me retire,
> Et voy couler ensemble et les eaux et mes jours.
> Je m'y voy sec, et pasle, et si j'ayme tousjours
> Leur resveuse mollesse où ma peine se mire.

Malheureusement, il verse souvent dans une rhétorique ampoulée et froide. Malherbe lui a fait plus d'un emprunt.

MALHERBE

La carrière de Malherbe contraste avec celles de Desportes, de Bertaut et de Du Perron. Malgré ses efforts, il parvint tardivement à la célébrité, et ne pénétra à la Cour qu'à l'âge de cinquante ans. Ensuite, son autorité devint très grande, mais il ne cessa de se plaindre de sa mauvaise fortune. De fait, il mourut pauvre, à soixante-treize ans.

François de Malherbe naquit en 1555, dans cette pépinière de poètes qu'était la basse Normandie. Son père, conseiller au présidial de Caen, appartenait à la religion protestante. Les premiers vers qu'on ait conservés de lui, ont été écrits en 1575, à Caen. Mais il quitta bientôt son père, dont il ne partageait pas les idées religieuses; et il chercha fortune auprès d'un bâtard d'Henri II, François d'Angoulême, gouverneur de Provence, qui aimait à s'entourer de lettrés. Il prit femme dans une famille de magistrats aixois.

Son protecteur ayant péri en 1586, Malherbe dédia au dévot Henri III les Larmes de saint Pierre; mais, bientôt, le roi s'enfuit de Paris et, peu après, il fut assassiné. Privé de Mécène, Malherbe mena à Caen, jusqu'en 1595, une existence besogneuse; toutefois, ses concitoyens l'estimaient assez pour lui confier, en ces temps troublés, une des charges de gouverneur-échevin.

Après un séjour de trois années en Provence, il retourna à Caen, où il eut la douleur de voir sa fillette mourir de la peste. A la fin de 1599, il revint à Aix auprès de sa femme ; c'est alors qu'il se lia étroitement avec Du Vair et avec le jeune et savant Peiresc. L'influence de Du Vair ne fut pas étrangère à la décision qu'il prit, vers 1603, de traduire le De beneficiis *et les* Épîtres à Lucilius *de Sénèque.*

En 1600, quand il offre à Marie de Médicis son ode de bienvenue, il espère tenir enfin la fortune. Mais c'est seulement en 1605 qu'il part pour Paris, où Henri IV le fera entretenir par le duc de Bellegarde. Désormais il mènera jusqu'à sa mort la vie de poète de Cour : il fréquentera le cabinet du roi ou de la reine, célébrera dans ses vers et dans ses lettres les qualités et les succès du souverain et de Richelieu, chantera les mariages royaux et les naissances princières, fera visite à la favorite et aux Grands, collaborera aux ballets de Cour, et même tiendra la plume pour Henri IV, sénile amoureux de Charlotte de Condé. Il multipliera les démarches pour obtenir des pensions et des gratifications.

Il arrive à point. Desportes meurt en 1606, tandis que Malherbe note impitoyablement ses fautes sur un exemplaire de ses œuvres ; Du Perron a renoncé aux vers ; Bertaut s'occupe de son évêché plus que de poésie ; Régnier meurt bientôt. Aucun poète officiel ne réussit à égaler les pièces de Malherbe pour Henri IV et celles pour la Régente, dont Rubens s'inspirera dans ses tableaux du Luxembourg. Devenu l'oracle du goût littéraire et de la science grammaticale, il recrute des disciples chez Bellegarde et chez la reine Marguerite, et tient école dans son modeste logis de la rue Croix-des-Petits-Champs. L'Académie de l'art poétique, que Deimier publie en 1610, reproduit une bonne part de sa doctrine. Dans les recueils collectifs de poésie, il conquiert la troisième place en 1609, après Du Perron et Bertaut ; il obtient la première en 1627.

Mais après 1610, il ne fit plus guère de vers. Il songea à de nouvelles traductions en prose, et s'occupa de sauver des rigueurs de la loi son fils, qui avait tué un adversaire en duel. En 1627, ce fils périt à son tour dans un duel ; Malherbe consuma ses dernières forces à poursuivre les meurtriers et à demander vengeance à Louis XIII. Il mourut quelques semaines avant la capitulation de La Rochelle.

La dernière édition de ses œuvres date de 1862. Martinon a édité ses poésies en 1926, et Lavaud en 1936. Consulter F. Brunot, la Doctrine de Malherbe d'après son commentaire sur Desportes, 1891 ; A. Counson, Malherbe et ses sources, 1904 ; R. Lebègue, Nouvelles études malherbiennes (Bibliothèque d'Humanisme et Renaissance, V), et la Poésie française de 1560 à 1630, II, 1947.

Ce serait une grave erreur que de voir en Malherbe le législateur né du classicisme. Il commença par être un médiocre imitateur de la Pléiade. Puis, à l'âge de trente ans passés, il fit une adaptation des *Larmes de saint Pierre* de Tansillo. Elle témoigne d'un talent personnel ; mais

c'est de la poésie baroque, où l'hyperbole est poussée jusqu'à l'absurde et où les images abondent et sont complaisamment développées :

> L'Aurore d'une main, en sortant de ses portes,
> Tient un vase de fleurs languissantes et mortes,
> Elle verse de l'autre une cruche de pleurs,
> Et d'un voile tissu de vapeur et d'orage
> Couvrant ses cheveux d'or, descouvre en son visage
> Tout ce qu'une ame sent de cruelles douleurs.

Dans la suite, il ne renoncera jamais à l'hyperbole et à la préciosité baroque ; mais l'enflure démesurée, l'exubérance descriptive et le réalisme trivial disparaîtront. Son évolution vers le classicisme se manifeste dans la *Consolation à Cléophon*, écrite en Normandie, vers 1590, une dizaine d'années avant la *Consolation à Du Périer*, qui en sera le plagiat. Cette pièce tranche sur les poèmes du temps par son plan logique, son mouvement, son style condensé et vigoureux. De l'année 1596 datent les premières odes de Malherbe que l'on ait conservées ; par un coup de génie, il renouait la tradition du grand lyrisme que Ronsard avait créée en 1550 ; il empruntait à son devancier, que plus tard il critiquera sans ménagement, les débuts vifs et le dizain où ses phrases se moulent parfaitement.

Renonçant à l'élégie et aux autres poèmes à rimes plates, il se consacre à la poésie lyrique et au sonnet. Il fait des vers amoureux, un peu guindés et froids, des chansons, des vers de ballets ; mais pour lui, la voie royale, c'est le lyrisme élevé des éloges, des prières et des paraphrases de psaumes. Il applique une doctrine grammaticale et littéraire aussi rigoureuse que cohérente. La composition est rationnelle et nettement marquée ; le mouvement, donné dès le début, est relancé dans le cours de la pièce. Pas d'hiatus, ni de cacophonies, ni de rejets ; pas de rimes faibles ou trop faciles ; la césure est régulière ; le rythme de l'alexandrin est scandé par les accents, que renforce souvent le voisinage d'un *e* muet :

FRANÇOIS DE MALHERBE. Portrait par Daniel Du Monstier (B. N., Cabinet des Estampes). — CL. LAROUSSE.

> L'oysïve nonchalance et les molles delices.

Le vocabulaire, la syntaxe et les ornements poétiques ne présentent aucune équivoque, aucune obscurité, aucune irrégularité ; c'est la langue, non des crocheteurs du Port-au-foin, mais de la Cour et de la Ville. Pas de délayage. Les images, peu variées et peu développées, servent à rendre l'idée sensible. Là où il aurait fallu deux pages à l'auteur des *Tragiques*, trois vers suffisent à Malherbe :

> Quand un roy faineant, la vergongne des princes,
> Laissant à ses flateurs le soin de ses provinces,
> Entre les voluptez indignement s'endort...

Du fait particulier, il tire une philosophie politique, qu'il expose avec des sentences ; dans la belle paraphrase du Psaume CXLV, les amères rancœurs du vieux courtisan s'expriment de façon générale. Ses idées sur le gouvernement et sur la paix intérieure du royaume étaient celles de tous les bons Français : il fut vraiment l'interprète de la conscience publique.

La nature l'avait médiocrement doué. Cette poésie

intellectuelle et oratoire lui coûtait de longs efforts, dont témoignent les ratures de ses brouillons. Mais, parfois, il a réussi à atteindre la perfection ; et les leçons de sobriété et de pureté formelle qu'il a données, furent utiles. D'autres conceptions de la poésie ont succédé à la sienne ; mais il serait injuste d'oublier qu'il eut pour disciples Racan et La Fontaine, pour admirateurs Chénier et Baudelaire.

LES DISCIPLES DE MALHERBE

Malherbe n'a pas véritablement fait école. Les plus dociles de ses disciples, Yvrande, Touvant, Colomby, n'ont guère laissé que leur nom. Plus illustres, plus indépendants aussi de leur maître, Mainard et Racan doivent peut-être en partie leur réputation à l'estime que concevait pour eux Malherbe. Mais, si ce dernier se fit illusion sur leur fortune littéraire, du moins ne se trompa-t-il pas sur leurs mérites en reconnaissant à Mainard l'art de bien faire le vers et à Racan l'inspiration.

MAINARD

Né en 1582 à Toulouse, Mainard fit d'abord partie de la maison de Marguerite de Valois. Il était alors disciple de Desportes et de Bertaut, mais il passa dans le camp de Malherbe dès l'arrivée de celui-ci à Paris. Nommé président au présidial d'Aurillac, en 1618, il se fixa dans cette ville d'où il ne revint à Paris que pour de brefs séjours. En 1635-1636, il accompagna en Italie, en qualité de secrétaire d'ambassade, l'ambassadeur du roi, François de Noailles, mais ne s'entendit pas avec lui, et la rupture qui en résulta valut à Mainard une demi-disgrâce. Il passa les dernières années de sa vie dans sa retraite de Saint-Céré, où il mourut en 1646.

Ses poésies, comme celles de son maître, ne virent guère le jour, de son vivant, que dans des recueils collectifs. L'année de sa mort seulement (1646), il se décida à publier une partie de ses vers, qui parurent chez le libraire Augustin Courbé.

La seule édition moderne de Mainard se disant complète, celle de Gaston Garrisson (1885-1888, 3 volumes), a le tort de consacrer son premier volume aux poésies, parues en 1613, d'un certain François Ménard, avocat au parlement de Toulouse, qui n'a rien de commun avec notre poète. La première partie du second volume est également occupée par un poème, le Philandre, dont, malgré la démonstration tentée par Ch. Drouhet, l'attribution à Mainard est loin d'être certaine. Enfin, Garrisson est loin d'avoir recueilli toutes les poésies de Mainard. (Voir sur ces questions Durand-Lapie et Frédéric Lachèvre, Deux homonymes du XVIIe siècle, François Maynard... et François Ménard, 1899, ouvrage suivi de la publication de soixante-seize pièces de Mainard omises par Garrisson.) La plus récente édition est celle de Ferdinand Gohin (1927) qui publie le texte du recueil de 1646 accompagné d'un choix de pièces des divers recueils collectifs.

Étudier : Charles Drouhet, le Poète François Mainard, 1909 ; Frédéric Lachèvre, le Problème des deux Maynard (Revue d'histoire littéraire de la France, 1910).

Mainard avait été loué si hautement par Malherbe qu'il passa d'abord pour un grand poète. Il perdit peu à peu cette réputation, quand il eut quitté Paris. Il accusa de cette disgrâce l'ingratitude de Richelieu et le mauvais goût des Précieuses, sans jamais douter de la revanche que l'avenir lui réservait. Sa foi en sa gloire future s'étale naïvement dans plusieurs de ses pièces.

Mais, s'il survécut quelque peu à sa gloire, l'oubli dans lequel il est trop longtemps demeuré est tout aussi injustifié que la réputation dont il jouit durant quelques années. Il semble que nous soyons parvenus de nos jours à nous faire une idée plus équitable de ses véritables mérites.

Excellent ouvrier en vers, il perfectionna la technique de l'alexandrin et de la stance lyrique. Sa fantaisie ne put jamais se plier à la rigidité du sonnet et la plupart de ceux que l'on rencontre dans son œuvre sont libertins, c'est-à-dire que les deux quatrains en sont construits sur des rimes différentes. La perfection technique de ses odes et de ses stances est, en revanche, remarquable. Tout le monde connaît les stances de *la Belle vieille*, où s'entrelacent de si harmonieuse façon les deux motifs de l'amour de la nature et du culte de la Beauté, et où la sensibilité du poète parvient à s'exprimer avec une vigueur qui contraste avec la froideur habituelle de son maître :

> Pour adoucir l'aigreur des peines que j'endure,
> Je me plains aux Rochers et demande conseil
> A ces vieilles Forests, dont l'espaisse verdure
> Fait de si belles nuits en despit du Soleil.
>
> L'ame pleine d'Amour et de Mélancholie,
> Et couché sur des Fleurs, et sous des Orangers,
> J'ay monstré ma blessure aux deux Mers d'Italie,
> Et fait dire ton nom aux Echos estrangers.
>
> Regarde sans frayeur la fin de toutes choses.
> Consulte le Miroir avec des yeux contens.
> On ne voit point tomber ny tes lys, ny tes roses ;
> Et l'hyver de ta vie est ton second printemps.

Certaines de ses odes, l'*Ode à Alcippe*, l'*Ode à Flote*, ou celle *A messire Charles de Noailles* rappellent parfois la vigueur et le souffle de Malherbe :

> Ce vray portrait de sa vertu
> Le remplira d'autant de joye
> Qu'il en eut d'avoir abatu
> L'orgueil d'Espagne et de Savoye,
> Et, devant les yeux des Anglois,
> Mis souz le pouvoir de ses lois
> Les hauts remparts de ceste place,
> Où nos Ennemis intestins
> Faisoient au gré de leur audace
> Nos bons et nos mauvais destins.

Sur d'autres déborde parfois son génie ironique, et quelques-unes, *le Magistrat*, *le Théologien*, *le Poltron*, sans l'égaler à Martial ou à Catulle, le rangent néanmoins en bonne place parmi les satiriques de l'époque :

> Tu laisses combatre les Princes.
> Leurs armes ne t'animent point ;
> Et mets tousjours quatre Provinces,
> Entre la guerre et ton pourpoint.

Mainard a surtout brillé dans l'épigramme, genre auquel le portait de prime abord son esprit naturellement tourné vers la raillerie, et dans lequel, en un âge plus avancé, il trouva un beau terrain où exercer les rancœurs causées par ses déboires. Il usa de préférence de la forme du sonnet libertin, ou du dizain disposé à la façon d'un sonnet dont on aurait retranché le premier quatrain. Épigrammatiste un peu prolixe et un peu trop fécond, parfois débridé au point de tomber dans l'obscénité en son recueil des *Priapées*, toujours spirituel, souvent caustique et même féroce, il a su marquer cruellement ses ennemis :

> Flote, vois-tu ce petit homme
> Qui parle avec tant de mépris
> De tout ce que la vieille Rome
> Nous a laissé de beaux écris.
>
> Tout son plaisir est de médire.
> Mais ceux que son caquet déchire
> L'ont horriblement diffamé.
>
> Sa bosse est souvent bastonnée.
> Et dit-on qu'elle a consumé
> Plus de bois que sa cheminée.

RACAN

Honorat de Bueil, sire de Racan, naquit en 1589, à Champmarin, aux confins du Maine et de l'Anjou, d'une famille tourangelle de militaires et de fonctionnaires royaux. Élevé d'abord à la campagne, à la Roche-au-Majeur, près de Saint-Paterne, en Touraine, où il fit de médiocres études, orphelin de père et de mère dès 1602, il entra au service de Henri IV comme page de la Chambre du roi, puis fut attaché à la personne du grand écuyer, le comte de Bellegarde. C'est chez ce seigneur qu'il fit la connaissance de Malherbe, dont il devint le disciple préféré. Il servit pendant quelque temps comme officier dans les armées royales, et prit part au siège de La Rochelle ainsi qu'aux campagnes de 1629 et 1630 en Piémont. Il s'était marié en 1628. Il abandonna le service en 1639, et désormais, retiré en Touraine, consacra son existence à sa famille, aux exercices de piété et à la poésie religieuse, revenant de temps en temps à Paris pour veiller à ses intérêts et assister à quelques séances de l'Académie française. C'est durant l'un de ces séjours qu'il mourut, le 21 janvier 1670.

Édition des Œuvres complètes, par Tenant de La Tour, 1857 (2 vol.). Il existe une autre édition plus récente, mais moins complète : les Bergeries et autres poésies lyriques, publiée par Pierre Camo, 1928. Une édition critique est en cours de publication, par les soins de Louis Arnould, aux Textes français modernes : Tome Ier, Poésies, 1930; Tome II, les Bergeries, 1937; restent à publier la traduction des Psaumes et les Œuvres en prose. A consulter : Louis Arnould, Racan, 1896; deuxième édition, 1901.

MAINARD.   RACAN.

Portraits conservés à la Bibliothèque nationale (Cabinet des Estampes). — CL. LAROUSSE.

En associant le nom de Racan à celui de son maître, Boileau lui a conféré une durable réputation qui excède peut-être quelque peu ses talents. Le bagage lyrique du poète demeure assez mince, et l'on est loin de rencontrer dans les quelque quatre-vingts pièces, odes, stances et sonnets qu'il a laissés, l'ensemble des ressources que l'on trouve chez Mainard.

Les trop célèbres *Stances sur la Retraite*, la seule poésie, d'ailleurs, de Racan qui soit demeurée populaire, rachètent par leur harmonie et par la pureté de leur langue tout ce que cet amour de la campagne présente d'affecté et de conventionnel. La pièce retentit davantage des échos d'Horace et de Claudien, de Desportes et de Claude Binet, que des propres sentiments du poète. Peut-être montre-t-il plus de personnalité dans son ode *Au fleuve du Loir desbordé* :

> Loir, que tes ondes fugitives
> Me sont agreables à voir,
> Lors qu'en la prison de tes rives
> Tu les retiens en leur devoir,
> Au lieu de voir sur tes rivages,
> Durant ces funestes ravages
> Les peuples maudire tes eaux,
> Quand leurs familles effroyées
> Cherchent de leurs maisons noyées
> Le débris parmi les roseaux.

Les Bergeries (1625) ont consacré la réputation de Racan. Écrites pour Catherine de Termes, belle-sœur de son protecteur Bellegarde, qu'il met en scène sous l'anagramme d'Arténice; imitées de l'*Aminta* du Tasse et du *Pastor fido* de Guarini, elles s'intéressent bien plus souvent à l'homme qu'à la nature. Mais ce sont surtout les vers inspirés par la nature qui font le charme de cet ouvrage.

Ce sont ces tableaux du soir, du midi, de la nuit, souvent d'une ingéniosité trop précieuse, mais parfois si vraiment virgiliens :

> Les ombres des costeaux s'allongent vers les plaines :
> Desjà de toutes parts les laboureurs lassez
> Tirent devers les bourgs leurs coutres renversez...
> Le soleil ne luit plus qu'au haut des cheminées.

C'est encore le couplet du vieil Alcidor, associant dans un même amour ses brebis, son champ, son logis, son travail, ses enfants : page célèbre, où l'on peut voir le chef-d'œuvre de l'auteur, et peut-être le chef-d'œuvre de l'école de Malherbe :

> Heureux qui vit en paix du laict de ses brebis,
> Et qui de leur toison voit filer ses habits;
> Qui plaint de ses vieux ans les peines langoureuses,
> Où sa jeunesse a plaint les flames amoureuses;
> Qui demeure chez luy comme en son élément,
> Sans cognoistre Paris que de nom seulement,
> Et qui, bornant le monde au bord de son domaine,
> Ne croit point d'autre mer que la Marne ou la Seine!
> En cet heureux estat, les plus beaux de mes jours
> Dessus les rives d'Oyse ont commencé leur cours.
> Soit que je prisse en main le soc ou la faucille,
> Le labeur de mes bras nourrissoit ma famille;
> Et, lorsque le soleil, en achevant son tour,
> Finissoit mon travail en finissant le jour,
> Je trouvois mon foyer couronné de ma race.
> A peine bien souvent y pouvois-je avoir place :
> L'un gisoit au maillot, l'autre dans le berceau;
> Ma femme, en les baisant, dévidoit son fuseau...

Racan termina sa carrière en paraphrasant les Psaumes : en 1631, les Psaumes de la Pénitence; en 1652, trente-deux autres Psaumes; en 1660, le reste du Psautier. Ces paraphrases appartiennent au groupe d'œuvres écrites par des croyants pour défendre contre les libertins le dogme de la Providence. Racan y répond aux objections que déjà Du Vair avait réfutées, et que Bossuet réfutera encore. Ces Psaumes ne font pas oublier ceux de Desportes. Écrits dans une langue plus correcte, peut-être, ils sont moins riches en combinaisons strophiques.

La poésie apparaît quand l'avocat de la Providence, en louant le Créateur d'avoir donné à l'homme le blé, le vin, les fruits, les brebis, peut redevenir ce qu'il était naguère, un poète de la vie rustique :

> Tout ce qui vient de toy nous comble de bonheur;
> Quand la pluye a baigné nos champs et nos prairies,
> La javelle remplit le poing du moissonneur,
> Et l'herbe à pleine faulx nourrit nos bergeries.
>
> La terre par tes soins nous sert de magazin,
> Et, remplissant son sein d'une féconde flâme,
> Par le suc de l'olive et le jus du raisin
> Elle adoucit nos nerfs et réjouit nostre ame.

JEAN DE LINGENDES

Né à Moulins, en 1580, Jean de Lingendes mourut probablement vers 1615 ou 1616. On ne connaît à peu près rien de son existence. Édition de ses Œuvres complètes publiée par Griffiths, 1912.

Bien que situé en marge de Malherbe et de son école, il semble que ce soit ici qu'il convienne de placer ce poète peu fécond, mais délicat, dont les vers marquent d'un jalon l'évolution de notre poésie au début du XVIIe siècle. Son œuvre la plus importante, *les Changements de la bergère Iris* (1605), n'a été précédée, en France, dans le genre du poème pastoral, que par le *Sireine* d'Honoré d'Urfé, qui est de 1604 (*le Philandre*, attribué à Mainard, ne paraîtra qu'en 1619). S'il est vrai que ce poème a été, en partie, écrit en 1604, il ne peut certainement pas devoir grand-chose à Malherbe. Il n'en marque pas moins, par la souplesse de sa langue, un progrès sur l'école de Desportes.

Postérieure à cette œuvre, l'*Élégie pour Ovide*, placée en tête de la traduction des *Métamorphoses* d'Ovide par Nicolas Renouard (1617), consacre les progrès de Lingendes dans son art et l'enrichissement de ses ressources rythmiques. Elle contient quelques beaux vers malherbiens :

> Ovide, c'est à tort que tu veux mettre Auguste
> Au rang des immortels,
> Ton exil nous apprend qu'il estoit trop injuste
> Pour avoir des autels.
>
> Aussi t'ayant banny sans cause legitime,
> Il t'a desavoüé,
> Et les Dieux l'ont souffert pour te punir du crime
> De l'avoir trop loüé.

RÉGNIER ET LES POÈTES SATIRIQUES

Malgré l'exemple d'Horace, de Juvénal et de l'Arioste, les Français attendirent le règne de Charles IX pour publier des Satires. Mais déjà le Poète courtisan de Du Bellay eût mérité ce titre ; et les Discours de Ronsard contiennent d'excellents morceaux satiriques, dont Régnier fera son profit. Rapin adapte à la vie française de son temps deux satires d'Horace ; un autre magistrat, Vauquelin de La Fresnaye, publie, en 1605, peu avant sa mort, un copieux recueil de médiocres Satyres françoises, plagiées de l'italien et du latin. Régnier est le premier qui, en France, ait donné à la satire ses lettres de noblesse.

La biographie de Mathurin Régnier, qui repose surtout sur son œuvre, est pauvre et incertaine ; car c'est sur son caractère qu'il fait des confidences, plutôt que sur les circonstances de sa vie. Il naquit à Chartres, en décembre 1573. Son père appartenait à la bourgeoisie, et sa mère était la sœur de Desportes. Ils rêvaient pour lui la brillante carrière de son oncle. On le tonsura dès l'âge de neuf ans. A partir de 1587, il accompagna le cardinal de Joyeuse dans ses missions diplomatiques à Rome. Mais il manquait d'entregent, et son maître blâmait sans doute ses mœurs relâchées. Il n'obtint jamais de grasses prébendes, même lorsque Desportes mourut.

A Paris, où il séjourna au moins depuis 1605, il allait visiter son oncle au logis des chanoines de la Sainte-Chapelle et à Vanves ; il se montrait à la Cour, et il fréquentait de bons vivants. Il devint chanoine de la cathédrale de Chartres en 1609. Dès le milieu de l'an-

née 1612, il était sérieusement malade ; il mourut en 1613, à l'âge de trente-neuf ans.

En 1608, il publia les satires I - IX et XII. Une deuxième édition, qui parut l'année suivante, contenait en plus les satires X et XI. Il y ajoutait, en 1612, la satire XIII (Macette). La première édition posthume révélait, entre autres pièces, quatre satires. Le succès de ses œuvres était si grand qu'on en multiplia les éditions, en y introduisant maint inédit, d'authenticité discutable.

Consulter l'édition Brossette, 1729, celle de Courbet, 1875, et le Régnier de J. Vianey, 1896. Les satiriques du début du XVIIe siècle ont été réédités par Fleuret et Perceau, par Pr. Blanchemain et par Fr. Lachèvre.

> J'ai vescu sans nul pensement,
> Me laissant aller doucement
> A la bonne loy naturelle...

Ainsi commence la célèbre épitaphe de Régnier par lui-même, qu'on put lire dès 1609 dans les *Muses gaillardes*. Il se plaignait d'être maltraité par la Fortune ; mais il ne se souciait que de cueillir les plaisirs, surtout ceux de l'amour. Il avouait que ses aventures galantes l'avaient rendu « grison » avant l'âge, et cette mauvaise langue de Tallemant leur attribue sa fin prématurée.

C'était un bon garçon, nonchalant, et sans grande ambition. Sa philosophie est sommaire et peu originale ; on y reconnaît l'influence des *Essais* : la raison, dont s'enorgueillissent les hommes, est débile ; elle varie selon les individus, les âges, les humeurs. Tout dépend du Destin, de la Fortune. Il faut donc se résigner à ses caprices, et suivre la bonne Nature. Écartons les idées nouvelles, et ayons du bon sens et un bon jugement.

Parfois — surtout, je pense, en temps de maladie —, il a des remords, il songe avec crainte à l'enfer, suit la messe avec contrition, et compose de beaux vers religieux. Mais il n'a pas assez de volonté pour persévérer, et son projet de grand poème sacré est resté au vingtième vers.

Ne cherchons dans ses vers ni une pensée originale, ni un enchaînement rigoureux des idées. La liste de ses sources est aussi impressionnante que celle des modèles de Vauquelin : il a imité Horace, Juvénal, Ovide, l'Arioste, Berni, Mauro, Caporali, Ronsard, Rabelais, Desportes. Il s'autorise de l'exemple d'Horace et de Montaigne pour composer des « discours tissus bigarrement ». Ce furent les attaques de Malherbe contre son oncle qui le forcèrent à réfléchir sur l'art poétique ; mais il se contenta d'emprunter à Ronsard la conception de la poésie qu'il opposa aux dogmes du nouveau venu. En effet, il reprit au grand Vendômois la théorie de l'inspiration divine et la distinction entre le poète et le versificateur ; ainsi il pouvait justifier son propre laisser-aller, ses négligences de syntaxe, et jusqu'aux coquilles qu'il laissait subsister dans les éditions de ses œuvres.

A la manière d'Horace, il traite des sujets variés : tantôt il nous parle de ses goûts et de ses passe-temps, tantôt il amplifie des lieux communs de morale, tantôt il fait des portraits satiriques. La satire IX, qui est la première en date de nos satires littéraires, entrelace un thème moral et un thème littéraire. L'exécution est inégale. Les grandes phrases sont mal construites ; le style abstrait est médiocre. Mais la riposte à Malherbe est pleine de verve ; et, quand Régnier fait un portrait, qu'il raconte une anecdote, ou qu'il reproduit un dialogue, il s'élève au-dessus de tous les satiriques français, Boileau excepté. A quoi bon noter qu'il doit à un ancien ou à un moderne tel thème, tel procédé, telle expression ? Il fait œuvre originale, en l'adaptant aux circonstances et en lui donnant plus de relief et de vie.

Son tableau de la société contemporaine est très incomplet ; mais il a tracé des portraits inoubliables des gens qu'il rencontrait au Louvre, chez son oncle, ou dans les lieux de plaisir : muguets de Cour, poètes gueux et importuns,

LE PONT-NEUF. Gravure de Jacques Callot (B. N., Cabinet des Estampes). — CL. LAROUSSE.

« Il vint à reparler dessus le bruit qui court
De la royne, du roy, des princes, de la court;
Que Paris est bien grand; que le Pont-Neuf s'achève... »   (*Satire VIII*, « le Fascheux ».)

entremetteuses, femmes vénales, etc. S'efforçant « de voir au travers d'un chacun », il dessine, avec le trait précis et nerveux d'un Callot, la silhouette, l'attitude, le geste, les jeux de physionomie du personnage; il accumule les épithètes pittoresques, et il le fait parler en style direct. Ainsi le caractère se révèle bien mieux que si Régnier recourait à l'analyse psychologique.

Sa langue est concrète; elle abonde en images, en métaphores, en expressions populaires et proverbiales, en alliances de mots originales.

En 1608, il se mit en tête de composer deux narrations purement bernesques : c'est le *Repas ridicule* et le *Mauvais gîte ;* probablement, il voulait prouver à Motin, Sigogne, ou Berthelot que, dans ce genre, il pouvait faire mieux qu'eux. A l'exemple des Italiens, il y a mis des portraits très détaillés, où la laideur est exagérée, et il a multiplié les incidents burlesques.

Après avoir ainsi démontré sa supériorité, il eut le bon goût d'abandonner cette voie facile, et, avant de mourir, il mit au jour son chef-d'œuvre : *Macette*. Là, pas de bouffonnerie, ni d'outrance; il y faisait œuvre de moraliste, sans verser dans le développement didactique. La prolixité, qui est une de ses faiblesses, et l'abondance des proverbes ajoutaient à la vraisemblance, puisqu'il faisait parler une vieille femme. Macette s'égale à la Célestine et à Tartuffe.

Malherbe « l'estimoit en son genre à l'égal des Latins ». En effet, bien que leurs conceptions de la poésie fussent absolument opposées, il admirait certainement dans ses satires la vigueur des termes, le relief des images, le rythme de l'alexandrin, les hémistiches symétriques ou antithétiques, le mouvement de l'ensemble.

Quant aux bernesques français, Sigogne, Berthelot, Motin, d'Esternod, leurs satires toujours outrées, triviales ou obscènes font ressortir, par contraste, la vérité et la modération de Régnier. Quels sont leurs thèmes préférés ? L'invective contre une laideron crasseuse, une entremetteuse ou une vieille repoussante, la description d'un vêtement sale et usé, le testament d'un vérolé, le galimatias... Poésie monotone dans le fond, éloignée de la réalité, mais riche de comparaisons et d'expressions cocasses.

Il y a plus de retenue chez ces satiriques normands : Sonnet de Courval, Angot de L'Esperonnière, Jean Auvray, Du Lorens. Leurs satires en alexandrins contiennent des tableaux exacts des mœurs et des usages du temps. Ils ont moins de verve et de pittoresque que Régnier, qu'ils imitent volontiers. Boileau, qui, lui aussi, a souvent puisé à la même source, les fera oublier.

THÉOPHILE DE VIAU

Malgré les recherches de Lachèvre et d'Adam, la courte vie de Théophile reste assez obscure.

Il naquit de parents protestants, près d'Agen, en 1590. En 1611, à l'académie de Saumur, il était déjà un étudiant débauché. Ensuite, il accompagna dans ses déplacements une troupe de comédiens, et lui fournit des pièces de théâtre. En mai 1615, il est inscrit, ainsi que Balzac, sur la matricule de l'université de Leyde ; mais il n'y fait pas de longues études. Il entre au service du comte de Candale, fils du duc d'Épernon ; son jeune maître est un de ces seigneurs qui pratiquaient impunément le libertinage d'idées et de mœurs. A son exemple, Théophile se répand

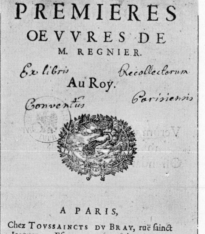

LES PREMIÈRES ŒUVRES DE M. RÉGNIER. Page de titre de la première édition, qui contient la plupart des satires. — CL. LAROUSSE.

en libres propos, et il compose, dit-on, des vers « salles et impyes », qui lui valent, en 1619, un exil momentané.

Il produit de nombreuses poésies, qui sont réunies en volume en 1621. Sa tragédie de Pyrame et Thisbé *est jouée avec succès. En 1622, au moment de la campagne contre les protestants, il abjure leur religion. Mais, à la fin de cette année, la publication du* Parnasse satyrique *donne au P. Garasse l'occasion d'attaquer les libertins du temps, et surtout Théophile, qu'il taxe d'obscénité, d'impiété et de sodomie. En août 1623, le Parlement de Paris condamna Théophile à être brûlé vif. Le poète s'enfuit à Chantilly, chez le duc de Montmorency, qui le logeait dans la « maison de Sylvie »; il voulut ensuite gagner les Pays-Bas, mais fut arrêté à la frontière. On le conduisit à la Conciergerie, où il fut logé dans le cachot de Ravaillac. L'affaire fut reprise, et, après une très longue instruction, il fut condamné, le 1er septembre 1625, au bannissement perpétuel.*

Montmorency le prit de nouveau sous sa protection; dès 1626, il fut autorisé à revenir à Paris; mais son séjour en prison, et peut-être aussi ses excès avaient usé sa santé. Il mourut, après avoir communié, le 25 septembre 1626.

Jusqu'en 1677, il y eut une soixantaine d'éditions de ses œuvres : c'est le plus grand succès de librairie qu'un poète français ait remporté pendant le XVIIe siècle. Éditions modernes : Œuvres complètes, *1856 ;* Œuvres poétiques *(choix), 1926. Consulter Fr. Lachèvre,* le Procès de Th. de Viau, *1909 ; Ant. Adam,* Th. de Viau et la libre-pensée française en 1620, *1935.*

THÉOPHILE DE VIAU. Gravure de Daret.
CL. LAROUSSE.

la chasse, les beaux chevaux, les bonnes odeurs, la bonne chere. »

Son œuvre est variée : il a composé de nombreuses odes et stances, des élégies, des sonnets, des vers de ballet, des pièces de théâtre, quelques satires, des lettres en français et en latin, et divers morceaux de bonne prose. Dans les odes, ou bien il développe les thèmes du lyrisme officiel, ou bien il cause librement de lui-même, de ses amours, ou de morale, ou bien il décrit un aspect de la nature.

L'amour et le sentiment de la nature : c'est dans l'expression de ces deux sentiments que Théophile surpasse tous les poètes français de la première moitié du XVIIe siècle ; c'est par là, et non par le fameux *poignard rougissant*, que son *Pyrame* occupe une place à part parmi les tragédies de l'époque et mérite de survivre. Nous ne savons rien des belles que Théophile a chantées ; mais nous avons plaisir à trouver, à côté de clichés précieux, l'expression de sentiments vrais : tendresse, désir sensuel, espoir, inquiétude...

Le thème de la nature n'offre pas moins de diversité. Philosophe « libertin », Théophile la célèbre comme une force bonne et toute-puissante. Poète d'inspiration, il la remercie de lui « donner des vers ». Amoureux, il la prend pour confidente. Poète baroque, il la personnifie avec une fâcheuse ingéniosité (l'orage comparé à un catarrhe, et le soleil à un œil larmoyant!), il prête des sentiments amoureux aux fleuves, aux bois, aux divinités champêtres, ou affecte d'être jaloux des fleurs foulées par sa belle :

> Les fleurs que sous tes pas tous les chemins produisent,
> Dans l'honneur qu'elles ont de te plaire, me nuisent.

Si charmantes que soient ses évocations des Naïades et des petits Amours de l'étang de Sylvie, on préférera peut-être ses descriptions précises de la terre paternelle, fleurie de jasmins et où le soleil mûrit brugnons, figues, muscats et grenades, et ses *quadri*, brefs comme les dessins japonais ou comme certains *Paysages belges* de Verlaine. Sauf La Fontaine — qui lui a emprunté le *gris de lin* et l'*orangé* de *Psyché* — personne, au XVIIe siècle, n'a aussi profondément senti et aussi harmonieusement évoqué les beautés mystérieuses de la nature :

> Dans ce parc un vallon secret
> Tout voilé de ramages sombres...

Si Théophile était mort au même âge que Malherbe ou Racan, l'évolution de notre poésie eût-elle été différente ? Eût-il cédé au goût des Précieuses pour le badinage de salon ? Eût-il penché, au contraire, vers le burlesque ? Ou plutôt, dédaignant les modes littéraires, n'eût-il pas donné le salutaire exemple d'une poésie sincère ? Vaines suppositions. Ce qui est sûr, c'est que la mort nous a privés de belles œuvres et qu'elle a empêché Théophile, comme Chénier, d'atteindre son point de perfection.

Théophile a formulé, en 1621, sa conception de la poésie. Il s'efforce d'être original : il rejette, d'une part, l'imitation des Anciens, qui était une des pièces maîtresses de la doctrine de la Pléiade, et, d'autre part, celle de Malherbe, que pratiquaient indiscrètement la plupart des poètes de sa génération. Il s'abandonne à l'inspiration, en rêvant dans un bois ou le long d'un ruisseau. Il ne supporte pas la contrainte des règles, et avoue qu'il « écrit confusément », sans « polir les vers ».

Bien que dans le lyrisme officiel il imite les procédés de Malherbe (y compris la rime *Liban-turban !*), et qu'il ait recherché, selon les moments, la simplicité naturelle ou le bel esprit baroque, la plupart de ses œuvres s'accordent avec cette doctrine. Il n'a guère observé les règles de versification, de vocabulaire, de style et de composition que Malherbe enseignait impérieusement. Aussi, ses négligences, de même que ses *concetti*, lui ont-ils valu le mépris de Boileau; dans son œuvre trop abondante on ne rencontre pas de poème bien composé et sans faiblesse.

Mais de tous les poètes qui ont refusé de se courber sous la férule de Malherbe, c'était lui le mieux doué. Sa sensibilité était vive et large; il fait dire quelque part par son porte-parole : « Il faut avoir de la passion non seulement... pour les belles femmes, mais aussi pour toute sorte de belles choses. J'aime un beau jour, des fontaines claires, l'aspect des montagnes, l'estendue d'une grande plaine, de belles forests; l'Océan, ses vagues, son calme, ses rivages; j'ayme encore tout ce qui touche plus particulièrement les sens : la musique, les fleurs, les beaux habits,

II. — LA PHILOSOPHIE ET LA RELIGION

GUILLAUME DU VAIR

Guillaume Du Vair est né à Paris, le 7 mars 1556. Sa famille appartenait à la noblesse d'Auvergne. Fils d'un avocat réputé, il est licencié en droit à quatorze ans. En 1577, après un voyage en Italie, il entre comme

maître des requêtes à la cour du duc d'Alençon, frère du roi ; il y est le témoin attristé des intrigues les plus louches, ourdies en vue de réaliser d'ambitieux desseins. Il quitte ce métier équivoque et devient, en 1584, conseiller-clerc au Parlement. Après le meurtre d'Henri III, il reste à Paris. En 1592, il compose et fait répandre autour de lui un discours, Exhortation à la paix, *où, après l'examen de toutes les candidatures posées au trône de France, il se rallie à celle du roi de Navarre, s'il se fait catholique. Le 28 juin 1593, il prononce un discours* Pour la manutention de la loi salique *et obtient du Parlement un arrêt qui, d'avance, annule l'élection de l'Infante. Ce jour-là, Du Vair, on peut le dire, sauve, au péril de sa vie, la France du joug étranger. Très engagé dès lors dans le parti qui prépare l'avènement du Béarnais, il travaille à la reddition de Paris. Henri IV, reconnaissant, le nomme maître des requêtes. Puis il lui donne, avec pleins pouvoirs, la mission de rétablir l'ordre en Provence. Après la pacification du pays, Du Vair reste à Aix comme premier président. Il est garde des sceaux en 1616, disgracié quelques mois plus tard, de nouveau garde des sceaux, et cette fois jusqu'à sa mort, en 1621.*

Les amis de Du Vair, en particulier Peiresc et Malherbe, ont complété, en 1625, l'édition de ses œuvres, en apportant aux discours politiques de prudentes corrections.

On a des éditions modernes du traité de l'Éloquence française, *par Radouant, 1908 ; — des* Actions et traictez oratoires, *par le même, 1911 ; — du* Traité de la constance, *par Flach et Funck-Brentano, 1915; — de la* Sainte philosophie *et de la* Philosophie morale des stoïques, *par Michaut, 1946.*

Études d'ensemble : René Radouant, Guillaume Du Vair, l'homme et l'orateur, *1908; Léontine Zanta,* la Renaissance du stoïcisme au XVIᵉ siècle, *1914.*

GUILLAUME DU VAIR. Gravure de Fr. Langlois, dit Ciartres. — CL. LAROUSSE.

Les discours de Du Vair sont des compositions fortes, bien construites, pleines de faits précis et d'arguments solides, pas éloquentes de parti pris, quoique habituellement cicéroniennes. Il n'y fait entrer qu'un petit nombre des exemples historiques, citations et comparaisons, que ses pédants collègues empruntaient à l'Antiquité. L'orateur, à la fois adroit et vigoureux, ménage les susceptibilités de ses auditeurs, entre dans les vues de l'adversaire, et pourtant laisse éclater quand il le doit sa pitié, son mépris, son indignation. Le jour où, en défendant la loi salique, il fit un acte de beau courage, il donna en même temps à notre éloquence politique son premier chef-d'œuvre.

Le philosophe fut encore plus estimé que l'orateur. Comme les premières éditions de ses traités sont perdues, il est difficile d'en établir la chronologie. Le plus ancien fut certainement les *Méditations sur les Psaumes de la Pénitence.* Dans ces paraphrases, Du Vair conserve de son mieux certains caractères de l'éloquence biblique, la vivacité de la phrase, l'abondance des antithèses et des images, la vigueur des apostrophes, une familiarité confinant à la vulgarité; en revanche, il est choqué, de son

propre aveu, « par le peu de liaison qui semble être entre les versets », et il reconnaît que beaucoup de travail lui a été nécessaire pour introduire quelque logique dans le texte du Psalmiste. Les nombreux Français qui, après lui, paraphraseront les Psaumes en prose ou en vers, procéderont comme lui.

Il prit ensuite les *Psaumes de la Consolation,* où le poète hébreu défend le dogme de la Providence et réfute l'objection tirée du bonheur des méchants et de l'affliction des justes. Garnier traitait le même thème à la fin des *Juives :* le sujet était d'actualité à une époque où tant de Français subissaient les plus cruelles épreuves. Dans cette *Méditation,* la vigueur de Du Vair fait parfois prévoir la grande éloquence des prédicateurs du XVIIᵉ siècle.

La *Sainte Philosophie* est une des premières œuvres françaises où la philosophie stoïcienne soit mise au service du christianisme. La religion chrétienne a fourni le point de départ : la faute originelle, qui rend nécessaire la réconciliation de l'homme avec Dieu, et le point d'arrivée : l'union avec Dieu. La philosophie a fourni les méthodes : connaître son âme, écouter la voix commune des hommes, recourir à la pensée de la mort, pratiquer les vertus de tempérance, de force, de prudence, de justice, décrites par les stoïciens.

Il traduit le *Manuel* d'Épictète, et compose la *Philosophie morale des stoïques,* où il enseigne la lutte de la raison et de la volonté contre les passions, et trace les devoirs d'un homme morale : piété, patriotisme, obligations familiales. Les événements de 1589-1590 lui inspirent d'éloquentes *Méditations sur les lamentations de Jérémie.* Son *Traité de la constance et consolation ès calamités publiques,* qui a été composé pendant le siège de Paris, en 1590, continue la tradition des dialogues philosophiques que la Renaissance avait empruntée à l'Antiquité. Du Vair y fait disserter trois de ses amis, auxquels il donne les noms de Musée, d'Orphée et de Linus. Au livre Iᵉʳ, Musée établit d'après Sénèque, Épictète, Juste-Lipse, et peut-être d'après Montaigne, que nos maux sont supportables. Au livre II, Orphée, pour démontrer que ces maux sont nécessaires, puisque Dieu les a voulus, compose un ample traité de la Providence. Au livre III, Linus, racontant la fin du président de Thou, fonde la foi en une vie future sur les arguments traditionnels, et utilise des souvenirs du *Phédon.* Et tous ces dialogues sont éloquents, émouvants même, parce que Du Vair examine les problèmes que la vie l'a obligé à se poser, et que sa philosophie, pour être inspirée de ses livres, n'en est pas moins d'abord le fruit de son expérience.

L'influence de Du Vair fut grande et, on le comprend, diverse. Sa sympathie pour la morale de Sénèque et d'Épictète n'est pas douteuse, et ses ouvrages ont certainement contribué à grossir ce courant stoïcien qui, après avoir coulé à côté du courant chrétien, s'y opposera; et alors Pascal verra dans les stoïciens de sa génération des adversaires de la religion aussi redoutables que les libertins. Mais Du Vair lui-même est un chrétien convaincu, à qui la Bible n'est pas moins nécessaire que les traités des anciens sages, et qui s'est plus soucié que Juste-Lipse,

Montaigne ou Malherbe, d'adapter la morale stoïcienne à une doctrine foncièrement chrétienne. Il n'est pas seulement l'un des créateurs de notre grande prose, le premier en date de nos grands orateurs politiques; il est aussi l'un des précurseurs de nos moralistes, et même de nos apologistes.

PIERRE CHARRON

Pierre Charron naquit à Paris en 1541. Il était fils d'un libraire. Il fit son droit, plaida pendant cinq ou six ans, puis étudia la théologie, et fut ordonné prêtre. Sans autre ambition que de faire entendre la parole de Dieu, il ne rechercha pas les dignités. Il prêcha avec un grand succès, surtout dans les diocèses du sud-ouest, résidant de préférence à Bordeaux. Il s'y lia avec Montaigne. Celui-ci, qui aimait les enfants de sa pensée au moins autant que les enfants de sa chair, autorisa Charron à prendre ses armoiries, et Charron léguera la majeure partie de ses biens à la famille de Montaigne. En 1589, étant à Angers, il se prononça d'abord pour la Ligue, puis hautement contre elle. De retour dans le sud-ouest, après une tentative pour être admis dans l'ordre des Chartreux, il séjourna à Bordeaux, puis à Cahors et à Condom.

En 1593, il publia les Trois Vérités. *Il y soutient contre les athées qu'il y a un Dieu et une Providence; ensuite, contre les déistes, les juifs et les musulmans, que la vraie religion est la chrétienne; enfin, contre les protestants, que la véritable Église est la catholique. Ce livre, où Bossuet trouvera, réunis par un effort de compilation intelligente, tous les arguments de la théologie catholique, fut pris tout à fait au sérieux par les contemporains. Les protestants le réfutèrent, et Charron leur répliqua. Député à l'Assemblée du clergé en 1595-1596, il en fut nommé secrétaire.*

Après avoir publié, en 1601, des Discours chrétiens, *il fit paraître, la même année, à Bordeaux, la* Sagesse. *Tout de suite l'ouvrage souleva des objections. Charron en prépara une nouvelle édition, et, pour y travailler, se rendit à Paris. Il y mourut le 16 novembre 1603. Son livre, révisé, parut l'année suivante. La* Sagesse *a été réimprimée en 1827. Consulter F. Strowski,* Pascal et son temps, *1907; Sabrié,* P. Charron, *1913; H. Busson,* la Pensée religieuse française de Charron à Pascal, *1933.*

Après avoir écrit un livre d'apologétique catholique, Charron voulut traiter de « l'humaine sagesse », c'est-à-dire des vertus dont Dieu a mis les semences dans chaque homme. Aussi n'est-il guère question dans cet ouvrage de l'ordre de la Grâce, bien que l'auteur se réfère souvent à la doctrine de l'Église catholique. Ce traité *De la sagesse* est divisé en trois parties; la première concerne l'homme dans sa nature générale : le corps, l'âme, les sens, les passions, les faiblesses humaines, les différentes conditions et professions. Dans la seconde sont formulées les règles générales de la sagesse. La troisième est consacrée aux vertus qu'il faut pratiquer dans le gouverne-

TRIOMPHE DE LA SAGESSE. A son piédestal sont enchaînées Passion, Opinion, Superstition et Science. Frontispice de Léonard Gaultier pour l'édition de 1604 du livre de Charron. - CL. LAROUSSE.

ment, à la guerre, dans les rapports conjugaux et familiaux, dans l'éducation, etc.

Charron est, peut-on dire, le premier éclectique français. Loin de construire une doctrine originale, il fait des emprunts à Cicéron et à Sénèque; il s'annexe les idées politiques de Juste-Lipse; il imite Bodin; il copie, à propos de la mort et des passions, les écrits stoïciens de Du Vair; il pille surtout, et sans chercher à déguiser ses emprunts, Montaigne. Cent fois, en parcourant *la Sagesse*, les lecteurs des *Essais* saluent au passage les idées et les expressions de l'ami de Charron; on peut retrouver dans l'ouvrage du théologal de Cahors le pyrrhonisme, le « naturisme », et même l'épicurisme — oh! très estompé — de son maître préféré. Aussi est-il inutile d'exposer les idées de Charron : comme Montaigne, il veut ruiner les préjugés aveugles de la coutume et l'orgueil de la science humaine. Il oppose à ces deux maîtresses d'erreur la prud'homie; cette vertu est à base de raison et de scepticisme, et elle obéit aux lois de la nature. La nature, c'est le bon sens que Dieu a donné, dès la naissance, à chacun de nous.

Avec une sincérité et une honnêteté incontestables, Charron s'efforce d'accorder le christianisme avec la raison et avec la nature, avec le scepticisme et avec le stoïcisme. Il y réussit plus ou moins. Ainsi, il se plaît à observer que la tristesse est condamnée à la fois par la nature et par la doctrine chrétienne. Il n'a garde de laisser aux *Essais* la mention des beaux suicides; mais, après avoir proposé à notre admiration les Numantins, il rappelle que l'Église n'accorde, en cette matière, aucune dispense. Il loue le mariage chrétien, mais avoue que la polygamie est utile à la propagation de l'espèce et semble plus conforme, dans sa liberté, à la nature. Selon Charron, le propre du sage est de juger de tout; mais il doit excepter de son examen critique les vérités révélées. Toutes les religions « sont horribles au sens commun »; mais il y en a une vraie — voyez les *Trois vérités* — c'est le catholicisme.

Ce livre fut souvent réimprimé au XVIIe siècle. Il était écrit avec clarté et précision; il était disposé selon un ordre minutieux, avec des divisions et des subdivisions scolastiques. C'était une véritable somme, qui embrassait les principales circonstances de la vie privée et publique, et où étaient logiquement classées les idées que Montaigne avait dispersées au gré de sa fantaisie.

Mais *la Sagesse* inquiéta, et même scandalisa certains catholiques. En 1624, le P. Mersenne jugeait cet ouvrage dangereux pour les esprits faibles. A la même époque, le P. Garasse affirma, avec sa fougue ordinaire, que c'était un des bréviaires des libertins. Saint-Cyran répondit au jésuite, sans toutefois se porter garant de l'orthodoxie de tout le livre. Il n'est pas étonnant que *la Sagesse* ait obtenu un grand succès auprès des déistes tels que Naudé, Patin, Bayle, Pope, Bolingbroke : Charron était un catholique convaincu, mais il montrait que les principales religions se ressemblent, et que chacune « se confie d'être la meilleure »; et son aversion pour les pharisiens, les superstitieux, les gens qui font le bien par peur de l'Enfer, l'entraînait à affirmer que la religion est à la portée des « esprits simples et populaires », tandis que la prud'homie était propre aux « esprits forts et généreux ». Il pouvait bien, ensuite, recommander l'union de la « vraie prud'homie » et de la « vraie piété » : le libertin se gardait de compléter la lecture de *la Sagesse* par celle des *Trois vérités*, et n'avait pas de peine à tirer du premier de ces ouvrages une morale indépendante de la religion chrétienne.

SAINT FRANÇOIS DE SALES

François de Roussy de Sales est né en 1567 au château de Thorens, en Savoie. Destiné par sa famille à la magistrature, il reçut une forte culture : il étudia les rudiments aux collèges de La Roche et d'Annecy, les humanités et la philosophie à Paris, au collège de Clermont (1580-1586), le droit à Padoue (1586-1591). Cette éducation, poursuivie en des lieux si différents, le mit en contact avec des représentants de toutes les doctrines ; dans son pays natal et jusque dans sa famille, il connut des protestants ; à Paris, il assista aux premiers enthousiasmes de la Ligue ; *à Padoue, qui était alors le principal foyer de la libre pensée, il eut comme condisciples des athées. Ajoutons que, dans les parties de la Savoie où il passa son enfance, il eut sans cesse sous les yeux la plus gracieuse des campagnes : les grandes Alpes toutes proches en ferment l'horizon. Ce paysage alpestre, il devait l'aimer toute sa vie. Il y a, au-dessus de Talloires, un ermitage où vécut saint Germain, maître de saint Bernard de Menthon. C'est un lieu de pèlerinage fameux dans le diocèse. Le 28 octobre 1621, François de Sales s'y rendit avec son frère et coadjuteur pour la translation des reliques. Or, voici le témoignage charmant de son neveu Charles Auguste de Sales, sur les sentiments qu'il y éprouvait :*

« Il admiroit la beauté de cet hermitage, et parmi les louanges qu'il en faisoit, il ne peut pas s'abstenir de découvrir son âme. Cela est résolu, dit-il : puisque j'ay un coadjuteur, s'il se peut faire, par la volonté de nos sérénissimes princes, je viendray ça haut : il faut que cecy soit mon repos, j'habiteray en cet hermitage, parce que je l'ay choisi ; et sur ces paroles, ouvrant la fenêtre qui est du coté du septentrion, et regardant le lac et le paysage d'Anicy : « O Dieu, dit-il, que c'est une bonne et aggréable chose que nous seyons icy ! Résolument il faut laisser à notre coadjuteur le poids du jour et de la chaleur, cependant qu'avec nostre chappelet et nostre plume nous y servirons Dieu et son Église. Et savez-vous, père Prieur, dit-il en se retournant : les conceptions nous viendront en tête aussi dru et menu que les neiges qui y tombent en hyver. » Ainsi, jusqu'aux jours voisins de sa fin, il comprendra la nature. Il obtint de son père l'autorisation de se faire prêtre, et fut nommé prévôt du chapitre d'Annecy et ordonné, en 1593. Son évêque le chargea d'évangéliser le Chablais, province que Berne venait de restituer au duc de Savoie, mais qui demeurait toute protestante. Le prévôt y travailla à peu près seul. Combattu par les autorités locales, il dut conquérir les âmes une à une par une action toute individuelle. Plus tard, sa mission changea de caractère, le prévôt ayant reçu des collaborateurs et de l'argent. De cette première période d'apostolat sont

PIERRE CHARRON (B. N., Cab. des Estampes)
CL. LAROUSSE.

nés deux ouvrages : les Controverses *(1595),* la Défense de l'étendard de la sainte Croix *(1600).*

*Nommé coadjuteur de l'évêque de Genève, François de Sales passe, en 1602, six mois à Paris pour régler des questions qui intéressent son diocèse. Ce voyage achève sa formation. Il comprend les tendances et les bornes de son génie, les vrais besoins des âmes. Il se persuade qu'en comparaison des docteurs de la Sorbonne, il est lui-même bien malhabile à prendre un adversaire au piège des textes, mais que les polémiques ont peu d'efficace pour ramener les protestants à l'Église et pour ranimer la ferveur chez les catholiques. Il devine une grande soif de dévotion dans la foule qui se presse au pied de sa chaire. Il constate des aspirations à une intense vie religieuse chez des pénitentes d'élite, comme M*me *Acarie, que lui fit connaître M. de Bérulle, son ami, et qui lui demandent de les diriger.*

*Rentré à Annecy, il administre son diocèse ; il prêche ; il fonde, avec M*me *de Chantal, l'ordre de la Visitation (1610) ; il dirige par correspondance des chrétiens chaque jour plus nombreux ; il écrit, publie, corrige,* simplifie son Introduction à la vie dévote *(fin 1608 ; édition définitive, 1619), puis compose son* Traité de l'Amour de Dieu *(1616). De son petit Nessy, il a si bien fait le centre de la vie catholique pour tous les pays de langue française que la régente songe à offrir le siège de Paris à ce Savoisien, en qui tous les évêques de France voient un modèle et un conseiller. Il fait, en 1619, un autre voyage à Paris. En 1622, il va de nouveau s'y rendre, quand il meurt à Lyon, le 28 décembre.*

*Édition complète de ses œuvres par les soins des religieuses de la Visitation d'Annecy et par Dom Mackey et le P. Navatel, 1892-1932, 26 vol. Éditions de l'*Introduction à la vie dévote, *par Ch. Florisoone, 1930, 2 vol. ; par Fabius Henrion, fac-similé de l'édition de 1619, 1934. A consulter :* Hamon, Vie de saint François de Sales, *édition revue, 1909 et 1930 ;* Fortunat Strowski, Saint François de Sales, introduction à l'histoire du sentiment religieux au XVIIe siècle, *1898, revue et corrigée en 1928 ; du*

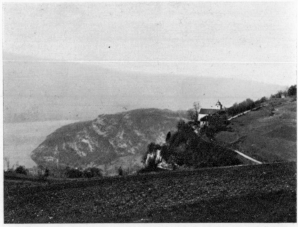

UN PAYSAGE SAVOISIEN aimé de saint François de Sales : l'ermitage de saint Bernard de Menthon, au-dessus de Talloires.
CL. GUITON.

même, Saint François de Sales, *1908; Joachim Merlant*, De Montaigne à Vauvenargues, *1914; Henri Bremond*, Histoire littéraire du sentiment religieux en France, t. I, *1921; Francis Vincent*, Saint François de Sales, directeur d'âmes, *1923; et* le Travail du style chez saint François de Sales, *1923*.

Saint François de Sales a restauré le sentiment religieux en France. Il y travailla par sa prédication, par ses conversations et sa correspondance, par ses ouvrages. Prédicateur avant tout, c'est par ses *Entretiens* et ses *Sermons* que nous est connue son œuvre oratoire. Ce fut un prédicateur très goûté. Pendant son voyage de 1602, il prêcha à Paris une centaine de fois en six mois, et pendant son voyage de 1619, qui dura un an, il y prêcha tous les jours.

Il n'aimait point les plans logiques qui allaient plaire au classicisme. Il composait comme Montaigne, dont il estimait l'art et d'ailleurs la pensée. Son sermon était une causerie. Seulement, tandis que chez Montaigne le mouvement des idées était déterminé par la démarche de son propre esprit, il l'était chez saint François de Sales par le désir de satisfaire aux curiosités successives des auditeurs, qu'il savait deviner sur les visages.

Poète et moraliste à la fois, saint François de Sales n'hésitait pas, dans son souci d'être compris de ses auditeurs les plus simples, à recourir aux plus humbles évocations, aux comparaisons les plus vulgaires. Loin d'annoncer les grands sermonnaires du siècle suivant, il était demeuré par ce trait un homme du XVIe siècle. Ses successeurs, pour rendre la prédication digne de la chaire chrétienne, voudront la rendre d'abord évangélique et biblique; ils condamneront les anecdotes tirées des historiens ou des philosophes de l'Antiquité profane, les allégories, les comparaisons ingénieuses;

SAINT FRANÇOIS DE SALES. Gravure de Léonard Gaultier (B. N., Cab. des Estampes). - CL. LAROUSSE.

l'Écriture seule leur fournira les textes, les exemples, et même les ornements du style. Saint François de Sales était moins exclusif. C'est à pleines mains qu'il puisait dans Pline ses comparaisons naturelles. Certes, il ne voulait point faire œuvre qui ne fût toute chrétienne. Mais, pour atteindre le but, il ne dédaignait aucune voie. Sans rechercher cette érudition et ces fleurs de langage que les réformateurs de la chaire allaient bientôt considérer comme des ingrédients nocifs, il ne s'interdisait pas, lui, d'en user quelquefois. D'où cette langue fluide, parfois gâtée par une affectation trop marquée, d'une grâce un peu mièvre, ce style si facilement reconnaissable, qui marque un progrès sur le style ampoulé et sur l'académisme de Du Perron.

Cette prédication, qui n'était point neuve par sa méthode, l'était par sa matière. Assurément, saint François de Sales n'a pas imaginé de prêcher sur la morale; mais personne encore n'avait fait de la morale l'objet principal de la prédication ni surtout n'y avait apporté une telle entente de la diversité des âmes. Ce fut un premier Bourdaloue, non moins pénétrant que le second, plus attrayant, plus cordial, et d'une finesse incomparable.

C'est surtout par sa correspondance que l'on juge bien la pénétration de sa psychologie et la diversité de ses dons. Elle est d'une incroyable richesse, due à l'énorme variété de ses correspondants. Religieuses, comme la mère Angé-lique, Jeanne de Chantal ou Mme Acarie, grandes dames comme Mme de Charmoisy ou Mme Brulart, magistrats, gentilshommes, chacun reçoit les conseils et les encouragements appropriés à son caractère et à sa situation. Chacun est engagé, puis soutenu, dans le chemin où il réalisera le genre particulier de perfection auquel le destine sa personnalité. Chacun entend le langage susceptible de le persuader. Mais avec tous le directeur a la contenance d'un gentilhomme, la fermeté et la tendresse d'un père. A tous il applique cette règle essentielle : « Il nous faut, le plus qu'il est possible, agir dans les esprits, comme les anges font, par des mouvements gracieux et sans violence. »

L'*Introduction à la vie dévote* résulte des lettres de direction et des instructions spirituelles adressées à partir de 1607 à Mme de Charmoisy. Certaines d'entre elles constituent déjà de véritables petits traités. L'évêque de Genève les remania par la suite à la demande d'un jésuite, le P. Fourier, et en tira le livret de 1608. L'ouvrage eut, sous sa forme première, quarante éditions en onze ans. L'édition définitive n'eut pas moins de succès. En 1656, l'ouvrage avait été traduit en dix-sept langues. On le citait à Genève chez des calvinistes, à Londres chez des anglicans.

François veut montrer que la perfection chrétienne n'est pas réalisable seulement dans la vie monastique, mais qu'on y peut parvenir au milieu de la vie mondaine et de l'existence quotidienne. Il accorde une place éminente à l'oraison mentale dans cette montée vers la perfection.

C'est un traité de morale autant que de piété. Bien avant La Rochefoucauld, l'auteur de l'*Introduction* excelle à lever les masques sous lesquels se dissimulent nos passions. Il dénonce les ruses de l'avare soutenant qu'il n'est que bon économe; celles de l'orgueilleux déguisé en humble, qui s'abaisse pour être élevé; celles de l'hypocrite, qui aime seulement dans les tribulations les honneurs qu'elles apportent. Sur la genèse des passions, il ne laisse presque rien à dire aux moralistes qui le suivront : c'est merveille comme il démêle ce qu'il entre dans les origines d'une passion d'éléments étrangers à cette passion même. Rien n'est plus fin que toute cette psychologie, ni plus spirituel, ni d'autre part plus concret. Car saint François de Sales, qui a étudié les passions moins dans les livres que dans la vie, les peint sans cesse en action. Le glorieux, pour lui, n'est pas un être abstrait : c'est le jeune homme qui est fier d'être sur un bon cheval, ou d'avoir un panache à son chapeau, qui se prise pour des moustaches relevées ou des cheveux crêpés. De même, quand il prévient Philothée contre les petites incommodités de la vie, il lui en présente avec précision quelques-unes : ce cassement d'un verre, ce mal de dents, cette perte de gants.

Il ne manque à l'*Introduction*, pour figurer au premier rang de nos œuvres préclassiques, que d'être écrite avec moins de fadeur et de monotonie. Saint François abuse un peu des images et des comparaisons; il les prolonge, il les entasse et, pendant que fleurs et bêtes défilent devant nos yeux amusés, nous risquons de ne pas apercevoir, dans le style de l'ouvrage, d'autres qualités éminentes ou exquises : la vigueur des traits à la Montaigne, une éloquence pathétique et tendre, la finesse de l'ironie.

Cette morale chrétienne qu'il veut accommoder à la vie mondaine n'est point du tout la morale relâchée que vont bientôt combattre les jansénistes. Elle l'est si peu que nulle part l'*Introduction* ne fut lue avec plus de sympathie qu'à Port-Royal. Saint François de Sales exige du chrétien un renouvellement complet de l'âme, et jamais il ne juge la tâche terminée : il entend qu'elle se continue jusqu'à la mort.

Le *Traité de l'Amour de Dieu* est l'œuvre de la maturité du saint. Il continue en quelque sorte l'*Introduction*, et n'est pas, comme elle, destiné aux débutants dans la vie contemplative. C'est une œuvre d'une haute tenue spirituelle, mais d'un mysticisme moins abrupt que celui de Ruysbroeck et des Flamands. François y tente d'établir les fondements humains de la mystique, «prolongement de la vie psychologique et de la vie morale dans l'amour ».

Il fut lu surtout dans les monastères, où on l'amputait d'habitude des premiers livres. Ce sont précisément ceux qui intéressent le plus aujourd'hui le public profane. Ils contiennent toute une psychologie de l'amour. Quelle est la nature de l'amour, quelles en sont les espèces, quelle en est la fin ; comment il est nécessaire à la volonté pour assurer sa domination sur l'âme ; comment elle-même l'âme, parce qu'elle aspire à la beauté, est inclinée à aimer Dieu ; comment pourtant cette inclination demeure sans effet avant l'envoi de la grâce ; ce qu'après l'octroi de la grâce l'amour produit dans l'âme : voilà ce que saint François de Sales explique en des pages profondes qui rappellent le platonisme du XVIᵉ siècle et annoncent la doctrine cornélienne de la volonté.

Saint François de Sales, par la liberté de sa composition et par les grâces d'un style un peu trop

JEAN-PIERRE CAMUS. Portrait par Philippe de Champaigne (musée de Gand). — CL. BULLOZ.

chargé de fleurs, a prolongé le XVIᵉ siècle. Mais par sa pensée, il est déjà du XVIIᵉ. C'est grâce à lui surtout que la société polie devient foncièrement chrétienne, et qu'elle apporte dans la dévotion tant de bon sens avec tant de sérieux. Il prépare des auditeurs à nos sermonnaires, des lecteurs à nos moralistes. Son œuvre est la principale source d'où est sortie notre grande littérature religieuse.

JEAN-PIERRE CAMUS

Jean-Pierre Camus naquit à Paris en 1583. Il commença à prêcher et à écrire en 1608. Devenu évêque de Belley la même année, il fut sacré le 30 août 1609 par saint François de Sales. Le voisinage des diocèses de Genève et de Belley contribua à resserrer les relations entre les deux évêques. Il se démit, en 1629, de son siège épiscopal pour l'abbaye d'Aunay, en Normandie, et assuma les fonctions de vicaire général de l'archevêque de Rouen, François de Harlay. En 1652, il fut désigné pour l'évêché d'Arras, mais il mourut avant d'avoir eu le temps de se rendre dans son nouveau diocèse.

Il a laissé une œuvre considérable : près de deux cents ouvrages, dont beaucoup en plusieurs volumes, dans les genres les plus divers, homélies, panégyriques, prônes, méditations, exercices spirituels, œuvres morales et mystiques,

ouvrages de théologie, de discipline ecclésiastique, de controverse religieuse. Tous ces ouvrages ne sont plus guère lus de nos jours, mais son nom reste attaché à un livre demeuré encore populaire, l'Esprit du bienheureux François de Sales, *et à une œuvre d'imagination qui fait de lui l'un des romanciers les plus féconds de cette époque.*

Parmi la cinquantaine de romans qu'il a laissés, nous citerons Parthénie ou Peinture d'une invincible chasteté; Élise ou l'Innocence coupable *(1621);* Spiridion; *l'*Agatonphile ou les Martyrs siciliens *(1623);* Palombe ou la Femme honorable; *la* Pieuse Julie, *histoire parisienne;* Alcime, *relation funeste où se découvre la main de Dieu sur les impies;* Daphnide ou l'Intégrité victorieuse *(1625);* Pétronille, *accident pitoyable de nos jours, cause d'une vocation religieuse (1626);* Hellenin et son heureux malheur; Casilde ou le Bonheur de l'honnesteté; *les* Occurences remarquables *(1628);* Marianne ou l'Innocente victime *(1629).*

A consulter : Maurice Magendie, la Politesse mondaine et les théories de l'honnêteté en France *(pp. 299 et ss.); H. Bremond,* Histoire littéraire du sentiment religieux en France *(t. Iᵉʳ, pp. 149-187, 1921); Hippolyte Rigault,* Étude littéraire sur Camus et le roman chrétien au XVIIᵉ siècle, *1853 (en introduction à une réédition de* Palombe*); Boulas,* Un ami de saint François de Sales, Camus, évêque de Belley, *1879; A.-P. Bayer,* J.-P. Camus, sein Leben und seine Romane, *1906.*

De François de Sales on ne peut guère séparer son ami Jean-Pierre Camus. Il a repris l'œuvre de l'apôtre du Chablais en vulgarisant sa doctrine sous la forme du roman. Étant évêque de Belley, il fit la connaissance de l'auteur de l'*Astrée*, qui était un ressortissant de son diocèse, et ce fut par réaction contre tout ce que le genre cultivé par Honoré d'Urfé présentait d'obstacles au progrès de l'amour de Dieu, qu'il entreprit de le combattre en employant ses propres armes. Ses romans ont bien vieilli et sont devenus à peu près illisibles. Il faut, néanmoins, reconnaître qu'ils ne sont pas plus médiocres que la majorité de la production romanesque contemporaine. Comme elle, ils cherchent à plaire au lecteur, mais en l'édifiant et en lui traçant un tableau critique, indulgent d'ailleurs, des mœurs de l'époque. L'amour humain tient une grande place dans cette œuvre, place qu'il partage avec l'amour divin. Par ces récits bénins, parfois malicieux et même quelque peu narquois, d'un verbiage fleuri qui rappelle l'éloquence de son saint ami, Camus a, du moins, le mérite d'avoir été le promoteur du roman chrétien, spirituel et moral à la fois.

L'Esprit du bienheureux François de Sales est resté son ouvrage le plus populaire, le seul, peut-on dire, qui trouve encore des lecteurs. Il est loin, d'ailleurs, d'être le meilleur, et il est peut-être le livre qui a le plus contribué à créer la figure conventionnelle, débonnaire et un peu fade, de l'évêque de Genève.

La langue de Camus, parfois maladroite, est souvent aussi pleine de grâce, d'enjouement et de spontanéité. Il a eu seulement le tort de venir trop tard, après que Balzac eût communiqué à notre prose une vigueur nouvelle.

PIERRE DE BÉRULLE

Petit-fils de Pierre Séguier, Pierre de Bérulle naquit en 1575. Il fit de brillants débuts et fut désigné, dès 1600, pour assister Du Perron contre Duplessis-Mornay à la conférence de Fontainebleau. Il introduisit en France l'ordre des Carmélites et la congrégation de l'Oratoire, celle-ci pour remédier à la corruption et à l'ignorance du clergé. Il jouissait de l'estime de Louis XIII et de sa cour, et fut chargé de diverses missions politiques. C'est lui qui négocia auprès du Saint-Siège pour obtenir la dispense nécessaire au mariage d'Henriette de France avec Charles Ier d'Angleterre. Il était partisan d'une politique d'union des nations catholiques contre les pays réformés, qui ne tenait pas compte du danger que présentaient pour la France les maisons d'Autriche et d'Espagne. Cette attitude lui valut l'inimitié de Richelieu, qui provoqua sa disgrâce en 1628. Il mourut l'année suivante.

Ses œuvres principales sont le Discours de l'estat et des grandeurs de Jésus, *1623, et l'*Élévation à Jésus-Christ sur sainte Madeleine, *1627. Édition de ses* Œuvres complètes *par l'abbé Migne, 1856.* Correspondance du cardinal de Bérulle, *1618-1629, éditée par Jean Dagens, 3 vol., 1937-1939.*

Voir : Henri Bremond, Histoire littéraire du sentiment religieux en France *(t. III, pp. 3-257).*

Homme d'action plutôt qu'écrivain, de son œuvre assez abondante se dégage un aspect nouveau de l'amour de

LE CARDINAL DE BÉRULLE. Détail du tombeau exécuté par Jacques Sarrazin pour la chapelle des Carmélites de la rue St-Jacques (musée du Louvre). CL. GIRAUDON.

Dieu, qu'il fait résider dans le culte du Verbe incarné, l'incarnation du divin Fils nous rendant plus accessible la montée jusqu'à la divinité. C'est la doctrine de l'adhésion totale à Jésus. Sa langue souvent pénible et lourde, son style souvent diffus et obscur ont, néanmoins, de la puissance et offrent parfois d'éclatantes beautés.

Le goût de Bérulle pour les sciences et les belles lettres, son opposition à la Compagnie de Jésus, qui ne voyait pas sans inquiétude et sans jalousie prospérer l'Oratoire, en font le maître et le précurseur de la grande école mystique française au XVIIe siècle. Sans parler de ce que lui doivent Saint-Cyran et Pascal, il est le point de départ d'une tradition qui, par Condren, Olier et Jean Eudes, rejoint Malebranche.

III. — LES LETTRES D'HENRI IV

Le travail critique sur les écrits d'Henri IV est trop avancé pour qu'on puisse lui attribuer encore telle poésie — à lui qui n'a jamais été formé à l'art littéraire — ou bien la lettre sur Plutarque. Consulter les Anthologies *de Dussieux, de Nouaillac ou de Lamandé ; E. Jung,* Henri IV écrivain, *1855.*

Balzac écrivait ses lettres, comme ses autres œuvres, « pour l'éternité » : voici plus de deux siècles qu'elles ne sont plus lues. Henri IV ne destinait ses billets qu'à ses compagnons d'armes, à ses serviteurs et à ses maîtresses : ils sont restés aussi frais, aussi vivants qu'à l'heure où ils furent griffonnés entre deux chevauchées. Son orthographe est incorrecte : *tayllé an pyeces, je prandré leaue;* il ne fait aucun effort de style. Qu'est-ce qui les met donc au-dessus de toutes les correspondances du XVIe siècle ? Le naturel.

L'homme s'y révèle tout entier, avec sa vivacité de Gascon *escarbillat*, avec ses faiblesses, ses séductions et ses grandeurs. On sourit de ce vert galant qui, le même jour, écrit à Marie de Médicis et à sa maîtresse : « Mon cœur,... je t'embrasse un million de fois. » On s'irrite contre ce barbon couronné qui continue à envoyer à Henriette d'Entragues, dont il connaît les coquineries, des lettres enflammées. Et, bien qu'on ne se fasse pas d'illusions sur la vertu de la reine Margot, on est choqué d'entendre son mari la qualifier, dans une lettre à la belle Corisande, de *dame aux chameaux*, d'*ivrognesse*, de *gargouille à toute outrance*. Non, point de délicatesse. Mais un courage héroïque, la pensée toujours présente de ses droits et de ses devoirs de roi, et une bonne humeur qui, dans les pires circonstances, ne fléchit pas.

Il sait à merveille trouver l'idée, le trait, l'appellation familière qui plaira au destinataire, et qui aiguillonnera son dévouement ou sa tendresse. En parcourant ses lettres, on devine que ses compagnons, même le grognon d'Aubigné, étaient prêts à tout pour lui. Selon les correspondants et les circonstances, le ton est badin, énergique ou galant. Mais toujours les phrases sont courtes, comme il convient à un homme pressé, précises, alertes, imagées, et les expressions pittoresques et savoureuses abondent sous sa plume :

HENRI IV. Bas-relief en marbre; école de Germain Pilon (château de Pau). — CL. ARCH. PHOT.

« Vous aurez su nouvelles de la paix de Lyon, cette rhubarbe *(purgatif)* au cœur savoyard; mais, grâce à Dieu, la main qui tient le gobelet est ferme, et le faudra vider tout entier. »

IV. — LE ROMAN

La littérature romanesque languit pendant les guerres civiles. Mais elle refleurit dès que le royaume est pacifié, et elle devient vite très abondante. Entre 1593 et 1610, on compte une centaine d'ouvrages susceptibles d'être qualifiés de romans.

LE ROMAN RÉALISTE

LES SERÉES

L'inspiration réaliste ne se manifeste guère qu'au début de cette période, dans des œuvres qui continuent la production romanesque de l'époque précédente.

En première ligne, il faut citer les Serées de Guillaume Bouchet, dont le livre Ier parut en 1584, le livre II en 1597, le livre III en 1598. Les trois livres furent réunis en 1608 et furent, entre cette date et 1633, réimprimés quatre fois. Le livre Ier avait eu quatre réimpressions avant 1593. L'auteur était libraire à Poitiers, et fut élu juge-consul par la corporation des marchands.

La seule édition moderne des Serées est celle de C.-E. Roybet, 1873-1882 (6 vol.). Voir Gustave Reynier, les Origines du roman réaliste, 1912.

Les Serées font songer aux Propos rustiques de Noël Du Fail (1547). Probablement elles en dérivent, et c'est le même genre d'inspiration que l'on retrouve, mais avec beaucoup moins d'intérêt, dans les Neuf matinées (1585), puis dans les Après-Dînées (1587) du sieur de Cholières.

Les *Serées* ne sont pas un roman, ni une collection de romans. Elles sont un recueil de propos tenus à table et après les repas par des bourgeois de Poitiers qui passent leurs soirées ensemble.

Ces propos sont fort divers. Mais, dans chaque serée, ils se rattachent à un sujet unique : le vin, l'eau, les sourds, les aveugles, les femmes, les filles, les nouvellement mariés, le poisson, les chiens, les juges, les médecins, les chevaux, les décapités, les voleurs, le mal de dents, les fous...

L'auteur ne nomme pas les interlocuteurs. Il ne les désigne d'habitude que par un de ces mots vagues : « quelqu'un, un de la serée, quelqu'un de la compagnie ». Parfois, il dit : « un avocat, un médecin, un apothicaire; » ou bien il emploie, pour annoncer le personnage, un qualificatif un peu gros qui nous fait prévoir une parole passablement salée et un esprit plus qu'enjoué.

Sans être très distincts par leurs goûts et par leur manière de s'exprimer, ces causeurs sont assez différents. Plusieurs sont des humanistes un peu pédants, qui citent volontiers leurs auteurs, mais qui pourtant ne connaissent bien de l'Antiquité que les anecdotes curieuses et les bons mots; ils ont lu de préférence les livres qu'aime leur contemporain Montaigne. A partir du livre II des *Serées*, ils paraissent avoir beaucoup lu Montaigne lui-même, et leur érudition devient fort souvent celle de l'auteur des *Essais*. D'autres ne sont que de joyeux compagnons plus occupés de la vie que des livres, et surtout plus intéressés par les bruits fâcheux qui courent sur leurs voisins. Tel disserte et tel raconte. L'un aime les mots amusants, l'autre les histoires.

Avons-nous dans les *Serées* de Bouchet une image fidèle de la conversation des bourgeois aisés de province entre 1584 et 1597? Tout à fait fidèle, non. L'auteur lui-même semble bien parler, plus d'une fois, par la bouche de ses personnages, surtout de ceux qui connaissent l'Antiquité. Et puis, il y a quelque chose de factice dans ces réunions où la conversation est confinée assez rigoureusement dans un seul sujet, si bien que les interlocuteurs, ayant tout un soir parlé des aveugles, parleront un autre soir seulement des voleurs. Pourtant, une part étant faite à la fiction, on a l'impression que Bouchet a voulu peindre la société bourgeoise de son temps, et qu'il a bien pris dans la réalité la substance de son livre.

Par lui, nous voyons qu'il y a en France dans les villes de province, à la fin du XVIe siècle, une vie de société animée. Les notables aiment à se réunir pour causer. Les femmes prennent à la conversation la même part que les hommes. Aucune affectation; beaucoup de préoccupations toutes pratiques. On échange des recettes et des pronostics. On expose longuement, sans grivoiserie, mais aussi sans pudeur, l'aventure fâcheuse arrivée à une nouvelle mariée; on donne avec précision et en appelant les choses par leur nom des explications physiologiques. Quelquefois, les femmes présentes font « semblant de se fâcher » de ces contes, et « menacent de laisser la compagnie »; mais leurs maris les font rasseoir, ou, si elles sortent, c'est pour rire entre elles. Comme ces bourgeois ont tous des maisons de campagne, ils s'entretiennent volontiers de chevaux et de meutes. Mais ils font surtout la satire des professions auxquelles ils appartiennent; ils sont intarissables quand il s'agit de dauber sur la médecine et le barreau, éternels points de mire des plaisanteries d'une société où les professions les plus recherchées sont pourtant celles de médecin et d'avocat. Ils aiment leurs aises, ont horreur des guerres civiles, de tout ce qui rend la vie difficile, diminue les rentes, brouille les familles, agite les cités. Et de ces sujets qui les intéressent, ils causent dans une bonne langue, assez riche en mots colorés et en tours populaires, d'une allure toutefois un peu lente.

En dédiant ses *Serées*, non à quelque haut seigneur, mais à Messieurs les marchands de la ville de Poitiers, Guillaume Bouchet comprenait ce qui faisait l'originalité de son livre et dans quel milieu il trouverait des lecteurs. Il ne se trompait point. La société bourgeoise de Poitiers et d'autres villes se plut à chercher son image dans ce bon « miroir », et le succès encouragea l'auteur à augmenter son texte primitif presque de moitié.

LE MOYEN DE PARVENIR

François Brouard, dit Béroalde, est un curieux personnage. Il avait pour père un humaniste protestant, qui pratiquait des disciplines variées. Né à Paris, en 1556, il vint à Genève à l'époque de la Saint-Barthélemy. Il

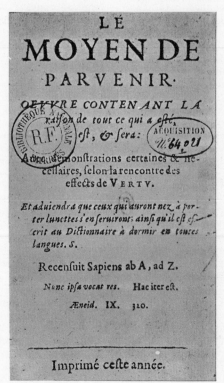

PAGE DE TITRE d'une des premières éditions du « Moyen de parvenir ». — CL. LAROUSSE.

étudia la médecine ; mais il s'est moins occupé de soigner les malades que d'écrire, d'une plume infatigable, un livre sur le blason, une traduction du De Constantia *de Juste-Lipse, des poésies amoureuses (1583), morales, politiques, chrétiennes ou didactiques, qui ne sont pas sans mérite, des dialogues moraux, des romans, des pots-pourris où les sciences naturelles s'entremêlent avec la philologie. Sans compter les tragédies, perdues, et les ouvrages attribués.*

Il ajouta à son nom celui de Verville, hameau où il avait habité. Après avoir séjourné à Lyon et à Paris, il se fixa à Tours. S'étant converti à une date indéterminée, il reçut, en 1593, un des canonicats de Saint-Gatien. Il résidait encore dans cette ville en 1623, et, selon G. Colletet, il y mourut vers 1629.

Il appartient à la Renaissance par sa soif de tout connaître et sa manie d'écrire de omni re scibili ; *il annonce le XVIIᵉ siècle par ses dialogues moraux, où s'ébauche, comme dans les* Essais, *la conception de « l'honnête homme », et par ses romans d'aventures et de psychologie amoureuse.*

Quant au Moyen de parvenir, *œuvre contenant la raison de tout ce qui a esté, est, et sera, c'est un des ouvrages les plus énigmatiques du temps. Commencé vers 1595, il voit le jour entre 1612 et 1620, et ne porte aucune indication de lieu, de date et d'auteur ; le nom de Béroalde n'apparaîtra que dans les rééditions du XVIIIᵉ siècle. Colletet, qui semble avoir puisé une partie de ses informations dans l'entourage de Béroalde, lui attribue cette œuvre. En outre, le titre fait allusion à celui d'un ouvrage qu'il avait publié en 1593. Comme Béroalde, l'auteur du* Moyen de parvenir *a vécu à Genève et en Touraine, parmi les protestants et parmi les catholiques, et il s'intéresse à l'alchimie et à la philologie. Enfin, Béroalde lui-même est mentionné plusieurs fois dans ce livre.*

Mais, dans le Palais des curieux *(1612), il en refuse la paternité et en critique les attaques contre le clergé. Si cette protestation était simple mesure de prudence, et qu'il fût l'auteur du* Moyen, *eût-il mis son nom dans plusieurs passages ? Le style de ses ouvrages authentiques a moins de verve que celui du* Moyen, *et l'on n'y trouve pas de réminiscences rabelaisiennes. En outre, peut-on croire qu'il soit l'auteur de l'impudente calomnie que nous y lisons sur sa mère, et que, tout en écrivant des ouvrages moraux et souvent dévots, il ait composé un livre aussi amoral, aussi licencieux ? Sans doute, Colletet affirme qu'il fréquentait brelans et tavernes, qu'il consacrait à la débauche le revenu de son canonicat, et qu'enfin, sans avoir de convictions religieuses, il retourna au protestantisme. Mais, si Béroalde avait professé publiquement le calvinisme, comme l'en accuse Colletet, le scandale, à Tours, eût été tel qu'il lui eût fallu quitter la ville au plus vite.*

Tout cela est bien contradictoire. Aussi, trois opinions ont-elles été soutenues : le Moyen *est tout entier de Béroalde; il n'est pas de lui; sur le canevas fait par lui, un interpolateur a largement brodé.*

Des quarante éditions du Moyen de parvenir, *la meilleure est celle que Ch. Royer a donnée en 1896.*

Consulter Tchemerzine, Bibliographie; *L. Sainéan, Problèmes littéraires du XVIᵉ siècle, 1927; L.-V. Saulnier, Étude sur Béroalde de Verville (Bibliothèque d'Humanisme et Renaissance, V).*

A l'exemple d'Athénée et de Pétrone, l'auteur du *Moyen* imagine un banquet où les propos les plus divers se juxtaposent. Ils sont prononcés par des personnages célèbres, qui appartiennent à toutes les époques et dont le caractère réel n'est pas conservé. Ces dialogues, dont l'incohérence rappelle le *coq-à-l'âne*, sont farcis d'anecdotes, de brocards, de remarques philologiques souvent graveleuses, et de railleries contre tous les états. Les ministres protestants sont égratignés, à la rencontre; mais c'est le clergé catholique, moines, nonnains, curés, évêques, qui est le plus souvent sur la sellette, et qui donne le plus à rire, par ses mœurs relâchées et par ses sermons burlesques. Les interlocuteurs eux-mêmes ne sont pas épargnés : Amyot a été soigné pour la vérole; selon Démosthène l'honnête homme est celui qui s'essuie le derrière avec un torchoir dans la main gauche... La dérision est universelle et continue.

Ce qui domine, ce sont les anecdotes et les propos gras : le goût des gens du XVIᵉ siècle pour les gaillardises est amplement satisfait. Le vocabulaire érotique y est d'une richesse inégalable, et, quand, par aventure, l'obscénité fait défaut, nous tombons dans la scatologie. Si vraiment le chanoine de Saint-Gatien est l'auteur, on se prend à penser que le démon de midi débauchait furieusement son imagination.

A condition de supporter le désordre et la grossièreté, on peut éprouver autant de plaisir à feuilleter cet ouvrage qu'en prenait le docte Saumaise. En effet, le conteur est un des plus alertes du XVIᵉ siècle, et il sait faire parler avec beaucoup de naturel un seigneur, des paysans, des commères, une maîtresse et sa servante, etc. La langue n'est pas moins savoureuse que celle de Régnier : parfaitement adaptée au genre du dialogue familier, elle est nourrie d'expressions populaires ou dialectales, de phrases en patois, de néologismes, de dictons, de jurons, de plaisanteries de clercs, de calembours, de pseudo-lapsus, d'images et de comparaisons pittoresques, d'alliances de mots originales.

De La Fontaine à Balzac, les auteurs de contes libres ont fait plus d'un larcin dans le *Moyen de parvenir*, et on serait tenté de croire que dans *Jacques le Fataliste* Diderot a voulu rivaliser avec lui pour l'art réaliste des anecdotes, le naturel du dialogue et l'incohérence voulue du développement. Mais il vaut mieux ne pas le lire après *Pantagruel* et *Gargantua*. D'abord, on reconnaît aisément dans le *Moyen* un bon nombre d'expressions et de procédés empruntés à Rabelais : nombres précis, allitérations, mots forgés, accumulations d'adjectifs, de verbes ou de noms. D'autre part, si son auteur a réussi à s'enfoncer plus loin que maître Alcofribas dans l'ordure, en revanche, la « substantifique moelle », il la lui a laissée.

CHARLES SOREL

*Charles Sorel, sieur de Souvigny, est né à Paris vers 1602, il est mort en 1674. Il a été historiographe de France. Ses deux meilleurs ouvrages, l'*Histoire comique de Francion *et le* Berger extravagant, *parurent en 1623 et en 1627. Il avait débuté, en 1621, par l'*Histoire amoureuse de Cleagenor et Doristée. *Son* Polyandre *est de 1648. Il a composé aussi des recueils de bibliographie tels que la* Bibliothèque française *et la* Connaissance des bons livres, *où l'on trouve de bons renseignements, par endroits.*

*Édition critique de l'*Histoire comique de Francion, *par É. Roy, t. I à IV (Société des Textes français modernes), 1924-1931. Voir Émile Roy, la Vie et les œuvres de Charles Sorel, 1891; G. Reynier, Le roman réaliste au XVIIᵉ siècle, 1914.*

« Un petit homme grasset, avec un grand nez aigu, qui regarde de près, qui paraît fort mélancolique et ne l'est point. Il a encore plus de vingt volumes à faire et voudrait bien que cela fût fait avant que de mourir. Il est fort délicat, et je l'ai vu souvent malade; néanmoins, il vit commodément, parce qu'il est sobre. Il est homme de fort bon sens et taciturne, point bigot..: » Voilà Sorel, vu en beau, vu par son ami, le seul qui sût le rendre un peu loquace, Guy Patin. Furetière l'a vu en laid, muni d'un nez « qu'on pouvait à bon droit appeler Son Éminence et qui était toujours vêtu de rouge »; la chevelure « la plus désagréable du monde » et qu'il peignait avec ses doigts, mais il la peignait ainsi tout le temps; les yeux gros et bouffis, à fleur de tête : « Il y en a qui ont cru que, comme on se met sur des balcons en saillie hors des fenêtres pour découvrir de plus loin, ainsi la nature lui avait mis des yeux en dehors, pour découvrir ce qui se faisait de mal chez ses voisins. » La malveillance et l'amitié ne le modifient pas beaucoup : c'est le même visage en deux miroirs. Sorel fut très bien cet observateur, curieux à merveille, toujours à regarder dehors, en quête du bon divertissement de la comédie que donne l'humanité sans le savoir. Le spectacle des gens et des choses lui suffit et l'enchante. Il se réjouit, pourvu que le spectacle soit joliment ridicule ou abject. Et on le croit mélancolique ? Bien à tort : il est farouche comme un gourmand qui veut garder pour lui sa gourmandise.

Son *Francion*, c'est une espèce de Gil Blas, déjà. Les aventures de Francion, qui n'excluent pas toute absurdité, ne sont destinées qu'à nous mener en tous endroits où il y a du monde à voir : un monde très divers et, volontiers, la plus sale compagnie, paysans, robins, écoliers, voleurs, bandits et tout ce qui fait la chasse au « coquefredouille », femmes de toute sorte et de la pire, valets et bourgeois, pédants, farceurs et jobards. Il connaît bien les bas-fonds de la ville et de la campagne. Il ne les trouve pas délicieux. Mais il les préfère à la société faussement élégante des salons et des ruelles. Il traite sans pitié les gens établis et les intrigants. Il déteste les magistrats, qu'il accuse de mille méfaits et de ne se marier que pour payer, de la dot de leur femme, leur charge et le train de leur vie cossue : « Tellement que le plus abject du monde se fera respecter, moyennant qu'il ait de l'argent. Ah ! bon Dieu, quelle vilenie ! Comment est-ce donc que l'on reconnaît maintenant la vertu ? » Car il a un grand souci de la vertu; et, chaque fois qu'il a conté une anecdote, et graveleuse, il a soin d'en tirer quelque morale.

L'*Histoire comique de Francion*, malgré ses longueurs et d'autres inconvénients, se lit avec plaisir. On lit moins agréablement d'un bout à l'autre le *Berger extravagant, où parmi des fantaisies amoureuses on voit les impertinences des romans et de la poésie*, un livre ingénieux pourtant et fait à la manière de *Don Quichotte*, pour ainsi dire. Comme Don Quichotte a perdu la raison à lire les romans de chevalerie, le berger de Sorel est devenu fol à trop lire les pastorales et notamment le roman de d'Urfé. C'est une parodie de l'*Astrée*. Idée heureuse, mais qui dure; et, une fois qu'on a vu le stratagème, on devine tout l'usage qu'en fera l'auteur. Le berger n'est que le fils d'un négociant de la rue Saint-Denis. Mais le voici, coiffé d'un fin chapeau de paille, « un haut de chausse de tabis blanc, des bas de soie gris de perle, des souliers blancs avec des nœuds de taffetas vert » : il garde un troupeau de moutons crottés. Il aime Charite; c'est une servante nommée Catherine. Il confie à l'écho son émoi et sa peine; et l'écho lui répond : l'écho, c'est un plaisant garçon qui se moque de lui et, caché, organise une gaie imposture.

Sorel en voulait à d'Urfé; il en voulait aussi aux anciens poètes, et à Virgile et à Homère. « Ce sont les Troyens qui ont été vainqueurs ! » disait-il, pour taquiner l'auteur de l'*Iliade*. Et il disait : « J'ai fait des farces des anciennes fables des dieux. Mon livre est le tombeau des romans et des absurdités de la poésie. » Son livre n'est pas le tombeau des romans ni de la poésie. Sorel n'a pas enterré Virgile ni Homère, ni seulement d'Urfé. Les romans continuèrent de pulluler de son temps, et les romans les plus dignes de le fâcher.

LE ROMAN SENTIMENTAL

A consulter : Gustave Reynier, le Roman sentimental avant l' « Astrée », *1908.*

Tandis que les traductions de *Guzman d'Alfarache*, de *Lazarille de Tormes* et de *Don Quichotte* avaient préparé la voie aux romans réalistes de Ch. Sorel, et que le roman de chevalerie suivait la tradition des *Amadis* et de l'*Orlando furioso*, le roman sentimental prend son essor après la fin de nos guerres civiles. Sa vogue est due à la renaissance de la société mondaine. Mais aucune de ces œuvres sentimentales, sauf l'*Astrée*, n'a été réimprimée après le XVIIe siècle; et, si les noms de Nervèze et de Des Escuteaux sont encore cités, c'est à cause du galimatias précieux qu'ils ont poussé encore plus loin que leurs rivaux.

Tous ces romans — nous mettons à part l'*Astrée* — se ressemblent. L'action se passe généralement dans les temps modernes et en France, et l'auteur prétend reproduire une histoire véritable. L'amour en est le seul sujet, et la femme le principal personnage. Mais non plus l'amour sensuel et la femme dévergondée. L'imagination et la parole, sinon la conduite, s'étant purifiées dans la société mondaine, l'amour dont on s'y entretient et qu'on demande à la littérature de mettre en scène est chaste, soumis à la raison, constant. Si le mot « amour » se rencontre dans presque tous les titres, dans plusieurs les mots : « chaste », « pudique », « constant », figurent à côté de lui : *Chastes amours d'Eros et de Kalisti*, le *Triomphe de la Constance où sont décrites les Amours de Cloridon et de Melliflore*. Dès lors, l'héroïne cesse d'être la femme mariée pour être la jeune fille, et le roman devient l'histoire d'un amour qui naît dans une âme virginale, lutte contre des obstacles, en général contre la tyrannie d'un père ambitieux ou avare, aboutit enfin au mariage, plus souvent à la mort, quelquefois au cloître. Même quand le mariage en est le terme, l'histoire est douloureuse, parce que les amants ne parviennent au bonheur que par l'épreuve. Comme l'action toujours très simple comporte seulement un petit nombre d'événements, et qui sont pris dans la vie ordinaire, l'analyse des sentiments aurait toute liberté de s'exercer, si la conception même du sujet ne le condamnait à la monotonie et à la banalité : jamais on n'y trouve l'étude du remords, ni de la jalousie; toujours revient l'étude des sentiments simples, qui éclosent dans les âmes pures, émoi des premiers aveux, chagrin des séparations. Et les caractères

HONORÉ D'URFÉ. Gravure de P. de Bailliu, d'après le tableau de Van Dyck (B. N., Cab. des Estampes).
CL. LAROUSSE.

artificiels que la convention impose aux personnages, au père nécessairement tyrannique, à l'amant nécessairement fidèle, rendent très difficile, dans ce domaine déjà exigu, la notation des nuances.

Trop dépourvue de péripéties, l'action a, en outre, le tort d'être trop ralenti par des conversations, où les héros discutent sur la nature de la passion, bien plus souvent encore sur ce que le bon ton exige d'un amant dans les diverses circonstances où le place sa passion. Dès qu'ils sont en présence, ils entament le propos. Séparés, ils le continuent par lettres. Rien, aujourd'hui, ne nous ennuie plus que de tels entretiens. Mais, avec tant de défauts, les auteurs de ces romans ont eu le mérite, dont nous devons leur savoir gré, d'avoir fortifié dans notre société mondaine, au moment où elle s'organisait, le goût des sentiments nobles et des mœurs polies. Ils ont fourni des sujets à plusieurs auteurs de tragédies et de tragi-comédies. Et, enfin, ils ont ouvert la voie à Honoré d'Urfé.

L'ASTRÉE

Honoré d'Urfé appartient par son père à une vieille famille du Forez, par sa mère à la maison ducale de Savoie. Il naît en 1567, à Marseille, et est élevé à la Bastie, dans le Forez. Il se bat dans les rangs de la Ligue. Après la défaite de son parti, il se retire dans les États du duc de Savoie. Il écrit des poésies religieuses, un poème pastoral, le Sireine, des Épîtres morales, inspirées par les Lettres à Lucilius. En 1600, il épouse sa belle-sœur, Diane de Chateaumorand, dont le mariage conclu en 1574 avec Anne d'Urfé vient d'être déclaré nul. Il l'a aimée jadis, il croit l'aimer toujours ; et puis il faut conserver aux d'Urfé sa belle fortune. Mais elle est fantasque, elle a vieilli, et ils en viennent à vivre séparément, sans pourtant cesser de se voir. Il partage son temps entre la cour de Turin, le château de Virieu-le-Grand, le Forez et Paris. Maréchal de camp dans les armées du duc, il prend, en 1625, une part active à la guerre de la Savoie et de la France contre Gênes et l'Espagne, et meurt de maladie à Villefranche-sur-Mer.

Éditions de l'Astrée : première partie, 1607 ; deuxième, dédiée à Henri IV, 1610 ; troisième, 1619 ; quatrième (posthume), 1627 ; cinquième, par Baro, 1627. Rééditions en 1632, en 1647 et en 1925-1928. Voir O. Reure, la Vie et les œuvres d'Honoré d'Urfé, 1910 ; M. Magendie, Du nouveau sur l' « Astrée », 1927 ; l'Astrée, analyse et extraits, 1928 ; l'Astrée, 1929 ; l'édition des Amours d'Alcidon, par G. Charlier, 1921 ; H. Bochet, l'Astrée, 1923.

L'*Astrée, où par plusieurs histoires et sous personnes de bergers et d'autres sont deduits les divers effets de l'honneste amitié*, est un immense roman, qui a pour sujet principal les amours d'Astrée et de Céladon, et qui comprend, en outre, une demi-douzaine de longues histoires et une vingtaine d'histoires épisodiques. L'action se déroule dans le Forez, sur les bords du Lignon, au Vᵉ siècle après Jésus-Christ. Par souci des bienséances, d'Urfé passe sous

LES BORDS DU LIGNON. « Sur les bords de ces délectables rivières, on a veu de tout temps quantité de Bergers, qui, pour la bonté de l'air, la fertilité du rivage et leur douceur naturelle, vivent avec autant de bonne fortune qu'ils recognoissent peu la fortune... » — CL. LAROUSSE.

silence la religion chrétienne : les personnages pratiquent le culte des anciens Gaulois et ont pour chef spirituel le grand druide Adamas.

Presque tous sont des bergers et des bergères ; mais les besognes rustiques et les soucis matériels leur sont épargnés. Ce sont des gens de bonne compagnie, « qui n'ont pris cette condition que pour vivre plus doucement ».

Leur principale occupation, comme il se doit dans un roman pastoral, c'est d'aimer. Céladon et Astrée se sont épris l'un de l'autre dès leur première rencontre. Mais Astrée, persuadée par un calomniateur de l'infidélité de Céladon, le chasse. Il se jette dans le Lignon ; tandis qu'on le croit noyé, il est sauvé par la princesse Galathée. Puis il quitte celle-ci, de peur de devenir infidèle à Astrée, et vit seul dans un désert. Sur le conseil d'Adamas, il revient, habillé en fille ; sous le nom de la bergère Alexis, il revoit sa chère Astrée, sans être reconnu d'elle. Sur ces entrefaites, Polémas vient mettre le siège devant Marcilly ; Astrée et Alexis lui échappent à grand-peine. Ici, la mort interrompit d'Urfé ; mais Baro, son secrétaire, mit fin à l'anxiété des lecteurs, en mariant au bout de cinq mille pages ces deux parfaits amants.

D'Urfé avait fait entrer dans ce roman bien des éléments dont le succès était déjà éprouvé. Il a utilisé les pastorales, les *Amadis*, et surtout la *Diane* de Montemayor. Selon la règle, Céladon est un amoureux humble, larmoyant, pâmé, que la sévérité de sa maîtresse porte à un extrême désespoir. Les occupations poétiques ou épistolaires des bergers et les incidents sont traditionnels. Les figures de style sont semblables à celles des poésies pétrarquistes du temps. Et d'Urfé n'a garde d'omettre ce platonisme mondain, dont la mode n'était pas encore passée : « Nous pouvons estimer les femmes un juste milieu pour parvenir aux pures pensées... Qui doutera que Dieu ne nous les ait proposées en terre pour nous attirer par elles au Ciel ? »

Mais, comme Malherbe, il imite discrètement ; avec ces éléments traditionnels, il a fait une œuvre dont l'originalité a été reconnue par tous ses contemporains. En France, à cette époque, c'était chose nouvelle qu'un long roman où le plan fût aussi bien ménagé : l'auteur a su tresser en écheveau l'intrigue principale et les intrigues secondaires, placer çà et là le récit d'une aventure, tenir le lecteur en haleine, et renouveler l'intérêt par la variété des aventures successives et par la diversité des personnages.

Il était nouveau de faire un roman pastoral qui contînt des épisodes militaires, où l'on pût reconnaître la main d'un maréchal de camp, des histoires de chevaliers, de ducs et de princes, des épisodes autobiographiques, et des aventures qui étaient réellement arrivées à des contemporains : les amours de Daphnide avec Euric et Alcidon sont copiées sur celles de Gabrielle d'Estrées avec Henri IV et Bellegarde.

Il était assez nouveau de placer l'action en Gaule, à une époque déterminée. D'Urfé s'est préoccupé de l'exactitude historique : possesseur d'une riche bibliothèque, il s'est documenté dans les livres de César, de Lemaire de Belges et de Fauchet; sans verser dans le pédantisme, il a soin de placer à l'arrière-plan de ses fictions un Gondebaut, un Childéric, un Genséric, un Valentinien.

Il était nouveau de faire parler dans un roman de nombreux personnages qui, tous, étaient caractérisés et différenciés. C'est là le principal mérite de d'Urfé. Alors que les héros de nos autres romans pastoraux sont de pâles figurants, chacun de ses bergers et de ses bergères a un caractère propre et une conception particulière de l'amour. De l'inconstant Hylas et de la coquette Stelle à Sylvandre, qui se croit inaccessible à l'amour, quelle galerie abondante et variée!

D'Urfé ne précise guère leur aspect physique. Tous sont beaux, même le vieil Adamas; tous, sauf le druide, sont jeunes et élégants. Il ne se soucie pas davantage de leur costume et de leur vie matérielle. Mais il note minutieusement toutes les manifestations des sentiments : une attitude, un geste, une rougeur subite, un éclat de voix; Céladon va les bras croisés sur « l'estomac », la tête baissée, le chapeau enfoncé, l'âme plongée dans la tristesse... Au lieu de brosser un portrait psychologique, d'Urfé fait connaître le caractère par la contenance, le dialogue, l'action, çà et là par une phrase explicative, souvent par un soliloque. Certains caractères évoluent, par exemple ceux de Silvandre et de l'insensible Diane. Les débuts de l'amour, les premières paroles, les aveux, les soupçons, les dépits, les ruptures, les raccommodements sont étudiés à la loupe. Parfois deux sentiments opposés coexistent. Des cas de conscience se posent, l'amour entrant en conflit avec le devoir ou la raison.

Ces personnages examinent souvent l'état de leur cœur ou bien discutent sur des problèmes amoureux; ils anticipent sur les moralistes classiques en formulant des remarques générales.

Ce qui n'est pas moins remarquable, c'est la morale que l'auteur propose aux lecteurs de l'*Astrée*. Elle est plus idéaliste que celle des devisants de l'*Heptaméron* : si quelques histoires de Cour sont peu édifiantes, si quelques épisodes risquent de devenir scabreux, du moins on ne pratique dans le Forez que « l'honnête amitié », c'est-à-dire l'amour vertueux, et

LES AMOURS D'ASTRÉE ET DE CÉLADON. Astrée, émue par une lettre où il lui a semblé reconnaître l'écriture de Céladon, s'est laissé tomber au pied d'un arbre : Phylis la réconforte.
CL. LAROUSSE.

LES AMOURS DE DIANE ET DE SYLVANDRE. Cependant que Sylvandre chante au son de sa cornemuse, Diane est passée doucement derrière le buisson pour l'écouter sans être vue.
CL. LAROUSSE.

L'ASSEMBLÉE DES BERGERS ET DES BERGÈRES. Hylas défend la cause des amants infidèles. — Gravures extraites de l'« Astrée », édition de 1632-1633. — CL. LAROUSSE.

on n'y courtise jamais les femmes mariées. Sauf pour l'Arlésien Hylas, l'amour a pour but le mariage. Il s'accompagne toujours de l'estime attachée au mérite; car « il est impossible d'aimer ce que l'on n'estime pas ». Bien avant Corneille et Descartes, les personnages de l'*Astrée* mettent en lumière le rôle de la raison et de la volonté. L'honnête amitié a pour règle la raison. Pour agir raisonnablement, il faut d'abord bien se connaître; aussi, bergers et bergères procèdent-ils à de minutieuses introspections. L'homme agit librement; on peut et on doit soumettre l'amour à la volonté. Selon Adamas, « un grand courage maîtrise toutes sortes de passions ». L'amant doit obéir aux exigences de sa maîtresse et aux lois de l'honnête amitié; l'amante doit considérer avant tout sa « gloire », c'est-à-dire son honneur et sa réputation.

L'amour honnête produit de belles actions. Certains personnages sont déjà des « généreux », et quelques-uns s'élèvent jusqu'à l'héroïsme. Ainsi, lorsque Célidée est recherchée à la fois par Calidon et par son ami Thamire, celui-ci renonce à elle et veut la convaincre d'aimer l'autre; mais, comme elle aime Thamire, elle se déchire le visage avec un diamant, afin d'éteindre la passion de Calidon.

D'Urfé a employé la phraséologie galante des pétrarquistes : les métaphores du feu et de la glace, les hyperboles et les antithèses. Toutefois, il s'est gardé de reproduire le phébus de Nervèze;

Deimier le range avec raison parmi les bons prosateurs contemporains qui ont évité « les figures étranges et les pointes affectées ».

Ses personnages ne parlent pas naturellement : leur langue, généralement diffuse, est trop littéraire. Mais l'auteur possédait le vocabulaire psychologique qui lui permettait d'exprimer les nuances du sentiment. Cette langue abstraite est claire et souple. Bien qu'il fût un amateur et qu'il ait noirci des milliers de pages, il avait des scrupules de styliste : les corrections qu'il a faites dans les rééditions, en témoignent. Il a étendu à la prose la cadence et l'harmonie douce et fluide que les Desportes et les Bertaut donnaient à leurs vers.

Il faudrait tout un volume pour montrer le succès et l'influence de l'*Astrée* au XVIIe siècle. Quoique seule une élite pratiquât « l'honnête amitié », l'ouvrage a eu un succès immense, en particulier chez les femmes, qui s'y voyaient divinisées, et chez les courtisans. Non seulement il réalisait ce rêve de vie primitive et édénique que les civilisés ont toujours nourri; mais c'était un Art d'aimer, qui rendait inutiles le vieux *Roman de la Rose* et les *Amadis*, un manuel de civilité, d'art épistolaire et de conversation mondaine. Il a certainement contribué à adoucir la rudesse des mœurs.

L'influence littéraire de l'*Astrée* a été considérable. Elle s'est exercée sur les romans pastoraux, romanesques ou galants pendant la première moitié du siècle; l'auteur du *Grand Cyrus* se réfère à l'*Astrée* comme à un modèle. Seul, Charles Sorel a résisté à l'enchantement : dans son *Berger extravagant* (1627), il l'a copieusement et lourdement tournée en dérision. D'autre part, avec ses épisodes et ses cent personnages, ce roman était une mine inépuisable pour les auteurs de pastorales, de tragi-comédies pastorales et de tragi-comédies; les dramaturges des années 1620-1640 l'ont largement pillé. Corneille lui-même s'en est inspiré. La Fontaine en raffolait, et Boileau, fort sévère pour les romans, faisait pour l'*Astrée* une glorieuse exception. Enfin, la littérature psychologique du XVIIe siècle lui est peu ou prou redevable; car, comme disait Segrais, d'Urfé « a pénétré dans les sentimens d'amour plus que personne n'avoit jamais fait ».

V. — LE THÉATRE

LA VIE DRAMATIQUE

Réimpressions : J. *de Schelandre*, Tyr et Sidon, tragédie, *1908;* *Billard*, Gaston de Foix, *1931;* *Troterel*, la Tragédie de sainte Agnès, *1875;* *Baudeville*, S. Armel, *1855;* Th. *de Viau*, Pyrame, *1933;* *Racan*, les Bergeries, *1937;* Richecourt, tragi-comédie, *1860;* Ancien théâtre françois, *VIII* (Tyr et Sidon, tragicomédie, *et* les Corrivaux); *Gaultier-Garguille*, Chansons, *1858;* *Tabarin*, Œuvres, *1858;* P. *Lacroix*, Ballets et mascarades de Cour, *1868.*

Consulter: H. C. *Lancaster*, French dramatic literature in the XVIIth Century, I, *1929;* E. *Rigal*, le Théâtre français avant la période classique, *1901;* R. *Lebègue*, le Théâtre baroque en France (Bibliothèque d'Humanisme et Renaissance, *II*) et le Répertoire d'une troupe française à la fin du XVIe siècle (Revue d'histoire du théâtre, *I*); S. W. *Deierkauf-Holsboer*, Vie d'Alexandre Hardy, *Philadelphie*, *1947;* J. *Fransen*, Documents inédits sur l'hôtel de Bourgogne (Revue d'histoire littéraire, *XXXIV*); *Dabney*, Billard, *1931;* Ém. *Magne*, Gaultier-Garguille, *1911;* *et les ouvrages précités de Lanson, Prunières, Marsan et Lancaster.*

La fin des guerres de religion facilita la représentation et la publication des pièces de théâtre. Dans plusieurs villes et dans les bourgades, des amateurs se réunissaient pour donner des spectacles publics (Le Puy, 1593, 1600, 1609; Doué, près d'Angers; environs de Draguignan, etc.); leur programme se composait de pièces archaïques intitulées *histoires* ou *tragédies;* souvent, le personnage principal était le saint dont la ville ou la paroisse portait le nom (S. Armel, à Ploërmel).

L'activité dramatique des confréries et des sociétés joyeuses a beaucoup diminué; cependant, sous Henri IV, la confrérie rouennaise de la Passion fait jouer chaque année une pièce religieuse; une confrérie de saint Jacques joue à Limoges, en 1596, une tragédie sur son patron; une autre, dans l'Angoumois, représente *les Juives.* Dans les châteaux, amateurs ou professionnels donnent quelquefois des spectacles. Le ballet est un des principaux divertissements de la Cour et de la bonne société.

Le fait capital est le suivant : malgré les difficultés pécuniaires et malgré les tracasseries des autorités civiles ou religieuses, les tournées des acteurs professionnels prennent une grande extension. Des villes comme Poitiers ou Nancy en voient passer presque chaque année. En général, ils utilisent les jeux de paume. Les archives locales nous font connaître les chefs de troupe et aussi les genres dramatiques : la troupe de Pollidor, dit Chateauvieux, joue aux Pays-Bas, en 1593. Celle de Talmy est à Cambrai en 1593, à Arras en 1594, à Paris et en Lorraine en 1598, en Artois, Hainaut et Brabant en 1599. Le plus célèbre de ces directeurs de troupe est Valleran-le-Conte; nous le trouvons successivement à Bordeaux (1592), à Nantes, à Rouen, à Strasbourg, à Metz, à Francfort (1593). Puis il loue la salle de l'hôtel de Bourgogne (1599, 1600, 1606, 1607, 1609-1612), et il entretient chez lui des jeunes gens des deux sexes, à qui il enseigne le métier d'acteur; parmi eux se trouve le futur Bellerose. Mais il connaît à Paris de nombreuses difficultés financières. En 1613, il mène sa troupe à La Haye et à Leyde; puis nous perdons sa trace.

A Paris, les Confrères de la Passion cessent de jouer; ils louent, chaque année, pour quelques mois, leur salle à une troupe. C'est exceptionnellement une troupe anglaise (1598) ou espagnole (1625), plus souvent une troupe de comédiens et d'acrobates italiens : celle du duc de Mantoue, celle d'Arlequin et d'Andreini, ou d'autres. Ce sont surtout les comédiens ordinaires du roi; Valleran les dirige jusqu'en 1612; ils s'y établiront définitivement en 1629. En 1622, les locataires sont les comédiens du prince d'Orange, dont fait partie Montdory. Les acteurs les plus applaudis étaient trois farceurs : Turlupin, Gros-Guillaume et Gaultier-Garguille. A l'Hôtel de Bourgogne, les comédiens ont sans doute utilisé une partie de la machinerie, des décors et des accessoires qui avaient servi aux Confrères; mais, dès 1599, Valleran commandait à des peintres, pour ses représentations à l'Hôtel, des peintures « de ville, châteaux, rochers, feintes, bois, bocages, gazons, artifices ».

Il arrive souvent qu'un acteur tienne successivement plusieurs rôles dans la même pièce. C'est un homme qui, sous le masque, fait le personnage de la nourrice. Les troupes comptent généralement quelques femmes; leur arrivée dans les villes met les galants en effervescence. On leur attribue des mœurs très libres; un mémorialiste bordelais cite, en 1592, comme une exception, une belle actrice de la troupe de Valleran qui savait se faire respecter de ses adorateurs.

C'est parfois un poète à gages qui fournit à la troupe son répertoire; pour une maigre rétribution, il bâcle force drames en tous genres; pendant quelques années, Théophile, puis Rotrou exerceront, après Hardy, ce métier peu estimé. Le plus souvent, les troupes jouent les pièces imprimées : à la fin du siècle, les pièces de Jodelle, *la Soltane* de Bounin, l'*Abraham sacrifiant* de Bèze; de 1601 à 1604, l'*Escossoise* de Montchrestien. Talmy représente, dans les Pays-Bas, les tragédies de Roillet, de Brisset, et

LE THÉATRE DE TABARIN. Gravure d'Abraham Bosse (B. N., Cabinet des Estampes). — CL. LAROUSSE.

surtout celles de Garnier : *les Juives, la Troade, Hippolyte*. A ces drames pathétiques il joint une *Philomèle*, une *Médée*, la pastorale d'*Athlette*, et des moralités : *le Corps humain qui laisse son Ame* et *la Taverne de Volupté endormie*. Pollidor joue des « histoires, comédies et tragédies tant saintes que profanes ». Valleran montre aux provinciaux et aux Rhénans des tragédies, des tragi-comédies, des pièces bibliques, des comédies ; à Paris, il fait suivre la comédie d'une farce inspirée par la chronique scandaleuse.

Ces répertoires prouvent que les acteurs ambulants s'efforçaient de satisfaire les goûts variés d'un public mêlé. La même diversité se constatera dans le théâtre imprimé.

Les pièces imprimées proviennent surtout de Rouen : dans la patrie de Corneille il y eut, avant ses débuts, des éditeurs — les Du Petit-Val et les Cousturier — qui s'étaient spécialisés dans la littérature dramatique.

Le théâtre imprimé entre 1590 et 1630 produit à première vue une impression très confuse. En effet, la tradition de la tragédie et de la comédie à l'antique est détruite ou altérée par les anciens genres, qui ont repris une certaine vitalité, et par les influences qui proviennent du théâtre italien et des romans. A la suite de nos guerres civiles, le niveau intellectuel et moral a sensiblement baissé. Les dramaturges n'écrivent plus pour une élite, mais pour un public peu raffiné, qui ne se soucie guère des règles, des bienséances et des modèles antiques.

Bien que les noms de *mystère* et de *moralité* aient disparu, les « his-

LES FANTAISIES DE BRUSCAMBILLE. Frontispice de l'édition de 1612. — CL. LAROUSSE.

toires » bibliques qui étaient données au Puy étaient des sortes de mystères, et les « tragédies » de *Saint Jacques*, de *Saint Armel* ou de *Sainte Agnès* tiennent à la fois du mystère et de la tragédie de la Renaissance.

A Paris, où réside la Cour et où les meilleurs auteurs viennent se faire jouer, l'influence des mystères est moins sensible qu'en province. Mais la farce y conserve une grande vogue. En 1612, le libraire parisien Rousset met en vente un recueil de sept farces. Les chansons grivoises de Gaultier-Garguille sont imprimées en 1632. Les prologues bouffons que Bruscambille récite à l'Hôtel de Bourgogne et qui prolongent la tradition des boniments de bateleurs et des sermons joyeux, sont souvent réédités à partir de 1609. Sur le Pont-Neuf, Tabarin attire les chalands à la boutique de son frère, l'opérateur Mondor, en débitant des monologues et des dialogues, et en jouant des farces avec sa femme, une Italienne. Telle « comédie » du Normand Troterel n'est, en fait, qu'une farce grossière en cinq actes.

Tandis que Montchrestien et quelques autres restent fidèles à la tradition de la tragédie régulière, oratoire et élégiaque, la tragédie « baroque » prend la première place. Pas d'unité de temps ni de lieu. Le chœur, dont les tirades interrompaient l'action et ennuyaient le public, disparaît. L'action est aussi mouvementée que dans les tragédies étrangères qui sont parfois jouées à Paris ; du reste, le sujet est souvent emprunté aux romans d'aventures, et non aux ouvrages historiques. Comme les fournisseurs de l'actuel Grand-Guignol, nos auteurs tragiques, à cette époque, s'efforcent d'agir sur les nerfs du spectateur et de renchérir en horreur sur leurs devanciers. Les meurtres, les combats singuliers, les supplices, les sièges de villes, voire même les batailles se passent sur la scène; le magasin des accessoires contient une éponge que l'on remplit de sang, une tête feinte, un tombeau, des draps noirs, etc. Le public assiste à des transports de folie.

Les passions ne connaissent pas de frein. Le désir sexuel est exprimé crûment, malgré quelques fioritures pétrarquistes. On entend les cris d'une femme qui est violée à la cantonade. L'adultère est assez fréquent, et l'inceste fournit le thème de plusieurs tragédies.

Ces caractères qui sont ceux des tragédies de Laudun d'Aigaliers (1596), Nicolas Chrestien des Croix, Nancel, Billard (1610) et de dix auteurs oubliés, nous les retrouverons dans la plupart des tragédies de Hardy.

Le genre tragi-comique ne prend son essor qu'après la publication des tragi-comédies de Hardy (1623-1628). A partir de 1628, il est le plus en vogue. On donne alors le nom de tragi-comédie aux pièces romanesques dont le dénouement est heureux, et où le comique alterne avec le tragique.

TYR ET SIDON, tragi-comédie de Jean de Schelandre (1628). — CL. LAROUSSE.

Jean de Schelandre reprend la tragédie de *Tyr et Sidon* qu'il avait publiée en 1608, et en tire, en 1628, une tragi-comédie en deux journées, où des scènes grossièrement comiques voisinent avec les meurtres et les combats.

LE THÉATRE D'ALEXANDRE HARDY, PARISIEN. Frontispice du tome IV (1626). — CL. LAROUSSE.

La pastorale se nourrit d'imitations de l'*Aminta*, du *Pastor fido*, de la *Diane* de Montemayor, et ensuite de l'*Astrée*. Racan, dont les *Bergeries*, publiées en 1625, connaissent un grand succès, est un des rares auteurs qui ajoutent aux conventions de ce genre factice des descriptions exactes de la vie rustique. Quant aux ballets de Cour, il suffit de signaler l'imagination déréglée qui règne dans un certain nombre d'entre eux et qui recherche le « grotesque » et « l'extravagant ».

ALEXANDRE HARDY

Hardy est, en France, le premier dramaturge professionnel dont le nom ait été conservé. Aucun de nos hommes de théâtre n'a égalé sa fécondité. Né à Paris, comme Jodelle, il commença à écrire des pièces vers 1592. Les a-t-il jouées lui-même? Dans un acte de 1611, il est rangé parmi les « comédiens du Roy ». Mais sa vie est encore mal connue. Il a exercé les fonctions de poète à gages auprès de Valleran-le-Conte (acte de 1611), de Le Messier, dit Bellerose (actes de 1620, 1623 et 1625) et de Deschamps de Villiers (acte de 1627). Avec eux, tantôt il vécut à Paris, tantôt il parcourut les provinces françaises; Rapin reçut sa visite à Fontenay-le-Comte. Sa vie, qui fut besogneuse, se termina en 1632, et, peu après, son nom tomba dans l'oubli.

Parmi les six cents pièces qu'il se vantait, en 1628, d'avoir écrites, il en a publié trente-quatre, soit cinq pastorales, trois « poèmes dramatiques » (l'un d'eux, en huit journées, embrasse tout le roman de Théagène et Chariclée), douze tragédies et quatorze tragi-comédies. Une dizaine de tragi-comédies, qui n'ont pas été conservées, figuraient, en 1633-1634, au répertoire de l'Hôtel de Bourgogne.

Théagène et Chariclée parut en 1623. Les cinq volumes de pièces diverses, qui furent publiés de 1624 à 1628, ont été réimprimés par Stengel en 1883. Consulter : Eug. Rigal, Alexandre Hardy, 1889; et l'ouvrage précité de Mᵐᵉ Deierkauf-Holsboer.

Hardy ne possède pas la culture humaniste; dans ses préfaces, il ne cite presque jamais un théoricien ancien ou moderne, et il ne reprend jamais les sujets traités par les dramaturges latins et grecs. S'il utilise les historiens et les romanciers de l'Antiquité, c'est dans des traductions qu'il lit leurs œuvres. Il emprunte aussi des sujets à la poésie pastorale et aux contes d'Italie, à la *Diane* de Montemayor, aux *Nouvelles* de Cervantès et à d'autres romanciers espagnols.

Parmi les auteurs français, il estime Robert Garnier, mais son grand homme est Ronsard. Il le loue aux dépens de Malherbe et de la nouvelle école. Si sa syntaxe et son vocabulaire sont plus archaïques que ceux des contemporains de Louis XIII, c'est qu'il suit les conseils et l'exemple de la Pléiade : à l'époque où Malherbe termine sa carrière, il parsème ses pièces de mots et d'expressions tels que *stygian, nestoré, gouffreux, mourable, ébénin, tendrelet, dompte-monstres, archerot, j'accompliray devot son oracle* !

Ses tragédies ne comportent aucun sujet religieux. Il n'a pas rompu avec la tragédie oratoire et pathétique des humanistes: il invente des songes et des présages; il utilise l'Ombre pour l'exposition, le messager pour les récits, le personnage de la nourrice ; son style est ampoulé. Mais, comme les auteurs dont nous avons cité plus haut les noms, il place sous les yeux tous les événements, sauf les viols et les combats. Le public assistait à la longue agonie d'Alexandre, à la folie d'Hérode, aux meurtres les plus variés et les plus impressionnants. Il y a une intrigue tragique et des péripéties. Les antagonistes se rencontrent. Les monologues sont généralement moins longs que dans les tragédies du XVIᵉ siècle, et les scènes plus nombreuses ; les conversations sont plus animées, et servent à l'action. Le nœud est souvent placé au troisième acte : c'est à ce moment qu'Abradate passe au service de Cyrus, et qu'Énée rompt avec Didon. La catastrophe n'est pas connue d'avance. Combien nous sommes loin de ces tragédies qui n'étaient faites que de lamentations et de sentences !

L'action est liée à la psychologie des personnages ; les événements sont produits par eux. Le héros agit, au lieu de subir passivement la mauvaise fortune. Certains personnages ont un caractère complexe et qui évolue ; des conflits intérieurs sont esquissés.

Alors que *Scédase* n'est qu'un mélodrame d'horreur, *Panthée* présente ce double caractère de tragédie d'action et de tragédie psychologique. En voici le résumé. Abradate est l'allié des Assyriens dans la guerre qu'ils soutiennent contre Cyrus le Jeune. Sa femme, Panthée, tombe aux mains d'Araspe, lieutenant de Cyrus. Araspe obtient de son maître la permission de la conserver. Au second acte, il déclare son amour à la belle captive ; elle décide de recourir à Cyrus. Au troisième acte, le roi réprimande Araspe ; touchée de cette générosité, elle décide de faire entrer son mari dans le parti des Perses. Elle y réussit au cours d'une entrevue avec lui. Dans cette scène, l'évolution d'Abradate

FRONTISPICE du tome Iᵉʳ du Théâtre d'Alexandre Hardy. — CL. LAROUSSE.

est bien marquée : d'abord, il s'inquiète de la bonté de Cyrus pour une captive ; rassuré par sa femme, il commence par refuser de trahir ses alliés ; il finit par céder, mais à regret. A l'acte suivant, pendant qu'Abradate et les Perses vont au combat, Panthée s'afflige de funestes présages ; puis un messager annonce à Cyrus la victoire qui vient d'être remportée, les prodiges de valeur et la mort d'Abradate. On ramène son corps. Dans l'acte final, Panthée, penchée sur le corps de son mari, s'abandonne à la douleur et au remords, et elle se tue.

Une partie des mérites de cette pièce revient à Xénophon. Mais il suffit de comparer la *Panthée* de Hardy à celles de Guersens, de Guérin Daronnière et de Billard, pour constater les progrès de la composition dramatique et de l'art psychologique.

Dans les tragi-comédies de Hardy, les unités de lieu et de temps sont encore moins observées que dans ses tragédies ; l'intérêt psychologique y est sacrifié à l'abondance des péripéties ; les situations et le dénouement ne respectent pas toujours la morale. Ses pastorales, en vers de dix syllabes, sont conformes aux conventions du genre ; l'originalité de Hardy consiste dans le mouvement de l'action et dans la vérité des sentiments.

Aucune de ses comédies n'a été conservée.

Ce qui a causé le discrédit du théâtre de Hardy, c'est surtout le caractère archaïque de sa langue poétique et les innombrables négligences de son style et de sa versification. Les dramaturges de la jeune génération lui ont pris ses sujets ; et leurs pièces, plus travaillées, mieux écrites, plus conformes aux bienséances, ont fait oublier les siennes. Mais ce *fa presto* avait l'instinct dramatique ; il a plus fait que ses contemporains pour fixer les caractères de la tragi-comédie et substituer à la tragédie oratoire et élégiaque du XVIᵉ siècle un drame d'action et de psychologie.

UNE PARADE DE CHARLATANS SUR LE PONT-NEUF. — CL. DIDIER.

Le 10 novembre 1630, Richelieu, abandonné par Louis XIII aux insultes de la reine mère, se désespérait de voir son crédit abattu, tandis qu'en son palais du Luxembourg Marie de Médicis recevait l'hommage empressé des courtisans : le lendemain, le roi reconquis, la reine mère rebutée, Marillac en exil, c'était le Cardinal qui triomphait. Simple péripétie, sans doute, dans la complexe histoire du ministre avec la famille royale et les Grands, que cette « Journée des Dupes » : incident décisif, néanmoins, et qui marque, dans le siècle, un tournant. Contesté jusque-là, gêné par une opposition constante et souvent menacé de disgrâce, le vainqueur de La Rochelle et de Pignerol, sûr désormais de la faveur royale, saisit d'une main ferme les rênes du pouvoir; et son impérieux génie engage le pays tout entier dans une entreprise d'unification et de resserrement des disciplines qui, non moins que sur les institutions, agira sur les mœurs et sur la littérature même. Car il aspire à tout régenter, la conduite des nobles, la moralité du théâtre, · les dires des publicistes, et son programme, dont l'ordre est le premier article, comporte aussi le règne des bienséances.

Quel homme, cependant, serait assez fort pour renverser d'un seul coup tous les obstacles? Marie de Médicis ne se tient pas pour battue, Gaston d'Orléans se révolte, des factions s'agitent autour de la jeune Anne d'Autriche, et Cinq-Mars conspire; après la mort de Richelieu (4 décembre 1642), son successeur devra disperser les « Importants ». Louis XIII, d'ailleurs, a disparu à son tour (14 mai 1643), et c'est le temps de la « bonne Régence » dont Saint-Évremond chantera la « politique indulgente » favorable aux « vices délicats », et même aux autres. Sans doute la fin de la guerre de Trente Ans approche, et les glorieuses victoires de Rocroy (1643), de Fribourg (1644), de Nordlingen (1645) et de Lens (1648), gagnées par Condé et Turenne, permettent de prévoir une ère de paix qui facilitera l'œuvre de réorganisation à l'intérieur. Mais avant même qu'aient été signés les traités de Münster et d'Osnabrück (14-24 octobre 1648), la Fronde a éclaté — Fronde parlementaire (mai 1648-mars 1649), Fronde des princes (janvier 1650-septembre 1653), — cinq années de folies, qui transforment les grands seigneurs en aventuriers, les grandes dames en amazones, de paisibles bourgeois en rebelles, qui accumulent aussi les pillages et les ruines, suscitent des libelles séditieux, des pamphlets véhéments et orduriers, des couplets obscènes, une poésie bouffonne, et paraissent anéantir un demi-siècle d'efforts. Il faudra la lassitude et le dégoût provoqués par ces excès pour permettre à Mazarin de recouvrer son autorité, de remettre un peu d'ordre dans l'administration et les finances, de négocier, au-dehors, la paix des Pyrénées (7 novembre 1659) et le mariage du jeune Louis XIV avec l'infante Marie-Thérèse. Lorsqu'il mourra (9 mars 1661), une partie de l'œuvre réparatrice sera accomplie; mais des motifs d'inquiétude subsisteront : la mauvaise gestion du surintendant Fouquet; le trouble jeté dans les esprits par la querelle théologique entre les jansénistes et leurs adversaires de la Sorbonne ou de la Compagnie de Jésus.

Les aspects sont donc singulièrement variés et changeants, que la France offre pendant le deuxième tiers du siècle. La noblesse, dont les prérogatives sont sans cesse rognées par le pouvoir central, se confine peu à peu dans les futiles divertissements de la Cour, et cependant frémissent encore en elle des velléités d'indépendance, des rêves chevaleresques, une aspiration à la grandeur qui, lorsqu'ils ne l'entraînent pas à des folies, la rendent du moins sensible aux prestiges de l'espagnolisme et de l'héroïsme romanesque. Par le clergé, que soutient depuis 1627 la puissante Compagnie du Saint-Sacrement, se poursuit, avec un éclat remarquable, l'action de la Renaissance catholique, inspiratrice de multiples œuvres de charité, d'innombrables vocations mystiques; mais le libertinage, qui trouve un discret asile dans les « études » de quelques savants, continue également de faire jaillir le blasphème sur les lèvres des grands seigneurs. La brutalité des paroles, celle même des gestes, une façon grossière de conduire les affaires d'amour voisinent obstinément avec les raffinements sans cesse plus délicats que s'impose, après des années troublées, une société mondaine ravie de se réunir, avide de briller. Tallemant des Réaux, le peintre le plus précis de ce monde bigarré, fréquente les ruelles des dames les plus vertueuses et s'intéresse à tous les scandales; il collectionne avec le même zèle les poésies galantes et les anecdotes du goût le plus gaulois; il mêle de gros mots à une prose élégante. Les œuvres d'art elles-mêmes traduisent ces contrastes, et, tandis que la réalité familière trouve ses interprètes en la personne d'Abraham Bosse et des frères Le Nain, Poussin et Claude Gelée poursuivent, au-delà de la nature observée, des visions d'ordre et d'harmonie, Philippe de Champaigne donne, dans ses portraits, un visage à la spiritualité de l'époque, à celle, notamment, de Port-Royal.

La même diversité savoureuse se révélera fidèlement dans le miroir de la littérature. Mais, dans celle-ci comme dans l'État et la société, un progrès va s'accomplir vers la mesure, vers l'unité. Sans doute, on verra se prolonger les conflits qui, dans la génération précédente, opposaient aux poètes « réguliers » de l'entourage de Malherbe, les indépendants comme Théophile. Et cependant, le branle a été donné : parmi les chocs et alternances, le chaos peu à peu s'ordonnera; les singularités excessives s'atténueront; les dissonances se fondront en accords moins hardis, mais plus justes. Cette évolution littéraire qui, à travers la richesse encore confuse de l'époque Louis XIII, prépare lentement l'élégance classique, revêt deux aspects complémentaires, l'un et l'autre, d'ailleurs, plus d'une fois associés : l'acceptation de plus en plus générale et l'extension des disciplines naguère proposées par Malherbe; l'affinement du goût dans une société mondaine au sein de laquelle les écrivains s'efforcent sans cesse davantage de plaire.

LE COLLÈGE DES QUATRE-NATIONS, institué par Mazarin (siège actuel de l'Institut de France). Gravure de Pérelle. — CL. LAROUSSE.

DEUXIÈME PARTIE

LE TEMPS DE RICHELIEU ET DE MAZARIN (1630-1661)

I. — L'ÉVOLUTION LITTÉRAIRE

Sur la société mondaine et lettrée au sein de laquelle s'accomplit, de 1630 à 1661, une décisive évolution littéraire, le témoignage le plus important, dans sa netteté savoureuse et même sa crudité, est fourni par les Historiettes de Gédéon Tallemant des Réaux (1619-1692), exhumées en 1834, et dont les meilleures éditions sont celles de Monmerqué et Paulin Paris (1854-1860, 9 vol.), et de G. Mongrédien (1932-1934, 8 vol.).

Voir aussi : M. Magendie, la Politesse mondaine et les théories de l'honnêteté en France, de 1600 à 1660, 1925; G. Mongrédien, la Vie littéraire au XVIIe siècle, 1947.

L'Histoire de la littérature française classique, de D. Mornet (1940), contient, dans ses premiers chapitres, nombre d'indications essentielles sur le changement du goût avant 1660.

L'ÉTABLISSEMENT DES DISCIPLINES

VAUGELAS ET L'ÉPURATION DE LA LANGUE

Savoisien par ses origines, et fils d'un magistrat qu'avait honoré l'amitié de François de Sales, Claude Favre, sieur de Vaugelas (1585-1650), grand voyageur dans sa jeunesse, mais courtisan malchanceux du duc de Nemours et de Gaston d'Orléans, dut vivre, sur ses vieux jours, d'expédients. La douceur de son caractère et la finesse de son jugement lui valurent néanmoins le meilleur accueil dans la société parisienne, où il joua longtemps le rôle d'arbitre du beau langage. Il travailla trente ans à une traduction de Quinte-Curce. Dès les environs de 1620, il avait commencé de recueillir des Remarques sur la langue française, dont il publia une partie en 1647.

L'édition originale de ce livre célèbre a été reproduite, en 1934, par Mlle J. Streicher, qui a aussi réimprimé, en 1936, les Commentaires suscités, chez les contemporains et les successeurs de Vaugelas, par les Remarques : les objections, notamment, de François de La Mothe Le Vayer (1588-1672), auteur, en 1638, de Considérations sur l'éloquence française de ce temps, et, en 1647, de quatre Lettres touchant les nouvelles Remarques sur la langue française; de Scipion Dupleix (1569-1661), qui publia, en 1651, la Liberté de la langue française dans sa pureté; enfin, du savant Gilles Ménage (1613-1692), dans ses remarquables Origines de la langue française (1650), puis, plus tard, dans ses Observations sur la langue française (1672). Avant eux, déjà, la « fille d'alliance » de Montaigne, la vieille Mlle de Gournay (1566-1645), avait affirmé les mérites de l'ancienne langue et de ses libertés dans une Défense de la poésie et du langage des poètes, qu'elle fit reparaître en 1634 et en 1641.

Malherbe avait tenté, selon le mot de Balzac, d'apprendre à la France « ce que c'était que parler purement » : après sa mort, c'est la France elle-même, en la personne de ses gens du monde et de ses beaux esprits, animés par une émulation presque spontanée de bien dire, qui continue sa propre éducation.

Nulle spéciale vocation, par exemple, n'a poussé à s'occuper de la langue celui qui symbolise, en ce domaine, l'effort de toute sa génération. Vaugelas n'est point un grammairien de métier, ni même un érudit. Lorsqu'il se fait portraire, il pose en perruque bouclée et en cuirasse. Gentilhomme courtisan, s'il brille dans la conversation, ce n'est point à force de science, c'est par le charme de son

« esprit présent ». Il n'a guère étudié; seulement, ayant goûté dans sa jeunesse les périodes de Coëffeteau et de Du Perron, comme les stances de Malherbe, il s'est interrogé sur les vertus des mots qui leur avaient servi; puis, s'étant piqué au jeu, il a consigné, au hasard de ses entretiens, ses observations sur les façons de parler les mieux en usage chez les gens distingués, dans ce qu'il appelle, gentiment, « la belle Cour ». On a recouru à ses conseils : il les a dispensés sans pédantisme. Aucun magistère ne s'est exercé plus discrètement et de meilleure grâce que le sien.

La *Préface* de ses *Remarques* montre bien la différence d'esprit qui sépare de purs théoriciens d'école, comme les écrivains de la Pléiade, ou de philosophes systématiques, comme seront les auteurs de la *Grammaire de Port-Royal*, épris de logique claire et de rigueur géométrique, cet artisan modeste et circonspect du classicisme. Il n'aspire pas à enrichir la langue, mais à la « nettoyer ». Plutôt qu'à des créations de vocables, c'est à un choix et à une vérification qu'il s'applique. L'abondance, la singularité, la luxuriance, ces qualités des époques d'audace inventive, le séduisent moins que la pureté. Encore tient-il, dans le tri qu'il opère, à ne point décider par raison dogmatique, et pas davantage par autorité, mais par un docile enregistrement des faits. Il devine que les langues ont leur génie, qui ne veut pas être brusqué; il satisfait aussi l'une des aspirations de ses contemporains, qui souhaitent moins d'assurer à des poètes la gloire de la nouveauté, que de posséder, pour la pratique de la vie et pour les entretiens du monde, un moyen de communication précis et sûr. Ni législateur ni même juge, il veut être, avec du goût, de la prudence et une oreille fine, « un simple témoin, qui dépose ce qu'il a vu et ouï ».

C'est donc à l'*usage*, reconnu par chacun « pour le maître et souverain des langues vivantes », que, comme Malherbe, il recommande de se conformer. Mais les galantes personnes dont il interprète les goûts n'ont que faire d'imiter les crocheteurs du Port-au-foin. Aussi préfère-t-il, à l'usage du commun, ce qu'il appelle « le bon usage », c'est-à-dire « la façon de parler de la plus saine partie de la Cour, conformément à la façon d'écrire de la plus saine partie des auteurs du temps ». Définition un peu flottante, et impropre à un discernement infaillible : si Vaugelas voit juste en abandonnant *iceluy* au passé, au peuple *cheuz nous*, et aux femmes *une belle ouvrage*, s'il fait sagement d'accueillir *vénération*, *souveraineté* ou *exactitude*, il se presse trop d'annoncer la mort de *contempteur* et de *condoléance*, tandis qu'il prédit un long avenir à *sériosité*. On voit bien, d'ailleurs, vers quels écueils il s'apprête à conduire tout doucement son siècle. Son critère du « bon usage » va tendre à couper le langage de ses racines populaires, en paralysant ainsi l'élan créateur : Fénelon, La Bruyère le déploreront, à la fin du règne de Louis XIV. Bien plus, en subordonnant le « consentement des bons auteurs » aux caprices de la langue parlée, il risque de sacrifier la liberté féconde du poète, non seulement aux commodités du grand nombre, mais aux conformismes de salon. L'appauvrissement menace ce vocabulaire au contrôle duquel il apporte une application si scrupuleuse.

Rares, cependant, sont ceux, autour de lui, qui songe-

UNE PAGE DE L'ÉDITION ORIGINALE des « Remarques » de Vaugelas (1647). CL. LAROUSSE.

raient à s'en plaindre, et l'opposition à ses principes ne vient guère que d'archaïsants : de La Mothe Le Vayer, héritier de la bibliothèque de Mlle de Gournay et philosophe du XVIe siècle attardé au XVIIe, ou du nonagénaire Scipion Dupleix. C'est qu'en travaillant à fixer les circonstances d'emploi de chaque locution, ou en distinguant le « beau style » des familiarités de la comédie comme des licences de la satire, il établit, avec toute la délicatesse qu'elle peut comporter, une hiérarchie des genres et des tons qui satisfait, chez ses contemporains, l'amour de l'ordre, le goût de la bienséance. C'est aussi que, médiocrement attentif à l'abondance et à la couleur des mots, il n'en a que plus de zèle à pourchasser les équivoques, à cultiver cette « clarté » qu'on devine essentielle au français, à nuancer enfin les significations et à étudier ces attaches de la phrase, dont la justesse, indispensable à l'élégance du discours, ne l'est pas moins à l'entente subtile de la conversation, à la vivacité des jeux de l'esprit, à la finesse de l'analyse morale. Il y a plus encore : en proscrivant, comme Malherbe, la « contagion des provinces », il flatte cet enthousiasme nouveau qui pousse tant de gentils-hommes et de dames à rechercher, dans la capitale même, des grâces exquises qu'ils pensent ne pouvoir trouver que là. Et comment déplairait-il aux Français qui, après avoir salué les conquêtes de Richelieu, se réveillent au son des cloches célébrant Rocroi ou Nordlingen, d'entendre vanter les mérites « que la langue française affecte sur toutes les langues du monde », de l'aider même, pour leur part, à atteindre ce « comble de perfection » auquel elle n'est pas encore tout à fait parvenue ? « Parler Vaugelas », comme chacun bientôt voudra le faire, ce ne sera pas seulement renoncer au solécisme; ce sera pratiquer un langage peu favorable peut-être aux hardiesses abruptes du lyrisme, plus souple que riche, et même volontiers abstrait, mais sobre, limpide, capable de noblesse, conforme aux exigences multiples qu'imposent, dans la société mondaine, le commerce des esprits délicats, et, aux yeux de l'histoire, la politesse d'un grand siècle.

BALZAC, OU L'ART DE LA PROSE

Jean-Louis Guez (1597-1654), qui tira d'un petit domaine en Angoumois le nom plus flatteur de sieur de Balzac, n'eut pas plus que Vaugelas à se louer d'avoir servi les Grands. Filleul du turbulent duc d'Épernon, il s'attacha aux intérêts de sa famille ; mais ni les libelles qu'il composa pour lui, ni sa participation, en 1619, au fameux « voyage d'Amadis » qui permit l'évasion de la reine mère, ni le séjour qu'il fit à Rome (1620-1622) comme agent du cardinal de La Valette, ni même les glorieuses avances de Richelieu ne lui valurent la fortune : sans emploi à la Cour, il n'obtint pas davantage d'abbaye.

Le procès de Théophile, jadis son compagnon en Hollande, lui avait inspiré, en 1624, quelque inquiétude : la fastidieuse guerre de plume qui naquit, en 1627, du succès de ses Lettres (1624) acheva de le dégoûter, en blessant sa vanité, qui n'était pas médiocre. Retiré dans sa petite terre de Balzac, d'où il ne vint plus que très rarement à Paris, il ne voulut être, jusqu'à la fin de ses jours, que « *l'ermite de la Cha-rente* » : *solitaire égoïste et volup-tueux, mais en même temps con-seiller littéraire du beau monde parisien, qui de loin sollicitait ses avis comme ceux du « roi de l'Élo-quence de son temps »; épistolier fécond, dont les moindres billets faisaient les délices des gens de goût ; enfin, à ses heures, moraliste chrétien. Nommé membre de l'Aca-démie, il n'y prit séance qu'une seule fois.*

La monumentale édition, en deux gros in-folio, de ses Œuvres com-plètes, procurée par Conrart en 1665, réunit aux divers recueils de ses Lettres *ses* Dissertations cri-tiques *sur divers sujets de littéra-ture et de morale, ses traités du* Prince *(1631) et du* Socrate chré-tien *(1652), enfin,* Aristippe ou de la Cour, *écrit posthume (1658). Tamizey de Larroque a publié, en 1873, un volume de ses* Lettres iné-dites. *Une édition critique de ses* Premières Lettres *(1618-1627) a été donnée par H. Bibas et K.-T. Butler, 1933 (2 vol.). Sur*

I LVDOVICVS BALZACIVS ANN. Æ.T. 40

Facunda nullus ora Gallicæ Pythus Potis est referre pictor, et color nullus. Imago ut extet vera, quem vides, ipse Sibi sit Apelles unus, unica Suade.

GUEZ DE BALZAC. Portrait par Claude Mel-lan (B. N., Cab. des Estampes). — CL. LAROUSSE.

ses idées en matière de langue et de style, voir : Guil-laumie, *J.-L. Guez de Balzac et la prose française, 1927. Sur son ami Conrart, voir :* A. Bourgoin, *Valentin Conrart et son temps (1603-1675), 1883.*

C'est avant tout un artiste — on dirait volontiers : un esthète — que Balzac. Capable de sensations raffinées, il est aussi de ceux qui éprouvent, à traduire leurs impres-sions dans les termes les plus pleins et les plus suggestifs, un surcroît de jouissance. Séjourne-t-il à Rome, il n'a de cesse qu'il n'ait accordé ses cadences à l'émotion complexe que lui inspire la cité des grands souvenirs, des palais croulants et des fontaines chantantes. De même lorsqu'il se réveille en sa maison d'Angoulême, devant un horizon de campagne, ou lorsque, sur les bords de sa Charente, entre son allée de mûriers blancs et de tulipes, il goûte la fraîcheur des eaux : sa phrase ample, mais subtile, poursuit jusque sous le bocage les jeux de l'ombre et de la lumière, cueille la goutte de rosée à la pointe des herbes, s'étale mollement comme la grisaille du ciel, rivalise d'éclat avec le feu qui danse dans l'âtre. Chargée de notations aiguës et d'intentions ironiques jusque sous ses draperies les plus majestueuses, elle s'assortit ingénieusement aux rêves, aux mélancolies, aux dédains, à la très décorative dévotion, parfois au discret libertinage d'un homme qui ne veut rien goûter comme le vulgaire et qui, lorsqu'il paraît confesser le plus ingénument ses humeurs, trouve encore le moyen de se composer un personnage. Imagination voluptueuse, sens des belles lignes et des riches harmonies, sûreté de l'oreille, que de ressources se révèlent dans les lettres qu'il polit pour ses amis, et dont la solennelle ordonnance, la lenteur souvent un peu lourde laissent place, cependant, à maints détours imprévus! Lorsqu'un premier recueil en parut, en 1624, les connaisseurs s'émerveillèrent de ces bibelots singuliers, mais si habilement façonnés, et Balzac devint, d'un seul coup, le « grand épistolier de la France » et l' « unique éloquent », un maître à parler et à écrire.

Maître moins scrupuleux que Vaugelas, moins rigoureux surtout que Malherbe, ce « vieux pédagogue de la Cour », ce « tyran des mots et des syllabes » acharné à faire « de si grandes différences entre *pas* et *point* », Balzac répugne à des recherches aussi vétilleuses : il aime sa liberté, lui

qui se plaît à déconcerter, de temps à autre, par un mot de « belle humeur » et qui affirmera, en faveur de Corneille, que « l'art de plaire ne vaut pas tant que savoir plaire sans art ». Et puis, il sait bien qu'avec un vocabulaire abstrait et restreint, il n'aurait jamais ébloui les lecteurs de ses premières *Lettres*. C'est en mariant libéralement la métaphore et l'hyperbole, dans une ornemen-tation dont la luxuriance rappelait parfois les écrivains les plus fleuris de la génération précédente, qu'il a conquis le public. Une gamme variée de couleurs, un choix suffi-samment étendu de sonorités évoca-trices lui sont nécessaires pour satis-faire son goût, très personnel, de la beauté plastique, et il désapprouve ces maniaques, à la fois « gueux et délicats », qui appauvrissent la langue à force de la nettoyer : tels ces prédicateurs qui, trouvant *le Diable* une locution barbare, s'astrei-gnent à ne parler que du *Démon*. Pour sa part, il continue d'aimer, même s'ils tendent à vieillir, quel-ques nobles vocables issus du latin ; et si un mot nouveau définit avec bonheur les délicatesses récentes de la vie de l'esprit, il se hasarde à en user. C'est un styliste toujours en éveil, nullement un puriste rechigné.

Il n'en travaille pas moins, dans les années de sa matu-rité, à resserrer les lois du langage et les bornes de l'art : revanche, sur ses instincts capricieux, de ce bonhomme Malherbe contre lequel il lui arrivera de pester, mais qui lui a donné ses premières leçons littéraires, et qui même l'appelait son « fils ». C'est du poète grammairien qu'il a hérité le mépris des « fripiers et ravaudeurs » de la Pléiade, l'horreur des gasconismes et du jargon pédantesque : lorsque, au fond de sa province, il s'impose de parler aussi purement qu'au Louvre et de viser sans cesse à la perfec-tion du discours, c'est bien à Malherbe qu'il continue d'obéir, à moins qu'il ne se souvienne de Coëffeteau, autre conseiller de ses débuts. Mais il ne s'en tient pas à ces principes élémentaires. Multiples sont, au contraire, les qualités qu'il inclut dans son art d'écrire. La clarté, par exemple, car il veut être « intelligible aux femmes et aux enfants » et il ne néglige, pour y réussir, ni l'emploi savant des particules, ni le recours à des transitions judicieuses, ni le soin « d'arranger les mots ensemble et de les mettre en place ». La décence, également, à laquelle il sacrifie, avec un zèle parfois exagéré, la forte et savoureuse simpli-cité du vocabulaire concret. La justesse, encore, au nom de laquelle, logicien aussi nuancé qu'impitoyable, il pros-crit les métaphores incohérentes et les pointes forcées. L' « ordre », non moins, qui manquait à tant de prosateurs enchevêtrés du début du siècle, mais qu'il préfère à l'abon-dance, et qui consiste à « débrouiller la masse et partager la matière ». Et puis l'harmonie, dont nul ne perçoit mieux que lui les exigences délicates ; non point ce cliquetis d'an-tithèses qui enchante encore la rude oreille de tant de ses contemporains, mais une entente subtile de la qualité sonore des mots, un équilibre musical des éléments de la phrase, l'obéissance à un nombre secret. Enfin, le « natu-rel » : car, si son allure garde toujours quelque chose de contraint et de guindé, du moins a-t-il pris en dégoût les singularités brillantes ; il a même réduit d'un degré la har-diesse de ses hyperboles. Le commerce des Romains, dont pour Mme de Rambouillet il célèbre le culte, l'aide à se dépouiller de ce que son art avait eu d'abord de trop paré.

LE PRINCE, par Guez de Balzac (1631). Frontispice de Michel Lasne et Jacques Callot. — CL. LAROUSSE.

Tite-Live et Tacite lui enseignent à amortir l'éclat de ses images. Au « phébus » et au « galimatias » dont sa jeunesse n'avait pas tout à fait repoussé les séductions naïves, il oppose la noblesse, plus austère, du « style tempéré » : emphatique, parfois encore, mais plus jamais mignard. Ainsi, dans quelques-unes de ces périodes dont la « juste mesure » lui vaudra l'admiration de Boileau, donne-t-il à la fois la formule et l'exemple des qualités de la prose classique; le premier modèle, aussi, de la prose d'art.

Son patient effort a nui, par certains côtés, à sa gloire. Est-ce bien seulement parce qu'il avait peu d'idées que ses œuvres les plus élaborées ont de bonne heure engendré l'ennui ? N'a-t-il pas été victime aussi de ce qu'avait d'excessif sa conception de la perfection littéraire ? A force de se dire qu'il travaillait « pour l'éternité » et de ne vouloir « rien laisser sortir de son esprit qu'après s'être longtemps consulté soi-même », il a perdu contact avec le présent et avec le réel. Dans son *Prince*, pur écrit de circonstance, il enveloppe si longuement ses intentions politiques dans les volutes de l'éloquence, que le lecteur ne parvient plus à les discerner. De son *Aristippe* il fait et refait si laborieusement les pages que le livre n'est pas achevé lorsque meurt celui auquel il le destinait; et il renonce à le faire paraître. Le *Socrate chrétien* lui-même, où pendant de longues années, avec une grave application, il s'efforce d'humilier la sagesse païenne devant la folie de la Croix, finit par exprimer, au milieu du siècle, des préoccupations contemporaines de Du Vair. Ouvrages anachroniques, vieux dès le jour de leur naissance : plutôt que par eux, c'est par ses lettres et par quelques-unes de ses *Dissertations critiques* que l'influence de Balzac s'est exercée sur son époque; et c'est aussi par ses imitateurs. Lequel de ses amis, parmi ceux qui savent tenir une plume, ne publie à son tour un volume de lettres ? Lettres souvent vides de pensée, ou privées, par la suppression des dates et des noms propres, de toute signification historique ou bio-

graphique : non point témoignages sur des hommes ou sur des événements, mais exercices de prose. Pareillement des traductions, qui se multiplient alors, et dont il importe peu qu'elles soient fidèles ou que l'auteur connaisse la langue du texte original : non pas moyen de répandre la connaissance de l'Antiquité, mais exercices de prose. Perrot d'Ablancourt est le plus fécond de ces amateurs de la prose pour la prose, et nul, au dire de ses contemporains, n'a de style « plus dégagé, plus ferme, plus résolu, plus naturel ». L'avocat Patru, sans laisser le jargon du Palais gâter sa diction, brille comme orateur, traducteur ou épistolier, par une clarté élégante et judicieuse. Valentin Conrart ne publie rien, mais ses correspondants n'en admirent que davantage « l'élégance, la pureté et l'ordre » de ses lettres. Ainsi travaille-t-on, avec un respect religieux de la netteté et de la justesse de l'élocution, autour de Balzac et à sa suite : Sainte-Beuve n'avait pas tort de dire que le siècle, avec lui, avait fait « sa rhétorique ».

LA DOCTRINE DES RÈGLES : CHAPELAIN

Ajouter aux préceptes de l'art de parler et d'écrire des règles précises pour la pratique des divers genres littéraires est l'ambition, au temps de Balzac, d'un grand nombre de critiques et d'auteurs. Parmi les nombreux textes qui jalonnent la période, plusieurs sont des préfaces : de Mairet à la pastorale de Silvanire *(1631); de Scudéry au roman d'*Ibrahim *(1641) et à l'épopée d'*Alaric *(1654); de Desmarets de Saint-Sorlin à l'épopée chrétienne de* Clovis *(1657). D'autres sont des traités ou opuscules, par exemple une* Lettre sur les vingt-quatre heures *(1630) et un essai* De la poésie représentative *(vers 1635) de Chapelain; du médecin La Mesnardière (1610-1663), une* Poétique *(1639); de l'abbé d'Aubignac (1604-1672), la* Pratique du théâtre *(1657); de Guillaume Colletet (1598-1659), des* Discours et Traités *(1653-1658) sur l'épigramme, le poème bucolique, le sonnet, la poésie morale; enfin, les* Examens *et les* Discours *(1660) de Corneille.*

La Pratique du théâtre *a été réimprimée, dans une édition critique, par Pierre Martino, 1927. L'importance du rôle de Jean Chapelain (1595-1674), théoricien, critique, intermédiaire intellectuel entre les gens du monde et les savants, comme entre la France et l'étranger, et de plus conseiller influent de Richelieu avant de l'être de Colbert, apparaît à la lecture de ses* Lettres, *publiées en partie par Tamizey de Larroque, 1880-1883 (2 vol.), et de ses* Opuscules critiques, *reproduits par Alfred C. Hunter, 1936.*

Ch. Arnaud, dans son Étude sur l'abbé d'Aubignac, *1887, puis G. Collas, dans son* Jean Chapelain, *1912, ont éclairé quelques aspects de l'effort pour l'établissement des règles, dont l'histoire d'ensemble a été magistralement retracée par René Bray dans* la Formation de la doctrine classique, *1927.*

De quels conseillers suivre les avis pour donner aux œuvres littéraires la beauté achevée à laquelle l'épuration de la langue et l'habile utilisation de ses ressources doivent permettre d'aspirer ? Presque d'une seule voix, les contemporains de Balzac répondent : des Anciens et, en premier lieu, de celui qui a résumé leur expérience : Aristote.

Ils sont bien loin d'entendre de la même façon que les poètes de la Pléiade ce recours aux Grecs et aux Latins : l'imitation directe et précise des modèles ne les tente pas; ils ne mettent même que rarement à profit leur connaissance des langues classiques pour scruter les chefs-d'œuvre et en interpréter de façon personnelle les mérites. Ce sont les lois générales qui les intéressent, plutôt que les sublimes accidents du génie, et, ces lois de l'art, vont-ils perdre leur temps à les chercher, alors qu'elles ont été dégagées avec méthode par les commentateurs italiens de la *Poétique*? Bons humanistes pour la plupart, les hommes de la génération de 1630 sont, davantage encore, férus de l'Italie, et c'est par le détour de cette ferveur toute moderne qu'ils reviennent à l'Antiquité dont, depuis un tiers de siècle, on tendait quelque peu à s'écarter, au théâtre par exemple. Écoutons plutôt Mairet, en 1631, dans l'un des premiers manifestes de la tendance nouvelle, confesser aux lecteurs de *la Silvanire* comment, ayant voulu complaire au comte de Cramail et au cardinal de La Valette par la composition d'une pastorale « avec toutes les rigueurs que les Italiens ont accoutumé en cet agréable genre d'écrire », il a découvert « qu'ils n'avaient point eu de plus grand secret que de prendre leurs mesures sur celles des anciens Grecs et Latins, dont ils ont observé les règles plus religieusement que nous n'avons point fait jusqu'ici ». On relit Sophocle pour mieux pratiquer les genres à la mode; l'admiration pour le Tasse ramène à Virgile; Castelvetro rouvre le chemin qui, par l'acceptation du magistère d'Aristote, conduit à la doctrine des règles.

De tels patronages, et l'émulation de science qui en résulte, ne vont pas sans d'assez fâcheuses tentations de pédantisme. On aime, avec excès, s'appuyer sur des « autorités », et Scudéry, présentant aux lecteurs son *Alaric*, croit utile de justifier ses inventions en alléguant « Aristote et Horace, et, après eux, Macrobe, Scaliger, le Tasse, Castelvetro, Piccolomini, Vida, Vossius, Paccius, Ricobon, Robortel, Paul Beni, Mambrun, et plusieurs autres ». On use aussi avec volupté du jargon technique et, sans attendre les femmes savantes de Molière, on s'acharne à distinguer la protase, l'épitase et la péripétie, à moins que ce ne soit la prothèse, l'épithèse et la catastrophe. A quelles conditions précises sera-t-il permis d'imiter? La tragédie pourra-t-elle avoir un dénouement heureux? L'épopée accueillera-t-elle la magie à côté du merveilleux divin? Dans quels cas préférera-t-on l'ordre artificiel, et dans quels autres l'ordre naturel? Voilà les questions qu'agitent, avec une sorte de fureur de dogmatisme, non seulement des critiques de profession, mais des écrivains de théâtre, mais des poètes. C'est autour des « unités » dans la tragédie et la comédie que le débat le plus âpre se noue, mais chaque genre pose ses problèmes, exige ses préceptes : on légifère pour le roman comme pour le poème héroïque, pour l'épigramme, l'ode et l'églogue comme pour l'élégie; et que de formules ne propose-t-on pas, dont on attend qu'elles donnent à l'*Iliade*, à l'*Énéide*, à la *Jérusalem délivrée* les pendants français qui leur manquent encore!

Car on ne doute pas que la stricte application de lois ne produise, presque à coup sûr, des chefs-d'œuvre. Certes, on affirme la nécessité, pour l'écrivain, des dons naturels; mais, à peine cette vérité énoncée, on fait comme si elle n'existait pas. D'Aubignac n'assure-t-il pas que l'observance des « préceptes » par un auteur « judicieux » l'élève au-dessus du caprice d'un génie aveugle et fougueux »? Le travail, selon Colletet, ne peut-il pas « faire obtenir au poète ce que la nature lui dénie »? Il s'agit seulement qu'une réflexion attentive guide le choix de l'écrivain

Jean Chapelain. Portrait par Robert Nanteuil, figurant en tête de « la Pucelle » (1656).
CL. Larousse.

parmi les complexes bienséances que met en cause l'invention. Les proportions, les alignements et les ajustements, la vraisemblance, l' « économie » d'ensemble, tels sont les problèmes qui doivent le retenir : qui oserait troubler ses calculs en parlant d'imprévu, ou de fantaisie, à moins qu'il ne s'agisse d'une fantaisie feinte et d'un imprévu soigneusement préparé? Point de désordre, que « régulier », de folie, que « raisonnable », de « fureur », que soumise au « jugement ». Au reste, pour trouver, en présence de chaque difficulté particulière, la « règle » propre à la résoudre, un instrument s'offre : la raison, « semblable partout à elle-même », comme dit d'Aubignac après Balzac et vingt autres, la raison, principe universel qui commande toute la hiérarchie des préceptes. Déplorant, en 1660, que si peu de gens « se soient mis en peine de se former une idée claire et distincte de la véritable beauté, qui pût leur servir de règle dans leurs jugements, et qu'au contraire, dès qu'une chose fait plaisir, on décide hardiment qu'elle est belle », l'auteur de *la Pratique du théâtre* ajoute : « Si on veut donc éviter cet embarras de décisions équivoques, il faut avoir recours à la lumière de la raison. Elle est simple et certaine, et c'est par son moyen qu'on peut trouver la vraie beauté naturelle... Un des principaux avantages de la vraie beauté, c'est qu'elle n'est ni variable ni passagère, mais qu'elle est constante, certaine, et au goût de tous les temps. » Des déclarations de cette sorte — et elles abondent — montrent le travail qui s'est fait dans les esprits : à la génération de Boileau, celle de Balzac et de Chapelain laisse, en matière de doctrine, fort peu de chose à inventer.

Chapelain, précisément, incarne à merveille, dans ce qu'elle a de lourd et de naïf, parfois, et en même temps de philosophique, cette méditation sur les règles.

Petit, malingre, éternellement crachotant, lorsqu'il promène dans le monde son mouchoir sordide, ses bottes à l'antique et son ineffable habit de satin colombin doublé de panne verte, on le prendrait pour une apparition bouffonne; la plume à la main, il lui arrive, même en son âge mûr, de charger si pesamment ses phrases qu'on le croirait frère ou cousin de Charron. Mais il a beaucoup lu : les vieux écrivains « gaulois », qu'il n'est pas incapable d'apprécier; les Espagnols, pour lesquels il a eu un faible, au point de traduire leur *Guzman d'Alfarache*; les Italiens, qui lui ont fait trouver son chemin de Damas en lui révélant la valeur des règles, préférables à la « barbarie » des littératures naïves ou fantasques. Que, dès lors, il renie Lope de Vega, on ne s'en étonne guère; ni que, en dépit du génie qu'il reconnaît à Ronsard pour le détail, il l'estime trop engagé dans une « servile et désagréable imitation des Anciens » pour connaître l'art véritable, celui qui se fonde sur « un plan certain et une économie vraiment poétique », celui qui subordonne l'éclat du style à l'exactitude de la composition. Mais Malherbe, d'où vient qu'il ne le traite pas mieux? C'est que, « borgne dans un royaume d'aveugles », le poète s'est arrêté, dans son effort de discipline, aux minutes de l'élocution, détournant ainsi ses émules de l'étude des lois, plus importantes, de l'invention et de la disposition. Aux plus grands des Anciens eux-mêmes, Chapelain n'hésite pas à en remontrer : leur gloire ne lui impose pas, il en sait plus long qu'eux puisque l'érudition des Italiens et une analyse méthodique lui permettent de comprendre mieux qu'ils n'ont pu le faire le secret de leur grandeur et la cause de leurs défaillances : « Homère et Virgile, qui sont des divinités pour moi, ont bien de la peine à être mes patrons, et vous vous souvenez bien que je vous ai fait remarquer, en l'un et en l'autre, des choses qu'ils pouvaient mieux ordonner. *L'idée de l'art* est mon seul exemplaire, sur lequel je me règle uniquement. »

C'est à cette *idée* qu'effectivement il se réfère chaque fois qu'on le consulte sur une œuvre ou sur un genre, et c'est d'elle qu'il déduit, sentencieusement, les règles de l'histoire, du roman, de l'épître ou même de la lettre familière, comme ses jugements sur les auteurs. Pauvre de sensibilité et de goût, il se trouve fort à l'aise dans cet effort persévérant pour réduire la part de l'inexplicable dans la beauté des œuvres, et pour faire, au bout du compte, de l'art une science. Une tenace volonté de logique s'affirme tout au long de sa carrière de critique, doublée, si quelque conjoncture délicate le requiert, d'un don des accommodements, des arguties, des roueries finaudes, inné chez lui. Lorsque, en 1623, Malherbe et Vaugelas s'étant récusés, Marino le sollicite de présenter au public l'*Adone*, il devrait être singulièrement embarrassé pour justifier au nom d'Aristote le plus fleuri, le plus entortillé, le plus extravagant des poèmes : peu s'en faut cependant qu'il n'y parvienne, à force de distinctions captieuses. Moins à la gêne, quelques années plus tard, pour défendre le respect des « unités » dans la poésie « représentative », il faut voir avec quelle fermeté de main il polit les anneaux de la chaîne qui, de déduction en déduction, tirera le lecteur jusqu'à la conclusion inévitable ! Mais, après les épisodes inégalement glorieux de sa vie littéraire, c'est dans les deux préfaces de sa fameuse *Pucelle*, en 1656 et en 1672, que, traitant de l'épopée et de la création poétique en général, il développe le plus amplement ses vues. Curieuses pages, où s'affirme avec sérénité la conviction que les « connaissances » et la « persévérance », plus que l' « élévation d'esprit », font le talent d'un auteur, et que le mérite d'une œuvre dépend avant tout du choix judicieux de la matière, de la rigueur de l'agencement, de la stricte conformité aux convenances et à la bienséance, bref, d'un calcul méticuleux qui ne laisse rien au hasard. De l'originalité de la langue, de la qualité musicale du vers, de tout ce qui révèle le mieux les dons personnels, Chapelain fait bon marché : un poème, pour lui, ressemble à un mécanisme qu'il faut monter avec soin après en avoir, conformément à un plan bien arrêté, façonné les multiples pièces. Quel avantage, dès lors, que de pouvoir, de siècle en siècle, perfectionner les lois du métier et enrichir le trésor des recettes éprouvées ! C'est la raison qui permet ce travail : quel espoir de réaliser, grâce à son effort collectif et séculaire, le constant progrès des ouvrages de l'esprit ! Et l'on voit cet homme si posé, ce disciple en apparence si docile des Anciens, conquis soudain par l'ivresse des plus enthousiastes « Modernes »,

VALENTIN CONRART
(B. N., Cabinet des Estampes). — CL. LAROUSSE.

entonner un hymne à la gloire des règles, « préceptes invariables » et « dogmes d'éternelle vérité » qui, fondés sur l'universelle raison, mettent la beauté d'hier au service de celle de demain et font bénéficier les fils du génie de leurs pères.

C'est là le chant du cygne du vieux critique; mais, longtemps avant, déjà, il a fait entendre, parmi d'autres, les affirmations de son rationalisme littéraire. L'esthétique classique n'a pas eu besoin, pour adopter celui-ci, de s'appuyer sur le *Discours de la méthode* : déterminés par le prestige des commentateurs italiens et poussés par une aspiration profonde de l'époque, les « doctes » et, au premier rang d'entre eux, Chapelain, y sont arrivés par leurs propres voies.

L'ACADÉMIE FRANÇAISE

La lumière n'a jamais été faite complètement sur les origines de l'Académie : on ignore, par exemple, à quelles réunions J.-P. Camus faisait allusion, en 1625, lorsqu'il saluait, comme capable de travailler utilement à l'examen du langage, « cette grande et fameuse Académie qui se commence à Paris, théâtre de la France »; des incertitudes subsistent également sur la « vertueuse assemblée de gens doctes » nommés « puristes, comme gens qui recherchent la pureté de la langue française », dont Chapelain entendait parler, dès 1620. Ce que l'on sait, en tout cas, c'est que vers 1629 quelques amateurs de littérature, Godeau, Gombauld, Antoine Giry, Philippe Habert et son frère Germain, abbé de Cérisy, Malleville, Jacques de Serizay, se réunissaient, pour s'entretenir familièrement de leurs productions, chez Valentin Conrart (1603-1675), l'ami de Balzac, bourgeois riche et officieux, issu d'une famille protestante de Valenciennes, et qui habitait rue des Vieilles-Étuves. Richelieu, instruit de leur activité par son confident Bois-Robert et sollicité par l'intrigant abbé, les invita à se réunir en corps régulier d'académie. Ils tinrent leur première séance officielle le 13 mars 1634. Des lettres patentes du roi, signées le 29 janvier 1635, ne furent enregistrées par le Parlement, après une assez vive résistance, que le 10 juillet 1637. Chapelain, Faret, Desmarets de Saint-Sorlin, Bois-Robert, Mainard, Colletet, Racan, Gomberville, Saint-Amant, puis Balzac, Vaugelas et Voiture, entre autres, avaient été adjoints aux premiers membres. Sans siège fixe jusqu'à la mort de Richelieu, la Compagnie, dont le premier secrétaire perpétuel fut Conrart, fut accueillie, à partir de 1643, chez le chancelier Séguier. L'usage des discours de réception, inauguré par Patru, date de 1640. Le Dictionnaire, entrepris en 1639, à l'instigation de Chapelain, et dont la direction fut d'abord confiée à Vaugelas, ne fut achevé qu'en 1694. Ni la Grammaire ni la Rhétorique et la Poétique prévues par les statuts ne purent être composées au cours du siècle ; mais l'Académie fut appelée, par Richelieu, à intervenir, en 1637, dans l'épineuse querelle du Cid. Les Sentiments de l'Académie sur la pièce de Corneille, rédigés surtout (1637-1638) par Chapelain, ont été publiés en 1912, d'après le manuscrit de la Bibliothèque nationale, par G. Collas.

Pellisson a retracé, en 1653, les débuts de l'Académie dans une

Histoire qui, continuée au XVIIIᵉ siècle par l'abbé d'Olivet, a été rééditée avec des éclaircissements par Ch.-L. Livet, 1858 (2 vol.). Voir aussi : Kerviler, Essai de bibliographie raisonnée de l'Académie française, 1907, et R. Bonnet, Isographie de l'Académie française, 1907. Le rôle de Bois-Robert (1592-1662), qui se vante d'avoir été le « promoteur » de la Compagnie, a été souligné par É. Magne, le Plaisant Abbé de Bois-Robert, 1909. A. Gasté a réuni, en 1898, les divers documents de la querelle du Cid. Quant à l'attitude de Richelieu dans le conflit, elle a été défendue, avec des arguments d'inégale valeur, par L. Batiffol, Richelieu et Corneille, la légende de la persécution de l'auteur du « Cid », 1936. Voir, sur la même question, les articles de G. Collas dans la Revue d'histoire littéraire de la France, 1936, et d'A. Adam, dans la Revue d'histoire de la philosophie et d'histoire générale de la civilisation, 1938.

C'est une erreur trop répandue que d'attribuer à l'Académie, dans l'évolution littéraire qui prépare le classicisme, un rôle d'initiatrice, comme si les encouragements de Richelieu, son premier « protecteur », et les travaux de ses premiers membres avaient donné aux esprits du temps une impulsion qui leur manquait jusqu'alors.

En fait, le prestige de la nouvelle institution ne s'est pas imposé immédiatement. Raillée par des adversaires facétieux, comme Saint-Évremond, ou jaloux, comme la vieille Mˡˡᵉ de Gournay, « l'écorcheuse Académie » est loin d'exercer, à ses débuts, sur ceux mêmes qu'elle veut accueillir, un attrait irrésistible. Balzac n'en reçoit les avances qu'avec une moue dédaigneuse; Arnauld d'Andilly se récuse; Mainard et même Godeau se vengent de leur enrôlement par de vives épigrammes; Voiture ne se décide à assister aux séances que dûment sommé par le ministre. C'est que la tutelle de Richelieu épouvante les beaux esprits plus encore que la perspective de ses grâces ne les conquiert : lorsqu'elle s'est proposée aux familiers de Conrart, les habitués du cénacle n'ont pas songé sans mélancolie à l' « innocence » et à la « liberté » qu'ils avaient connues pendant l' « âge d'or » de leurs réunions privées; l'astuce de Bois-Robert, la complaisance de Chapelain ont été nécessaires pour vaincre leurs répugnances. Bientôt, d'ailleurs, ils éprouvent quelque inquiétude à voir leurs rangs se grossir de Séguier, de Servien, collaborateurs politiques du Cardinal, ou de Jean Sirmond, de Paul Hay du Chastelet, bientôt de Daniel de Priezac et de quelques autres, libellistes à ses gages : si solidement encadrés, les « académistes » ne vont-ils pas former, selon le mot d'un malveillant, « une assemblée de sycophantes louant le ministre pour avoir du pain » ? Ou bien ne ressembleront-ils pas, comme les en accuse la reine mère, à la volière de Psaphon, dont les oiseaux n'avaient été mis en cage que pour apprendre à répéter : « Psaphon est un grand dieu » ? Il faut, de toute façon, que le sentiment de leur dépendance soit bien net chez eux pour que le respectueux et très circonspect Chapelain s'en fasse l'écho : « Son Éminence, avoue-t-il, par un ordre particulier a voulu être consulté sur tous les prétendants, afin de fermer la porte à toute brigue et ne souffrir dans son assemblée que des gens qu'il connaisse ses serviteurs. »

La querelle du *Cid* et la façon dont la Compagnie à peine constituée est contrainte d'y intervenir montrent que ces appréhensions n'étaient pas entièrement injustifiées. Sans doute, en déférant au tribunal académique la tragi-comédie de Corneille et les *Observations* où Scudéry l'a censurée au nom d'Aristote et des bienséances, Richelieu ne cède-t-il ni à une mesquine jalousie d'auteur ni aux ressentiments politiques qu'on lui a parfois prêtés. Il vient de donner au poète des preuves de sympathie en faisant deux fois jouer sa pièce à l'hôtel de Richelieu, et en laissant accorder des lettres de noblesse à son père. A-t-il

PAGE MANUSCRITE des « Sentiments de l'Académie sur *le Cid* ». Richelieu a indiqué dans la marge, de sa main, quelques corrections au texte de Chapelain (B. N., ms. fr. 15045).
CL. LAROUSSE.

cependant été blessé par son orgueilleuse intransigeance, et veut-il lui faire donner une leçon ? Ou souhaite-t-il seulement asseoir, par une décision retentissante, l'autorité des écrivains qu'il protège, tout en assurant le triomphe de ces règles du théâtre auxquelles il voit les meilleurs esprits se rallier ? Sans lui, en tout cas, sans les « puissantes considérations » et l' « ordre supérieur » que Bois-Robert fait valoir auprès des académiciens, jamais ceux-ci ne s'engageraient dans une aventure où ils ne risquent pas moins de blesser des sentiments de confraternité littéraire, que de compromettre la toute neuve réputation de leur assemblée. Juges malgré eux, il leur faut voir encore le projet élaboré avec une prudence extrême par Chapelain, recevoir les retouches du Cardinal. Celui-ci entend que la sentence fasse clairement justice des irrégularités de la pièce, il veut qu'au goût de la foule les règles soient inflexiblement opposées et que les réserves des « doctes » fassent contrepoids à l'enthousiasme des « ignorants ». C'est la bataille des « connaisseurs » contre le goût capricieux du vulgaire qu'il souhaite voir gagnée par l'Académie; mais il choisit, pour engager celle-ci dans la lutte, l'occasion la moins favorable : la censure d'un authentique chef-d'œuvre. Les précautions oratoires, subtiles distinctions et circonlocutions laborieuses qui encombrent les *Sentiments de l'Académie* montrent suffisamment dans quel mauvais cas il l'a mise.

Embarrassée, dès ses premiers débats, par le plus scabreux des arbitrages, l'Académie n'a même pas, pour frapper les esprits, l'originalité du programme. Le jour où son règlement lui assigne pour tâche « de travailler avec tout le soin et toute la diligence possible à donner des règles certaines à notre langue et à la rendre pure, élo-

LA PUISSANCE DE L'USAGE. Gravure de Mariette, d'après J.-B. Corneille, figurant en tête de la première édition du « Dictionnaire de l'Académie françoise » (1694). — CL. LAROUSSE.

quente, et capable de traiter les arts et les sciences », il y a beau temps que cette œuvre a été entreprise par quelques-uns de ceux qu'elle est en train de s'agréger : Balzac est célèbre depuis dix ans, Chapelain a constitué sa doctrine, de nombreuses remarques gonflent déjà les cahiers de Vaugelas. Un travail collectif, au reste, ne va pas sans lenteurs : partagée entre des goûts contraires, la Compagnie hésite beaucoup à fixer la nature de ses travaux, et les premières harangues qu'elle écoute traitent de sujets futiles. La préparation du *Dictionnaire* amuse peut-être Saint-Amant, chargé de réunir les termes « grotesques » : elle fait fuir Voiture, et bien d'autres avec lui. Immobilisée devant une tâche énorme, « l'Académie des fainéants » met à rude épreuve la patience de Chapelain, par des lenteurs dont Bois-Robert, le sémillant chanoine, prend plus allégrement son parti :

> L'Académie est comme un vrai chapitre.
> Chacun à part promet d'y faire bien,
> Mais tous ensemble ils ne tiennent plus rien,
> Mais tous ensemble ils ne font rien qui vaille.
> Depuis six ans dessus l'F on travaille
> Et le destin m'aurait fort obligé
> S'il m'avait dit : Tu vivras jusqu'au G.

Lorsque enfin, en 1694, les successeurs de Vaugelas et de Bois-Robert atteindront le port, un demi-siècle, ou presque, se sera écoulé depuis qu'auront été mises au jour les *Origines de la langue française*, de Ménage, qui n'a jamais été de l'Académie. Quant à la *Poétique* attendue, ce n'est pas l'Académie qui la publie, mais La Mesnardière, seize ans avant d'être « académiste », titre que ne possédera jamais d'Aubignac, le meilleur théoricien du théâtre.

L'importance de l'Académie, qui finira tout de même par croître, pour atteindre, à la fin du siècle, son apogée, tient donc moins à la nouveauté de sa doctrine et aux résultats de son activité qu'au changement que son existence même introduit dans la vie intellectuelle.

C'est déjà quelque chose que, sans égard pour leurs timidités ou leurs répugnances, elle ait contraint de s'unir, pour prêter au renouveau des lettres leur triple et symbolique patronage, Balzac, Vaugelas, Chapelain, cimentant ainsi avec éclat l'alliance de toutes les forces qui, simultanément, mais par des voies un peu différentes, tentent d'instaurer des disciplines. Cependant, parce qu'elle ne correspondait pas, à ses débuts, aux affinités spontanées de ses membres et traduisait au contraire, contre leurs velléités d'indépendance ou leur particularisme, la haute pensée de Richelieu, elle rapproche aussi les groupes différents, et qui risquent de se méconnaître, des gens de lettres :

la troupe des écrivains d'humeur, solitaires par goût, ou bohèmes — un Mainard, un Malleville, un Saint-Amant, un Colletet, un Bois-Robert —; les amateurs éclairés, comme Conrart; les amuseurs frivoles, comme Voiture; les « doctes », comme Chapelain. Elle aide ainsi la doctrine des règles à conquérir l'adhésion des purs artistes, les purs artistes à rendre leurs préoccupations intelligibles aux théoriciens. Elle contribue à établir cet harmonieux équilibre de l'imagination et du jugement, de l'amour de la nouveauté et du sens de la règle, sans lequel aucune littérature vraiment classique ne serait possible.

Par là même, elle consacre et elle accélère le recul d'une forme d'esprit encore assez répandue dans la première moitié du siècle, l'esprit humaniste. Née sous l'invocation du « bel esprit », ou, mieux encore, de l'« éloquence », elle ne fait guère appel aux gens du « pays latin », aux savants en *us* qui prolongent les travaux, les goûts, les manies des érudits de la Renaissance. Sans doute, il y a de la science, et fort lourde, chez un Chapelain; mais elle tâche, à l'Académie, de se faire oublier; elle s'applique, s'il le faut, aux sujets les plus minces; elle renie le latin pour tout sacrifier au français et aux autres langues vivantes; elle accepte de se mettre au service, non pas de savants de cabinet célébrant entre eux le culte d'une Antiquité vénérable et lointaine, mais du monde, de ses fantaisies et de ses modes. En s'occupant uniquement des œuvres écrites en notre langue, la nouvelle Compagnie, qu'elle y songe ou non, accorde un encouragement à ce vaste public pour qui la littérature n'est pas une dépendance de la philologie ou une forme de l'histoire, mais un moyen de se divertir et de participer à la vie du siècle; elle favorise les libres curiosités du profane contre la tyrannie des « savantasses »; et c'est parce que ceux-ci sentent bien qu'elle finira par leur arracher le sceptre de la critique, qu'ils vitupèrent si rudement « cette sotte canaille avec son dictionnaire réformé ». Quelle honte, lorsque « la science et capacité d'un bel esprit consistera à arrondir une période et à faire un rondeau, une métamorphose d'yeux ou quelque autre badinerie »! Quelle misère, lorsqu'une vaine bagatelle « sera promenée par les ruelles des coquettes de Paris, qui donneront crédit à un homme selon leur caprice »! Certes, ce ne sera pas la première fois que femmes et gens du monde prétendront juger des productions de la plume; mais ce qui sera nouveau, ce sera de voir une institution sérieuse, hautement protégée, et qui affiche un grand respect de la science, donner par ses sentences une sorte de consécration à leurs jeux. L'Académie prône les règles, elle contrôle la langue; mais elle le fait pour les « honnêtes gens » et d'accord avec eux.

Elle accroît en même temps la dignité de la littérature vivante. Appuyée par Richelieu, puis, plus utilement peut-être, par Séguier, elle confère à ses membres les plus actifs, un Conrart, un Chapelain, une sorte de magistrature. Elle ne rapproche pas encore, comme elle fera plus tard, les écrivains des grands seigneurs et des soldats glorieux : mais déjà la présence en son sein de quelques hommes d'État, ou la mission que lui confie un ministre de célébrer les grandes actions du règne, lui assigne une importance nationale et prépare l'ascension sociale des gens de lettres.

L'AFFINEMENT DU GOUT
L'HOTEL DE RAMBOUILLET

C'est près du palais du roi, rue Saint-Thomas-du-Louvre, dans un hôtel tout récemment construit sur les plans de la maîtresse de maison elle-même, que se tinrent, depuis 1610 environ jusque vers 1650, les assemblées du salon le plus célèbre du siècle. Catherine de Vivonne, qui, par son mariage avec Charles d'Angennes, devint marquise de Rambouillet, était née à Rome, en 1588, de Jean de Vivonne, marquis de Pisani, ambassadeur de France, et d'une princesse italienne. Mᵉ de Scudéry, parmi vingt autres, a loué la « vertu modeste et charmante » de cette femme d'élite qui « joignait la politesse à la raison » et qui sut recevoir les hôtes les plus divers sans prononcer jamais « une parole qui ait pu fâcher ni déplaire ». Plus lourde physiquement, et d'un caractère moins agréable, sa fille aînée, Julie d'Angennes, avait un goût si vif du mouvement et du plaisir qu'elle fut aussi, à l'Hôtel, une animatrice remarquable, non moins par son « imagination délicate », son « goût exquis et particulier », que par cette « humeur difficile à contenter », ces caprices, cette cruauté même qui lui firent repousser treize ans les assiduités du marquis de Montausier : c'est en 1645 seulement qu'elle consentit à l'épouser.

On a dit maintes fois combien fut brillante la société réunie par Mᵐᵉ de Rambouillet. La haute noblesse et le clergé eurent chez elle des représentants : les maréchaux de Bassompierre et de Schomberg, les ducs de Bellegarde et de La Trémoille, le comte de Guiche, Cospéan, évêque de Lisieux, le cardinal de La Valette, Condé, encore duc d'Enghien, La Rochefoucauld, encore prince de Marcillac, et bien d'autres. Mᵐᵉ de Combalet, nièce de Richelieu, la princesse de Conti, Mᵐᵉ de Sablé y fréquentèrent, et beaucoup de grandes dames, comme Mᵐᵉ de Longueville, y avaient paru dès leur jeunesse, comme firent aussi Mᵐᵉ de Sévigné et Mᵐᵉ de La Fayette ; Angélique Paulet, la « lionne » à la fauve crinière, y reçut maints hommages.

Des écrivains qui furent les familiers de l'Hôtel, la liste a parfois été abusivement allongée : il est douteux que Saint-Évremond, Scarron, Balzac même, malgré l'admiration qu'il inspirait, y soient venus. D'autres, comme Rotrou, Corneille, le jeune Bossuet, ne le firent qu'accidentellement; les bohèmes en étaient tenus le plus possible à l'écart, ainsi que les pédants : Ménage n'y obtint pas grand succès, Costar n'y put être admis. Les premiers rôles y furent tenus par quelques conseillers judicieux : Vaugelas, Chapelain, Conrart, et, plus encore, par les poètes galants : Antoine Godeau, avant qu'il entrât dans les ordres, Malleville, l'abbé Cotin, Bensserade et surtout Voiture. Tallemant des Réaux y fit souvent provision d'anecdotes.

Mᵐᵉ de Rambouillet vécut jusqu'en 1665 ; mais le mariage de Julie, suivi de la mort de son cadet, le marquis de Pisani, tué à la bataille de Nordlingen, puis de la disparition de Voiture, fut le signal du déclin.

La Fronde et, en 1652, la mort du marquis de Rambouillet portèrent aux réunions de l'Hôtel le coup fatal.

Voir : Ch.-L. Livet, Précieux et Précieuses, 1859 (4ᵉ édition, 1896) ; É. Magne, Voiture et les origines de l'Hôtel de Rambouillet, 1911, et Voiture et les années de gloire de l'Hôtel de Rambouillet, 1912 (nouvelle édition corrigée et augmentée : Voiture et l'Hôtel de Rambouillet, 1929-1930, 2 vol.) ; G. Mongrédien, le XVIIᵉ Siècle galant : libertins et amoureuses, 1929.

A l'édifice de netteté, d'élégance et de solide raison que « doctes » et « beaux esprits » rassemblés à l'Académie s'appliquent à construire pour y loger une littérature digne de leur siècle, sans doute manquerait-il, s'ils y travaillaient seuls, un certain charme capable de séduire cette aristocratie de la naissance, sans le suffrage de laquelle nulle vraie gloire ne serait alors possible, et qui, d'ailleurs, dépouillant la rudesse dont elle a pris l'habitude pendant les guerres civiles, goûte de nouveau les choses de l'esprit. Associer cette aristocratie de gens de Cour et de femmes aux tentatives des gens de lettres, par un rapprochement plus large encore que celui que réalise l'Académie, incliner ainsi la littérature vers l'agréable en même temps que vers le judicieux, permettre que les acquisitions nouvelles de l'art de parler et d'écrire servent à traduire les aspirations sentimentales et mondaines de l'époque, telle est essentiellement l'œuvre des salons, et, au premier rang d'entre eux, de l'Hôtel de Rambouillet.

Il ne manque pas, dans le Paris du commencement du XVIIᵉ siècle, de réunions privées où l'on parle de littérature; mais, autour de Bassompierre et même de la reine Marguerite, chez Coëffeteau et l'abbé de Marolles comme chez Mᵐᵉ Des Loges, à plus forte raison dans le savant « Cabinet » des frères Dupuy ou, plus tard, aux « mercuriales » de Ménage et aux séances de l'académie d'Aubignac, poètes, érudits ou critiques se retrouvent seulement

JULIE D'ANGENNES, marquise de Montausier. Tableau de Mignard.

entre eux; quant au « sénat féminin » de la vicomtesse d'Auchy, dont se gaussent Balzac et Chapelain, si les dames y écoutent, ce sont les hommes qui y parlent, et sur quel ton! Disputes théologiques et batailles de cuistres y font régner le plus ridicule désordre. Nulle part, sinon chez Catherine de Vivonne, marquise de Rambouillet, la curiosité intellectuelle ne s'associe avec une harmonie entière au culte de la politesse et de la galanterie.

Elle a tout, il est vrai, pour obtenir autour d'elle cette union : la noblesse de la naissance et les restes d'une belle fortune, qui lui valent les relations les plus hautes; le prestige de son origine romaine, la connaissance de l'italien et de l'espagnol, le goût des beaux arts, grâce auxquels elle séduit les natures délicates; enfin, ce qui ne gâte rien, avec le charme physique, ce mélange de « bon sens » et de « modestie » que tous ceux qui l'approchent vantent à l'envi chez la sage Arthénice. Le joyau a d'ailleurs son écrin : cet hôtel d'architecture française, mais de disposition inédite, où la jeune épouse de Charles d'Angennes a fait éclairer par de hautes fenêtres l'enfilade accueillante de ses salons, et dont la « chambre bleue », chef-d'œuvre de grâce mondaine, assortit sans lourdeur les tentures et les tapis, les tables d'ébène et les corbeilles de fleurs.

Là, point de « cohue », comme chez telle autre grande dame ou dans les fêtes royales, mais, lorsque la marquise reçoit avec sa fille Julie, seulement une société restreinte — « la Cour de la Cour », comme dit un contemporain — où, de la coquette au cardinal et du faiseur de vers au prince du sang, chacun défère à son autorité souriante. Sa délicatesse ne parvient pas à faire disparaître des propos et des gestes mêmes toute licence; d'autant que, souvent souffrante, elle aime ce qui la divertit de ses malaises : les fêtes, la musique, les surprises, les farces même qu'on joue amicalement à ses hôtes, et ce « tintamarre perpétuel » d'une jeunesse débridée qui ne va pas sans quelques écarts. Du moins parvient-elle à chasser d'auprès d'elle le pédantisme, l'affectation ampoulée, le vocabulaire trop cru : ni « arguments » ni « figures » dans les conversations qu'elle dirige, et où l'on dirait, à l'entendre, qu'elle parle « par le simple sens commun et par le seul usage du monde»; pas de mots populaires non plus : « *teigneux*, dans une satire ou dans une épigramme, lui donne, dit-elle, une vilaine idée »; point de *teigneux*, donc, à l'Hôtel de Rambouillet!

Elle aime les livres; elle lit même du matin jusqu'au soir : aussi, de tout temps, la littérature est-elle, pour ses familiers, la distraction la mieux goûtée. Qu'ils écoutent Desmarets de Saint-Sorlin leur débiter ses *Visionnaires*, ou qu'à l'improviste ils se partagent les rôles de *Sophonisbe*, que Chapelain leur donne la primeur de sa *Pucelle* ou que leur humeur belliqueuse se déchaîne à propos des *Suppositi* d'Arioste, ils ne rougissent pas d'avouer leur goût des vers et de la belle prose; éclectiques, d'ailleurs, et en général accueillants au mérite, le « christianisme » de *Polyeucte* pourra les déconcerter, mais la plupart d'entre eux auront applaudi aux beautés du *Cid*, sans chicaner l'auteur sur son peu d'obéissance aux règles :

> Quand le festin agrée à ceux que l'on convie,
> Il importe fort peu qu'il plaise aux cuisiniers.

Car c'est bien là le rôle original de l'Hôtel dans la vie littéraire : plutôt qu'aux doctrines, les grands seigneurs et les jolies femmes qui y fréquentent sont attentifs à leur plaisir; de toute nouveauté que la mode leur propose ils sont prompts à s'emparer, et ils s'y adonnent avec une allégresse expéditive; l'évolution du goût qui s'opère lentement chez les gens de lettres, parmi bien des hésitations, des scrupules savants et des conflits d'amour-propre, eux, avec la liberté et la sûreté de l'instinct, la précipitent.

Dans les premières années, naturellement, le sceptre y avait appartenu aux poètes de la gravité ou de l'amphigouri : à Malherbe, au cavalier Marin, à cet abbé de Cro-

silles dont les élucubrations lourdement fleuries se noyaient dans le galimatias; au vieux faune du faubourg Saint-Germain, l'archaïque Des Yveteaux; à Gombauld, qui mêlait avec tant de dignité l'austérité huguenote, la politesse cérémonieuse et les mystères de la galanterie quintessenciée que Mme de Rambouillet l'appelait « le Beau Ténébreux ». Aux environs de 1630, une tendance différente se dessine : à Vaugelas, déjà assidu depuis plusieurs années, se joignent d'autres représentants de la « régularité » : Antoine Godeau, à qui sa petitesse et son empressement valent aussitôt le titre de « nain de la princesse Julie »; son cousin Conrart; Scudéry; Chapelain surtout, à qui l'on pardonne sa crasse en faveur de son érudition, et qui recrute infatigablement pour l'école de l' « éloquence » en proposant à l'admiration du cénacle, chaque fois qu'il en peut tenir une, les lettres, artistement polies, de Balzac. Ainsi, l'Académie naissante a un pied dans l'Hôtel, et l'Hôtel prolonge, parmi les personnes de qualité, les débats de l'Académie. Doit-on prononcer *sarge* ou *serge*? écrire *muscadin* ou *muscadin*? Faut-il poursuivre *car* de la haine farouche que lui a vouée Gomberville? Les mêmes problèmes s'agitent auprès de la marquise que parmi les Quarante, et l'on s'y applique comme chez eux à apprécier la justesse dans l'art, ou à purger la langue de ce qui « sent le vieux et le rance » : on apporte seulement dans cette recherche une assurance moins pédantesque, une logique plus dégagée, une complaisance plus fréquente pour le goût naturel, le tact, le désir de plaire, — traits qui bientôt vont s'accuser encore, car chez Mme de Rambouillet la gloire de Balzac et de Chapelain, sans s'éclipser tout à fait, ne tarde pas à décroître pour céder devant celle, moins austère, de Voiture.

Qui aurait pu prédire, à ce fils de marchand, une aussi brillante fortune mondaine? Petit, noir, sans beauté, du moins a-t-il dans le regard et l'allure un feu singulier, dans l'esprit une rare souplesse : on s'en aperçoit bien, dans un salon, lorsque, pétulant, hardi, prompt aux saillies gaillardes, il semble sur le point de passer la mesure, mais que soudain, aux pieds de la belle qu'il allait offenser on le voit agenouillé le plus respectueusement, le plus naturellement du monde. Sur cette aisance, son entrain l'emporte encore : si ardent au jeu qu'il lui suffit d'une partie pour tremper sa chemise; en amour, si léger qu'il a peine à faire durer une passion « de Bagnolet à Charonne » et ne conçoit la fidélité qu'en cinq ou six lieux à la fois; dans la conversation, si vif que, pour raconter, improviser ou satiriser il n'a pas son pareil et qu'à l'Hôtel, sous les regards ravis, il est vraiment «l'âme du Rond». «Chantant, sautant, gambadant, voltigeant », comme dit son ami Costar, qui vainement s'essouffle à vouloir l'imiter, le folâtre Voiture abolit les privilèges du rang : il règne parmi les ducs et les princesses, il est le « petit roi », *El Rey Chiquito*.

Aussitôt accueilli à l'Hôtel, il y avait été choyé; mais lorsque, ayant secoué la tutelle calamiteuse de Gaston d'Orléans, il se trouve pleinement libre, nul ne lui dispute plus l'empire des plaisirs galants. Autour de lui se déploie le « corps » des poètes coquets et des jeunes officiers sans cervelle; et l' « anticorps » a beau essayer de faire entendre la voix du sage Vaugelas, ou celles du dogmatique Chapelain, du grave Arnauld d'Andilly, du solennel Gombauld, de l'honnête Conrart, du bourru Montausier : une mystification bouffonne a tôt fait d'arrêter les censeurs au milieu de leurs périodes, tandis que le tourbillon de la plaisanterie se déchaîne de nouveau dans le sillage de Voiture. Ce n'est pas ce frétillant boute-en-train qui laisserait la littérature se figer dans un prétentieux apparat. Si l'on consent à accorder quelque attention aux nobles stances et aux laborieuses épopées, si l'on accepte, de temps à autre, de « mourir » dans un sonnet galant, la vraie faveur va aux petits genres qu'un caprice suscite et qu'une fantaisie fait disparaître. Est-ce par les billets ou les impromptus qu'on a commencé? Les madrigaux, en tout cas, les suivent de près, ces madrigaux dont tardivement, puisqu'il est condamné à toutes les lenteurs, Montausier tressera la *Guirlande de Julie*. La belle « Lionne » donne prétexte à la vogue des « métamorphoses », où, bien entendu, la cruelle Julie deviendra diamant. Mais bientôt surgissent les lettres imaginaires, comme celle de la Pucelle d'Orléans à la belle Angélique; les rondeaux, oubliés depuis la Pléiade, et qui tumultueusement ressuscitent, avec leur impertinence et quelquefois leurs sous-entendus lestes; les ballades, exhumées de plus loin encore; les énigmes, où triomphe l'abbé Cotin et que Conrart collectionne; en 1640, les gazettes galantes; plus tard, les bouts rimés et les triolets. Toutes les formes brèves, antiques ou nouvelles, capables de donner à une pensée vive ou gracieuse un tour piquant, sont mises à contribution par une société que Voiture a aidée à se découvrir elle-même, et qui, plus avide d'imprévu que de profondeur, ne songe, dans ses loisirs, qu'à varier ses jeux. Dans ces bagatelles le sentiment disparaît, l'ingéniosité prend le pas sur la conviction; une finesse tout intellectuelle y supplante la beauté de la couleur ou la richesse de l'harmonie; la familiarité et l'à-propos en bannissent l'élan, non moins que l'affectation et la lourdeur. Littérature purement mondaine, faite pour le plaisir, et qui glisse, en prose, de l'éloquence vers le badinage, en poésie du lyrisme vers le bel esprit. Littérature pauvre en son fond, mais qui compense en partie cette perte de substance par la limpidité d'une forme où se rencontrent, pour la première fois depuis longtemps, la pureté et l'aisance, la netteté et le naturel.

LES " SAMEDIS " DE SAPHO ET LA QUERELLE DES " PRÉCIEUSES "

Madeleine de Scudéry (1607-1701) avait fréquenté, à partir de 1630, la société littéraire de Paris et notamment l'Hôtel de Rambouillet : c'est elle qui, à la disparition de celui-ci, vers 1650, recueillit ce qui pouvait être sauvé de son héritage littéraire et mondain. Ses « Samedis », où des femmes de la bourgeoisie aisée et de jeunes poètes, Sarasin, Pellisson, Yzarn, vinrent rejoindre Conrart, Ménage et Chapelain, anciens fidèles de la « Chambre bleue », ne purent cependant retrouver l'éclat des réunions qu'avait présidées Mme de Rambouillet. Nombreux furent, d'ailleurs, les salons qui rivalisèrent avec le sien : aristocratiques au Luxembourg, autour de la Grande Mademoiselle, ou dans les hôtels d'Albret et de Richelieu; bourgeois chez Mme Scarron, chez Mme Aragonnais, femme d'un financier, chez la gaillarde Mme Cornuel ou chez les demoiselles Perriquet, amies de la famille Pascal; plus mêlés, enfin, chez l'épicurienne Mme de La Suze, la coquette Mme de Brégy, la libertine Ninon de Lanclos. D'une manière générale, l'influence féminine sur la société s'est étendue considérablement dans les années qui ont suivi la Fronde et a suscité quelques travers nouveaux : c'est le moment où chaque « ruelle » a son « alcôviste », où, en province comme à Paris, femmes galantes et femmes savantes rivalisent d'efforts pour briller, et où l'on commence à appeler « précieuses » celles qui se piquent de bel esprit.

Sur l'histoire des salons de cette époque, voir : É. Magne, Madame de La Suze et la société précieuse, 1908 ; Cl. Aragonnès, Madeleine de Scudéry, reine de Tendre, 1934 ; G. Mongrédien, Madeleine de Scudéry et son salon, 1947.

Le mot de « précieuses » apparaît pour la première fois en 1654, dans l'Histoire du temps ou relation du royaume de Coquetterie, de l'abbé d'Aubignac ; c'est aussi de 1654 que datait une lettre de Ménage à Sarasin, où le nouveau type féminin était décrit, et qui a été reproduite en 1656 par l'abbé de Pure. Le roman de

LA GUIRLANDE DE JULIE. Page du manuscrit du célèbre calligraphe Jarry, offert en 1641 à Julie d'Angennes par le marquis de Montausier (enluminure de Robert) — CL. A. VAN BEVER.

celui-ci, la Prétieuse ou le mystère des Ruelles, paru de 1656 à 1658, a été réédité par É. Magne, 1938-1939 (2 vol.). Complété par quelques autres documents contemporains — comme la Journée des Madrigaux, reproduite en 1856 par É. Colombey avec la Gazette de Tendre, et comme les Extraits de la « Chronique du samedi », publiés d'après le registre original de Pellisson (1652-1657), par L. Belmont dans la Revue d'histoire littéraire de la France, en 1902 —, il permet de nuancer utilement l'image, naturellement caricaturale, que Molière a crayonnée dans ses Précieuses ridicules, jouées en 1659, ainsi que celle, en apparence plus précise, mais fantaisiste encore, qu'Antoine Baudeau de Somaize nous propose dans ses comédies et dans les deux formes de son Grand Dictionnaire des Prétieuses (1660-1661).

L'ensemble des textes de Somaize relatifs à la querelle a été recueilli par Ch.-L. Livet, 1856 (2 vol.). L'anthologie de G. Mongrédien, les Précieux et Précieuses, 1939, réunit à quelques-uns des documents essentiels sur la controverse, des spécimens des diverses formes de la littérature galante. Sur l'ensemble des problèmes que pose l'histoire de la préciosité, voir R. Bray, la Préciosité et les Précieux, 1948.

La Fronde n'a pas encore cessé de troubler les provinces que, dans la capitale, où les réunions de l'Hôtel de Rambouillet achèvent de s'éteindre, c'est un foisonnement d'assemblées mondaines, une multiplication des « réduits » : les dames, pour ne pas s'exposer aux inconvénients d'une trop rude concurrence, doivent même adopter chacune leur « jour ».

Ces néophytes se laissent-elles entraîner à des exagérations que n'avaient pas connues les spirituelles amies de la sage Arthénice ? Est-il vrai que, dédaignant toute occupation triviale, elles se confinent, en initiées, dans les conversations subtiles, dans les gloses littéraires et parfois

48 DICTIONNAIRE
M
Meilleure odeur.
Ie n'ay iamais respiré d'odeur
mieux conditionnée.

Des Mouches.
Des tasches aduantageuses.

Vn Medecin.
Vn Bastard d'Hypocrate.

Vne Maison.
Vne garde necessaire.

Se Marier.
Donner dans l'amour per-
mis.

Vne belle Main.
Vne belle mouuante.

DES PRETIEVSES. 49
M
Sans Mentir, vous m'esti-
mez trop.
Sans mentir, ie suis trop a-
uant dans le rang fauory de
voltre pensée.

Vous estes vne grande men-
teuze.
Vous estes vne grande dizeu-
fe de pas vray.

Vn Masque.
Le Rempart du beau teint,
ou l'instrument de la curiosité.

La Mort.
La toute puissante.

Estre Melancolique & cha-
rin.   E

UNE PAGE DOUBLE du « Grand Dictionnaire des Prétieuses » de Somaize
(1660). — CL. LAROUSSE.

dans des études plus particulières encore ? Dans le domaine du cœur, poussent-elles si loin les scrupules de la délicatesse, que ni les passions ne les tentent ni les assujettissements du mariage, et que celles qui n'ont point encore d'époux à mépriser ferment, pour échapper aux épouseurs, leurs portes aux visites masculines ? Sont-elles, dans leur langage, si farouchement désireuses de se distinguer du commun, si minaudières ou si prudes qu'elles masquent les choses les plus simples par des équivalents ambitieux, et que leur obscur jargon joint le pompeux au fleuri ? Il faut bien que quelques signes de changement soient apparus aux observateurs du beau monde, puisque soudain un nouveau mot surgit, laudatif chez quelques-uns, bientôt ironique chez d'autres, pour désigner la gent des beaux esprits femelles : les « précieuses », — les « précieuses », c'est-à-dire celles qui « se tirent du prix commun des autres » en se plaçant au-dessus du profane, celles qui évaluent très cher leur personne et leur intelligence : les « renchéries », en somme, selon l'expression qui se divulgue à son tour. « Précieuses », qu'est-ce à dire ? A mesure que leur nom se répand, la curiosité publique s'empare des petits mystères de la vie mondaine, auxquels elle était naguère indifférente, s'amuse à les percer, s'avise de distinguer « vraies précieuses » et « fausses précieuses » ou « précieuses ridicules », accuse celles-ci et justifie celles-là : vive querelle qui, de 1656 à 1660, suscite cinq comédies, un poème de Saint-Évremond, une mascarade anonyme, les quatre tomes d'un roman, diverses œuvrettes : et n'est-ce pas son historien et son arbitre qu'elle a enfin trouvé lorsque Somaize, dans ses *Dictionnaires*, donne des listes de mots, énumère des « ruelles », affiche la connaissance la plus approfondie de tout le Paris littéraire et féminin de 1660 ?

Lourde nomenclature, jugement un peu léger. Que Somaize emprunte quelques mots de son vocabulaire des « précieuses » à leur parodiste Molière, passe encore, — et de même s'il étend à une multitude de femmes du monde les traits qui, sans doute, n'appartiennent qu'à quelques-unes. Mais, pour mieux étoffer sa matière, il recourt à d'autres analogies encore. Les « précieuses » introduisent-elles dans le langage courant quelques locutions prétentieuses, pour en croître le nombre il y ajoute des images qu'elles ne risquent que par jeu d'esprit, lorsque leur

imagination s'exerce plaisamment à égayer un entretien ; et si l'une a, un jour, nommé la perruque « la jeunesse des vieillards », la boutique d'un libraire « le cimetière des morts et des vivants », ou la chandelle « le supplément du soleil », il feint de prendre ces ingénieuses et divertissantes métaphores pour les éléments d'un vocabulaire usuel. En si beau chemin il va plus loin encore : il appelle à la rescousse Corneille, Mainard, Saint-Amant, Brébeuf, et prête à ses héroïnes, qui n'en peuvent mais, les comparaisons grimpées, les nobles périphrases du haut style lyrique : le poète « nourrisson des Muses » ou « bâtard d'Apollon », la lune « flambeau du silence ». Tout lui est bon pour renforcer son arsenal de railleries ; et Malherbe lui-même lui fournit des expressions vieilles de quarante ans pour faire rire des belles dames de 1660. Ainsi, mêlant avec une fantaisie désinvolte d'anciennes hardiesses de la poésie aux modes présentes des ruelles, des archaïsmes littéraires au dernier cri mondain, donne-t-il forme à l'étrange monstre qui a longtemps trompé les historiens, en les portant à admettre l'apparition après la Fronde, ou tout au moins la brutale aggravation, d'une maladie de la langue et du goût.

Les travers des mijaurées de 1660 sont moindres, et moins répandus. Elles ne se font pas « voiturer les commodités de la conversation » et n'emploient pas, pour aller au bal, « les chers souffrants » ; mais, comme beaucoup de leurs pareilles d'autres siècles, elles abusent des superlatifs, et rien ne se passe, dans leur vie, que « furieusement » ou « divinement ». Si fréquent est chez elles le besoin de désigner des sentiments, que les noms ne leur suffisent pas pour cet usage, et qu'elles substantivent les adjectifs qui les expriment : non contentes d'aimer « le sérieux » ou « le familier » de quelqu'un, elles vont jusqu'à ressentir pour lui « un tendre » ou à se mettre pour lui sur leur « bel aimable ». Enfin, pour donner à toutes les images de la vie sociale un tour plus vif, elles recourent, en cette matière, à des locutions figurées, et leurs inventions sont généralement si heureuses que le plus grand nombre ont été consacrées par l'usage : « laisser mourir la conversation », « faire figure dans le monde », « tourner en ridicule », « pousser à bout », ou encore « avoir l'intelligence épaisse », « les cheveux bien plantés », « la taille élégante ». Affectées, certes, mais pas au point de faire violence au langage et de le transformer en un charabia.

D'autant que, dans les œuvres littéraires, elles sont loin de préférer la surcharge et la rutilance. Lorsque la Caliste ou l'Agathonte de l'abbé de Pure jugent une chanson ou un madrigal, elles n'y recherchent pas cette beauté guindée, ampoulée, éclatante de métaphores longuement suivies, qui charmait au début du siècle, et que Molière prête maintenant à Mascarille. La justesse, la variété, l'aisance, un naturel qui n'exclue ni la raison ni la décence, voilà ce qu'elles apprécient ; ennemies de la trivialité populaire, elles ne blâment pas moins le « phébus » et le « galimatias » : leur idéal, qui proscrit les exagérations contraires, c'est « un juste tempérament entre le style rampant et le pompeux ». N'est-ce pas, d'ailleurs, le même « tempérament » qu'on cultive aux « Samedis » de Mlle de Scudéry ? On n'y rompt point avec la tradition de grâce légère établie par l'Hôtel de Rambouillet : lorsque Acante-Pellisson ou Théodamas-Conrart ou Polyandre-Sarasin veulent plaire à Sapho, ils ne lui dédient pas quelque ode ambitieuse, ils rivalisent devant elle d'ingéniosité rapide dans la folle « journée des madrigaux » ; les tourterelles de Conrart échangent de gaies épîtres avec la pigeonne de Madeleine : billets badins, chansons rustiques, tous ces jolis riens que l'on compose avec aisance ont un tour vif, où la délicatesse n'est pas incompatible avec la simplicité.

Dans les sentiments, à vrai dire, se manifeste bien une tendance à l'affectation. Si la société du temps connaît moins de séparations d'époux que ne le laisseraient supposer les débats des salons sur les inconvénients du mariage, si ces accidents proviennent plutôt de très banales mésententes que des progrès d'un féminisme audacieux, il n'en demeure pas moins qu'à vouloir n'éprouver que des impressions rares on glisse aisément vers des simagrées prétentieuses : dès 1652, Scarron dénonce l'ardeur singulière des Parisiens et Parisiennes à « pousser les beaux sentiments »; et que de fois,

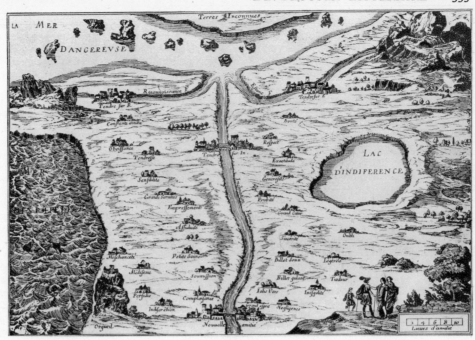

LA CARTE DE TENDRE, dressée par Madeleine de Scudéry et publiée dans le premier tome de sa « Clélie » (1654). — CL. LAROUSSE.

jusqu'à ce que Molière élève sa voix railleuse, on « donne », avec toutes sortes de grâces façonnières, « dans le doux, le tendre et le passionné »! Aux affections communes, jugées trop basses, on préfère les amours platoniques, les sympathies spirituelles, les frôlements discrets et équivoques de l'imagination. Ainsi chez les galantes dames que fait dialoguer l'abbé de Pure. Ainsi également, et davantage encore, chez Mlle de Scudéry. Dans le laid visage de la vieille fille brûlent deux yeux sombres qui ont une « douceur passionnée »; elle repousse l'amour, mais, de toute l'ardeur de son cœur vacant, elle appelle les gentillesses de la sentimentalité. Avec Conrart, avec Pellisson, elle multiplie les agaceries légères, les demi-aveux, les coquetteries langoureuses : éternelle promenade au pays de Tendre, où elle entraîne à sa suite, avec une lenteur qu'elle veut délicieuse, les habitués de ses « Samedis ».

La fameuse carte, imprimée en 1654 dans le premier tome de la *Clélie*, marque bien les excès de cette galanterie suave, devenue, comme dit joliment Conrart, « plus prude que la pruderie »; elle montre aussi ce qui en limite le ridicule. C'est pendant plusieurs mois, de samedi en samedi, que les noms y ont été inscrits, les accidents du terrain dessinés : non point pour traduire des conceptions ambitieuses, mais pour répondre plaisamment à l'inquiétude de Pellisson sur la place qu'il occupe dans le cœur de Madeleine et pour divertir du même coup leurs amis : jeu d'esprit auquel la *Gazette de Tendre* donnera de malicieux prolongements et qui déjà ne va pas sans finesse, puisque, au bout du compte, tous les symboles dûment déchiffrés, le soupirant doit apprendre que, si loin qu'il avance sur les chemins de l'amitié, son héroïne « n'a point eu d'amour et n'en peut avoir ». Tact mondain, piquant à-propos : ingéniosité psychologique également. Que de villages jalonnent la route de Nouvelle Amitié à Tendre-sur-Reconnaissance ! Mais c'est qu'il faut bien des marques d'empressement, dans la réalité, pour fonder une affection sûre ! Et si le fleuve qui conduit à Tendre-sur-Inclination se jette si promptement dans la Mer Dangereuse, n'est-ce pas, aux cœurs passionnés, un judicieux avertissement ? De fines observations, s'exprimant par d'amusantes figures, apparentent la *Carte de Tendre* aux autres exercices par

où les mondains de l'époque s'appliquent à élucider les points les plus épineux de la casuistique amoureuse, ou, avec une intelligence parfois fort déliée, à étudier les ressorts du cœur humain.

Rébus, cartes, gazettes, parallèles, généalogies : au lieu des petits genres qui naguère servaient à badiner, s'implantent ceux qui toujours ramènent à l'analyse psychologique : on s'interroge en de subtiles « questions d'amour » sur les rapports de l'âge, de la beauté et de la vertu avec l'agrément d'une passion; Mlle de Scudéry met à la mode les portraits, qui feront fureur chez Mademoiselle, en attendant que triomphent les maximes; on s'exerce aux définitions, et si une précieuse mentionnée par Somaize excelle à classer les diverses sortes d'estime et découvre douze espèces de soupirs, Saint-Évremond a vu avec quel art, dans les ruelles,

Se font distinguer les fiertés des rigueurs,
Les dédains du mépris, les tourments des langueurs.
On y sait démêler la crainte et les alarmes,
Discerner les attraits, les appas et les charmes.

Ce qu'il y a de plus insaisissable ne décourage pas ces analystes ferventes, qui cherchent, dans la description d'un « certain air » ou dans l'explication du « je-ne-sais-quoi », d'impossibles triomphes. L' « anatomie du cœur » absorbe toutes les ressources de leur conversation, préparant pour les moralistes, les romanciers, les hommes de théâtre, un public capable d'apprécier les indications les plus subtiles et de se reconnaître sans peine parmi le vocabulaire le plus nuancé.

De là les défauts qui, bien plus que l'éclat intempérant des métaphores, menacent la langue des gens du monde : une délicatesse trop dépouillée, une pudeur si chatouilleuse qu'elle appauvrisse le vocabulaire, une élégance abstraite qui confine à la fadeur. Pour l'expression des « jolies choses » et la poursuite du « fin du fin », les derniers vestiges d'un « vieux langage », déjà singulièrement réduit par l'influence de Vaugelas et de l'Académie, conviennent aussi peu que la précision concrète. Une phrase tout analytique, dont les méandres se calquent sur ceux de la pensée, des épithètes morales, des périphrases qui édulcorent, une abondance un peu molle, une syntaxe plus souple que nerveuse, voilà, dès qu'on quitte les vivacités de la poésie légère, le déguisement uniforme sous lequel, au temps des « précieuses », on voile les saillies des tempéraments, et dont seule l'originalité des grands écrivains permet d'éviter la fâcheuse grisaille.

La querelle des « précieuses » ne manifeste donc nul autre péril pour la littérature que celui qui résulte, aux époques les plus raffinées, d'une prédominance excessive de la finesse de l'esprit sur les autres éléments de l'art. Simple accès de curiosité accompagnant une crise de croissance de la société féminine, elle n'a revêtu les apparences d'une crise littéraire que parce que les fantaisies de la polémique ont fait confondre le péché mignon Scudéry avec l'extravagance Nervèze, la galanterie épurée avec les lourds ornements de l'antique « phébus ». Des exagérations naïves peuvent sévir dans quelques ruelles : rien néanmoins, au temps des « précieuses », ne permet de craindre un arrêt durable de l'évolution, commencée depuis un demi-siècle, vers la clarté de l'expression, la justesse et la limpidité du style, l'aisance du tour. Que ce soit dans la poésie galante, dans le roman ou même dans d'autres genres par nature peu propres au développement de ces qualités, celles-ci ne laisseront pas d'apparaître.

II. — POÉSIE, BAGATELLES ET ROMAN
LE ROMAN ET LA POÉSIE HÉROÏQUES

LA VOGUE DU ROMAN HÉROÏQUE

Amoureux de la grandeur, les contemporains de Richelieu et de Mazarin aspirent à la trouver dans le roman héroïque, qui, sans négliger les ressources que lui offrent Amadis, la Diana *de Montemayor ou l'*Astrée, *emprunte aussi à Xénophon, à Plutarque, à Héliodore, au Tasse ou aux « nouvelles » espagnoles ses multiples et souvent extravagantes péripéties.*

*La plus grande variété de décors et de thèmes y règne d'abord : témoin l'*Histoire indienne *d'Anaxandre et d'Orasie (1629) de Bois-Robert ; l'*Ariane *(1632) et la* Rosane *(1637) de Desmarets de Saint-Sorlin ; ou bien les cinq volumes de la version définitive de* Polexandre *(1637) où Marin Le Roy, sieur du Parc et de Gomberville (1600-1674), historien et moraliste qui à plusieurs reprises s'était déjà essayé aux fictions romanesques, a mis toutes les ressources de son imagination : il fut moins heureux avec la* Cythérée *(1640-1642) et avec la* Jeune Alcidiane *(1651), encombrée de sermons et de propos édifiants.*

A partir de 1640, les sujets historiques, traités avec une fantaisie moins désinvolte et dans une forme plus proche de l'épopée, tendent à l'emporter : ils inspirent notamment le Scanderberg *(1644) d'Urbain Chevreau, le* Don Pélage *(1645) de Juvenel, le* Mithridate *(1648-1651) de Le Vayer de Boutigny. Gautier de Coste, sieur de La Calprenède (1614-1663), gentilhomme quercynois d'humeur passablement gasconne, se taille des succès éclatants avec les dix volumes de sa* Cassandre *(1642-1645) et les douze de sa* Cléopâtre *(1646-1657) ; il commence, en 1661,* Faramond *ou l'Histoire de France, que Vaumorière achèvera en 1670.*

L'ARIANE de Desmarets de Saint-Sorlin. Frontispice gravé par Abraham Bosse, d'après Claude Vignon, pour l'édition de 1639. — CL. LAROUSSE.

Voir : Magendie, le Roman français au XVIIe siècle, de « l'Astrée » au « Grand Cyrus », 1932 ; E. Seillière, le Romancier du Grand Condé, Gautier de Coste, sieur de La Calprenède, 1921.

Le roman d'*Ariane* est très bien inventé ;
J'ai lu vingt et vingt fois celui du *Polexandre* ;
En fait d'événements, *Cléopâtre* et *Cassandre*
Entre les beaux premiers doivent être rangés.
Chacun prise *Cyrus* et la carte du Tendre,
Et le frère et la sœur ont les cœurs partagés.

Ainsi se confesse, en 1665, La Fontaine, qui se souvient encore, « ayant la barbe grise », du goût qu'il avait pour les romans, « étant petit garçon ». Goût général : chaque année du règne de Louis XIII ou de la Régence voit d'innombrables volumes surgir à l'étalage des libraires et se vendre. Les moralistes n'en décolèrent pas : « C'est une maladie du temps, s'écrie l'un d'eux, que les romans. »

Pour ces œuvres nouvelles les sujets pastoraux ne conviennent plus : le succès inouï de l'*Astrée* décourage les auteurs, que dégrisent aussi les railleries de Charles Sorel. La chevalerie elle-même, tant goûtée dans le vieil *Amadis*, fatigue assez vite, avec ses histoires de machines volantes, de bains qui rajeunissent et de pieux chevaliers affrontant des géants pour la délivrance de belles captives, un public auquel les controverses théâtrales enseignent à dédaigner ce qui excède la « nature ». On se tourne donc vers le roman héroïque, qui, pendant une trentaine d'années, absorbera les trois quarts de la production romanesque. Lui aussi parle d'amour et d'aventure, mais il y met plus de formes, car le principe sur lequel il se fonde est celui de la parenté entre le roman en prose et l'épopée, et les romanciers qui s'y vouent tentent d'appliquer dans leurs livres quelques-unes des lois de la poésie épique : décence dans l'expression des sentiments, éclat des narrations de combats, composition par épisodes, souci de l'instruction morale. A la vraisemblance même ils affectent de prendre garde, et, après 1630, plusieurs de leurs préfaces, raillant l'accumulation de péripéties « mal digérées » et sans fondement, demandent « que cette faculté dominante de l'âme, à savoir le jugement », renferme l'imagination « dans les bornes de la raison ». Quelques-uns se soucient même du style et des moyens de concilier l'élégance et le naturel : Bois-Robert ne s'adresse-t-il pas, pour présenter aux lecteurs son *Histoire indienne*, au modèle des prosateurs, à Balzac ?

Point de chefs-d'œuvre, cependant. C'est que le genre continue de pâtir du tenace préjugé qui réserve à la poésie et au théâtre la vraie dignité littéraire : tels auteurs, qui signeraient fièrement une tragédie, ne mettent que des initiales en tête de leurs romans; d'autres négligent de les achever; les meilleurs ne se commettent pas à en écrire. L'assimilation à l'épopée comporte d'ailleurs des risques : s'astreindre, comme elle, à ne représenter que de grands personnages, leur prêter des sentiments toujours généreux et des situations toujours dignes de leur rang, assurer chaque fois, au dénouement, la récompense de leurs vertus, c'est sacrifier aux convenances bien des ressources de variété, de pittoresque, de vie; jeter, d'autre part, le lecteur *in medias res*, selon le conseil d'Horace, et resserrer les bornes de l'action, c'est s'imposer une composition enchevêtrée et des récits interminables, aussi peu naturels de ton que contraires à l'évocation de la durée. Pour le merveilleux lui-même on garde trop de complaisance : on bannit bien les sorciers, mages ou revenants, mais, où le surnaturel disparaît, continuent à sévir les prodiges : les combattants ne frappent que des coups humains, mais ils en frappent comme mille, et les voyageurs essuient en une traversée plus de tempêtes qu'un matelot en sa vie. Au reste, pour vouloir, comme l'exigent les doctes, représenter les paroles et actions des personnages plutôt « conformément aux mœurs et à la créance du siècle » que selon la vérité de l'histoire, les romanciers s'attardent dans une fâcheuse indifférence à la couleur locale, et les arquebuses de leurs Chinois ne sont pas moins ridicules que les stances qu'ils font composer par Germanicus pour Agrippine. En dépit de belles ambitions, le roman héroïque, diffus, négligé, encombré

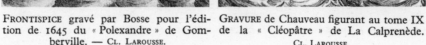

FRONTISPICE gravé par Bosse pour l'édition de 1645 du « Polexandre » de Gomberville. — CL. LAROUSSE.

GRAVURE de Chauveau figurant au tome IX de la « Cléopâtre » de La Calprenède. CL. LAROUSSE.

de réminiscences du roman chevaleresque et refroidi par des allégories, reste conventionnel et monotone.

Beaucoup de ces défauts se retrouvent dans *Polexandre*. En pourrait-il être autrement d'un livre jeté, au cours de dix-huit années, en quatre moules successifs, et dont le héros, d'abord courtisan d'Henri II ou de Charles IX, se métamorphose soudain en Charles Martel, puis devient roi des Canaries sous Charles VIII, sans que l'auteur, qui impose à ses personnages d'aussi singuliers changements de continent ou de siècle, songe toujours à modifier, d'une version à l'autre, les péripéties de leurs existences ou les noms de leurs partenaires ? Quelle surabondance, d'ailleurs, d'événements extraordinaires — rencontres imprévues, naufrages, batailles navales — tandis que se déploie le surprenant carrousel de ces chevaliers et souverains quittant tous leurs États, sur la foi d'un portrait, pour la conquête d'une belle qui n'a que faire de leur passion ! Et quel arbitraire dans les sentiments, aussi respectueux, aussi raffinés chez un Inca que chez Polexandre, descendant des ducs d'Anjou; chez Almanzor, roi du Sénéga, que chez la sensible et toute pudique Alcidiane ! Narrateur hésitant, psychologue naïf, écrivain souvent lourd ou tendu, Gomberville a du moins su discerner, au cours de ses tâtonnements, quelles ressources l'exotisme lui offrait pour relever la banalité d'une fiction chevaleresque. A ses héros il n'ouvre pas seulement l'Orient méditerranéen, terre classique du roman, mais le Maroc, la Guinée, les Antilles, le Nouveau Monde lui-même. Son Montaigne à la main, et quelques relations de voyages, il les guide à travers ces pays inconnus. Et des lecteurs assistent, au Mexique, à des sacrifices humains; ailleurs, ils voient se dérouler les rites du culte du Soleil; ou bien ils entendent le chœur des corsaires de Bajazet psalmodier le chant des funérailles musulmanes. Pittoresque assez puéril, mais nouveau en 1637, et qui pouvait faire rêver.

La Calprenède, qui appuie ses fictions sur l'histoire, ne saurait user de couleurs aussi crues : il s'appliquerait plutôt à éteindre celles que Plutarque et Quinte-Curce, Suétone et Josèphe lui fournissent pour peindre la Perse à la mort d'Alexandre ou l'Égypte sous la paix romaine. C'est sur la composition — étroitement assujettie à l'unité de lieu — que raffine cet homme de théâtre; sur la peinture, aussi, des grands tableaux de batailles et sur l'expli-

cation des intrigues d'État, car il a des prétentions de soldat et de diplomate; sur l'analyse, enfin, de l'amour, qu'il rencontre partout, sous la cuirasse du prince héritier de Scythie comme à la cour d'Auguste et de Tibère. Amour fade, amour « généreux » aussi, car il y a chez La Calprenède un goût impénitent de la sublimité. Ses guerriers, empanachés et bien disants, à la courtoisie sans défaillance, aux faiblesses rares et aux prompts repentirs, sont des hommes en qui le devoir finit toujours par surmonter la passion, et qui n'accablent leurs rivaux que par leur grandeur d'âme. Non moins admirables, ses héroïnes, sensibles, mais scrupuleuses, savent tout sacrifier aux lois de leur naissance, aux bienséances de leur sexe, davantage encore au souci de leur « gloire ». Dans les situations, plus nombreuses que variées, où il les représente aux prises avec elles-mêmes, elles ne s'égarent point : l' « estime » provoque leurs inclinations, la « raison » les modère, l' « honneur » leur permet de les vaincre. Sœurs cadettes, un peu pâles, de Chimène et de Pauline, sœurs aînées, avec trop d'emphase, de la princesse de Clèves, elles séduisent, en dépit des « grandes périodes » et du style rude, archaïque, « détestable » en un mot, que le romancier leur prête, les femmes qui, à vingt ans, lisent leurs aventures. « Il y a d'horribles endroits dans *Cléopâtre*, mais il y en a de beaux, et la droite vertu est bien dans son trône », s'écrie Mme de Sévigné, que tout séduit chez les héros de La Calprenède : « La beauté des sentiments, la violence des passions, la grandeur des sentiments et le succès miraculeux de leur redoutable épée, tout cela m'entraîne comme une petite fille. »

VERS LE ROMAN PSYCHOLOGIQUE : MADELEINE DE SCUDÉRY

C'est sous le nom de son frère Georges, et aussi (bien qu'on ne sache pas exactement dans quelle mesure) avec sa collaboration, que Mlle de Scudéry publia Ibrahim ou l'illustre Bassa *(1641, 4 vol.),* Artamène ou le Grand Cyrus *(1649-1653, 10 vol.), et* Clélie *(1654-1660, 10 vol.), dont le succès fut considérable. Mais on reconnaît bien sa propre conception de l'amour et de la vie mondaine, ses amitiés, ses curiosités psychologiques et morales dans ces livres, dont les deux derniers présentent*

GRAVURES de François Chauveau figurant en tête des trois premières parties d'« Artamène ou le Grand Cyrus », de Mlle de Scudéry (1649-1653). — CL. LAROUSSE.

aussi un tableau idéalisé de la société du temps de la Fronde. L'étude, aujourd'hui dépassée, de Victor Cousin, la Société française d'après le « Grand-Cyrus » de Mlle de Scudéry, 1858 (2 vol.), a révélé, jadis, les « clefs » du livre. La Clélie n'est pas moins riche en portrait déguisés.

Mlle de Scudéry aurait-elle, pour écrire *Ibrahim*, trempé parfois sa plume dans l'encre, plus colorée que la sienne, de son frère le matamore ? Il y a, en tout cas, dans ce roman, au milieu de beaucoup de fatras, des parties agréables : dans la « turquerie », quelques indications suggestives; parmi les caractères, une amusante création, celle du marquis français, pétulant, taquin, galant, ingénieux, volage, composé pittoresque de l'inconstant Hylas, du bel esprit libertin, du familier de la Chambre bleue et du vantard gascon, type original dessiné d'un crayon spirituel, avec une jolie nuance Louis XIII; enfin, dans la relation des dialogues galants ou des aventures sentimentales, des pages fines, où l'analyse psychologique s'exerce, et parfois réussit. C'est en cherchant à rivaliser avec d'Urfé, ce « peintre de l'âme », que Mlle de Scudéry évoque, de la sorte, les mélancolies de Justinian, gentilhomme génois devenu le grand-vizir Ibrahim, et que ni sa richesse ni son immense pouvoir ne décident à oublier sa religion, sa patrie et la tendre Isabelle; ou bien les inquiétudes de cette même Isabelle, sournoisement investie par les assiduités du Sultan, et qui en triomphe par toutes les ingéniosités que la pudeur et l'amour peuvent mettre au service de la vertu. Ni les progrès d'une inclination naissante, ni la variété des stimulants de la passion, ni l'inépuisable habileté de celle-ci à se forger des motifs de jalousie ne lui échappent : elle se complaît dans ces « anatomies du cœur » où sa phrase nuancée, parfois musicale, mais d'une mollesse trop uniforme, se joue avec aisance.

Dans *le Grand Cyrus* et dans *Clélie* elle veut faire davantage : elle essaie de représenter, sous le voile de fictions antiques et à travers de grandioses aventures, les hommes et les choses de son temps. Ambition dangereuse pour une romancière plus éprise de délicatesse idéale que sensible au réel, et qui, de plus, se soucie peu de se brouiller avec ses protecteurs. Quoi qu'elle fasse pour animer ses récits de batailles, Rocroy et Lens revivent pauvrement dans sa prose; et, sous les traits de sa belle Mandane,

princesse de Cappadoce, on n'a pas moins de peine à reconnaître l'anguleuse silhouette de Mme de Longueville que, dans le parfait Artamène, Condé, ses colères et ses vices. Tout le côté coloré, violent, brutal, vivant de son époque lui échappe, et ce qu'elle réussit à en représenter, c'est ce qui, dans le décor perse ou latin où elle le situe, paraît le plus absurde : les élégances de la Cour et de la Ville, les collations, les concerts, les échanges de billets doux et les enlèvements de « filles de qualité », toutes ces gentillesses de ruelles dont elle rêve lorsqu'elle invente des jeux avec l'écho sous les ombrages de Capoue, des duels sur les bords du lac Trasimène, et, dans la Rome de Tite-Live, « Caton galant et Brutus dameret ».

Si elle travestit aussi déplorablement l'histoire, la moderne comme l'ancienne, c'est qu'elle est incapable d'oublier, en écrivant, le petit monde, délicat et subtil, qui est le sien. Mais ce petit monde, avec quelle tendresse elle en décrit les personnages ou les goûts ! Vagues et pompeux lorsqu'ils représentent les grandes figures de l'époque, ses portraits, pâles encore, se font néanmoins plus nets et plus vifs lorsqu'elle évoque Mme Scarron en Liriane, Pellisson en Phaon ou en Herminius, Voiture en Callicrate. Et voici, dans l'épisode de la *Carte de Tendre* comme dans maints autres, des conversations où se déploie toute l'ingéniosité que l'on cultive aux « Samedis »; voici, dans des monologues, dans de longues lettres, dans la discussion de ces « questions d'amour » que Lucrèce ou Valérie et Collatine affectionnent non moins qu'une « précieuse » du XVIIe siècle, des analyses de sentiments; voici même de sérieux débats sur les rapports de la vertu et du plaisir, sur l'amour, sur le mariage, d'où sortiront, trente ans plus tard, plusieurs volumes de *Conversations*, véritable code des bienséances intellectuelles et morales à l'usage des honnêtes gens. Pages curieuses, où le tortillage alterne avec la pénétration, mais où les lecteurs d'alors contemplaient avec délices l'image flattée, et pourtant reconnaissable, de leurs divertissements de société. Ils oubliaient, à les lire, que la même romancière qui définit subtilement les passions, qui les distingue et qui les classe, néglige de les mettre en œuvre, et qu'à aucun des personnages qu'elle fait bavarder elle n'a communiqué la vie. Dans ses livres touffus, verbeux et tellement surchargés d'intermèdes artificiels ou d'analyses abstraites que nous avons peine à en supporter la lecture, ils se plaisaient à retrouver ce qu'ils pensaient avoir de plus estimable : le culte de la civilité et la curiosité des choses du cœur.

L'ÉPOPÉE

Contemporaine, pour sa conception, du roman héroïque, l'épopée, plus souvent nommée « poème héroïque » au XVIIe siècle, n'a commencé qu'après la Fronde à produire des œuvres : celles-ci en revanche ont été, pendant une vingtaine d'années, assez nombreuses.

Parmi les premières parues, on peut citer : en 1653, Moïse sauvé, « idylle héroïque » de Saint-Amant, et Saint Louis, du P. Pierre Le Moyne (remanié en 1658) ; en 1654, Alaric, ou Rome vaincue, de Georges de Scudéry, et Saint Paul, de Godeau; en 1656, douze chants de la Pucelle, de Chapelain; en 1657, Clovis ou la France chrétienne, de Desmarets de Saint-Sorlin ; en 1660, David, de Lesfargues; de 1663 à 1665, Jonas, Josué, Samson, David, du ministre protestant Jacques de Coras; en 1664, Charlemagne, de Louis Le Laboureur ; en 1666, de Jacques Carel, sieur de Sainte-Garde, Childebrand, ou les Sarrazins chassés de France (intitulé Charles Martel l'année suivante, à la suite des railleries de Boileau) ainsi que Charlemagne ou le rétablissement de l'empire romain, de Nicolas Courtin.

Chapelain termina, en 1670, les douze derniers chants de la Pucelle, qui ne furent publiés qu'en 1882.

Sur ces poèmes, et sur la part, dans leur conception, du merveilleux médiéval et chrétien, voir : J. Duchesne, Histoire des poèmes épiques français du XVIIe siècle, 1870; R. Toinet, Quelques Recherches autour des poèmes héroïques ou épiques français du XVIIe siècle, 1899-1907 (2 vol.); P.-V. Delaporte, Du merveilleux dans la littérature française sous le règne de Louis XIV, 1891; A. Marni, Allegory in the French Heroic Poem of the Seventeenth Century, 1936; N. Edelman, Attitudes of Seventeenth Century France toward the Middle Ages, 1946.

CLOVIS OU LA FRANCE CHRÉTIENNE, de Desmarets de Saint-Sorlin (1657). Frontispice de Fr. Chauveau. — CL. LAROUSSE.

Si les romans héroïques sont presque tous médiocres, les épopése le sont davantage encore. Et pourtant, que d'espoirs ne fondait-on pas sur l'avènement d'un genre qui devait hausser notre littérature jusqu'au niveau de la grecque et de la romaine, confirmer une doctrine dont tous les articles étaient fixés depuis le Tasse, illustrer même les origines glorieuses de la monarchie française, faire briller, enfin, ce « merveilleux chrétien » dont la *Jérusalem délivrée* avait donné le modèle et dans lequel nul n'hésitait, entre 1640 et 1660, à saluer l'une des possibilités les plus fécondes de la poésie !

Ce qui paraissait devoir assurer le triomphe de l'épopée, c'est justement ce qui la perdit : la croyance naïve en l'efficacité des théories; un zèle purement pédantesque; l'absence, chez les auteurs, de tout élan spontané de l'imagination. Lorsqu'un Chapelain et un Saint-Amant, puis Sarasin, le P. Le Moyne et Le Laboureur, d'autres encore, se mettent à l'œuvre, c'est aux environs de 1630 ou peu après, tandis que flambe l'enthousiasme pour les règles : on veut en contrôler les vertus ou en exploiter les avan-

LA PUCELLE OU LA FRANCE DÉLIVRÉE, de Jean Chapelain (1656). Gravure d'Abraham Bosse, d'après Claude Vignon. — CL. LAROUSSE.

tages; sans se demander si l'on a bien « la tête épique », on médite, on raisonne, on dispose, avec plus de science que de ferveur poétique, ou même, comme Chapelain, avec une méthodique et maussade application; et l'on espère, candidement, que la beauté sera le fruit de la patience.

Les voici, ces épopées, après quinze ou vingt ans de savant travail. Elles font valoir vainement, dans la succession de leurs chants, de leurs épisodes, de leurs récits, de leurs « merveilles », des grâces longuement ajustées : on y reconnaît bien la trace des préceptes, mais moins comme des agréments que comme des stigmates. L'action y est, comme il le fallait, « illustre » : si « illustre » que, dans *la Pucelle*, ni Domremy ni Vaucouleurs n'introduisent la moindre familiarité paysanne et que Jeanne, sans tentations, sans faiblesses, sans fraîcheur d'âme, s'avance, héroïne enrubannée d'un fastidieux opéra, dans le décor le plus pompeux du monde. Des « ornements » y ont été répartis, selon les lois les plus judicieuses : ce qui nous vaut, dans *Jonas*, un tableau, bouffon à force de minutie solennelle, du ventre de la baleine où le prophète doit résider; ou bien, dans *Alaric*, la mécanique alternance de descriptions et de comparaisons dont la seule nomenclature occupe dix-sept pages. L' « instruction » n'y est jamais oubliée : et Scudéry, du coup, s'improvise professeur d'architecture, d'art nautique et de bibliographie; Le Laboureur de philosophie cartésienne; Saint-Amant, plus modeste, de pêche à la ligne ou de nage à la brasse. Quant au style, subordonné toujours, selon la bonne doctrine, à l' « invention » et à la « disposition » comme un simple « habillement du corps poétique », il manque souvent de naturel : les symétries guindées et les pointes laborieuses y abondent, ou, dans *la Pucelle*, les vocables rocailleux et les épithètes cacophoniques alignés avec une tranquille rigueur. Que l'on ajoute à ces défauts l'abus des allégories et des miracles, l'enchevêtrement des récits et des prédictions que comporte la composition « artificielle », enfin la galanterie, qui répand dans un moyen âge factice des Mérovingiens de cour et des Wisigoths de ruelles, et l'on

MOISE SAUVÉ, de Saint-Amant (1653). Frontispice d'Abraham Bosse, d'après Claude Vignon. — CL. LAROUSSE.

saura de combien de tares se trouvaient affectées, par suite d'un imprudent dogmatisme, ces œuvres mort-nées.

Quelques lumières y brillent, çà et là, dans le *Saint Paul*, par exemple, où les discours de l'apôtre, éloquents, sensibles, harmonieux, révèlent de quelle noblesse discrète et grave l'évêque de Vence était capable. Mais c'est dans le poème le moins assujetti aux lois du genre, dans le *Moïse* de Saint-Amant, pittoresque, bariolé, parfois absurde, qu'elles sont le plus nombreuses : le sentiment y a de la fraîcheur; la fragilité de l'enfant Moïse s'y évoque avec une grâce délicate, soulignée par d'heureux traits de simplicité rustique; de beaux vers y peignent la tiédeur d'un paysage marin :

> Sous la douce lenteur des souffles de l'été,

ou la majesté paisible du Nil :

> Le fleuve est un étang qui dort au pied des palmes.

Les rossignols y chantent, bien doucement :

> Ils rendent le bruit même agréable au Silence...

Ailleurs, ce sont des images cocasses, fleurs aux coloris criards. Tout cela amuse l'œil, caresse l'oreille, mais ne fait pas une épopée.

Le public fut déçu. On l'avait fait longtemps attendre et, dans l'intervalle, il avait pris goût au naturel; il avait même vu sévir la mode des travestissements burlesques, qui avaient caricaturé les plus belles épopées antiques avant que les françaises eussent montré leur visage fardé. Boileau, Saint-Évremond ne furent pas les seuls à avouer leur ennui : dès 1672, Bussy-Rabutin concluait, de cette expérience manquée, « qu'un poème épique ne peut réussir en notre langue : il est aisé de le prouver par les exemples. Le *Moïse*, le *Saint Louis*, la *Pucelle*, le *Clovis* et l'*Alaric* en sont de bons témoignages ».

Circonstance aggravante de cette ruine, le poème héroïque entraînait dans sa condamnation la forme même de merveilleux qu'il avait prétendu susciter : la mythologie, à partir de 1664, reprend ses droits, et le christianisme devra, jusqu'à Chateaubriand, attendre son épopée.

LA LITTÉRATURE GALANTE

La contribution de l'esprit galant à la littérature est plus considérable encore que celle de l'inspiration héroïque : dans des lettres et des billets, dans des sonnets, dans les divers petits genres poétiques, dans quelques essais, également, de vers et de prose mêlés, beaucoup de talent se dépense et parfois se gaspille, contribuant à l'évolution qui, de la solennité du style malherbien ou de la somptuosité contournée du style « baroque », conduit peu à peu au dépouillement, aussi avantageux pour la prose que dangereux pour le lyrisme, de l'art classique.

F. Lachèvre a fourni, dans les tomes I (1901) et II (1903), ainsi que dans les suppléments (1905 et 1922) de sa Bibliographie des recueils collectifs *publiés de 1597 à 1700, de précieux renseignements sur les auteurs et les œuvres. L'étude de celles-ci se trouve esquissée dans le livre posthume d'Émile Faguet,* Histoire de la poésie française de la Renaissance au Romantisme, *t. II et III (1925-1927). Le choix de* Poètes précieux et baroques du XVIIe siècle, *publié en 1941 par Thierry Maulnier, met en valeur les mérites d'une génération littéraire longtemps méconnue.*

DU LYRISME A LA GALANTERIE

C'est dans l'entourage de Théophile que s'était formé le bohème Guillaume Colletet (1598-1659), qui, après avoir écrit les Divertissements *(1631), d'*Autres Poésies *(1642), des* Épigrammes *(1653), recueillit, en 1656, ses* Poésies diverses. *Admirateur de Théophile avait été aussi, pour commencer, Georges de Scudéry (1601-1667), le fougueux adversaire du Cid, le frère aîné de Madeleine, gentilhomme râpé, prodigue et fanfaron, de soldat devenu écrivain, puis quelque temps, par la protection de Mme de Rambouillet, dérisoire gouverneur du fort de Notre-Dame de la Garde à Marseille : ses* Poésies diverses *parurent en 1649.*

François L'Hermite, sieur du Solier (1601?-1655), qui prit pour nom de plume celui du fameux « compère » de Louis XI, était de noblesse plus certaine que Scudéry ; mais, petit page à la Cour, il s'enfuit, encore presque enfant, et vécut dans la gueuserie et le vagabondage : en Angleterre, en Norvège et en Hollande, a-t-on pu croire ; en France, plus sûrement. A partir de 1620, il partage à la Cour les plaisirs des poètes et des jeunes seigneurs débauchés, puis, à Bruxelles, l'exil de Gaston d'Orléans. La fortune lui sourit au théâtre, mais non dans la vie : ballotté d'un protecteur à l'autre, insouciant, du reste, joueur et impécunieux, il meurt phtisique. Cyrano, qui vante sa « fierté » de « philosophe » et d' « homme libre », assure qu'il était « tout esprit » et « de cœur ». Ses recueils lyriques sont : les Plaintes d'Acante, *1633; les* Amours, *1638; la* Lyre, *1641; les* Vers héroïques, *1648. Une partie en a été rééditée, en 1909, par J. Madeleine, en 1925 par P. Camo. La thèse de N.-M. Bernardin,* Un précurseur de Racine : Tristan L'Hermite, *1895, doit être retouchée sur plusieurs points. Voir notamment : É. Droz, le* Manuscrit des « Plaintes d'Acante », *1937.*

On ignore la date de naissance (1568? 1570? 1590?) du Saintongeais Jean-Oger Gombauld, le « Beau Ténébreux » de Mme de Rambouillet, l' « Endymion » secrètement aimé par Marie de Médicis, l'académicien qui disserta sur le « je-ne-sais-quoi », le « huguenot à brûler » dont parle Talle-

mant. Cérémonieux, bizarre, honnête et malchanceux, il garda jusqu'à sa mort, en 1666, le regret des élégances, qu'il s'exagérait sans doute, de la « belle Cour » de sa jeunesse, et les manières à la fois sévères et raffinées d'un Alceste galant. Il fit paraître tardivement ses Poésies *(1646) et des* Épigrammes *(1657).*

L'influence de l'Hôtel de Rambouillet fut plus sensible encore chez Claude Malleville (1595?-1646), secrétaire du maréchal de Bassompierre et académiste, dont les Poésies *furent recueillies en 1649. Voir : M. Cauchie,* l'Académicien Claude Malleville, *dans la* Revue des Bibliothèques, *1923.*

FRONTISPICES des « Plaintes d'Acante » (1634) et des « Vers héroïques » (1648), de Tristan L'Hermite. — CL. LAROUSSE.

Acclimater, comme la société mondaine s'y applique, la facilité, le naturel, la vivacité familière, c'est rendre la conversation bien agréable; mais c'est fatalement aussi contrarier l'essor du lyrisme. Celui-ci décline après la mort de Malherbe et de Théophile; et sans doute les odes, les stances, les élégies où l'imagination se donnait de l'espace ne disparaissent pas tout de suite ni complètement devant les pièces courtes où la finesse presque seule peut briller; l'éclat des métaphores, de même, et les complications du « phébus » conservent quelque temps des adeptes : incertaine de sa direction, la première poésie galante hésite entre la richesse « baroque » et des grâces plus légères, entre les hardiesses de l'inspiration ou les vastes ressources du pittoresque et l'ingéniosité de l'esprit. Ses thèmes les plus fréquents, ce sont les Italiens qui les lui fournissent, non seulement les pétrarquistes, mais ceux qui, à la suite de Marino, ont essayé de renouveler la phraséologie amoureuse par la coloration sensuelle et la bigarrure de leurs images autant que par la subtilité de leurs *concetti*. On ne se contente plus de célébrer, dans quelques situations toujours les mêmes, le charme d'une belle, on veut des éclairages imprévus, des circonstances piquantes, et l'on s'exerce à glorifier la « belle matineuse » et la « belle crépusculaire », la « belle pêcheuse » après la « belle chasseresse » : un degré de raffinement de plus, et l'on a, comme chez tels sonnettistes ou madrigaliers d'outre-monts, la « belle aveugle », la « belle veuve », la « belle mendiante », la « belle vieille », la « belle more ». Plus la donnée est étrange, plus frappantes peuvent être les comparaisons, plus délicieusement déconcertantes les rencontres de mots : et l'art consiste, non à traduire fortement des sentiments ou des idées, mais à donner de la grâce à quelques traits futiles.

Tous ne gagnent pas à ce resserrement du champ poétique : Colletet, par exemple, grand

FRONTISPICE de « la Lyre », de Tristan L'Hermite (1641). Gravure de Daret. — CL. LAROUSSE.

connaisseur des lyriques du XVIe siècle, fidèle admirateur de Ronsard, écrivain de plus de tempérament que de délicatesse, ne rencontre pas dans les bagatelles les mêmes accents heureux que dans les odes ou élégies où il chantait, parfois harmonieusement, la nature; Scudéry, de son côté, ce capitan aux allures fracassantes, dont la palette est riche et le verbe chaleureux, ne se fait plus remarquer, dans le sonnet galant, que par la rudesse de sa facture.

Plus subtil, Tristan L'Hermite déjoue mieux les pièges du genre. Sa libre jeunesse avait fait de lui un admirateur de Malherbe, mais plus encore de Théophile et de Marino; parmi les Anciens, il avait goûté Anacréon, Virgile, Ovide, et, parmi les Modernes, Arioste et le Tasse. Il reste fidèle à ces cultes divers, et tout ce qu'en les célébrant il s'est assimilé de vivacité, de grâce, de pittoresque ingénieux, il le dépense dans les pièces très variées qu'il compose pour lui-même ou pour complaire à quelque grand. Il a, dans la poésie descriptive, moins d'éclat que Théophile : *la Mer* contient cependant, à côté d'images trop fleuries et d'allégories ou personnifications conventionnelles, de délicates notations de détail, de fins scintillements, de jolis jeux d'ombre et de lumière. Dans l'ode héroïque ou les stances morales, il rivaliserait en vain de fermeté avec Malherbe : mais les lieux communs, qu'il exprime à son tour sur le destin de l'homme, revêtent, sous sa plume, les nuances d'une discrète et très personnelle mélancolie. Quant aux madrigaux et sonnets galants dans lesquels il imite les Italiens, ils peuvent ne pas atteindre à l'éblouissante profusion de leurs modèles : il n'en réussit pas moins à y garder quelque chose de la beauté plastique et de la voluptueuse musicalité qui en faisaient le prix; et l'on y perçoit encore, à travers l'obscurité née de la surcharge des ornements, la gravité d'accent d'un homme qui, même en traduisant de factices émois, se souvient de ce que d'autres, plus véritables, lui ont coûté :

Le charme et les tristesses de l'amour, il excelle à les rendre, mêlés parfois au sentiment de la nature. Sans doute, il n'apporte jamais à les exprimer cette plénitude sûre d'elle-même à laquelle d'autres écrivains, plus experts en leur métier, mais d'une âme moins ingénue, semblent être parvenus sans effort. Chez lui, le trait demeure un peu grêle, et la ligne tremble parfois, qui relie ses strophes les unes aux autres; dans le choix même des mots et des images, il n'a pas la fermeté de décision des grands artistes, et les vers les plus exquis du *Promenoir des deux amants* :

> L'ombre de cette fleur vermeille
> Et celle de ces joncs pendants
> Paraissent être là-dedans
> Les songes de l'eau qui sommeille

sont le fruit d'une retouche tardive. Mais le charme n'en est que plus prenant de poèmes où, sous les paillettes de l'antithèse et de la pointe, se devinent sans cesse des agréments plus durables : l'élégante et douce inflexion de la plainte élégiaque, la fantaisie légère, une tendresse pudique et presque farouche, le goût des grâces fragiles qui frissonnent dans l'arbre ou qui se brisent dans le cristal de la fontaine. Un peu archaïque dans son vocabulaire, et fâcheusement chargé de toutes les parures qu'affectionne son temps, Tristan L'Hermite représente néanmoins, au XVIIe siècle, avec La Fontaine, ce qu'ont exprimé à d'autres époques de notre poésie un Villon, un Nerval, un Musset, un Verlaine : les nuances les plus finement françaises de la sensibilité et de l'esprit.

Gombauld ne recherche pas la même variété. Est-ce par fidélité romanesque au souvenir qui embellit son passé qu'il s'adonne si longuement à la poésie amoureuse et que, même sous ses cheveux gris, il continue de polir le recueil commencé en l'honneur de Philis, d'Amaranthe ou de Carite ? La sévérité de son caractère et celle de son goût s'unissent, en tout cas, pour contraindre son imagination, en la détournant, par exemple, des coquetteries et bigarrures du marinisme : il a une allure personnelle, grave jusque dans la recherche de la grâce, ferme et composée lors même que sa fantaisie paraît s'attarder à de vains jeux, et la banalité des thèmes qu'il traite ne l'empêche pas de manifester les scrupules d'un art raffiné. Certes, c'est à partir de comparaisons et de mots fort communs qu'il élabore ses vers; mais il les soumet à un lent travail de concentration poétique qui pousse le symbolisme galant, l'allégorie mythologique et quelques nobles images de la nature concrète jusqu'au point de densité où ils brillent d'un mystérieux éclat. La somptuosité choisie de ses métaphores, la pureté de sa diction, l'harmonieuse souplesse de son rythme, toujours fort et plein, lui permettent de communiquer aux développements de la rhétorique amoureuse une sorte de majestueuse suavité :

> Je doute cependant si je voudrais périr
> De l'extrême douleur dont je meurs sans mourir,
> Tant l'objet est puissant dont j'ai l'âme enchantée.

> Je crois qu'enfin l'esclave est jaloux de ses fers,
> Je crois que le vautour est doux à Prométhée,
> Et que les Ixions se plaisent aux Enfers.

VINCENT VOITURE. Portrait gravé par R. Nanteuil, d'après Ph. de Champaigne, et figurant en tête de l'édition de 1650 de ses «Œuvres».
CL. LAROUSSE.

Son génie sérieux et lent le trahit dans l'épigramme, mais des lueurs de haute poésie traversent parfois l'ombre dont il s'est plu à envelopper ses sonnets.

Après Tristan, après Gombauld, vaut-il la peine de citer Malleville ? Bien que Boileau lui accorde, en même temps qu'à Gombauld et à Mainard, la royauté du sonnet, il ne fait point entendre de note nouvelle. Généreux pourvoyeur de la *Guirlande de Julie*, rapide fabricant de *Belles gueuses* et de *Belles matineuses*, versificateur facile et harmonieux, il suit la mode, dont ses changements de manière soulignent l'évolution. Et précisément, vers 1635, aux élégies et aux sonnets « mourants » il se met à préférer les vers badins et les rondeaux : c'est que le lyrisme, à ce moment, accuse son recul; c'est qu'on va même bientôt se lasser de Marino et de ses imitateurs; c'est qu'à toute la littérature galante Voiture désormais donnera le ton.

VOITURE ET L'ÉCOLE DU BADINAGE

« Ame du Rond » à l'Hôtel de Rambouillet, Vincent Voiture a été aussi, par son exemple, à l'origine de l'évolution littéraire qui, à partir de 1635 environ, prépare le passage de la poésie galante à la poésie légère, de la prose oratoire à la prose naturelle. Fils d'un riche marchand de comestibles d'Amiens, il était né en 1597. Comme Vaugelas et Tristan, il eut la malchance de lier sa fortune à celle de Gaston d'Orléans, mais, plus habile qu'eux, il sut, au moment critique, se faire expédier en Espagne et de là pousser jusqu'en Afrique, écrivant au cours de ce voyage (1632-1634) quelques-unes de ses lettres les plus fameuses. Un habile panégyrique de Richelieu lui permit, en 1636, de rentrer en grâce auprès de la Cour : seuls, dès lors, les déplacements de celle-ci et une mission en Italie l'éloignèrent de la Chambre bleue, où il se plaisait, où il plaisait aussi, où il jeta néanmoins quelque trouble, en s'amourachant de la plus jeune fille de Mme de Rambouillet. Blessé dans un duel, puis malade, il mourut en 1648. — Son neveu Pinchesne recueillit ses Œuvres, qui parurent en 1649 et 1658, et furent fréquemment réimprimées jusqu'en 1665. La moins médiocre des rééditions modernes est celle d'Ubicini, 1855 (2 vol.). Sur sa vie, voir les livres d'É. Magne relatifs à l'Hôtel de Rambouillet.

Aussi glorieux à la Cour que Voiture à l'Hôtel, Isaac de Bensserade (1613-1691) avait eu une jeunesse fort dissipée. Devenu célèbre par la querelle où, de 1648 à 1650, s'affrontèrent les admirateurs de son sonnet sur Job et ceux du sonnet de Voiture A Uranie, richement doté, d'ailleurs, de pensions et d'abbayes, il papillonne autour des Grands, flatte sans vergogne leurs passions, tourne avec insistance autour des filles d'honneur de la reine; il est surtout, de 1651 à 1669, le grand fournisseur de vers pour les ballets du jeune Louis XIV; sur ses vieux jours, il se rendra quelque peu ridicule en mettant Ovide en rondeaux et Ésope en quatrains : il sera le Théobalde de La Bruyère. — O. Uzanne a réimprimé, en 1895, une partie de ses Œuvres, qui n'avaient été publiées qu'en 1697. Sur sa vie, voir : G. Mongrédien, Le XVIIe Siècle galant : libertins et amoureuses, 1929. Sur son œuvre : Ch. Silin, Benserade and his « Ballets de Cour », 1940.

Jean-François Sarasin (1614-1654), Normand comme

*Bensserade, dut, pour mener la vie d'homme de lettres, s'attacher au service des Grands : il « fut » à M. de Chavigny, au' coadjuteur Gondi, à Mme de Longueville, au prince de Conti ; il dépensa beaucoup, n'intrigua pas moins, ne cessa pas de vagabonder pendant la Fronde, brilla par intervalles aux « Samedis » de Sapho, et mourut à Pézenas. Quelques-uns de ses contemporains ont dénoncé son manque de scrupules ; d'autres ont vanté sa gaieté, sa malice, les mille ressources d'un esprit qui, lorsqu'il s'animait, suscitait chez tous un « emportement de joie ».
— De ses Œuvres, publiées en 1656 et 1674, une bonne édition a été donnée par P. Festugière, 1926 (2 vol.).*

*Le genre léger et badin a été très cultivé après Sarasin par des écrivains dont plusieurs donnent la main, déjà, aux écrivains classiques. Parmi eux, citons le délicat Charleval (1613?-1693); François de Maucroix (1619-1708), l'ami de La Fontaine; Mathieu de Montreuil (1620?-1691), auteur de poésies et de lettres, l'aimable « fou » de Mme de Sévigné; Paul Pellisson-Fontanier (1624-1694), le confident de Mlle de Scudéry, qui partagera courageusement la disgrâce de son protecteur Fouquet, et jouera un grand rôle sous Louis XIV ; Chapelle (1626-1686), qu'aimeront Molière et Boileau. Saint-Évremond pourrait avoir aussi, pour la nature de son talent, une place dans le groupe.
— Voir : F.-L. Marcou, Étude sur la vie et les œuvres de Pellisson, 1859.*

A Vincent Voiture la destinée a joué un méchant tour lorsque, après sa mort, l'opposant au jeune talent de Bensserade, elle fit de lui, aux yeux de la postérité, l'auteur du *Sonnet à Uranie.* Tant de bruit autour de ces vers, vieux déjà de vingt-cinq ans — des vers de début, presque les seuls qu'ait inspirés au poète la Muse sérieuse —, et pour immobiliser à jamais, dans une attitude de « mourant », le plus agile des amuseurs, quelle dérision ! « Mourant », Voiture ? Une seconde, peut-être, entre deux cabrioles.

En réalité, il a beau connaître sur le bout des doigts tous les petits secrets des marinistes et goûter avec plus de ferveur encore les auteurs espagnols de sonnets « baroques », ce n'est pas à la galanterie grave et larmoyante qu'il s'attarde. Mais taquiner quelque belle par des stances badines, ou jouer, dans des strophes en demi-teinte, le jeu piquant de l'amitié tendre et de l'ironie, à la bonne heure ! Mieux encore : faire évanouir en légères chansons l'ennui des passions prétentieuses, donner congé, par un bon mot, aux amours où l'on languit, ou bien célébrer les jolies filles de l'Hôtel de Rambouillet sur l'air des *Landriri* et des *Lanturlu;* ou encore, narrer d'un ton désinvolte les beaux mariages et les fâcheux envols de jupes; s'adresser même à un grand seigneur avec une familiarité amicale et entremêler plaisamment la déférence et la raillerie, les propos facétieux et les réflexions morales... Il y a même des ragoûts : l'à-propos des « placets » et des « étrennes »; le pastiche de Neufgermain ou de Marot; l'emploi de l'espagnol ou l'imitation du « vieux langage » des romans de chevalerie; l'amusant archaïsme de la ballade; la vivacité du rondeau, si propre aux sous-entendus gaillards. Point de beautés apprêtées dans cette

poésie de pur divertissement, mais la rapidité du trait, la simplicité d'un style clair, limpide, prosaïque s'il le faut; des licences même, d'orthographe, de syntaxe ou encore de rime, pour amener plus facilement le refrain; la première entorse aux règles de la stance; un acheminement au vers libre... Œuvre d'esprit, de mouvement et de bonne grâce, non de sentimentalité quintessenciée, la poésie de Voiture marque bien, dans l'évolution du goût, un brusque tournant : elle rompt allégrement avec la tradition de la galanterie compassée, comme elle achève de détourner des grandes ambitions du lyrisme. C'est à La Fontaine qu'elle plaît; à Voltaire même, par endroits; et elle prépare leurs vivacités.

Ces caractères qu'on reconnaît aux vers de Voiture, il arrive qu'on les refuse à ses lettres, tant admirées de leurs premiers lecteurs. La plaisanterie nous y paraît lente, le trait lourdement appuyé. Était-il besoin de trois pages pour raconter la « berne », et est-ce de ce train qu'on s'élève d'une couverture et qu'on y retombe? Que de pénible application dans les louanges de la Carpe au Brochet ou dans la présentation des lions de cire à la belle Lionne ! Ainsi, les pages les plus célèbres nous déçoivent : il y manque ce jaillissement continu, ce passage incessant d'un thème à l'autre qui seuls nous rendent supportable le jeu d'esprit prolongé. Mais ce sont les plus frappantes — les plus laborieuses — qui ont fini par être toujours citées; dans d'autres, plus abandonnées, et même dans quelques-unes dont les allusions sont devenues obscures, l'impertinence du ton, la souplesse du tour, l'habileté mondaine à insinuer l'attaque ou à esquiver le coup, souvent aussi la finesse dans l'analyse des sentiments compensent ce qu'il y a de fâcheusement apprêté dans l'emploi des images et des antithèses. Et quelle promptitude,

JEAN-FRANÇOIS SARASIN. Portrait par Nanteuil, figurant en tête de ses « Œuvres » (1656).
CL. LAROUSSE.

dans certains billets à Costar, à faire jaillir, du milieu de la flatterie, un trait féroce ! Il ne faut pas s'y tromper, la prose, depuis trois siècles, a changé de rythme : ce qui nous y semble lourdeur pouvait y passer, après Du Vair et même après Balzac, pour aisance. Sur celle de Voiture, ses contemporains, du plus pédant au plus galant, n'ont qu'une voix : ils y découvrent, qui avec impatience, qui avec délices, un constant « naturel », une « négligence » qui n'est d'ailleurs qu'un « artifice caché », une « apparence de facilité » et une absence d' « affectation » qui font de ses lettres « ce qu'il y a de plus fin et de plus délié dans les ouvrages de l'esprit », de leur auteur « le père de l'ingénieuse badinerie ». C'est lui qui commence à détendre la phrase, si largement organisée, de Balzac et de ses imitateurs, et qui, à la noble élégance de l'orateur, oppose les grâces plus désinvoltes de l'homme du monde : il donne le signal d'un effort nouveau qui ajoutera à la langue française, purifiée et parée, non encore tout à fait assouplie, un registre de plus.

A sa mort, c'est à Sarasin que passe le sceptre du badinage. Royauté moins incontestée, au dire de Somaize, mais non moins légitime, car il faut reconnaître un réel mérite à cet historien élégant, à ce moraliste délié, à ce poète qui mourut à quarante ans sans avoir donné sa mesure, mais non sans avoir marqué sa place. Plus sensible que Voiture, il est fort capable de soupirer mélodieusement pour Phyllis, Amarante ou Silvie; et si, dans les louanges d'amour, il apporte autant de légèreté que son maître, ce n'est pas, comme lui, par pauvreté d'émotion, mais par délicatesse de tact, par prédilection pour la ligne simple et pure, par goût de la litote. La nature ne l'inspire pas moins heureusement : hôte des Condé à Coulommiers ou à Chantilly, il rend si bien le charme subtil des paysages d'Ile-de-France qu'un ami du poète des *Fêtes galantes* reconnaîtra dans ses peintures la finesse de touche de Corot :

> Quand ces gens se sont retirés,
> (Car sur la fin du jour le voisin se retire),
> On va chercher le frais de l'ombre et du zéphire
> Dans les lieux les plus égarés,
> L'on goûte le repos des routes reculées,
> L'on roule au petit pas sous de sombres allées,
> L'on s'enfonce au plus creux des bois,
> L'on rêve sur les bords de l'onde,
> L'on y lit des romans, l'on exerce sa voix,
> La liberté bannit toutes les lois,
> Et le caprice seul y règle tout le monde.
> Si le jour fait place à la nuit,
> On voit danser sous les feuillées
> A la simple clarté de la lune qui luit,
> Mille nymphes déshabillées
> Qu'au travers des buissons le faune amoureux suit.

Dans la plaisanterie galante cette finesse et cette fluidité font merveille; ses madrigaux, ses brèves chansons ou ses villanelles, dépouillées de tout l'appareil des métaphores et des pointes, brillent seulement par la fraîcheur de l'inspiration, par la grâce du tour, par une ingéniosité frivole tempérée d'un rien de mélancolie. Mais son domaine est plus étendu, et toutes les formes de la fantaisie, morale ou littéraire, le tentent. Son idéal de style, dépouillé et naturel, s'exprime dans la satire du *Mauvais poète*, où il accable les amateurs surannés du « phébus ». A son devancier et rival il consacre la narration, amicalement impertinente, de la *Pompe funèbre de Voiture*. Il s'engage, avant Boileau, dans le genre héroï-comique avec *Dulot vaincu ou la défaite des bouts-rimés*. Il pratique le discours familier et l'ode légère, le sonnet parodique et la ballade facétieuse. Partout il met en œuvre une culture étendue, qui va de Virgile et d'Ovide au *Roland furieux* et à *Don Quichotte* en passant par le moyen âge, et qui lui permet de remplacer les saillies, parfois brutales encore, de Voiture, par les jeux raffinés du pastiche et de l'allusion. Naturellement la forme poétique s'assouplit encore entre ses doigts, et il pratique sans scrupule le mélange de la prose et des vers ou celui de mètres variés. Aimable, piquant et joli Sarasin, est-ce à tort que Boileau, énumérant, en 1700, dans sa *Lettre à Perrault*, les bons écrivains du siècle, lui attribue une place flatteuse entre Voiture et La Fontaine?

Ses contemporains prisèrent peut-être plus encore Bensserade. C'est que, dans la « guerre des sonnets », son *Job* avait, probablement sans qu'il y songeât, donné le type du nouveau style galant, tout uni, sans antithèses ni métaphores, rehaussé seulement par l'ingéniosité d'une pensée sous-entendue, tout proche en un mot de la prose. C'est aussi que, prolongeant plus longtemps que Sarasin sa carrière, vivant à

FRONTISPICE des « Œuvres galantes en prose et en vers » de l'abbé Cotin (1663). — CL. LAROUSSE.

ISSAC DE BENSSERADE. **Gravure** d'Edelinck. CL. LAROUSSE.

la Cour et écrivant pour elle, il eut l'occasion de faire valoir, dans les ballets dont il adaptait les vers à la condition et à l'humeur des divers personnages qui devaient les prononcer, une grande virtuosité, un tact sûr, une réelle habileté à saisir le caractère de chacun et à en tirer parti sans blesser. Par suite des mêmes qualités, la poésie amoureuse achève avec lui de perdre ce qu'elle avait eu longtemps de stéréotypé pour s'adapter aux circonstances variées de la vie sentimentale. Les belles auxquelles Bensserade s'adresse ne sont plus de ces Cloris ou de ces Climène interchangeables, toutes aussi brillantes que le soleil et aussi froides que des glaçons, qu'on avait chantées en 1625 ou 1630 : ce sont des femmes délicatement individualisées, objet, non pas d'une « flamme » aussi conventionnelle qu'ardente, mais de tendresses nuancées, que définissent de souples analyses. Du théâtre — ou du roman — le goût de la psychologie passe ainsi dans la poésie elle-même, d'où elle bannit l'imagination, le feu, la couleur, en même temps qu'elle y installe la subtilité de l'intelligence. Une langue claire, transparente, un peu molle, flotte comme un vêtement léger sur ces finesses, dont elle laisse apercevoir l'agrément.

Il s'en faut, à vrai dire, qu'après Voiture, et du temps de Sarasin ou de Bensserade, toute trace ait disparu d'une poésie amoureuse plus chaude, plus grave, plus conforme au goût antérieur : on la retrouve, au contraire, cette poésie, chez un Hercule de Lacger, ou chez des femmes comme Mme de Villedieu et Mme de La Suze. La vogue du badinage est néanmoins si évidente, aux approches de 1660, que les esprits chagrins déplorent de voir « l'enjouement » régner dans tant de « bagatelles »; et c'est bien cet « enjouement » que cultivent les jeunes poètes nés aux alentours de 1620, épris avant tout de vivacité, de simplicité et de naturel et s'acheminant ainsi, sans le savoir, vers le goût classique. N'est-ce pas précisément pour ceux qui ont su le moins se conformer à l'évolution générale que s'apprêtent les railleries de Molière ? Voyez Ménage, ce savant, ce pédant aussi, fourvoyé dans la galanterie, qui, vers 1650, se travestit encore en berger pour « parler phébus », et dont la lourde grâce ne sait que « mourir » éternellement par métaphore. Voyez Cotin, autre savant, mais de l'espèce plus ornée, qui peigne, pomponne et polit dans ses madrigaux les images les plus désuètes, ou qui, dans ses *Lettres de dames*, imprégnées d'un fade parfum de secrétaire galant, se façonne une silhouette niaise d'abbé frisé et dameret. Ce sont des gens qui retardent, ou qui s'égarent... Mais, au contraire, écoutons Pellisson vanter le talent de son ami Sarasin. « Pour la facilité des vers », demande-t-il, « où la trouvera-t-on, si on ne la trouve dans ses ouvrages ? Il n'y a rien de plus net, de plus libre, de plus aisé, de plus coulant ». Et il ajoute : « Non seulement la nature y paraît partout, mais (...)

elle y paraît partout à son aise »; bref, cette espèce de poésie « est plus propre que pas une autre à divertir les honnêtes gens ». « La nature », « divertir les honnêtes gens », est-ce Pellisson qui parle, ou La Fontaine, ou Boileau, ou Molière ?

LE BURLESQUE

Si le burlesque, sous sa forme la plus précise — affectation du style bas et bouffon, ou, comme dit un contemporain, « explication des choses les plus sérieuses par des expressions tout à fait plaisantes et ridicules » —, n'a été, vers le temps de la Fronde, qu'une mode poétique passagère, lancée par Scarron, le genre a été pratiqué aussi, au XVIIe siècle, d'une façon plus large et plus libre, sous les aspects variés qu'impliquait le mot italien burlesco, *qui ne signifiait rien d'autre que* « facétieux » *ou* « bouffon ». *En ce sens plus étendu, il a des origines diverses et anciennes : le* « picaresque » *espagnol ; davantage encore, les facétieux* capitoli *de Berni de Lamporecchio et de ses disciples les poètes* « bernesques », *dont l'influence se prolonge encore, dans l'Italie du XVIIe siècle, en la personne de Bracciolini, de Tassoni et de G. B. Lalli ; en France même, non seulement Marot et Rabelais, mais les épitaphes ironiques, les invectives ou éloges bouffons des poètes de la Renaissance. Dès le début du XVIIe siècle, on en trouve des ébauches dans l'outrance caricaturale de la poésie* « satyrique » *et même dans quelques pièces de Mainard ou de Tristan L'Hermite ; mais c'est surtout dans les poèmes de Saint-Amant qu'il se développe pour la première fois avec ampleur et accuse peu à peu ses caractères.*

Sur ses origines lointaines, en Italie et en France, voir les articles de P. Toldo, dans Zeitschrift für romanische Philologie, *1901.*

DU BAROQUE AU BURLESQUE : SAINT-AMANT

Soldat, marin, diplomate, familier de trois ou quatre princes, protégé de deux reines, poète enfin, et même, à ses heures de loisir, académicien, que de titres pouvait s'attribuer, à la gloire, Marc-Antoine de Gérard, sieur de Saint-Amant ! De son vrai nom, il s'appelait simplement Antoine Girard, mais il s'attacha aux grands et on le vit, à leur service, commensal à Belle-Ile en mer, courtisan au Louvre, compagnon d'ambassade à Madrid (1629), Rome (1633) et Londres (1643-1644), enfin, à Varsovie, gentilhomme ordinaire de la reine de Pologne (1649-1650), partout naïvement glorieux de sa famille, de sa personne et de son rôle. L'odeur de la poudre ne lui était pas inconnue : devant La Rochelle, en 1628, au pas de Suze l'année suivante, en Italie encore à plusieurs reprises, il accompagna ses protecteurs ; en 1637, il participa, avec l'armée navale du comte d'Harcourt, à la prise des îles de Lérins. Il était né protestant, près de Rouen, en 1594,

LES FUMEURS. Cette gravure d'Abraham Bosse, conservée au Cabinet des Estampes, n'est pas sans évoquer les scènes de tabagie que brosse volontiers Saint-Amant :

Voici le rendez-vous des enfants sans souci...
Vous y voyez Bilot pâle, morne et transi
Vomir par les naseaux une vapeur errante...

CL. LAROUSSE.

mais s'était fait catholique. Il avait vu, dans sa jeunesse, l'Amérique, plus tard les Canaries et le Sénégal. Il était gros, aimait le vin, la liberté, l'amitié et la poésie. Il jouait avec expression du luth, et disait bien les vers. Il mourut, non misérable peut-être, mais pauvre, en 1661.

Ses poésies, parues de 1623 à 1658, ont été réunies, avec Moïse sauvé, *par Ch.-L. Livet, 1855 (2 vol.).*

Sur sa vie, encore incomplètement connue, voir : Durand-Lapie, Saint-Amant, *1896 ; R. Audibert et R. Bouvier,* Saint-Amant, capitaine du Parnasse, *1946.*

Le partage de Saint-Amant, plus que d'aucun poète de son siècle, plus que de Théophile même, son ami, l'un de ses maîtres, c'est l'imagination. Et il faut voir avec quelle générosité il la dépense dans ses premiers vers ! Rien ne l'arrête, ni le respect de l'Antiquité, car il se vante de ne savoir ni latin ni grec, et se moque des Anciens ; ni celui de la raison, car la « licence », la « fureur », la « frénésie » sont les articles principaux de son art poétique, où s'affirme, jusque dans ses dernières outrances, la théorie de la liberté de l'inspiration. Nargue de la sagesse et de la mesure ! Tantôt il emporte, dans l'ample mouvement d'une ode, des descriptions semées de détails singuliers, de pointes, de taches de couleurs vives, à la manière de Marino. Tantôt, plus hardiment encore, il déploie un éventail d'images étranges : visions de nature sauvage, de monts croulants et de torrents écumeux ; sombres silhouettes de ruines peuplées de fantômes et de bêtes puantes ; hurlements nocturnes de loups-garous dans les cimetières ; tempêtes, naufrages, ou, au contraire, paysages baignés d'une fraîche lumière — un mélange sans précédent de réalité minutieusement observée et de cauchemars, dont il brosse, d'une main vigoureuse, le « fantasque tableau ». Et soudain, du milieu de cette féerie bizarre, quelques notes d'un chant pur et fort s'élèvent, disant les mystères les plus profonds de l'espace et de l'ombre :

J'écoute, à demi transporté,
Le bruit des ailes du Silence,
Qui vole dans l'obscurité.

Ainsi l'auteur de *la Solitude*, des *Visions*, et encore du *Contemplateur*, s'efforce-t-il d'atteindre l'idéal ambitieux qu'en 1621 il assigne à la poésie : peindre par des mots « les choses invisibles » elles-mêmes,

Le bruit, les pensers, les accords,
Les vents courroucés ou paisibles,
Et l'âme au travers de son corps.

Cependant ce poète à l'essor audacieux, « romantique » si l'on veut, ou plutôt ardemment « baroque », ce poète meurt assez jeune chez Saint-Amant : passé son premier recueil, paru en 1629, presque rien, dans ses vers, ne rappelle plus cette large et hautaine inspiration. C'est sur une matière plus concrète, plus triviale, qu'il travaille à présent.

Non pas, à vrai dire, pour en tracer de sages copies : tout comme dans les chansons à boire ou les scènes de débauche que de bonne heure il s'est mis à crayonner — à la manière franche et crue des rimeurs « satyriques » —, sans cesse, dans ses autres pièces, il accentue le trait, précipite le mouvement, enlumine pittoresquement les figures. Croquis champêtres enlevés avec une verve bonhomme, caricature grimaçante du *Poète crotté*, eaux-fortes des *Goinfres* ou du *Mauvais Logement* où les noirs et les blancs découpent les effigies les plus cocasses, savoureuses évocations du *Melon* et du *Cantal*, où s'épanouit une sensualité gourmande, autant de formes où s'affirme chez Saint-Amant l'art de styliser le réel et de dégager de la vie la plus vulgaire une truculente poésie. Tout lui sert pour y réussir : du vocabulaire exubérant de Rabelais à l'argot, des quolibets de tavernes aux métaphores populaires et aux comparaisons exotiques ; et son souffle puissant entraîne un tintamarre de mots qui parfois s'étale en énumérations délirantes, et parfois éclate comme un déferlement de rires. Ce lyrisme de la beuverie et de la « crevaille », d'objet plus restreint que le précédent, règne surtout chez le poète à partir de 1625 ; à partir de 1632 il lui donne un nom, qu'il emprunte à Marino : ces images de fantaisie qu'il fait jaillir des incidents de son existence de joyeux biberon et de coureur d'aventures, il les appelle « caprices ». « Caprices », exercices d'imagination et de plume, où se déploie l'extravagance des *capitoli* bernesques. « Caprices », riches compositions où se jouent, selon les cas, le dessin nerveux de Callot, la fraîcheur et l'opulence de coloris des *Bacchanales* de Rubens, la gaillarde jovialité de Jordaens et du *Roi boit*.

Mais déjà de nouvelles trouvailles sollicitent Saint-Amant : de cette verdeur de langage qui est la sienne il s'avise qu'il tirerait sans doute un parti plus savoureux encore s'il l'appliquait, par dérision, à de nobles sujets, ou s'il la heurtait, en un mélange inattendu, à l'éclat de la poésie héroïque. Y songeait-il — et au poème, tout récent, où Bracciolini vouait au ridicule les dieux de la mythologie — lorsque, dans *le Melon*, il assemblait l'Olympe entier en une bouffonne ripaille ? En tout cas, son voyage de 1633 en Italie le décide : d'un élan, il barbouille cette sacrilège *Rome ridicule* où l'ordure éclabousse les plus majestueux monuments, où l'enlèvement des Sabines devient une grasse kermesse et la cité papale un cloaque : œuvre dont la verve comique et l'énergique versification rachètent un peu la grossièreté, et dont les outrances comme les drôleries se retrouveront, dix ans plus tard, dans *l'Albion*. Et voici la combinaison du gaillard et de l'héroïque, dans le poème du *Passage de Gibraltar*, suite de volontaires dissonances : le fracas du canon y succède au tintement des brocs, les banderoles claquent joyeusement dans le ciel tandis que les jurons retentissent dans la cale, la mythologie alterne avec le calembour. C'est Tassoni, cette fois, avec les bigarrures de *la Secchia rapita*, qui inspire le poète : celui-ci continuera, dans des *Épîtres* à Gaston d'Orléans et à M. de Noyers comme dans une *Ode* à Condé, à combiner évocations graves et images fantasques. Dans ce bariolage devenu systématique, de nouvelles ressources lui sont nécessaires : il le sait, mais ne s'en alarme pas, convaincu qu'il connaît mieux

qu'un autre les « galanteries », les « propriétés », les « finesses » du français, et que, si quelqu'un peut se dire « maître absolu de la langue », c'est lui seul. Il y a de la naïveté dans son assurance : pourrait-on, cependant, lui refuser l'extrême variété du vocabulaire, le sens de la lumière et de la couleur, l'éclat des sonorités, la force du rythme ? Un artiste se cache sous ce rodomont ; un peintre exercé ; un musicien à l'oreille subtile. S'il est vrai, comme l'a remarqué Sainte-Beuve, que son œuvre manque souvent d' « âme », parce qu'il s'est progressivement détaché de l'expression des sentiments pour s'appliquer tout entier au jeu des images et des harmonies, il n'est pas loin d'avoir, dans ce domaine, excellé.

Hélas ! ce gros homme plein de vie et de talent finit par porter la peine de sa trop robuste confiance en soi. Sûr de la richesse de ses dons, il ne prend pas garde au changement qui s'opère dans le goût du public, au prestige croissant de la sobriété, du naturel, de la justesse. Il y avait déjà de sa part quelque imprudence à déployer, dans *Moïse sauvé*, la gamme entière de ses coloris, si frais, parfois si naïfs. C'est bien pis lorsque, sur ses vieux jours, s'avisant de jouer au poète courtisan, il tire de son arsenal poétique des pointes et des métaphores usées depuis trente ans, et que, alignant avec une dignité imperturbable ces ornements qu'on n'emploie plus guère que par raillerie, il compose l'obscur galimatias de *la Lune parlante*. Il a vieilli sans s'en douter, et ce glorieux émule de Théophile s'offre comme une cible à Boileau. Démodé, dès lors, mais non sans avoir exercé une influence : car, en abandonnant quelques-unes de ses premières et, d'ailleurs, de ses plus heureuses recherches, en s'attachant seulement au jeu des contrastes entre la trivialité et la noblesse, il a donné, dès 1633, un exemple assez précis de ce que d'autres poètes ont cherché confusément, et que Scarron, bientôt, va transformer en un véritable genre littéraire : le burlesque.

SCARRON ET LA FRÉNÉSIE BURLESQUE

Rien n'annonçait particulièrement chez Paul Scarron (1610-1660) le futur maître du burlesque, lorsque, galant jouvenceau chez Marion Delorme et dans les théâtres parisiens, puis gai compagnon à Rome, en 1635, de l'évêque Charles de Beaumanoir, enfin, en 1636, joyeux chanoine au Mans, il répandait en tous lieux ses grâces juvéniles. L'ironique destinée qui fit de lui un malade et un infirme accusa l'un des penchants de sa nature. Contre la pauvreté et le désespoir, le rire devint son unique ressource. Il plaisanta pour oublier ; il plaisanta aussi pour quémander ; il plaisanta encore, au détriment de Virgile, pour gagner les mille livres par chant que lui promettait le libraire Quinet ; et lorsqu'il ne fut plus, dans sa chaise de stropiat, devant son écritoire suspendue à des tringles, qu'un grotesque cul-de-jatte, il continua de plaisanter pour attirer les visites. Il avait, pendant la Fronde, fort imprudemment attaqué Mazarin, puis songé à transporter en Amérique ses membres perclus ; son paradoxal mariage avec la jeune et belle Françoise d'Aubigné donna à ses dernières années un vif éclat mondain.

On a de lui, principalement : les Œuvres burlesques, 1643-1651 ; Typhon ou la Gigantomachie, 1644 ; le Virgile travesti, livres I-VIII,

PAUL SCARRON. « Je suis ce poëte fameux — En proie à des douleurs cruelles — Qui seul appris aux Ris, aux Jeux, — L'art de folatrer avec elles. » (B. N., Cabinet des Estampes.)
CL. LAROUSSE.

1648-1659; le Roman comique, *1651-1657. M. Cauchie a entrepris une nouvelle édition de ses* Poésies diverses, *t. I, 1947.*

Voir : P. Morillot, Scarron et le genre burlesque, *1888; É. Magne,* Scarron et son milieu, *1905 (nouvelle édition, 1924), et* Bibliographie générale des œuvres de Scarron, *1924; L. T. Richardson,* Lexique de la langue des œuvres burlesques de Scarron, *1930.*

Nombreuses sont les œuvres que le succès de Scarron a encouragées ou suscitées. Dès 1646, puis en 1659, Bois-Robert publiait des Épîtres *plaisantes, dont une édition critique a été donnée par M. Cauchie, 1921-1927 (2 vol.). La mode des « travestissements » de poèmes des Anciens a sévi de 1649 à 1657, inspirant notamment à Furetière, à Dassoucy, à Brébeuf, aux frères Perrault, à François Colletet, des paraphrases facétieuses de* Virgile, *de* Lucain, *de* Juvénal *et d'*Ovide. *Parmi les descriptions bouffonnes de villes, on peut citer le* Paris burlesque *de Berthod (1652), les* Traças de Paris *de François Colletet (1665), ainsi que le* Paris ridicule *(1668) de Claude Le Petit, réédité, avec les* Œuvres libertines *de celui-ci, par F. Lachèvre, 1918. La* gazette rimée *de Jean Loret,* la Muse historique, *a vécu quinze ans, de 1650 à 1665. Quant à l'aimable récit, en prose et vers mêlés, que Chapelle et Bachaumont publièrent en 1663, sept ans après leurs pérégrinations, de leur* Voyage en Provence, *et qu'on a quelquefois surfait, il tient le milieu entre le burlesque et le badinage.*

Plus originales, et même singulièrement hardies, les Histoires comiques *en prose de Savinien de Cyrano, dit Cyrano de Bergerac (1619-1655), cet* Autre Monde ou les États et Empires de la Lune *et ces* États et Empires du Soleil *qui ne parurent, tronqués, qu'après la mort de leur auteur, en 1657 et 1662, ont été, depuis lors, restitués dans leur forme authentique. On les trouve notamment dans les* Œuvres libertines de Cyrano de Bergerac, *publiées par F. Lachèvre, 1921 (2 vol.).*

La veine burlesque n'a pas tari tout d'un coup. Le bohème Charles Coypeau, dit Dassoucy (1605-1675), qui s'intitulait « l'Empereur du burlesque », s'est appliqué jusqu'à sa mort à la faire couler : voir notamment ses Poésies et Lettres *(1653), ses* Œuvres *(1668), ses* Rimes redoublées *(1671). Le récit de sa* Prison *(1674) et de ses* Aventures *(1677) a été réédité par E. Colombey, 1858.*

ENÉE S'ENFUIT DE TROIE avec son père Anchise. Gravure de Chauveau, figurant en frontispice du chant II du « Virgile travesti ». — CL. LAROUSSE.

ou que, dans un madrigal grinçant et un épithalame gaillard, il lance quelque boutade, son petit vers sautillant ne prend jamais l'essor : il se borne à souligner, d'une remarque terre à terre, d'un trait gaulois, voire d'un mot vilain, comme un ricanement au milieu d'une chanson, les travers du commun des mortels et la niaiserie des choses. Ses ambitions littéraires sont d'ailleurs modestes : il sait qu'il joue du chalumeau, non de la trompette; et il n'en est pas à une ellipse ni à une inversion près pour bâcler ses rimailleries, chargées de vieux mots populaires et de tours familiers, cahotantes de rythme, cacophoniques sans nulle pudeur.

Il paraît viser plus haut lorsque, dans *Typhon* ou dans *le Virgile travesti*, il aborde la fable. Mais non, puisqu'il s'agit seulement pour lui de ridiculiser l'Olympe et d'embourgeoiser le palais de Priam. Un Jupin solennel et couard, une Junon mégère et fort mal apprivoisée, une Vénus enfant gâtée et génitrice vaniteuse accueillent le lecteur au seuil de ces poèmes cocasses où ils voient Évandre radoter, dame Hécube jouer à la mère-grand, Énée répandre intarissablement ses larmes, et le « petit Scarron » grimacer dans un coin, avec ses anachronismes plaisants, ses allusions ironiques à l'Académie et aux précieuses, ses feintes naïvetés, avec sa pauvre effigie même, que de temps à autre il fait apparaître, dérision suprême, non loin de Didon ou d'Anchise. Il y a des situations drôles, une bonhomie et une familiarité parfois savoureuses, dans *le Virgile travesti*, mais peu de mouvement, peu de variété, encore moins d'art. Multiplier les dissonances avec une régularité mécanique, faire perpétuellement sursauter à coup de proverbes saugrenus et de néologismes fantasques, élever la gaucherie du style à la hauteur d'un idéal, est-ce encore faire œuvre de poète ? Cela devient lassant, en tout cas, et c'est d'un bien fâcheux exemple.

Prosateur, Scarron est mieux inspiré, et son *Roman comique* n'a pas cessé de divertir. Il y trouve, en parodiant çà et là l'élégance ampoulée du roman héroïque, un heureux emploi du burlesque; il y renoue, non sans à-propos, avec la tradition à la fois réaliste et bouffonne des « histoires comiques », que depuis le *Francion* de Charles Sorel aucun talent n'avait soutenue, sauf celui de Tristan dans son récit du *Page disgracié*; il exploite aussi un bien joli sujet, séduisant pour ses contemporains, et qui nous plaît davantage encore. La province, figée dans sa ladrerie, ses prétentions et ses aigreurs, thème déjà riche ! Mais, parmi les originaux d'une ville somnolente, l'arrivée soudaine d'une troupe de comédiens ambulants, avec ses accoutrements minables, son personnel hétéroclite, son répertoire bigarré, les surprises de ses gîtes nocturnes, et toutes les aventures saugrenues qui peuvent naître de son existence vagabonde, que d'occasions pour des peintures colorées, animées, et vraies en même temps ! Scarron, sans doute, ne se fie pas assez aux ressources de sa matière. Imitateur des livres à la mode et des « nouvelles » espagnoles, il intercale dans sa narration de trop gracieux récits, dont l'atmosphère romanesque nuit à l'unité de l'impression; plaisantin impénitent, il abuse des gros effets comiques et des commentaires d'auteur; et tout cela — ces interruptions intempestives, ces outrances, ces

De Saint-Amant à Scarron, le burlesque, en accentuant ses intentions facétieuses, descend d'un degré dans l'échelle poétique. Plus chétif d'imagination comme de corps, Scarron n'a pas cette hardiesse de conception, ce souffle, cet éclat sonore et lumineux qui, chez l'auteur de *la Crevaille*, magnifient la laideur même. Il a de la vivacité plutôt que de la couleur, des saillies malicieuses plutôt qu'un tempérament d'artiste; l'esprit l'emporte chez lui sur la force inventive. Aussi rase-t-il, dès ses premières œuvres, à la fois la réalité et la prose. Qu'il dessine des croquis de rues et de foires parisiennes ou qu'il ébauche, dans le décor des eaux de Bourbon, des silhouettes divertissantes, que, dans une *Requête*, il plaisante sur ses misères allusions satiriques — donne à son développement, qu'il n'a même pas la patience de conduire jusqu'au bout, l'allure la plus flottante et la composition la plus lâche. Mais il se rattrape dans le détail : sa langue, qu'il ne truffe pas d'artifices comme dans ses poésies, est souple et claire ; ses dialogues sont naturels ; ses coloris ont de la fraîcheur, et son dessin surtout, vif, nerveux, enlève avec brio de charmantes caricatures. L'attention du lecteur renonce parfois à suivre le sympathique Destin et sa tendre Étoile dans les vicissitudes de leur vie itinérante comme dans l'écheveau de leur passé ; si cependant, le livre terminé, il ferme les yeux, il voit se recomposer spontanément dans sa mémoire la carcasse courbée en avant du triste La Rancune, ou bien la silhouette de la Caverne juchée sur le bagage comme poule sur un perchoir, celle de Destin, l'emplâtre sur la joue et le fusil sur l'épaule, celle du petit Ragotin, la tête engagée dans son chapeau jusqu'au menton : images franches et spirituelles, qui, avec de la gaîté en plus, mais guère moins de verve, font penser — et ce n'est pas un mince mérite — aux estampes de Callot.

De bonne heure célèbre, Scarron eut nombre d'émules empressés à assortir leurs fantaisies au goût burlesque.

Le burlesque, c'est en soi-même que Dassoucy va le

Le ROMAN COMIQUE de Scarron. Frontispice de l'édition de 1651. — CL. LAROUSSE.

chercher, et il l'y trouve sans peine, tant sa jeunesse débraillée, ses relations suspectes, sa gloutonnerie, sa couardise, ses voyages enfin, qui le firent en Italie musicastre de Cour et prisonnier du Saint-Office, lui offrent des thèmes à évocations bouffonnes. Le théorbe au côté, ses pages à ses trousses, et dans ses entrailles l'éternelle morsure de l'appétit, il faut avouer qu'il offre, sur les routes, un spectacle assez drôle ; il sait d'ailleurs, au bon moment, éclairer sa narration par quelques scènes d'une riche truculence. Ce pittoresque et ce réalisme goguenard aident le lecteur à supporter l'avilissante persévérance qu'un homme met, sans scrupule, à faire du comique avec ses amitiés, ses rancunes, ses misères et ses vices.

Cyrano a partagé la gueuserie de Dassoucy, mais ses « histoires comiques » ont une autre allure. C'est qu'il y a, chez cet original garçon, brave, capricieux, emporté, un singulier bouillonnement d'idées. Chez quel libre philosophe, d'Agrippa de Nettesheim à Giordano Bruno, de Cardan à Campanella et à Gassendi, ne s'est-il pas approvisionné de paradoxes ? Il a répudié Aristote, pris parti pour Démocrite et Pyrrhon. Forcené contre les pédants et les bigots, et sans cesse brassant des hypothèses avec un entrain désordonné, il court, sur tous les problèmes, aux solutions les plus hardies ; et il ne croit pas seulement au mouvement de la Terre, à l'intelligence des bêtes : il admet l'infinité et l'éternité du Monde, il nie le miracle, il met en doute la Création et la Providence. Opinions qu'on n'affiche guère en 1650 ! Et Cyrano, pour en insinuer quelque chose avec moins de risques, d'inventer de grotesques démêlés avec un curé languedocien, des navigations aériennes, un atterrissage en Nouvelle-France, l'exploration de la Lune et du Soleil. Il a beau jeu, dans ces pays extraordinaires, peuplés de créatures bizarres, de faire expliquer ce que lui-même n'oserait dire : à son voyageur, le Démon de Socrate enseigne la physique et la morale ; un tribunal d'oiseaux lui révèle la sottise des hommes ; et il entend la philosophique salutation des habitants de la Lune : « Songez à librement vivre. » Tout cela semé de facéties brutales, d'imaginations gracieuses, de parodies, de descriptions poétiques. A mi-chemin entre la joyeuse liberté de Rabelais et l'âpre finesse de Swift, mais avec une nuance de fantaisie très personnelle, Cyrano compose des œuvres inégales, confuses, déconcertantes, où quelques étincelles de génie brillent au milieu d'un chaos d'inventions disparates.

Dans la poésie, la vogue du burlesque s'est répandue plus largement encore, au point d'y faire, pendant quelques années, de sérieux dégâts. La facilité bon enfant de l'octosyllabe invite un chacun à rimer, et les valets ou femmes de chambre n'y sont, au dire de Pellisson, pas moins empressés

LES ÉTATS ET EMPIRES DU SOLEIL. « Ce fut une grande boiste fort légère, et qui fermoit fort juste. Elle estoit haute de six pieds ou environ, et large de trois en quarré. Cette boiste étoit troüée par le bas ; et par dessus la voute, qui l'estoit aussi, je posay un vaisseau de crystal troüé de même, fait en globe, mais fort ample... »

LES ÉTATS ET EMPIRES DE LA LUNE. « Je m'estois attaché tout autour de moi quantité de fioles pleines de rosée, et la chaleur du soleil qui les attiroit m'esleva si haut, qu'à la fin je me trouvé au dessus des plus haultes nuées. » Gravures tirées de l'édition de 1662 des « Œuvres » de Cyrano. — CL. LAROUSSE.

que les maîtres. Et puis, c'est la Fronde, le temps de la libre satire et de la folle raillerie. Non seulement vingt parodies assaisonnent les chefs-d'œuvre antiques à la sauce où Scarron avait déjà mis Virgile, mais ce ne sont partout que courriers burlesques, gazettes burlesques, pamphlets burlesques, descriptions burlesques et même écrits dévots en vers burlesques. La littérature n'a plus grand-chose à voir avec cette énorme production qui exploite, auprès d'un vaste public, une mode naïve et une formule appauvrie.

Mais cet encanaillement d'un genre très apprécié ne marque pas pour longtemps une décadence du goût chez les vrais écrivains. De la manière de Scarron ceux-ci gardent la simplicité familière et rejettent vite l'outrance ou le jargon. Bois-Robert complète un recueil d'*Épîtres* où il essaie de maintenir le ton libre et naturel du badinage. Furetière, en 1655, publie des *Satires* d'un art un peu sommaire, mais d'une constante correction et d'un réalisme modéré. Scarron lui-même, le responsable de bien des excès, Scarron honnit la grossièreté de ses imitateurs. A quoi s'applique-t-il dans les dernières années de sa carrière poétique ? Non point à enchérir sur ses gaillardises, mais à imiter Villon et Sarasin dans un spirituel *Testament* ; à retrouver, dans un *Billet à Mignard*, le secret de l'enjouement délicat d'Horace ; à composer ces *Épîtres chagrines* qui ne sont, à bien parler, que des satires, mais mesurées, d'un style décent, d'un pittoresque discret, des satires sans archaïsmes ni trivialités, dont le tour — sinon la force — annonce celles de Boileau. La vivacité, la finesse reprennent donc rapidement leurs droits. Le temps n'est plus où pouvait triompher un burlesque lyrique et truculent ; un burlesque décanté, non plus gaulois ou baroque, mais français et parisien, a pris sa place : beaucoup moins haut en couleur, plus propre aux sous-entendus et aux nuances, plus proche des familiarités du bel esprit galant et qui pourra se fondre avec lui dans d'agréables mélanges.

LA POÉSIE RELIGIEUSE

Par son abondance et sa fréquente beauté, la poésie religieuse rappelle, après 1630, l'éclat dont elle s'était parée au temps de d'Aubigné, de Desportes et de Malherbe. Il n'est guère de volume de vers paraissant alors, qu'il soit de Tristan L'Hermite, de Gombauld, de Malleville, de Saint-Amant, ou, en 1633, de Charles Vion Dalibray (1600-1655), qui n'en contienne quelque échantillon. Mais elle inspire aussi un grand nombre de recueils spéciaux, comme les Œuvres chrétiennes (1644) d'Arnauld d'Andilly, les Œuvres chrétiennes (1633 et 1641) et les Poésies chrétiennes et morales (1660-1663) d'Antoine Godeau (1605-1672), de « nain de Julie » devenu évêque de Grasse et de Vence, ou encore les Entretiens solitaires (1660) d'un compatriote et ami de Corneille, Georges de Brébeuf (1616?-1660), qu'a réédités en 1911, R. Harmand. H. Bremond a signalé le charme de l'œuvre posthume d'un capucin de Toulouse, le P. Martial de Brives, mort vers 1650 : le Parnasse séraphique (1660). Beaucoup de paraphrases ont été composées entre 1630 et 1660. A l'Office de la

« SAINTE MAGDELEINE DANS SON ROCHER, vulgairement appelé la Sainte Bausme. » Illustration de Chauveau pour un des « Tableaux de la Pénitence » de Godeau (1654). — CL. LAROUSSE.

Vierge se sont notamment consacrés Michel de Marolles, Desmarets de Saint-Sorlin, et, en 1646, Tristan L'Hermite (réédité par F. Lachèvre, 1941). Racan a travaillé sur les Psaumes (1631, 1651, 1660), ainsi que Godeau (1648). De 1651 à 1656 a paru l'Imitation de Jésus-Christ de Corneille, qui a donné aussi, en 1670, l'Office de la Sainte Vierge, avec les sept Psaumes pénitentiaux et tous les Hymnes du bréviaire romain.

Sur Brébeuf, on peut consulter le livre de R. Harmand, 1897 ; sur Godeau, ceux de A. Cognet, 1900, et de G. Doublet, 1911.

Des échantillons suggestifs des œuvres pieuses de Corneille et de ses contemporains figurent dans l'Anthologie de la poésie religieuse française, de D. Aury, 1943.

Que l'âge du roman héroïque et du badinage galant ou burlesque soit encore celui d'un jaillissement fécond de la poésie religieuse, voilà qui achève d'en montrer la complexité ; mais qui s'en étonnerait ? Le bel esprit peut faire des conquêtes : la foi n'est pas moins contagieuse, et, lorsqu'elle se ranime, au XVIIe siècle, elle rencontre dans les imaginations assez de réminiscences chrétiennes pour n'avoir point de peine à s'exprimer : le plus profane écrivain tient d'avance en ses mains, prête à vibrer, la lyre de David.

Singulièrement différents sont les accents qu'au gré de leur humeur les écrivains en tirent. C'est avec une sorte de violence farouche que l'impie Des Barreaux exprime, en un sonnet fameux, son repentir et son espoir. Le jovial Saint-Amant n'éteint, aux pieds du Crucifix, aucun des flamboiements de sa verve. Vion Dalibray, autre biberon que la dévotion sollicite, élance la strophe avec d'autant plus d'allégresse qu'il compte, ouvrier de la onzième heure, sur un salaire entier. Puis c'est Tristan L'Hermite, enfant sans souci, pécheur candide, qui dépose sur l'autel de la Vierge un bouquet rustique, violettes délicates et coquelicots criards. Godeau est devenu évêque : aussi bien qu'en prose, il prêche et catéchise en vers, et son œuvre chrétienne, lyrique, apologétique, didactique, épique, toujours académique, mêle à de fastidieuses tirades des stances souples, fortes et harmonieuses. Ce qu'il garde, jusque dans le sérieux de sa vie nouvelle, de sensibilité aimable et de grâce mondaine, la douceur même, qu'il respire autour de lui, de la Provence la plus parfumée communiquent à son chant, tour à tour biblique et virgilien, une ampleur élégante et fleurie.

Veut-on le contraire de Godeau et le contraire de Tristan, qu'on lise Brébeuf. Valétudinaire douloureux, solitaire aigri, âme scrupuleuse et concentrée, Brébeuf, après avoir vainement cherché sa voie parmi les bigarrures de la poésie profane, la trouve, paradoxalement, dans l'entreprise difficile d'exprimer en vers la gravité de ses tête-à-tête avec le maître redoutable de sa vie. Nulle échappée, dans ces « entretiens solitaires », vers la beauté fragile des choses qui passent ; jamais non plus la douceur d'un pieux abandon ; mais un constant « exercice », au sens étymologique du mot, un travail incessant de l'âme sur soi, un recours patient à toutes les rigueurs de l'introspection et du raisonnement pour arracher l'esprit à sa fausse quiétude, pour le jeter, malgré lui, sur le chemin épineux du dépouillement et de l'obéissance, pour le plier à la volonté d'un Dieu dont l'amour seul fait luire, dans les ténèbres de l'abjection humaine, une étincelle de grandeur. Rien, ni les détours cachés de l'amour-propre ni les subtils calculs de l'orgueil, n'échappe à cette méditation qui, pour élucider, définir et juger, joint à l'exactitude de la pensée théologique le méthodique et saint emportement d'une ascèse, et dont l'expression, tendue, oratoire, sévère, atteint, par son énergie même et par la variété des rythmes, à une austère beauté.

C'est sans doute de la piété bérullienne que s'inspire Brébeuf. Mais tous les mouvements de la pensée religieuse de l'époque se reconnaissent dans la poésie, et toutes les familles de croyants sont représentées dans l'hommage qu'elle rend à Dieu. Plusieurs recueils, de passables ou médiocres écrivains, sont animés particulièrement de cette dévotion à la Vierge que l'Oratoire propage alors si rapidement. Le vers d'Arnauld d'Andilly reste, en général, bien pompeux, bien terne et bien froid pour traduire toute la ferveur qui anime les solitaires dans le vallon de Port-Royal; du moins reconnaît-on dans ses Œuvres chrétiennes la sévérité de leur doctrine, leur didactisme sentencieux, leur piété surtout théologique et morale. En revanche, c'est la spiritualité franciscaine, avec sa douceur tendre, nuancée toujours d'un rien de mièvrerie, qui soulève les strophes du P. Martial de Brives. Les fleurettes qu'elle y fait jaillir sont parfois d'un coloris un peu cru; l'accumulation des métaphores y dessine des arabesques naïves. C'est que nulle description ne saurait être trop joliment ornée pour détailler les merveilles qu'une main prodigue a répandues dans les campagnes de la terre ou dans celles du ciel :

> Fleurs des parterres azurés,
> Points de lumière, clous dorés
> Que le ciel porte sur sa roue,...

c'est aussi que nul hymne ne saurait être assez suave et assez riche pour chanter dignement le créateur du soleil qui est aussi le maître harmonieux de la nuit.

L'esprit de la Réforme a sa part dans ce concert de louanges : Gombauld lui prête la densité de sa méditation et les fiers accents de sa parole. Dans les Sonnets chrétiens qu'il recueille avec les autres à la fin de sa vie et qui ont le même éclat sombre, la même force contenue, il exprime en vers riches de sentiment et serrés de facture l'expérience religieuse de ses coreligionnaires : et c'est tantôt l'effroi, devant l'abîme du péché, de cette créature à qui reste, pour tout être, « un bruit d'avoir été », et qui n'est plus

> Qu'un fantôme qui court après l'ombre d'un bien
> Ou qu'un corps animé du seul ver qui le ronge;

tantôt, dans la constatation douloureuse de l'impuissance aux œuvres bonnes, le recours aux seuls mérites du Crucifié.

Beaucoup d'œuvres inspirées par le sentiment religieux ne sont que des paraphrases : des Psaumes, de l'Office de la Vierge, de l'Imitation de Jésus-Christ, d'hymnes ou de cantiques. Entreprise modeste en apparence, en réalité périlleuse pour des contemporains de Vaugelas et de Conrart, dont le goût scrupuleux, les exigences de netteté et de logique en matière de langage n'offrent pas, pour rivaliser avec la

L'IMITATION DE JÉSUS-CHRIST mise en vers françois par Corneille. Frontispice de l'édition originale (1651).
CL. LAROUSSE.

fraîcheur du latin médiéval et les violences d'images ou de rythmes de la poésie hébraïque la même liberté dont avaient joui maints poètes antérieurs. De là, bien des incertitudes et les solutions les plus variées. Si Malleville se borne à noyer dans son harmonieuse et molle abondance les comparaisons abruptes du texte sacré, Godeau hésite entre les commodités de l'amplification et les risques d'une exactitude familière, tandis que Racan, sans scrupule, greffe sur les malédictions bibliques une élégante et fine « satire des vices du siècle ».

C'est Corneille, en définitive, qui met la fidélité au plus haut prix. Soucieux d'édification, aux dépens, s'il le faut, du succès littéraire, il ne touche qu'avec respect aux textes qu'il transpose, et, s'il échoue à en rendre tous les aspects, du moins ne veut-il rien leur ajouter de son cru. Traducteur des Psaumes, il recule devant le réalisme de certains mots, éteint maintes images concrètes, multiplie en revanche les épithètes ennoblissantes : il reste néanmoins aussi sobre qu'il croit possible d'être; et bien souvent, grâce à un emploi judicieux du quatrain, il réussit à faire passer dans ses vers quelque chose du parallélisme hébraïque. Adaptateur de l'Imitation, il joue un jeu plus difficile encore, puisqu'il travaille sur un texte dont la pauvreté volontaire, le ton de confidence intime, parfois le vocabulaire théologique multiplient les obstacles sous ses pas. Il repousse cependant la tentation de recourir à des images nouvelles; il ne tire même parti des antithèses de l'original que discrètement; avec une touchante humilité, il se prive de toutes les occasions de se faire valoir, et souvent les longues suites d'alexandrins qu'il aligne — victoires de sa volonté de mortification sur ses instincts les plus forts — imitent assez bien, par leur simplicité tendre et leur douceur familière, l'accent pénétré de son modèle.

Doit-on regretter que parfois, néanmoins, la nature de son génie personnel éclate malgré lui ? Tantôt sa phrase musclée communique au texte français une énergie que l'original n'avait pas; tantôt l'impérieux besoin de netteté qui est le sien donne à l'enchaînement des idées une rigueur nouvelle. Ailleurs, le contraste de deux vers brefs avec la coulée des alexandrins précipite la vanité des grandeurs humaines dans l'abîme. Fermeté des rythmes, vigueur des symétries, régularité du dessin accusent la puissante unité des épisodes et font régner dans l'ensemble, au lieu du clair-obscur mystique de l'écrivain du XVe siècle, la lumière de la raison. Oratoire, cornélienne, française, et déjà classique, la paraphrase de l'Imitation manifeste, non moins que la probité de l'interprète, la virtuosité de l'artiste, l'âme vibrante de l'homme et le goût sobre qui se répand dans son époque.

III. — LE THÉATRE

L'histoire générale du théâtre de 1630 à 1660 a été retracée par H. Carrington Lancaster, A history of French dramatic literature in the seventeenth century, part I (The preclassical period, 1610-1634), t. II, 1929 ; part II (The period of Corneille, 1635-1651), 1932 (2 vol.) ; part III (The period of Molière, 1652-1672), t. I, 1936.

Sur la mise en scène pendant cette période, le document capital est le Mémoire où, du commencement de 1633 au carnaval de 1634, Laurent Mahelot, décorateur de l'Hôtel de Bourgogne, a dressé le catalogue de soixante et onze pièces que l'on y jouait, avec des croquis des décors et la description des accessoires. Publié par E. Dacier, puis réédité, en 1920, par H. Carrington Lancaster, le Mémoire de Mahelot révèle la persistance, pendant quelques années encore après 1630, du décor simultané (avec deux plans, un lointain, et cinq « logis » différents représentés ensemble sur la scène) auquel finira par se substituer le décor passe-partout avec « lieu » unique. Voir aussi : S. W. Holsboer, Histoire de la mise en scène dans le théâtre français de 1600 à 1657, 1933, et, sur les acteurs : G. Mongrédien, les Grands Comédiens du XVIIe siècle, 1927.

LA CONQUÊTE DU THÉÂTRE PAR LA DOCTRINE DES RÈGLES

Un peu avant 1630, débute au théâtre une nouvelle génération, nombreuse et ardente, d'auteurs. L'un de ces poètes, Pichou (1595-1631), est mort prématurément, après avoir composé, notamment, une tragi-comédie tirée de Don Quichotte, les Folies de Cardénio (1628), et une adaptation de l'Astrée, les Aventures de Rosileon (1629). Ses émules, parmi lesquels Corneille prendra place bientôt, ont, par leur initiative ou leur acceptation, provoqué l'assujettissement du théâtre aux règles.

André Mareschal, dans des œuvres qui s'échelonnent de 1630 à 1644, a évolué de la pastorale et surtout de la tragi-comédie vers la comédie et la tragédie régulière. Le Franc-Comtois Jean Mairet (1604-1686) a fait jouer, de 1625 à 1640, dix pièces : parmi celles-ci, Chryséide et Arimand, tragi-comédie (1625), a été rééditée par H. Carrington Lancaster, 1925; la Sylvie, tragi-comédie pastorale (1626), par J. Marsan, 1905 ; la Silvanire, tragi-comédie (1630), par Otto, 1890; la Sophonisbe, tragédie (1634), par Vollmöller, 1888, et par Ch. Dédéyan, 1945.

Jean Rotrou, natif de Dreux (1610-1650), aussi précoce que fécond, a d'abord composé, de 1628 à 1638, au cours d'une jeunesse vagabonde d'auteur-acteur, vingt-cinq pièces : adaptations de comédies, comme les Ménechmes (1630), les Sosies (1637), les Captifs (1638); comédies pastorales ou romanesques, comme le Filandre (1633), la Clorinde (1635) et la Belle Alphrède (1636); et surtout tragi-comédies, comme l'Heureuse Constance (1633), l'Innocente Infidélité (1635), Agésilan de Colchos (1636), Laure persécutée (1637). Sa production ultérieure comportera une majorité de comédies et de tragédies. Retiré en 1639 dans sa ville natale, comme lieutenant particulier au bailliage, il restera courageusement à son poste pendant une épidémie, qui l'emportera. Ses Œuvres ont été recueillies par Viollet-le-Duc, 1820 (5 vol.). Sa première tragi-comédie, l'Hypocondriaque ou le Mort amoureux (1628), a été rééditée par F. Gohin 1924.

A Pierre Du Ryer (1605?-1658), homme de lettres besogneux et traducteur abondant, sont dus Argenis et Polyarque, tragi-comédie en deux journées (1630-1631), la comédie des Vendanges de Suresnes (1633), et quatorze autres œuvres dramatiques, de nature variée. Voir : H. Car-

FRONTISPICE de « la Comédie des Comédiens », de Scudéry (1635). Le graveur a représenté l'entrée de l'Hôtel de Bourgogne, où se situe l'action de cette pièce; au-dessus se voit le décor de la place publique. — CL. LAROUSSE.

rington Lancaster, Pierre Du Ryer dramatist, 1912.

La Mariane (1636), de Tristan L'Hermite, a été reproduite, dans une édition critique, par J. Madeleine, 1917. G. L. Van Roosbroeck a publié, en 1931, le texte original de la Comédie des Académistes, de Saint-Évremond.

Une vive effervescence se manifeste au théâtre, aux environs de 1630. La capitale acquiert alors sur les villes de province la prééminence qui lui avait été jusque-là disputée. Une féconde émulation, favorable aux expériences scéniques, s'établit entre la troupe des « Comédiens du roi », qui, le 29 décembre 1629, s'installe définitivement à l'Hôtel de Bourgogne, et celle des « Comédiens du prince d'Orange », qui deviendra, en 1634, celle du « Marais ». La présence, dans ces troupes, de comédiens de talent, comme Bellerose, et parfois d'origine noble, comme Floridor, contribue à en relever le prestige et attire le public élégant dans des salles d'abord fort mal fréquentées. Bientôt, d'autre part, la mort de Gaultier-Garguille, en 1633, et de Gros-Guillaume, en 1634, en disloquant le légendaire trio de « farceurs » qu'ils avaient formé avec Turlupin, laissera la voie libre pour l'épanouissement d'un comique moins grossier. Enfin, le goût déclaré de Richelieu, qui fait installer pour lui seul deux scènes, l'une au Palais-Cardinal, l'autre en son château de Rueil, suscite chez les Grands une générosité toute nouvelle pour les auteurs qui leur dédient des pièces. De là, l'éveil de bien des ambitions : en moins de dix ans la production théâtrale quadruple, et l'effort vers la décence ou vers la qualité littéraire s'accroît en même temps que le nombre des vocations.

D'un autre côté, le problème des règles est maintenant posé. Un an s'est tout juste écoulé depuis la retentissante préface — manifeste triomphant du théâtre irrégulier — que François Ogier avait mise en tête du Tyr et Sidon de Jean de Schelandre, lorsque Mairet, oubliant les libertés que lui-même a prises dans ses premières pièces, entreprend de démarquer, pour la rendre plus régulière, la Sylvanire de d'Urfé, la débarrasse de ses épisodes accessoires, rapproche dans un paysage unique les diverses scènes et resserre l'action entre un matin et le matin suivant. Il fait jouer, en 1630, cette Silvanire remaniée et il la publie, en 1631, avec une préface relative aux règles. Déjà, dans une lettre du 29 novembre 1630 adressée à Godeau, Chapelain avait défini le point de vue des « doctes ». Mairet l'adopte, mais sans rigueur. Il n'a qu'une idée vague de l'unité de lieu, qui, à vrai dire, se heurte aux habitudes de son temps, où l'on joue dans le décor multiple. L'unité d'action elle-même est entendue en un sens large, c'est-à-dire qu' « il doit y avoir une maîtresse et principale action, à laquelle toutes les autres se rapportent comme les lignes de la circonférence au centre ». En somme, Mairet n'est vraiment précis que sur la règle des vingt-quatre heures. Il se fonde, pour la recommander, sur l'autorité des Anciens et sur celle des Italiens, mais aussi sur la nécessité de garder la vraisemblance. Il reconnaît qu'elle est tout ensemble de très bonne grâce et de très difficile observation. Sa préface a un grand retentissement, mais ne décide pas tout de suite les auteurs à en appliquer les principes. Lui-même donne encore, en 1632, une pièce très irrégulière, *les Galanteries du duc d'Ossone* ; mais, en 1633, il fait tenir la tragi-comédie de *Virginie* « dans le peu de temps qu'enferment deux soleils », et il en est fier. Enfin, en 1634, il fait jouer *Sophonisbe*, qui peut passer pour la première tragédie conforme aux règles et dont le vif succès emporte l'adhésion à l'idéal nouveau, non seulement des auteurs, mais du public.

Ainsi, la mode aidant — qui, dans presque tous les domaines de la littérature, se détourne des brutalités trop voyantes ou de la fadeur des dialogues de bergers —, les genres dramatiques naguère les plus appréciés perdent du terrain, cependant que s'amorce une renaissance de la tragédie et de la comédie. Dès 1633, la pastorale disparaît, léguant seulement à la comédie quelques décors champêtres et le schéma subtil de ses chassés-croisés amoureux. Le recul de la tragi-comédie se manifeste moins vite, une forte proportion des pièces qui se jouent continuant d'en porter le nom ; mais bon nombre de ces « tragi-comédies » se plient aux exigences des unités ; et tandis que certaines inclinent tout à fait du côté de la comédie par la condition de leurs personnages et par leur style, telle *la Bourgeoise ou la Promenade de Saint-Cloud*, de Rayssiguier, imprimée en 1633, d'autres, nobles de ton, simples d'intrigue, et dont les héros sont des princes, ne sont plus, selon la formule de Desmarets de Saint-Sorlin en 1639, que des tragédies « dont la fin est heureuse ». La multiplicité des changements de lieu et des aventures, le mélange du pathétique et du trivial perdent rapidement, dans la plupart des pièces, ce qu'ils avaient eu d'excessif au temps de Hardy.

La comédie est la première à bénéficier de ce déclin du théâtre irrégulier. Non que tous les auteurs retrouvent du premier coup le secret de faire rire par le jeu des situations, par la peinture des mœurs et des caractères ou par l'à-propos du style. Rotrou, notamment, avec son imagination exubérante et sa riche fantaisie, ne renonce que lentement aux ressources du romanesque, des grâces subtiles ou des grands coups d'épée. Même lorsqu'il adapte Plaute — et il le fait, dans *les Sosies*, avec un particulier brio —, il tend toujours à remplacer la bonhomie populaire par de l'héroïque ou du galant. A plus forte raison lorsqu'il fait pirouetter les quadrilles d'amoureux de ses comédies sentimentales, encore imprégnées des traditions de la pastorale, ou que, dans *la Belle Alphrède*, il développe, à travers voyages, combats, rapts, poursuites et reconnaissances, l'extravagant poème de l'amour fléau des vies et « peste des cœurs ». Le vrai comique, en dépit de tout son talent, ne sera pour lui qu'une tardive conquête.

Cependant d'autres écrivains, même moins doués que Rotrou, réussissent mieux à attraper la réalité familière et à divertir en la représentant : la comédie de mœurs, promptement ranimée, connaît une vogue immédiate. Dès 1630, Claveret fait jouer *l'Esprit fort*, qui est la peinture d'un « homme à la mode », paradoxal, débauché, jureur, mais où se dessine également une silhouette, pleine de vérité, de gentilhomme campagnard. *La Foire de Saint-*

LA SILVANIRE de Mairet (1631). Frontispice de Michel Lasne. — CL. LAROUSSE.

Germain, de La Pinelière, porte sur la scène, en 1634, l'animation bruyante des boutiques, et, la même année, une tragi-comédie de Beys, *l'Hôpital des fous*, est un tableau des manies les plus courantes, celles du philosophe, du musicien, du plaideur, de l'alchimiste. *Les Vendanges de Suresnes* (1633), de Du Ryer, où Tircis aime Dorimène, laquelle chérit Polidor, et où Polidor aime Dorimène, mais est poursuivi par Florice, sont, si l'on veut, par leur sujet, une pastorale : la pastorale, toutefois, ne se passe pas en Arcadie, comme la *Bergerie* de Montchrestien, mais sur les coteaux qui dominent Paris, dans des vignes qui appartiennent à de bons bourgeois, et la veille de leur retour dans la capitale. Le père de Dorimène, Crisère, est un bonhomme fort réel, riche, rude, ami de l'argent, content de sa bourgeoisie et peu soucieux de donner sa fille à un gentilhomme ; femme et fille obéissent ; si Dorimène ne se soumettait point, il l'enfermerait au couvent de Longchamps. Une voisine fort sage le dissuade d'user de tant de contrainte dans les affaires de cœur ; sa femme l'en prie aussi ; et nous voyons au vrai comment se décidait le mariage d'une fille vers 1630. On trouve la même peinture de la vie quotidienne dans *le Railleur*, de Mareschal (1635), et dans *l'Alizon*, de Discret (1636).

Il arrive parfois que la satire personnelle se glisse dans cette comédie réaliste. En 1629, *la Comédie des comédies*, publiée sous le nom de Du Peschier, était une pure parodie de Balzac. Moins net est, en 1637, le cas des *Visionnaires*, de Desmarets de Saint-Sorlin, où apparaissent trois sœurs, toutes trois hors de sens : l'une a l'esprit si gâté par les romans qu'elle est devenue amoureuse d'Alexandre le Grand ; l'autre croit que chacun l'aime ; la troisième n'est amoureuse que de la comédie. Elles ont quatre prétendants également fous : un capitaine vantard et couard, un poète ronsardisant, un amateur qui se pique d'aimer les vers et ne les entend pas, enfin un riche imaginaire. Pour comble, le père des trois sœurs est si accommodant qu'il donne ses filles à tout venant, et qu'il se trouve embarrassé de quatre futurs gendres. Situation saugrenue, que rend plus divertissante encore le jeu des répétitions et des symétries. Mais essaiera-t-on de reconnaître, comme le voulait le *Segraisiana*, Mme de Sablé, Mme de Chavigny, Mme de Rambouillet elle-même, dans les trois sœurs extravagantes ? Il y a, en tout cas, une part d'intention satirique dans cette pièce qui raille les prétentions des femmes savantes, énumère les genres littéraires à la mode et même évoque la controverse sur les unités. Quant à Saint-Évremond, il ne se gêne pas : la *Comédie des Académistes*, qui circule sous le manteau dès 1638, ridiculise Chapelain, Godeau, Colletet, Saint-Amant, sans même déguiser leurs noms.

C'est à partir de 1634 que la tragédie, à son tour, prend l'essor. Un *Hippolyte* de La Pinelière, un *Hercule mourant* de Rotrou sont joués cette même année où Mairet fait applaudir, en *Sophonisbe*, une pièce étroitement assujettie à l'unité de temps, et qui, par l'emploi des confidents et des récits, par l'effort d'analyse psychologique, par l'éclat oratoire du style et par le respect, aussi scrupuleux que possible, des convenances, fournit le modèle de la tragédie

Décor pour « Lisandre et Caliste », tragi-comédie de Du Ryer (vers 1630), d'après le « Mémoire » de Mahelot (B. N., ms. franç. 24 330). « Il faut, au milieu du theatre, le petit Chastelet de la rue de Sainct Jacques et faire paroistre une rue ou sont les bouchers, et de la maison d'un boucher faire une fenestre qui soit vis a vis d'une autre fenestre grillée pour la prison, ou Lisandre puisse parler a Caliste. Il faut que cela soit caché durant le premier acte, et l'on ne faict paroistre cela qu'au second acte, et se referme au mesme acte; la fermeture sert de palais. A un des costez du theatre, un hermitage sur une montaigne, et un antre au dessoubs, d'ou sort un hermitte. De l'autre costé du theatre, il faut une chambre, ou l'on entre par derrierre, eslevée de deux ou trois marches... Il faut aussy une nuict. » — Cl. Larousse.

Décor pour « Les Vendanges de Suresnes », comédie de Du Ryer (1633), d'après Mahelot. « Au milieu du theatre, il faut faire paraître le bourg de Surêne, et, au bas, faire paraître la riviere de Seine, et, aux deux costés du theatre, faire paraître forme de paysage loingtain, garny de vigne, raisins, arbres, noyers, peschers et autre verdure. Plus, faire paraître le Tertre au dessus de Surêne [le Mont Valérien], et l'Hermitage. Mais, aux deux costés du theatre, il faut planter des vignes, facon de Bourgogne, peinte sur du carton, taillée à jour. En la saison du raisin, il en faut avoir cinq ou six grappes pour la feinte. » — Cl. Larousse.

DIDON, par G. de Scudéry. Frontispice gravé
par Daret d'après Le Brun (1637).
CL. LAROUSSE.

LA MARIANE de Tristan L'Hermite. Frontispice d'Abraham Bosse (1639).
CL. LAROUSSE.

à un furieux désespoir : le contraste
entre la férocité tortueuse du barbare parvenu et la hauteur d'âme
de la Juive de souche royale
nourrie des traditions bibliques s'y
exprime parfois avec autant de
vérité que de poétique grandeur.

Il y a fatalement quelque austérité dans des tragédies à sujets
bibliques, grecs ou romains, où
l'effort de conformité aux règles
se traduit assez souvent par un
appauvrissement de l'action, sans
la contrepartie des mouvements
lyriques qu'avait connus le théâtre
du XVIᵉ siècle. Cette austérité pèse
au libre génie de Rotrou, qui est,
de tous les hommes de sa génération, celui qui s'évade le plus
souvent hors de la contrainte nouvelle. L'auteur de *la Mort d'Hercule*
revient, à maintes reprises, à la
tragi-comédie. *Amadis de Gaule*,
Lope de Vega, Cervantès, Charles
Sorel, et non des modèles antiques,
lui fournissent la matière de ces

de sujet antique et de forme régulière. Et quelle fièvre,
en 1635 ! Une brochure de La Pinelière, intitulée *le Parnasse ou la Critique des poètes*, nous montre, à cette date,
l'agitation des écrivains débutants faisant le siège des
acteurs de l'Hôtel de Bourgogne et du Marais, pour leur
apporter « quelques sujets de l'*Astrée*, qu'ils ont traités
et qu'ils ont mis, disent-ils, dans toutes les règles », ou
bien guettent, à leur sortie du théâtre, les auteurs à la mode :
« Ils les montrent à ceux de leur compagnie et leur disent :
« Voilà M. de Rotrou, ou M. Du Ryer »... Tantôt ils s'éloi-
gnent un peu d'eux et reviendront incontinent leur dire :
« Messieurs, je vous demande pardon de mon incivilité,
« je viens de saluer M. Corneille, qui n'arriva qu'hier de
« Rouen. Il m'a promis que demain nous irions voir
« ensemble M. Mairet »... Ils parleront du plan de *Cléopâtre* (de Mairet) et de cinq ou six autres sujets que son
auteur a tirés de l'histoire romaine, dont il veut faire
des sœurs à son incomparable *Sophonisbe*. Ils diront qu'ils
ont vu des vers de l'*Ulysse dupé*;
que Scudéry est au troisième acte
de *la Mort de César*; que la *Médée*
est presque achevée; que l'*Innocente Infidélité* est la plus belle
pièce de Rotrou, quoiqu'on ne
s'imaginât pas qu'il pût s'élever
au-dessus de celles qu'il avait déjà
faites; que l'auteur d'*Iphis et Iante*
(Bensserade) fait une autre
Cléopâtre pour la troupe royale... »
La Calprenède, alors, fait ses débuts d'auteur dramatique avec *la
Mort de Mithridate*; Mairet fait
jouer un *Marc-Antoine* et Scudéry
une *Didon*; l'année suivante,
enfin, Tristan L'Hermite donne,
pour son coup d'essai au théâtre,
sa *Mariane*, pièce d'une lenteur
et d'une raideur un peu archaïques,
belle œuvre néanmoins, qui peint
avec force les ravages de la passion
et du soupçon jaloux dans l'âme
d'Hérode, qui aime Mariane, n'en
est pas aimé, la croit infidèle, la
fait périr, puis, son crime accompli, s'abandonne, au dernier acte,

pièces fantasques, dans lesquelles il dispose l'intrigue
avec la même prodigalité d'événements et le même dédain
de la vraisemblance que dans ses comédies. Il y mêle avec
désinvolture le grandiose, le pathétique, le quintessencié,
le bouffon; il y brosse des paysages lumineux, étranges,
parfois proches de la féerie; il lui arrive même, dans les
vers haletants de *Laure persécutée*, qui ménagent habilement le passage de l'exaltation au rêve et de la douleur à
la folie, de suggérer, en vrai poète du cœur humain, ces
mystérieux au-delà de la conscience que le théâtre classique
aura tendance à ignorer, et qui évoquent irrésistiblement
le nom de Shakespeare; partout enfin il épanche, avec d'ailleurs plus de facilité que d'art, un lyrisme abondant, chaleureux, où se reconnaît sa générosité d'âme. Il ne se décidera
à discipliner quelque peu sa manière, à partir de 1638, que
lorsqu'il se verra complètement dépassé par le courant de
la mode, dépassé aussi par Corneille, qui aura commencé
alors à produire la série de ses chefs-d'œuvre tragiques.

LAURE PERSÉCUTÉE, tragi-comédie de Rotrou.
Frontispice gravé par David, d'après Claude
Vignon (1640). — CL. LAROUSSE.

ANTIGONE, tragédie de Rotrou. Frontispice
gravé par Michel Lasne, d'après Claude
Vignon (1640). — CL. LAROUSSE.

CORNEILLE

La première biographie de Corneille est la Vie de M. Corneille l'aîné, *par son neveu Fontenelle (1721). F. Bouquet a élucidé quelques* Points obscurs et nouveaux de la vie de Pierre Corneille, *1888. Voir aussi : G. Dubosc,* Trois Normands, *1917; A. Pascal,* Les autographes de Pierre Corneille, *1929. Le récit d'A. Le Corbeiller,* Pierre Corneille intime, *1936, est romancé.*

L'édition la meilleure des Œuvres *est celle de Marty-Laveaux dans la* Collection des grands écrivains de la France, *1862-1868 (12 vol.). Une* Bibliographie cornélienne, *publiée en 1876 par Émile Picot, a été complétée en 1908 par P. Le Verdier et E. Pelay :* Additions à la bibliographie cornélienne.

Les études d'ensemble sur Corneille sont celles de G. Lanson (1898), A. Dorchain (1918), R. Brasillach (1938), L. Lemonnier (1945). On peut y joindre les suggestives notes de lecture de J. Schlumberger, Plaisir à Corneille, *1936, et les originales remarques de Ch. Péguy, dans* Victor-Marie, comte Hugo, *1910. Voir aussi : H. Lyonnet, les Premières de Corneille, 1923; L. M. Riddle,* The genesis and sources of Pierre Corneille's tragedies from « Médée » to « Pertharite », *1926; Jeanne Le Guiner, les* Femmes dans les tragédies de Corneille, *1920; O. Nadal, le* Sentiment de l'amour dans l'œuvre de Corneille, *1948; R. Cretin, les* Images dans l'œuvre de Corneille, *1927.*

LA JEUNESSE DE PIERRE CORNEILLE

Issu d'une famille aisée de gens de robe, Pierre Corneille (1606-1684), naquit à Rouen. Il était le second de huit enfants. Une de ses sœurs, Marthe, épousa l'avocat Le Bovier de Fontenelle et fut la mère de Fontenelle l'écrivain. Son plus jeune frère, Thomas, fut poète comme lui.

Corneille fit de bonnes études au collège des Jésuites de sa ville natale. En 1624, à dix-huit ans, il se fit recevoir avocat au Parlement de Rouen. Mais il bredouillait en parlant, et peut-être ne plaida-t-il jamais. Il préféra s'établir dans la magistrature, et il acheta, en 1628, les deux offices d'avocat du Roi au siège des Eaux et forêts, et de premier avocat du Roi en l'amirauté de France, au siège général de la table de marbre du Palais de Rouen. Il remplit exactement, jusqu'en 1650, ces deux charges.

Une intrigue sentimentale avec une jeune Rouennaise, Catherine Hue, à laquelle il sut plaire, mais dont la main lui fut refusée, est à l'origine de sa première comédie, Mélite, *composée au plus tard au début de 1629, et qui fut jouée, sans doute en janvier ou février 1630, par Montdory et la troupe des « comédiens du prince d'Orange ».* Clitandre, *tragi-comédie, vint ensuite, à la fin de 1630 ou au début de 1631. Puis se succédèrent quatre comédies : la* Veuve ou le traître puni, *dans la saison théâtrale 1631-1632; la* Galerie du Palais, *en 1632; la* Suivante, *en 1632 ou 1633; la* Place royale, *en 1633.* Médée, *tragédie, est de 1635; l'*Illusion comique, *comédie qui plus tard s'intitulera seulement l'*Illusion, *de 1636. C'est sans doute en janvier ou février 1637 que fut représenté le* Cid, *auquel Corneille donna d'abord le nom de tragi-comédie.*

*J. Marks a réédité l'*Illusion comique, *1944. L'ensemble des premières comédies a été étudié par L. Rivaille, les*

MÉLITE. Gravure ornant l'édition de 1660 des « Œuvres » de Corneille. — CL. LAROUSSE.

Débuts de Pierre Corneille, 1936. Le texte original du Cid *a été reproduit par M. Cauchie, 1947. Sur la* Querelle, *les travaux essentiels ont été mentionnés à propos des origines de l'Académie française. Voir aussi, sur cet épisode capital et sur la pièce elle-même, les livres de G. Reynier (1929) et de H. Lyonnet (1929).*

Lorsque, au Jeu de paume Berthault, impasse des Anglais (aujourd'hui impasse Beaubourg), la troupe de Montdory donna *Mélite*, les trois premières représentations de cet ouvrage d'un provincial inconnu attirèrent peu de monde. Le succès se dessina à la quatrième et fut surprenant. « Il établit une nouvelle troupe de comédiens à Paris », écrit Corneille dans l'*Examen* de *Mélite*; « il égala tout ce qui s'était fait de plus beau jusque-là à la Cour. » Par une coïncidence remarquable, au même moment où le public, lassé d'effets trop grossiers, réclamait du nouveau, un grand écrivain se révélait.

Par son intrigue et ses péripéties, *Mélite* ressemble encore à beaucoup de pièces de l'époque. Éraste adore Mélite, qui le reçoit bien, mais qui ne l'aime point. Il se confie à son ami Tircis, un garçon pratique, raisonnable et peu sentimental. « Tu ne sais guère ce que c'est que de vivre », dit Tircis au trop sensible Éraste. Lui-même est un célibataire déterminé, qui ferait tout au plus un mariage d'argent. Mais Éraste lui montre Mélite. C'en est fait : Tircis s'en éprend, non sans protester d'ailleurs à Éraste que celui-ci n'a rien à craindre de lui. Sait-on jamais, cependant? Voici que justement Mélite s'est, de son côté, éprise de Tircis. Éraste s'en aperçoit, et, furieux, invente une vengeance abominable. Il suppose des lettres d'amour de Mélite à Philandre et les fait remettre à celui-ci. Philandre aimait Cloris, la sœur de Tircis, mais sa nouvelle conquête le grise, il se laisse tenter, et, lorsqu'il rencontre Tircis qui, naïvement, lui conte son bonheur et l'amour de Mélite, il prend un plaisir cruel à le confondre en lui montrant les billets qu'il a reçus, ou croit avoir reçus, de la jeune fille. Désespoir de Tircis, évanouissement de Mélite, lorsqu'elle croit voir sa réputation compromise : seule garde son sang-froid la petite Cloris, héroïne déjà cornélienne, avec sa gaieté et son insouciance : elle traite cette disgrâce avec un mépris et une hauteur que ses sœurs emploieront bientôt à de plus grands objets; elle a soin de sa gloire :

Un volage me quitte, et je le quitte aussi.

Et elle congédie Philandre avec la plus insultante ironie.

Cependant Éraste entre en scène tout ravi du succès de sa fourbe. C'est pour apprendre que Tircis est mort de douleur en croyant Mélite infidèle, et que Mélite est sur morte de sa mort. C'en est trop pour lui : accablé de remords, il devient fou à la manière d'Oreste, se croit aux enfers, apostrophe le Styx (en vers magnifiques), interpelle Minos, et se bat avec les Furies en appelant à la révolte tous les esprits tourmentés par elles :

A mon secours, esprits, vengez-vous de vos peines!
Écrasons leurs serpents! chargeons-les de vos chaînes!
Pour ces filles d'enfer nous sommes trop puissants!

La pièce est virtuellement finie. Le cinquième acte est consacré aux résurrections, reconnaissances, pardons et châtiments. Tircis et Mélite sont unis, cela va sans dire; Éraste, qui a agi perfidement, mais avec l'excuse d'être égaré par la douleur, et dont le ressentiment était juste, épouse Cloris; et celle-ci repousse définitivement Philandre, qui, infidèle sans raison, crédule, poltron, a été piteux dans toute cette affaire.

Ainsi, des scènes de tragi-comédie, comme celles de l'égarement d'Éraste, s'insèrent dans une trame de pastorale. *Mélite* manque-t-elle donc de nouveauté? Non, puisque les personnages, jeunes gens pleins d'entrain, d'emportement et de gentillesse, sont pris dans la réalité même, et non calqués sur les types traditionnels, grossiers et simplistes; puisque leurs aventures sont assez proches des démêlés de la vie courante; puisque leurs dialogues, où passent des alexandrins d'une jolie fierté d'accent, sont écrits, ainsi que dira Corneille lui-même, dans ce « style naïf qui faisait une peinture de la conversation des honnêtes gens ». A la renaissance de la comédie le « coup d'essai » de Corneille apporte une contribution, non seulement gracieuse, mais importante.

Le jeune auteur vint à Paris pour jouir de son triomphe; il y connut les poètes qui se réunissaient autour de Mairet; il y découvrit le problème des règles. De retour à Rouen, il s'exerce à réussir une gageure inspirée par les débats littéraires dont il avait été le témoin. Il entreprend d'enfermer la plus animée, la plus enchevêtrée des tragi-comédies dans le cadre étroit des unités. Et il compose *Clitandre*.

La lisière d'une forêt, dans le voisinage d'un château. Un amour traversé. Caliste, qui suit Rosidor, le croyant infidèle, alors que l'innocent Rosidor, qui est aimé de Dorise, que Pymante aime en vain, s'en va vers le guet-apens où l'attire son rival. La folle jalousie de Dorise pour sa sœur Caliste. Un faux cartel, plusieurs tentatives d'assassinat, des morts, une épée qui se rompt, un emprisonnement, des fuites, des déguisements, une épingle à cheveux qui sauve Dorise de Pymante, et, pour finir, deux mariages : Corneille s'est plu à entasser tant d'événements inattendus et à en faire valoir, par une interminable analyse de son intrigue, la très romanesque complexité, à laquelle il sacrifie délibérément toute psychologie. Sa pièce est aussi éloignée que possible de la vraisemblance : elle a néanmoins du charme, avec la fraîcheur de son décor de plein air baigné de soleil et de pluie, avec son action vive, avec l'alternance des scènes de mouvement et des scènes de tendresse. Corneille, dans son *Examen* de 1660, affectera de l'avoir écrite par raillerie. On voit bien, par le ton de sa préface de 1632, qu'il n'en avait rien été, et que le jeune poète, déjà très conscient de son talent et décidé dans ses ambitions, avait pris fort au sérieux sa tentative dramatique. Bien qu'il n'eût guère fait que rivaliser sur leur terrain avec les Du Ryer et les Rotrou, il avait le sentiment d'avoir réussi un tour de force. N'avait-il pas, avec une virtuosité sans exemple, accordé les modes de la veille avec la mode du jour?

Avec *la Veuve* il revient à une

LA PLACE ROYALE. Gravure de l'édition de 1660. — CL. LAROUSSE.

conception théâtrale plus proche de celle de *Mélite*, et il s'y tiendra jusqu'à *Médée*. Mais l'expérience de ses émules, la sienne aussi, l'instruisent : il constate que le public accueille avec faveur l'évocation de la réalité familière; de cette réalité, qu'il n'avait fait qu'effleurer dans sa première œuvre, il s'empresse de tirer, dans ses nouvelles comédies, des effets plus marqués. Il emprunte ses titres à des conditions sociales ou aux lieux les plus célèbres du Paris de Louis XIII. Il représente, avec une piquante insistance, des scènes de tous les jours, comme le manège des marchands ou celui des jolies acheteuses sous les voûtes de la Galerie du Palais. Il s'efforce, avec plus de décision encore que dans *Mélite*, vers la simplicité et le naturel du style. Au reste, il prend bien garde de varier l'intérêt de ses créations. Dans *la Veuve*, il prodigue toutes les ressources d'une charmante délicatesse de cœur et d'esprit pour décrire l'embarras d'un amoureux timide et d'une amoureuse pudique. L'intrigue de *la Galerie du Palais* entraîne une jeunesse pétulante et hardie dans les chassés-croisés de la coquetterie, de la rivalité amoureuse et du dépit. Plus âpre dans sa façon d'évoquer les affaires de cœur, presque tragique même par endroits, *la Suivante* suggère, par le tourment d'Amarante, fille aimable mais sans fortune, sans cesse sacrifiée par ses amoureux à sa maîtresse la riche Daphnis, le trouble que la différence des conditions peut apporter dans le jeu des sentiments. Dans *la Place royale*, c'est l'orgueil qui fausse ce jeu : l'orgueil, ou plutôt cette manie de la maîtrise de soi, cette frénésie d'affirmer la force de sa volonté jusque par la torture des autres et de soi-même, qui font d'Alidor, si embarrassé qu'il soit encore dans les bizarreries d'une psychologie compliquée, le premier modèle des héros « volontaires » de Corneille.

Comédie sentimentale, gracieusement enveloppée de poésie ou menée avec une séduisante vivacité, comédie sociale, comédie de caractère, le jeune Corneille ébauche donc tout cela, et il le fait avec beaucoup d'ingéniosité, essayant chaque fois, entre la liberté de l'ancien théâtre et la tyrannie des « grands réguliers », quelque nouveau « tempérament » : ici resserrant l'action en vingt-quatre heures, ailleurs au contraire, dans *la Veuve* ou *la Galerie du Palais*, la répartissant entre cinq journées, tantôt la fixant dans un emplacement unique et tantôt utilisant, dans l'étendue d'une ville, les divers lieux que le décor simultané lui permet d'évoquer, partout manifestant une nature riche, indépendante, amie de la difficulté, amie aussi de la nouveauté, et non sans quelque impertinence cavalière, une nature de véritable homme de théâtre, en qui s'unissent, dans un mélange savoureux, la hardiesse, la fantaisie et la rigueur.

Désormais Corneille est un auteur en vue, et il est l'un des « cinq auteurs » que Richelieu charge de mettre en vers la *Comédie des Tuileries*, dont il a lui-même conçu le sujet et qui est représentée avec un grand éclat, le 4 mars 1635, à l'Arsenal, devant le roi. Mais, quelques mois auparavant, Mairet a fait applaudir, avec *Sophonisbe*, une tragédie régulière. Toujours prompt à prendre le vent, Corneille écrit et fait jouer *Médée*.

LA GALERIE DU PALAIS DE JUSTICE, à Paris. Gravure d'Abraham Bosse (B. N., Cabinet des Estampes). — CL. LAROUSSE.

Il en a trouvé le sujet dans Euripide et dans Sénèque ; c'est un des premiers que les tragiques français aient abordés. Comment lui-même le traite-t-il ? Il est visiblement impressionné par l'effort que Mairet a fait pour contenir sa *Sophonisbe* dans l'unité de temps. Quant à l'unité de lieu, il se contente de satisfaire aux conditions du décor divisé. On peut l'imaginer assez aisément. Il faut au fond un palais, qui est, si l'on veut, celui de Créon. D'un côté, un autre palais dont on puisse voir l'intérieur et qui est celui de Médée. De l'autre côté, une prison. La plupart des scènes se passent, d'ailleurs, dans l'espace commun. La pièce elle-même s'écarte assez sensiblement de la simplicité tragique. Les rivalités amoureuses, aussi bien que les prodiges, la sorcellerie et les violences farouches appartiennent à la tragi-comédie. Surtout, la dignité tragique n'est pas encore inventée. Corneille ose peindre un Jason ruffian dont le portrait réaliste n'aurait pas été supporté par la suite. Il introduit dans sa pièce des scènes de ruse, des familiarités, des puérilités qui seront plus tard considérées comme propres à la comédie et indignes de personnages d'un si haut rang.

Peu satisfait peut-être du succès mitigé de *Médée*, Corneille, bientôt, déploie dans une autre direction encore ses facultés d'invention et d'adaptation. *L'Illusion comique*, qu'il donne en 1636, et que dans sa dédicace il nommera un « étrange monstre », combine, de la façon la plus audacieuse, les éléments bariolés d'une sorte d'anthologie théâtrale du temps.

Lâcher, parmi les héros d'une comédie bourgeoise, bien plantés dans la réalité française (parfois même dans la réalité la plus pittoresquement parisienne), un capitan de *commedia dell' arte* ou de farce, un Matamore emphatique, truculent et couard ; ajouter à ces rôles disparates celui d'un magicien venu tout droit de la pastorale ; évoquer, sur la scène même, la vie des comédiens, et greffer là-dessus, à l'intention du Cardinal, un pompeux éloge du théâtre ; bien plus, coudre à trois actes de comédie une suite de scènes dignes, par leur romanesque, d'une tragi-comédie, et, par l'accumulation des meurtres, d'un dénouement tragique ; enfin, mettre plusieurs jours entre l'acte III et l'acte IV, puis deux ans entre l'acte IV et l'acte V, n'était-ce pas sacrifier à l'agrément de simples pastiches non seulement les règles, mais les plus élémentaires convenances de l'art ? A l'extravagance même de l'entreprise se mesure la maîtrise grâce à laquelle Corneille en vient à bout. A son Matamore, caricature non moins délicate qu'énorme, il prête une verve éblouissante et une éloquence galante qui l'acclimatent parmi les spirituels jeunes gens qui se moquent de lui. Ceux-ci, Isabelle, son amoureux Clindor et la hardie soubrette Lyse, fuyant le courroux d'un père et les poursuites de la justice, se font acteurs, ce qui explique qu'après bien des péripéties on les voie apparaître sur les tréteaux d'un théâtre se partageant, leur représentation finie, l'argent de leur recette ; mais la même fantaisie de leur destin qui leur fait *jouer* des scènes tragiques après avoir *vécu* des événements comiques, assure aussi l'enchaînement des épisodes disparates que le poète a juxtaposés. Enfin, tout cela n'est qu'une « illusion » suscitée, devant le père de Clindor désireux de savoir ce qu'est devenu son fils, par la complaisante baguette du magicien de pastorale. Et comme peu d'heures et quelques pas ont suffi à ce dernier pour promener les regards d'un bout à l'autre de la vie de Clindor, la plus folle des comédies de Corneille se trouve être aussi la plus régulière. Dans ce « caprice », le dessin des caractères n'est pas toujours infaillible ; mais l'assemblage des éléments de l'intrigue est habile ; le style, souple, musclé, y parcourt sans peine un registre étonnamment étendu ; le comique y est tour à tour exubérant et fin ; les créations les plus imprévues de l'imagination y sont paradoxalement conciliées avec un respect strict des unités. Dernier des divertissements que Corneille permet à sa jeunesse avant d'aborder de plus hauts sujets, ou résumé de ses expériences techniques, l'*Illusion comique* fait briller une prestigieuse variété de dons.

C'est par endroits seulement, et mêlée d'exagérations parodiques, que la veine d'héroïsme épique y affleure. Elle se répand au contraire largement dans la pièce suivante, dans *le Cid*, dont la représentation est l'événement capital de l'histoire du théâtre pendant cette période.

Montdory lui-même, dans une lettre à Balzac écrite peu de temps après cette représentation, donne une vivante image du succès que le chef-d'œuvre remporta sur son théâtre : « Je vous souhaiterais ici pour y goûter, entre autres plaisirs, celui des belles comédies qu'on y représente, et particulièrement d'un *Cid* qui a charmé tout Paris. Il est si beau qu'il a donné de l'amour aux dames les plus continentes, dont la passion a même plusieurs fois éclaté au théâtre public. On a vu seoir en corps, aux bancs de ses loges, ceux qu'on ne voit d'ordinaire que dans la Chambre dorée et sur le siège des fleurs de lys. La foule a été si grande à nos portes, et notre lieu s'est trouvé si petit, que les recoins du théâtre, qui servaient les autres fois comme de niches aux pages, ont été des places de faveur pour les cordons bleus, et la scène y a été d'ordinaire parée de croix de chevaliers de l'Ordre. »

Le Cid est une adaptation, qui, jusque dans les plus belles scènes, ressemble parfois de fort près à une traduction d'une pièce de Guilhem de Castro, *las Mocedades del Cid*, parue quinze ans plus tôt, en 1621. On a souvent comparé les deux pièces, et l'on a justement montré avec quelle vigueur Corneille, dans la sienne, simplifie, concentre, unifie l'action, qu'il fonde, non plus sur une succession d'événements extraordinaires, mais sur la lutte des sentiments ; jusqu'à quelle hauteur il élève la fierté des âmes ; avec quelle virtuosité aussi, dans ses vers, il rivalise d'éclat avec son modèle, sans tomber dans ses disparates ou ses outrances. Mais voici, entre les deux œuvres, une autre différence essentielle. Quand la Chimène espagnole demande au roi de châtier Rodrigue, elle parle contre son cœur. « O mon Rodrigue, dit-elle tout bas, ô mon honneur, tout ce que j'aime ! où mes pensées inquiètes vous mènent-elles ? » Ainsi le combat de l'amour et de l'honneur, inconscient dans la pièce de Corneille, est conscient dans celle de Guilhem de Castro. « L'empire de l'opinion, dit encore la Chimène espagnole, est-il assez puissant pour que je perde celui que j'adore ? » C'est la grande nouveauté de Corneille d'avoir fait à Chimène une âme trouble, et d'autant plus pathétique qu'elle sait à peine ce qu'elle pense et qu'elle est déchirée. Rien de pareil chez la Chimène de Guilhem de Castro : elle sait qu'elle aime, et c'est par pur point d'honneur, par crainte du qu'en dira-t-on, qu'elle poursuit sa vengeance. Ce personnage délicieux et douloureux de Chimène, c'est proprement la création de Corneille.

Le Cid. Gravure ornant l'édition de 1660.
CL. LAROUSSE.

D'« HORACE » A « LA SUITE DU MENTEUR »

Provincial de goût comme d'origine, Corneille a continué, même dans les périodes les plus agitées de sa carrière dramatique, à passer une grande partie de son temps à Rouen. C'est là qu'il se maria, en 1640 : il y vécut d'une paisible existence bourgeoise, habitant avec le ménage de son frère Thomas, exerçant dans sa paroisse les fonctions de marguillier, et s'occupant avec soin de sa famille ; il aura sept enfants.

On manque de documents pour fixer avec exactitude la date de représentation même des pièces célèbres qui suivirent le Cid et la vive querelle où l'envie, non moins que des préoccupations de doctrine, ameutèrent contre le trop heureux auteur Mairet, Scudéry et beaucoup d'autres. On sait, néanmoins, qu'Horace a été joué en 1640, avant le 9 mars ; Cinna, au cours de la saison théâtrale de 1640-1641, et l'on pense que Polyeucte date de la saison suivante. La Mort de Pompée a paru sur la scène entre décembre 1642 et février 1643 ; le Menteur au printemps de 1643 ; la Suite du Menteur sans doute en 1644.

Voir : J. Calvet, le « Polyeucte » de Corneille, 1934.

La querelle du *Cid*, qui, au moment où Corneille triomphait auprès de la foule et des « honnêtes gens », le privait du suffrage des « doctes », le fit quelque temps douter de son génie. Il resta silencieux trois ans, « tari » par l'amertume et les scrupules, au dire de Chapelain, qui écrivait à Balzac, en janvier 1639 : « Il ne parle plus que de règles et de choses qu'il eût pu répondre aux académiciens s'il n'eût point craint de choquer les puissances. » Enfin, après de longues réflexions, il donna coup sur coup trois chefs-d'œuvre : *Horace, Cinna* et *Polyeucte*.

Tandis que, de ses dix premières pièces, une seule était une tragédie, c'est sous la forme de la tragédie qu'il va maintenant presque toujours concevoir l'œuvre dramatique. En treize ans, il donnera treize pièces, dont dix tragédies. On dirait qu'après les critiques auxquelles *le Cid* a été en butte, il renonce au romanesque et à la liberté de la tragi-comédie, et se confine dans un genre sévère, dans une disposition simple et irréprochable, et dans une étroite observance des règles. On ne peut guère expliquer autrement comment, après tout ce théâtre fantasque de sa jeunesse, il vient au style austère des productions de sa maturité. Enfin, pour achever d'effacer le glorieux scandale du *Cid*, il dédie au Cardinal la première œuvre qu'il fait représenter, *Horace*.

Il est visible qu'en la composant Corneille a encore l'esprit hanté par les souvenirs du *Cid*. Dans l'une comme dans l'autre tragédie, l'amour est contrarié par le devoir. Entre Rodrigue qui aime Chimène dont il doit combattre le père, et Curiace qui aime Camille dont il doit combattre les frères, l'analogie est évidente. Mais comme il arrive toujours dans ces conjonctures, l'ancien sujet passe au second plan dans la nouvelle pièce ; Curiace devient presque un personnage épisodique, et il est complètement masqué par une figure nouvelle, celle du frère de Camille, le jeune Horace.

Le récit de Tite-Live, qui est la source de l'ouvrage, fournissait à Corneille quatre faits : dans la guerre entre

Albe et Rome, un combat de trois frères contre trois frères est substitué à la lutte générale; dans le combat, deux Horaces sont tués, mais le troisième, sans blessure, réussit à égrener ses adversaires par une fuite simulée, et les tue isolément; la sœur d'Horace, fiancée d'un Curiace, pleurant indiscrètement son fiancé, est tuée par son frère; Horace passe en jugement, et il est sauvé par un plaidoyer de son père.

Le sujet ainsi donné se composait de lui-même, car le troisième acte qui, selon les idées du temps, était celui de la péripétie, devenait tout naturellement, ici, l'acte du combat. Le coup de théâtre qui le rend dramatique était fourni par l'histoire même, le parti romain, que l'on croit vaincu, se révélant tout à

HORACE. Frontispice de Daret, d'après Ch. Le Brun, pour l'édition de 1641.
CL. LAROUSSE.

CINNA OU LA CLÉMENCE D'AUGUSTE. Frontispice de l'édition de 1643.
CL. LAROUSSE.

coup vainqueur. On sait quel parti sublime Corneille a tiré de la douleur du vieil Horace. Il le laisse à la fin du troisième acte encore dans l'ignorance de la victoire finale, attestant les dieux et jurant d'égorger son fils. Il n'est désabusé qu'au quatrième acte; mais le personnage de cet acte, c'est Camille, qui non seulement ose pleurer Curiace, mais maudit Rome avec des imprécations épouvantables : trait qui n'est point dans Tite-Live, et qui, en exaspérant Horace, explique autant qu'il se peut le meurtre. Enfin, le cinquième acte est, de toute nécessité, l'acte du jugement. Vingt ans plus tard, dans l'*Examen* de 1660, Corneille se reprochera d'avoir placé l'événement principal au centre de la pièce, et d'avoir rempli les deux derniers actes d'un intérêt nouveau. C'est que, dans l'histoire de la tragédie française, le dénouement a progressivement reculé vers la fin de la pièce. En 1640, Corneille était encore trop près des origines pour hésiter à placer l'événement au troisième acte, et à suivre en cela l'usage de ses prédécesseurs du XVIe siècle, auquel il se réfère volontiers dans cette période.

Quant aux deux premiers actes, qui forment l'exposition, il est frappant aussi qu'il y ait suivi la vieille méthode, qui était de présenter les personnages par séries. Il a donc consacré le premier acte à Curiace et nécessairement à sa fiancée Camille, tandis que le second est consacré aux deux Horaces, le fils et le père, le jeune Horace apparaissant dès la première scène de ce second acte, et se faisant connaître dans sa fierté romaine à la première réplique. Le caractère même d'Horace indiquait ce que devait être celui de Curiace, plus sensible et plus humain, pour faire un contraste avec lui. Et la tragédie se trouve ainsi donnée tout entière, à l'exception de quelques ornements et de quelques personnages épisodiques. L'unité de temps ne faisait point de difficulté. Celle de lieu est sauvée par un artifice, le procès étant jugé dans la maison même d'Horace, qui est le lieu de la tragédie.

Cinna, plus encore qu'*Horace*, reproduit non seulement la simplicité, mais l'aspect même et le tour de la tragédie du XVIe siècle, et c'est la plus archaïque des pièces de Corneille. Elle est, sans plus, le tableau pathétique d'un moment de l'histoire : c'est la forme originale du drame de la Renaissance, dans sa pureté. Le poète a lui-même montré dans l'*Examen* de 1660 la différence entre cette sorte d'ouvrage et la tragédie compliquée : « ... La facilité

de concevoir le sujet, qui n'est ni trop chargé d'incidents, ni trop embarrassé de récits de ce qui s'est passé avant le commencement de la pièce, est une des causes sans doute de la grande approbation qu'il a reçue. L'auditeur aime à s'abandonner à l'action présente, et à n'être point obligé, pour l'intelligence de ce qu'il voit, de réfléchir sur ce qu'il a déjà vu, et de fixer sa mémoire sur les premiers actes, cependant que les derniers sont sous ses yeux. C'est l'incommodité des pièces embarrassées..., telles que sont *Rodogune* et *Héraclius*. Elle ne se rencontre pas dans les simples; mais comme celles-là ont sans doute besoin de plus d'esprit pour les imaginer et de plus d'art pour les conduire, celles-ci, n'ayant pas le même secours du côté du sujet, demandent plus de force de vers, de raisonnements et de sentiments pour les soutenir. »

Avec *Polyeucte*, Corneille aborde un sujet chrétien. Si l'idée de cette tentative lui a sans doute été suggérée par le succès de pièces religieuses récentes, c'est par l'exemple des tragédies sacrées des poètes néo-latins, de Buchanan, de Daniel Heinsius, de Grotius, qu'il l'a, plus tard, justifiée. Il avait trouvé dans les *Vitæ Sanctorum* d'un moine allemand du XVIe siècle, Surius, réimprimées et complétées par Mosander, la vie d'un martyr fort obscur, ce Polyeucte, seigneur arménien qui, sous l'empereur Décius, conquis à la foi chrétienne par une vision, avait hardiment brisé les idoles, puis subi sans fléchir les exhortations de son beau-père Félix, ses menaces, les coups de ses bourreaux, et qui, gardant sa fermeté devant les larmes même de sa femme Pauline, avait courageusement affronté le martyre. L'histoire lui fournissait donc, au moins esquissés, les caractères de Polyeucte et de Félix; mais Pauline n'était encore qu'un nom. Grand créateur d'âmes féminines, Corneille s'intéresse à elle, comme à Chimène et à l'Émilie de *Cinna*, et il imagine pour elle tout un roman, qui nous est expliqué d'abord. Le début de la tragédie est d'une bonhomie charmante. Polyeucte est marié depuis quinze jours. Sa femme lui a dit : « J'ai fait un mauvais rêve, ne sortez pas aujourd'hui. » Son ami Néarque voudrait l'entraîner, car il ne s'agit de rien de moins que de le faire baptiser. Polyeucte s'excuse avec beaucoup de grâce :

Mais vous ne savez pas ce que c'est qu'une femme :
Vous ignorez quels droits elle a sur toute l'âme,
Quand, après un long temps qu'elle a su nous charmer,
Les flambeaux de l'hymen viennent de s'allumer...

POLYEUCTE. Frontispice pour l'édition de 1643.
CL. LAROUSSE.

LA MORT DE POMPÉE. Frontispice pour l'édition de 1644. — CL. LAROUSSE.

Néarque le persuade que cet esprit de madrigal est un trait du diable : il lui fait craindre que la grâce ne perde de son efficace s'il tire en longueur, et l'entraîne enfin. Pauline, qui entre alors en scène, ne cache point son dépit, et bientôt elle explique pour quelle raison elle voulait que son mari ne sortît point. Elle a fait un songe funeste. Elle le raconte, ce qui est le moyen de rappeler sa propre histoire. Elle a aimé à Rome un chevalier de petite fortune, mais de grand mérite, Sévère. Elle n'a jamais pensé qu'elle le pût épouser ; elle a toujours attendu que son père lui choisît un autre époux ; elle aimait, mais sans espérance ; et sa raison désavouait son cœur. Or la raison, chez cette étrange personne, est fort puissante. Venue en Arménie, elle s'est laissé, sans résistance, marier à Polyeucte ; elle aime ce nouvel époux, et tout ce qu'on peut dire là-contre se heurte à des déclarations formelles. Elle a donné à Polyeucte tout ce qui appartenait à Sévère. Elle défend à Stratonice d'en douter ; tout ce que nous pouvons croire, c'est qu'elle n'en est point venue là sans combats. Quant à Sévère, il est allé se faire tuer à l'armée. Mais, précisément, la nuit précédente, Pauline a cru le voir reparaître, non plus amoureux, mais menaçant ; et, tandis que des chrétiens livraient Polyeucte à sa fureur, elle a vu Félix lui-même lever sur le malheureux un poignard. Corneille, on le vérifie par cette invention, n'aime pas introduire au cours d'une pièce des éléments nouveaux. Préférant faire jouer l'imprévu dans le prévu, il insère presque toujours (sauf dans Héraclius) l'argument entier dans le début. Ici, le rêve de Pauline nous fait à la fois connaître les faits et pressentir le drame. La pièce n'aura plus qu'à le réaliser. La surprise ne consistera point dans l'annonce de faits inconnus, mais dans l'accomplissement, par une coïncidence merveilleuse, des faits redoutés. Et, en effet, dès la fin du premier acte, le songe commence à se réaliser. Félix a appris la captivité, la guérison, le retour de Sévère ; il est éperdu de la faute qu'il a commise en refusant pour gendre un homme destiné à une si haute fortune ; et il exige de Pauline, scandalisée, qu'elle le voie.

Dès lors, la pièce se déroule pour ainsi dire sur deux plans : elle est, d'une part, un drame bourgeois, tantôt presque comique par les terreurs de Félix, tantôt touchant et romanesque par la douleur de Pauline et de Sévère,

mais toujours peint au vrai et dans l'esprit le plus naïf ; et d'autre part, elle est le drame du martyre, interprété par une âme ardente, qui se meut avec facilité dans le sublime, et que les ferveurs religieuses de son temps aident à revivre le zèle des chrétiens des premiers siècles ; elle est même un « mystère » de la grâce, manifestant dans le baptême de Polyeucte et dans sa radicale transformation, comme dans le pathétique revirement de Pauline et dans la conversion du ridicule Félix, la toute-puissance des interventions divines. Ce mélange de genres divers, souligné par le réalisme de certains dialogues et par la noblesse des effusions lyriques ou des duos pathétiques, était loin d'être une nouveauté. Il avait été l'âme même des premières tragi-comédies. C'était plutôt un archaïsme, et le goût du temps s'en détachait.

Il est certain qu'on reprocha à Corneille le familier de l'ouvrage. Il se repentit et composa sa tragédie de la Mort de Pompée, dans le goût du jour, celui des romans héroïques, que de nombreuses réminiscences de Lucain poussent encore davantage du côté du tendu et du grandiose. « J'ai fait Pompée pour satisfaire à ceux qui ne trouvaient pas les vers de Polyeucte si puissants que ceux de Cinna », dira bientôt le poète. Le ton de sa pièce est partout très relevé. Elle commence par un tableau fort pompeux, que fait le roi Ptolomée, du champ de bataille de Pharsale et des effets de la victoire de César. Ses conseillers ne lui répondent pas avec moins de noblesse. Enfin César lui-même, au lieu d'être simple et vrai comme Sévère, a les parfaits sentiments d'un héros de roman. Il n'a cessé d'aimer Cléopâtre depuis qu'il l'a vue à Rome, encore enfant. Il lui écrit tous les jours, et de quel ton !

> Son bras ne dompte point de peuples ni de lieux
> Dont il ne rende hommage au pouvoir de mes yeux,
> Et de la même main dont il quitte l'épée
> Fumante encor du sang des amis de Pompée,
> Il trace des soupirs, et, d'un style plaintif,
> Dans son champ de victoire il se dit mon captif.

Quant au mécanisme de la Mort de Pompée, Corneille l'a curieusement démonté dans son premier Discours sur le poème dramatique : « Ptolomée craint que César, qui vient en Égypte, ne favorise sa sœur, dont il est amoureux... : pour attirer la faveur de son côté par un grand service, il lui immole Pompée : ce n'est pas assez, il faut voir comment César recevra ce grand sacrifice. Il arrive, il s'en fâche, il menace Ptolomée, il le veut obliger d'immoler les conseillers de cet attentat... ; le roi, surpris de cette réception si peu attendue, se résout à prévenir César, et conspire contre lui, pour éviter, par sa perte, le malheur dont il se voit menacé. Ce n'est pas encore assez : il faut savoir ce qui réussira de cette conspiration. César en a l'avis, et Ptolomée, périssant dans un combat avec ses ministres, laisse Cléopâtre en paisible possession du royaume... et César hors de péril. » On ne saurait pousser plus loin l'art des coups de théâtre et des gradations saisissantes.

Le même hiver où il composa la Mort de Pompée,

c'est-à-dire dans l'hiver de 1642 à 1643, Corneille écrivit *le Menteur*. Ce n'est qu'une adaptation d'une pièce d'Alarcon, *la Verdad sospechosa*. Elle manque un peu trop de consistance psychologique, mais elle est habile, pleine de vivacité et de grâce ; quelques traits d'un joli réalisme parisien s'y mêlent à une fantaisie étourdissante. Corneille essaya d'en prolonger le succès en donnant, sous le nom de *Suite du Menteur*, une autre comédie, qui, à vrai dire, a peu de rapport avec la première, et qui tire son intrigue de *Amar sin saber a quien*, de Lope de Vega. L'entreprise avait quelque chose d'artificiel : il est arrivé à l'auteur, à plusieurs reprises, de s'y embarrasser.

DE « RODOGUNE » A « PERTHARITE » LE GÉNIE CORNÉLIEN

On peut dater de l'hiver 1644-1645 la première représentation de Rodogune, *princesse des Parthes*. Théodore, vierge et martyre, *est de 1645 ;* Héraclius, *empereur d'Orient, de décembre 1646 ou de janvier 1647 ;* Don Sanche d'Aragon, *comédie héroïque, de 1649. Puis se sont succédé* Andromède *(début de 1650)*, Nicomède *(début de 1651)*, Pertharite, *roi des Lombards (début de 1652).*

C'est en 1647 que Corneille fut reçu à l'Académie.

Une édition critique de Rodogune *a été procurée par J. Scherer, 1945.*

L'année 1644 marque pour Corneille un événement fort important. Il quitte le théâtre du Marais, où il a donné quinze ouvrages, et il passe à l'Hôtel de Bourgogne. A vrai dire, il ne fait que suivre son principal interprète, Floridor, qui, après avoir créé *le Menteur* au Marais, passe à l'Hôtel. En même temps commence dans l'histoire de sa création dramatique une nouvelle période. Les tragédies qu'il avait composées pendant trois ans étaient d'une forme extrêmement sobre, et peu chargées de faits : après *Pompée*, il renonce à cette manière, et commence à donner des tragédies d'un tour différent, dont tout l'intérêt est fait de la complication de l'intrigue. La première est *Rodogune*, pour laquelle il gardera toujours une préférence, et qui fonde sur la plus singulière des situations une puissante construction dramatique, dont le dénouement atteint à une sombre beauté. La seconde, après l'échec d'une nouvelle tragédie chrétienne, *Théodore*, est *Héraclius*, le type parfait de la tragédie « implexe ».

Corneille lui-même nous fait pour ainsi dire assister à la naissance de la pièce dans son esprit. Il a trouvé dans les *Annales* de Baronius la suite des trois empereurs, Maurice, Phocas, Héraclius. Il a vu que le second, Phocas, était un usurpateur qui avait assassiné Maurice et les fils de Maurice. Il a imaginé qu'un des fils avait échappé et n'était autre que cet Héraclius qui succéda à Phocas.

Reste à savoir comment Héraclius a pu échapper au

PIERRE CORNEILLE. Gravure de Michel Lasne, ornant l'édition de 1644. — CL. LAROUSSE.

massacre. Il a été sauvé par sa gouvernante, Léontine. Baronius raconte, en effet, qu'une nourrice voulut exposer son propre fils au supplice à la place de son prince : l'empereur Maurice n'accepta pas ce sacrifice. Là-dessus l'esprit du poète travaille. Il rêve que Léontine dérobe aux bourreaux le jeune Héraclius, le cache un moment, puis feint d'aller le livrer à Phocas lui-même : en réalité, elle livre son propre fils, Léonce. Et ceci est encore assez simple. Héraclius grandira donc sous le nom de la petite victime qui a pris sa place. Il sera cru Léonce et fils de Léontine.

Cependant, Phocas croit que Léontine lui a livré l'enfant impérial, et il en conçoit pour elle tant de reconnaissance qu'il lui confie son propre fils Martian. Il y a donc chez Léontine deux enfants : le fils de l'empereur assassiné et le fils de l'usurpateur. Elle les échange, de sorte qu'en fin de compte Héraclius est maintenant élevé sous le nom de Martian, le fils de l'usurpateur. Ainsi Phocas chérit comme son fils celui qui est justement son plus mortel ennemi : l'usurpateur couve sans le savoir le prince légitime.

Maintenant, comment déchaîner la tragédie ? Bien simplement. Phocas a réservé une fille de Maurice pour la donner à son fils et rendre ainsi sa dynastie légitime. Il veut accomplir son dessein et faire épouser Pulchérie à celui qu'il croit Martian. Mais ce faux Martian est en réalité Héraclius, c'est-à-dire le frère de Pulchérie. Il faut à tout prix empêcher cet inceste, et c'est là-dessus que la pièce part.

L'ouvrage eut un très grand succès. Mais, fidèle à cet esprit de constante recherche qui l'anime, Corneille, à peine trouvée la formule de la pièce « embarrassée », en essaie d'autres. Il commence par travailler à *Andromède*, tragédie à machines et en musique, à la mode italienne, qui lui est commandée par la Cour dès 1647, mais dont une maladie du roi, puis la Fronde, retarderont la représentation. Bientôt après, il tente, dans *Don Sanche*, une comédie avec des personnages illustres, qu'il appelle comédie héroïque.

La pièce est un mélange singulier. Au fond, c'est la vieille tragi-comédie qui renaît. Mais en même temps Corneille est encore obsédé de l'esprit d'*Héraclius* et des substitutions d'enfants. Il a donc inventé que le trône de Castille était sauvé par un jeune héros, Carlos, de naissance inconnue, et que la reine l'aimait. Elle donne d'avance sa main à qui lui rapportera un anneau, qu'elle confie à Carlos, et que celui-ci ne remettra qu'à son vainqueur. Enfin tout se découvre ; après s'être cru fils d'un pêcheur, et avoir revendiqué le droit de ses exploits à être ses aïeux, Carlos est reconnu pour don Sanche d'Aragon. Tout cela fait une espèce de drame romantique. Le premier acte est éblouissant, et les autres sont souvent fort beaux. « La pièce eût réussi, dit Corneille, sans le refus d'un illustre suffrage. » On conjecture que ce suffrage fut celui du prince de Condé.

Un succès éclatant couronna au contraire la représentation de *Nicomède*, pièce plus régulière en apparence et de coloris plus sobre, mais guère moins variée de ton, aussi nerveuse d'allure et d'un accent plus fier encore. C'est, dit le poète, une tragédie d'une constitution extraordinaire. « La tendresse et les passions, qui doivent être l'âme des tragédies, n'ont aucune part en celle-ci ; la grandeur du courage y règne seule, et regarde son malheur d'un œil si dédaigneux qu'il n'en saurait arracher une plainte. Elle y est combattue par la politique et n'oppose à ses artifices qu'une prudence généreuse, qui marche à visage découvert, qui prévoit le péril sans s'émouvoir, et ne veut point d'autre appui que celui de sa vertu et de l'amour qu'elle imprime dans le cœur de tous les peuples. »

Tel est le véritable portrait de Nicomède au moment où, quittant son armée, il arrive à la cour de son père Prusias, roi de Bithynie. Il y trouve un étrange désordre. Son père est gouverné par sa marâtre et tous deux par l'ambassadeur romain Flaminius. Ils lui ont livré Annibal, qui était le maître de Nicomède. Et ils s'apprêtent à donner la fiancée du prince à son jeune frère Attale, qui revient de Rome plein de l'esprit romain. A tant d'ennemis conjurés, Nicomède n'oppose que sa grandeur d'âme : hautain et vraiment roi avec Flaminius, railleur et indulgent avec Attale, méprisant et poli avec sa marâtre, respectueux avec une triste ironie quand il parle à son père, et toujours héroïque. Une constance si fière détache le généreux Attale du groupe de ses ennemis, contraint Flaminius au respect et le vieux couple hideux du roi et de la reine au repentir.

Au début de 1652, avant le carnaval, Corneille donna *Pertharite*. La pièce revenait au système des tragédies implexes. Elle tomba. C'était le quatrième échec en neuf ans. Cette fois, Corneille fut découragé. Il se sentait démodé et on ne lui cachait pas qu'il le fût. Scarron écrivait dans cette même année 1652 :

> De Corneille les comédies...
> De jour en jour baissent de prix.

Le poète se retira du théâtre et s'en fut vivre à Rouen, dans sa maison de la rue de la Pie.

Sans épuiser, loin de là, toute la gamme des combinaisons que pouvait lui fournir son esprit inventif, audacieux, toujours en quête de moyens d'intéresser, de plaire, d'étonner, d'ailleurs juge pénétrant (ses *Examens* et ses *Discours* le montreront bientôt) des principes de l'art, Corneille avait donné, au cours de la carrière qu'il interrompait ainsi, la pleine mesure de son génie.

Génie à la fois riche et fort. La tradition scolaire et le goût académique ont longtemps jeté un voile sur la première de ces deux vertus, que le lecteur moderne se plaît au contraire à découvrir dans la fantaisie des premiers essais ou dans la hardiesse tendue des tragédies d'arrière-saison plus encore que dans les chefs-d'œuvre, sévèrement classiques, de la maturité. Une sève généreuse circule dans tout le théâtre de Corneille et continue d'y monter même lorsque l'écorce en est devenue rugueuse. Que d'aptitudes elle y entretient : fraîcheur d'imagination,

NICOMÈDE. Gravure de Matheus pour l'édition de 1660. — CL. LAROUSSE.

créatrice d'êtres exquis de jeunesse, d'allant et de grâce ; subtilité, qui triomphe dans les jeux du style comme dans les singularités de l'agencement scénique ; optimisme candide, qui souvent, par un dénouement heureux, se revanche des cruautés de la vie ; plénitude de sentiment, qui déborde dans le flot lyrique des stances ; netteté de vision et franchise de coloris grâce auxquelles sont représentés, avec le même relief, avec la même savoureuse « naïveté », tous les aspects du réel, depuis les plus bonhommes ou les plus grotesquement médiocres jusqu'aux plus affreux ou aux plus admirables !

C'est à évoquer ces derniers — les plus extrêmes — que s'attache surtout l'auteur des tragédies. Que ce soit dans l'ambition, dans le zèle politique ou religieux, ou dans l'amour, il aime représenter les impulsions les plus vives, celles qui, emportant la totale adhésion des volontés, entraînent des héros fanatisés vers le but, noble ou criminel, où ils trouveront, dans la fidélité à leur « gloire », l'accomplissement de leur être. En présence de ces créatures d'exception il oublie la complexité mystérieuse de la nature humaine que, dans ses personnages secondaires, il sait pourtant suggérer avec délicatesse : une exigence impérieuse de son propre esprit l'oblige à prêter à ses héros de premier plan une lucidité infaillible, que manifestent la rapidité et la sûreté de leurs choix ; il leur communique même, pour débattre les problèmes moraux ou politiques que pose le heurt de leurs passions, de leurs devoirs et des intérêts d'autrui, une éloquence mâle et précise ; et ces conflits, il ne les résout pas par d'obscurs accommodements, mais en pleine lumière, par d'implacables décisions qui conduisent à des forfaits atroces, ou au contraire par une émulation de générosité qui, dans une émouvante ascension spirituelle, entraîne les âmes naguère affrontées jusqu'aux sommets de l'héroïsme. Acharnées à vaincre ou gagnées par la fièvre du sacrifice, il leur donne, dans l'extrême tension de leurs forces, cette énergie parfois surhumaine qui fait de lui le poète par excellence de la grandeur.

Peintre des destins hors-série et des grands spectacles d'âme, il sent, à mesure qu'il s'éloigne des vraisemblances communes, la nécessité d'étayer ses fictions par une sorte de garantie. De là l'importance croissante que prend à ses yeux l'histoire, qu'il préfère délibérément aux légendes mythologiques. Elle n'était guère, dans *Horace* ou dans *Cinna*, qu'un cadre pour déployer de hauts exemples de vertu. Dans *la Mort de Pompée*, dans *Nicomède*, elle donne à Corneille occasion de brosser de larges fresques, sinon exactes, du moins puissantes et suggestives. Ailleurs, dans *Rodogune*, dans *Héraclius*, dans *Pertharite*, elle lui fournit les justifications de détail par lesquelles il donne un air d'authenticité à ses intrigues les plus invraisemblables, et qu'il analysera dans ses *Examens* avec une curieuse minutie. Car c'est là un autre trait frappant de sa nature. Cet inventeur hardi est aussi un artiste scrupuleux, calculateur attentif et juge rigoureux de soi-même ; ce poète aux larges envols est un homme prudent qui, pour s'amender comme pour se défendre, se complaît dans les vérifications les plus tatillonnes.

Æole descend avec huit vents le Tonnerre commence à vouir accompagné de clairs, deux Vents fondent sur Andromede l'enlevent jusques dans les nues

Andromède attachée au Rocher pour estre devorée par le Monstre est delivrée par Persée

DEUX DÉCORS DE TORELLI POUR LA REPRÉSENTATION D'« ANDROMÈDE » EN 1650. Gravures de François Chauveau ornant l'édition de 1651. — CL. LAROUSSE.

SCÉVOLE, de Du Ryer. Frontispice pour l'édition de 1647. — Cl. Larousse.

La Mort de Chrispe, de Tristan L'Hermite Frontispice de Stella (1645). — Cl. Larousse.

LE DÉVELOPPEMENT DU THÉATRE DE 1637 A 1660

Les pièces représentées au théâtre depuis 1637 jusqu'aux années qui suivirent la Fronde ont été extrêmement nombreuses. Quelques-unes ont fait de nos jours l'objet d'éditions critiques. C'est le cas d'Alcionée (1637) et de Saül (1640), tragédies de Du Ryer, publiées par H. Carrington Lancaster, 1930-1931. C'est celui également de trois pièces de Tristan L'Hermite : la Folie du sage, tragi-comédie (1642), la Mort de Sénèque, tragédie (1643), le Parasite, comédie (1653), publiées par J. Madeleine respectivement en 1936, 1919 et 1934. Th. Fr. Crane a réédité, en 1907, le Véritable Saint-Genest (1645) et Venceslas (1647) de Rotrou.

Sur le développement du théâtre religieux aux environs de 1640, voir : M. E. Pascoe, les Drames religieux du milieu du XVIIe siècle (1636-1650), 1932; K. Loukovitch, la Tragédie religieuse classique en France, 1933.

Maintes fois, dans son effort passionné de renouvellement, Corneille avait emprunté des procédés ou des thèmes à ses émules. Ceux-ci lui rendant la pareille, nombreux sont, jusqu'à ce que le durcissement de sa manière l'isole quelque peu des autres dramaturges, les traits qui rapprochent ses tentatives des leurs. Auprès d'eux comme chez lui, c'est la tragédie régulière qui l'emporte d'abord, historique en général, mythologique plus rarement, et réduite, à partir de 1640 environ, à un décor unique. La Calprenède, Urbain Chevreau, Bensserade, l'abbé d'Aubignac, La Mesnardière

Tristan L'Hermite. Portrait figurant en tête des « Vers héroïques » (1648). — Cl. Larousse.

s'y essaient. Tristan L'Hermite, après avoir fait jouer, en 1637, *Panthée*, donne, en 1643, une *Mort de Sénèque*, qu'il découpe assez gauchement dans les récits des historiens de Rome, mais où se retrouve sa netteté de trait dans le dessin des caractères, et où, avec vigueur, il oppose à l'impure Poppée l'ardente Épicharis, âme de la conjuration contre Néron, digne émule, dans son héroïsme, de l'Émilie de *Cinna*. Il n'est pas aussi heureux, en 1644, dans *la Mort de Chrispe*, qui élude le thème que Racine saura traiter, dans *Phèdre*, avec autant de hardiesse que de tact, mais *Osman* (1646) rachète d'assez graves défauts par quelques touches judicieuses de couleur orientale et par une forte peinture d'âmes exigeantes et cruelles. Du Ryer, sur des sujets semblables, ne s'élève guère moins haut. Auteur d'une *Lucrèce* (1636) et d'une *Alcionée* (1637), puis, plus tard, d'un *Thémistocle* (1647), c'est en 1644 qu'il triomphe, dans *Scévole*, qu'anime l'âpre souffle de la « liberté romaine » et qui, par la glorification de la grandeur d'âme et du sentiment civique, par l'ampleur de l'éloquence, par l'énergie des vers, rappelle Corneille plus d'une fois. Rotrou lui-même, retiré à Dreux, consacre à la tragédie les meilleurs efforts d'une verve qu'il tente d'assagir. *Venceslas*, en 1647, s'intitule encore tragi-comédie, à cause d'un dénouement partiellement heureux; c'est bien, néanmoins, une tragédie, par la simplicité des moyens mis en œuvre, par la dignité du ton et par la sobriété du style. Des réminiscences de Corneille traversent l'œuvre, où il y a du panache, de la violence, de la pompe, des caractères tout d'une pièce, et, dans une Pologne assez conventionnelle, les mêmes débats de conscience que dans *le Cid*, les mêmes amples développements d'idées politiques et la même émulation de magnanimité que dans *Cinna*. Mais la marque particulière de Rotrou se reconnaît dans ce beau quatrième acte où, dans une aube pâle de lendemain de crime, le fils aîné du roi, le farouche Ladislas, découvre qu'en croyant abattre le favori de Venceslas, il a tué son propre frère. *Cosroès*, en 1648, mêle d'une façon également remarquable l'éloquence dans la discussion des affaires d'État, la peinture de l'inquiétude morale, l'émotion dramatique.

Un genre voisin séduit quelque temps le public : celui précisément qu'illustre, avec *Polyeucte*, une autre pièce de Rotrou : la tragédie religieuse. Sans doute, le moment est passé où l'influence protestante faisait prévaloir l'inspiration biblique, et Du Ryer est presque le seul à porter sur la scène « la majesté des histoires saintes », avec *Saül*, en 1640, avec *Esther*, en 1642. Les Vies de saints, en revanche, intéressent. Baro donne, en 1639, un *Saint Eustache*, La Serre, en 1641, une *Sainte Catherine*, Desfontaines successivement un *Saint Eustache* en 1642, un *Saint Alexis* en 1643, et, en 1644, *l'Illustre comédien ou le martyre de saint Genest*. Lorsque Rotrou, l'année suivante, fait représenter à son tour un *Saint Genest*, il n'oublie ni ces exemples, ni celui de *Polyeucte*, ni même une belle idée de Lope de Vega. Avec des éléments fort divers, il compose une œuvre bariolée, où il y a de tout : des intrigues galantes, une évocation pittoresque de la vie des comédiens, des allusions d'actualité, un pompeux tableau de la cour de Dioclétien, et aussi, habilement insérées dans le tissu des péripéties profanes, quelques scènes de ferveur mystique d'une belle venue.

JEAN ROTROU.   CYRANO DE BERGERAC.
Portraits conservés à la Bibliothèque nationale (Cabinet des Estampes). — CL. LAROUSSE.

Il ne réussit pas aussi bien qu'avait fait Corneille à superposer à la progression d'un drame purement humain les étapes de l'action divine. Mais n'était-ce pas une gageure que de donner des miracles et des supplices comme matière à des pièces que l'on voulait vraisemblables, exemptes de merveilleux comme de brutalité, strictement conformes aux bienséances et fondées sur le seul jeu de ressorts psychologiques ? Vainqueur de tant de difficultés dans *Polyeucte*, Corneille lui-même y succombait dans *Théodore*. Dès le temps de la Fronde, le théâtre religieux, qui ne devait renaître que dans les pièces bibliques de Racine, s'éclipsa.

Ce qui se produisit alors, c'est un retour partiel à la tragi-comédie et même à la pastorale. Dès 1649, les austères tragédies à sujets historiques se font plus rares, et une seule d'entre elles se distingue, en 1653 : *la Mort d'Agrippine*, de Cyrano de Bergerac, remarquable d'ailleurs par l'expression puissante d'idées philosophiques audacieuses et par l'étonnant relief du caractère de Séjan, « surhomme » ou « immoraliste » avant la lettre, plutôt que par des qualités proprement scéniques. D'assez nombreuses tragi-comédies, au contraire, empruntent à des romans leurs intrigues et leur ton. Baro intitule « poèmes dramatiques » des pièces pleines de situations romanesques. Et bientôt, en 1656 et 1658, Thomas Corneille et Quinault inaugureront la série de leurs tragédies galantes où, prolongeant *le Grand Cyrus* et *Cassandre*, ils chercheront dans la peinture des faiblesses et des subtilités de l'amour le moyen d'intéresser, que les maîtres de la génération précédente demandaient aux « grands intérêts » d'État. De la tragédie « cornélienne » à la tragédie « racinienne » une transition se prépare.

La comédie, dans la même période, se développe et s'anime. L'influence des Espagnols y aide, à laquelle Corneille n'est pas le seul à se prêter, puisque, dès 1638 ou 1639, Guérin de Bouscal tire de *Don Quichotte* une joyeuse trilogie et que, dans six pièces, Le Métel d'Ouville assaisonne d'allusions et de traits plaisants des scénarios que lui fournit la *comedia*. Quant à Scarron, sur dix pièces qu'il compose entre 1643 et 1658, neuf sont imitées de modèles espagnols, et il ne leur emprunte pas seulement leurs intrigues, romanesques, invraisemblables, mais vives à souhait, et quelques traits de leur psychologie; il en adopte les rôles grotesques de duègnes, et aussi, après d'Ouville, ce type de valet goguenard, le *gracioso*, auquel l'acteur Jodelet prête, pour la joie des spectateurs, sa large bedaine, son nez épaté et sa voix nasillarde. De *Jodelet ou le maître valet* (1643) à *la Fausse Apparence* (1657), il est peu de ses œuvres qui ne doivent aux facéties du *gracioso* une partie de leur agrément. Mais certaines, comme *Dom Japhet d'Arménie* (1647) et *le Marquis ridicule ou la comtesse faite à la hâte* (1655), enluminent aussi, de couleurs crues, des personnages énormes de prétention et de sottise. Toutes enfin déploient, à travers maintes négligences de style ou de versification, les innombrables ressources d'un comique verbal dans lequel l'auteur des *Poésies burlesques* est passé maître. Il lui arrive bien, dans *l'Écolier de Salamanque* (1654) et dans *le Prince corsaire* (1658), de céder à l'inopportune tentation du sérieux, et, plus souvent, de faire mouvoir des marionnettes en place d'êtres vivants : l'agilité de sa verve lui permet néanmoins de concilier de façon divertissante le gros rire de la farce et quelques-unes des gentillesses du comique littéraire. Son succès stimule Bois-Robert et Thomas Corneille, qui rivalisent avec lui sur des sujets analogues et parfois sur les mêmes.

D'autres auteurs vont chercher

JULIEN BEDEAU, DIT JODELET. Cet acteur célèbre créa, en particulier, le rôle du valet dans « le Menteur » de Corneille.
CL. LAROUSSE.

ailleurs leur inspiration. La farce connaît une renaissance qu'annonçait, dès 1645, la composition, par Cyrano, du *Pédant joué*. A une comédie italienne Rotrou doit la plupart des traits qui font de *la Sœur* (1645) la plus comique de ses comédies, et Tristan s'inspire d'une autre, en 1653, dans *le Parasite*. Claude de L'Estoile, avec *l'Intrigue des filous* (1646), Bois-Robert avec *la Belle plaideuse* (1653), Gillet de La Tessonerie, dans *le Campagnard* (1656), donnent un accent nouveau à la peinture des mœurs. Et le public fait bon accueil à ces pièces, de plus en plus nombreuses. Avant 1628, on comptait à peine une comédie sur vingt œuvres théâtrales; de 1659 à 1666, on rencontrera cinq comédies pour trois pièces sérieuses. Ces chiffres, mieux que toute analyse, ne disent-ils pas à quel point le genre s'est relevé du discrédit où, au début du siècle, il était tombé?

IV. — LES COURANTS D'IDÉES

L'IDÉAL DE L'"HONNÊTE HOMME"

A l'évolution du goût littéraire vers le naturel et l'agrément correspond, dans le domaine de la pensée, l'effort pour définir l'idéal de l' « honnête homme », qui en confirme plusieurs tendances essentielles. L'Honnête homme ou l'art de plaire à la Cour (1630), de Nicolas Faret, première et encore naïve expression de cet idéal, a été reproduit et commenté par M. Magendie, 1925. Les Conversations (1668) et les Discours (1671-1677) d'Antoine Gombaud, chevalier de Méré (1607-1684), qui fut l'ami de Pascal, le professeur de bienséance de la société mondaine et le théoricien le plus attentif de l' « honnêteté », ont été rééditées par Ch.-H. Boudhors, 1930 (3 vol.). Ses Lettres, non moins importantes, avaient été publiées en 1682.

Voir : M. Magendie, la Politesse mondaine et les théories de l'honnêteté en France, de 1600 à 1660, 1925.

Il s'appelait le « gentilhomme » ou le « courtisan » : à partir de 1630, on l'appellera l' « honnête homme ». Cela fait un changement de nom; cela fait aussi, et c'est ce qui importe, un premier élargissement d'une notion d'abord étroite. Jusque-là il ne s'agissait guère, pour tels moralistes aujourd'hui oubliés, que de donner à une caste sociale des recettes pour déjouer les embûches de la vie de Cour : ceux qui viennent maintenant, sans oublier que la noblesse est pour un homme la parure la plus flatteuse, ne font pas de la naissance une condition absolue de l' « honnêteté »; plus même qu'à réussir au Louvre, ils songent à plaire chez les « dames de condition » chez qui se tiennent « les belles assemblées ». Les premiers, en général, enseignaient une tactique : leurs successeurs définissent une qualité mondaine et bientôt un idéal humain.

Leur premier inspirateur, le plus abondamment plagié, c'est Castiglione, dont le *Cortegiano* peignait sous des couleurs si flatteuses les grâces de la conversation dans une petite cour italienne au temps de la Renaissance; et ils lui empruntent sa critique de l'affectation, sa louange des agréments physiques et des parures de l'esprit, sa théorie de l'art de s'adapter à autrui. Mais, nés Français et chrétiens, ils ne peuvent le suivre jusque dans ses extases platoniciennes. Ils n'ont que faire d'une mystique, c'est d'une sagesse qu'ils

LES
CONVERSATIONS.
D. M. D. C. E. D. C. D. M.

A PARIS,
Chez DENYS THIERRY, rüe S. Jacques
à l'Enseigne de la Ville de Paris.
M. DC. LXIX.
AVEC PRIVILEGE DV ROY.

PAGE DE TITRE des « Conversations du maréchal de Clérembault et du chevalier de Méré ». — CL. LAROUSSE.

sentent le besoin; ils vont donc en chercher ailleurs les éléments, chez les théoriciens de la civilité proprement dite, italiens ou espagnols, chez Sénèque, chez Montaigne, voire chez François de Sales. Vertu et « bonne grâce », piété et entregent mondain, aisance des manières et culture intellectuelle, tout cela se mêle dans leurs préceptes. Doctrine composite, qui adapte un peu laborieusement aux aspirations de la France de Louis XIII le rêve d'un autre pays et d'une autre époque. Patience! Un homme paraîtra bientôt, qui consacrera sa vie à décanter l'idéal de l' « honnête homme », à en éliminer les disparates et les notions adventices, à en faire un « art de plaire » en harmonie avec les aspirations les plus raffinées de ses contemporains.

Il y a fatalement quelque pédantisme à enseigner le mépris du pédantisme. Méré traite parfois bien dogmatiquement de la délicatesse et il lui arrive, expliquant la nature des « agréments », d'oublier de les chercher pour lui-même. Cette notion d' « honnêteté », néanmoins, que sans attendre de lui consacrer des livres, il vante, dès avant la Fronde, dans maintes consultations épistolaires, il la nourrit de son expérience, il l'associe à toute son existence de galant homme; et s'il lui ôte ses arêtes précises, c'est parce qu'il donne à ce «je-ne-sais-quoi» la séduction qui s'attache aux choses que l'on sent et dont on vit plutôt qu'on ne les explique. Mais qu'est-ce, au bout du compte, que l' « honnêteté »? L'art, bien sûr, « d'exceller en tout ce qui regarde les agréments et les bienséances de la vie ». Mais une excellence générale, faite de délicatesse à sentir et à comprendre, plutôt que d'aucune science ou aptitude spéciale. Une excellence sans frontières, dont la possession n'est le privilège ni d'une classe sociale, ni d'une profession, ni d'une nation même, car l' « honnête homme », véritable « citoyen du monde », est celui qui, en quelque endroit qu'on le mène, peut s'y trouver « dans un pays connu et comme dans sa patrie ». Une excellence sans règles, irréductible à toute formule, et qui se devine par une sorte d'instinct plus qu'elle ne se définit. Une excellence, avant tout, dans l'art de s' « accommoder » aux autres, et pourtant de n'en avoir point l'air; de triompher, mais sans effort; de briller, mais sans se « piquer » de le faire; d'écrire bien, mais sans cultiver aucune beauté qui se reconnaisse. Une excellence où le cœur a sa place, mais la raison non moins, inspiratrice de mesure et de justesse. Une excellence, en définitive, de facilité, de souplesse, de tact, de naturel.

Comment Méré, si occupé à poursuivre tant de nuances subtiles, se soucierait-il encore de fixer à son honnête homme des devoirs précis ? Ni la rigueur des obligations morales ne l'intéresse ni la place que peut occuper la religion dans des existences vouées à la recherche presque exclusive de l'agrément. Seule lui importe cette élégance indéfinissable qui donne un charme à toutes les actions, et si précieuse qu'à son gré, « quand on n'aurait que trois jours à vivre, il faudrait essayer de les passer en honnête homme ». Ainsi la notion d' « honnêteté », en se raffinant, se volatilise. Elle n'est plus qu'un parfum, mais qu'avec Méré toute sa génération semble respirer avec ivresse, de l'amer La Rochefoucauld au léger Bussy-Rabutin, du voluptueux Saint-Évremond au grave Pascal. A la conversation, à la vie mondaine, parfois à la vie personnelle elle-même, elle donne un style, un style de simplicité, de discrétion et d'aisance, un style classique.

PIERRE GASSENDI. Gravure de Claude Mellan (B. N., Cabinet des Estampes). CL. LAROUSSE.

GUY PATIN. Portrait par Antoine Masson (Bibl. de la Faculté de Médecine de Paris). — CL. LAROUSSE.

LA MOTHE LE VAYER. Gravure de Robert Nanteuil (B. N., Cabinet des Estampes). — CL. LAROUSSE.

LE LIBERTINAGE

Le supplice de Vanini, condamné au bûcher en 1619 par le Parlement de Toulouse, le procès entamé en 1623 contre Théophile, l'arrêt du Parlement de Paris qui, en 1624, rappelle l'obligation de n'enseigner aucune autre doctrine que celle d'Aristote, contribuent à restreindre, dans le deuxième quart du siècle, la diffusion du libertinage, qui avait eu, dans la génération précédente, son heure d'audace et presque de victoire. Mais s'il ne se développe plus, il se diversifie et se nuance. Tandis que la mécréance bruyante des gentilshommes débauchés et des poètes licencieux s'étale encore auprès de quelques Grands et ne consent qu'après la Fronde à s'édulcorer, la pensée rationaliste ou sceptique de la Renaissance se prolonge, s'adapte, se raffine dans les œuvres, et, plus souvent, dans les conversations particulières et les écrits intimes de quelques érudits.

Jacques Vallée, sieur Des Barreaux (1599-1673), poète et bel esprit débauché, qui avait été l'ami de Théophile ; Denis Sanguin de Saint-Pavin (1595-1670), abbé galant et libertin ; Claude de Chouvigny, baron de Blot (1605-1655), familier de Gaston d'Orléans et chansonnier scandaleux ; Claude Le Petit (1638?-1662), auteur de poésies obscènes, qui fut brûlé en place de Grève, ont été étudiés, ainsi que Cyrano de Bergerac, par F. Lachèvre, le Libertinage au XVIIᵉ siècle, tomes II (1911) et V-VIII (1918-1921). Sur le groupe de Ninon de Lanclos (1620-1705), voir : É. Magne, Ninon de Lanclos, 1912 (nouvelle édition, 1925).

Parmi les gens d'étude, de conduite et en général de pensée beaucoup plus circonspecte, le curieux et caustique médecin Guy Patin (1601-1672) a été un épistolier savoureux : ses Lettres ont été rééditées par Réveillé-Parise, 1846 (3 vol.), et, partiellement, par P. Triaire, 1907, tome I. Son ami Gabriel Naudé (1600-1653), secrétaire du cardinal de Bagni en Italie, puis bibliothécaire de Mazarin et de la reine Christine de Suède et remarquable érudit, a glissé dans ses livres touffus, notamment dans les Considérations politiques sur les coups d'État (1639) et le Mascurat (1649), ses opinions particulières. François de La Mothe Le Vayer (1588-1672), qui fut précepteur de Philippe d'Orléans, et, un moment, du jeune Louis XIV lui-même, avait été fort hardi dans ses clandestins Dialogues d'Orasius Tubero (1630-1633) ; il fut plus réservé, ou plus retors, dans les nombreux Traités, Dialogues ou Discours qu'il publia sous son nom et qui ont été reproduits en 1654,

1662 et 1669 dans ses Œuvres. Guy Patin, Naudé, Le Vayer, et avec eux les médecins Pierre Bourdelot (1610-1685), Samuel Sorbière (1615-1670), François Bernier (1620-1688), maints autres encore, ont beaucoup attendu, pour le progrès de leurs idées, du système de philosophie épicurienne que préparait, avec d'ailleurs beaucoup plus de modération qu'ils n'eussent voulu, leur ami ou maître Pierre Gassendi (1592-1655), vertueux théologal de l'église de Digne, puis professeur au Collège royal, de son vrai nom Gassend ; mais, plusieurs fois remanié, le Syntagma philosophicum de Gassendi ne parut, sous sa forme complète — et atténuée — qu'après sa mort, dans le recueil de ses Opera omnia, 1658 (6 vol.).

Un traité d'athéisme, également en latin, le Theophrastus redivivus, a été composé, vers 1659, par un inconnu, et est demeuré manuscrit.

Voir : R. Pintard, le Libertinage érudit dans la première moitié du XVIIᵉ siècle, 1943 (2 vol.), et, sur le Theophrastus redivivus, l'article de J. S. Spink dans la Revue d'histoire littéraire de la France, 1937.

L' « honnêteté » est un agrément, mais elle est aussi une contrainte. A elle non plus ils ne sauraient s'astreindre du premier coup, ces « beaux esprits » avides de « franchise » qu'on a vus, dans les premières années du règne de Louis XIII, regimber si vigoureusement contre les disciplines religieuses : ces gentilshommes à qui blasphémer après boire paraissait de tous les régals le plus exquis ; ces joyeux poètes qui remplissaient les cabarets de leurs chansons impies ou qui empruntaient aux philosophies italiennes, pour les glisser dans leurs vers, quelques traits provocants. De dures sentences les ont avertis qu'ils ne pouvaient sans péril dogmatiser pour un vaste public ; mais les Gaston d'Orléans, les Condé, les Conti sont assez amis des plaisirs cyniques pour ménager à ceux qui les y encouragent des retraites enviables ; et pendant quelques années, dans l'entourage des mêmes princes, de Retz et de la Palatine, la Fronde assure une commode impunité aux rimeurs incrédules, dont la verve se déchaîne avec une audace parfois extravagante. Simplement, ils s'abstiennent en général de faire imprimer ce qu'ils chantent dans leurs débauches. Verba volant : aux écrits, trop compromettants, ils préfèrent les boutades et les couplets, qui ne font jamais condamner que des gueux. La plupart, d'ailleurs, ne se mettent pas en frais de pensées

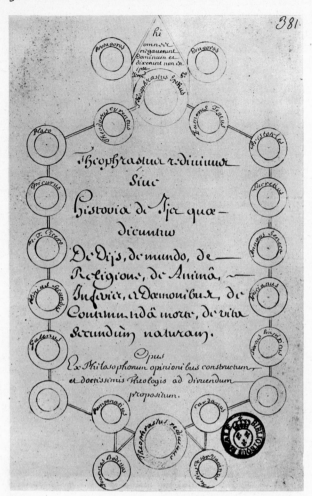

FEUILLE DE TITRE du « Theophrastus redivivus » (B. N., ms. latin 9324). — CL. LAROUSSE.

nouvelles : quelques lignes de Montaigne, interprétées avec désinvolture, forment toute leur doctrine, qui se confond le plus souvent avec la louange du plaisir : raillant l'ascétisme ou taxant toute piété d'hypocrisie, maudissant les abstinences, ils daubent aussi la raison et ses prétentions à la sagesse, ils sacrifient sans hésiter à la jouissance présente les hypothétiques récompenses de l'autre vie; aux vérités de la religion ils opposent les voluptés d'une vie indépendante. Un courant se dessine néanmoins, parmi tant de viveurs ou d'agités, qui prépare une génération plus délicate de libertins « honnêtes gens », d'une mécréance plus avertie, d'un épicurisme mieux dosé. Le salon de Ninon de Lanclos ne s'ouvre-t-il pas à des hommes cultivés et curieux ? Des Barreaux ne s'embarque-t-il pas pour aller en Hollande rendre visite à Descartes ? Un soldat, comme Saint-Évremond, ne demande-t-il pas des conseils philosophiques à Gassendi, que Cyrano de Bergerac, ancien soldat lui aussi, connaît par son camarade Chapelle, et dont il assimile les idées avec cette ardeur véhémente qu'il apporte à tout ce qu'il fait ? Damien Mitton est un joueur et un jouisseur : et pourtant il cultive l'amitié de Pascal. Les brutalités du blasphème sont en train de passer de mode, elles se feront rares après la Fronde. Les gens du monde libertin les remplaceront par ces « demi-mots », ces « branlements de tête », ces « dédaigneux souris » que Bossuet devinera autour de lui, à la Cour de Louis XIV, et qui, plus encore que des attaques directes, l'exaspéreront.

Ces « demi-mots », ces « fines railleries » sont déjà le partage des érudits libertins, gens ennemis du scandale comme des explications trop claires, et qui, dans une pénombre complaisamment entretenue, poursuivent la méditation de quelques pensées qui leur sont chères. Ils se sont nourris, dans leur jeunesse, de Montaigne, de Charron, de ceux d'entre les humanistes qui avaient commencé, au XVIe siècle déjà, à saper les trop commodes conciliations de la scolastique. A la pensée italienne de la Renaissance avec laquelle, parfois à Padoue même, ils se sont familiarisés, ils empruntent, non pas les rêveries fumeuses d'un Giordano Bruno ou d'un Campanella, mais le positivisme cynique de Machiavel, les argumentations de Pomponazzi contre les miracles, et de même cette exégèse alexandriste qui faisait d'Aristote l'adversaire de l'immortalité de l'âme, ou encore cette philosophie dualiste qui permettait à un incrédule, comme Cremonini, d'éluder des poursuites en prétendant admettre par la foi ce qu'il niait par les lumières naturelles de la raison. Les écrivains de l'antiquité n'ont pas moins profondément marqué leurs réflexions : chez les uns ils ont trouvé une impressionnante critique de la croyance en la divinité; chez d'autres, les motifs d'un scepticisme universel; chez presque tous, les éléments d'une sagesse, épicurienne ou stoïcienne, grâce à laquelle l'homme, estiment-ils, peut vivre raisonnablement sans recourir aux dogmes, incertains et torturants pour l'esprit, d'une religion révélée.

Que tireront-ils de leurs persévérantes ruminations ? Iront-ils, comme le mystérieux auteur du *Theophrastus redivivus*, jusqu'à déduire, de toutes les opinions des philosophes grecs, latins ou modernes, une minutieuse justification de l'athéisme ? Suivront-ils La Mothe Le Vayer dans sa longue promenade à travers les récits de voyageurs comme parmi les *Hypotyposes* de Sextus Empiricus, et, après avoir avec lui éternellement balancé le pour et le contre, le rejoindront-ils dans une voluptueuse indifférence aux extravagances de la raison, à la « farce et perpétuelle comédie » de la destinée humaine ? Ou bien comptent-ils, comme le protestant Sorbière, découvrir auprès des Sociniens de Pologne ou de Hollande le secret d'une religion élargie, accueillante aux libertés de l'effort scientifique et philosophique ? Attendront-ils de Gassendi, vertueux, religieux même, mais vivement révolté contre les doctrines traditionnelles, la restauration d'un épicurisme qui, sans doute, sera christianisé, qui néanmoins, espèrent-ils, mettra à l'aise leur esprit et leur conscience ? Ou bien s'adonneront-ils, avec une intraitable obstination, à la proscription du surnaturel ? Le poursuivront-ils, comme Jean-Jacques Bouchard, bénévole et impertinent inspecteur des fraudes pieuses, dans tous les sanctuaires d'Italie ? Pour mieux le dépister, manieront-ils, comme Naudé, des milliers de poudreux in-folio, et s'attacheront-ils, par une exégèse à la fois philologique et historique, à éliminer du passé toutes les bizarreries, superstitions, légendes, traditions de miracles, en un mot, à « discerner et choisir le vrai d'avec le faux » dans tous les domaines et à « équarrer toutes choses au niveau de la raison » ?

Bien des voies s'ouvrent à eux, où ils s'engageraient avec ivresse s'ils pensaient pouvoir le faire avec sécurité. Mais leurs opinions sont suspectes, et ni leur goût de la tranquillité ni leur intérêt ne les autorisent au moindre écart. Aussi se replient-ils sur eux-mêmes, tout en se rapprochant de ceux en qui ils sentent des inquiétudes semblables aux leurs. Il y a, certes, entre eux, bien des différences. Certains sont de vrais mécréants, d'autres des chrétiens qui se contenteraient de voir les Églises devenir moins autoritaires, les théologiens moins stricts. Certains se complaisent dans un retour à l'équilibre harmonieux du paganisme antique, d'autres sont tentés par les problèmes de la pensée moderne. Gassendi est un prêtre attaché aux devoirs de sa fonction, La Mothe Le Vayer un incrédule nonchalant et retors, Naudé un homme tracassé par un insatiable appétit de savoir et par l'esprit critique le plus exigeant, mais qui connaît, pour l'avoir appris en Italie, l'art des défaites prudentes et des ruses subtiles. Quant à Guy Patin, bourgeois railleur et farouche ennemi des bigots, ce n'est cependant pas dans l'impiété qu'il trouverait la quiétude : il garde la nostalgie du temps des premiers humanistes, où Jésus et Socrate, la foi et la raison, une philosophie plus libre et un culte plus pur semblaient pouvoir s'accorder, sans proscriptions ni schismes ni violences, dans un affectueux élan des cœurs et des esprits : son aigreur, ses sarcasmes sont la rançon d'une tendresse refoulée et d'un rêve déçu. Et que d'autres attitudes encore, non moins particulières, chez les érudits libertins ! Tous néanmoins se trouvent portés par une nécessité intime à se faire part de leurs expériences, à se communiquer les manuscrits secrets de leurs bibliothèques et les livres qu'ils font imprimer clandestinement ; ou bien, s'ils gardent à l'abri de tous les regards les cahiers où ils enregistrent leurs observations, les résultats de leurs lectures, leurs souvenirs, ils n'en ont que plus de plaisir aux conversations confidentielles où leur ironie, trop souvent contenue, peut s'épanouir sans risque. A Paris, dans l'académie que Bourdelot tient chez son maître Condé, et, plus encore, dans le « cabinet » des très libéraux frères Dupuy, en Hollande, à Stockholm chez la fantasque reine Christine, et jusqu'à Rome ils se rencontrent, toujours avec un empressement joyeux, des curiosités aiguisées, une satisfaction enthousiaste.

RENÉ DESCARTES. Portrait par Franz Hals (musée du Louvre).
CL. BRAUN.

Leur rayonnement est restreint, par leur volonté même, et par suite du caractère, plus critique que constructeur, de leur effort. Ils sont pour quelque chose néanmoins dans l'évolution de la pensée de leur siècle. C'est parmi eux que se forment quelques-uns des hommes, ecclésiastiques ou laïcs, qui contribuent à acclimater, parmi les théologiens eux-mêmes, l'hypothèse du mouvement de la Terre, le contrôle des vies de saints ou les méthodes nouvelles de l'exégèse. C'est auprès d'eux que Mézeray acquiert les scrupules d'exactitude et de méfiance à l'égard du merveilleux qui feront, du narrateur ingénu des premiers tomes (1643 et 1646) de son *Histoire de France*, le précurseur, dans le dernier volume, paru en 1651, et dans l'*Abrégé chronologique*, paru en 1667, de l'histoire critique. De l'épicurisme tempéré de Gassendi dériveront, notamment par l'intermédiaire de Bernier, des philosophies qui donneront davantage à la nature et à la morale du plaisir. Enfin, quand, après la diffusion du cartésianisme, un Bayle et un Fontenelle entreprendront de passer au crible les « fables », ils trouveront, pour en nourrir leurs analyses, ou ils auront déjà utilisé, pour fixer leurs critères et former leur méthode, quelques-uns des écrits de Naudé, de Patin et de La Mothe Le Vayer. Dans les discussions discrètes des cénacles savants, se forgent, au temps de Richelieu et de Mazarin, quelques maillons

d'une chaîne de réflexions et de recherches dont l'importance, trente ou quarante ans plus tard, se révélera pleinement.

DESCARTES

Contre les incertitudes et les doutes d'une génération travaillée par des inquiétudes diverses, la réaction la plus vigoureuse est celle de Descartes.

La base de toute recherche sur le philosophe est la savante édition de ses Œuvres par Charles Adam et Paul Tannery (1897-1913, 12 vol. et un supplément), à laquelle il faut joindre le volume publié par Léon Roth : Correspondence of Descartes with Constantijn Huygens (1635-1647), 1926. Ch. Adam et G. Milhaud ont entrepris une nouvelle édition, corrigée et complétée, de la Correspondance : t. I-IV, 1936-1947. A. Bridoux a réuni, en 1941, les principales Œuvres et Lettres.

Parmi les ouvrages d'ensemble sur Descartes, on peut citer ceux de Louis Liard (1881), d'A. Fouillée (1893), de J. Chevalier (1921), de L. Brunschvicg (1937), de Ch. Adam (1937). D'une particulière importance sont aussi les travaux suivants : Hamelin, le Système de Descartes, 1911 ; E. Gilson, la Liberté chez Descartes et la théologie, 1913, et Études sur le rôle de la pensée médiévale dans la formation du système cartésien, 1930 ; H. Gouhier, la Pensée religieuse de Descartes, 1924 ; J. Segond, la Sagesse cartésienne et la doctrine de la science, 1932 ; Laberthonnière, Études sur Descartes, 1935. Des indications bibliographiques plus complètes figurent dans : J. Boorsch, État présent des études sur Descartes, 1937.

Nombre d'études ont été suscitées, en 1937, par le troisième centenaire du Discours de la méthode : voir notamment les Travaux du Congrès Descartes (3 vol.), et les numéros spéciaux de la Revue de métaphysique et de morale, de la Revue philosophique et de la Revue de synthèse. Depuis lors ont paru : Laberthonnière, Études de philosophie cartésienne, 1938 ; H. Gouhier, Essais sur Descartes, 1938 ; J. Laporte, le Rationalisme de Descartes, 1945.

LE " GRAND LIVRE DU MONDE " ET L'ÉTUDE DE SOI-MÊME

Né d'ancêtres poitevins, à La Haye en Touraine, en 1596, René Descartes fut élevé à la campagne, puis mis, à La Flèche, au collège des Jésuites : il y demeura sans doute de 1606 à 1614. Après avoir passé à Poitiers des examens de droit, il se rend aux Pays-Bas, en 1618, pour s'initier au métier des armes. L'année suivante, on le rencontre au Danemark, puis en Allemagne, où il prend du service dans l'armée catholique du duc de Bavière. A la fin de 1620, il recommence à voyager, en Bohême, dans l'Allemagne du Nord et en Hollande. Au cours d'un séjour en France (février 1622-septembre 1623), il vend ses terres et s'assure un revenu de six ou sept mille livres. Il visite alors la Suisse et l'Italie. C'est à Paris qu'il passe la plus grande partie des années 1626, 1627, 1628 : sa vie y est celle d'un jeune gentilhomme, adonné à la musique et au jeu, curieux de littérature et de sciences ; il a un duel dont il sort vainqueur en faisant grâce de la vie à son adversaire désarmé ; il fréquente l'astronome J.-B. Morin, le mathématicien Mydorge, l'ingénieur Villebressieu, l'habile ouvrier en optique Ferrier, le P. Gibieuf, de l'Oratoire, Jean de Silhon, l'auteur des Deux vérités, et surtout le P. Mersenne, de l'ordre des Minimes, qui demeurera son plus intime ami.

Décidé à se consacrer, dans la retraite, au développement des idées philosophiques qu'au cours d'une conférence chez le nonce du pape le cardinal de Bérulle l'a encouragé à préciser, Descartes prend le parti de se fixer aux Pays-Bas : on l'y trouve le 8 octobre 1628 à Dordrecht, puis au printemps de 1629 à Franeker : désormais il passera en Hollande, dans des résidences différentes, vingt années. C'est en 1635 qu'il a, d'une humble servante, une fille, Francine, qui meurt à l'âge de cinq ans, et dont la perte lui causa, de son propre aveu, « le plus grand regret qu'il eût jamais senti de sa vie ».

Malgré sa discrétion et sa prudence, ses idées philosophiques ne laissaient pas de susciter, autour de lui, des inquiétudes. Les querelles et les accusations auxquelles il fut en butte de la part de Voetius, professeur à l'université d'Utrecht, et de Revius, à Leyde, lui donnèrent l'idée d'aller chercher le repos en Angleterre ou de revenir dans sa patrie. Il passe, en 1644 en Poitou, en 1647 à Paris, où il voit Pascal, en 1648 à Paris encore. En 1649, la reine Christine le presse de venir en Suède. Il hésite, redoutant d'aller vivre « au pays des ours, entre des rochers et des glaces » ; il s'embarque néanmoins, le 1er septembre 1649, paré « d'une coiffure à boucles, de souliers en croissant et de gants garnis de neige ». Il n'a pas à se féliciter de cette décision. Obligé, pour complaire à une reine fantasque, de s'exposer au froid en se rendant au palais à cinq heures du matin, il contracte une pneumonie, tente de se soigner lui-même, et meurt, le 11 février 1650, âgé de cinquante-trois ans.

Le récit que Baillet a donné, en 1691, de la Vie de M. Descartes *a été rectifié sur beaucoup de points par Ch. Adam, dans le tome XII de l'édition des Œuvres. Voir aussi, sur la jeunesse de Descartes : P. Sirven, les Années d'apprentissage de Descartes (1596-1628), 1928. La connaissance de son séjour en Hollande a été renou-*velée par le livre de G. Cohen, Écrivains français en Hollande dans la première moitié du XVIIe siècle, 1920 (nouvelle édition revue et complétée, 1948).

A son expérience de l'étude et de la vie, Descartes n'a cessé d'attribuer, pour la valeur même de sa philosophie, une importance particulière, annonçant à Balzac, avant 1628, une *Histoire de son esprit*, et donnant ensuite, dans son *Discours de la méthode*, une sorte d' « histoire » des « chemins » qu'il avait suivis et du « progrès » qu'il pensait avoir réalisé « dans la recherche de la vérité ».

C'est à l'enseignement qu'il reçut chez les Jésuites qu'il a fait, avec gratitude, remonter ses premiers pas dans cette recherche. Il apprécia d'y rencontrer, sur un pied d'égalité, des jeunes gens de régions et de conditions différentes, véritable voyage parmi les hommes ; il y contracta pour la poésie un intérêt durable ; il apprit, au cours de trois années d'études philosophiques, à argumenter avec aisance ; et si, de bonne heure, il éprouva devant l'incertitude des conclusions un vif malaise, il a rendu justice à l'exercice intellectuel qu'on lui avait imposé, utile préparation pour celui-là même qui veut « élever son esprit au-dessus de la pédanterie pour se faire savant de la bonne sorte ». Mais il n'était pas homme à s'enfermer dans un labeur scolaire : « Sitôt que l'âge, écrit-il, me permit de sortir de la sujétion de mes précepteurs, je quittai entièrement l'étude des lettres (c'est-à-dire des livres) ; et, me résolvant de ne chercher plus d'autre science que celle qui se pourrait trouver en moi-même ou bien dans le grand livre du monde, j'employai le reste de ma jeunesse à voyager, à voir des cours et des armées, à fréquenter des gens de diverses humeurs et conditions, à recueillir diverses expériences, à m'éprouver moi-même dans les rencontres que la fortune me proposait... »

La première page de ce grand livre du monde que contempla Descartes après son propre pays fut la Hollande. Attiré, comme nombre de gentilshommes français, par la gloire militaire de Maurice de Nassau, il vient tenir garnison à Bréda. Il y rencontre un jeune médecin très cultivé, bon mathématicien et bon physicien, Isaac Beeckman, de six ans son aîné, qui deviendra plus tard principal du collège de Dordrecht. Beeckman lui propose des problèmes curieux et l'empêche de s'abandonner au désœuvrement. Descartes lui dédie, le 31 décembre 1618, son premier ouvrage, un *Traité de musique*. Il lui écrira l'année suivante : « Je m'endormais et vous seul m'avez éveillé. » Par ses lettres à Beeckman, nous connaissons les occupations du jeune officier à cette date : il s'occupait de physique et de géométrie, il étudiait la peinture, l'architecture militaire et surtout le hollandais.

Quelques mois plus tard, c'est en Allemagne que se produit l'événement qui a peut-être décidé de toute sa vie. Il y passe l'hiver, « enfermé dans un poêle », sans autre entretien que celui de ses pensées : le 10 novembre 1619, au cours d'une nuit d' « enthousiasme » (entendons : de délire divin), où trois songes successifs lui apparaissent comme autant de messages de l' « Esprit de Vérité », il découvre « les fondements d'une science admirable ». Transporté par cette vision, il forme le vœu d'un pèlerinage à Notre-Dame-de-Lorette. Qu'était cette merveilleuse

PAVILLON QU'HABITA DESCARTES à Utrecht (dessin conservé aux archives de cette ville).
CL. COHEN ; CHAMPION, ÉDIT.

L'UNIVERSITÉ DE FRANEKER, où Descartes fut inscrit comme étudiant pour le semestre d'été 1629. — Cl. Cohen; Champion édit.

découverte ? Il ne faut penser ni à la méthode, ni à la fusion de la géométrie et de l'algèbre en une mathématique plus générale : la grande découverte du 10 novembre 1619, c'est l'idée de l'unité des sciences dans la sagesse, c'est-à-dire dans le savoir que nous puisons en nous-mêmes. Si « le feu prit au cerveau » de Descartes, comme l'écrit Baillet, si sa ferveur religieuse s'exalta au lendemain de cette illumination, c'est qu'il se sentit élu par Dieu pour élever le nouvel édifice. Voilà ce qu'il faut lire entre les lignes de son *Discours*, en dépit de leur sobriété et de leur froideur. Quand il énonce comme l'une des premières pensées de sa méditation cette remarque, en apparence banale, que « souvent il n'y a pas tant de perfection dans les ouvrages composés de plusieurs pièces et faits de divers maîtres qu'en ceux auxquels un seul a travaillé », entendons qu'il se prépare à devenir l'unique artisan d'une réforme totale de la connaissance humaine. Quand il nous parle de cet « homme de bon sens » qui, par ses simples raisonnements, a plus de chances d'approcher la vérité que les innombrables auteurs de livres sur des sciences incertaines, entendons que cet homme de bon sens s'appelle Descartes et rappelons-nous qu'il vient d'écrire : « Je pris un jour résolution d'étudier en moi-même. » La modestie de ses formules impersonnelles ne sert qu'à écarter de lui l'accusation de témérité et de présomption; mais leur sens n'est pas douteux : un homme va constituer à lui seul le corps entier des sciences, et cet homme, ce sera lui.

Si, exactement un an après ces visions d'une importance capitale, Descartes découvre encore « le principe d'une invention admirable » (peut-être la théorie mathématique des lunettes), c'est sensiblement plus tard — à l'automne de 1627 ou en décembre 1628 — qu'une conversation achève de fixer ses ambitions et l'organisation de sa vie. Dans une réunion qui se tient à Paris, chez le nonce du pape, un certain Chandoux, aventurier éloquent et audacieux, expose ses idées sur une nouvelle philosophie, et fait grande impression sur ses auditeurs, mais non sur Descartes. Le cardinal de Bérulle remarque cette froideur et prie Descartes de s'expliquer. Le nonce joint ses instances à celles du cardinal. Alors Descartes montre que la méthode de Chandoux est aussi vaine que la scolastique, qu'elle peut servir à rendre le faux vraisemblable et à faire douter des propositions les plus incontestables. On lui demande s'il possède des procédés plus sûrs pour distinguer la vérité de l'erreur et il découvre à l'assemblée quelque chose de sa méthode. Bérulle comprend la fécondité des principes de Descartes; il invite le jeune philosophe à venir lui exposer plus complètement ses idées et il lui fait une obligation de conscience d'employer à la réforme de la philosophie, probablement à la défense des grandes vérités métaphysiques qui s'accordent avec la foi catholique, la force et la pénétration d'esprit que Dieu lui a départies. Il ne reste dès lors à Descartes qu'à choisir la retraite la plus favorable à l'exécution de ce grand dessein. Il choisit la Hollande.

Qu'il se soit retiré, philosophe parmi un peuple de marchands, homme de santé délicate sous un climat humide, catholique, enfin, dans un pays protestant, on s'en étonne moins si l'on songe au grand nombre de savants et d'humanistes français qu'avait attirés déjà, au XVIᵉ siècle ou au début du XVIIᵉ, la réputation des universités hollandaises. Comme eux, Descartes a subi l'attrait de ces villes paisibles, si propres à fournir le cadre d'une vie studieuse. A peine arrivé en Hollande, il se fait immatriculer à la petite université de Franeker-en-Frise et, en 1630, à celle de Leyde. Sans priser l'enseignement universitaire, il passera sa vie à proximité de ces centres intellectuels; il reviendra à Leyde en 1636-1637, au moment où s'imprimera le *Discours de la méthode ;* il habitera Amsterdam, Utrecht, Deventer, Harderwijk, toutes villes qui possèdent leur université ou leur « école illustre ».

La vie qu'il mena dans ces diverses retraites, nous la connaissons par les lettres qu'il adressa d'Amsterdam à Balzac, en 1631. Il y célèbre le calme, supérieur même à celui des champs, dont il jouit dans cette grande ville, où l'esprit de négoce détourne les habitants d'importuner le prochain. « Je me vais promener tous les jours parmi la confusion d'un grand peuple, avec autant de liberté et de repos que vous sauriez faire dans vos allées, et je n'y considère pas autrement les hommes que j'y vois, que je ferais les arbres qui se rencontrent en vos forêts, ou les animaux qui y paissent. Le bruit même de leur tracas n'interrompt pas plus mes rêveries que ferait celui de quelque ruisseau... » Les vaisseaux qui apportaient dans les ports « tout ce que produisent les Indes et tout ce qu'il y a de plus rare de Europe », les « commodités de la vie », la paix, la tranquillité publique, Descartes apprécia tout cela, et si sa liberté ne fut pas aussi grande que peut-être il l'avait imaginé, du moins put-il pratiquer, avec ses amis, le culte catholique, recevoir des visites — comme celles de Mersenne, de l'abbé Picot, du libertin Des Barreaux, du gassendiste Sorbière —, nouer aussi de flatteuses relations — avec Constantin Huygens, secrétaire du prince d'Orange, ou avec la princesse Élisabeth de Bohême —, enfin, se livrer avec une continuité parfaite aux recherches et aux méditations de son choix.

Le séjour en Hollande représente dans la vie de Descartes la période de production. Il avait emporté de France des projets et des ébauches, probablement une rédaction de la partie des *Règles pour la direction de l'esprit* que nous possédons et qui daterait de 1628. Mais il laissa plusieurs ouvrages inachevés. « Que si vous trouvez étrange, écrit-il à Mersenne (15 avril 1630), que j'avais commencé quelques autres traités étant à Paris, lesquels je n'ai pas continués, je vous en dirai la raison : c'est que, pendant que j'y travaillais, j'acquérais un peu plus de connaissance que je n'en avais eu en commençant, selon laquelle me voulant accommoder, j'étais contraint de faire un nouveau projet un peu plus grand que le premier... » Un passage de cette même lettre nous apprend que, pendant les neuf premiers mois après son arrivée en Hollande, il s'occupa uniquement de composer un « petit traité de métaphysique », dont une autre lettre (30 novembre 1630) précise le sujet : « Les principaux points sont de prouver l'existence de Dieu et celle de nos âmes lorsqu'elles sont séparées du corps, d'où suit leur immortalité. » Il travaillait donc, dès 1629, aux *Méditations métaphysiques* qui ne devaient paraître qu'en 1641 : il tenait la promesse faite au cardinal de Bérulle. Dans plusieurs lettres de cette époque, il se flatte d'avoir découvert une démonstration de l'existence de Dieu aussi probante qu'une démonstration de géométrie, et même « plus évidente ». Peu après il entreprit une exposition de sa physique, qu'il espérait achever à la fin de 1633. La condamnation de Galilée le détourna de la publier. Ce qu'eût été ce *Traité du monde*, nous le conjecturons par le sommaire qu'en donne le *Discours de la méthode*, par les *Principes de la philosophie* de 1644 et par une publication posthume intitulée *le Monde ou Traité de la lumière*, fragment du grand traité perdu.

« Je prends beaucoup plus de plaisir à m'instruire moi-même, affirme Descartes à Mersenne, que non pas à mettre par écrit le peu que je sais. » Renonçant à publier sa physique, il se promettait de ne jamais rien publier du tout. Mais les instances de ses amis le décidèrent à présenter quelques spécimens de ses explications scientifiques. Il rédigea trois *Essais* et les fit précéder d'une introduction pour montrer qu'il se servait « de quelque autre méthode que le commun, et qu'elle n'était pas des plus mauvaises ».

LA MÉTHODE

L'ouvrage ainsi conçu parut en 1637 sous le titre : Discours de la méthode pour bien conduire sa raison et chercher la vérité dans les sciences. Plus la Dioptrique, les Météores et la Géométrie, qui sont des essais de cette méthode. *Descartes avait d'abord pensé à l'intituler :* le Projet d'une Science universelle qui puisse élever notre nature à son plus haut degré de perfection. —

Une édition du Discours, *avec un important commentaire, a été donnée, en 1925, par E. Gilson.*

Les Regulae ad directionem ingenii *ont été rééditées par H. Gouhier (1931), J. Sirven (1932), G. Le Roy (1933).*

C'était une nouveauté que d'écrire en français un livre sur des questions de méthode. Dans ce *Discours*, déclarait Descartes au P. Vatier, « j'ai voulu que les femmes pussent entendre quelque chose, et cependant que les plus subtils trouvassent aussi assez de matière pour occuper leur attention ». Il s'était défié des pédants dont l'esprit est tout encombré de préjugés ; dès son premier ouvrage, il faisait appel à ce public plus étendu qui pour se prononcer ne s'embarrasse pas de l'avis d'Aristote : « Si j'écris en français, qui est la langue de mon pays, plutôt qu'en latin, qui est celle de mes précepteurs, c'est à cause que j'espère que ceux qui ne se servent que de leur raison naturelle toute pure jugeront mieux de mes opinions que ceux qui ne croient qu'aux livres anciens. »

Il lui importait fort que ces « opinions » fussent comprises. Comme d'autres penseurs du XVIIe siècle, qui, ayant rompu avec toute autorité en matière de philosophie, avaient besoin de se rassurer en s'appuyant sur des principes nouveaux, Descartes s'était de très bonne heure soucié de trouver une méthode, ou plutôt, comme disaient les philosophes de ce temps, *la* méthode. Tout jeune, quand il entendait parler d'une invention ingénieuse, il tentait de refaire la découverte par lui-même, sans consulter les ouvrages qui en traitaient. Cette habitude, nous apprend-il, lui avait donné occasion de remarquer qu'il procédait en ces cas selon des règles fixes. Au collège même, il s'était formé une méthode pour discuter en philosophie, qui ne déplaisait ni au P. Charlet, son directeur, ni au P. Dinet, son préfet, bien qu'elle donnât un peu d'exercice à son régent. Nous possédons des fragments d'une *Étude du bon sens* ou *Art de bien comprendre (Studium bonae mentis)* où l'on a vu une première esquisse des *Règles pour la direction de l'esprit (Regulae ad directionem ingenii)*, peut-être même du *Discours*.

Les *Regulae* prouvent que vers 1628 Descartes avait recueilli une abondante collection de préceptes. Il nous en donne vingt et un, et l'ouvrage entier en eût apporté trente-six. Mais quand il écrit le *Discours*, il renonce à cette complication, faisant réflexion que la Logique traditionnelle rebute par le nombre excessif de ses règles et qu'un État se peut bien gouverner par un petit nombre de lois, pourvu qu'elles soient fort étroitement observées. Il réduit alors sa méthode à quatre préceptes et il n'est pas de texte philosophique plus célèbre que les formules qu'il en a données :

« Le premier était de ne recevoir jamais aucune chose pour vraie que je ne la connusse évidemment être telle ; c'est-à-dire d'éviter soigneusement la précipitation et la prévention, et de ne comprendre rien de plus en mes jugements que ce qui se présenterait si clairement et si distinctement à mon esprit que je n'eusse aucune occasion de le mettre en doute.

« Le second, de diviser chacune des difficultés que j'examinerais en autant de parcelles qu'il se pourrait, et qu'il serait requis pour les mieux résoudre.

« Le troisième, de conduire par ordre mes pensées, en commençant par les objets les plus simples et les plus aisés à connaître, pour monter peu à peu comme par degrés jusques à la connaissance des plus composés, et supposant même de l'ordre entre ceux qui ne se précèdent point naturellement les uns les autres.

« Et le dernier, de faire partout des dénombrements si entiers et des revues si générales que je fusse assuré de ne rien omettre. »

Descartes a pris soin de marquer à ses correspondants

qu'il avait eu dessein de « parler » de sa méthode, « non de l'enseigner », et il a ajouté qu' « elle consiste plus en pratique qu'en théorie ». En fait, si les formules qui précèdent disent par elles-mêmes quelque chose à l'esprit, il serait impossible au lecteur le plus perspicace d'en soupçonner la véritable profondeur, si les *Règles pour la direction de l'esprit* n'en fournissaient le commentaire.

Quand il s'agit des arts, expose Descartes au début de cet ouvrage, il est bon, pour exceller, de n'en cultiver qu'un seul. Mais il en va tout autrement des sciences. C'est un tort de les étudier à part, car non seulement elles se tiennent, mais elles ne sont rien autre chose que l'intelligence ou sagesse humaine, laquelle reste toujours une, toujours la même, si variés que soient les objets auxquels elle s'applique. Il n'y a donc qu'une seule science, une seule certitude, une seule méthode.

Où découvrir cette méthode unique ? Les disciplines qui nous offrent seulement des opinions probables ne sont d'aucun secours. Mieux vaut la totale ignorance que la connaissance incertaine. Science

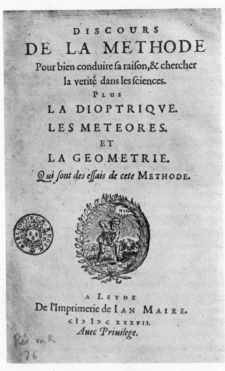

PAGE DE TITRE de l'édition originale du « Discours de la méthode » (1637).
CL. HARLINGUE.

veut dire évidence et certitude. Et l'on s'apercevra qu'il y a plus de connaissances claires et assurées qu'on n'imagine, le jour où l'on ne négligera plus de considérer ce qui paraît trop facile et à la portée de tous. Mais, présentement, il n'est que deux sciences où les opinions probables n'ont point de place : l'arithmétique et la géométrie. Cette supériorité provient de ce que leur objet est si transparent et si simple qu'elles n'ont rien à redouter de l'expérience, parce qu'elles ne lui doivent rien. L'entendement humain les a constituées en puisant en lui-même ; en d'autres termes, elles ne font appel qu'aux deux démarches essentielles de notre intelligence, qui sont l'*intuition* et la *déduction*.

L'intuition, selon Descartes, c'est « la conception ferme qui naît dans un esprit sain et attentif des seules lumières de la raison et qui, plus simple, est par conséquent plus sûre que la déduction elle-même ». Nous savons par la seule intuition que trois droites suffisent à enclore une surface et qu'une sphère est délimitée par une surface unique. On insiste communément davantage sur le rôle de la déduction, mais celle-ci ne peut être plus certaine que l'intuition, puisqu'il faut un point de départ pour déduire, et que ce point de départ est fourni par une intuition à laquelle elle se suspend. Elle est même moins solide parce que toute déduction exige du temps, met donc en jeu cette faculté trompeuse qui est la mémoire. L'intuition et la déduction constituent l'exercice légitime de l'intelligence, la fonction propre de la raison, ce que Descartes a plusieurs fois appelé *bona mens* et ce que traduit fort vaguement le mot *bon sens* dans une formule comme le début si connu du *Discours :* « Le bon sens est la chose du monde la mieux partagée. »

L'intuition atteint le simple, Descartes dit encore l'absolu, entendant par là tout ce qui se suffit à soi-même, ce qui ne requiert rien d'autre pour être pleinement saisi. Le simple est ce qui est tel qu'on le connaît tout entier ou qu'on l'ignore totalement. Descartes donne aussi à ces éléments connus par une intuition primitive infaillible le nom de *natures simples*, ou *pures*, expression qui

ne désigne ni un principe matériel d'explication comme l'atome, ni ces notions générales dont le moyen âge tirait la majeure de ses syllogismes. Ce sont des évidences particulières, dont la fécondité provient de ce qu'elles éclairent non pas seulement des images immobiles, mais aussi des rapports (*respectus*), des liaisons (*nexus*). Si Descartes eût jugé bon d'exposer à nouveau ces théories dans le *Discours*, à cette date il aurait pu fournir l'exemple privilégié d'une liaison exceptionnellement riche en conséquences, objet d'une intuition immédiate et lumineuse. Lorsqu'il prononce : *Je pense, donc je suis*, il ne tire pas cette affirmation de cette proposition générale : *Tout ce qui pense existe*. Il ignore à ce moment si d'autres êtres existent, si l'existence est une notion qui englobe la pensée, comme un genre englobe des espèces. Il n'a pas commencé à réfléchir sur les deux notions séparées, extérieures l'une à l'autre, de pensée et d'existence. D'emblée il appréhende un rapport, l'union réelle, indiscutable, de son existence et de sa pensée ; il se sent à la fois pensant et existant ; cette évidence ne se déduit de rien et beaucoup d'autres assertions se suspendront à elle.

Or la découverte de telles liaisons n'est pas, selon Descartes, un procédé exceptionnel de l'esprit humain. Les mathématiques se constituent par des intuitions analogues de rapports. Elles ne consistent pas à faire suivre une droite d'une droite, une unité d'une unité, mais à saisir que deux droites qui se joignent engendrent un angle, trois droites qui se coupent deux à deux un triangle, d'où il suit aussitôt que la somme des angles d'un triangle vaut deux angles droits, et que, dès qu'on se donne un terme et la *raison* d'une progression, on se donne la progression tout entière, dont chaque élément est rigoureusement calculable. Et ne nous mettons point trop en peine de savoir si de tels exemples se rapportent à l'intuition ou à la déduction, car les *Regulae* nous enseignent que la déduction n'est au fond rien autre chose qu'une suite d'intuitions, qu'elle ne procède pas par syllogismes de trois termes, mais se réduit à faire jaillir une série d'étincelles en rapprochant chaque fois deux termes ou deux notions.

Cette conception des procédés essentiels à l'intelligence humaine autorise, chez Descartes, l'espoir de définir une méthode qui ne se propose pas seulement de comprendre ce qui est trouvé, mais encore et surtout de faire progresser, de construire la science. Elle s'inspire de la méthode mathématique, et c'est légitime, car le mathématicien *démontre*, et démontrer, comme un logicien contemporain, E. Goblot, l'a remarqué avec une grande pénétration, ce n'est point autre chose que construire les conséquences d'une hypothèse. Mais l'originalité de Descartes a été de concevoir que les procédés du mathématicien n'épuisaient pas leur fécondité dans les mathématiques, et que même la plus haute utilisation des mathématiques était l'établissement de la méthode universelle, dont elles fournissent, sinon la forme achevée, du moins la plus suggestive approximation.

A qui se rappelle les précisions des *Regulae*, les formules citées plus haut des quatre règles du *Discours* apparaissent comme un texte d'une extraordinaire densité. L'évidence que le premier précepte nous commande de rechercher n'est pas celle des choses sensibles, car les sens sont trompeurs, et il n'est pas évident pour Descartes que j'aie sous les yeux le papier que je noircis de mon encre; c'est l'évidence de ce qui est connu par intuition ou par déduction. La division des difficultés, ou analyse, que prescrit la seconde maxime, n'est que le moyen indispensable pour remonter à ces *natures simples* dont la complexité du réel nous dérobe la vue, à ces vérités enfermées en notre âme comme le feu dans le silex, fondements de toute science, sources de toute clarté. La marche inverse que définit la troisième règle est la contre-épreuve non moins nécessaire qui prouvera si notre analyse fut exacte; elle suppose le respect scrupuleux de l'ordre dans lequel les propositions s'enchaînent, exige même que cet ordre soit conjecturé quand il n'apparaît pas; ainsi l'archéologue imagine la suite des mots pour lire une inscription à demi effacée. Enfin, le quatrième conseil — que développe la traduction latine du *Discours* — nous invite à nous assurer que nous n'avons omis aucune parcelle de difficulté et à parcourir d'un mouvement rapide la suite de nos raisonnements, afin d'éliminer le plus possible l'intervention pernicieuse de la mémoire et d'amener la déduction à coïncider autant que faire se peut avec l'intuition.

LA MÉTAPHYSIQUE

Le Discours *ne laissait pas seulement entrevoir la méthode de Descartes. Il esquissait un système total de philosophie, englobant une métaphysique, une physique, une physiologie, une théorie de la vie animale et, accessoirement, une morale par provision. Les dimensions de l'œuvre ne permettaient pas de donner à tant d'idées un suffisant relief. Descartes ne tarda pas à y revenir, et rédigea en latin, pour un public restreint, les* Méditations *sur la philosophie première, dans laquelle l'existence de Dieu et l'immortalité de l'âme sont démontrées (titre de 1641; dans la seconde édition [1642], immortalité de l'âme fut remplacé par distinction de l'âme et du corps, la philosophie ne pouvant, selon Descartes, démontrer en rigueur que cette distinction). Le manuscrit en fut communiqué à plusieurs théologiens et philosophes que l'auteur pria de formuler leurs objections. Elles vinrent en grand nombre, de Caterus, de Hobbes, d'Arnauld, de Gassendi, du P. Bourdin, de plusieurs correspondants du P. Mersenne. Descartes répondit. Les* Méditations *suivies des* Objections *et des* Réponses *constituent l'exposé d'ensemble le plus approfondi que nous possédions de la métaphysique cartésienne. Les* Méditations *furent traduites par le duc de Luynes, les* Objections *et les* Réponses *par Clerselier; Descartes revit et approuva ces traductions (1647).*

La doctrine présentée dans le *Discours*, dans les *Méditations* et dans les *Principes* possède, au plus haut degré, le caractère d'un système. L'unité en est remarquable; chaque théorie s'y trouve exposée à son rang, exigée par ce qui la précède, indispensable à ce qui la suit; nul n'a mieux que Descartes appliqué sa troisième règle, qui nous prescrit de conduire nos pensées par ordre.

La première démarche du penseur est un acte d'héroïsme. Affamé de certitude, dédaigneux de tout ce qui n'est que probable, il prend un parti extrême : douter de tout. Le début des *Méditations* traite « des choses que l'on peut révoquer en doute » et ces choses sont tout ce que nous croyons connaître, de la connaissance la mieux assurée. Ce qui vient des sens est incertain, puisque les sens souvent nous trompent, et que le rêve nous fournit, en l'absence de toute réalité, les mêmes images que l'état de veille; incertaines sont les vérités de raisonnement les plus

simples, comme l'affirmation que deux et trois font cinq ou que le carré a quatre côtés, puisqu'il se peut qu'un Dieu tout-puissant, ou, si la supposition est sacrilège, un malin génie, s'applique à me tromper quand je fais l'addition la plus facile ou que je nombre les côtés d'une figure.

Descartes veut battre les sceptiques sur leur propre terrain. Aucun d'eux n'a jamais produit d'argument allant plus à l'extrême. On croirait que le philosophe gentilhomme, généreux et beau joueur, se plaît à fournir des armes à ses adversaires. Non seulement il fait accueil à toutes leurs raisons de douter, mais il en imagine d'autres encore, qu'il déclare tout le premier « hyperboliques » et « ridicules » et ne laisse pas cependant de considérer avec sérieux. Pourtant c'est contre eux qu'il mène la bataille. « Tout mon dessein ne tendait qu'à m'assurer et à rejeter la terre mouvante et le sable pour trouver le roc et l'argile. »

Ce roc, sur lequel il bâtira tout l'édifice de sa métaphysique, c'est le fameux principe : *Je pense, donc je suis (Cogito, ergo sum).* Douter, c'est penser, c'est être. Ici, nous l'avons dit, point de raisonnement. Cela se voit d'un seul regard. Pour exprimer cette intuition, il est besoin de plusieurs mots, mais elle est vraiment première et unique. Dans mon doute même, je saisis mon existence.

Quelle existence ? Non pas sans doute celle de mon corps, mais celle de ma pensée. Je suis un être qui doute, qui conçoit, qui affirme, qui nie, qui veut, qui ne veut pas; un être aussi qui imagine et qui sent, bien que je ne puisse savoir encore si l'imagination et les sens exigent d'autres existences que celle de mon esprit. J'ignore pour l'instant s'il y a un univers. Présentement une seule affirmation est placée à l'abri du doute, celle de l'être pensant. Il faut relever d'autres ruines.

L'ordre suivi par Descartes est ici fort remarquable. De moins habiles se fussent hâtés de prouver l'existence du monde matériel, pour s'élever ensuite à l'existence de Dieu par les considérations traditionnelles sur la nécessité de supposer un auteur à ce monde ou d'en expliquer l'ordonnance. Descartes procède de tout autre façon. De sa propre pensée il entend passer directement à l'existence de Dieu. J'existe et j'ai l'idée de l'être parfait. Cela suffit. Sur cet unique fondement il construit trois preuves qu'il juge décisives, aussi valables que des démonstrations géométriques.

La plus caractéristique du système et la plus subtile, connue sous le nom de *preuve ontologique*, parce qu'elle représente un effort pour conclure une existence d'une simple idée, se trouve exposée dans le *Discours*, dans la cinquième *Méditation* et, beaucoup plus nettement, dans les *Réponses aux premières objections* et dans les *Principes*. Peu compréhensible dans son expression abrégée, qui déconcerta les lecteurs des premiers ouvrages, elle a pris dans les *Réponses* la forme d'un syllogisme, dont voici la majeure : *on peut affirmer d'une chose ce que l'on conçoit clairement et distinctement appartenir à la nature ou à l'essence de cette chose.* Par exemple, s'il appartient à la nature du triangle de posséder trois côtés, trois angles, une somme d'angles égale à deux angles droits, on ne saurait se tromper en énonçant des propositions comme celles-ci : le triangle a trois côtés, trois angles, etc. Mais j'ignore, en formulant ces jugements, si le triangle existe; car l'existence nécessaire n'est pas impliquée dans sa définition comme la propriété d'être limité par trois droites. — Mineure du syllogisme : *l'idée de Dieu implique l'existence nécessaire.* Cette idée englobe une série d'attributs, que, d'après la majeure précédente, je puis affirmer de Dieu sans risque d'erreur. On ne saurait me contester le droit de déclarer que Dieu est juste, bon, tout-puissant, omniscient, etc., toutes qualités incluses dans la notion d'être parfait. Or l'existence nécessaire est également incluse dans cette notion, puisqu'il répugnerait à la nature d'un être parfait qu'il dépendît d'un autre être pour exister. — Conclusion : *Dieu existe*. Je ne pouvais, partant de ma seule idée du triangle, affirmer qu'il existât, puisque je ne trouvais dans cette idée que la notion d'existence possible, conditionnelle ; mais je suis fondé, partant de ma seule idée de l'être parfait, à déclarer qu'il existe, comme je le déclare bon, juste, tout-puissant, parce que sa définition enveloppe l'existence nécessaire.

Un Dieu parfait, continue Descartes, ne peut vouloir me tromper. Il a fait l'homme capable d'erreur, l'ayant fait capable de liberté. Mais, l'hypothèse du malin génie étant écartée, je dois penser que je me trompe seulement lorsque je juge avec précipitation, lorsque ma volonté arrête trop tôt la recherche de l'entendement. *Dieu me garantit la véracité des idées claires et distinctes.*

Ce principe est de grande conséquence en métaphysique, puisqu'il nous fournit le moyen de nous prononcer sur l'existence et sur la nature de l'univers matériel. Il suffira de nous demander à propos d'un corps quelconque : de quoi avons-nous une idée claire et distincte quand nous pensons à ce corps ? « Prenons pour exemple ce morceau de cire qui vient d'être tiré de la ruche : il n'a pas encore perdu la douceur du miel qu'il contenait, il retient encore quelque chose de l'odeur des fleurs dont il a été recueilli ; sa couleur, sa figure, sa grandeur sont apparentes ; il est dur, il est froid, on le touche, et, si vous le frappez, il rendra quelque son. Enfin toutes les choses qui peuvent distinctement faire connaître un corps se rencontrent en celui-ci. Mais voici que, cependant que je parle, on l'approche du feu : ce qui y restait de saveur s'exhale, l'odeur s'évanouit, sa couleur se change, sa figure se perd, sa grandeur augmente, il devient liquide, il s'échauffe, à peine le peut-on toucher, et, quoiqu'on le frappe, il ne rendra plus aucun son. La même cire demeure-t-elle après ce changement ? Il faut avouer qu'elle demeure, et personne ne le peut nier. Qu'est-ce donc que l'on connaissait en ce morceau de cire avec tant de distinction ? Certes, ce ne peut être rien de tout ce que j'y ai remarqué par l'entremise des sens, puisque toutes les choses qui tombaient sous le goût, ou l'odorat, ou la vue, ou l'attouchement, ou l'ouïe, se trouvent changées. » Descartes conclut de cette analyse que l'essence des corps est l'étendue, non pas l'étendue que je vois, que je touche, que me représentent mes sens ou mon imagination, mais l'étendue abstraite que conçoit l'entendement, l'espace du géomètre. Les couleurs, les odeurs, les saveurs, les sons n'ont d'existence que dans mon esprit : ce sont des *qualités secondes*. Seule l'étendue constitue une substance distincte de la substance pensante, elle est seule *qualité première*.

C'est ici le lieu de noter combien Descartes semble près de l'idéalisme et combien en réalité il s'en écarte. Il a dépouillé la matière de toutes ses propriétés moins une. S'il liait — comme le fera Berkeley — le sort de l'étendue à celui de la couleur ou des impressions tactiles, il ne resterait plus une seule « qualité première » pour assurer aux corps une existence indépendante de notre pensée. Mais il ne se soucie pas du tout, par sa théorie des qualités secondes, de faire s'évanouir le monde matériel. Il s'applique bien plutôt à lui conférer une indiscutable réalité en le dégageant de ce qui ne le constitue pas véritablement,

de ce qui est illusion subjective, jeu d'images. A son point de vue, l'existence du monde extérieur est bien plus solidement fondée, parce qu'il est connu par l'entendement, que s'il était connu seulement par les sens. C'est l'originalité de Descartes de tirer, des arguments dont un moderne se servirait pour conclure à l'idéalisme, la démonstration même de l'existence des corps et de leur irréductibilité à la substance pensante.

LA PHYSIQUE

Les Principes de la philosophie *publiés en 1644 par Descartes, en latin, contiennent, après un résumé fort précis de sa philosophie, ce qu'il crut pouvoir publier de sa physique. Ils ont été traduits en 1647 par l'abbé Picot, avec l'approbation de l'auteur.* — Voir : G. Milhaud, Descartes savant, *1921.*

La définition de la matière par l'étendue sert de fondement à toute la physique cartésienne. Puisque matière et étendue deviennent synonymes, point d'étendue sans matière, donc point de vide. Pas davantage d'atomes, puisque les atomes supposent le vide pour les séparer. La propagation de la lumière est instantanée, puisque tout est plein entre le corps lumineux et mon œil, et que je puis comparer cet intervalle à une baguette rigide dont les deux extrémités ne se meuvent que simultanément. Tous les mouvements, pour cette même raison, sont nécessairement circulaires (théorie des tourbillons) : en effet, le corps qui se déplace ne peut s'ouvrir une voie dans le plein qu'en repoussant d'autres corps qui en repoussent d'autres, de façon que le mouvement se répercute au point où il a commencé.

On voit que cette physique dérive d'une métaphysique, nous voulons dire d'une conception de la matière élaborée par le pur raisonnement, et l'on pressent que l'expérience y jouera un rôle subordonné, « la plus haute et plus parfaite science », écrit Descartes, consistant à « connaître *a priori* toutes les diverses formes et essences des corps terrestres ». La tentative est d'une extrême audace et témoigne d'une confiance en la raison humaine que ne partage aucun savant de notre époque. Mais Descartes vient d'appuyer la raison humaine à la raison divine, si bien qu'il assimilerait à une impiété un dogmatisme moins intrépide : « Il me semble que ce serait faire injure à Dieu de croire que les causes des effets qui sont dans la nature et que nous avons ainsi trouvées sont fausses : car ce serait le vouloir rendre coupable de nous avoir créés si imparfaits que nous fussions sujets à nous méprendre, lors même que nous usons bien de la raison qu'il nous a donnée. » Aussi termine-t-il fièrement ses *Principes* en affirmant qu' « on a une certitude morale que toutes les choses de ce monde sont telles qu'il a été ici démontré qu'elles peuvent être, et même qu'on en a une certitude plus que morale ».

L'expérience reste utile de deux façons. D'abord comme moyen de contrôle : elle nous avertirait si nous nous étions trompés en déduisant. Ensuite, elle nous enseigne quelles combinaisons, entre toutes celles qui étaient possibles, Dieu s'est plu à

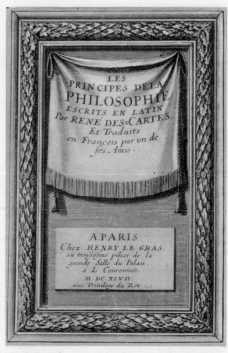

FRONTISPICE de la traduction française des « Principes de la philosophie » par l'abbé Picot (1647). — CL. LAROUSSE.

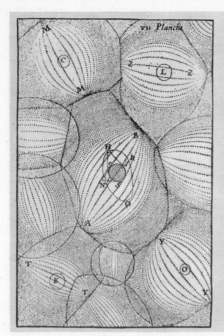

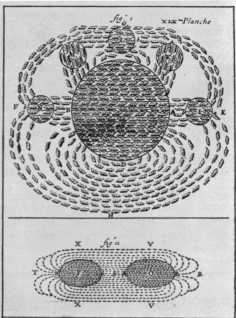

DEUX PLANCHES publiées dans les premières éditions des « Principes de la philosophie ». Elles représentent diverses espèces de tourbillons cartésiens. Celle de droite sert à l'explication des propriétés de l'aimant. — CL. LAROUSSE.

réaliser. Car cette unique matière — l'étendue abstraite —, dont l'univers entier est composé, se prêtait, à cause même de la pauvreté de ses déterminations, à d'innombrables usages. « Les choses ayant pu être ordonnées de Dieu en une infinité de diverses façons, c'est par la seule expérience, et non par la force du raisonnement, qu'on peut savoir laquelle de toutes ces façons il a choisie. » De sorte que le physicien, en développant ses déductions, expliquera non seulement le monde réel, mais les mondes possibles, ceux que la liberté divine n'a pas appelés à l'existence ; l'expérience aura seulement cet effet de ramener son attention sur ce qui a la petite supériorité d'exister.

Il est superflu de souligner le risque d'une telle aventure. Que les *Principes de la philosophie* aient plus vieilli, dans leur partie scientifique, que le *Traité de l'équilibre des liqueurs* de Pascal, cela surprend moins que de constater que parfois cette témérité réalisa des conquêtes durables. Sans aucune expérience — la seule qu'il exécuta dans cet ordre de recherches fut postérieure à la découverte — Descartes énonça la loi de la réfraction, que les Alexandrins n'avaient pas su dégager de leurs mesures d'angles multiples. Par une démonstration *a priori* d'une invraisemblable confusion et dans laquelle il fait intervenir des vitesses variables de la lumière, contre sa propre théorie de la transmission instantanée, il parvint à la formule concise et rigoureuse qui se lut désormais dans tous les traités d'optique (sin i = n sin r).

Ce n'est point toutefois une pareille trouvaille de génie qui marque la place de Descartes dans l'histoire des sciences. Il convient de rappeler, pour lui rendre justice, qu'il eut le très grand mérite de fondre l'algèbre et la géométrie dans une science unique, celle que nous appelons aujourd'hui la géométrie analytique, de remplacer l'étude des figures par l'étude des fonctions, de se représenter une courbe comme la suite des déplacements d'un point astreint à conserver certaines relations quantitatives avec des axes supposés fixes qu'on nomme des *coordonnées*. Qu'il se soit proposé de faire progresser la géométrie par l'algèbre, ou plutôt, comme le soutient Liard avec des arguments très forts, d'éclairer

l'algèbre aux clartés de l'intuition géométrique et de permettre la résolution graphique des équations, sa découverte eut cette première conséquence de faire apparaître l'unité de la science mathématique, et cette autre, moins souvent remarquée, mais non moins admirable, de fonder du même coup la physique mathématique. Dépassant Galilée et marchant dans le même sens que son ami Mersenne, il identifie la nature avec l'objet qu'étudie le géomètre : dans la science cartésienne, l'univers physique tout entier relève de la mesure et du nombre, l'étude des corps est annexée à la mathématique et, comme l'a remarqué avec profondeur un interprète de Descartes, cette annexion s'est accomplie, non pas tant le jour où la matière a été définie par l'étendue, que celui où l'étendue a été reconnue susceptible d'un traitement algébrique.

Entre la matière, définie comme il vient d'être dit, et la pensée, la distinction est radicale. Descartes avait fait disparaître ce principe mystérieux qu'on intercale d'ordinaire entre la pensée pure et la matière brute et qu'on nomme la vie. Un corps vivant n'est plus qu'un corps tout court, un automate, dont l'étude appartient au seul physicien. Descartes disséquait beaucoup, et c'était pour reconnaître, dans ces machines compliquées qu'on appelle des animaux, des cordes, des leviers, des tubes, des pompes, des chaudières, des roues, des ressorts. Mieux il réussissait à se représenter par sa physique les mouvements du cœur, par exemple, ou la production de la chaleur animale, plus il se félicitait de pouvoir refuser aux bêtes une âme qu'il eût fallu reconnaître à toutes si on l'avait accordée à quelques-unes, et qu'il se refusait pour sa part à concéder aux huîtres et aux éponges.

Mais la difficulté était grande quand on arrivait à l'homme. Ici l'automate est en rapport avec une âme pensante. Il est aussi impossible, semble-t-il, de nier toute action de l'âme sur le corps ou du corps sur l'âme que de se représenter clairement cette relation. Que la doctrine de Descartes soit demeurée obscure sur ce point, c'est ce dont témoignent les efforts de tous ses successeurs, de La Forge, de Régis, de Geulincx, de Malebranche, de Spinoza, de Leibniz, pour combler la lacune. Des passages isolés de Descartes invitent à supposer qu'il a peut-être soupçonné plusieurs des solutions développées par ces penseurs. C'est un fait, néanmoins, que, s'il les a entrevues, il ne s'y est pas attaché, et nous croyons apercevoir pourquoi. Partisan plus résolu du libre arbitre qu'aucun autre philosophe moderne, il répugnait à toute théorie qui, en établissant une correspondance trop rigoureuse entre le corps et la pensée, eût supprimé ou du moins mis en péril la liberté humaine. Il a donc résisté à toute tentation d'instituer un exact parallélisme entre les modifications du corps et celles de l'âme (solution de Spinoza), de faire intervenir Dieu pour régler les unes à l'occasion des autres (solution de Malebranche) ou pour fonder de toute éternité leur harmonie (solution de Leibniz). Il s'est maintenu sur des positions que ses disciples n'ont pas jugées défendables, dont pourtant il ne s'est jamais écarté.

D'abord il a toujours nettement affirmé, comme un fait indiscutable, l'union de l'âme et du corps, c'est-à-dire l'unité de l'être humain ; mais il s'est refusé à en rendre compte par des comparaisons empruntées à d'autres domaines ; il s'est seulement appliqué à déterminer sur quel point du corps l'âme agit directement et a cru le reconnaître dans cet organe, de fonction inconnue à son époque, qu'on appelle la glande pinéale. Cependant ces précisions n'éclairent pas le problème en son centre, et l'unique réponse de Descartes à la princesse Élisabeth, qui le presse de s'expliquer, c'est qu'il faut *constater* l'union de l'âme et du corps, l'éprouver, la vivre. L'une des conséquences les plus notables de cette union, c'est que l'homme n'est pas entendement pur, qu'il possède des sens : c'est à eux qu'il faut recourir pour se renseigner sur cette collaboration de l'âme et du corps qu'ils manifestent.

CHRISTINE DE SUÈDE.
Gravure de Robert Nanteuil, d'après Sébastien Bourdon. — CL. LAROUSSE.

ELISABETH DE BOHÊME.
Peinture anonyme conservée au musée de Heidelberg.

DEUX ILLUSTRES CORRESPONDANTES DE DESCARTES.

LA MORALE

Descartes n'a pas eu le temps d'élaborer sa morale. Mais on en trouve une ébauche dans les lettres qu'il écrivit à la princesse Élisabeth et à la reine Christine, ainsi que dans le traité des Passions de l'âme, *publié en 1649.*

Les Lettres sur la morale *ont été rassemblées par J. Chevalier, 1935 ; P. Mesnard a réédité, en 1937, les* Passions de l'âme.

Voir : P. Mesnard, Essai sur la morale de Descartes, 1936.

S'il faut renoncer, selon Descartes, à rendre compte de l'union de l'âme et du corps, il reste possible et très utile d'en étudier les principaux effets, au nombre desquels sont les passions, qui exercent une si forte influence sur la conduite humaine et qu'il faut savoir diriger. Encouragé par la princesse Élisabeth, dont il était devenu le directeur spirituel, à coordonner ses idées sur cet important sujet, Descartes rédigea son court traité sur *les Passions de l'âme,* dont il fit remettre le manuscrit à l'imprimeur au moment où il partait pour la Suède. Le lecteur contemporain s'étonne d'y rencontrer des explications très analogues à celles que propose la psychologie physiologique de notre temps. Descartes, par exemple, a fort bien vu que les troubles dont le corps est le théâtre ne sont pas la conséquence ou l'expression de la passion — nous dirions de l'émotion —, qu'ils en sont bien plutôt l'élément constitutif : avoir peur, c'est sentir qu'on tremble ou qu'on fuit. Mais ce qui attire encore notre attention sur ce traité, c'est la visible préoccupation de Descartes de faire servir ces recherches à l'élaboration d'une morale.

Après chaque analyse importante vient un chapitre de science appliquée, sur l'usage à faire de la passion étudiée. En elles-mêmes, les passions ne sont point mauvaises ; nous n'avons à éviter que leurs déviations et leurs excès. Cette surveillance incombe à la volonté de l'être raisonnable, volonté tellement libre, de son essence, qu'elle ne peut jamais être contrainte. Pourtant, la nature et la coutume ont établi de si fortes liaisons entre certains mouvements de l'organisme et certaines pensées, que la lutte contre les passions exigerait un empire peu commun de l'homme sur lui-même s'il se proposait de les supprimer directement. Il convient de recourir à l'artifice que l'expérience nous découvre. Notre volonté paraît impuissante à dilater la prunelle de l'œil, et, cependant, que nous regardions un objet éloigné, tout aussitôt la pupille s'élargira. De même il ne suffit pas de vouloir chasser la peur pour se donner confiance, mais on doit considérer les raisons qui persuadent que le péril est médiocre, qu'il y a plus de risques à fuir qu'à se défendre, que la victoire sera glorieuse, etc. ; il faut chercher des alliés dans les passions contraires, user de stratégie, obtenir de soi-même par une constante application ce qu'on réalise chez les animaux par le dressage.

Cette hygiène des passions met à notre disposition des moyens, elle ne détermine pas les grandes idées directrices. Pour définir celles-ci, Descartes s'inspire du traditionalisme de Montaigne et de Charron, et surtout du stoïcisme antique. Mais il entend que la « sagesse », qui sera le couronnement de son système, s'accorde avec la religion. Aussi, lorsque Élisabeth le presse de lui faire connaître les moyens de « discerner ce qui est le meilleur en toutes occasions de la vie », mêle-t-il des idées chrétiennes à celles de Sénèque pour exposer ce qu'à son avis la raison nous révèle. Elle nous enseigne, assure-t-il, quatre choses. Premièrement, que Dieu est, que toutes choses en dépendent, que ses perfections sont infinies et ses décrets infaillibles : « cela nous apprend à recevoir en bonne part toutes choses qui nous arrivent comme nous étant expressément envoyées de Dieu. » Secondement, que l'âme est immortelle : « cela détache tellement notre affection des choses du monde que nous ne les regardons qu'avec mépris tout ce qui est au pouvoir de la fortune. » Troisièmement, que l'univers est immense, idée qui nous enlève la présomption impertinente de vouloir être du conseil de Dieu et nous préserve d'une infinité de vaines inquiétudes et fâcheries. Quatrièmement, qu'on ne saurait subsister seul, « qu'on est, en effet, l'une des parties de l'univers et plus particulièrement encore l'une des parties de cette terre, l'une des parties de cet État, de cette société, de cette famille à laquelle on est joint par sa demeure, par son serment, par sa naissance », et que, dans ces conditions, la bienfaisance procure les plaisirs les plus purs.

La connaissance de ces vérités nous donnera « des satisfactions d'esprit et des contentements qui valent incomparablement davantage que toutes les petites joies passagères qui dépendent des sens ». Ainsi Descartes n'hésite pas à proclamer que la raison bien conduite suffit à nous découvrir la plus haute et la plus parfaite morale ; il estime même que nous pouvons lui devoir cette disposition à dépouiller tout ce que notre condition renferme d'égoïsme et de bassesse, que les philosophes de cette époque appellent l'amour de Dieu.

A un tel optimisme viennent contribuer d'autres idées encore, que lui fournit son temps. Ne fait-il pas largement accueil à cette conception à la fois humaniste et aristocratique de la maîtrise de soi, qui, de l'Astrée aux tragédies de Corneille, marque si fortement la littérature ? Le besoin de s'estimer soi-même, l'aspiration à « faire de grandes choses », la volonté d'être égal à tous les événements et à la condition de sa naissance, ce que l'Infante ou Pauline ou Bérénice appellent le souci de leur « gloire », voilà le sentiment sur lequel Descartes compte pour stimuler les passions nobles et vaincre les vicieuses. « La vraie générosité, qui fait qu'un l'homme s'estime au plus haut point qu'il se peut légitimement estimer », l'incitera à bien user de son libre arbitre et à « ne manquer jamais de volonté pour entreprendre et exécuter toutes les choses qu'il jugera être les meilleures, ce qui est suivre parfaitement la vertu ». Cette «générosité» est, aux yeux de Descartes, « comme la clef de toutes les autres vertus et un remède général contre tous les dérèglements des passsions ».

L'ORIGINALITÉ DE DESCARTES

L'importance de Descartes dans l'histoire de la pensée contemporaine n'a pas besoin d'être démontrée. Elle est attestée, d'ailleurs, par l'étendue de son influence. Mais celle-ci, depuis le livre vieilli de F. Bouillier, Histoire de la philosophie cartésienne, *1854 (2 vol.), n'a fait l'objet que d'études partielles. Voir, en particulier, l'article de G. Lanson sur l'*Influence de la philosophie cartésienne sur la littérature française, *paru dans la* Revue de métaphysique et de morale, *1898 ; et P. Mouy*, le Développement de la physique cartésienne (1646-1712), *1934.*

Telle fut dans ses grandes lignes la doctrine hardie que conçut, au temps de Corneille et de la guerre de Trente Ans, un gentilhomme poitevin retiré parmi de paisibles marchands après quinze années de vie active, de voyages, d'enquêtes et d'aventures. Qui se propose d'en souligner le caractère le plus digne de remarque y découvre la surprenante alliance de la plus confiante témérité intellectuelle avec la constante préoccupation de la méthode et la plus sévère exigence de rigueur. Descartes est sincèrement religieux, mais l'idée de la chute originelle et de l'infirmité qui en est pour Port-Royal la conséquence ne l'a point hanté et n'a jamais inquiété son audace tranquille. Un Galilée et un Pascal se contentent d'explorer un petit coin du monde. Lui écrit, sans aucune forfanterie : « Au lieu d'expliquer un phénomène seulement, je me suis résolu d'expliquer tous les phénomènes de la nature,

c'est-à-dire toute la physique. » Il n'a jamais pensé, comme Pascal raisonnant sur l'*Esprit géométrique*, que le savant dût se soumettre à la nature et se dépouiller de tout parti pris pour écouter la leçon de l'expérience, que l'intelligence risquât de se heurter à des réalités rebelles ; il n'a jamais cru que l'homme ne connût naturellement que le mensonge et fût condamné à ne prendre pour véritables que les choses dont le contraire lui paraît faux. Tout au contraire, ce philosophe, qui se souvenait d'avoir été soldat, a prétendu se servir de sa raison comme d'une bonne épée capable de toutes les prouesses, et il eut conscience de guerroyer encore à sa façon quand il eut donné à sa vie ce but unique, comprendre : « C'est véritablement donner des batailles que de tâcher à vaincre toutes les difficultés et les erreurs qui nous empêchent de parvenir à la connaissance de la vérité. » La noblesse d'un tel dessein nous interdit de sourire quand l'ambition devient démesure : « J'ai tâché de trouver en général les principes ou premières causes de tout ce qui est ou qui peut être dans le monde, sans rien considérer, pour cet effet, que Dieu seul qui l'a créé, ni les tirer d'ailleurs que de certaines semences de vérités qui sont naturellement en nos âmes. Après cela, j'ai examiné quels étaient les premiers et les plus ordinaires effets qu'on pouvait déduire de ces causes, et il me semble que par là j'ai trouvé des cieux... » Là-dessus Charles Péguy s'écrie : « Y eut-il jamais audace aussi belle et aussi noblement et modestement cavalière, et aussi décente et aussi couronnée ; y eut-il jamais aussi grande audace et atteinte de fortune ; y eut-il jamais mouvement de la pensée comparable à ce Français qui a trouvé des cieux ?... Descartes, dans l'histoire de la pensée, ce sera toujours ce cavalier français qui partit d'un si bon pas. » Il est vrai. Mais cette ardeur héroïque et jeune se concilia avec la plus ferme discipline de la pensée. Elle se donna carrière dans un discours sur la méthode et se dépensa selon un programme froidement réglé. Il n'y a que Descartes pour annoncer ses exploits les plus osés en écrivant posément en tête de sa page : « Mais l'ordre que j'ai suivi en ceci a été tel... » Si bien que ce téméraire donna au monde une leçon de précision, de justesse et de rigueur, et mérita cet éloge du spirituel et clairvoyant Fontenelle : « Avant Descartes, on raisonnait plus commodément ; les siècles passés sont bien heureux de n'avoir pas eu cet homme-là. »

LA PENSÉE RELIGIEUSE

Parallèlement au renouveau philosophique marqué par l'œuvre de Descartes, la renaissance de la pensée religieuse, vivement stimulée, en 1623, par la révélation publique du péril libertin, se poursuit, après 1630, avec un élan remarquable. A l'influence de François de Sales s'ajoute maintenant celle, plus forte encore, qu'exerce, dans la Congrégation de l'Oratoire et autour d'elle, la pensée augustinienne de Bérulle : de cet augustinisme dérivent à la fois le courant janséniste — auquel le prestige historique de Port-Royal et la gloire littéraire de Pascal invitent à accorder une place à part — et d'autres tendances, opposées sur certains points au jansénisme, qui contribuent, elles aussi, au renouvellement des idées morales et de la vie mystique.

Le P. Charles de Condren (1588-1641), successeur de Bérulle en 1629, comme général de l'Ordre, est surtout

R. P. CAROLVS DE CONDREN

LE P. CHARLES DE CONDREN. Portrait gravé par Claude Mellan. — CL. LAROUSSE.

un spirituel éminent. — Son disciple Jean-Jacques Olier (1608-1657), qui, en 1642, installe un séminaire dans la paroisse de Saint-Sulpice, et qui devient le curé de celle-ci, joint à l'originalité d'une âme qui fut la proie de cruels tourments le souci de l'édification pratique des fidèles et la ténacité d'un rude propagandiste : il a écrit une Journée chrétienne *(1655), et l'on a publié ses* Lettres. — *Formé à l'Oratoire, le P. Jean Eudes (1601-1680) le quitte en 1643 : frère de l'historien Mézeray et, comme Olier, adversaire déterminé des jansénistes, il est aussi le fondateur de la dévotion au Sacré-Cœur. — Le P. Jean-François Senault (1601-1672), qui, dans son* Traité de l'usage des passions *(1641) et dans l'*Homme criminel *(1644), applique à l'analyse morale toutes les rigueurs du pessimisme augustinien, jouit également, comme prédicateur, d'une flatteuse réputation.*

J.-J. OLIER. Gravure de Pitau.
CL. LAROUSSE.

J.-FR. SENAULT. Gravure de Lubin.
CL. LAROUSSE.

C'est à la réforme de l'éloquence religieuse, jusque-là trop fleurie ou trop profane, que s'applique pour une large part la Congrégation des prêtres de la Mission, fondée en 1625 par Vincent de Paul (1581-1660). Celui-ci, fils de paysans gascons, ordonné prêtre à dix-neuf ans, avait connu, dans sa jeunesse, des aventures : enlevé, en Méditerranée, par des pirates barbaresques, pendant plusieurs mois captif en Afrique, puis évadé en 1607, il est, en 1611, orienté par Bérulle vers l'évangélisation des humbles, se consacre à de nombreuses œuvres charitables, joue un rôle important dans la politique religieuse d'Anne d'Autriche par ses interventions au Conseil de conscience et par l'activité de la Compagnie secrète du Saint-Sacrement, préside enfin, grâce aux conférences et retraites de Saint-Lazare, à la formation des prédicateurs et catéchistes.

Au combat contre le libertinage se consacrent des écrivains venus d'horizons très divers. Parmi les apologies, fort nombreuses, qui paraissent à partir de la crise de 1623, on peut, après la truculente Doctrine *curieuse des beaux esprits de ce temps (1623), du jésuite François Garassus ou Garasse (1585-1631), distinguer les œuvres suivantes : l'*Impiété des déistes, athées et libertins *(1624) et la* Vérité des sciences *(1625) du minime Marin Mersenne (1588-1648), savant remarquable, intime ami de Descartes et organisateur, vers 1635, d'une petite académie de mathématiciens ; les* Triomphes de la religion chrétienne *(1628) du P. Jean Boucher, cordelier ; le* Traité des religions *(1631) du ministre protestant Amyraut (1596-1664) ; les* Deux Vérités *(1626) et le traité* De l'immortalité de l'âme *(1634) de l'académicien Jean de Silhon (1596?-1667), conseiller d'État et familier de Richelieu ; la* Théologie naturelle *(1633-1637, 4 vol.), du P. Yves de Paris, capucin (1590-1678), qui est aussi un moraliste et spirituel fécond, auteur des* Morales chrétiennes *(1638-1642, 4 vol.), des* Progrès de l'amour divin *(1643, 4 vol.), du* Gentilhomme chrétien *(1666) et du* Magistrat chrétien, *posthume (1688).*

P. Auvray et A. Jouffrey ont donné un nouveau recueil des Lettres de Condren, *1943. P. Coste a publié la* Correspondance *et les* Entretiens de saint Vincent de Paul, *1920-1925 (14 vol.). Mme Paul Tannery et C. de Waard ont entrepris l'édition de la* Correspondance de Mersenne, *t. I-III, 1933-1946.*

Voir : H. Bremond, Histoire littéraire du sentiment religieux en France, *t. I (1916) et III-VI (1919-1922) ;* H. Busson, la Pensée religieuse française de Charron à Pascal, *1933 ; P. Coste, le Grand Saint du Grand Siècle :*

M. Vincent, *1932 (3 vol.) ; R. Lenoble,* Mersenne ou la naissance du mécanisme, *1943 ; Ch. Chesneau, le* Père Yves et son temps, *1946 (2 vol.).*

François de Sales avait tenté de conquérir le monde pécheur par son sourire : les écrivains religieux de la génération suivante ont souvent des façons plus austères. C'est qu'ils ont vu, dans un moment décisif, le grave danger qui menaçait la foi des peuples et qu'engagés dans des combats plus âpres ils utilisent des armes plus tranchantes ; c'est aussi que plusieurs d'entre eux s'inspirent d'un maître sévère qui, en leur enseignant à n'accorder à l'homme d'autre dignité que celle que peut leur donner leur anéantissement en Dieu, leur interdit de jeter sur la création et les créatures ce regard bienveillant, tendre, amusé, qui valait aux écrits des humanistes dévots tant de jolies images. Plus rigoureux que ceux-ci dans leur doctrine, les successeurs de Bérulle, qu'ils soient de Port-Royal ou d'ailleurs, tendent à être aussi plus dénudés dans leur style.

Certes, tous n'écrivent pas ces phrases surchargées et rugueuses par lesquelles un Condren, plus « lumineux » comme conducteur d'âmes que comme prosateur, prélude aux affirmations massivement entassées, aux antithèses énergiques, aux formules saisissantes où s'exprime son impérieuse et sombre ferveur, lorsque, obsédé comme Bérulle par le néant de l'homme, il réclame la démission, le détachement de soi, l'*abnégation*, pour tout dire, et cette adhésion entière à Jésus-Christ ressuscité qui seule, assure-t-il, permet d'obéir à Dieu. Moins original dans la pensée, un Jean Eudes accorde davantage à l'éloquence. Et un Jean-Jacques Olier, moins transcendant en ses méditations, plus préoccupé des problèmes de la vie concrète, bien qu'il recommande avec la même conviction l'oubli de soi et le dépouillement, trouve, dans sa *Journée du chrétien*, des mouvements plus souples et des expressions plus colorées, une simplicité plus familière, tandis que ses lettres, claires, souvent aisées, sont parfois animées d'élans chaleureux. Ni l'un ni l'autre, pourtant, ne se complaisent aux dévotes enluminures qu'affectionnaient les spirituels du début du siècle.

Et que de netteté abstraite, d'autre part, chez le P. Senault ! Ce que ce moraliste bérullien se propose, dans son traité *De l'usage des passions*, c'est d'humilier l'orgueil stoïcien, c'est de détourner les gens du monde de ces vertus qu'un si grand nombre d'entre eux croient pouvoir pratiquer, à l'imitation des philosophes païens, selon l'esprit de la nature et de la raison humaine. Fausses vertus, puisqu'au lieu de se fonder sur l'amour de Dieu elles s'appuient sur le criminel amour-propre et que, détournant l'homme de l'unique nécessaire, elles sont viciées jusque dans leur principe. A tous les « mauvais usages » des passions, Senault oppose la série des « bons usages »; et il déduit, il classe, il explique. Des milliers de lecteurs apprécieront son livre, clair, bien construit, trop symétrique même, et d'une fermeté monotone. On dirait que, depuis l'*Introduction à la vie dévote*, toutes les fleurettes mystiques ont séché : le jardin du P. Senault n'a plus que des allées droites, que de sévères haies de buis séparent de plates-bandes bien régulières. Plus véhément, dans l'*Homme criminel*, et même fort ardent à dénoncer les « contrariétés » de l'homme, la faiblesse de sa raison, les illusions de sa volonté et la vaine « ostentation » des vertus antiques, l'oratorien, qui prélude avec énergie à ces analyses de la misère des créatures où triomphera Pascal, échappe à la froideur : ses définitions, néanmoins, d'une densité souvent remarquable, ne s'éclairent presque d'aucune image; son style, précis et tendu, reste un style mortifié.

L'éloquence de la chaire s'astreint moins complètement à cette pieuse gravité. Elle cherche à séduire un public souvent profane, en même temps qu'à toucher les fidèles, et elle fait sa part à la mode : ni chez les orateurs jésuites, comme le P. Nicolas Caussin et le P. Claude de Lingendes, ni chez les admirateurs de Balzac, comme Godeau, Bourzeis ou François Ogier, ni chez Senault lui-même et ses confrères oratoriens, comme le P. Lejeune, elle n'est exempte, au milieu du siècle, de pointes trop ingénieuses, de citations trop doctes, de développements trop ornés. Et c'est encore une chance lorsqu'elle ne demeure pas empêtrée dans les lourdeurs, si longtemps cultivées, du jargon scolastique, ou lorsqu'elle ne retombe pas, au fort des agitations de la Fronde et de la vogue du burlesque, dans les bouffonneries jadis familières aux prédicateurs de la Ligue. Mais les réflexions sérieuses que l'on a faites, depuis quelque temps déjà, sur les devoirs de l'orateur sacré, portent peu à peu leurs fruits. Et Vincent de Paul est là. Né du peuple, constamment en rapport avec lui, soucieux avant tout de l'atteindre, plein, d'ailleurs, de piété cordiale et de bon sens narquois, il est, plus que tout autre, sévère pour les élégances fardées, pour la « vaine pompe d'éloquence », pour la vanité du sermonnaire académique appliqué à « se prêcher soi-même ». Avec sa bonhomie coutumière il définit les défauts à proscrire : « l'éloquence cathédrante, les périodes carrées, le *cœli cœlorum*, le *bibus*. » Et, parmi les auditeurs de ses conférences du mardi, il répand les principes de sa « petite méthode », qui préconise des discours brefs, clairs, prononcés d'un ton « naturel et familier », sans affectation ni emphase, des discours où l'Évangile seul parle, avec le cœur du missionnaire ou du prêtre. Beaucoup d'ecclésiastiques, futurs conducteurs de paroisses ou de diocèses, s'imprègnent de son enseignement. Bossuet, bientôt, se souviendra de ses conseils.

La littérature apologétique elle-même tend à revêtir une forme moins hérissée, plus abordable. Sans doute, l'extrême variété d'origine des auteurs ne permet pas que s'établisse une tradition un peu cohérente : des théologiens compilent de véritables sommes, bardées de citations et de références; des abbés ga-

lants, comme Cotin, essayent d'atteindre à l'agrément par la mignardise. Cependant, à mesure que l'on s'avance dans le siècle, s'accentue l'effort des écrivains pour s'adapter au goût moyen de la société lettrée : les lourds in-folio latins, dogmatiques et pédantesques, les grands ramas d'invectives, à la manière de la *Doctrine curieuse* de Garasse, les traités prétentieusement ornés d'allégories cèdent peu à peu la place à des livres de proportions plus modestes et de composition plus aérée. Silhon reste compact et terne, mais il aspire à se débarrasser des « épines » de l'École, il veut « de la clarté », « des ornements et de la douceur », il recherche la netteté du style. Naïvement encore, Mersenne s'exerce au dialogue, où d'autres réussiront mieux. Dans un opuscule qui ne paraîtra qu'après sa mort, Gombauld condense, sous un format restreint, une argumentation simplifiée. De maints côtés on cultive cette aisance et cette limpidité auxquelles Pascal ajoutera la force de son génie.

Aussi bien est-ce souvent un zèle ardent qui se déploie dans ces ouvrages, d'inégale valeur. Il s'agit de reconquérir, pour les croyances religieuses, le terrain qu'elles ont perdu dans bon nombre d'esprits, et de réagir en particulier contre ce fidéisme qui avait sourdement miné le XVIᵉ siècle finissant. On n'y réussira pas tout de suite, on remplacera encore, trop souvent, les démonstrations rigoureuses par de vagues appels au sentiment ou par un recours au « pari ». Mais, dans l'ensemble, les défenseurs du christianisme se sont ressaisis. Tandis que certains d'entre eux, comme le jésuite Antoine Sirmond, s'efforcent de restaurer les preuves rationnelles de l'existence de Dieu ou de l'immortalité de l'âme, on voit le progrès des idées augustiniennes s'affirmer chez d'autres qui, pour convaincre les incrédules, s'appuient sur le besoin de la foi qu'ils découvrent en l'homme ignorant et misérable, sur l'instinct de Dieu, de l'infini, de l'immortalité, qu'ils retrouvent aussi au fond de chaque créature. La plupart, au reste, ne s'arrêtent pas à des distinctions de tendance ou d'école, et ils puisent dans tous les systèmes qui peuvent leur fournir des armes utiles. Tel est le cas de Silhon, critique de Montaigne, théoricien de la démonstration morale et du « pari », précurseur, à quelques égards, de Pascal. Tel est celui du P. Yves de Paris.

Ce capucin est un homme fort instruit des idées des impies, notamment de Pomponazzi, en même temps qu'il est nourri des Anciens et des platoniciens modernes.

Le P. Yves de Paris. Portrait gravé par Claude Mellan. — Cl. Larousse.

Pourvu ainsi d'une vaste culture, formé d'ailleurs par l'éloquence du barreau avant d'avoir connu la vie religieuse, il n'est pas seulement un moraliste aimable, de la lignée de François de Sales; sa *Théologie naturelle* représente une souple synthèse où s'associent platonisme et augustinisme, arguments tirés de la contemplation de l'univers et appel à la connaissance par le cœur, effort pour éveiller l'instinct du divin et affirmation de la nécessité d'une ascèse, en un mot tous les mobiles qui peuvent solliciter affectueusement la raison, le sentiment et la volonté. Il a lu attentivement, pour se renseigner sur les infidèles, les récits des voyageurs, et il en tire des allusions pittoresques; il s'est souvent extasié devant le lever du soleil ou devant celui des étoiles, et il se plaît à évoquer ces grandioses spectacles. A vrai dire, il écrit trop, et trop vite : il manque de sobriété comme de puissance. Mais il est équilibré, harmonieux, agréable, et une clarté douce baigne son œuvre qui, par l'élégance de la forme comme par l'optimisme de la pensée et la suavité du sentiment, rappelle un peu l'évêque de Genève et parfois annonce Fénelon.

Mersenne est un tout autre homme, écrivain fort peu, chercheur, en revanche, d'une originalité remarquable. Moine scrupuleux, aussi sévère pour lui-même que complaisant aux autres, esprit infiniment curieux et parfois étonnamment crédule, animateur hors de pair malgré une modestie extrême, chez lui l'assiduité à l'investigation scientifique est née de la foi. Religieux et savant, il entend servir Dieu et la science, ou plutôt servir Dieu par la science. A ses contemporains, troublés dans leurs croyances par les philosophies de Bruno, de Campanella et de Vanini, ou par les *Quatrains du Déiste*, il veut rendre une pleine certitude. Et comment le ferait-il, sinon par ces disciplines exactes qu'il sait pratiquer ? Pour confondre les pyrrhoniens, il essaie d'établir, à force de découvertes, la « vérité des sciences »; pour ruiner le naturalisme italien, il tâtonne à la recherche d'une explication mécaniste de l'univers. L'instauration d'une apologétique scientifique est son but, qu'il poursuit par une immense correspondance, par des discussions, par des travaux personnels. Toutes les amitiés lui sont bonnes, pourvu qu'elles l'instruisent, et il se lie avec Gassendi et La Mothe Le Vayer comme avec Descartes, Roberval et plus tard Hobbes, sans bouder les calvinistes ni même les sociniens. Aucune étude non plus ne le rebute, et il s'occupe d'exégèse, d'arithmétique et de trigonométrie comme d'acoustique et d'optique. Cela fait beaucoup pour un seul homme, fût-il Marin Mersenne. Peu à peu, le minime en vient à compter sur d'autres pour découvrir une théodicée convaincante : il s'en tient, quant à lui, d'assez flottantes démonstrations, où la considération des deux infinis et l'argument du « pari » figurent parmi diverses preuves morales; ou bien il se contente de suggérer, par l'établissement de certitudes dans le domaine des connaissances positives, la possibilité de certitudes analogues dans celui de la métaphysique. Sa tentative d'apologiste se solde donc par un échec, mais non sans compensations pour sa gloire : car, en essayant de promouvoir la science pour étayer la religion, il a fait faire à la physique de son temps des pas décisifs dans la voie féconde du mécanisme; et, en stimulant l'effort de ses amis, il a lié durablement son nom à la mémoire des plus grands d'entre eux : à celle de Descartes; à un moindre degré, mais assez étroitement encore, à celle de Pascal.

LE P. MARIN MERSENNE. Gravure ancienne anonyme. — CL. LAROUSSE.

V. — PORT-ROYAL ET PASCAL
LES ÉCRIVAINS DE PORT-ROYAL

Depuis l'admirable Port-Royal *de Sainte-Beuve (1840-1848 ; 9e édition, 1930, 7 vol. ; édition documentaire illustrée, par R.-L. Doyon et C. Marchesné, 1926-1932, 10 vol.), les principales contributions à l'histoire du monastère et de ses amis ont été, dans le sens favorable, l'*Histoire générale du mouvement janséniste, d'Augustin Gazier, 1922 (2 vol.) ; dans le sens opposé,*

le tome IV de l'Histoire littéraire du sentiment religieux en France, d'Henri Bremond, 1920. Voir aussi : J. Paquier, le Jansénisme, 1908 ; A. Hallays, le Pèlerinage de Port-Royal, 1909 ; A. Gazier, Port-Royal au XVIIe siècle, images et portraits, 1909. Le touchant Abrégé de l'histoire de Port-Royal de Racine a été réédité par A. Gazier (1908) et par G. Truc (1933).*

Réformé en 1608 par la jeune Mère Angélique Arnauld (1591-1661), le monastère de Port-Royal, qui, depuis 1625, ajoutait à sa maison des Champs, près de la vallée de Chevreuse, une annexe à Paris, eut pour confesseur d'un certain nombre de ses religieuses, à partir de 1635, Jean Duvergier de Hauranne, abbé de Saint-Cyran (1581-1643), qui y accueillit des laïcs, les « Solitaires » ou les « Messieurs », et y fit prévaloir, en matière théologique, la doctrine de saint Augustin qu'il avait longuement médité avec son ami le Belge Cornelius Janssen, ou Jansénius (1585-1638), professeur à Louvain, puis évêque d'Ypres. Son emprisonnement, en 1638, sur l'ordre de Richelieu, qui redoutait son influence comme un obstacle à sa politique religieuse, fut pour Port-Royal la première épreuve; puis vinrent, en 1642, la condamnation par Urbain VIII de l'Augustinus de Jansénius (paru en 1640), et, de 1649 à 1653, la procédure par laquelle « cinq propositions » extraites du même livre par Nicolas Cornet furent déférées à la Cour de Rome et censurées par elle. Retranchés d'abord dans la distinction du « fait » et du « droit », les amis de Port-Royal s'engagent, en 1656, dans une vive querelle avec les jésuites, à propos de la grâce et de la casuistique. Leur refus de signer le « formulaire » entraîne pour eux, en 1661 et 1664, deux persécutions nouvelles. La ruine du monastère, retardée par la « paix de l'Église » (1668-1679), sera définitive en 1710. Plusieurs de ses conseillers spirituels avaient déjà pris le chemin de l'exil.

Les directeurs de l'abbaye, après Saint-Cyran, sont Antoine Singlin (1607-1664), Isaac-Louis Le Maître, dit Le Maître de Saci (1613-1684), et Claude de Sainte-Marthe (1620-1690).

Parmi les « Solitaires », dont quelques-uns enseignent aux Petites-Écoles, on retient, avec le nom de Pascal, ceux du grammairien Claude Lancelot (1615-1695), du médecin Jean Hamon (1618-1687), de Pierre Nicole (1625-1695), que ses Essais de morale rendront célèbre à la fin du siècle, enfin de plusieurs membres de la famille Arnauld : Robert Arnauld d'Andilly (1589-1674), traducteur et poète ; son cadet Antoine Arnauld, le théologien (1612-1694); leur neveu, le célèbre avocat Antoine Le Maître (1608-1658), frère de Le Maître de Saci.

La Correspondance de Jansénius a été éditée par J. Orcibal, 1947.

Les Lettres de Saint-Cyran ont été publiées en 1645 et 1647 ; ses Œuvres chrétiennes et spirituelles, en 1646, puis en 1679. Voir : J. Laporte, Saint-Cyran, 1923, et J. Orcibal, Jean Duvergier de Hauranne, abbé de Saint-Cyran, et son temps (1581-1638), t. I et II, 1947-1948.

L'œuvre considérable d'Antoine Arnauld a été rassemblé, de 1775 à 1783, dans une monumentale édition de quarante-trois volumes. Voir : J. Laporte, la Doctrine de la grâce chez Arnauld, 1923.

La Grammaire *de Port-Royal (1660) est l'œuvre de Lancelot et d'Arnauld ; la* Logique *(1661), d'Arnauld et de Nicole.*

Port-Royal n'est que l'un des foyers de spiritualité et de pensée morale que le siècle a connus ; et si la gloire de Pascal, celle même de Racine, qui fut élève des Petites-Écoles, si enfin le prestigieux talent avec lequel Sainte-Beuve a retracé son histoire et défini son rôle lui ont valu, pendant longtemps, une place prépondérante parmi les autres, pour ne pas dire une royauté exclusive, une connaissance plus complète du XVIIᵉ siècle religieux l'a remis à son rang, fort honorable encore, mais qui n'est pas en tous points le premier.

Il ne se distinguait, au début, par aucune tendance originale. La Mère Angélique, la restauratrice de la discipline, l'héroïne de la « Journée du Guichet », correspondit avec François de Sales et reçut les conseils de Mᵐᵉ de Chantal : elle n'aspirait, comme les autres spirituels de l'École française, qu'à la religion du pur amour et au développement du zèle apostolique. Sa sœur cadette, qui devint la Mère Agnès, suivit de son côté, fort docilement, la doctrine mystique de « désapplication » de soi-même et d'« adhésion » aux perfections divines, aux « états » de Jésus-Christ, que le P. de Condren était en train de répandre dans l'Oratoire. Et pourquoi Saint-Cyran aurait-il rompu avec cette tradition ? L'amitié de Jansénius, avec lequel il s'était consacré à l'étude de l'Écriture et des Pères, avait mis en son cœur une ardente passion de restaurer dans sa pureté la théologie du docteur d'Hippone, mais sans l'isoler des autres artisans de la Renaissance catholique. S'appropriant l'idée de la grandeur et de la majesté de Dieu en même temps que la conception augustinienne de la charité et l'idéal salésien du pur amour, il demeurait en étroit accord d'esprit avec Bérulle et ses disciples. Ennemi des schismes, il ne l'était guère moins des rivalités de confréries : « *Ego sum Christi* », disait-il chaque fois qu'il pénétrait dans une église. Dans la conduite des âmes, il se montra mesuré, hostile aux excès d'austérité comme à la rigueur tatillonne des règles ascétiques, attentif seulement, dans le respect de la simplicité des cœurs, à ouvrir à chacun la voie la plus directe vers la perfection. Ses leçons sont d'un directeur aussi orthodoxe que zélé. Il recommande la communion non pas rare, mais sérieuse. En matière d'oraison, il déconseille « les grandes méditations qui ne se font que par art et méthode » et leur préfère « la prière du pauvre », celle où le chrétien « expose ses plaies et nécessités à Dieu, afin qu'il lui plaise seulement de les regarder », comme le pauvre découvre au passant ses misères sans l'importuner de vains discours. Sur le recueillement, le silence, la « flexibilité », c'est-à-dire la parfaite docilité aux bonnes inspirations, il a écrit des pages dignes des grands spirituels.

C'est cependant du jour où son influence eut conquis le monastère que Port-Royal commença à se dresser, parmi les autres familles religieuses, comme une école à part. Si ses idées n'étaient pas nouvelles, son génie fiévreux leur communiquait un particulier et parfois dangereux relief. Jadis érudit orgueilleux et controver-

siste véhément, il s'était, par sa rudesse, fait plus d'un ennemi. Peu à peu, après des crises douloureuses, il avait appris à dompter son humeur intraitable : il lui restait, néanmoins, une grande instabilité nerveuse (« le feu et l'eau », disait-il de lui-même) et une ardeur tourmentée que trahissait, sous son front massif, sillonné de dures rides, l'acuité de son regard. La vivacité de son imagination, ses attitudes inspirées, ses airs de mystère, le caractère impérieux de ses exhortations, qui suscitèrent dans le petit troupeau de ses disciples une vénération proche de l'idolâtrie, indisposaient les profanes, qui virent dans son incarcération au donjon de Vincennes la preuve de ses desseins subversifs. Et voici qu'on rappelait en quels termes sévères il affirmait, dans la pénitence, l'absolue nécessité de la contrition ; voici qu'auprès de lui des laïcs rompaient avec le siècle pour s'adonner, dans la solitude, à des mortifications pratiquées jusque-là par les seuls religieux. Censeur rigoureux des faiblesses du clergé, ne prétendait-il pas aussi « anéantir » l'état présent de l'Église pour retourner à la simplicité du christianisme primitif ? Adversaire des conciliations de l'humanisme dévot, et de ceux, tels les jésuites, qui les favorisaient, ne réclamait-il pas, dans la théologie, une réforme qui pût « redresser l'École au style ancien » ? Visionnaire et prophète, il prenait figure de maître audacieux, et son prestige croissant inspirait autant d'inquiétude aux uns que d'admiration à d'autres.

Ce fut bien pis lorsque la diffusion de l'*Augustinus*, ce « livre de la dévotion des derniers temps », répandit dans son entourage, non plus des suggestions enthousiastes, mais une interprétation à la fois stricte et systématique de saint Augustin, qui renchérissait sur le pessimisme de la psychologie bérullienne, qui définissait avec une implacable rigueur les suites du péché originel, qui mettait en lumière le conflit de l'« amour-propre » humain avec l'amour de Dieu, qui enfin posait dans toute son ampleur et son acuité le redoutable problème de la grâce. Le robuste et intrépide dogmatisme d'Arnauld acheva, bientôt après, de donner forme à ce que dès lors on appela le jansénisme, et qu'un long demi-siècle de controverses opiniâtres, de persécutions douloureusement ressenties, de résistance héroïque, de raidissement intellectuel et de déchirement moral continua de durcir, ajoutant à la sévérité de la doctrine cette tristesse et parfois cette aigreur, au sérieux austère de la morale cette apparence de sécheresse, qui ont fait attribuer, avec quelque exagération d'ailleurs, au seul « style janséniste » l'abstraction terne, la gravité mortifiée et la grisaille.

Antoine Arnauld, « le grand Arnauld », qui, pour obéir aux suggestions de Saint-Cyran, s'engage après lui dans la lutte la plus ardue, y apporte, avec une grande clarté d'esprit, toute l'obstination de son intransigeance doctorale. Du jour où il a été ordonné prêtre, en 1641, jusqu'à sa mort, en 1694, sa vie n'est qu'un combat : contre un jésuite d'abord, le P. Sirmond ; puis contre les casuistes de la même Compagnie, dans sa *Théologie morale des Jésuites* ; puis contre un jésuite encore, le P. de Sesmaisons, qui, en permettant à ses pénitentes d'aller au bal le jour où elles communiaient, fournit au sévère théologien, en 1643, l'occasion de

L'ABBÉ DE SAINT-CYRAN. Tableau de Philippe de Champaigne (musée de Grenoble).
CL. BULLOZ.

son premier in-quarto, *la Fréquente Communion*. En cinquante ans il en écrira quarante autres, mais on peut dire que dès le premier il avait donné sa mesure. Livre essentiellement dogmatique, logiquement ordonné et qui remue une masse considérable d'arguments et de citations, *la Fréquente Communion* fit grand bruit, fut très lue, agita l'opinion, scandalisa. Les idées, que la fureur des controverses se hâta de travestir, étaient celles de Saint-Cyran, sur la pénitence, sur l'eucharistie, sur la conformité « aux traditions des saints et aux vieilles coutumes de l'Église ». Quant au style, il n'a rien d'attrayant : il est clair, il est correct ; il traduit, dans sa fermeté monotone, l'inébranlable confiance du grand disputeur dans la valeur de sa cause ; mais la minutie des démonstrations et la lourdeur

ANTOINE ARNAULD. Gravure de P. Drevet, d'après Jean-Baptiste de Champaigne.
CL. LAROUSSE.

ROBERT ARNAULD D'ANDILLY. Tableau de Philippe de Champaigne (musée du Louvre).
CL. ARCH. PHOT.

de l'armature théologique accablent le lecteur, que lasse encore la gravité d'une éloquence continue que rien, pas même l'ironie, ne parvient à détendre. L'auteur fut célèbre : « grand avocat de Sorbonne », a dit Sainte-Beuve, qui a défini joliment sa race « *léonine*, pugnace et généreuse »; savant, sans nul doute; orateur, peut-être; écrivain, médiocrement.

Saint-Cyran, Arnauld, ce sont les chefs de la première génération des « Solitaires » : jusqu'à ce que Nicole dégage son originalité dans ses *Essais de morale*, la bonne volonté et la ferveur l'emportent, chez leurs émules, sur le talent. Antoine Singlin est un directeur plein d'onction, un prédicateur pénétré plutôt qu'éloquent, un auteur sans art. Le Maître de Saci, directeur lui aussi, n'obtient, la plume à la main, qu'une correction froide. Lancelot a des mérites de pédagogue plus que d'écrivain. Homme exquis, spirituel zélé et charitable, Hamon est un prosateur diffus. La rhétorique d'Antoine Le Maître, loin du barreau, perd son accent et sa chaleur. Seul, peut-être, Arnauld d'Andilly garde, en se livrant à de pieuses besognes, des préoccupations de style et de réelles qualités d'élégance. Certes, il n'est pas indifférent que ces hommes, et plusieurs autres, se soient associés avec une humble ténacité dans de vastes entreprises de traduction; qu'ils aient préparé des traités et des textes pour instaurer une méthode d'éducation à la fois austère et raisonnable; qu'ils aient mis en lumière, avec quelques classiques païens, les classiques du christianisme; qu'ils aient même contribué à répandre, sur la nature humaine, quelques-unes de ces idées sévères qui s'imposeront bientôt à la plupart des moralistes, et qu'ils l'aient fait avec un égal mépris du « phébus » et du « galimatias », avec un semblable souci de clarté, de correction et de sérieux. Ils ont servi avec persévérance leurs convictions; ils ont été estimables, et même utiles : continuerait-on, cependant, à parler d'eux si la monotonie de leur application n'avait été traversée, soudain, par les hardiesses de Pascal ?

PASCAL

Il existe une véritable encyclopédie pascalienne : c'est l'édition des Œuvres de Blaise Pascal, publiée dans la collection des Grands écrivains de la France, par Léon Brunschvicg, Pierre Boutroux et Félix Gazier, 1904-1914

(14 vol.). Des éditions plus restreintes ont été procurées par F. Strowski (1923-1931, 3 vol.), H. Massis (1926-1927, 6 vol.), J. Hytier (1928-1929, 6 vol.), J. Chevalier (1936). Le petit recueil des Opuscules et Pensées, que L. Brunschvicg avait publié dès 1897, reste toujours utile, comme le Pascal, Œuvres choisies, de V. Giraud, 1931. Pour plus de détails, voir : A. Maire, Bibliographie générale des Œuvres de Pascal, 1925-1927 (5 vol.).

*Les études d'ensemble sur Pascal sont innombrables. Parmi les anciennes, citons seulement celles de Sainte-Beuve, Port-Royal, III*e *livre ; de Vinet, Études sur Pascal, 1848 (rééd. en 1936 par P. Kohler) ; d'E. Droz, Étude sur le scepticisme de Pascal, 1886 ; de V. Giraud, Pascal, l'homme, l'œuvre, l'influence, 1898 (3*e *édition, 1905), et Blaise Pascal, études d'histoire morale, 1910 ; d'Émile Boutroux, Pascal, 1900 ; d'A. Hatzfeld, Pascal, 1901 ; de G. Michaut, les Époques de la pensée de Pascal, 1902 ; de F. Strowski, Pascal et son temps, 1907-1908 (3 vol.).*

*Des débats nouveaux, sur les rapports de Pascal et du jansénisme, ont été soulevés par la publication du tome IV de l'Histoire littéraire du sentiment religieux en France, d'Henri Bremond, 1920, et par celle du Pascal de J. Chevalier, 1922. D'importants articles ont été réunis, à l'occasion du troisième centenaire de Pascal, dans la Revue de métaphysique et de morale, 1923. Les livres les plus récents sont ceux de L. Brunschvicg, le Génie de Pascal, 1924, Pascal, 1932, et Descartes et Pascal lecteurs de Montaigne, 1942 (2*e *édition, 1945) ; de Morris Bishop, Pascal, the life of genius, 1936 ; d'E. Baudin, la Philosophie de Pascal, 1946-1947 (4 vol.) ; de G. Chinard, En lisant Pascal, 1948.*

E. Jovy a publié de nombreux documents relatifs à Pascal et à son entourage : Pascal inédit, 1908-1912 (5 vol.) ; Études pascaliennes, 1927-1936 (9 vol.).

*La vie de Pascal, dont la sœur aînée, M*me *Perier, a laissé un récit émouvant, mais parfois un peu tendancieux dans son parti pris d'édification, a été retracée, avec sympathie, par V. Giraud, la Vie héroïque de Blaise Pascal, 1923.*

LA JEUNESSE DE PASCAL (1623-1646)

Blaise Pascal, né à Clermont-Ferrand, le 19 juin 1623, appartient à une vieille famille d'Auvergne, anoblie par

Louis XI. Son père, Étienne Pascal, avait acheté à Clermont une charge de « conseiller élu » ; il devint bientôt second président en la Cour des aides de Montferrand, cour transférée, en 1630, à Clermont. Il avait épousé, en 1616, Antoinette Bégon, fille d'un ancien échevin, réputée pour son esprit et sa charité. Elle mourut en 1626, laissant trois enfants en bas âge : Gilberte, la future Mme Perier, née en 1620 ; Blaise, de trois ans plus jeune ; Jacqueline, la future sœur de Sainte-Euphémie à Port-Royal, née en 1625.

L'enfance de Blaise fut maladive. A deux ans, il ne peut supporter la vue de l'eau ; il a des convulsions si ses parents s'approchent l'un de l'autre en sa présence. Il guérit, mais sa santé reste précaire. Elle s'altérera gravement quand il atteindra sa dix-huitième année.

En 1631, Étienne Pascal vend ou donne sa charge à un frère, vient résider à Paris, place sa fortune en rentes sur l'Hôtel de Ville et se consacre tout entier à ses devoirs paternels. En 1638, accusé d'avoir fomenté certains troubles, il fuit Paris pour éviter une arrestation. Mais ses amis intercèdent, apaisent Richelieu. Jacqueline joue avec un grand succès devant le Cardinal l'Amour tyrannique de Scudéry et obtient la grâce de son père. Sur la fin de 1639, Étienne Pascal est envoyé par Richelieu à Rouen en qualité de commissaire pour la levée des tailles et pour les subsistances. Une sédition violente vient d'éclater. Le révolté de la veille part avec les troupes du maréchal de Gassion, qui vont étouffer l'insurrection. Il demeure à Rouen jusqu'en 1648.

« Pas d'écrivain, a dit G. Lanson, qui soit plus engagé dans ses livres de toute sa personne et de toutes les parties de son humanité. » Qui veut comprendre l'œuvre de Pascal regardera donc surtout Pascal lui-même.

Il doit à son père toute sa première formation. Il n'a fréquenté aucun collège, il n'a pas eu d'autre professeur. Privé de mère à l'âge de trois ans, il a grandi, entre deux sœurs très bien douées, auprès de ce père veuf, qui entendait élever lui-même ses enfants, sans aide et à sa façon. Quel homme est donc le président Étienne Pascal ? Il possède, à n'en pas douter, un caractère assez rude. Quand il soupçonne une pauvre femme d'avoir jeté un sort à son enfant, il a une manière de lui promettre la corde qui fait aussitôt jaillir les aveux. Il la rencontra sur l'escalier, raconte sa petite-fille Marguerite Perier, et « lui donna un soufflet si fort qu'il lui fit sauter le degré ». Les quartiers de rente sur l'Hôtel de Ville ne sont-ils pas intégralement payés, sa protestation domine celle de tous les autres mécontents. « Commissaire député par Sa Majesté en la haute Normandie pour l'impôt et la levée des taxes », il pressure sa province au point de provoquer des rébellions. Quand le P. Noël, digne recteur du Collège de Clermont, se permettra sur « le plein du vide » d'assez innocentes plaisanteries, il administrera à ce savant septuagénaire ce qu'il appelle une correction fraternelle, conforme au précepte de l'Évangile : il s'agit d'une virulente épître de trente pages, où l'on remarque un art supérieur de donner aux peccadilles l'air le plus criminel. Blaise n'est pas comme la Mère Angélique sous l'influence d'un François de Sales.

Dans les familles de magistrats, l'atmosphère est chrétienne. Mais la religion d'Étienne Pascal est une religion de coutume, qui ne donne pas un caractère d'austérité à sa vie. Ses actions, affirme Marguerite Perier, « n'étaient proprement l'effet que d'une vertu morale, mais point du tout d'une vertu chrétienne ». Pourquoi la foi de ses enfants serait-elle plus vive ? Gilberte dit de sa sœur, la future religieuse, « qu'elle avait un grand éloignement et même un peu de mépris pour la religion (entendez : le couvent), parce qu'elle croyait qu'on y pratiquait des choses qui n'étaient pas capables de satisfaire un esprit

raisonnable ». Si elle ne dit rien de la piété de Blaise pendant son enfance, et si le *Nécrologe* de Port-Royal est également muet sur ce point, c'est qu'il n'y a rien à en dire.

Ses dispositions naturelles, l'éducation qu'il reçoit de son père, les causeries des familiers de la maison ne lui tracent guère qu'une voie : il sera géomètre. Son père a eu dessein de lui enseigner d'abord les langues et de lui dérober quelque temps les séductions des mathématiques par crainte qu'il ne néglige le latin. Mais vainement Étienne Pascal a serré ses livres et surveillé ses conversations avec ses amis. La curiosité de l'enfant est en éveil ; plus on diffère l'initiation, plus on attise son désir. Bientôt quelques explications générales et la lecture, en cachette, de six livres d'Euclide lui suffisent : il trace des figures avec du charbon sur les carreaux, formule à sa manière des axiomes et se laisse surprendre un jour tout occupé à démontrer que la somme des angles d'un triangle est égale à deux angles droits. Le père, « épouvanté de la grandeur et de la puissance de ce génie », pleure de joie et donne à son fils des ouvrages de géométrie.

Il n'est pas moins doué, cependant, pour les sciences expérimentales, et, dès l'âge de onze ans, il compose un petit traité sur les sons, « tout à fait bien raisonné ». Le choix même de ce sujet prouve combien l'enfant est associé aux préoccupations intellectuelles de son père. Étienne Pascal passe à cette époque pour l'un des savants les plus compétents en acoustique. Le P. Mersenne, lui dédiant un livre de son *Harmonie universelle* (1636), le loue de cette érudition spéciale et surtout « du mariage très excellent » qu'il a fait « de la pratique avec la théorie ». Ce « mariage » se retrouvera plus encore chez Blaise Pascal.

Le salon du président est une sorte d'académie des sciences. On y rencontre le P. Mersenne, Roberval, Carcavi, Mydorge, Gassendi, le Lyonnais Desargues. Étienne Pascal correspond avec Fermat, de Toulouse, le plus grand mathématicien du temps. Il est l'un des cinq commissaires que Richelieu désigne, en 1634, pour examiner une découverte de l'astronome Morin relative à la détermination des longitudes. Pourtant, ne l'imaginons pas « avec une longue robe de pédant ». Il a d'autres relations : les Arnauld, qu'il connaît depuis ses années d'études de droit à Paris ; ses voisins, M. de Morangis, directeur des finances, et Mme de Morangis ; l'acteur Montdory, qui a créé le théâtre du Marais et révélé à Paris la *Mélite* de Corneille ; Mme Saintot, la maîtresse de Voiture, à laquelle il confie Jacqueline pendant quelques mois qu'il va passer en Auvergne avec ses autres enfants, et l'aimable Le Pailleur, mathématicien lui aussi, mais surtout gai compagnon, passablement débauché, musicien, parasite de grands seigneurs, devenu l'homme de confiance d'une vieille coquette, la maréchale de Thémines. Le président fait assez grande figure dans la bourgeoisie parisienne. Il est assuré que Blaise n'a pas attendu sa rencontre avec le duc de Roannez ou avec le chevalier de Méré pour savoir ce qu'était un « honnête homme ».

A Rouen, même vie, plus brillante encore. Le commissaire du roi reçoit les personnages notables de la ville et il n'en est pas alors de plus en vue que Corneille, dont Montdory entretient depuis longtemps les Pascal. Jacqueline, qui versifie non sans talent, devient l'élève du grand poète. Il semble qu'elle lui doive cette conception stoïcienne de la passion, qu'il exprime dans la dédicace de *la Place Royale* et qu'on retrouve dans les naïves *Stances* de la jeune fille *Contre l'amour* (1642).

De l'activité scientifique de Blaise à cette époque, nous possédons deux témoignages précis : l'*Essai sur les coniques* (1640) et la machine arithmétique.

L'*Essai* est une production de sa seizième année, où Descartes reconnut tout de suite l'influence de Desargues : Pascal adopte en effet, dès le début, certaines définitions du mathématicien lyonnais et sa manière d'étudier les sections coniques en les considérant comme les projections d'un cercle.

L'invention de la machine arithmétique, qui exigea des tâtonnements innombrables, près de dix années de labeur (1642-1652) et la construction de cinquante modèles, jette une vive lumière sur le caractère du jeune savant et le tour propre de son génie. Elle montre d'abord sa précoce aptitude à réaliser ce qu'il appelle « la légitime et nécessaire alliance de la Théorie avec l'Art ». Pour construire sa machine, il ne s'est pas heurté aux seules difficultés abstraites que la science pure résout, mais à la résistance des choses elles-mêmes, toujours plus ou moins opaques à l'esprit. Il a dû choisir les matériaux, essayer le fer, le cuivre, l'ivoire, l'ébène, s'inspirer de la pratique des métiers, demander aux hasards heureux de l'expérience les solutions que le raisonnement ne fournit pas. Énigmes posées à l'imagination du savant, maladresse des ouvriers, rouages rebelles autour desquels la main s'inquiète, souffrances de la maladie qui resserre son étreinte, rien n'arrête son effort obstiné.

Cet effort avait d'abord eu pour but d'épargner à Étienne Pascal les calculs longs et minutieux auxquels donnait lieu la perception des taxes. Mais, après 1648, M. Pascal le père n'a plus besoin de cette aide et Blaise n'en continue pas moins à perfectionner son instrument. Il l'expose, le répand, il en attend honneur et fortune. Oui, fortune. L'*Avis nécessaire à ceux qui auront la curiosité de voir la Machine arithmétique et de s'en servir* ne laisse aucun doute à cet égard. C'est un prospectus commercial, où se rencontrent toutes les formules que le genre impose : maniement simple et commode; le plus ignorant se servira de cette machine aussi bien que le plus expérimenté; elle rend la mémoire inutile en supprimant les retenues; « il y a cent autres facilités que l'usage fait voir »; la dureté du métal garantit la solidité de cet instrument, qui a résisté sans aucune altération à un transport de deux cent cinquante lieues; ne pas le confondre avec de mauvaises copies; s'adresser pour la vente au sieur de Roberval, qu'on trouve rue du Foin, chaque matin avant huit heures... Ce fils de l'Auvergne n'est pas dépourvu de sens pratique.

Mais ce que révèlent bien davantage encore les écrits relatifs à la « Pascaline », c'est la fierté de l'inventeur et son ferme dessein de faire du bruit dans le monde. Qui écrit la *Lettre dédicatoire à M⁰ʳ le Chancelier* (1645) n'a sûrement pas encore découvert que le moi est haïssable. Plus tard, autre dédicace à la reine Christine de Suède (1652) : ne faut-il pas que ministres et souverains connaissent « ce coup d'essai d'un homme de vingt ans »? Il parle complaisamment à ces grands personnages des lumières qu'il doit à la géométrie, à la physique et à la mécanique, des difficultés prodigieuses qu'il a su vaincre, de l'estime que lui ont accordée les juges les plus doctes, parce qu'il a osé « tenter une route nouvelle dans un champ tout hérissé d'épines ». Que de rancœur et de mépris à l'égard de ceux qui ont osé se mesurer à lui ! Un horloger, « qui ne sait pas seulement si la Géométrie et la Mécanique sont au monde », a construit un instrument bien limé par le dehors, mais qui n'est d'aucun usage. Pascal a vu ce « monstre » chez un collectionneur de Rouen : « L'aspect de ce petit avorton me déplut au dernier point et refroidit tellement l'ardeur avec laquelle je faisais travailler à l'ac-

LA MACHINE ARITHMÉTIQUE DE PASCAL. L'inscription qu'on lit à l'intérieur du couvercle est vraisemblablement de la main de Pascal (Conservatoire national des Arts et Métiers). — CL. LAROUSSE.

complissement de mon modèle qu'à l'instant même je donnai congé à tous mes ouvriers. »

Pourquoi ce découragement ou ce dépit, puisque l'essai du rival est manqué, ne sert à rien? On constate, croyons-nous, chez Pascal, en cette circonstance, une irritabilité très spéciale, qui explique son attitude énigmatique en plusieurs cas : il supporte mal qu'un autre s'attaque en même temps que lui au même problème, entreprenne la même recherche. Nous le verrons interrompre des entretiens ou des correspondances au moment précis où il se rend compte qu'un savant approche de sa propre piste, s'oriente vers la même solution. C'est peur d'être devancé? Oui, sans doute, mais c'est autre chose encore. Pascal a la passion de l'excellence. Qu'il s'agisse de réaliser un mécanisme, de conduire des expériences, ou de mener le combat contre les disciples d'Escobar, il médite, se trace à l'avance une méthode, explore toutes les voies pour choisir la plus sûre, ne laisse rien au hasard. Comme il construit cinquante modèles de machines à calculer, il imaginera d'innombrables expériences sur le vide, il tirera quatre cents corollaires de son hexagramme mystique, il recommencera dix-sept fois la même *Provinciale*. Il lui faudrait, à chaque recherche nouvelle, obtenir l'extraordinaire Privilège de 1649, qui ne menace pas seulement les contrefacteurs, mais ceux aussi qui tenteraient de construire d'autres machines à calculer, si différentes qu'elles fussent de matières ou de forme. Les défauts qui s'y rencontreraient infailliblement, y est-il dit, « rendraient cette invention aussi inutile qu'elle doit être profitable étant bien exécutée »; la « Pascaline » coûte un prix excessif : il convient de laisser à l'inventeur le loisir de trouver un mouvement plus simple, de former des ouvriers, « lesquelles choses dépendent d'un temps qui ne peut être limité ». Il ne faut pas une moindre protection pour que Pascal travaille en paix. Cet amant de la perfection, en qui l'intuition jaillit si prompte, exécute lentement. Sentir à côté de soi un concurrent plus rapide, plus insouciant des obstacles, c'est la hâte imposée, l'obligation de renoncer à l'excellence. Ce jeune homme, qui n'a que quelques années à vivre, polit son œuvre comme s'il disposait de l'éternité.

Amour de la gloire, amour des sciences, vers 1646 c'est encore là tout Pascal. « Seigneur, s'écriera-t-il un jour, vous m'aviez donné la santé pour vous servir, et j'en ai fait un usage tout profane! »

PREMIÈRE CONVERSION.
LES VICTOIRES DU SAVANT
(1646-1651)
ET L'EXPÉRIENCE DU MONDE
(1652-1654).

Au mois de janvier 1646, M. Pascal le père, étant sorti pour empêcher un duel, tombe sur la glace et se démet la cuisse. Il se confie aux soins de deux gentils-hommes qui s'occupaient par charité de médecine et de chirurgie. Ils s'installent chez lui pendant trois mois. Ce sont deux disciples de Jean Guillebert, curé de Rouville, savant théologien, ami d'Arnauld qui jadis l'avait conduit à Saint-Cyran dans sa prison. L'influence des guérisseurs jansénistes s'exerce sur Étienne Pascal et sur son fils. Ils introduisent dans la maison de l'intendant des livres pieux, probablement des œuvres de Saint-Cyran, de Jansénius et d'Arnauld. Toute la famille se convertit.

GILBERTE PASCAL (Mme PERIER). Peinture anonyme (hôpital de Clermont-Ferrand).

L'épisode des démêlés de Pascal avec le frère Saint-Ange, qui se place alors, a été retracé par E. Jovy, dans le tome I (1927) de ses Études pascaliennes. *Sur les travaux scientifiques de Pascal pendant la période qui suit cette première conversion, et, d'une façon générale, sur l'«effrayant génie» de Pascal savant, voir : Pierre Humbert,* l'Œuvre scientifique de Blaise Pascal, *1947.*

*De 1651 à 1654, la vie de Pascal est mal connue. Les écrits qu'on rapporte à cette période sont peu nombreux, de date incertaine (*Traités de l'équilibre des liqueurs et de la pesanteur de la masse de l'air, *publiés après la mort de Pascal, en 1663), ou d'authenticité discutable (*Discours sur les passions de l'amour, *découvert par Victor Cousin dans un recueil manuscrit provenant de l'abbaye de Saint-Germain-des-Prés). Nous en sommes réduits au témoignage de Mme Perier et de Jacqueline, la première un peu suspecte de jeter un voile sur les égarements de son frère, la seconde poussée par son exaltation janséniste à exagérer ses «désordres». Pascal se lie avec le jeune duc de Roannez, fréquente des femmes du monde, comme Mme de Sablé et la duchesse d'Aiguillon, s'intéresse à l'«honnêteté» personnifiée par le chevalier de Méré, frôle aussi avec curiosité le monde des libertins, que représentent pour lui Damien Mitton et Des Barreaux. Peut-être a-t-il songé un moment à s'occuper des affaires d'État. Ce que l'on a écrit de sa vie amoureuse est hypothétique et parfois tout à fait romanesque.*

La discussion sur l'attribution à Pascal du Discours sur les passions de l'amour, *ranimée en 1920 par les articles de G. Lanson dans la* French Quarterly, *n'est pas close. L'état présent du débat a été défini en 1938, par H. Jacoubet, dans la* Revue d'histoire littéraire de la France, *et, en 1942, par G. Michaut dans* Pascal, Molière, Musset.

Pascal n'avait jamais été incrédule. « Il ne s'était jamais porté au libertinage pour ce qui regarde la religion, assure Mme Perier, ayant toujours borné sa curiosité aux choses naturelles, et il m'a dit plusieurs fois qu'il joignait cette obligation à toutes les autres qu'il avait à mon père, qui, ayant lui-même un très grand respect pour la religion, le lui avait inspiré dès l'enfance, lui donnant pour maxime que tout ce qui est l'objet de la foi ne saurait être de la raison. » Qu'il soit resté toute sa vie attaché à cette maxime et « soumis à toutes les choses de la religion comme un enfant », nous en doutons un peu, malgré Mme Perier, car nous savons de Pascal lui-même que son désir d'utiliser le raisonnement pour porter les gens à croire épouvanta M. de Rebours, l'un de ses premiers directeurs. Mais la maxime de M. Pascal le père, susceptible d'une interprétation profonde si l'on y cherche une doctrine sur la relation de la foi avec le don nécessaire et gratuit de la grâce, cette maxime, entendue comme peuvent l'entendre des chrétiens assez tièdes, les justifie de pratiquer leur religion sans lui faire une grande place dans leur pensée. Il semble bien que Blaise n'ait pas autrement appliqué le précepte paternel avant 1646.

Si donc, à cette date, il n'a point à passer du scepticisme à la foi, en un autre sens cependant il lui reste à se convertir. Car conversion signifie encore progrès dans la piété, adhésion plus entière de l'âme à la conception chrétienne de la vie, transformation d'une religion de coutume en une religion profondément sentie, inspiratrice de tous desseins et de toutes actions. De ce genre est sans nul doute la première conversion de Pascal, à laquelle on a parfois attribué un caractère purement intellectuel qu'elle n'eut pas. Non seulement le jeune néophyte éprouve alors de vifs « sentiments de Dieu » dont il se souviendra plus tard, lorsqu'il se débattra entre la grâce et de tyranniques « attaches »; mais, à peine conquis par la ferveur, il entraîne ses deux sœurs et son beau-frère, Florin Perier, sur le chemin où l'exemple de leur père les guide : à Jacqueline il persuade de renoncer à un beau mariage parce qu'on ne peut vivre à la fois pour Dieu et pour le siècle; sous son influence Mme Perier qui, raconte le *Recueil d'Utrecht*, « avait tout ce qu'il fallait pour être agréablement dans le monde, étant belle et bien faite et ayant beaucoup d'esprit, renonça généreusement à tout ce qui lui avait fait plaisir jusqu'alors, aux compagnies comme aux ajustements ».

Cependant, les mouvements de la nature propre de Pascal se laissent deviner parmi les élans mêmes de son ardeur religieuse, et notamment dans l'attitude qu'il adopte, au début de 1647, à l'égard du frère Saint-Ange. Cet ancien capucin, de son vrai nom Jacques Forton, professait, sur les rapports de la raison et de la foi, des idées qui pouvaient scandaliser un disciple de Jansénius; il avait aussi, sur le mystère de la Trinité, des idées imprudentes, et, sur maintes questions, comme sur le nombre des hommes nés ou à naître entre la Création et le Jugement dernier ou sur la nature du lait de la Vierge, des opinions passablement saugrenues. Pascal avait appris ces bizarreries, que Saint-Ange avait laissé deviner dans des conférences. Avec deux amis, animés d'un zèle semblable au sien pour la vérité et de la même dure intransigeance, il obtient du moine deux entretiens, l'amène à exposer en détail ses idées; et, lorsque celles-ci ont été dûment consignées, les trois jeunes gens interviennent auprès du coadjuteur de l'archevêque de Rouen, font évincer Saint-Ange d'une cure qui allait lui être confiée, s'acharnent enfin contre lui jusqu'à ce que, condamné, humilié, il soit contraint de quitter le diocèse.

Rigueur d'esprit, emportement passionné : ces traits qui caractérisent Pascal dans les combats de religion, il les manifeste aussi dans l'effort scientifique, auquel il continue à se livrer. Il poursuit ses travaux pour la construction de la machine arithmétique; il participe également avec activité aux recherches sur le vide. Avec Pierre Petit, il a déjà réussi, à Rouen, en octobre 1646, l'expérience de Torricelli, que Mersenne avait en vain tenté de reproduire. A présent, tandis que Descartes et les disciples d'Aristote hésitent encore à attribuer à l'existence du vide la descente du mercure dans le tube de verre, tandis que « plénistes » et « vacuistes » se jettent au visage des arguments théoriques, il renouvelle les essais, modifie les dispositifs, et, sans doute déjà guidé par l'hypothèse de la pesanteur de l'air, se plaît à confondre les savants aveuglés par des préjugés dogmatiques. La maladie, en mai 1647, le contraint d'aller habiter à Paris : il y travaille, malgré tout, et c'est là qu'en septembre il a, avec Descartes, ces deux entretiens d'où le philosophe — à tort, sans doute, — retirera l'impression que, sans lui, Pascal n'aurait pas eu l'idée de la grande expérience « l'équilibre des liqueurs ». Soucieux, cependant, non seulement de défendre ses idées, mais de marquer ses priorités, Pascal publie, à l'automne, ses *Expériences nouvelles touchant le vide*, et rédige deux importantes lettres, qu'il laissera inédites, au P. Noël et à Le Pailleur. La grande expérience elle-même, que, dès le 15 novembre 1647, il presse son beau-frère d'exécuter sur le Puy-de-Dôme, ne sera réalisée que le 19 septembre 1648; mais elle constituera pour lui un incontestable triomphe. Il la renouvelle sur la tour Saint-Jacques, puis dans une maison particulière, et il peut enfin conclure, contre ses adversaires, « que la nature n'a aucune répugnance pour le vide, qu'elle ne fait aucun effort pour l'éviter, que tous les effets qu'on a attribués à cette horreur procèdent de la pesanteur et pression de l'air ».

La piété n'est pas atteinte, chez lui, par cette activité qui reste grande en dépit de cruelles souffrances physiques : avec Jacqueline, qui, malgré son père, veut se faire religieuse à Port-Royal, il fréquente des amis du monastère; un séjour en Auvergne, qu'Étienne Pascal impose à ses enfants de mai 1649 à septembre 1650, le met en rapport avec les savants de la région et réveille chez lui la fougue polémique, mais sans l'entraîner à nulle « dissipation »; lorsque le magistrat meurt, en septembre 1651, l'écrit où Blaise entreprend de consoler ses proches respire la dévotion la plus profonde et la théologie la plus austèrement cyranienne. C'est de la vocation de Jacqueline que lui vient, paradoxalement, la plus grande tentation de se « divertir ». Sa santé lui interdisait déjà une application continue à l'étude; son père vient de disparaître : que, là-dessus, une sœur bien-aimée le quitte, sans observer les délais sur lesquels il avait très probablement compté, voilà qui l'atteint au plus vif de lui-même. Plutôt que la cupidité, c'est ce désarroi, c'est l'accablement et la rancune qu'on croit deviner dans la résistance qu'il oppose à sa sœur, au début de 1652, et dont celle-ci finit par triompher. Le voici vaincu : désormais seul, il tente de s'étourdir. Conférences scientifiques, propagande pour la machine arithmétique, voyages ou séjours auprès du duc de Roannez et séjour aussi en Auvergne — où il est fort douteux qu'il ait soupiré pour une « Sapho » clermontoise —, enfin, de nouveau, une fièvre de discussions et de correspondances savantes, voilà l'essentiel de cette vie « mondaine » de Pascal, où les curiosités de l'esprit et peut-être les rêves de l'ambition ont plus de part — selon toute apparence — que les troubles du cœur.

La principale influence qui s'exerce alors sur lui est celle du chevalier de Méré. Car le duc de Roannez, sérieux, épris de mathématiques, n'a pas grand-chose à lui apprendre. Méré, de seize ans son aîné et maître d' « honnêteté », le prend de plus haut avec lui. On a cru reconnaître un portrait de Pascal dans le récit qu'il a laissé d'un voyage en Poitou qu'ils auraient fait avec Roannez et

BLAISE PASCAL. Dessin à la sanguine exécuté par Domat, ami de Pascal, sur une page d'un ouvrage de droit. On lit dans le haut cette note de Domat le fils : « Mon père s'est servi de ce corps de droit pour son ouvrage des lois civiles », et au bas : « Portrait de Mr Pascal fait par mon père. » On ne possède aucun autre portrait de Pascal exécuté de son vivant (dessin ayant appartenu à Maurice Barrès). — CL. LAROUSSE.

Mitton : « C'était un grand mathématicien, qui ne savait que cela. Ces sciences ne donnent pas les agréments du monde; et cet homme, qui n'avait ni goût ni sentiment, ne laissait pas de se mêler de tout ce que nous disions, mais il nous surprenait presque toujours et nous faisait souvent rire. Il admirait l'esprit et l'éloquence de M. Du Vair et nous rapportait les bons mots du lieutenant criminel d'O... Deux ou trois jours s'étant écoulés de la sorte, il eut quelque défiance de ses sentiments et, ne faisant plus qu'écouter,... il avait des tablettes qu'il tirait de temps en temps, où il mettait quelque observation. Cela fut bien remarquable, qu'avant que nous fussions arrivés à Poitiers, il ne disait presque rien qui ne fût bon et que nous n'eussions voulu dire. »

Il y a bien de la présomption dans ce jugement, et de même dans les admonestations qu'une lettre de Méré prodigue : « Vous souvenez-vous de m'avoir dit une fois que vous n'étiez plus persuadé de l'excellence des mathématiques ? Il vous reste encore une habitude que vous avez prise en cette science de ne juger de quoi que ce soit que par vos longues démonstrations, qui le plus souvent sont fausses. Ces longs raisonnements vous empêchent d'abord d'entrer en des connaissances plus hautes, qui ne trompent jamais. Je vous avertis aussi que vous perdez par là un grand avantage... Vous savez que j'ai découvert dans les mathématiques des choses si rares que les plus savants des Anciens n'en ont jamais rien dit, et desquelles les meilleurs mathématiciens d'Europe ont été surpris... Cette science peut servir, pourvu qu'on ne s'y attache pas trop... Doutons si la lune cause le flux et le reflux de l'Océan, si c'est la terre ou le soleil qui tourne,... mais assurons que la neige nous éblouit, que le soleil nous éclaire et nous échauffe et que l'esprit et l'honnêteté sont au-dessus de tout... »

De ces révélations prétentieuses, Pascal sut pourtant extraire le meilleur. Il apprit de Méré qu'en un certain domaine, les principes sont dans l'usage commun et sous les yeux de tous, qu'il faut tout d'un coup « voir la chose d'un seul regard et non par progrès de raisonnement ». Il dut méditer sur une formule comme celle-ci : « Outre ce monde naturel qui tombe sous la connaissance des sens, il y en a un autre invisible... Ceux qui ne s'informent que du monde corporel jugent pour l'ordinaire fort mal et toujours grossièrement, comme Descartes, que vous estimez tant. » Cet « esprit de finesse » et cet « art de persuader » qui vont bientôt occuper tant de place dans ses méditations, peut-être, sans Méré, aurait-il eu beaucoup plus de peine à les définir.

Si Pascal a composé, vers cette époque, le *Discours sur les passions de l'amour*, il a prouvé qu'il avait pénétré assez avant dans ce monde invisible dont Méré lui conseillait l'exploration. Simples notes jetées sur le papier en vue d'une dissertation plus suivie, analogue aux petits traités de Méré lui-même, ébauche défigurée par la négligence des copistes, ou rédaction maladroite d'une conversation à laquelle Pascal aurait pris part, le *Discours* annonce les *Pensées*. Il en souligne même plusieurs thèses essentielles. Il nous laisse ignorer si Pascal a vraiment aimé, ou s'il a seulement connu un certain « attachement de pensée ». « L'amour et l'ambition, y lisons-nous, n'ont guère de liaison ensemble. Cependant on les allie assez souvent; mais elles s'affaiblissent l'une l'autre réciproquement, pour ne pas dire qu'elles se ruinent. » Si c'est une confidence, il faut entendre que la passion de la gloire a préservé Pascal d'une autre passion, ou du moins en a modéré la tyrannie. Or n'est-il pas légitime de supposer qu'il a puisé en lui-même plus d'une remarque, puisqu'il compte sur les expériences personnelles de son lecteur pour se faire donner raison : « L'on écrit souvent des choses que l'on ne prouve qu'en obligeant tout le monde à faire réflexion sur soi-même et à trouver la vérité dont on parle. C'est en cela que consiste la force des preuves de ce que je dis. »

Mais quelle que soit la valeur autobiographique du *Discours*, sa signification philosophique est riche. Nous y trouvons déjà la célèbre distinction de l'esprit géométrique et de l'esprit de finesse. Malgré de fréquents emprunts au vocabulaire des *Passions de l'âme* de Descartes, il révèle en son auteur un penseur prêt à mettre à son rang cette puissance de l'homme que le cartésianisme répute inférieure, le sentiment. « Il semble que l'on ait une autre âme quand on aime que quand on n'aime pas. On devient toute grandeur : la passion élève tout à sa hauteur... Nous naissons avec un caractère d'amour dans nos cœurs qui se développe à mesure que l'esprit se perfectionne et qui nous porte à aimer ce qui nous paraît beau sans que l'on nous ait jamais dit ce que c'est. Qui doute après cela si nous sommes au monde pour autre chose que pour aimer ?... Il n'est pas possible que l'homme puisse vivre un moment sans cela. »

LA CONVERSION DÉFINITIVE, LES « PROVINCIALES », LES ÉCRITS SUR LA GRACE (1654-1658).

Les Provinciales *ont paru d'abord isolément sous la forme de brochures in-4°, de janvier 1656 à mars 1657. Puis elles ont été publiées en volume, sous le pseudonyme de Louis de Montalte, en 1657. L'année suivante, Nicole (Guillaume Wendrock) les a traduites en excellent latin et enrichies de précieux commentaires. Ces commentaires ont été à leur tour traduits en français, en 1699, par Mᶫᶫᵉ de Joncoux. Dans les tomes IV-VII de l'édition des* Grands Écrivains de la France, *L. Brunschvicg et F. Gazier ont reproduit, en tête de chaque* Provinciale, *tous les passages des casuistes visés. Quelques précisions historiques complémentaires figurent dans l'édition de Z. Tourneur, 1944 (2 vol.).*

Pascal avait été encouragé, au cours de la composition des Provinciales, *par un événement extraordinaire, où ses amis et lui virent un signe de l'approbation divine : à la fin de mars 1656, sa nièce, la petite Marguerite Perier, se trouva guérie, après attouchement d'une relique, la Sainte-Épine, d'une fistule lacrymale que les médecins avaient en vain essayé de soigner. Toutefois, les* Provinciales *ont cessé de paraître après la dix-huitième. On possède le début de la dix-neuvième. Il est vraisemblable que Pascal s'est interrompu par scrupule de conscience, au moment de la communion pascale de 1657, docile aux conseils de Singlin et de la Mère Angélique, qui désapprouvaient cette façon de défendre Port-Royal. De plus, il pouvait croire qu'il avait cause gagnée. Depuis mai 1656, les curés de Paris, de Rouen et d'Amiens avaient tenu plusieurs réunions au sujet de la morale relâchée. Ils firent paraître, en 1658, divers* Écrits, *à la rédaction desquels Pascal a très probablement collaboré.*

Les Écrits sur la grâce *n'ont été publiés qu'en 1908, par les soins d'E. Jovy. Ce sont des notes que Pascal ne destinait pas à l'impression, mais qui nous renseignent sur ses convictions théologiques.*

La « dissipation » de Pascal fut de courte durée. Dès la fin de 1653, il sentit la vanité de ce qui l'avait un instant séduit et il commença de se détacher du monde sans éprouver encore la douceur d'un attachement sans réserve à Dieu. On a souvent réduit cette seconde conversion à la crise violente et brève qui la termine, crise débutant par l'extase du 23 novembre 1654 et s'achevant par les résolutions prises au sortir d'un sermon de M. Singlin (8 décembre). Mais nous savons par Jacqueline que ce dénouement fut préparé par une longue période de découragement et par des méditations sans nombre, qui révélaient à Pascal sa misère, sans d'abord lui faire aimer des biens plus solides.

Ce que furent ces longues chaînes de réflexions en ce temps où l'âme ne sentait pas « ces charmes dont Dieu récompense l'habitude dans la piété », où la raison presque seule préparait les voies à la grâce, nous le conjecturons d'après le petit écrit *Sur la conversion du pécheur*. Dans cet état, « l'âme considère les choses et elle-même de façon toute nouvelle... Elle ne peut plus goûter avec tranquillité les choses qui la charmaient. Un scrupule continuel la combat dans cette jouissance, et cette vue intérieure ne lui fait plus trouver cette douceur accoutumée parmi les choses où elle s'abandonnait avec une pleine effusion de cœur. Mais elle trouve encore plus d'amertume dans les exercices de piété que dans les vanités du monde. D'une part, la présence des objets visibles la touche plus que l'espérance des invisibles, et, de l'autre, la solidité des invisibles la touche plus que la vanité des visibles. Et ainsi la présence des uns et la solidité des autres disputent son affection, et la vanité des uns et l'absence des autres excitent son aversion; de sorte qu'il naît dans elle un désordre et une confusion... » Peu à peu l'âme s'étonne de l'aveuglement où elle a vécu et se porte à la recherche du véritable bien, qui doit posséder deux qualités : ne pouvoir nous être ôté que de notre consentement; surpasser ce qu'il y a de plus aimable.

Le désarroi de Pascal, contre lequel l'affection et la ferveur de Jacqueline l'aidèrent à lutter, prit fin avec l'expérience mystique dont il a voulu pour lui-même fixer à tout jamais le souvenir : nous possédons encore le papier où sa main fébrile inscrivit ce qu'il pouvait exprimer de cette illumination et de ces transports, qui durèrent environ deux heures. C'est le brouillon de ce fameux *Mémorial*, aujourd'hui perdu, qu'après sa mort on trouva cousu dans la doublure de son habit et dont Étienne Perier nous a laissé une « copie figurée ». Tout en tête, une croix entourée de rayons, puis une date et des noms de martyrs, et aussi-

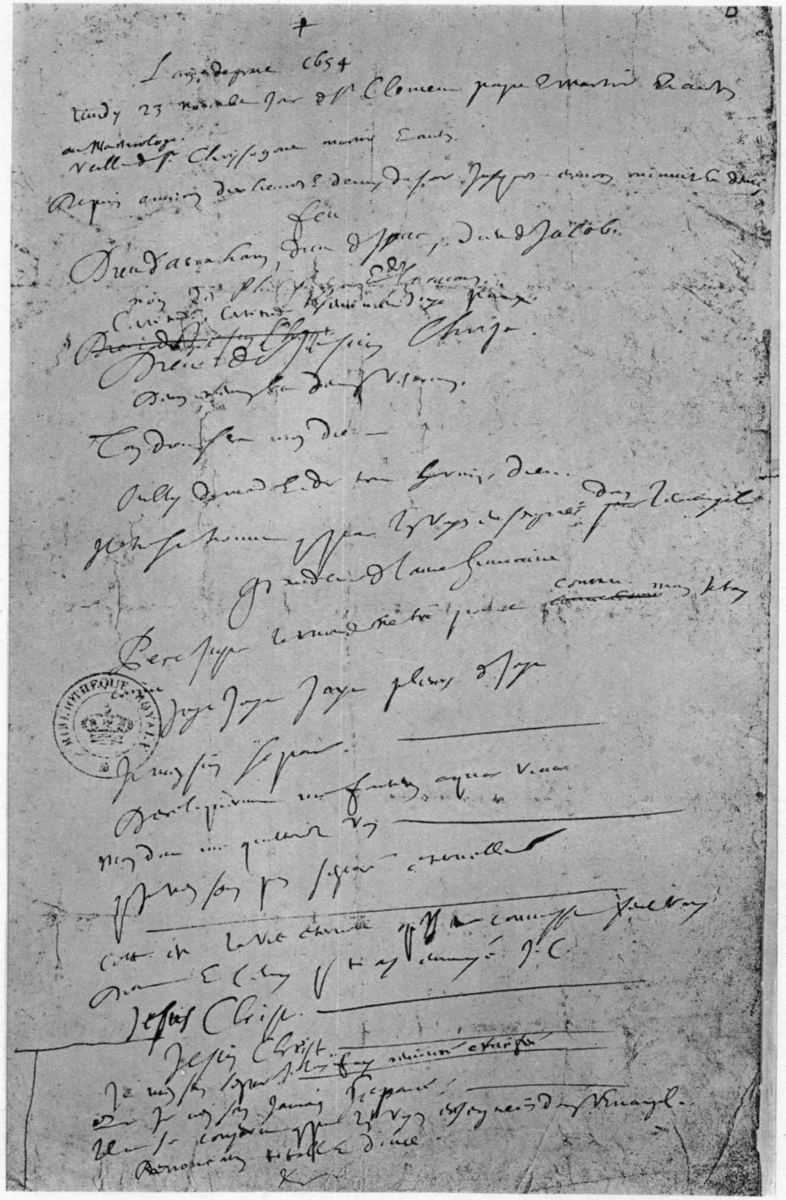

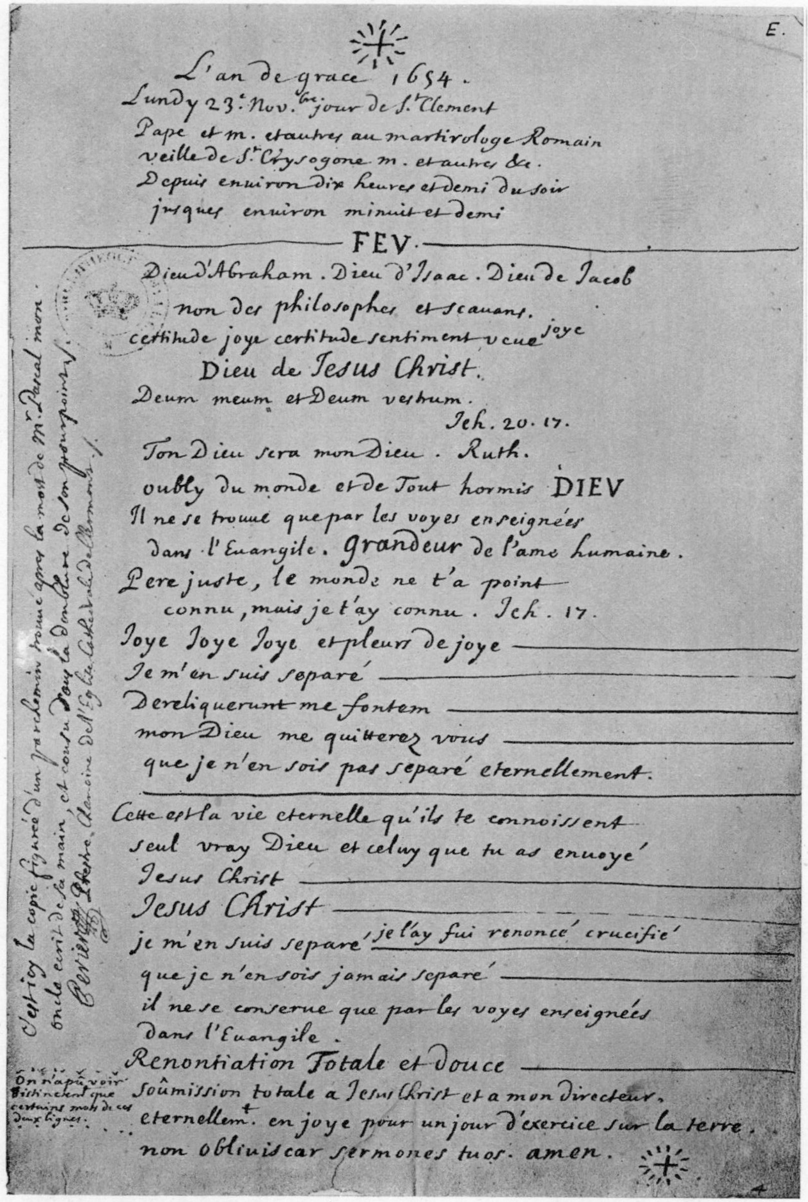

L'an de grace . 1654.

Lundy 23: Nov. jour de S.Clement

Pape et m. etauhu au martyrologe Romain
veille de S.t Chrysogone m. et autres &c.

Depuis environ Dix heures et demi du soir
jusques environ minuit et demi

FEV.

Dieu d'Abraham . Dieu d'Isaac . Dieu de Jacob
non des philosophes et scauans.

Certitude joye certitude sentiment vue Joye
Dieu de Jesus Christ.

Deum meum et Deum vestrum.

Joh . 20 . 17.

Ton Dieu sera mon Dieu . Ruth.

oubly du monde et de Tout hormis DIEV

Il ne se trouue que par les voyes enseignées
dans l'Euangile . Grandeur de l'ame humaine .

Pere juste, le monde ne t'a point
connu, mais je t'ay connu . Joh . 17.

Joye Joye Joye et pleurs de joye

Je m'en suis separé

Dereliquerunt me fontem

mon Dieu me quitterez vous
que je n'en sois pas separé eternellement .

Cette est la vie eternelle qu'ils te connoissent
seul vray Dieu et celuy que tu as enuoye '

Jesus Christ

Jesus Christ

je m'en suis separé : je l'ay fui renoncé crucifié
†
que je n'en sois jamais separé

il ne se conserue que par les voyes enseignées
dans l'Euangile .

Renontiation Totale et douce

Soumission totale a Jesus Christ et a mon Directeur .
†
eternellem. en joye pour un jour d'exercice sur la terre .

non obliviscar sermones tuos amen.

Est icy la copie figurée d'un parchemin pensé apres la mort de m. Pascal mon
oncle cousu et coseu dans le doublure de son pourpoint .

On dit originairement
Estoit dit écrite sur
cetteparchemin etsur un
autre papier.

tôt après, au milieu d'une ligne, en lettres capitales, ce seul mot : « FEU », pour désigner la fulguration de la grâce, l'éblouissement. Ce n'est point un appel discret du Ciel, une grâce « suffisante », à laquelle il faut coopérer, c'est l'éclair qui foudroie saint Paul sur le chemin de Damas, la grâce pleinement efficace des augustiniens, qui ne laisse après elle que joie et certitude. Sans raisonnement philosophique, Pascal possède Dieu : « Dieu d'Abraham, Dieu d'Isaac, Dieu de Jacob. Non des philosophes et des savants. » Puis il ajoute : « Dieu de Jésus-Christ », et deux fois il appelle : « Jésus-Christ, Jésus-Christ », pour marquer fortement que cette extase lui fait sentir la présence d'un Dieu personnel et concret. Désormais, un seul parti possible : « Renonciation totale et douce. Soumission à Jésus-Christ et à mon directeur. »

Ce directeur est alors M. Singlin. Sur son conseil, le 7 janvier 1655, Pascal quitte Paris pour aller habiter près de Port-Royal, chez le duc de Luynes ; puis il obtient une cellule parmi les solitaires. Il est converti. Plus rien, de son vivant, ne paraîtra sous son nom.

On penserait que Port-Royal se félicite d'une telle conquête. Rien n'est moins certain. Port-Royal méprise toute gloire profane. On peut lire dans les *Mémoires* de Fontaine que M. de Saci comparait Aristote et Descartes à deux brigands, dont le second est envoyé par Dieu pour tuer le premier : « Tant mieux ; plus de morts, moins d'ennemis ; il en arrivera peut-être autant de M. Descartes. » Voilà en quelle estime un pieux solitaire tient la science humaine. Il s'entretient avec Pascal « par honnêteté », mais ne découvre rien de nouveau dans sa conversation : tout cela, il l'a vu, dit-il, depuis longtemps dans saint Augustin. L. Brunschvicg écrit fort justement : « Devant Port-Royal, le génie de Pascal est comme une force étrangère qu'il importe de surveiller, qu'il y aura lieu peut-être de dompter à nouveau, jusqu'au jour où les événements viennent donner l'occasion d'employer cette force au service de la vérité chrétienne et de la liberté religieuse. »

Cette occasion est fournie, l'année même où Pascal arrive à Port-Royal, par le grand péril que la cause janséniste court en la personne d'Arnauld. Pour avoir déclaré, dans sa *Lettre à un duc et pair*, que l'Évangile et les Pères nous montrent en saint Pierre un juste auquel la grâce a manqué, Arnauld vient d'être déféré à la Faculté de théologie (1ᵉʳ décembre 1655), et sa condamnation paraît certaine. Ses amis le pressent de se défendre. Il prépare un écrit et le lit à ces Messieurs, qui n'y donnent aucun applaudissement. Alors il leur dit : « Je vois bien que vous trouvez cet écrit mauvais et je crois que vous avez raison. » Puis, se tournant vers Pascal : « Mais vous qui êtes jeune, vous devriez faire quelque chose. » Pascal consent et lit son essai devant Arnauld, qui s'écrie : « C'est excellent, cela sera goûté, il faut le faire imprimer. » La première *Lettre écrite à un Provincial par un de ses amis sur le sujet des disputes présentes de la Sorbonne* paraît, anonyme, le 23 janvier 1656.

L'audace est grande d'intervenir sans compétence spéciale dans une querelle sur la grâce, c'est-à-dire dans la controverse la plus compliquée, la plus obscure, la plus fertile en embûches qui ait jamais divisé les docteurs depuis saint Augustin. Mais cette au-

dace est nécessaire, car, à la Sorbonne, les adversaires de Port-Royal triomphent et il n'est guère de recours à espérer : le cardinal de Retz, archevêque de Paris, ne peut rien de son exil ; la reine mère est prévenue contre les jansénistes ; à Rome domine l'influence des jésuites. Il faut saisir un tribunal nouveau, l'opinion publique, et mieux vaut que, devant un tribunal, l'avocat ne soit pas un théologien de profession. D'ailleurs, aux côtés de Pascal se tiennent Arnauld et Nicole : ils fourniront les textes, discuteront le plan de chaque « petite lettre ». Et déjà bien des matériaux sont rassemblés. Dès 1643, Arnauld a publié un opuscule intitulé *la Théologie morale des Jésuites extraite fidèlement de leurs livres*. L'attaque a si bien porté que les jésuites les plus connus de l'époque, Pinthereau, Caussin, Le Moyne, Annat, ont multiplié les réfutations. Ce seul libelle contient le sujet de sept *Provinciales*, mais il faut tout le génie de Pascal pour extraire de ce sévère et morne réquisitoire ces pamphlets qui passionneront le public et provoqueront son rire en l'indignant. On a pu dire qu'on a tout mis entre les mains de Pascal et que pourtant il a tout créé.

Sa meilleure inspiration, c'est peut-être de substituer à la discussion abstraite des thèses sur la grâce ou sur les cas de conscience des dialogues animés avec des personnages qui vivent sous nos yeux et discréditent leurs arguments par leurs propres ridicules. Il y a ceux qu'interroge l'ami du Provincial et qui parlent au nom de tout leur ordre avec une naïveté compromettante ; puis, tout près d'eux, les plus célèbres jésuites du temps, le P. Bauny « qui ôte les péchés du monde », le P. Annat qui pourrait lui disputer cette gloire, le P. Le Moyne qui enseigne en pleine Sorbonne « la dévotion aisée », le P. Cellot qui nous dispense de restituer les dépôts, nous renvoyant chez nous « chargés d'écus et déchargés de scrupules » ; au troisième plan, enfin, la légion de ces nouveaux docteurs qui ont fait disparaître saint Augustin, saint Ambroise et saint Jérôme, et qui s'appellent Villalobos, Conink, Llamas, Achokier, Dealkozer, Della Cruz, Vera-Cruz, Ugolin, Tambourin, Squilanti, Barcola Simancha... Leur énumération tient douze lignes : « — O mon Père, lui dis-je tout effrayé, tous ces gens-là étaient-ils chrétiens ? — Comment, chrétiens ! me répondit-il. Ne vous disais-je pas que ce sont les seuls par lesquels nous gouvernons aujourd'hui la chrétienté ? »

Les dix-huit *Provinciales* se rapportent à deux ordres de problèmes assez différents, que Pascal a fort habilement essayé de lier l'un à l'autre, la question de la grâce et la question de la religion accommodante, impliquant une morale relâchée. Les trois premières et les deux dernières lettres traitent de la grâce. La quatrième prépare le passage de la théologie à la morale. Les douze suivantes constituent un réquisitoire savoureux et véhément, non point contre toute casuistique, comme on l'a dit souvent afin de ménager aux victimes de Pascal une défense facile, mais contre une casuistique très particulière, inspirée par une politique de domination nettement définie dans la cinquième *Lettre*. Au point de vue du catholicisme orthodoxe où l'auteur prétend se placer, sa conception de la grâce est discutable. Mais sa critique de la religion accommodante est décisive.

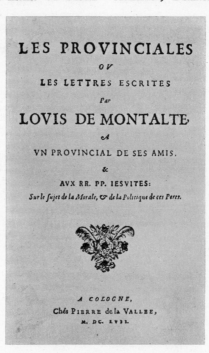

LES PROVINCIALES
OV
LES LETTRES ESCRITES
Par
LOVIS DE MONTALTE
A
VN PROVINCIAL DE SES AMIS.
&
AVX RR. PP. IESVITES:
Sur le sujet de la Morale, & de la Politique de ces Peres.

A COLOGNE,
Chés PIERRE de la VALLEE,
M. DC. LVII.

LES PROVINCIALES. Page de titre de la première édition collective (Amsterdam, 1657). L'ouvrage parut sous un pseudonyme, et les Elzévir prirent la précaution de remplacer leur nom par celui d'un imprimeur imaginaire. — CL. LAROUSSE.

Ici Pascal frappe fort et frappe juste. Lui objecter que toute doctrine morale et toute méthode de direction doivent se compléter par une casuistique, c'est-à-dire par une étude nuancée des cas de conscience difficiles, des conflits de devoirs, où la subtilité et les ressources de la dialectique ont leur rôle, c'est ne rien dire, puisqu'il n'a pas écrit une seule ligne pour désapprouver de telles spéculations. Elles ne commencent à devenir condamnables que lorsque le raisonnement bannit la raison, lorsque la sagacité du casuiste s'exerce au détriment de la véritable délicatesse morale, en un mot lorsque, de propos délibéré, on ergote pour excuser la défaillance ou le crime. « Sachez donc, dit le bon Père de la cinquième *Provinciale*, que l'objet de nos supérieurs n'est pas de corrompre les mœurs : ce n'est pas leur dessein. Mais ils n'ont pas aussi pour unique but celui de les réformer. Ce serait une mauvaise politique. Voici quelle est leur pensée. Ils ont assez bonne opinion d'eux-mêmes pour croire qu'il est utile et comme nécessaire au bien de la religion que leur crédit s'étende partout et qu'ils gouvernent toutes les consciences... Ils n'ont pas besoin de beaucoup de directeurs sévères pour les conduire... au lieu que la foule des casuistes relâchés s'offre à la foule de ceux qui cherchent le relâchement. C'est par cette conduite obligeante et accommodante, comme l'appelle le P. Petau, qu'ils tendent les bras à tout le monde. »

Les procédés de ces directeurs indulgents, Pascal les a flétris à tout jamais par une polémique acerbe, mais toujours loyale. Qu'il n'ait point calomnié ses adversaires, on pouvait s'en douter par ce fait que les *Provinciales* ont attendu quarante ans une réfutation suivie (les *Entretiens de Cléandre et d'Eudoxe*, par le P. Daniel, jésuite, 1694). Mais, aujourd'hui, les pièces du procès sont entre toutes les mains, et les recherches les plus minutieuses ont révélé au total douze minimes erreurs dont Arnauld est pour une bonne part responsable, et qui ne modifient pas la portée de l'argumentation. « Il n'est pas vraisemblable, avait écrit Pascal, qu'étant seul comme je suis, sans force et sans aucun appui humain contre un si grand corps, et n'étant soutenu que par la vérité et la sincérité, je me sois exposé à tout perdre en m'exposant à être convaincu d'imposture. »

Non seulement l'information de Pascal est exacte, mais elle est étendue. Elle ne se limite pas du tout à la *Théologie morale* du célèbre Escobar, bien qu'il eût été fort légitime de s'en tenir à ce livre représentatif, quarante fois imprimé, où se pressent les sentences des vingt-quatre docteurs les plus fameux de la Société de Jésus. Son enquête est assez approfondie pour lui rapporter autre chose que des anecdotes ou des paradoxes isolés de casuistes. Il va droit à l'essentiel, qui est une méthode générale pour excuser les plus graves dérèglements. Il dresse l'inventaire des armes perfides qu'ont inventées des directeurs avides de popularité pour ruiner l'austère morale de l'Évangile. La plus monstrueuse est la doctrine des « opinions probables ». N'entendez pas qu'il est permis de se décider pour le plus vraisemblable quand l'absolue certitude nous est refusée, mais qu'on peut à son gré suivre toute opinion probable

FRONTISPICE de la « Théologie morale » d'Escobar (édition de Paris, 1656). Pascal, dans la cinquième « Provinciale », raille cette représentation allégorique de l'agneau et des sept sceaux, dont il est question dans l'Apocalypse.
CL. LAROUSSE.

et que *toute opinion est appelée probable qui a pour elle l'autorité d'un seul docteur « bon et savant »*. « On sait bien qu'ils ne sont pas tous de même sentiment. Et cela n'en est que mieux... : chacun rend son opinion probable. » Une décision formelle des papes ou des conciles interdit-elle l'une de ces opinions, alors *on interprétera les termes*. Par exemple, on entendra par assassins ceux qui ont reçu de l'argent pour tuer quelqu'un en trahison; par suite, ceux qui tuent sans exiger aucun salaire, pour obliger leurs amis, ne sont pas des assassins et la bulle de Grégoire XIV ne leur est pas applicable. Ou bien encore, le directeur tiendra compte des *circonstances* favorables; il enseignera les « restrictions mentales », la « direction de l'intention ». Désormais, on peut sans péché vendre la justice, pratiquer l'usure, garder le bien mal acquis, tuer pour un soufflet, pour un simple démenti, pour un affront par des signes. A ce compte, les jésuites n'auront-ils pas le droit de tuer les jansénistes ? — Non, répond le bon Père, avec Caramuel, car « les jansénistes n'obscurcissent non plus l'éclat de la Société qu'un hibou celui du soleil ».

Les opinions de Pascal sur la grâce ne s'expriment pas seulement dans les quatre premières et les deux dernières *Provinciales*. Il faut les chercher aussi dans les *Écrits sur la grâce*, dont la date est incertaine, mais qu'il n'est pas téméraire de rapporter aux années 1656-1658.

Nicole, le P. Thomassin, le P. Rapin ont reproché à Pascal de n'être pas théologien. Nous les entendons : il n'avait pas comme eux consacré sa vie à dépouiller les Pères de l'Église et les oracles de l'École. Mais le lecteur contemporain est enclin à exagérer cette incompétence, oubliant qu'au XVIIe siècle et dans le milieu où vivait Pascal on respirait les opinions théologiques avec l'air. S'il recourait à ses amis de Port-Royal pour recueillir des citations de casuistes, il n'était pas homme à se laisser dicter ses convictions sur les problèmes, essentiels à ses yeux, de la grâce, de la liberté humaine, de la chute et de la prédestination. Et, de fait, nous constatons qu'il a amassé des notes sur ces matières importantes, transcrit des passages de saint Augustin extraits du *De correptione et gratia* et du *De praedestinatione sanctorum*, qu'il a dépouillé la plume à la main l'énorme in-quarto de Sinnich, théologien de Louvain (*Sanctorum patrum de gratia Christi et libero arbitrio dimicantium Trias...*, 1648), résumé les *Canons et décrets du concile de Trente* (partie relative à la justification), compulsé Estius.

Ce qu'il nous paraît avoir retenu de ces lectures, c'est avant tout ceci. Il y a, sur le problème de la grâce, trois opinions principales : celle des calvinistes, celle des molinistes et celle des disciples de saint Augustin. Les calvinistes posent la volonté de Dieu comme source du salut et de la damnation. Les molinistes posent la volonté des hommes comme source du salut et de la damnation. Saint Augustin soutient que la volonté de Dieu est la source du salut et la volonté des hommes la source de leur damnation, en ce sens que, s'il n'y a pas toujours de perversité volontaire pour justifier cette réprobation, il y a toujours le péché originel, produit du complet libre arbitre d'Adam. Il faut, en effet, soigneusement distinguer les deux états de l'homme, avant et après la chute. Avant, Adam a reçu une grâce que son libre arbitre pouvait rendre vaine ou efficace; s'il avait bien usé de son libre arbitre, nous recevrions la même grâce. Après le péché, tous les hommes sont dignes de la damnation éternelle. Il plaît néanmoins à Dieu d'en sauver plusieurs, de tout âge, de tout sexe, de toute condition, de tout temps, de tout pays. En ce sens, et en ce sens seulement, il est dit que Jésus-Christ est mort pour sauver tous les hommes. Dieu discerne ces prédestinés pour des raisons inconnues aux hommes et aux anges. Les élus forment un groupe appelé dans l'Écriture tantôt *monde*, tantôt *tous*, *plusieurs*, *peu*. Les délaissés sont appelés *monde*, *tous*, *plusieurs*, mais jamais *peu*. Pour les élus, la grâce de Jésus-Christ, la délectation dans la loi de Dieu, délectation plus forte que la concupiscence. Quant aux délaissés, ils vont au mal, ou, après des tentatives pour aller au bien, ne persévèrent pas; il n'est même pas en leur pouvoir de prier pour implorer la grâce : « Reconnaissez donc, suivant saint Augustin, que la prière est toujours l'effet d'une grâce efficace; que ceux qui ont cette grâce prient; que ceux qui ne l'ont pas ne prient pas et qu'ils n'ont pas le pouvoir prochain de prier. »

Dure théologie, qui ne laisse qu'un rôle illusoire au libre arbitre humain. Quand il écrit la dix-huitième *Provinciale*, Pascal ne possède pas encore une doctrine assurée sur la conciliation de la grâce et de la liberté. Visiblement, il se débat entre la conception augustinienne, telle du moins qu'il se la représente, et l'orthodoxie. Il nous explique avec saint Augustin que la grâce ne détruit pas le libre arbitre, parce qu'elle ne contraint pas l'homme à faire le bien. Dieu se borne à changer son cœur « par une douceur céleste », et l'homme, « trouvant alors sa plus grande joie dans le Dieu qui le charme, s'y porte infailliblement de lui-même, par un mouvement tout libre, tout volontaire, tout amoureux... Ce n'est pas qu'il ne puisse toujours s'en éloigner, et qu'il ne s'en éloignât effectivement s'il le voulait. Mais comment le voudrait-il, puisque la volonté ne se porte jamais qu'à ce qui lui plaît le plus, et que rien ne lui plaît tant alors que ce bien unique ? » La conciliation est purement verbale et cette dernière formule constitue une négation si absolue du libre arbitre que Pascal l'atténue aussitôt : « C'est ainsi que le libre arbitre, qui peut toujours résister à la grâce, mais qui ne le veut pas *toujours*... » Tout le développement qui précède exige : qui ne le veut *jamais*. Pascal, par cette inconséquence, évite l'hérésie.

Qu'il ne fût pas pleinement satisfait par de telles échappatoires, c'est ce que laisse deviner le témoignage de Nicole. Le pacifique théologien se proposera d'ôter à la doctrine augustinienne « un air de dureté qui en éloigne bien des gens », et il se réclamera de Pascal : « Feu M. Pascal, avec qui j'ai eu le bien d'être très étroitement uni, n'a pas peu aidé à nourrir en moi cette inclination. Car, quoiqu'il fût la personne du monde le plus roide et le plus inflexible pour les dogmes de la grâce efficace, il disait néanmoins qu'il espérait de réussir à rendre cette doctrine si plausible, et de la dépouiller tellement d'un certain air farouche qu'on lui donne, qu'elle serait proportionnée au goût de toutes sortes d'esprits. »

L'APOLOGIE DE LA RELIGION CHRÉTIENNE

Pascal semble avoir conçu le dessein d'écrire une Apologie de la religion chrétienne dans le temps même où il composait les Provinciales, peut-être au lendemain du miracle de la Sainte-Épine. Vers 1658, son projet était assez mûr pour qu'il l'exposât à Port-Royal dans une conférence qui dura près de trois heures. Cependant l'Apologie ne fut jamais achevée et nous savons par Étienne Perier qu'à la mort de son oncle on trouva ses manuscrits « tous ensemble enfilés en diverses liasses, mais sans aucun ordre, sans aucune suite, parce que ce n'étaient que les premières expressions de ses pensées qu'il écrivait sur de petits morceaux de papier à mesure qu'elles lui venaient dans l'esprit ». On songea d'abord à une publication intégrale de ces reliques, puis la difficulté du déchiffrement et la crainte de rallumer diverses querelles firent prendre un autre parti : Arnauld, Nicole, Filleau de La Chaise, Du Bois et Tréville songèrent à achever l'œuvre interrompue, en encadrant les fragments de Pascal par de longs commentaires. L'opposition de Gilberte Perier et de son fils Étienne fit heureusement échouer cette tentative. On revint à l'idée de publier le texte de Pascal « sans y rien changer ». Les prudents éditeurs s'appliquèrent pourtant à éteindre son style, à supprimer ce qui leur semblait trop inachevé, à disposer les fragments suivant un ordre qui donnait à l'ouvrage un caractère d'onction sereine.

Cette édition, dite de Port-Royal, des Pensées sur la religion parut en 1669. Elle a été maintes fois reproduite, avec quelques corrections ou additions, jusqu'au jour où Victor Cousin en dénonça l'insuffisance (1842). L'édition Faugère (1844) fut la première faite d'après le manuscrit de Pascal. Depuis lors, les éditions des Pensées ont été aussi nombreuses que variées. Les plus importantes, pour l'amélioration du texte, ont été celles de Molinier (1877), G. Michaut (1896), L. Brunschvicg (1897 et 1904) et Z. Tourneur (1938 et surtout 1942, avec toutes les variantes). L. Brunschvicg a aussi publié, en 1905, un facsimilé en phototypie du manuscrit autographe. L. Lafuma a révélé, en 1945, Trois Pensées inédites de Pascal.

Quant au classement des fragments, la méthode de Port-Royal a été suivie par A. Gazier (1907). Un esprit rationaliste perce au contraire dans la façon dont Condorcet (1776) et E. Havet (1852) les ont disposés. Plus objectif, L. Brunschvicg les a groupés d'après des affinités, assez larges, de sujet et de sens. D'autres éditeurs ont eu l'ambition de suivre le plan présumé de l'Apologie, en s'inspirant, notamment, du Discours sur les « Pensées » de Pascal, de Filleau de La Chaise, publié en 1672, et que V. Giraud a réédité en 1922 : c'est le cas, de nos jours, de J. Chevalier (1925) et H. Massis (1929). Des méthodes mixtes ont été tentées par F. Strowski (1930), et J. Dedieu (1937). L. Lafuma (1948), après Z. Tourneur (1938), a pris pour base d'une présentation nouvelle la copie des Pensées qui fut établie par les soins de la famille de Pascal aussitôt après sa mort, et qui, dans sa première partie, respectait très vraisemblablement la répartition des fragments en liasses commencée par Pascal lui-même.

P.-L. Couchoud, rapprochant les uns des autres un certain nombre de feuillets du manuscrit autographe, y voit les restes d'un Discours sur la condition de l'homme, composé par Pascal en 1658, analysé par lui, bientôt après, dans sa conférence à Port-Royal, puis disloqué pour s'incorporer aux diverses parties de l'Apologie conçue selon un plan plus large. Il a donné, en 1948, une reproduction en phototypie de ce qui subsisterait de ce Discours.

Z. Tourneur, dans Beauté poétique (1933), L. Lafuma, dans Filigranes (1942), et P.-L. Couchoud se sont efforcés de dater certains fragments.

Pour l'interprétation de la pensée de Pascal, et l'indication de ses sources, les commentaires les plus importants sont ceux de Havet, Brunschvicg, Dedieu et Tourneur (1938). Plusieurs arguments, comme ceux des Deux Infinis et du Pari ont suscité à eux seuls toute une littérature.

Sur la méthode apologétique de Pascal, voir notamment : Laberthonnière, l'Apologétique et la méthode de Pascal, 1903 ; H. Petitot, Pascal, sa vie religieuse et son apologie du christianisme, 1911 ; F. Strowski, les « Pensées » de Pascal, 1930; et les articles de J. Dedieu dans la Revue d'histoire littéraire de la France, 1930-1931, de Dubarle, dans les Sciences philosophiques et théologiques, 1941-1942, de J. Mesnard, dans la Revue d'histoire de la philosophie et d'histoire générale de la civilisation, 1943.

Peut-on être janséniste, croire à la grâce efficace, à la prédestination des élus, et se proposer d'écrire une apologie du christianisme ? Qui n'a pas reçu la grâce ne croit pas, et n'a même pas le pouvoir de prier pour demander la foi. Qui l'a reçue ne peut manquer de se tourner vers le bien et de persévérer. Dans les deux cas, à quoi bon les conseils des auteurs pieux, des sermonnaires, leurs efforts pour convaincre la raison ou toucher les cœurs ? Dieu seul donne la foi aux élus et la refuse à ceux qu'il a de toute éternité réprouvés.

Certains historiens de Pascal signalent cette difficulté pour conclure qu'il abandonne ou du moins atténue notablement son jansénisme du fait qu'il se décide à composer une apologie. Rien n'est moins certain. Jansénius avait nettement aperçu l'objection, et il ne semble pas qu'il en ait été troublé. C'est qu'il connaissait la réponse de saint Augustin. Pascal aussi a lu le traité *De la correction et de la grâce*, peut-être l'opuscule sur le *Don de persévérance*. Il sait donc que Dieu observe certaines lois dans la distribution de sa grâce et que l'une de ces lois est de conférer la grâce moyennant certaines conditions, au nombre desquelles il faut ranger la prédication de l'Évangile, les exhortations et les remontrances des hommes, conditions inefficaces par elles-mêmes, mais auxquelles il lui a plu de subordonner la concession des secours décisifs. Une apologie peut être le moyen dont Dieu se servira pour ramener à lui l'âme égarée. Saint Anselme dira de même qu'il ne suffit pas d'entendre la vérité pour la recevoir, mais qu'il faut l'entendre et la connaître pour « être en état » de la recevoir. Dieu, sans doute, peut se passer de moyens humains ; mais ce sont là des procédés exceptionnels et, plus ordinairement, Dieu laisse tomber sa grâce où ses laboureurs ont semé.

Il n'est donc contradictoire qu'en apparence de travailler à la conversion de l'incrédule en attendant de Dieu seul cette conversion, et cette apparence même de contradiction ne déplaît pas à Pascal : « Il y a un grand nombre de vérités, et de foi et de morale, qui semblent répugnantes et qui subsistent toutes dans un ordre admirable. » Mais la tâche de l'apologiste est précisée par cette doctrine paulinienne et augustinienne, ou si l'on veut janséniste, de la foi. Cette doctrine n'interdit pas toute apologétique, mais elle en interdit une, qui est la plus commune avant Pascal, et que l'on a trop souvent recherchée dans Pascal lui-même. Longtemps l'ambition des théologiens fut de trouver des arguments rationnels si probants que l'incrédulité devînt une absurdité logique. Les jansénistes, au contraire, et Pascal, proclamant qu'on ne croit pas sans la grâce, renoncent à toute apologétique qui demande la conversion du libertin à des preuves d'ordre purement intellectuel. Et c'est en quoi l'apologétique de Pascal est fort originale à son époque et, l'on peut dire, très moderne. Il ose reconnaître que la religion ne se « démontre » pas. Voilà la première donnée du problème. « S'il ne fallait rien faire que pour le certain, on ne devrait rien faire pour la religion ; car elle n'est pas certaine. Mais combien de choses fait-on pour l'incertain, les voyages sur mer, les batailles ! » Pascal pourra bien accumuler des preuves, réunir en faisceaux des présomptions : il n'en attendra pas, comme se l'est imaginé Filleau de La Chaise, une certitude rationnelle ; il s'en servira pour ébranler l'in-

PENSÉES
DE
M. PASCAL
SUR LA RELIGION,
ET SUR QUELQUES
AUTRES SUJETS,
Qui ont esté trouvées après sa mort parmy ses papiers.

A PARIS,
Chez GUILLAUME DESPREZ,
rue Saint Jacques à Saint Prosper.
M DC. LXIX
Avec Privilege & Approbation.

TITRE DE L'ÉDITION ORIGINALE des « Pensées » (1669). On ne connaît de cette édition que deux exemplaires.
CL. LAROUSSE.

crédule et pour l'engager sur une voie qui ne sera pas celle d'une croyance théorique, mais de la totale conversion.

Aussi bien, ce que Pascal vise, ce n'est pas tant l'impiété de certains philosophes que l'indifférence des gens du monde. Presque nulle part, dans ses *Pensées*, on ne trouve d'arguments précis contre ces doctrines, déiste, naturaliste, machiavéliste, épicurienne, athée, que les apologistes de son temps s'acharnent à définir et à réfuter. La plume à la main, Pascal pense à des hommes : peut-être à ces « huit esprits forts du Poitou » dont parle le chanoine Bridieu ; à Méré aussi, sans doute ; en tout cas à ce Des Barreaux et à ce Mitton dont les noms se lisent parmi ses griffonnages et que l'apologiste poursuit de ses avertissements ou de ses apostrophes : « Reprocher à Mitton de ne pas se remuer... Le *moi* est haïssable : vous, Mitton, le couvrez, vous ne l'ôtez pas pour cela... » Secouer la fausse tranquillité de ces libertins qui se croient honnêtes gens, voilà à quoi tend avant tout son effort. Il a trop pratiqué Montaigne pour s'imaginer que tous les hommes cherchent en gémissant. Plusieurs se résignent au doute sans amertume, et Pascal s'en indigne : « Cette négligence en une affaire où il s'agit d'eux-mêmes, de leur éternité, de leur tout, m'irrite plus qu'elle ne m'attendrit ; elle m'étonne et m'épouvante, c'est un monstre pour moi... L'immortalité de l'âme est une chose qui nous importe si fort, qui nous touche si profondément, qu'il faut avoir perdu tout sentiment pour être dans l'indifférence de savoir ce qui en est. » Que l'incrédule s'afflige de n'avoir pas plus de lumière, il méritera compassion et non mépris. Mais qu'il se fasse gloire de ses ténèbres, de son insensibilité pour les plus grandes choses, étant si sensible aux moindres, qu'il s'avance vers la mort sans inquiétude quand il passe des jours et des nuits dans la rage et le désespoir pour la perte d'une charge ou pour une offense imaginaire à son honneur, c'est un « enchantement » incompréhensible, un assoupissement qu'il faut rapporter à une cause surnaturelle. « Qu'ils soient au moins honnêtes gens s'ils ne peuvent être chrétiens », s'écrie Pascal, leur jetant au visage, comme un reproche, ce titre dont ils se font gloire ; « et qu'ils reconnaissent enfin qu'il n'y a que deux sortes de personnes qu'on puisse appeler raisonnables : ou ceux qui servent Dieu de tout leur cœur parce qu'ils le connaissent, ou ceux qui le cherchent de tout leur cœur parce qu'ils ne le connaissent pas ».

Supposons l'inquiétude salutaire éveillée chez l'incrédule. Rien ne servirait de profiter de son premier trouble pour lui proposer quelques vérités abstraites. « Quand un homme serait persuadé que les proportions des nombres sont des vérités immatérielles, éternelles et dépendantes d'une première vérité en qui elles subsistent, et qu'on appelle Dieu, je ne le trouverais pas beaucoup avancé pour son salut. Le Dieu des chrétiens ne consiste pas en un Dieu simplement auteur des vérités géométriques et de l'ordre des éléments : c'est la part des païens et des épicuriens. » Également stérile, une apologétique qui proposerait à l'athée de contempler la nature pour y apercevoir Dieu. La nature est muette. « Le silence éternel de ces espaces infinis m'effraie. » Il n'est pas vrai que tout découvre Dieu ; le Dieu des chrétiens est un Dieu caché, infiniment incompréhensible. Opinion théologique mille fois exprimée avant

Pascal, mais à laquelle Port-Royal avait donné une vitalité nouvelle. Dans la *Théologie familière* de Saint-Cyran, point de ces définitions de Dieu comme en offrent les plus humbles catéchismes : « Qu'est-ce que Dieu ? — C'est une question à laquelle nous ne pourrons bien répondre qu'en paradis, où nous le verrons clairement. — Ne le peut-on connaître en cette vie ? — On le peut, mais imparfaitement et par une connaissance obscure et grossière, comme les petits enfants qui sont à la mamelle connaissent leur père. »

Ce qu'il faut proposer à l'incrédule dont on a vaincu l'indifférence, c'est la considération de la nature humaine. Elle est pleine de contradictions. Jadis, Pascal, arrivant à Port-Royal, avait exposé à M. de Saci combien l'homme, tel que le décrit Épictète, diffère du portrait qu'en trace Montaigne. Les stoïciens n'ont vu que notre grandeur, la force de notre volonté et de notre raison; ils ont connu nos devoirs sans connaître notre impuissance, et c'est pourquoi ils se perdent dans la présomption. Montaigne n'aperçoit que notre faiblesse et s'abat dans la lâcheté. Déjà Pascal concluait que ces deux plus illustres défenseurs des deux plus célèbres sectes du monde « ne peuvent subsister seuls à cause de leurs défauts, ni s'unir à cause de leurs oppositions, et qu'ainsi ils se brisent et s'anéantissent pour faire place à la vérité de l'Évangile ». Il s'entretient ici avec un croyant; il livrera moins vite sa solution à celui qu'il faut convertir.

Transformer la volonté, toucher et « renouveler » le cœur sont tâches plus compliquées que celle du géomètre, lequel s'adresse à l'esprit seul. Un ordre unilinéaire ne convient pas ici. La méthode est « la digression sur chaque point qui a rapport à la fin, pour la montrer toujours ». « Le cœur a son ordre, l'esprit a le sien. » « Je sais un peu ce que c'est que l'ordre et combien peu de gens l'entendent. » Pascal n'invitera pas l'incrédule à suivre de longues déductions; il l'amènera par d'innombrables remarques, distinctes, mais convergentes, à prendre conscience de lui-même et de la contradiction tragique de sa nature. L'inquiéter ne suffit pas; pour le disposer à réclamer Dieu, il faut le pousser à bout, lui donner le vertige, lui montrer tour à tour l'homme égal aux anges et l'homme égal aux bêtes, sans lui permettre de se reposer jamais dans une seule de ces affirmations. « S'il se vante, je l'abaisse; s'il s'abaisse, je le vante; et je le contredis toujours, jusqu'à ce qu'il comprenne qu'il est un monstre incompréhensible. »

Inlassablement, Pascal se donne l'amère satisfaction de confondre et d'exalter dans la même page l'orgueil humain, de révéler les contrariétés qui s'observent dans nos tendances comme dans nos institutions. L'homme poursuit la vérité, mais ses passions, son imagination, son intérêt la lui dérobent; il veut le bonheur et ne sait l'atteindre ni dans le repos, ni dans l'agitation; il s'aime et passe sa vie à se fuir; il aspire à l'équité et se contente de cette plaisante justice qu'une rivière borne; il prétend vénérer ce qui est grand et noble et il se prosterne devant des robes rouges, des hermines, des cortèges de tambours et de hallebardes. Placé entre deux infinis, l'infini de grandeur et l'infini de petitesse, milieu entre rien et tout, il s'effraie de soi-même, dans un désespoir éternel de ne connaître ni le principe des choses ni leur fin. « Nous brûlons de désir de trouver une assiette ferme et une dernière base constante pour y édifier une tour qui s'élève à l'infini, mais tout notre fondement craque, et la terre s'ouvre jusqu'aux abîmes. »

« Quelle chimère est-ce donc que l'homme ? Quelle nouveauté, quel monstre, quel chaos, quel sujet de contradiction, quel prodige ! Juge de toutes choses, imbécile ver de terre; dépositaire du vrai, cloaque d'incertitude et d'erreur; gloire et rebut de l'univers. Qui démêlera cet embrouillement ? » La bizarrerie de notre nature, en effet,

ne doit pas être seulement un motif de stupeur et d'épouvante. Elle est aussi un problème à résoudre. Ce problème, les philosophes ne l'ont jamais accepté dans sa complexité, et c'est pourquoi « se moquer de la philosophie, c'est vraiment philosopher ». Les religions — le christianisme excepté — ne déchiffrent pas mieux l'énigme. C'est que toutes s'inspirent de la raison naturelle : comment donc s'élèveraient-elles au-dessus des sectes philosophiques ? Elles sont d'origine humaine, naissent avec certains peuples et meurent avec eux, s'établissent par la force et la fourberie, adorent des dieux plus ridicules que des hommes, autorisent le vice. Et toutes manquent de ces prophéties et de ces miracles qui sont le signe d'une institution divine. L'incrédule que Pascal vient de confondre commence à désespérer, et il songerait, dit Filleau de La Chaise, à se donner la mort pour sortir d'un état si misérable, lorsqu'il découvre tout à coup un certain peuple qui d'abord attire son attention par quantité de circonstances merveilleuses et uniques.

C'est le peuple juif. C'est un peuple tout composé de frères, étrangement nombreux, et pourtant sorti d'un seul homme. Son histoire est la plus ancienne de toutes. Les empires ont passé, mais il les a devancés et il leur survit. De sorte que si Dieu s'est de tout temps communiqué aux hommes, ce sont ces gens qu'il faut interroger pour recueillir une exacte tradition. Or ils se gouvernent par un livre qui contient à la fois leur généalogie, leur loi et leur religion, la loi la plus parfaite du monde, la seule qui ait toujours été gardée sans interruption dans un État. Loi sévère cependant, obligeant ce peuple impatient et rebelle à mille observations particulières et pénibles. Quelle vénération ne mérite pas un tel livre et comment en négligerait-on les enseignements ? On y apprend dès la première page que le ciel et la terre sont l'ouvrage d'un Dieu, qu'il a également créé l'homme, qu'il l'a fait à son image, doué par conséquent d'intelligence et de lumière, capable de bien et de vérité, libre dans ses jugements et dans ses actions. On y apprend aussi que l'homme a voulu sortir de sa dépendance, devenir l'égal de Dieu et que, pour le punir, Dieu l'a fait esclave du péché.

Mieux qu'aucune autre, cette explication rend compte de la monstrueuse dualité de la nature humaine. Et voici un premier résultat atteint : l'incrédule sait maintenant que la religion n'est pas contraire à la raison, il n'a plus aucun motif de la mépriser. « La foi dit bien ce que les sens ne disent pas, mais non pas le contraire de ce qu'ils voient. Elle est au-dessus et non pas contre. » Il se peut qu'elle oblige la raison à soupçonner ses limites, mais « il n'y a rien de si conforme à la raison que ce désaveu de la raison ». Non seulement la religion ne nous demande pas le sacrifice de notre intelligence, mais elle vient au secours de celle-ci. « Vénérable, note Pascal, parce qu'elle a bien connu l'homme. » Et il ajoute : « La rendre ensuite aimable, faire souhaiter aux bons qu'elle fût vraie, et puis montrer qu'elle est vraie. »

Sans suivre dans le détail l'exécution de ce programme apologétique, bornons-nous à marquer quelques étapes. Pascal vient de conduire son incrédule jusqu'à la loi du peuple juif. Il entend le conduire de là à Jésus-Christ. De nombreux fragments établissent que pour ce dessein il se proposait de tirer grand parti des prophéties et des miracles.

Aux prophéties en particulier, qui, dans l'Ancien Testament, annoncent la venue du Christ, il attribue beaucoup d'importance : pour les élucider il ne ménage pas ses efforts. Lui qui, pour connaître les incrédules, consulte beaucoup plus son expérience vivante que les œuvres des impies ou de leurs adversaires; lui qui, même, pour nourrir son argumentation, néglige bien des ressources que l'examen des autres apologistes aurait pu lui fournir, et s'en tient aux quelques idées longuement mûries qu'il a tirées d'un petit nombre de philosophes profanes et d'auteurs spirituels, il apporte, à établir la « perpétuité », un soin exceptionnel. Il étudie l'hébreu. Il s'initie à l'exégèse au moyen d'un curieux ouvrage, vieux de quatre siècles, du dominicain Raymond Martin : le *Pugio fidei*, qu'a édité pour la première fois, en 1651, un ami d'Arnauld, Joseph de Voisin. Il approfondit également, dans saint Augustin et dans l'*Augustinus*, la théorie des « figuratifs », qui permet d'affirmer la continuité de l'Ancienne Loi et de la Nouvelle, en montrant, dans toutes les parties de la première, des images anticipées des réalités que décrit la seconde. Il en pousse même les interprétations au-delà de ce qu'avait fait Jansénius, tant sont promptes à se révéler, sur chaque sujet auquel il s'applique, la rigueur du géomètre et la sainte âpreté de l'homme.

Le miracle est en principe d'une portée moindre, puisque, se produisant à un moment déterminé et dans un certain lieu, il ne persuade guère que les témoins directs. Mais il frappe très vivement les jansénistes, aussi bien ceux de la première génération que les contemporains et successeurs du diacre Pâris. Les miracles se multiplient quand meurt Saint-Cyran, quand meurt la Mère Angélique, et presque à toutes les heures graves de l'histoire de Port-Royal. N'oublions pas que la famille Pascal a le sien, la fameuse guérison de Marguerite Perier. Pascal y avait vu un encouragement à continuer ses *Provinciales ;* peut-être lui devait-il sa vocation apologétique. Il consulta sur cet événement surnaturel M. de Barcos, le savant neveu de Saint-Cyran, et construisit sous son inspiration une théorie du discernement du miracle, aussi minutieuse que singulière.

Prophéties, miracles prouvent Jésus-Christ — Jésus-Christ centre de la piété de Port-Royal, centre aussi de la piété de Pascal, telle qu'elle s'exprime notamment dans le pathétique dialogue du *Mystère de Jésus*. C'est bien par lui que doit passer l'incrédule, puisque c'est en le connaissant que celui-ci finira par connaître ce Dieu, qu'à la différence de tant d'apologistes et de théologiens Pascal a jugé dangereux de lui prouver par les ouvrages de la nature, et que seule peut lui rendre intelligible la personne du médiateur et du Rédempteur. Mais le libertin acceptera-t-il la vérité qui se propose à lui ? Pour nous porter à croire, il faut sans doute éclairer l'esprit, mais plus encore il faut « incliner l'automate ». Car « nous sommes automate autant qu'esprit », et, pour nous persuader, la « coutume » fait plus que la raison. « Il faut que l'extérieur soit joint à l'intérieur pour obtenir de Dieu ; c'est-à-dire que l'on se mette à genoux, prie des lèvres, etc. » « Vous voulez aller à la foi, et vous n'en savez pas le chemin... Apprenez de ceux qui ont été liés comme vous... : ce sont gens qui savent ce chemin que vous voudriez suivre, et guéris d'un mal dont vous voulez guérir. Suivez la manière par où ils ont commencé : c'est en faisant tout comme s'ils croyaient, en prenant de l'eau bénite, en faisant dire des messes, etc. Naturellement même cela vous fera croire et vous abêtira. — Mais c'est ce que je crains. — Et pourquoi ? Qu'avez-vous à perdre ? »

Les psychologues contemporains ont souvent remarqué combien le conseil pascalien est conforme à ce qu'ils enseignent couramment sur la formation des sentiments et des croyances : l'émotion jaillit spontanément dans la conscience lorsque la machine a été ployée dans le sens convenable, c'est-à-dire quand nous imitons les gestes et les attitudes caractéristiques de cette émotion. Pascal dit cela et dit autre chose. Il dit que la croyance vient de Dieu. Entre l'opération qui dispose l'automate et la naissance de la foi, il y a du surnaturel, et ce surnaturel est tout. Mais l'intervention divine n'est pas nécessairement capricieuse : nous avons rappelé l'opinion de saint Augustin sur ce point. En sorte qu'il peut y avoir des règles présidant à l'infusion de la grâce, et par leurs effets ces règles

UNE PAGE (FOLIO 7) DU MANUSCRIT DES « PENSÉES ». Cette page renferme l'argument célèbre du pari (B. N., ms. franç. 9202). CL. LAROUSSE.

ne diffèrent peut-être pas beaucoup de ce qu'un psychologue non théologien appellerait les lois de la formation des croyances.

L'apologétique de Pascal est donc une ascétique plus qu'une démonstration. Elle n'attend pas tout de l'œuvre des hommes. Elle compte sur Dieu. C'est, au fond, le véritable sens de la distinction célèbre, et pourtant trop souvent peu comprise, que fait Pascal entre le cœur et la raison. Ce n'est point l'entendre que prêter simplement à Pascal l'intention éclectique d'utiliser la sensibilité aussi bien que l'intelligence pour convertir l'incrédule. On croit lui rendre justice en signalant qu'il a dénoncé un intellectualisme trop étroit. Mais en réalité on néglige l'essentiel, si l'on oublie qu'il ne situe pas sentiment et raison sur un même plan. Son jansénisme se marque ici encore par sa défiance à l'égard de notre raison corrompue. Rien de plus significatif que cette page de *l'Esprit géométrique* où il proclame la valeur de la démonstration par l'absurde. L'homme est enclin à nier ce qui dépasse son intelligence, par exemple la divisibilité à l'infini d'une grandeur, et cela parce que la démonstration directe lui échappe. Or cette impuissance est sa condition ordinaire. La méthode qui s'adapte à notre misère consiste en pareil cas à considérer la proposition contradictoire, à se rendre compte qu'elle est fausse et à se retourner ensuite vers la première proposition qu'on tiendra pour vraie, sans la comprendre d'ailleurs davantage : « C'est une maladie ordinaire à l'homme de croire qu'il possède la vérité directement; et de là vient qu'il est toujours disposé à nier ce qui lui est incompréhensible; au lieu qu'en effet il ne connaît directement que le mensonge, et qu'il ne doit prendre pour véritables que les choses dont le contraire lui paraît faux. »

Indigent et pitoyable, par conséquent, celui qui cherche Dieu avec sa seule raison. Il restera, devant le problème de sa destinée, indécis comme le joueur qui attend perte ou gain du pur hasard, et son unique ressource sera de se comporter en joueur avisé. Car il ne peut pas ne pas jouer. Il est « embarqué ». Qu'il pèse donc le gain et la perte selon qu'il pariera pour ou contre la vérité de la religion, et qu'il tienne compte des chances! Ses calculs aboutiront à cette conclusion : il y a une infinité de vie infiniment heureuse à gagner, une chance de gain contre un nombre fini de chances de pertes, et ce qu'il hasarde est fini. Cela supprime toute hésitation.

L'argument du pari était déjà classique au moment où Pascal y a recouru : il lui a seulement donné une forme plus mathématique, un caractère plus pressant. On en a contesté la force logique. Plusieurs aussi — Maine de Biran, Sully Prudhomme, d'autres encore — l'ont dénoncé comme « cyniquement intéressé ». C'est qu'ils ne partent pas de la conception de la nature humaine qui est celle de Pascal et de tous les augustiniens, y compris Malebranche. D'après saint Augustin, l'homme ne peut vouloir autre chose que le bonheur; il peut le situer diversement, mais il n'y a pas d'inclination ou d'action absolument désintéressées. Pascal le suit : « Tous les hommes recherchent d'être heureux; cela est sans exception... Ce qui fait que les uns vont à la guerre, et que les autres n'y vont pas, est ce même désir, qui est, dans tous les deux, accompagné de différentes vues... C'est le motif de toutes les actions de tous les hommes, jusqu'à ceux qui vont se pendre. » A l'accusation d'égoisme, tous les augustiniens répondraient avec Malebranche : « Ne me demandez pas pourquoi je veux être heureux, car cela ne dépend nullement de moi; interrogez le Créateur. »

Une question reste obscure : celle de la place que Pascal aurait accordée au pari dans son apologie. En aurait-il fait, comme pensent certains, le centre où tout devait conduire et à partir duquel tout devait rayonner, le « nœud » du livre? L'aurait-il traité, au contraire, comme un complément facultatif, lui qui semble n'en avoir fait

aucune mention dans sa conférence à Port-Royal? Une chose, au moins, paraît certaine : dans la pensée de Pascal, le pari est un pis aller, une démarche nécessaire à l'homme si engagé dans les passions que seul un mobile égoïste peut l'arracher à leur étreinte et déterminer son acceptation de la vérité; pour commencer, d'ailleurs, il ne le conduira pas à l'amour de Dieu, mais seulement à l'observance formelle des commandements de la religion, par crainte de la damnation possible. Pauvre piété, selon Pascal, qu'il a mise à son rang par cette formule où se condense une émouvante expérience religieuse : « C'est le cœur qui sent Dieu, et non la raison; voilà ce que c'est que la foi : Dieu sensible au cœur. »

LA FIN DE PASCAL (1658-1662). LE RAYONNEMENT ET LE STYLE DES « PENSÉES ».

Les travaux d'apologétique de Pascal ne l'avaient pas détourné des mathématiques. En 1658, il avait institué le concours de la roulette (cycloïde), qui fut l'occasion d'une polémique assez âpre avec l'Anglais Wallis et le jésuite Lalouère. Il publia sa propre solution dans une lettre qu'il signa d'un pseudonyme : Lettre d'Amos Dettonville à Carcavi (1658). M. de Roannez lui avait dit que, « dans le dessein où il était de convaincre les athées, il fallait leur montrer qu'il en savait plus qu'eux tous en ce qui regarde la géométrie et ce qui est sujet à démonstration ».

Les dernières années de Pascal furent assombries par le conflit qui le dressa contre ses propres amis de Port-Royal au sujet de la signature du « formulaire ». Plus intransigeant qu'Arnauld et que Nicole, il condamna toute politique d'accommodements. Au cours d'une longue discussion, lorsqu'il vit que les partisans des concessions l'emportaient, il tomba sans parole et sans connaissance. Y eut-il ensuite chez lui, après l'été de 1661, une évolution morale qui l'opposa, en un tout autre sens, à ses anciens compagnons de lutte en le conduisant à se détacher du jansénisme? C'est ce que plusieurs critiques admettent, se fondant notamment sur les Mémoires, publiés par E. Jovy, du père Beurrier, curé de Saint-Étienne-du-Mont, qui vit plusieurs fois Pascal pendant sa dernière maladie. La question est complexe et délicate à trancher; cependant l'extrême confusion d'esprit dont témoignent les Mémoires de Beurrier, non seulement en ce qui concerne Pascal, mais sur d'autres sujets encore, rend imprudentes les interprétations qui s'appuient trop exclusivement sur eux. L'ensemble des documents sur le problème a été réuni par E. Jovy dans le tome V (1928) de ses Études pascaliennes.

Sur les souffrances physiques que Pascal endura à partir de 1660, sur son ardeur à les exaspérer par les mortifications volontaires et sur tout ce qui concerne la « sainteté » de Pascal, lire l'émouvant récit de Mᵐᵉ Perier. Pascal mourut le 19 août 1662.

Le rayonnement de son œuvre, assez considérable encore au XVIIIᵉ siècle, en dépit des attaques de Voltaire et de Condorcet, s'est prodigieusement accru au XIXᵉ, et sa puissance se manifeste encore de nos jours, à la fois par les ferveurs qu'il suscite et les oppositions auxquelles il se heurte. Sur les vicissitudes de l'influence de

PORT-ROYAL DES CHAMPS. Vue de l'abbaye à la fin du XVIIᵉ siècle (B. N., Cabinet des Estampes).
CL. LAROUSSE.

Pascal, voir : A. Monod, De Pascal à Chateaubriand, les défenseurs français du christianisme de 1670 à 1802, *1916; J.-R. Carré*, Réflexions sur l'« Anti-Pascal » de Voltaire, *1935; D. Finch*, la Critique philosophique de Pascal au XVIIIe siècle, *1940; M. Waterman*, Voltaire, Pascal and human Destiny, *1942; H. Peyre*, Pascal et la critique contemporaine, *dans la* Romanic Review, *1930; D. M. Eastwood*, The revival of Pascal, *1936; B. Amoudru*, Des « pascalins » aux « pascalisants », *1936.*

La grandeur de l'écrivain n'a cessé d'être admirée ; mais elle n'a suscité encore aucune étude tout à fait méthodique. On trouve quelques éléments utiles dans : Lhermet, *Pascal et la Bible, 1931; Z. Tourneur*, Une vie avec Blaise Pascal, *1943.*

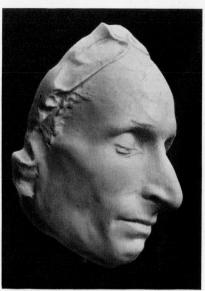

MASQUE MORTUAIRE DE PASCAL. Les deux profils ont été photographiés de manière à faire apparaître l'asymétrie du visage. — CL. LAROUSSE.

C'est la preuve du génie psychologique et religieux de Pascal que la continuité avec laquelle les *Pensées*, accueillies dès leur publication et malgré leur caractère inachevé comme une des grandes œuvres de la réflexion humaine, ont servi, au cours des siècles — inspiratrices, chez les uns, de convictions ardentes et de vocations d'apologistes, occasion, pour d'autres, de protestations ironiques —, à départager les familles d'esprits. Pivot, au XVIIIe siècle, de la résistance chrétienne contre les assauts de la philosophie, symbole, à l'époque romantique, de la grandeur tragique de la croyance et du doute, modèle, au temps du pragmatisme et du bergsonisme, d'une dialectique qui ne demande pas ses armes à la seule raison, objet, aujourd'hui encore, de débats qui les tirent au catholicisme orthodoxe ou qui les repoussent, elles n'ont pas fini d'émouvoir. Elles ont rendu à Paul Bourget sa liberté spirituelle, envoûté Barrès, révélé François Mauriac à lui-même, agacé André Gide, hérissé l'esprit critique de Paul Valéry.

Cette permanence de leur action, si elle vient, pour une part, de l'acuité avec laquelle Pascal y a posé les problèmes les plus troublants de la destinée de l'homme, vient aussi, on ne saurait le nier, des dons d'écrivain qui s'y affirment.

On y trouve d'abord, même dans les fragments les plus travaillés, ceux que visiblement l'auteur a conduits jusqu'aux approches de la perfection, cette sobriété dans l'art que la littérature de son temps n'acquiert que peu à peu. S'adressant à des honnêtes gens, il a conçu le projet de leur parler en honnête homme. Ses brèves notes sur sa méthode le montrent, il veut adapter l'enchaînement de ses preuves, non point aux lois d'une composition artificielle, mais aux conditions naturelles de la persuasion. Animé, contre le pédantisme, d'une haine que Méré a confirmée ou peut-être inspirée, il vise à être intelligible à tous, comme il l'a été dans *les Provinciales*. Admirateur de la simplicité, il proscrit le bouffon et l'enflé, les fausses élégances non moins que la luxuriance des images. L'éloquence qu'il aime se moque de l'éloquence. Son idéal est la clarté et le naturel.

Mais ce naturel n'est point pauvreté ni sécheresse. L'imagination de Pascal, avant de se discipliner, s'est assimilé une riche substance. Elle s'est toujours tenue, par tendance spontanée comme par nécessité d'observation scientifique, tout près de la réalité concrète. Les *Essais* de Montaigne lui ont apporté aussi l'aliment de leurs phrases charnues, gonflées de notations pittoresques et de sensations sub-tiles. Tout cela s'est décanté dans l'esprit de Pascal, qui n'a pas pour les jouissances voluptueuses les mêmes complicités que celui de Montaigne. Il lui en reste néanmoins, à l'heure où la pensée recourt, pour s'exprimer, aux mots et aux images, un vocabulaire précis et coloré, des visions réalistes, des comparaisons d'une simplicité populaire. A la suite de Pascal, le lecteur croise, dans la rue, des enfants barbouillés et qui se battent; il regarde, en chaire, le prédicateur mal rasé; il pénètre dans la boutique du cordonnier ou dans le cellier du vigneron; il voit, à la chasse, le lièvre fuir, et, au jeu de paume, la balle rebondir à la chute du toit. Aux idées les plus ardues, il n'accède pas par des raisonnements abstraits, mais par le spectacle des choses qu'il connaît le mieux. Dans toutes ces remarques nées, comme dit une glose des *Pensées*, « sur les entretiens ordinaires de la vie », il goûte une saveur de robuste vérité.

D'autres sont moins familières, et même d'un très haut style : Pascal en doit à la Bible la majestueuse beauté. Il sait par cœur l'Écriture, nous confie Mme Perier; il en apprécie en connaisseur le mélange de naïveté et de grandeur abrupte; il lui fait des emprunts nombreux. Mots antiques qui dégagent une sorte de parfum sacré, périphrases d'une solennité mystérieuse, ampleur du rythme soutenu par la régularité des parallélismes, images hardies évoquant d'un trait la puissance du Créateur ou la misère des créatures, de tout cela il a imprégné sa mémoire, au point de parler spontanément le langage de la Bible; et les cadences de sa phrase reproduisent sans peine le roulement des fleuves de Babylone, ou soudain se rompent devant la vision éblouissante des porches de Jérusalem. Rien de conventionnel, d'ailleurs, dans cette noblesse. Un mot roturier la ramène, en un instant, aux proportions du naturel. La symphonie pascalienne est puissante sans tomber dans la monotonie.

Le géomètre, lui aussi, a mis sa marque sur le style des *Pensées*. C'est lui peut-être qui a débrouillé l'écheveau de la période et en a parfois coupé le fil. C'est lui qui a introduit, dans le choix des vocables, cette sûreté presque infaillible; dans la structure logique, cette netteté et cette rigueur; dans le modelé de la phrase, cette concision et cette plénitude. Et c'est lui encore qui a fait surgir, à chaque instant, des antithèses : non de celles qui font admirer l'ingéniosité de l'auteur, mais de celles qui éclairent le lecteur et au besoin le contraignent. Car, dans cette lutte que Pascal a engagée avec son public, sa dialectique, d'une fermeté implacable, arrête à chaque instant l'adversaire dans les tenailles d'un nouveau contraste, d'où son intelligence ne pourra s'échapper que par la voie que lui a d'avance tracée l'impérieux apologiste. A moins que l'éternel paradoxe de la vérité chrétienne ne le bouscule dans un perpétuel renversement du pour au contre, où son sang-froid se perd, sa raison s'étourdit, et sa résistance capitule. Vertigineux démonstrateur, lors même qu'il croit se méfier de la raison, Pascal atteint à l'austère poésie de l'idée, du chiffre et de la ligne pure.

Les *Pensées* en contiennent d'autres encore, d'espèces variées. Auraient-elles toutes subsisté dans l'*Apologie* définitive, polie et limée? Sainte-Beuve se posait la question, et l'on peut, après lui, y rêver. Mais dans les *Pensées* on les trouve à profusion, ces beautés diverses, celles que la vivacité même de la notation fugitive y fait jaillir, celles qu'a produites, avec toutes les ressources de la sensibilité, une lente maturation. Sur les petits rectangles de papier que le malade manie en tâtonnant pendant ses insomnies, il s'agit pour lui de fixer, dans un raccourci rapide, les certitudes de son esprit intraitable, les âpres sentences de sa dérision, les mouvements de sa charité. Et voici des formules où se condense, avec une force décisive, le résultat de semaines de réflexion; des ellipses, qui lancent d'un trait la pensée vers son but; de brusques crochets de la phrase, qui réveillent l'esprit et le déconcertent, ou ne l'illuminent que pour soudain l'accabler, et, d'un seul geste, ramènent au néant la gloire qui s'étalait. Voici l'élan du *je*, qui ne jaillit que pour chercher à atteindre quelqu'un d'autre. Voici des apostrophes et des interro-gations, pressantes, cruelles, tendres, appels à un interlocuteur qui s'esquive. Voici, dans une comparaison, l'éclair qui découvre à l'œil d'immenses paysages, et, l'instant d'après, les rend à la nuit. Une brièveté nerveuse, une intensité exceptionnelle caractérisent le « tour pascalien ».

Mais il y a un visionnaire et un mystique chez cet écrivain passionné. De sa contemplation d'un infini où sa pensée se perd et dont il veut se servir pour faire naître l'étonnement ou l'effroi dans l'esprit de son lecteur, il tire une grandiose poésie cosmique. Son étude de l'homme, à la fois ironique et pitoyable, abonde en traits saisissants, gravés pour l'éternité. La ferveur et la sérénité se fondent en un lyrisme intime dans le tête-à-tête recueilli du *Mystère de Jésus*. Cependant, ici et là, une oreille exercée contrôle le rapprochement des mots et leur répartition en groupes qui ressemblent à des versets ou à des strophes. Des assonances scandent le déroulement de la méditation, tour à tour grave, haletante ou triomphale. A l'organisation des phrases président ces « nombres secrets » dont Paul Bourget signalait l'existence et auxquels la connaissance du vers libre et de la prose poétique rend particulièrement sensibles les lecteurs du xxᵉ siècle. Ceux du xviiᵉ étaient moins préparés à goûter de telles hardiesses, que Port-Royal n'osait d'ailleurs leur livrer toutes vives. Ils les ont pourtant admirées, associées qu'elles étaient à la parfaite correction et à la netteté du langage, dans un style qui parvenait enfin, après les tâtonnements d'une génération partagée entre des tendances diverses, à un équilibre vraiment classique.

LA FRANCE ET L'ÉTRANGER
DANS LA PREMIÈRE MOITIÉ DU XVIIᵉ SIÈCLE

Aux pays étrangers, la France semble, depuis Henri IV jusqu'à Mazarin, emprunter plus qu'elle ne donne. Mais elle n'est pas tributaire au même degré de toutes les nations.

L'Allemagne, où la guerre de Trente Ans paralyse toute vie intellectuelle, intéresse assez peu les Français, qui, d'ailleurs, en connaissent rarement la langue. Avec les Pays-Bas, ce sont surtout les hommes d'étude qui sont en rapport: Mersenne, Gassendi y voyagent, et, tandis que Grotius, à l'instigation du Provençal Peiresc, compose en France son De jure belli ac pacis (Paris, 1625), Descartes écrit en Hollande l'essentiel de son œuvre. A l'égard de l'Angleterre la curiosité s'accroît. Pour des raisons politiques, religieuses ou dynastiques, l'opinion française s'intéresse à Élisabeth, à Jacques Iᵉʳ, au mari d'Henriette de France. Casaubon, Du Vair, Montchrestien, Schelandre, Théophile font, pour des motifs divers, des séjours plus ou moins longs en Grande-Bretagne. La littérature de langue anglaise n'est plus entièrement ignorée; on traduit et on met à la scène le Pandosto de Greene; on imite l'Arcadie de Sidney, que Du Bartas qualifiait de « cygne », et on en donne une version française en 1624. Toutefois, la plus grande partie du public continue de trouver barbare le goût anglais, et l'Angleterre fournit plus de leçons aux philosophes qu'aux écrivains d'imagination: Bacon, Herbert de Cherbury, Thomas Browne, Hobbes ont, dans le Paris de Louis XIII, des admirateurs, tandis que Shakespeare y est méconnu et que les comédiens anglais, qui viennent parfois en France, n'y ont guère de succès. Cyrano de Bergerac tire bien quelques idées de l'Homme dans la lune de Francis Godwin, mais Tristan L'Hermite ramène d'au-delà de la Manche fort peu de souvenirs littéraires, et Saint-Amant est aussi sévère pour les acteurs de Londres que pour Ben Jonson lui-même.

C'est donc encore aux pays latins que vont les préférences du public. L'Italie, par exemple, si grande par son passé, si plaisante par ses aspects, reçoit de très nombreux visiteurs. Manque-t-on de loisirs pour aller goûter sur les lieux la science des professeurs de Padoue ou l'ingéniosité des poètes romains, on reçoit sans peine, par l'entremise des libraires lyonnais, et pour les lire dans l'original, les dernières productions des virtuosi d'outre-monts. Le plus brillant de ceux-ci n'est-il d'ailleurs pas venu lui-même en France recruter des disciples? De 1615 à 1623, Giambattista Marino, le célèbre « cavalier Marin », a fréquenté la Cour, les salons, les doctes compagnies; en 1623, il a publié son œuvre capitale, l'Adone, à Paris; la plupart des écrivains qui comptent après 1630 ont été, quelques années auparavant, ses adorateurs. Pareillement, le philosophe Vanini avait trouvé des sectateurs en Languedoc, avant de mourir, en 1619, sur le bûcher; Campanella, échappé des prisons de l'Inquisition grâce à l'aide d'un ambassadeur de France, est venu mourir à Paris.

Moins hospitalière à coup sûr que la Rome d'Urbain VIII, l'Espagne de Philippe IV glace ceux qui s'y aventurent: cependant, aux Pays-Bas ou en Franche-Comté, des voyageurs français en découvrent le génie hautain; bien plus, le Louvre même contribue à répandre le rayonnement de la littérature castillane: lorsque, en 1615, une infante est montée sur le trône de France, l'Espagne est devenue à la mode; grandes dames et beaux esprits en ont étudié la langue; des libraires se sont mis à en imprimer les livres; historiens, romanciers, dramaturges, mystiques espagnols, et, plus rarement, poètes, sont devenus pour les gens du monde des auteurs de prédilection. Quinze ou vingt ans plus tard, la moisson lève, de tant de lectures amusées ou enthousiastes: à la comedia nos écrivains empruntent des intrigues, et au roman espagnol des épisodes, non moins qu'à la littérature italienne des thèmes, des images et des idées. — Quelle a été, en définitive, l'influence de ces deux littératures ?

Celle de l'Espagne sur la poésie proprement dite a été restreinte, en général ; Malherbe, qui savait bien l'espagnol, a daigné traduire une letrilla de Gongora, mais c'est tout juste si, plus tard, les épigrammes et les refrains cocasses d'un Gongora, les « gloses » parodiques d'un Villa-Mediana et d'un Cervantès ont inspiré à Saint-Amant, à Voiture et à leurs émules quelques traits facétieux. Les « nouvelles » sont plus souvent imitées, non seulement dans les épisodes du Roman comique de Scarron, mais, à partir de Hardy, dans un assez grand nombre de tragi-comédies. Don Quichotte est trop riche de thèmes divertissants pour que nos auteurs ne lui fassent pas des emprunts : Guérin de Bouscal va jusqu'à en tirer une trilogie entière. Plus généralement, le roman picaresque, avec son aimable fantaisie et ses peintures truculentes, exerce sur les imaginations françaises un vif attrait : Corneille le laisse bien deviner dans son Illusion comique, où s'aperçoit aussi, à l'égard de certaines outrances espagnoles, l'ironie que traduisent, dans plusieurs pièces contemporaines, les rôles de « capitans » ; Chapelain, dans sa jeunesse, a traduit Guzman d'Alfarache.

Mais c'est tout naturellement la comedia, avec son immense répertoire, qui a retenu le plus longtemps les curiosités. Guilhem de Castro fournit à Corneille l'occasion de son premier triomphe, dans le Cid, en lui permettant d'épancher longuement cette veine héroïque, plus répandue encore en Espagne qu'en France, qui se retrouvera dans Don Sanche ; Rotrou s'inspire de Rojas dans Venceslas, et se souvient parfois de Lope de Vega dans Saint Genest. La tragédie, il est vrai, ne recourt qu'exceptionnellement à des modèles espagnols, tant la majesté de l'histoire romaine finit par s'imposer à elle. Rien de tel dans la comédie, où tout au contraire l'influence des Espagnols prédomine pendant une vingtaine d'années, à partir de 1638, présidant à la renaissance du genre. Plusieurs auteurs utilisent Tirso de Molina. A Juan Ruiz de Alarcon, Corneille doit l'intrigue de son Menteur. L'œuvre énorme de Lope de Vega est une mine inépuisable dont Rotrou, Corneille, Bois-Robert, son frère Le Métel d'Ouville, d'autres encore, exploitent les richesses. Tentatives si appréciées du public que les écrivains de théâtre mettent leur point d'honneur à y triompher : Thomas Corneille et Scarron rivalisent pour adapter une pièce de Calderon ; Scarron encore, Bois-Robert et Thomas Corneille s'escriment en même temps sur une pièce de Rojas. Sans doute, ni les uns ni les autres ne font d'effort pour pénétrer le génie propre du théâtre espagnol : le mélange, qui s'y rencontre souvent, de la familiarité et de la grandeur héroïque, de la fantaisie et de la mysticité, est trop contraire aux habitudes de l'esprit français comme aux tendances doc-

trinales de l'époque. Ils isolent donc des autres l'élément comique, mais celui-ci leur fournit encore d'heureuses ressources : non seulement le type, assez étranger à nos mœurs, de la duègne, mais celui du valet plaisant, qui aura plus longue vie ; et puis la vivacité des saillies, l'animation du dialogue, la rapidité des péripéties ; du mouvement, parfois de la couleur.

Parmi les œuvres des écrivains italiens, il en est dont le rayonnement, considérable au début du siècle, diminue ensuite : l'Arcadia de Sannazar, l'Aminta du Tasse, le Pastor fido de Guarini, qui, après avoir inspiré des imitations nombreuses, se trouvent, après 1630, entraînés, comme la Diana de l'Espagnol Montemayor, dans le déclin de la pastorale. Mais les principaux genres poétiques auxquels va alors la faveur sont en grande partie d'inspiration italienne. C'est sur le modèle de la Jérusalem délivrée que les auteurs d'épopées rêvent de construire leurs œuvres. C'est aux baroques italiens, Antonio Ongaro et Gasparo Murtola, c'est à Marino et à ses disciples Bruni, Achillini et Testi que la première poésie galante emprunte ses sujets, ses procédés, ses formes même, toute la partie, sinon la plus heureuse, du moins la plus caractéristique, de son inspiration. Et c'est encore à des Italiens que le burlesque est le plus redevable : les capitoli de Berni et des « bernesques » sont à l'origine des Caprices de Saint-Amant ; la Secchia rapita de Tassoni, récit épique d'événements bouffons, est le modèle sur lequel Saint-Amant a conçu le genre « héroï-comique » ; le poème où, en 1618, Bracciolini a bafoué les dieux de l'Olympe n'est pas étranger au jaillissement de la verve truculente qui anime la Rome ridicule de Saint-Amant, et, plus encore, le Typhon de Scarron. Et celui-ci se souviendra, en écrivant le Virgile travesti, de l'exemple que Giambattista Lalli lui avait donné en publiant, en 1633, son Eneide travestita.

La doctrine des règles elle-même a été empruntée moins à Aristote qu'à ses commentateurs d'outre-monts, les Vida, les Robortello, les Scaliger ou les Castelvetro, et c'est moins à la philosophie cartésienne qu'à la critique des Italiens que la « raison classique » devra son vigoureux dogmatisme. Comment oublier aussi que, si Castiglione avait déjà été traduit au XVIᵉ siècle et médité par Montaigne, les moralistes du XVIIᵉ siècle recourent directement à lui, en même temps qu'à la Civil conversazione de Guazzo et au Galateo de Giovanni della Casa, pour élaborer l'idéal de l'« honnêteté » ? Comment oublier, encore, que, chez les théoriciens qui préparent les voies à l'absolutisme royal, Machiavel garde des admirateurs fervents, dont la conviction s'affirme avec une hardiesse accrue le jour où la politique française se trouve conduite par un cardinal italien ?

Dans plusieurs des directions que suivent, à cette époque, le goût français et la pensée française, l'Italie demeure — mais pour assez peu de temps désormais — une initiatrice.

DOM QUIXOTE DE LA MANCHE (1640). Page de titre de la comédie tirée par Guérin de Bouscal du roman de Cervantès. — CL. LAROUSSE.

LES GRANDS FAITS POLITIQUES ET SOCIAUX DE 1661 A 1685

La mort de Mazarin (8 mars 1661), l'instauration immédiate par Louis XIV du pouvoir personnel ouvrent une période de l'histoire qui a toujours paru marquée d'un signe de grandeur. Des études récentes n'ont pas effacé, mais nuancé cette impression. En découvrant l' « envers » du siècle, elles n'ont pas dissimulé de quels sacrifices furent payés tant de luxe et d'éclat. Surtout, elles ont fait ressortir l'étroitesse relative de cette glorieuse période : vingt-cinq ans au plus. Très vite, se sont manifestés des symptômes de déséquilibre et de désagrégation.

Les années qui s'étendent de 1661 à 1685 environ n'en restent pas moins remarquables par l'abondance des faits enregistrés et l'ampleur du travail qui s'accomplit.

Ce qui domine, c'est l'autorité d'un roi jeune, qui, sans être un génie, a des idées, qui « n'est pas un monarque en peinture » (Molière), mais qui sait et veut régner. Après la chute de Fouquet (1661) toutes velléités de complots et d'intrigues sont pour longtemps écartées. L'esprit d'opposition ne se traduit qu'à l'étranger, par des libelles et des pamphlets. Le roi en son Conseil est le maître incontesté de la France.

Au-dessous de lui, la hiérarchie sociale s'organise en fonction de l'autorité royale. La noblesse, si agitée pendant la période précédente, est réduite au service de la guerre ou retenue à la cour par un rituel compliqué et par l'attente des faveurs du maître. Les bourgeois sont au gouvernement, sous l'étroite dépendance du roi. Le peuple demeure lointain.

Louis XIV fait la guerre. Complétant l'œuvre de Richelieu et de Mazarin, appuyé sur une nation qui est alors la plus puissante de l'Europe occidentale, il modèle le continent à sa guise : les guerres de Dévolution (1667-1668) et de Hollande (1672-1678) aboutissent à des traités, Aix-la-Chapelle, Nimègue, qui consacrent son prestige et l'encouragent aux audaces. L'Europe domptée ratifie ses annexions : la trêve de Ratisbonne (1684) marque une pause éphémère et le plus haut point de la puissance française.

A l'intérieur, un travail d'organisation est poussé en tous domaines, finances, commerce, industrie, sous le contrôle actif du roi et l'impulsion de quelques grands commis, à la parole parfois rude, mais d'un loyalisme à toute épreuve : au premier rang, Colbert (mort en 1683).

La religion, garante du trône, s'impose aux esprits par le dogme et les observances. Le roi, dans les premières années, est peu rigoriste. Il défend contre le pape les droits de l'Église gallicane (1682) ; le jansénisme, persécuté au moment de la signature du formulaire (1664), connaît une trêve par la paix de l'Église (1668). Le mariage secret de Louis XIV, après la mort de la reine, avec Mme de Maintenon (1683) et sa conversion à une vie morale plus réglée inaugurent une période de dévotion rigide. La révocation de l'Édit de Nantes est de 1685.

Les travaux récents des historiens nous ont donné un sens plus vrai de l'esprit général du temps : esprit d'ordre, de discipline, mais non d'impassibilité. La raison recouvre un bouillonnement de passions et de violences, que des incidents comme les affaires d'empoisonnement font remonter à la surface. En dépit du conformisme apparent, les questions dangereuses ne tarderont pas à se poser. L'esprit de libre examen se glisse de l'étranger en France.

L'activité intellectuelle est suivie de près par le roi, qui multiplie les fondations (Journal des Savants, 1665, Académie des Sciences, 1666, Observatoire, 1667-1675). Mais les grands savants sont des étrangers (Leibniz, Cassini, Huygens). Les arts l'emportent, surtout l'architecture, art royal : la colonnade du Louvre, Versailles, les Invalides. Une atmosphère de luxe et de fête enveloppe la vie de la cour pendant toute la première partie du règne. Un style de majesté se crée, qui marque la peinture et la sculpture du temps.

PRÉSENTATION AU ROI du « Dictionnaire de l'Académie françoise ». Gravure ornant l' « Épître au roi » en tête de la première édition (1694). — CL. LAROUSSE.

LE CHATEAU DE VERSAILLES. Gravure d'Israël Silvestre figurant au recueil des « Plaisirs de l'Isle enchantée » (mai 1664). — CL. LAROUSSE.

TROISIÈME PARTIE

LE RÈGNE DE LOUIS XIV

I. — LES ÉCRIVAINS GENS DU MONDE

LA ROCHEFOUCAULD

François, prince de Marcillac, duc de La Rochefoucauld à la mort de son père (1651), est né à Paris en 1613; il porte un nom qui « fait honneur à la France » (La Fontaine), celui d'une illustre famille de l'Angoumois. Son instruction fut médiocre. Il épousa en 1628 Andrée de Vivonne. Huit enfants naquirent de ce mariage. « Mestre de camp » au régiment d'Auvergne, il vint, en 1629, à la cour. Il y mena une existence galante et militante, prit avec Mme de Chevreuse le parti d'Anne d'Autriche contre Richelieu, fut embastillé, puis exilé dans ses terres, à Verteuil. Après la mort du cardinal, il espéra jouer un rôle politique. Mazarin le laissa au second rang; sous l'influence de la duchesse de Longueville, il prit part à la Fronde. Lieutenant général des rebelles (décembre 1648), il tenta de soulever la Guyenne; il fut très grièvement blessé au combat de la porte Saint-Antoine (1er juillet 1652). Compris dans l'amnistie de 1652, il regagna Verteuil. Il obtint une pension en 1659 et revint à la cour. Il fréquente alors chez Mme de Sablé, puis chez Mme de La Fayette. Les deuils attristent une vieillesse mélancolique, écourtée par la goutte qui « l'étrangle traîtreusement » (Mme de Sévigné). Il meurt dans la nuit du 16 au 17 mars 1680 « entre les mains de M. de Condom ».

Nous possédons de lui : son propre Portrait paru dans
un recueil de portraits offert à la Grande Mademoiselle, en 1659. Les Mémoires (tronqués) sont publiés en Hollande (1662). Les Réflexions ou sentences et maximes morales (dont une édition a été donnée en Hollande dès 1664, sous le titre : Sentences et maximes morales) paraissent chez Barbin, en 1665, précédées d'un Avis au lecteur et d'un Discours d'auteur inconnu (Henry de Besse, sieur de la Chapelle-Milon, d'après É. Magne, ouv. cité, p. 167). Suivent quatre éditions : 1666, 1671, 1675, 1678. La dernière contient cinq cent quatre maximes (contre troix cent dix-sept en 1665). Mais, d'une édition à l'autre, soixante-dix-neuf avaient été supprimées — on les a recueillies depuis — et plusieurs avaient subi d'importantes modifications. On a publié encore cinquante-huit Maximes posthumes, tirées de diverses sources, ainsi que dix-neuf Réflexions sur divers sujets, dont sept avaient paru en 1731. L'édition des Grands Écrivains de la France, par Gilbert et Gourdault (1868-1883), rassemble en quatre volumes l'œuvre de La Rochefoucauld. Signalons, parmi les éditions récentes des Maximes, celles d'Henri Guillemin, Genève, 1945, et d'Armand Hoog, Paris, 1945.

Consulter : Prévost-Paradol, Études sur les moralistes français, 1865; J. Bourdeau, La Rochefoucauld, 1895; Dreyfus-Brisac, la Clef des Maximes de La Rochefoucauld, 1904; G. Lanson, l'Art de la prose (ch. IX), 1908; R. d'Hauterive, le Pessimisme de La Rochefoucauld, 1914; É. Magne, le Vrai visage de La Rochefoucauld, 1923; le Cœur et l'esprit de Mme de La Fayette, 1927.

Il y a quelque chose de paradoxal, à première vue, dans la renommée littéraire de La Rochefoucauld. Il a peu écrit. Il n'a pas composé d'ensembles qui vaillent par l'ampleur de la construction ou la richesse du détail. Ses *Mémoires* sont un récit calme, posé, de bon ton, où les événements sont racontés avec ordre, expliqués avec le souci d'être clair et aussi équitable que possible; les portraits sont traités avec finesse. Rien de la vie puissante qui anime les *Mémoires* de Retz. La vraie gloire de La Rochefoucauld repose sur un recueil de cinq cents maximes. Genre très cultivé à l'époque : l'abbé d'Ailly publiera, en 1678, un recueil de même inspiration, composé par Mᵐᵉ de Sablé. Moraliste, La Rochefoucauld s'inscrit dans une lignée d'observateurs ironiques et pessimistes : sans parler du *Traité de la fausseté des vertus humaines* (1678) de Jacques Esprit, qu'il a pu partiellement inspirer, on a décelé ses emprunts au jésuite Balthazar Gracian, au huguenot Daniel Dyke. On a cité Nicolas Coëffeteau (1574-1623) et son *Traité des passions humaines* ; les *Caractères des passions* (1640-1662), l'*Art de connaître les hommes* (1659-1667) de Cureau de La Chambre, entre bien d'autres.

Enfin, l'esprit janséniste, toujours actif, multiplie à ce moment les réflexions sur la nature humaine. Nicole (1625-1695) en est, pour cette génération, le représentant le plus notable.

On ne s'étonnera donc pas qu'un choix soit nécessaire, si l'on veut déceler la véritable originalité des *Maximes*. Il en est de franchement banales : c'est la partie caduque de l'ouvrage. D'autres ne consistent guère qu'en un balancement ingénieux de termes, et sentent le divertissement de salon. « Il aurait été bien surpris de voir », écrit un jour Mᵐᵉ de Sévigné (14 juillet 1680), « qu'il n'y avait qu'à retourner sa maxime pour la faire beaucoup plus vraie ». Plusieurs ont trait aux jugements de l'esprit, à l'usage de la raison; elles rentreraient aisément dans ce fonds commun d'observations de critique mondaine que les opuscules et les correspondances du temps nous ont rendues familières. Il faut y joindre les *Réflexions* diverses — sur la société, la conversation, l'air et les manières, la différence des esprits — qui sont un bon exemple de définitions élégantes, d'exposé distingué. Elles nous aident à nous représenter cet idéal, à la fois intellectuel et moral, que les mondains du règne de Louis XIV n'ont pas créé, mais épuré, cristallisé et dont le *Portrait* que La Rochefoucauld a fait de lui-même nous donne une vivante image : « bon air » sans pédantisme, goût des entretiens affinés par la société des femmes, politesse parfaitement compatible avec les passions, les « belles passions » qui « marquent la grandeur de l'âme », avec un sens très aiguisé de l'honneur, avec cette énergie morale qu'avaient exaltée les héros cornéliens.

Les passions : elles font l'objet d'un bon nombre de *Maximes*, l'amour en particulier. Il a inspiré à La Rochefoucauld quelques illustres sentences. Elles ne nous apprennent rien pourtant que des écrits comme ceux de Méré ou le *Discours sur les passions de l'amour* ne nous disent, souvent avec un égal bonheur. Toute une enquête sur l'homme, poursuivant celle de Montaigne (qui est cité dans le *Discours préliminaire* des *Maximes*), s'est fixée dans ces formules méditées et incisives dont La Rochefoucauld ne détient pas lui seul le secret.

Et pourtant, à qui lit d'affilée son petit livre, la qualité en paraît aussi rare qu'à ses premiers lecteurs. Par haine du pédantisme, La Rochefoucauld a écarté toute composition rigoureuse. Il a pratiqué ce désordre dont le *Discours* préliminaire affirme qu'il a des grâces « que l'art ne peut imiter ». N'importe : le recueil n'en est pas moins fortement centré. C'est qu'un groupe de maximes vraiment supérieures en constitue la charpente; une idée directrice se dégage, et les éléments disparates du livre viennent s'y agréger.

Cette idée essentielle, le *Discours préliminaire* et l'*Avis au lecteur* la formulent en toute netteté. « Voici un portrait du cœur de l'homme que je donne au public... Ces maximes sont remplies de ces sortes de vérités dont l'orgueil humain ne se peut accommoder. » Quelles vérités ? Celle-ci surtout, où le *Discours préliminaire* rassemble toute la pensée de l'auteur en une phrase : *Que les réflexions détruisent toutes les vertus.*

Voir clair en l'homme par une analyse dissolvante de l'idée de vertu : tel est le but, on pourrait dire le but unique du livre. Que tend à prouver La Rochefoucauld par cette série de courtes phrases qui explorent, l'un après l'autre, tous les aspects de notre être moral ? C'est l'extrême rareté de la vertu pure. Disons mieux : son impossibilité. Les adoucissements auxquels il consentira, d'une édition à l'autre, sous l'influence de ses amies, et surtout de Mᵐᵉ de La Fayette, sont évidemment de pure forme et de complaisance. Au fond, il est bien convaincu que toute vertu est un alliage où entrent des éléments trop divers pour que nous ayons droit de nous en vanter. La force de La Rochefoucauld vient de ce qu'il n'attaque pas un vice, mais une illusion, dont nous sommes tous, à tous moments, pour les autres et pour nous-mêmes, les victimes. En fait, tout notre être répugne à la vertu véritable, qui serait une victoire totale sur nos passions. Une puissance irréductible veille pour nous en écarter, établie au centre de nous-mêmes. C'est ici qu'intervient l'amour-propre, dont La Rochefoucauld avait fait, dans sa première édition, une description détaillée, la plus longue de ses *Maximes*, qu'il a supprimée ensuite, jugeant sans doute que l'accumulation d'une série de traits dégagerait tout aussi bien l'idée; l'amour-propre, bien plus complexe que notre moderne « égoïsme », retors et protéiforme, calculateur et corrupteur. De lui, par un sourd travail, en partie inconscient, dérivent ces idées secondes, qui viennent subrepticement nous encourager aux pensées et aux gestes vertueux, mais les déformer en même temps et en soustraire tout ce qui serait vertu authentique : ainsi, tel succès obtenu, la satisfaction qui en résulte, la supériorité que nous en tirons nous rendront aisément bienfaisants pour autrui.

On sent qu'une telle analyse, essentiellement descriptive, apporte bien davantage à la connaissance de l'âme humaine qu'à sa correction; on ne cherche pas si obstinément à extirper les racines de l'orgueil humain sans découvrir des secrets bien cachés : « La constance en amour est une inconstance perpétuelle qui fait que notre cœur s'attache successivement à toutes les qualités de la personne que nous aimons, donnant tantôt la préférence à l'une, tantôt à l'autre, de sorte que cette constance n'est qu'une inconstance arrêtée et renfermée dans un même sujet. » Cela put paraître du tarabiscotage jusqu'à ce que les romanciers y aient trouvé matière à d'inépuisables

REFLEXIONS MORALES.

FRONTISPICE d'Étienne Picart pour l'édition de 1665 des « Maximes » de La Rochefoucauld. Sur le socle du buste que démasque l'*Amour de la Vérité*, on peut lire : *Seneca*.
CL. LAROUSSE.

variations ; et si le livre de La Rochefoucauld nous paraît si riche, n'est-ce pas que nous y retrouvons à chaque pas des raccourcis de ce genre, où semblent se condenser mille expériences ?

Ce sont là des vues bien célèbres. Il semble que La Rochefoucauld ait été plus loin encore. Dans quelques maximes, d'un accent particulier, il envisage (peut-être à la suite de Descartes) une physiologie des passions qui, d'après une maxime supprimée, « ne sont autre chose que les divers degrés de la chaleur et de la froideur du sang ». Voici qui est plus net encore : « La force et la faiblesse de l'esprit sont mal nommées : elles ne sont, en effet, que la bonne ou la mauvaise disposition des organes du corps. » Il en arrive donc à nous voir prédestinés ou non à la vertu par notre organisation physique : « La modération des personnes heureuses vient du calme que la bonne fortune donne à leur humeur. »

LA ROCHEFOUCAULD. Gravure de Petit, d'après Ferdinand Elle. — CL. LAROUSSE.

LA MARQUISE DE SABLÉ. Dessin de Du Monstier (musée du Louvre). — CL. GIRAUDON.

La vertu ne vaudrait que si nous étions libres ; or : « La persévérance n'est digne ni de blâme ni de louange, parce qu'elle n'est que la durée des goûts et des sentiments qu'on ne s'ôte et qu'on ne se donne point. » Et encore : « Nul ne mérite d'être loué de bonté s'il n'a pas la force d'être méchant. »

Ces réflexions paraissent d'une extrême importance. On voudrait savoir quelle place exacte La Rochefoucauld leur réservait dans son système. Elles rendraient presque superflue l'intervention de l'amour-propre. En effet, l'argument qu'on lui oppose en général est qu'il est certainement des cas où la vertu n'a pas pour mobile un calcul égoïste. Soit ; mais à quoi se réduit-elle si, même alors, elle n'est autre chose qu'une certaine disposition du sang et des humeurs dont nous sommes irresponsables, disposition née avec nous et plus ou moins modifiée par les circonstances de la vie ?

Ainsi, resserrée, traquée de toutes parts, la notion de vertu s'amenuise jusqu'à disparaître. La Rochefoucauld a dédaigné de présenter une hiérarchie de preuves. Amour-propre, intérêt, déterminisme physiologique, hasard aussi, — car il n'a pas oublié le rôle que jouent les circonstances fortuites et l'imprévu de la vie dans les manifestations vertueuses —, tout est jeté pêle-mêle pour dénoncer l'abus que nous faisons du terme. Et si, pour le fond, cette position critique n'est pas entièrement originale, du moins l'autorité de l'affirmation, la force évidente de conviction sont telles que nous ne nous souvenons plus que d'autres que La Rochefoucauld aient pu si vigoureusement s'y tenir.

Qu'importe, ont répliqué les défenseurs optimistes de la nature humaine (tel Vauvenargues), si la fausse vertu que vous nous dépeignez ressemble à la vraie au point que ses effets soient les mêmes ? Ce qui importe, c'est de ne pas nous en glorifier. C'est, en fin de compte, le jugement favorable de l'homme sur l'homme, l'admiration, légitime en apparence, de l'homme pour l'homme que La Rochefoucauld veut réduire ; c'est la présomption de la vertu qu'il s'acharne à abattre, parce qu'il y voit le plus haut refuge de l'orgueil humain. Les déclamations des stoïciens, ce perpétuel éloge des « sages » et des « vertueux » placé au centre de leur doctrine l'irritent et l'excitent à la contradiction. Le *Discours préliminaire* l'indique bien, et une lettre inédite

à Jacques Esprit prouve qu'il avait sans cesse présents à la pensée les grands hommes de l'antiquité. Aussi n'est-ce pas l'âme vile, poussée par un intérêt sordide et trop évident, ni l'âme bassement hypocrite qui l'intéressent. Il s'en prend aux âmes de haut prestige (et pourquoi ne pas penser que la sienne même lui servit plus d'une fois d'exemple ?). C'est en elles qu'il se plaît à décomposer les vertus en « vices déguisés », à décrire le travail sourd et complexe de l'amour-propre dans les comportements en apparence les moins contestables. C'est l'humanité supérieure qu'il veut arracher à la contemplation satisfaite d'elle-même. Les *Maximes* sont le miroir de l'élite humaine.

Livre dont le ton même accentue la portée. On a certainement exagéré l'influence des déboires politiques de La Rochefoucauld et d'une misanthropie acquise au contact de la vie sur la philosophie des *Maximes*. Néanmoins, l'homme s'y laisse bien saisir ; il représente toute une génération de nobles désencadrés, survivant à leur défaite. Il est aussi celui qui, dans son portrait, définit avec insistance sa mélancolie, accentuée par l'air sombre qu'il tenait de la « disposition naturelle des traits » ; âme désenchantée, sensible, prête à s'effondrer dans les larmes, quand une catastrophe l'atteignait ; celui enfin que Mme de Sévigné entendait tenir « des conversations d'une tristesse qu'il semble qu'il n'y ait plus qu'à nous enterrer ». Il suffit de voir quelle place il donne à l'idée de la mort. C'est par l'analyse critique, la plus longue du livre et l'une des plus dures, de cette vertu « philosophique » par excellence : le mépris de la mort, que s'achève le recueil définitif.

Le XVIIe siècle accepta le rude diagnostic : « Le livre de Job et le livre des *Maximes* sont mes seules lectures », dira Mme de Maintenon. Plus tard, La Rochefoucauld a fourni quelques-uns des éléments du pessimisme moderne. Ses traits sont lancés d'une main infaillible. On le voit, d'édition en édition, disposer les mots, affiner les pointes, pour donner à la phrase plus de concision et d'acuité, en la parant quelquefois d'une image éclatante : La Rochefoucauld est poète à sa manière. C'est par là qu'il a duré : ses formules résument brusquement les réflexions confuses que nous suggèrent une situation, une rencontre. Si nous les appliquons à autrui, elles satisfont notre goût de la critique et de l'ironie par leur efficacité meurtrière ; si nous savons les retourner contre nous-mêmes, elles nous donnent le secret plaisir d'une sincérité qui ose toucher au point sensible.

D'autres, avant La Rochefoucauld, avaient indiqué, suggéré, d'autres surtout ont, après lui, commenté ou délayé ce qu'il a dit avec tant d'énergie. S'il a embrassé moins d'idées que certains, il a prouvé qu'une seule idée pouvait nourrir un grand livre, « le premier grand livre de prose française », au jugement de Voltaire. La Fontaine le comparait à un canal où nous pouvons à loisir contempler notre image. L'humanité n'a pas cessé de s'y regarder, lorsqu'elle consent à être tout à fait sans indulgence pour elle-même.

MÉMORIALISTES :
LE CARDINAL DE RETZ

Paul de Gondi naquit en 1614, d'une famille d'origine florentine et de noblesse récente. Homme

LE CARDINAL DE RETZ. Portrait par Robert Nanteuil. — CL. LAROUSSE.

d'Église sans vocation, il fut coadjuteur de son oncle, l'archevêque de Paris, en 1643. La Fronde excite son activité de conspirateur et de politique. Passant d'un camp à l'autre, il est nommé cardinal en 1652, après des négociations menées à Rome par son représentant, l'abbé Charrier. Emprisonné à Vincennes, et pourvu inopinément de la dignité d'archevêque de Paris (1653); détenu à Nantes, évadé, exilé, il va en Espagne, aux Pays-Bas, à Rome; il écrit aux évêques et au roi de longues lettres pleines d'une apparente sollicitude pour son diocèse abandonné; après le triomphe de Mazarin, il échange l'archevêché de Paris contre diverses abbayes. C'est l'époque de la sagesse; il paye ses dettes, offre même de se démettre de sa dignité de cardinal. Louis XIV, auprès de qui il est rentré en grâce, le chargera de plusieurs missions à Rome. A partir de 1671, il rédige ses Mémoires *dans la retraite. Il meurt en 1679.*

Ses œuvres sont : la Conjuration de Fiesque, *écrite en 1631 (parue en 1655); les* Mémoires, *publiés en trois volumes, 1717, adressés à une dame qui lui a demandé « l'histoire de sa vie ». Il y raconte sa jeunesse et embrasse dans son récit toute l'époque de la Fronde.* Œuvres complètes, *en dix volumes, dans la collection des* Grands Écrivains de la France, *par Feillet, Gourdault et Chantelauze, 1870-1896; supplément à la* Correspondance, *donné par Cl. Cochin, 1920;* Mémoires, *édition commentée par M. Allem,* La Pléiade, *1939; R. Barroux,* le Cardinal de Retz, extraits, *1942. Consulter : J. Dussord,* le Cardinal de Retz, conspirateur né, *1938.*

Les mondains n'écrivent pas l'histoire. Elle s'élabore dans les travaux des érudits, dont Du Cange (1610-1688), éditeur des chroniques de Joinville, fut le plus représentatif; dans les couvents, surtout chez les bénédictins, à Saint-Maur. Les œuvres historiques du temps s'apparentent au genre romanesque : ce sont l'*Abrégé chronologique* (1668) de Mézeray (1610-1683), les histoires des rois de France, d'Antoine Varillas (1624-1696), qui paraissent à partir de 1682; l'*Histoire de la conjuration des Espagnols contre la république de Venise* (1674) de Saint-Réal († 1692), auteur d'un traité *De l'usage de l'histoire* (1671) et d'une *Vie de Jésus-Christ* (1678); les études religieuses du P. Maimbourg (1610-1686).

Les mondains, en revanche, écrivent volontiers leurs

mémoires : c'est l'occupation des vieillesses qui se souviennent et des ambitions apaisées. Le siècle nous laissera, avec les *Mémoires* de La Rochefoucauld et de Mme de La Fayette, ceux de Mme de Motteville (1621-1689), de Bussy-Rabutin (1618-1693), plus tard ceux de Mme de Caylus (1673-1729), de La Fare (1644-1712), bien d'autres encore, publiés pour la plupart au XVIIIe siècle, sans parler des Mémoires que Louis XIV fit composer sous sa dictée pour les dix premières années de son règne.

Les *Mémoires* de Retz sont bien le livre d'un homme qui avait commencé par un récit de la *Conjuration de Fiesque*. L'histoire par épisodes, et partiale, est le genre qui lui convient; l'ampleur du sujet lui importe moins que la précision du détail. C'est par là que valent d'abord ses *Mémoires*. Il fatiguerait à force de ne rien laisser perdre. Mais quelle authenticité il donne ainsi à sa narration! De quoi se compose une conversation politique? une entrevue? un complot? une grande journée? Tout cela, l'histoire le fixe en schémas. Dans la réalité, que de paroles échangées, de gestes qui n'aboutissent à rien, de désordre, de retours en arrière, d'hésitations! On dirait que Retz a tout noté pour tout reconstituer. Il a le souci d'exactitude de celui qui a constaté que « tout ce que nous lisons de la vie de la plupart des hommes est faux ». Il demeure en écrivant l'esprit lucide, clairvoyant, qu'il prétendait être en pleine bagarre : « Blancménil entra dans ma chambre, pâle comme un mort. Il me dit que le roi marchait au Palais avec huit mille chevaux. Je l'assurai qu'il était sorti de la ville avec deux cents. » Aucun effet, chez Retz, de lumière concentrée, d'arrangement dramatique. Il est même décousu (il s'en excuse pour commencer); il perd le fil et relie tant bien que mal les épisodes. Il nous donne, en revanche, l'impression de suivre dans toutes leurs sinuosités un débat, une négociation, une intrigue, à travers lesquels l'événement chemine, confus d'abord, inaperçu des acteurs eux-mêmes, et bientôt clair aux yeux de tous.

La notation juste, irremplaçable, la sensation même de la vie, voilà ce que Retz nous apporte à chaque page de ses *Mémoires*. Anne d'Autriche, le jour des Barricades, s'adresse au Parlement : « Je sais bien qu'il y a du bruit dans la ville; mais vous m'en répondrez... », et sort en claquant la porte. Mazarin ne fait pas payer sa pension à la reine d'Angleterre, réfugiée avec sa fille à Paris, si bien « qu'il n'y avait pas un morceau de bois dans la maison » et que la future Madame reste au lit, « faute d'un fagot »...

De temps à autre, il voit plus loin que l'anecdote; il dresse des bilans, il fait le point de la situation. Il y apporte le même souci de débrouiller les faits, la même minutie d'analyse. C'est merveille de le voir « démonter » la position exacte de Condé entre la reine et le Parlement, ou nous expliquer la soumission qui suit la révolte et comment « tout le monde se trouva en un instant Mazarin ». Ce n'est pas seulement pour revivre une époque, c'est pour apprendre tout ce que comportent le maniement des esprits, le gouvernement des hommes et des Français ou des Parisiens en particulier, qu'il faut lire Retz. Il a découvert certaines constantes de la vie politique avec une perspicacité qui, à tout instant, nous étonne. A quoi tient l'échec d'une conspiration? Comment s'organise et s'apaise

une émeute ? Il dit tout, jusqu'à l'observation prosaïque :
« Comme il était tard et que l'on avait bon appétit, ce qui
influence plus que l'on ne peut imaginer dans les délibérations... » Il a telles phrases, telles réflexions qui retentissent
à travers toute notre histoire, sur l'aspect que revêtent chez
nous les mouvements populaires, sur le comportement de
Paris qui « enfante sans douleur une armée complète en
huit jours ». Et les maximes, les formules à la Machiavel
naissent spontanément de ce qu'il a vu et observé : « On a
plus de peine dans les partis à vivre avec ceux qui en sont
qu'à agir contre ceux qui y sont opposés. » « Se faire
honneur de la nécessité, qui est une des qualités les plus
nécessaires à un ministre... » »

Formules et maximes ciselées par un artiste. Retz, au
fond, fut-il jamais autre chose ? On a tout dit de ses roueries diplomatiques, de son manque de sens moral, de
l'impudence de ses « retournements », de ses feintes. Et
certes — avant la résipiscence des dernières années —
sa coquinerie fut grande. Mais certaines époques ne per-
mettent-elles pas de mieux le comprendre ? Il gagne à être
lu dans les temps troublés. Quand on le voit passer d'un
camp à l'autre, chercher sa voie au milieu d'un invraisemblable chaos de sottises, de trahisons, de mesquineries, de
palinodies, parmi des intrigants dont beaucoup ne valaient
guère mieux que lui, on se prend à juger moins sévèrement son mépris des hommes et sa manière d'en user.
Son cynisme est plutôt celui d'un dilettante de l'intrigue
que d'un féroce ambitieux vraiment cohérent dans ses
desseins. « Rien ne touche et n'émeut tant les peuples,
a-t-il écrit, et même les compagnies, qui tiennent toujours beaucoup du peuple, que la variété des spectacles »;
et il se dépeint, durant la Fronde, metteur en scène, orga-
nisant, avec le peuple et les grands pour acteurs, des
ensembles dont il jouit en peintre.

C'est ainsi qu'il se délecte, dans ses *Mémoires*, à présenter, après le « vestibule » — entendez : les prodromes de
la guerre civile —, une galerie de portraits des personnages
qu'il a le mieux connus. Ils sont célèbres, ces portraits
de Retz, soit qu'il trouve, comme la plupart des grands écrivains de sa génération, l'image inoubliable — cet « âpre
et redoutable Richelieu » qui a « foudroyé plutôt que gouverné les humains » —, soit qu'il crible d'épigrammes
La Rochefoucauld et ses amies, Mme de Chevreuse entre
autres : « Si le prieur des Chartreux lui eût plu, elle eût
été solitaire de bonne foi. » Car Retz
est aussi dangereux dans ses *Mémoires*
qu'il put l'être en jouant sa partie
dans les désordres.

Rien de plus inégal que son style.
On ferait un recueil de mots à l'em-
porte-pièce, de trouvailles, de nuances d'expression spirituelles (comme
lorsqu'il distingue l'art de faire « couler » et celui de faire « tomber » un
ministre). Ailleurs, il est rocailleux,
archaïque. Il s'empêtre dans de longues phrases, où des cascades de conjonctions et de relatifs obligent à un
véritable déchiffrement; et il abuse
du style indirect. Il n'a pas non plus
l'ampleur de Saint-Simon, sa passion
qui emporte tout dans un rythme
frénétique, ni ses vues par endroits
si larges sur les destinées humaines.
Il manque de philosophie. Il est plus
politique, au sens précis et étroit du
mot. Du moins possède-t-il tout ce
qui donne le mordant et l'accent aux
mémoires de la vie politique : la
connaissance des hommes, le regard
net, et la méchanceté.

LE ROMAN. MADAME DE LA FAYETTE

Consulter : **Huet,** Traité de l'origine des romans
(en tête de Zayde, 1669) ; *A. Le Breton,* le Roman
au XVIIe siècle, *1890* ; *P. Morillot,* le Roman en
France depuis 1610 jusqu'à nos jours, *1894* ; *D. Mornet,*
Histoire de la littérature française classique, *1940* ;
M. A. Raynal, la Nouvelle française de Segrais à
Mme de La Fayette, *1927* ; *Dorothy F. Dallas,* le
Roman français de 1660 à 1680, *1932. Sur Furetière :*
H. Chatelain, Quelques remarques sur Furetière et
ses prédécesseurs dans le roman réaliste du XVIIe siècle
(Revue universitaire, *1902*).

ROMANCIERS DIVERS. FURETIÈRE

La Princesse de Clèves ne résume pas toute l'histoire du
roman sous le règne de Louis XIV. Les œuvres sont
nombreuses et de genres divers. Boileau juge encore
nécessaire de parodier le roman précieux dans son *Dialogue des héros de roman* (1665, publié en 1670), bien que
les œuvres démesurées aient vécu, et qu'on leur préfère
de plus en plus le récit court et passionné. Segrais en a
donné un exemple dans *les Nouvelles françaises ou les
Divertissements de la princesse Aurélie* (1656). N'oublions
pas qu'un des chefs-d'œuvre étrangers de la littérature
amoureuse, les *Lettres portugaises*, est traduit, en 1669,
par Guilleragues. L'*Histoire amoureuse des Gaules* (1665)
de Bussy-Rabutin est une chronique à clefs et à scandale. Mme de Villedieu (1632-1692) donne, en 1672, ses
Mémoires de la vie de Henriette-Sylvie de Molière. Ailleurs,
le roman confine à la poésie, à l'histoire. Valincour, dans
ses *Lettres* sur *la Princesse de Clèves*, fixera la formule du
roman historique.

Le roman, au surplus, n'est pas exclusivement mondain :
c'est en pleine période classique, l'année même des *Satires*
et du *Misanthrope*, que paraît *le Roman bourgeois, ouvrage
comique* (1666) de Furetière (1619-1688).

L'œuvre et l'auteur méritent qu'on s'y arrête un instant.
Nullement homme du monde, de naissance obscure, mais
fort cultivé, Furetière se fit d'abord remarquer dans le
genre burlesque par une *Énéide travestie* (1649). Puis il se
poussa jusqu'à l'Académie (1662). Il fut ami de Racine,
de Molière. Mais son originalité d'esprit lui mit sur les
bras une méchante affaire : la composition et la publication anticipée de son *Dictionnaire*
(1684), alors que l'Académie préparait un ouvrage collectif de même
nature, le firent exclure de l'assemblée. Il se vengea en lançant contre
ses confrères des factums, où Bensserade et La Fontaine sont fortement
égratignés, ce qui lui valut l'animosité déclarée des mondains, Mme de
Sévigné et Bussy-Rabutin en tête.

Le Roman bourgeois, en deux livres,
se situe dans la tradition réaliste qui
remonte à la première partie du
siècle; mais l'introduction, où l'auteur se flatte de faire « reconnaître...
les gens que nous voyons tous les
jours », se ressent de l'influence de
Molière et de tout le mouvement
littéraire du temps. Non pas roman
véritable, mais galerie de figures
dont l'originalité est d'être spéci-
fiquement parisiennes. C'est sur la
place Maubert, « place triangulaire,
entourée de maisons fort communes
pour loger la bourgeoisie » que
s'agitent au premier livre (le meilleur) ces fantoches, vrais pourtant :

ANTOINE FURETIÈRE. Gravure d'Edelinck.
CL. LAROUSSE.

Nicodème, le jeune « amphibie, le matin avocat et le soir courtisan », le procureur Vollichon, la très délurée Lucrèce et la petite niaise Javotte, beau parti bourgeois, à laquelle Bedout, avare et beau parleur, adresse des déclarations en style fleuri. Au second livre — Furetière nous prévient avec désinvolture qu'il n'y a pas lieu de chercher un lien entre ses histoires —, la peinture du monde des auteurs, les portraits de l'écrivain Charrosselles et de Collantine, l'inventaire rabelaisien des livres du poète Mythophylacte nous laissent beaucoup plus froids. L'ensemble donne l'impression d'une œuvre décousue, mais les détails sont amusants, et le burlesque, encore sensible dans les portraits, dans les conversations, s'y affine souvent en comique de mœurs.

MADAME DE LA FAYETTE

Marie-Madeleine Pioche de La Vergne, d'une famille de petite noblesse, est née à Paris, en mars 1634. Son père fut lieutenant au gouvernement du Havre. En 1650, sa mère, Isabelle Pena, d'origine provençale, devenue veuve, épousa en secondes noces le chevalier Renaud de Sévigné, oncle de la marquise, avec qui Mlle de La Vergne se liera d'une vive amitié. Toutes deux sont élèves de Ménage, maître savant et galant. « Pulchra Laverna », comme il la nomme, fera honneur à son éducateur. Elle sera fort instruite. Elle épouse, en 1655, un veuf, de famille auvergnate, maréchal des camps et armées du roi, le comte de La Fayette. Elle aura deux fils, nés en 1658 et 1659. Après plusieurs séjours en Auvergne, entrecoupés de voyages à Paris, elle demeurera presque constamment, à partir de 1660, dans la maison de la rue de Vaugirard, qu'avait fait bâtir son père, tandis que M. de La Fayette devra résider le plus souvent dans ses terres. Elle réunit un cercle d'amis, et fréquente à Saint-Maur, chez Gourville, à l'hôtel de Nevers à Fresnes-en-Brie chez les Du Plessis Guénégaud. Son amitié pour La Rochefoucauld devient — à partir de 1665 surtout — l'événement de sa vie. Bien en cour, elle est la favorite de Madame, dont elle se fera l'historiographe, et dont la mort (10 juin 1670) l'éloignera de Versailles. Son fils aîné entrera dans les ordres, et le second — assez mauvais sujet — dans l'armée. A partir de 1680, elle est en relations suivies avec la cour de Savoie, où son amie d'enfance, Jeanne-Baptiste de Nemours, régente après la mort de son mari, le duc Charles-Emmanuel III, essaye de sauvegarder les intérêts de la France contre son propre fils, Victor-Amédée (celui qui, plus tard, abandonnera en pleine guerre la cause française). Mme de La Fayette est en correspondance avec le secrétaire des commandements de la duchesse, Lescheraine, et surveille les libelles lancés contre son amie. En 1683, M. de La Fayette meurt. Très maladive depuis sa jeunesse, Mme de La Fayette décline lentement ; elle est sensible, pendant ses dernières années, à l'influence religieuse, d'abord de Rancé, puis de Du Guet, oratorien à tendances jansénistes. Elle meurt le 25 mai 1693.

Sa première œuvre, le Portrait de Mme de Sévigné, parut dans le recueil réuni pour Mademoiselle, en 1659 ; la Princesse de Montpensier est publiée par Ménage, sans nom d'auteur, en 1662 ; Zayde, histoire espagnole, paraît sous le nom de Segrais, en novembre 1669 (1re partie) et 1671 (2e partie) ; la Princesse de Clèves, sans nom d'auteur, en 1678. Ce roman soulève aussitôt d'intéressantes critiques : Lettres à Madame la marquise de ★★★ sur le sujet de la Princesse de Clèves, 1678 (sans nom d'auteur, attribuées à Valincour) ; Conversation sur la Critique de la Princesse de Clèves, 1679 (sans doute par l'abbé de Charnes) ; un article de Fontenelle dans le Mercure, mai 1678. Éditions modernes critiques et annotées de A. Cazes, 1934, et de É. Magne, 1946. Œuvres complètes : édition Lejeune, 1925 ; Romans et Nouvelles, par É. Magne, Garnier, 1939.

Œuvres posthumes : Histoire de Madame Henriette d'Angleterre, Amsterdam, 1720 ; la Comtesse de Tende, « Mercure galant », juin 1724 ; Mémoires de la Cour de France pour les années 1688 et 1689, Amsterdam, 1731. On lui a attribué à tort les Mémoires de Hollande, histoire romancée, parue en 1678, et, avec plus ou moins de vraisemblance, l'Histoire espagnole, et un récit (d'ailleurs perdu) : Caraccio. — Correspondance, deux volumes, Gallimard, 1942 (édition préparée par A. Beaunier).

Consulter : Sainte-Beuve, Portraits de femmes (article du 1er septembre 1836) ; Comte d'Haussonville, Mme de La Fayette, 1890 ; André Beaunier, la Jeunesse de Mme de La Fayette, 1921 ; l'Amie de La Rochefoucauld, 1927 ; H. Ashton, Mme de La Fayette, sa vie et ses œuvres, Cambridge, 1922 ; Mme Andrée Viollis, la Vraie Mme de La Fayette, 1926 ; Émile Magne, Mme de La Fayette en ménage, 1926 ; le Cœur et l'esprit de Mme de La Fayette, 1927.

Sur la Princesse de Clèves : F. Baldensperger, A propos de l'aveu de la Princesse de Clèves (Revue de philologie française, 1901) ; H. Chamard et G. Rudler, les Sources historiques de la Princesse de Clèves, (Revue du XVIe siècle, 1914) ; Valentine Poizat, la Véritable Princesse de Clèves, 1920.

Le vrai visage de Mme de La Fayette nous est moins familier que celui de sa grande amie, Mme de Sévigné. Son caractère nous paraît plus complexe. Pour ses contemporains elle représenta l'esprit, la raison. Il est certain qu'elle eut aussi la sensibilité très vive, des nerfs vibrants, facilement « alarmés ». Elle fut, au reste, grande raisonneuse. Ses samedis de la rue de Vaugirard où fréquentèrent Jacques Esprit, Corbinelli, Gourville, Retz, Condé, les Coulanges, etc., esquissent ce que seront un peu plus tard les « bureaux d'esprit ». Elle goûta les gens de haute culture, les livres solides. Elle eût voulu Montaigne pour voisin, et pratiquait Pascal. Elle partageait l'hostilité des mondains de son temps pour le pédantisme ; mais l'érudition ne l'effrayait point. Huet, un des hommes les plus savants de son temps, fut un de ses correspondants habituels. A l'hôtel de Nevers, où Boileau et Racine firent des lectures de leurs œuvres, où l'esprit janséniste poussait ses avantages, elle aime les conversations sur la littérature, sur l'art, sur ces sujets de psychologie et de morale qui nous jettent, comme elle l'écrit à Mme de Sévigné (4 septembre 1673), dans des subtilités où l'on finit par ne plus rien entendre. Elle fut certainement pour beaucoup dans les corrections que La Rochefoucauld apporta aux Maximes.

Femme de tête aussi en affaires, et esprit très positif. La faveur des prin-

PAGE DE TITRE de l'édition originale de « Zayde ». — CL. LAROUSSE.

cesses fut loin de lui être indifférente. Ses récents biographes
ont insisté sur cet aspect de sa
nature jusqu'à la peindre «jouant
une comédie constante de va-
peurs, langueurs, pâmoisons,
cachant son jeu secret, fébrile-
ment active, satisfaisant enfin
son goût de cabales, et, conjoin-
tement, ses appétits de femme
intéressée » (É. Magne). C'est
beaucoup dire; mais nous la
voyons, il est vrai, fort soucieuse
d'aider son mari à reconstituer
la fortune paternelle, et de caser
ses fils. Peut-être, à l'époque de
sa correspondance avec la cour
de Savoie, joua-t-elle un moment le rôle d'agent diplomatique. Plus habile ou plus heureuse en ses affaires que Mme de
Sévigné, elle se montra pour
celle-ci très bienfaisante. Car elle
fut amie fidèle : c'est un des traits
les plus sympathiques et les moins contestés de son
caractère.

JEAN REGNAULT DE SEGRAIS. MADAME DE LA FAYETTE.
Portraits conservés à la Bibliothèque nationale (Cabinet des Estampes). — CL. LAROUSSE.

Elle eut certainement le goût de la composition littéraire, bien qu'elle mît sa coquetterie à paraître nonchalante.
« C'est assez que d'être », disait-elle pour excuser sa paresse
à écrire. Et son style (surtout dans ses lettres) n'est pas
sans négligences. Elle a encouragé par là même les érudits
à discuter l'attribution de ses romans, et du plus célèbre
d'entre eux. On a nommé La Rochefoucauld, Segrais,
Fontenelle même. Aurions-nous dans la Princesse de
Clèves une création collective, l'œuvre d'un groupe et
comme le message de la société mondaine de ces
années 1660-1680? Rien n'est moins sûr. Certes, Mme de
La Fayette a brouillé les cartes en parlant de la Princesse
de Clèves dans une lettre à Lescheraine comme d'une œuvre
qui lui serait tout à fait étrangère. Mais ces artifices sont
trop fréquents au XVIIe siècle pour nous convaincre. Les
arguments tirés de rapprochements avec d'autres œuvres,
du style, etc., sont toujours sujets à caution. Nous n'avons
aucune raison décisive de refuser à Mme de La Fayette
la plus large part, pour le moins, dans l'élaboration
et la rédaction des romans que la renommée lui attribue.

Sa biographie d'Henriette d'Angleterre, écrite en collaboration avec la princesse, qui voulait voir fixer par une
amie lettrée ses souvenirs les plus chers, est une sorte de
« vie romancée » dont les épisodes les plus délicats — l'affection de Madame pour Louis XIV et ses amours avec
le comte de Guiche — sont traités avec une grande sûreté
de main. Mme de La Fayette est très supérieure à Mme de
Motteville; elle sait dessiner des portraits et créer l'atmosphère. La fin prématurée de Madame interrompit le
récit, et c'est seulement beaucoup plus tard que Mme de
La Fayette y ajouta une page très simple et très émouvante
sur cette mort dont Bossuet avait dit, en orateur et en poète,
le tragique retentissant.

Les Mémoires pour les années 1688 et 1689, fragment
d'un ensemble qu'elle avait peut-être poussé plus avant,
la montrent moins dure que Retz, avec bien de l'esprit,
de l'ironie — surtout à l'égard de Mme de Maintenon — et
toujours beaucoup d'aisance, de naturel, de vivacité.

Aujourd'hui que la Princesse de Clèves nous paraît, et
de loin, le chef-d'œuvre de Mme de La Fayette et du roman
psychologique au XVIIe siècle, nous sommes tentés de
chercher dans ses autres œuvres romanesques des esquisses
du livre définitif. L'étude de ces œuvres de second ordre
laisserait penser que l'imagination de la romancière s'est

peu renouvelée, et qu'elle a tourné autour du même sujet,
avant — et peut-être encore après — la composition de
son meilleur ouvrage.

La Princesse de Montpensier est très exactement une
nouvelle. Le cadre est historique : c'est la cour de
Charles IX, le temps des guerres de religion. Le duc de
Guise et le duc d'Anjou, le futur Henri III, y sont en scène.
Ce n'est pas seulement par là que l'œuvre se situe dans
une époque; c'est par la nature et la qualité des sentiments
qui y sont dépeints. Rien n'est plus frappant dans ce court
récit que la violence des passions. On croirait lire une de
ces chroniques comme les aimera Stendhal. Le prince de
Montpensier, dont la femme a été courtisée par Guise,
est furieusement jaloux. Son chagrin éclate en « violences
épouvantables » qui donnent « de mauvaises heures » à
la princesse. Obligé d'aller guerroyer contre les protestants, il la confie à son ami intime, le comte de Chabannes,
sensiblement plus âgé, qui ne tarde pas à s'éprendre de
la femme de son ami, le lui avoue, et, dédaigné, connaîtra
à son tour les pires tortures. Car la princesse, éperonnée
elle aussi par la jalousie (elle a cru que Guise aimait une
autre femme), s'abandonne à l'ancien amour. Et Anjou,
compagnon de Guise, amoureux lui aussi de la dame,
concevra contre son rival l'exécration qui conduira plus
tard à la lutte et à l'assassinat. « Le dépit, la rage, la haine » :
ces mots reviennent sans cesse dans le récit. L'amour est
d'un égoïsme, d'une intransigeance tranquillement incon-
scients. La princesse, sans songer qu'elle « lui fait avaler
tout le poison imaginable », prend Chabannes pour confident; elle trouve « un soulagement extrême à lui parler »;
elle le charge de messages, elle le fait revenir auprès
d'elle « par l'intérêt de l'amour pour lequel il lui était tout
à fait nécessaire », et Chabannes, enragé, mais obéissant,
cède : « on est bien faible quand on est amoureux ». Il
conduira lui-même Guise à la princesse avec un dépit et
un désespoir « qui le poussèrent mille fois à donner de son
épée au travers du corps de son rival ». Et quand le mari,
surprenant l'entretien amoureux, enfoncera la porte, Chabannes fera fuir le duc, restera à sa place dans la chambre,
attirera sur lui la fureur de son ami, qui, à quelques jours
de là, après la Saint-Barthélemy, trouvant son cadavre
dans les rues de Paris, ne pourra dissimuler un mouvement
de joie. Cependant Guise, dont le meurtre de Coligny a
assouvi la soif de violence, changera d'amour, trahira la
princesse, qui meurt de chagrin. Drame violent, presque
sanglant, écrit avec sobriété, sans phrases. On a pu reconnaître une parenté entre les romans de Mme de La Fayette

et le roman précieux : l'atmosphère n'en est pas moins toute changée.

Nous ne savons pas à quel moment fut composé le roman de *la Comtesse de Tende*. Il est encore plus dépouillé, plus âpre. Il n'y est question que de mensonges, de vengeances; la comtesse n'avouera tout à son mari que sur le point d'être mère, et lorsqu'elle succombera dans les souffrances, le comte apprendra sa mort « sans inhumanité, mais néanmoins avec joie ».

Zayde est beaucoup plus romanesque; on y sent l'influence des nouvelles espagnoles que Segrais dut faire connaître à Mme de La Fayette. Trop de héros et d'héroïnes y entrecroisent leurs aventures : Consalve, Alphonse, Fatime, Alamir, Ximénes, Belasire... Mais l'amour-passion y est aussi le grand ressort. Depuis Alamir, le don Juan arabe, jusqu'à Ximénes le jaloux, tous seraient dignes de prononcer cette phrase qui pourrait servir d'épigraphe aux romans de Mme de La Fayette : « Il n'y a de passions que celles qui nous frappent d'abord et nous surprennent; les autres ne sont que des liaisons où nous portons volontairement notre cœur; les véritables inclinaisons nous l'arrachent malgré nous. »

Ces trois récits permettent de situer *la Princesse de Clèves;* à la lumière de ce rapprochement, elle apparaît bien comme l'œuvre achevée, équilibrée. Elle dut être longuement méditée. Barbin la publia le 16 mars 1678; Mme de Sévigné en parle dès 1672. La documentation et les influences livresques y sont sensibles dans la partie historique; la vie de cour au temps de Henri II est dépeinte, non pas comme une transposition de la cour de Louis XIV, mais telle qu'on se la représentait alors. Les intrigues politiques y enveloppent d'un réseau serré le drame passionnel. L'action se déroule avant les guerres de religion : est-ce la raison pour laquelle les passions y sont moins brutales, moins frénétiques? Mais non pas moins ardentes. Mme de La Fayette nous répète que nous avons affaire à des êtres supérieurs; elle détaille avec une complaisance qui fait un peu sourire leur exceptionnelle beauté physique, leur charme, leur politesse. Les trois héros, la princesse, Nemours et Clèves, n'en sont pas moins des possédés de l'amour. Ils n'ont aucune force véritable pour s'en dégager. La jalousie — qui devient décidément en ces années le sujet à la mode — les tourmente et les anime. Clèves persécute sa femme pour lui arracher son secret. Et sa mort ouvre à Nemours des perspectives dont il n'éloigne son esprit que « par la crainte de se trouver trop malheureux s'il venait à perdre ses espérances ».

Mais leur aventure est traitée avec beaucoup plus d'ampleur que dans les autres romans, et elle met en jeu des sentiments d'une bien plus grande délicatesse. La jeunesse de Mme de Clèves — elle s'étonnera qu'on puisse aimer au-delà de vingt-cinq ans —, ses combats, sa vertu en font une héroïne de qualité rare. La jalousie concentrée de Clèves, tempérée par le respect et l'amour qu'il éprouve pour sa femme, ne s'emportera jamais jusqu'aux violences d'un Montpensier. Et Nemours n'a pas les exigences de Guise.

La nouveauté du livre, ce qui lui assure une place hors de pair dans notre histoire littéraire, c'est la pénétration et la minutie de l'analyse. *La Princesse de Clèves* est assurément le premier de nos romans où une lecture attentive révèle à chaque pas la richesse de l'observation humaine. Mme de La Fayette ne craint pas de répéter certains épisodes; il y a plusieurs monologues de Mme de Clèves, plusieurs entretiens entre la princesse et Nemours, et chaque fois l'atmosphère, le ton, les nuances varient. Le célèbre aveu de Mme de Clèves à son mari n'est peut-être pas de l'invention de Mme de La Fayette. Souvenir des *Désordres de l'amour* de Mme de Villedieu, ou d'un fait divers raconté par *le Mercure?* Mais la façon dont la scène

est annoncée, préparée, conduite, et écrite, est, à coup sûr, dans l'histoire du roman, parfaitement originale.

Car cet aveu, s'il est un témoignage de vertu, n'est pas absolument volontaire. Mme de Clèves y est entraînée, dans un état de demi-conscience. A peine lui aura-t-il échappé qu'elle sera stupéfaite et épouvantée de l'avoir fait. Ainsi, à tout instant, les personnages s'examinent et s'effrayent des changements survenus en eux. « Elle ne se reconnaissait plus elle-même » : c'est le motif principal de la princesse de Clèves. Mme de La Fayette excelle à décrire ce perpétuel renouvellement des êtres par la passion et la douleur. Et quelle vérité dans les moindres détails! Mme de La Fayette ne craint ni de faire sourire ni d'étonner le lecteur. Combien de traits surprenants (on disait alors « extravagants ») dont on découvre à la réflexion la justesse. Nemours épie la conversation entre Clèves et sa femme; il voudrait qu'il la pressât davantage de révéler le nom de celui qu'elle aime, car la violence même de sa passion l'empêche de croire qu'il s'agisse de lui. Des notations aussi aiguës se rencontrent jusque dans la dernière partie, la plus apaisée, du roman. Lorsque Mme de Clèves, rendue libre par la mort du prince, refuse d'épouser Nemours, elle ne le fait pas seulement par fidélité au souvenir de son mari, par vertu cornélienne, mais par une crainte très humaine de l'avenir; Nemours ne lui inspire pas toute confiance : « Ce que je crois devoir à la mémoire de M. de Clèves serait faible s'il n'était soutenu par l'intérêt de mon repos ». Et sa décision n'atténue pas le regret : « Pourquoi la destinée nous sépare-t-elle ? » Des mots, des réactions de cette nature sont vrais. Et si le roman, très pur, ne tourne pas en leçon de morale, s'il reste seulement douloureux et profond, c'est dans la mesure où ces personnages d'élite ne se séparent pourtant pas à l'excès de la commune humanité.

Pour la première fois, le genre romanesque s'efforçait donc d'arracher à la tragédie son privilège. Il se montrait au moins aussi apte qu'elle à soutenir l'intérêt avec un minimum d'action, à peindre dans leur mouvement des transformations d'âmes; et si Mme de La Fayette cherche à rivaliser avec un modèle, c'est bien sans doute avec Racine (*Phèdre* est de 1677). Son style, un peu lâche ou fâcheusement fleuri dans les parties historiques, prend alors une propriété, une rigueur qui restituent les crises de passion avec toute leur intensité et leur rythme. Le roman s'assurait même des possibilités plus amples que la tragédie, parce qu'il disposait de plus de temps et d'espace. Il a tout loisir aussi d'indiquer au passage le décor, le geste, l'attitude, qui animent l'étude des sentiments, et souvent la soulignent et la complètent. Ce que l'interprétation heureuse d'un acteur indique d'une manière fugitive, l'art du romancier le fixe en tableau. Mme de La Fayette a le sens du détail qui peint et qui évoque. C'est au cours d'une série de scènes que l'amour des deux héros prend naissance et conscience de lui-même : la scène du bal, où Nemours et la princesse, qui viennent à peine de faire connaissance, ont déjà leur destin amoureux fixé et visible à tous les yeux; la scène du tournoi, où l'émotion qu'éprouve Mme de Clèves, lors de l'accident survenu à Nemours, découvre à ses propres yeux sa passion. On songe à l'art de certains romanciers modernes, de Tolstoï par exemple dans *Anna Karénine*. Souvent, c'est moins encore : un regard échangé, un mouvement, un sourire, Mme de Clèves derrière sa fenêtre, « ses cheveux confusément rattachés », tandis qu'au-dehors, Nemours, sans être vu, la contemple et l'admire. Brèves indications, qui colorent le récit, qui font vivre les héros, qui enlèvent toute sécheresse à l'analyse.

L'esthétique propre au roman psychologique : la vigueur dans la sobriété, la richesse des notations dans la simplicité du sujet, c'est bien Mme de La Fayette qui l'a trouvée. Elle n'a pas écrit seulement le roman caractéristique d'une époque et d'un milieu; elle commande toute une tradition, celle du récit analytique, dense, serré, fouillé, qui sera le triomphe de la psychologie française. L'émotion s'en dégage avec discrétion, sans insistance excessive de la part de l'auteur. La dernière page, la dernière phrase, toute unie, toute sereine, de *la Princesse de Clèves* laissent (comme la fin de *la Chartreuse de Parme*) une impression pénétrante de rêve et de mélancolie : l'histoire d'une grande passion se perd peu à peu, s'évanouit dans l'oubli, dans le renoncement, dans la mort.

LA LITTÉRATURE ÉPISTOLAIRE
MADAME DE SÉVIGNÉ

Consulter : G. Lanson, Choix de Lettres du XVIIᵉ siècle, *douzième édition, 1920 : Introduction.*

La conversation dut être le genre mondain par excellence : tout en serait perdu pour nous, si nous n'avions gardé les lettres.

On ne dira jamais assez l'importance que prennent les correspondances dans la vie du XVIIᵉ siècle, ni l'aide qu'elles nous apportent pour faire ressusciter une société. La vie y afflue, les tempéraments s'y révèlent.

Il n'est guère de personnalité éminente du siècle de qui nous ne possédions des lettres : hommes politiques et hommes de guerre, grands écrivains et grands seigneurs, femmes du monde et savants. Et combien sont-ils, à qui seule, ou presque seule, leur correspondance a donné une place dans l'histoire littéraire : Madame de Sablé (1598-1678), l'amie de La Rochefoucauld; Mᵐᵉ de Scudéry (1627-1711), belle-sœur de l'auteur de *Clélie;* la marquise de Villars (1627-1708), mère du maréchal, à qui nous devons de curieux souvenirs sur la cour d'Espagne; dans l'entourage même de Mᵐᵉ de Sévigné, « le groupe » comme elle aimait à dire : ses enfants, Mᵐᵉ de Grignan (1646-1705) et Charles de Sévigné (1648-1713); Bussy-Rabutin (1618-1693), Emmanuel de Coulanges (1633-1716) et sa femme.

Il faut mettre à part Mᵐᵉ de Maintenon (1635-1719), dont le rôle d'éducatrice à la maison de Saint-Cyr s'éclaire à la lecture de ses *Lettres édifiantes, Lettres et entretiens sur l'éducation,* ensemble remarquable par la solidité de la pensée et la netteté du style.

Tous ces recueils de lettres, et d'autres encore, gardent leur valeur, pour leurs qualités propres aussi bien que pour l'intérêt des renseignements qu'ils nous apportent. Seule, pourtant, Madame de Sévigné nous présente l'exemple d'une grande réputation littéraire uniquement fondée sur une correspondance.

MADAME DE SÉVIGNÉ

Marie de Rabutin-Chantal est née le 5 février 1626, à Paris. Elle était petite-fille (par son père) de Jeanne de Chantal, collaboratrice de saint François de Sales pour la fondation de l'ordre de la Visitation, canonisée par l'Église en 1767. Par sa mère, elle appartenait à la famille de Coulanges. Son père fut tué, en 1627, en combattant les Rochelois alliés aux Anglais; sa mère mourut en 1633. L'orpheline, fort jolie et riche héri-

LE CHATEAU DES ROCHERS (Ille-et-Vilaine). — CL. NEURDEIN.

L'HÔTEL DE MADAME DE SÉVIGNÉ à Paris, actuellement musée Carnavalet. — CL. BONFILS.

tière, fut placée sous la tutelle de ses oncles maternels, Philippe et surtout Christophe de Coulanges, abbé de Livry (celui qu'elle appela : le Bien Bon). Elle reçut une solide instruction et eut pour maîtres Chapelain et Ménage. Le 4 août 1644, elle épouse le marquis Henri de Sévigné, apparenté aux Gondi. Elle est présentée à l'hôtel de Rambouillet. Deux enfants naissent : Françoise-Marguerite en 1646; Charles en 1648. Le 4 février 1652, le marquis de Sévigné est tué en duel par M. d'Albret. Les seuls incidents de la vie de la marquise, qui, veuve, va se consacrer uniquement à ses enfants, seront d'ordre familial. Charles de Sévigné fera dans l'armée une carrière médiocre avant d'épouser, en 1684, Mˡˡᵉ Bréhan de Mauron. Mᵐᵉ de Sévigné s'entendra bien avec sa belle-fille et séjournera à plusieurs reprises en compagnie de ses enfants dans sa propriété des Rochers. Quant à Françoise-Marguerite, elle épouse, le 28 janvier 1669, le comte de Grignan, lieutenant général du gouverneur de Provence. Après la naissance d'une première fille, Marie-Blanche (novembre 1670), Mᵐᵉ de Grignan part pour rejoindre son mari en Provence (4 février 1671). Mᵐᵉ de Sévigné, de qui nous possédons à cette date un certain nombre de lettres écrites à des amis, engage alors avec sa fille une correspondance (deux lettres par semaine, parfois davantage) qui ne sera interrompue que par leurs rencontres, du reste fréquentes et prolongées, surtout vers la fin, soit à Paris, soit en Provence. Un fils naît chez les Grignan, Louis-Provence, en 1671; une seconde fille, Pauline, en 1674. Louis-Provence aura plus tard un régiment et il épousera, en 1694, Mˡˡᵉ de Saint-Amant, fille d'un fermier général; Pauline deviendra la même année marquise de Simiane. Quant à l'aînée, Marie-Blanche, sacrifiée à son frère, héritier du nom, elle est entrée, à six ans, et pour la vie, au couvent de la Visitation d'Aix.

L'existence de Mᵐᵉ de Sévigné se partage entre Paris (où elle louera, en 1677, une partie de l'hôtel Carnavalet), Livry, les domaines que son mari possédait en Bretagne : le Buron, et surtout le château des Rochers, près de Vitré (elle y va assez régulièrement tous les quatre ou cinq ans jusqu'en 1690), ses terres de Bourgogne (Bourbilly), Vichy et Bourbon-l'Archambault, où elle fait des cures contre les rhumatismes (1676, 1677, 1687), enfin

Grignan, près de Montélimar (notamment en 1672-1673, 1690-1691, 1694-1696). C'est au cours d'un séjour à Grignan, où la santé de sa fille, souvent ébranlée, lui avait donné de grosses inquiétudes, que Mme de Sévigné meurt après une brève maladie, le 17 avril 1696.

Beaucoup de ses lettres avaient été gardées par les correspondants, ou copiées. Les lettres autographes ont été perdues pour la plupart (il en reste vingt-cinq à la bibliothèque de l'Arsenal). La correspondance de Mme de Sévigné — certainement incomplète — a été publiée dans les conditions suivantes : 1° un certain nombre de lettres en 1696-1697, insérées dans la correspondance de Bussy-Rabutin ; 2° cent trente-sept lettres recueillies par sa petite-fille, Mme de Simiane, envoyées à son cousin de Bussy (fils du correspondant de Mme de Sévigné), passées en différentes mains après sa mort, éditées partiellement à Troyes (1725), plus complètement à Rouen et à La Haye (1726), mais sans l'aveu de Mme de Simiane ; 3° l'édition du chevalier de Perrin (1734-1737), réimprimée en huit volumes (1754), préparée sur les indications de Mme de Simiane et dont le texte est souvent peu sûr ; 4° la première édition Monmerqué, en dix volumes (1818-1819); 5° l'édition des Grands Écrivains de la France, par Monmerqué et Mesnard, enrichie par la découverte d'une copie de deux cent soixante lettres, quatorze volumes, 1862-1866; 6° un recueil de Lettres inédites, découvert par Capmas et publié en deux volumes, 1876. En tout, environ mille cinq cents lettres conservées.

Une édition dite « du tricentenaire » a été donnée, en 1926, par un groupe de femmes de lettres; des Lettres choisies avec commentaires par Mme A. Vigneron, Hatier, 1937.

Consulter : Sainte-Beuve, Portraits de femmes (article de mai 1829) ; G. Boissier, Mme de Sévigné, 1887 ; A. Hallays, Mme de Sévigné, 1921 ; Mme H. Célarié, Mme de Sévigné, sa famille et ses amis, 1926 ; Mme G. d'Houville, l'Amour maternel de Mme de Sévigné (Revue des Deux Mondes, 1er mai 1928); V. Giraud, A propos du tricentenaire de Mme de Sévigné (ibid., 1er mars 1926) ; Mme Saint-René Taillandier, Mme de Sévigné et sa fille, 1938.

Des différences d'éclairage; des réactions de sensibilité personnelles : voilà ce que nous apportent les études les plus récentes sur Mme de Sévigné. Mais il semble bien qu'il n'y ait rien de vraiment neuf à nous apprendre à son sujet. C'est sans doute qu'elle nous a tout dit elle-même; et c'est, en effet, un des premiers charmes de sa correspondance que sa spontanéité, sa transparence.

Les lettres de Mme de Sévigné sont à l'image de sa vie. Vie sans mystère, sans aventures. Ceux qui voulurent autour d'elle en chercher ou en créer perdirent leur peine, Bussy-Rabutin entre autres. Il ne réussit qu'à se rendre déplaisant par le portrait-charge qu'il donna de sa cousine, dans *l'Histoire amoureuse des Gaules*, sous le nom de Mme DE Chèneville, portrait qu'elle sut lui pardonner.

MADAME DE GRIGNAN, par Pierre Mignard. - CL. FREULER.

Vie très digne et très sage, après l'enfance orpheline, les années brillantes du mariage et le veuvage prématuré. Vie de bourgeoise, pourrait-on dire, si quelques mots, jetés çà et là, ne trahissaient la grande dame du XVIIe siècle — et même certains préjugés de caste, qui ne sont pas l'aspect le plus sympathique de sa nature —. On préférerait qu'elle n'eût pas écrit, à propos d'un succès militaire : « On croit avoir acheté cette victoire; point du tout, elle ne nous coûte que quelques soldats, et pas un homme qui ait un nom. Voilà ce qui s'appelle un bonheur complet. »

Au reste, si les lettres de Mme de Sévigné ont gardé tant de prestige, n'est-ce pas que beaucoup de femmes s'y sont reconnues? Des ennuis, des inquiétudes, mais banals, sans catastrophes, depuis le duel et la mort du marquis. Beaucoup de vitalité, de robustesse, une promptitude à se ressaisir, une manière alerte et simple de prendre l'existence. « Jouissons, écrit-elle à Bussy, de ce beau sang qui circule si doucement et si agréablement dans nos veines. » Des préoccupations très communes, pour ses enfants — et surtout sa fille, la préférée —, pour ses petits-enfants; des misères vulgaires : soucis de santé et d'argent, d'argent surtout, avec un fils dépensier, une fille et un gendre qui veulent « représenter » et qu'achèvera de ruiner la banqueroute du trésorier de Provence; des voyages et des séjours dans ses terres, pour surveiller ses biens et vivre à moins de frais; des rencontres, des causeries, des lectures; un cercle d'amitiés solides que Mme de La Fayette nous a déjà fait connaître en grande partie : Fouquet, Retz, Mme de La Fayette elle-même, La Rochefoucauld, Ménage, Pomponne, Bussy, le président Moulceau, Corbinelli, les Coulanges. Pas d'amour. On a dit : quelques ambitions (pour son fils, qu'elle eût aimé voir député de la noblesse aux états de Bretagne), mais pas de ces ambitions qui donnent à une vie de femme un accent, une tension qui ne trompent pas. Mme de Sévigné ne cherchera pas à se pousser à la Cour. Quelques paroles du roi à la représentation d'*Esther* : la voilà satisfaite.

Eut-elle des ambitions littéraires? Elle a apporté sans doute de la complaisance à la rédaction de ses lettres; elle a compté sur l'effet qu'elles produiraient dans la société qui les lisait, qui les attendait. On l'a soupçonnée d'avoir mis quelque littérature dans son amour pour sa fille, on a parlé de son « roman de l'amour maternel », ce qui paraît plus gratuit. On ne voit pas que le démon de composer l'ait tourmentée. Et là encore, Bussy perdait sa peine, lui qui aurait rêvé de bâtir, en collaboration avec sa cousine, une autre *Princesse de Clèves*, plus vraie — il s'en vantait — que la vraie. On ne voit pas Mme de Sévigné écrire un roman ni des mémoires, ni même tenir un journal. Et lorsqu'elle se fait fort de composer un traité sur l'amitié, ou de faire naître les maximes sous sa plume, nous sentons bien le badinage. Séparée de sa fille, elle la tient au courant de ses pensées, de ce qu'elle a vu ou appris. Jamais art authentique — art de décrire et de raconter — ne naquit plus spontanément des circonstances.

Domaine étroit; matière inépuisable. Ce que Mᵐᵉ de Sévigné décrit d'abord, c'est elle, c'est son tempérament de femme raisonnable, certes, mais trop prompte à se représenter vivement les choses, et surtout les choses douloureuses. Elle est de ces gens qui souffrent de l'appréhension, de l'attente, et ne sont forts que devant l'événement accompli. C'est le tourment des imaginatifs et la revanche du « cœur » sur la « tête ». Lorsqu'elle attend les nouvelles du procès de Fouquet, elle ne peut se contenir : « L'incertitude est une épouvantable chose », et tout ce qui est incertain la « fait mourir ». Quand sa fille repart pour Grignan, exposée aux périls du voyage, à la traversée redoutable des rivières, au vent cruel de Provence, sa mère la fait assister au déroulement de ses pensées de malheur, et non pas une, mais dix fois, car elle ne craint pas de se répéter, et les lettres abondent en redites. Pourtant, malgré tous ces « dragons », le temps passe toujours, et la vie distrait, avec ses spectacles si variés : un incendie chez des voisins, une empoisonneuse qu'on mène au supplice, une anecdote de la Cour, des nouvelles de la guerre, le printemps et les rossignols. Telle est la correspondance de Mᵐᵉ de Sévigné : vingt-cinq ans de vie, d'observation en éveil et amusée. On a tout dit sur l'intérêt anecdotique et documentaire de ces lettres : il suffit d'énoncer ce qu'elles contiennent pour comprendre en quoi il consiste. Mais de combien de journaux intimes et de correspondances ne pourrait-on en dire autant? Comment ces récits et ces confidences ont-ils pris valeur d'art : c'est le secret de Mᵐᵉ de Sévigné.

Quoi que raconte, quoi que décrive Mᵐᵉ de Sévigné, elle l'a vu : en imagination ou de ses yeux, mais vu, avec précision, avec lucidité, avec passion.

MADAME DE SÉVIGNÉ, par Pierre Mignard. — CL. BRAUN.

La Brinvilliers est menée en place de Grève : « On l'a remise dans le même tombereau, où je l'ai vue, jetée à reculons sur de la paille, avec une cornette basse et sa chemise, un docteur auprès d'elle, le bourreau de l'autre côté... Et qu'on demande ce que bien des gens ont vu, ils n'ont vu, comme moi, qu'une cornette. » C'est ainsi toujours, qu'il s'agisse d'une ville, d'un visage humain, d'une scène. La sensation est saisie, et reproduite avec sa nuance singulière. Et c'est précisément dans ces limites que s'inscrit ce sentiment de la nature dont on a tant parlé. Sensations, devrait-on dire. Le printemps naît en Bretagne : « Je n'en connaissais moi-même que la superficie; j'en examine cette année jusqu'aux premiers petits commencements. Que pensez-vous donc que ce soit que la couleur des arbres depuis huit jours? répondez. Vous allez dire : « Du vert. » Point du tout, c'est le rouge. Ce sont de petits boutons, tout prêts à partir, qui font un vrai rouge. » Leçon donnée par l'observatrice à la cérébrale, à l'intellectuelle Mᵐᵉ de Grignan, férue des théories de son « père » Descartes et qui commet de si étranges bévues sur la couleur des bourgeons et le chant des rossignols ! Est-il rien de moins romantique que le fameux clair de lune observé aux Rochers, une chaude nuit de printemps? « Je vais dans ce mail, dont l'air est comme celui de ma chambre, je trouve mille coquecigrues, des moines blancs et noirs,

plusieurs religieuses grises et blanches, du linge jeté par-ci par-là, des hommes noirs, d'autres ensevelis tout droits contre des arbres, de petits hommes cachés, qui ne montraient que la tête, des prêtres qui n'osaient approcher. » Où est le sentiment dans une telle page? Où la rêverie? C'est une « chose vue ». Si l'on veut la replacer dans une tradition littéraire, ce n'est assurément pas en 1830, mais beaucoup plus près de nous qu'on lui trouverait des ressemblances : Marcel Proust l'a citée avec admiration.

Autrement dit, Mᵐᵉ de Sévigné est impressionniste. Mais ce qu'elle n'a pas vu, ce qu'on lui a seulement raconté, n'est pas traduit avec moins de vigueur. L'imagination, qui lui jouait de si mauvais tours lorsqu'elle lui représentait les dangers de sa fille, la sert fidèlement pour tracer un tableau; ainsi ce camp en deuil après la mort de Turenne, dont elle fait une évocation intense : « Tous les officiers avaient des écharpes de crêpe; tous les tambours en étaient couverts, qui ne frappaient qu'un coup; les piques traînantes et les mousquets renversés. » — Mieux encore : elle entre dans l'âme des autres, elle décrit les sensations qu'ils ont dû éprouver, comme le maréchal de Luxembourg, compromis dans l'affaire des poisons, arrêté, enfermé dans « une des horribles chambres grillées qui sont dans les tours, d'où l'on voit à peine le ciel... *Songez ce que fut pour lui que d'entendre fermer ces gros verrous; et s'il a dormi par excès d'abattement, songez au réveil* ».

C'est aussi pourquoi elle met si admirablement en scène. Quand elle rapporte une conversation, un dialogue, instinctivement elle passe au style direct; elle laisse aux propos qu'elle transcrit le mouvement, le ton, l'accent. On a parlé de « reportage » à propos de la série des lettres à Pomponne sur le procès de Fouquet (novembre-décembre 1664). C'est bien mieux : chaque séance est recréée, avec sa couleur propre, tantôt heureuse pour l'accusé, tantôt accablante. Le ton révèle le fond des âmes : l'impatience hautaine de Fouquet, l'acharnement haineux de Pussort. Ici, Mᵐᵉ de Sévigné a été témoin, mêlée à l'assistance. Ailleurs, elle a seulement entendu dire; on lui a décrit la douleur de Mᵐᵉ de Longueville, par exemple, lorsqu'elle apprend la mort de son fils, tué au passage du Rhin. Pourtant, les questions posées, la fatale nouvelle qui se fait jour peu à peu à travers les réponses, tout est rendu avec l'accent même de la vérité. C'est en quelques phrases le mouvement de la tragédie, ou du roman tel que l'a conçu Mᵐᵉ de La Fayette. Ailleurs, c'est un fragment de Molière, quand Boileau prend corps à corps le jésuite à propos de Pascal et, « criant comme un fou », jette des arguments d'homme en colère, qui frappe à côté et se donne tort quand il a raison. On veut croire que, dans de tels passages, Mᵐᵉ de Sévigné fait un peu comme ces historiens de l'antiquité qui reconstituaient les discours d'un homme illustre. Les phrases transcrites sont plus expressives, mieux enchaînées, presque plus authentiques que lorsqu'elles furent prononcées : le document devient œuvre d'art.

Par là, Mme de Sévigné dépasse l'impressionnisme pur. Elle ne peut s'empêcher d'être présente. Elle ne se contente pas de transcrire, elle interprète. Elle dégage de la scène l'élément tragique ou comique qu'elle contient, même à l'insu des acteurs. Et c'est ainsi qu'elle donne une valeur universelle à ce qui pourrait n'être qu'une anecdote. Sa description de Paris angoissé dans l'attente des nouvelles de la guerre (20 juin 1672) est vraie, d'une vérité que des expériences répétées ont confirmée, parce qu'elle ne s'est pas contentée de noter des gestes ou des attitudes; elle, si sensible à l'angoisse de l'attente, elle a vraiment perçu cette atmosphère particulière d'une ville enfiévrée, et pour la traduire elle n'a gardé que les traits essentiels.

C'est ainsi que Mme de Sévigné connaît tout le parti que le style peut tirer du mélange de l'abstrait et du concret. Que voit-on à Marseille? « des aventuriers, des épées, des chapeaux, du bel air, *une idée de guerre, de roman, d'embarquement, d'aventures*, de chaînes, de fer, d'esclaves, de servitude, de *captivité*. » Et dans un grand mariage? « Magnificence, illustration, toute la France, habits rabattus et rebrochés d'or, pierreries, brasiers de feu et de fleurs, embarras de carrosses, cris dans la rue, flambeaux allumés, reculements et gens roués; enfin, *le tourbillon, la dissipation*, les demandes sans réponses, les compliments sans savoir ce que l'on dit, les civilités sans savoir à qui l'on parle, les pieds entortillés dans les queues... » C'est l'art de Tacite et de Saint-Simon.

Elle sait aussi, et de telles phrases le prouvent assez, ce que valent la vivacité, le raccourci. C'est une vertu essentielle de son style que la sobriété. On est toujours étonné, lorsqu'on relit tel passage célèbre, de le trouver plus court qu'on ne se le représentait au souvenir. Il est extrêmement rare que Mme de Sévigné « bavarde ». On ne saurait dire pourtant qu'elle « compose ». On a donné souvent une fausse idée de ses plus fameux récits en les isolant, comme si la lettre était « à sujet ». La plupart du temps, ils sont mêlés à une poussière de détails étrangers. Une fois l'essentiel dit en quelques phrases, la narratrice part dans une autre direction, quitte à reprendre le récit sept à huit fois dans des lettres successives : ainsi pour la maladie de sa tante ou la mort de Turenne. C'est la palpitation même, l'imprévu et les sursauts d'une conversation surveillée, mais vive et tout à fait détachée des soucis de rhétorique. Tout dans ce style est mouvement, non pas le mouvement factice et calculé de telles lettres (comme la lettre sur le mariage de la Grande Mademoiselle), mais le mouvement primesautier d'un entretien. Les débuts, les « départs » sont éclatants : « Levez-vous, Comte, je ne veux point vous tuer à terre. » « Allez vous promener, Madame la Comtesse, de venir me proposer de ne vous point écrire... » La lettre sur le printemps commence comme une devinette ou comme une question d'examinateur. Il se peut que Mme de Sévigné se soit complu à chercher certains effets; ils n'en donnent pas moins l'impression d'un parfait naturel.

On en dirait autant de ces deux autres caractères éminents de son style qui sont l'abondance des images et la gaieté. Mme de Sévigné est bien la contemporaine de Molière, de Pascal, de La Fontaine, de Retz, plus voisine par sa manière d'écrire de la génération précédente, celle de Corneille, que de celle qui suivra, celle de Racine. L'image naît sans effort sous sa plume, non pas du tout l'image telle que la pratiqueront les Romantiques, l'image somptueuse, élargie en comparaison, en métaphore, en allégorie, mais la trouvaille à l'impromptu, qui substitue brusquement le pittoresque à la grisaille pour réveiller et amuser l'esprit par un rapprochement inattendu. Il s'agit d'un coupable : « La suite nous fera voir de quelle couleur sont ses crimes; jusqu'ici ils paraissent gris-brun seulement. » Son fils Charles est un bourreau d'argent : « C'est un abîme de je ne sais quoi, car il n'a aucune fan-

taisie; mais sa main est un creuset qui fond l'argent. » Voici l'esquisse d'un premier président : « Vous croyez que c'est une barbe sale et un vieux fleuve. » Ce sont les trouvailles que l'on peut avoir dans une conversation animée, dans la chaleur d'une improvisation. Chez Mme de Sévigné, elles constituent une manière habituelle de s'exprimer.

Comme sa génération encore, elle n'est pas timide. Telles lettres sur les frasques de son fils ne seraient indignes ni des contes de La Fontaine ni des farces de Molière, qu'elle cite si volontiers. Comme eux, elle est gaie. Cette gaieté que La Fontaine voulait introduire dans les *Fables*, et qu'il a définie comme l'originalité essentielle de son livre, cette gaieté dont Molière enveloppe les laideurs du vice ou les ridicules les plus navrants, Mme de Sévigné la met en œuvre pour dissoudre le caractère pénible ou tragique d'une nouvelle ou d'une situation. Ce n'est pas, comme on l'a dit parfois, qu'elle ne traite jamais sérieusement les choses sérieuses : l'émotion jaillit de certaines phrases. Mais il est très vrai qu'elle est sensible à l'aspect comique des choses, que la pente naturelle de son esprit la ramène au badinage et qu'elle laisse volontiers l'imagination plaisante reprendre le dessus. On le lui a assez reproché ! Sainte-Beuve ne lui pardonnait pas d'avoir écrit si légèrement sur les troubles de Bretagne, les pendaisons et les supplices. Commencer une lettre sur l'exécution de la marquise de Brinvilliers, dont les cendres furent jetées au vent, par ces mots : « C'en est fait, la Brinvilliers est en l'air », c'est amusant, et un peu féroce. Mais on a bien remarqué que, lorsqu'il s'agit de choses qui la touchent à coup sûr, elle prend le même ton. Quand la guerre éclate — cette guerre qui lui a inspiré de si beaux mouvements d'angoisse ou de pitié — elle écrit : « Voilà déjà la mode d'être blessé qui commence. » Elle aimait bien La Rochefoucauld. Elle était à ses côtés lorsqu'on lui apprit la mort d'un de ses fils, la blessure d'un autre, la mort du fils de Mme de Longueville. « Cette grêle est tombée sur lui en ma présence », écrit-elle, et le pittoresque de l'image n'est pas trop bien d'accord avec la circonstance. Quand La Rochefoucauld lui-même vient de mourir : « Il est enfin mercredi. M. de La Rochefoucauld est toujours mort. » C'est plus fort qu'elle; ce n'est ni insensibilité, encore moins inconscience ! C'est un tour d'esprit vif, celui même que l'on prend aisément dans la conversation. Ne lui arrive-t-il pas, dans les lettres où elle décrit à sa fille ses tourments maternels, de laisser échapper de tels traits ?

Cette manière de présenter les faits, d'animer les récits, n'est pas rare dans les lettres des mondains du XVIIe siècle : Mme de Sévigné elle-même ne songeait pas à se singulariser. Elle avait conscience de faire partie d'un groupe. « Elle écrit comme nous », dit-elle d'une personne amie. Mais aucun épistolier du temps ne présente un ensemble comparable, un bonheur d'expression si constant.

C'est au même point qu'on peut situer Mme de Sévigné si l'on envisage sa correspondance comme un recueil de jugements et de témoignages.

On n'oserait pas dire de Mme de Sévigné ce que Mme Du Deffand dira de Montaigne : « On y trouve tout ce qu'on a jamais pensé. » Il faudrait au moins restreindre un peu la formule. Des réflexions sur la vie, sur le temps qui s'écoule et la vieillesse qui vient, sur le train des choses; des mélancolies fugaces, et parfois, au milieu de ses expansions d'amour maternel pour une fille glaciale, gênée par une adoration encombrante, éclipsée par cette mère si spirituelle, quelques allusions pénétrantes aux déconvenues de l'affection : voilà en quoi consiste ce qu'on est convenu d'appeler la « philosophie » de Mme de Sévigné. Elle a sa valeur éternelle, parce qu'elle enrichit ce trésor commun d'observations quotidiennes, que nous jugeons banales tant que nous n'avons pas eu l'occasion d'en vérifier personnellement l'exactitude et d'en ressentir l'acuité. Mais elle est, à d'autres titres, un témoignage.

Si nous voulons saisir les courants de pensée à l'époque de Louis XIV, cette espèce de vulgarisation des grands systèmes philosophiques dans le public lettré, c'est bien à Mme de Sévigné qu'il faut nous adresser. C'est un esprit très ouvert, très accueillant, comme celui de La Fontaine. Elle nous montre comment une réelle richesse intellectuelle et l'indépendance du jugement se conciliaient, chez beaucoup de ces mondains, avec des qualités d'esprit plus superficielles. A regarder de près l'histoire des idées au cours de ces années 1660-1680, ce qui ressort avec éclat, c'est la suprématie du jansénisme. A l'heure où son histoire anecdotique et pittoresque, pourrait-on dire, marque

LE CHATEAU DE GRIGNAN (Drôme). Aquarelle de Gaignières (B. N., Cabinet des Estampes).
CL. LAROUSSE.

une pause, jamais son prestige moral n'a été plus puissant. Telle est bien l'impression que nous laisse Mme de Sévigné. On connaît son jugement sur Port-Royal, saisissant et expressif, à son habitude : « C'est le paradis; c'est un désert où toute dévotion du christianisme s'est rangée; c'est une sainteté répandue dans tout ce pays à une lieue à la ronde... C'est un vallon affreux, tout propre à faire son salut. » La publication des *Pensées* de Pascal, en 1670, et celle, un an après, des *Essais de morale* de Nicole sont — on le voit bien par ces lettres — de grands événements pour l'évolution des esprits. Les écrivains de Port-Royal ébranlent l'imagination de Mme de Sévigné, dirigent ses pensées — un peu rebelles — vers la préoccupation essentielle de la sainteté et du salut, la confirment dans une religion, non pas vacillante, mais tiède et inquiète d'avoir à sacrifier tant d'affections terrestres. Pour tout dire, ils l'éclairent sur le fond de son être. Chaque époque impose aux esprits certaines attitudes, crée dans les âmes des débats typiques. La lecture de Pascal a révélé à Mme de Sévigné son débat intime, qui est entre la raison et le cœur. « Mes paroles sont assez bonnes; je les range comme ceux qui disent bien; mais la tendresse de mes sentiments me tue » (9 août 1671). Elle voit en elle un « cas » pascalien, et devant ces livres hautains et sévères ne se sent pas prête à sourire. Elle se trouve bien plus à l'aise en présence d'un grand système comme celui de Malebranche, qui publie ses plus importants ouvrages de 1674 à 1680. Là, elle prend ses distances; l'observatrice positive et railleuse ne se prive pas d'ironiser : « Je voudrais bien me plaindre au P. Malebranche des souris qui mangent tout ici : cela est-il dans l'ordre?... Et le P. Païen qui s'en revient paisiblement, à qui l'on casse la tête, cela est-il dans la règle? » Cette manière de dégonfler une métaphysique grandiose par un ou deux petits faits mesquins, précis — le second beaucoup plus dangereux que le premier —, c'est presque déjà la tactique de Voltaire. Mais Mme de Sévigné n'aurait pas souscrit aux *Remarques sur les « Pensées » de Pascal.*

Elle nous apporte un témoignage analogue en matière de jugements littéraires. Plus on étudie la période classique, plus on voit quelle importance a eue dans le jugement critique du XVIIe, et ensuite du XVIIIe siècle, la notion du goût : sorte d'instinct, d'intuition vive, d'appréhension directe des choses (ainsi Voltaire le définira dans son *Dictionnaire philosophique*), supérieur à toutes les règles,

infiniment plus vif et subtil, et dépendant d'un état social, d'un code mondain sans formules, mais non sans contraintes. Le goût ne se sépare pas d'une solide culture. « C'est une vilaine chose que d'être ignorant », dit Mme de Sévigné. Il s'agit d'ailleurs moins ici du goût de l'artiste, du créateur, que de la faculté qui apprécie et qui juge. Ce goût critique, Mme de Sévigné ne nous en a pas donné la théorie — seuls, des pédants, ennemis naturels du goût, auraient pu y songer —, mais à tout instant elle nous le montre en exercice. « Mon style est si négligé, disait-elle d'elle-même, qu'il faut avoir un esprit naturel et du monde pour pouvoir s'en accommoder. » Ce qu'elle ne pardonnera pas à Furetière, lors de l'affaire des factums, ce sera justement de manquer de ces qualités-là. « Je trouve que l'auteur, écrit-elle à Bussy, fait voir clairement qu'il n'est ni du monde ni de la cour, et que son goût est d'une pédanterie qu'on ne peut pas même espérer de corriger. Il y a de certaines choses qu'on n'entend jamais, quand on ne les entend pas d'abord; on ne fait point entrer certains esprits durs et farouches dans le charme et dans la facilité des ballets de Bensserade et des fables de La Fontaine; cette porte leur est fermée et la mienne aussi. »

Mme de Sévigné représente donc bien la moyenne de l'opinion mondaine : témoin d'idées, témoin des goûts. Fut-elle, plus largement, témoin d'un siècle? Oui, pour l'existence anecdotique et familière. On a dit assez comment elle nous aidait à nuancer une image trop schématique du milieu où elle a vécu. Pour nous expliquer comment on voyageait alors, ce que c'était qu'une ville d'eaux, un château de province, les relations d'un maître avec ses domestiques, l'administration d'un domaine, un grand mariage, on sait bien que personne ne l'égale. Mais au-delà? qu'a-t-elle vu au juste, qu'a-t-elle pensé de la vie politique et sociale de son temps? Elle n'a pas eu, à tout prendre, un poste d'observation de premier ordre; elle a pourtant côtoyé de grandes infortunes; elle a vu tomber Fouquet, Pomponne; elle a été la confidente de certaines faveurs et de certaines disgrâces. A un mot, au ton d'une phrase, on devine qu'elle a jugé, avec une liberté qui rappelle le temps de sa jeunesse, les fantaisies de l'arbitraire royal, surtout quand le personnage intéressé avait part, comme Fouquet, à son amitié. Elle a traduit, comme beaucoup de ses contemporains, l'angoisse des guerres renouvelées, des coalitions menaçantes après les premières années d'enivrement. Mais tout cela ne va pas très loin. Elle a vécu en Bretagne à l'époque des États (1671) où noblesse, clergé et tiers délibéraient de l'établissement et de la répartition des impôts, et s'est divertie surtout du tumulte des réceptions et des beuveries. Elle a pu suivre d'assez près une révolte de l'impôt et de la misère (1675), et les répressions qui la matèrent l'ont laissée non pas insensible, mais assez détachée et plus soucieuse du pittoresque de l'anecdote que du sens de l'événement. Elle a, comme Montaigne, regardé vivre les paysans, elle a su apprécier la rectitude naturelle de leurs existences, et elle en a tiré des déductions favorables à la Providence, qui jette pêle-mêle vices et vertus dans l'univers. Mais rien parmi ses observations ne s'élève au niveau de La Bruyère ou de Saint-Simon. Ce n'est pas tout le secret d'un siècle qu'il faut chercher dans les lettres de Mme de Sévigné ; c'est la couleur de la vie — de la vie mondaine —, un remuement, une rumeur, transmis, avec une chaleur d'expression que près de trois siècles n'ont pas refroidie, par une voix rieuse, sympathique et spirituelle.

II. — L'ÉLOQUENCE RELIGIEUSE

Parce qu'il était chrétien, qu'il avait le goût des analyses morales, qu'il aimait les constructions bien ordonnées et la dignité d'un ton noble et soutenu, et que la chaire restait la seule tribune où la parole fût libre, le XVIIe siècle fut l'âge d'or de l'éloquence religieuse.

Elle se dégage lentement des travers qui l'avilissaient au temps de la Fronde, quand les prédicateurs apportaient en chaire, les uns la préciosité, les autres le mauvais goût et la grossièreté du genre réaliste, quelques-uns les passions politiques et l'invective, renouvelées de la Ligue. Cependant, trente ans ne sont pas écoulés que déjà l'éloquence religieuse travaille à se réformer. Sous l'influence de saint François de Sales, des prédicateurs de Port-Royal, de l'Oratoire ou de la Compagnie de Jésus, surtout de saint Vincent de Paul, elle tend à devenir « chrétienne », et par là il faut entendre que les prédicateurs, qui, par profession, doivent citer la Bible et les Pères, s'engagent à ne plus citer les auteurs profanes, à prêcher l'Évangile, et à mettre dans cette prédication « la simplicité évangélique », « le ton commun et familier dont se servait Notre Seigneur pour enseigner et prêcher ». Parmi les prédécesseurs immédiats ou parmi les contemporains de Bossuet, Senault, Biroat, Castillon, les deux Lingendes, Cospéan, le P. Annat, Fromentières, ont assurément joué leur rôle dans ce retour à la dignité de la parole sacrée. Ils ont exposé avec noblesse une doctrine et une morale qui formèrent la génération si fortement chrétienne de ce siècle. Mascaron mériterait même de passer pour le meilleur de ces prédicateurs, qui ne sont pas encore des orateurs.

C'est vers le milieu du règne de Louis XIV que l'éloquence religieuse s'épanouit, suivant en cela l'épanouissement des autres genres littéraires, sous les diverses influences qui firent l'art classique. Nous retiendrons les noms de Bourdaloue, Fléchier, Massillon, et de celui qui les domine tous, Bossuet.

BOSSUET

Jacques-Bénigne Bossuet est né à Dijon, le 27 septembre 1627. Son père, attaché au parlement de Bourgogne, quitta, en 1638, Dijon et passa au parlement de Metz, laissant Jacques-Bénigne à son frère Claude, maire de Dijon. L'enfant fut mis au collège des Jésuites de cette ville où son génie se révéla plus volontaire que spontané. A dix ans, il reçoit la tonsure ; à quinze ans, son père lui fait obtenir, selon l'usage du temps, un canonicat au chapitre de Metz. A quatorze ans, il découvre la Bible dont il fait déjà ses délices. A la fin de 1642 il vient terminer ses études à Paris, au collège de Navarre, dont le grand maître était Nicolas Cornet. En 1644, il est reçu maître ès arts, et, le 25 mars 1648, soutient sa tentative, en présence, dit-on, du grand Condé. De 1648 à 1650, il quitte la maison de Navarre ; est ordonné sous-diacre à Langres (1648) et diacre à Metz (1649). En janvier 1650, il revient au collège de Navarre où il prépare sa licence en théologie ; soutient ses thèses de licence en février 1652 ; est ordonné prêtre en mars et reçoit le bonnet de docteur en mai. Nicolas Cornet lui offre une chaire de professeur à Navarre, mais Bossuet ne consent pas à demeurer à Paris. Il part presque aussitôt après son ordination pour Metz.

Il y résida régulièrement de 1653 à 1659. Six ans d'ardent apostolat, de vives controverses soit avec les protestants, soit avec les juifs, nombreux dans cette ville, et surtout d'études méthodiques, qui lui assurent une connaissance étendue de la Bible, des Pères, de la littérature talmudique et de la dogmatique de la Réforme. Il prêche avec véhémence, organise des missions, acquiert une solide réputation d'orateur, qui dépasse la province et éveille l'attention de ses amis de Paris. Ceux-ci intriguent pour obtenir son retour dans la capitale. Il semble bien que Vincent de Paul ait mis en mouvement, dans ce dessein, quelques confrères de la compagnie du Saint-Sacrement et la reine mère elle-même qui avait entendu Bossuet à Metz, en 1657. En 1659, Bossuet est à Paris. Il n'a pas de fonction bien définie, mais il se prête aux désirs de M. Vincent qui l'envoie prêcher tantôt aux Dames de la charité, tantôt aux ordinands de Saint-Lazare. En 1660, il donna le carême aux Minimes, et en 1661, le carême aux Carmélites. En 1662, il est choisi, grâce à l'influence de la reine mère, pour prêcher le carême à la Cour. Jusqu'en 1670, il continue de prêcher ; revient cependant, le plus souvent qu'il le peut, à Metz où, devenu grand doyen du chapitre (1664), il entreprend de lui imposer une réforme, ainsi qu'à certains monastères de la ville ; il travaille à convertir plusieurs protestants, dont le plus considérable fut Turenne.

Il est nommé, le 10 septembre 1669, évêque de Condom où il expédie sans retard quelques décrets de réforme et se dispose à rejoindre son diocèse, quand le roi le choisit comme précepteur du Dauphin (13 septembre 1670). Cette date marque la fin d'une grande période de sa vie, celle de la prédication, et le début d'une période qui durera dix ans, celle du préceptorat.

Textes. Œuvres complètes : édition de dom Déforis, 19 volumes in-4°, 1772-1778 ; de Versailles, 43 volumes in-8°, 1815-1819 ; Lachat, 31 volumes in-8°, 1862-1866 ; de Nancy, 10 volumes in-8°, 1877-1885.

Éditions critiques : Lebarq, Œuvres oratoires de Bossuet, 1890-1896 ; revue par Urbain et Levesque, 7 volumes, 1928-1929 ; Urbain et Levesque, Correspondance de Bossuet, 15 volumes, 1909-1925 ; Maximes et réflexions sur la comédie, 1927, et Traité de la concupiscence, 1930 ; A. Vogt, Exposition de la doctrine de l'Église catholique, 1911 ; Urbain, les États d'oraison, second traité, 1897.

A consulter : Urbain, Bibliographie critique de Bossuet, 1899, et Carrière, Bossuet au XXe siècle, 1931, qui donneront des renseignements complets jusqu'à 1930.

Pour la biographie : Floquet, Gandar, Thomas et A. Rébelliau (dans la Revue des Deux Mondes, 1919, 1922, 1927).

Travaux généraux sur Bossuet : Lanson, Bossuet, 1890 ; E. Baumann, Bossuet, 1929 ; V. Giraud, Bossuet, 1930 ; Rébelliau, Bossuet, 1900 ; Brunetière, Bossuet, 1914 ; L. Dimier, Bossuet, 1916 ; G. Brunet, Bossuet (dans le Mercure de France, 1927) ; E. Baumann, Bossuet moraliste, 1932 ; Gonzague Truc, Bossuet et le classicisme religieux, 1934 ; J. Calvet, Bossuet, 1941.

LES ANNÉES DE PRÉPARATION

La vraie gloire de Bossuet est d'avoir été et d'être encore le plus grand orateur de la chaire française. Son éloquence évoque les vertus les plus hautes qui font de la parole une force et un enchantement. Elle enseigne, émeut, entraîne, persuade et captive les esprits. Sans doute, Bossuet possédait certains dons physiques qui agissent sur les foules : une prestance noble, une ardeur telle que toute sa personne parlait, une voix à la fois chaude et impérieuse. L'abbé Ledieu nous apprend qu'il subjuguait son contradicteur, au point que Fénelon lui-même n'osait l'affronter en conférences privées. Mais surtout, il possédait ce qui fait de l'orateur véritable le contraire du rhéteur : une connaissance approfondie du sujet qu'il traitait, la conviction et la sincérité, la passion de convaincre, le respect de la vérité dont il cherchait le triomphe ; au service, enfin, de cette intelligence probe et de cette passion ardente, une imagination dramatique et une émotion toujours en vibration.

Il s'était donc longuement préparé à cet apostolat, et son génie, si riche de dons naturels, s'était enrichi surtout de toutes les disciplines qui lui parurent nécessaires afin d'agir victorieusement sur son auditoire. Il nous les a lui-même rappelées dans une courte notice *Sur le style et la lecture des écrivains et des Pères de l'Église pour former un orateur*. Il recommande la culture de l'humaniste, à l'école de quelques grands Anciens : Platon, Isocrate, Démosthène, Virgile, Homère, Horace, Cicéron, Tite-Live, Salluste, Térence, et de quelques grands modernes : Pascal, Corneille et Racine. Il exige surtout la formation du docteur chrétien, qui, pour nourrir son éloquence, puise, non dans les préceptes de la rhétorique, mais au fonds solide et riche des sciences religieuses.

Voilà, sans doute, l'histoire même de son génie. L'humaniste s'affirmera surtout à partir de 1670, quand Bossuet revient à l'antiquité, qu'il doit apprendre au dauphin. Mais le docteur, dès le collège de Navarre, s'est constamment enrichi par l'étude passionnée des sciences sacrées. D'abord la Bible qui restera le livre préféré, celui que Bossuet médite à la manière d'un mystique, et étudie à la manière d'un savant ; ensuite, les Pères grecs et latins, Athanase, Basile, Origène, Tertullien, Grégoire de Nazianze, « le grand Cyrille », « l'admirable Chrysostome », et celui qu'il appelle « l'aigle des Pères, le premier des docteurs », saint Augustin ; et aussi l'histoire de l'Église et la théologie, sans laquelle les autres sciences sont un piège et une source d'erreurs. A cela s'ajoute la formation scolastique, dont le pli resta chez lui ineffaçable. Il faut entendre par là cette sorte de foi que l'École inspire dans la dialectique et les raisonnements rigoureux, créateurs de certitude. Bossuet resta toujours persuadé de cette vertu d'un raisonnement « inébranlable ». Il s'attachera à devenir un jouteur redoutable, et nous savons qu'il mettait lui-même le meilleur de son génie dans la puissance de sa logique. Dialecticien consommé, théologien savant, écrivain pour qui la perfection de la forme se confond avec la richesse et la marche de la pensée, tel apparaît Bossuet au début de sa carrière oratoire. Tel il restera jusqu'à sa mort, non seulement dans sa prédication, mais encore dans toutes les activités que les circonstances réclameront de lui. Ne serait-ce point là la forme maîtresse de son génie ? Nous ne l'expliquerons donc ni par ses origines familiales, ni par ses attaches provinciales, ni par l'influence des milieux que traversa sa jeunesse, ainsi que le font encore certains critiques, qui considèrent Bossuet avec les yeux de Taine. Cet orateur, au génie près, fut façonné par ceux dont il accepta le magistère ou les conseils : ses maîtres de Navarre, l'Écriture, les Pères,

LE COUVENT DES CARMÉLITES du faubourg Saint-Jacques, où Bossuet prêcha en particulier un Carême, un Avent, et le sermon pour la profession de Mademoiselle de La Vallière (dessin d'Israël Silvestre).
CL. LAROUSSE.

saint Vincent de Paul, qui lui révéla la simplicité ; le cardinal de Bérulle, dont on commence à soupçonner l'action sur ses idées morales et sa piété ; même Nicole et Arnauld, qui lui montrèrent l'importance de la tradition dans la conduite des controverses.

Ce sont là ses sources véritables, et d'abord celles de son génie d'orateur.

BOSSUET ORATEUR

On peut distinguer dans la carrière oratoire de Bossuet trois grandes périodes : la première est celle de son séjour à Metz (1652-1659) ; la seconde est celle de son séjour à Paris jusqu'à son installation à l'évêché de Meaux (1659-1682), mais, depuis sa nomination comme précepteur du Dauphin (1670), Bossuet a rarement pris la parole dans les chaires de la capitale.

L'apogée de cette carrière va de 1660 à 1670 ; Bossuet prêche cinq stations de Carême, quatre d'Avent, et quantité de panégyriques, de sermons de vêture. Carême aux Minimes (1660) ; aux Carmélites (1661) ; au Louvre (1662) ; à Saint-Thomas-du-Louvre (1665) ; à la cour à Saint-Germain (1666). Avent aux Carmélites (1663) ; au Louvre (1665) ; à Saint-Thomas-du-Louvre (1668) ; à la cour à Saint-Germain (1669).

Bien qu'il eût prononcé quelques Oraisons funèbres, celle de Mme Yolande de Monterby (1656) et d'Henri de Gournay (1658) à Metz ; celle de Nicolas Cornet (1663) et d'Anne d'Autriche (1667) à Paris, ce fut à partir de 1669 qu'il fut chargé de prononcer ses grandes oraisons funèbres : celle de Henriette, reine d'Angleterre (1669) ; celle de la duchesse d'Orléans (1670) ; et quand il est évêque de Meaux, celle de Marie-Thérèse, reine de France (1683) ; celle de la princesse Palatine (1685) ; celle de Michel Le Tellier (1686) ; celle de Condé (1687). Pendant la période du préceptorat, Bossuet n'a prêché que le sermon pour la Pentecôte (1672), un sermon pour la profession de Mlle de La Vallière (1675), un sermon à la Cour pour le jour de Pâques (1681) et le grand sermon sur l'Unité de l'Église (1681).

La troisième période est celle de l'épiscopat à Meaux (1682-1704). Elle est assez mal connue, parce que Bossuet n'écrit presque jamais plus ses sermons ; il jette sur le papier quelques idées, ébauche un plan, que parfois même il ne suit pas, et s'abandonne à l'improvisation.

Textes : Édition Lebarq, revue par Urbain et Levesque :
Œuvres oratoires de Bossuet, 7 volumes (1928-1929).

A consulter : Mgr Pelt, Notes sur Bossuet et la
paroisse de Saint-Gorgon, à Metz *(où il prêche assez
souvent) dans la* Revue de Metz, *1934 ; L. Cerf,* la
Première Oraison funèbre de Bossuet *(Mme. de Monterby) dans la* Revue bleue, *1931 ; duc de La Force,*
En marge d'une Oraison funèbre de Bossuet *(celle de
la Palatine), dans la* Revue de France, *1936 ; J. Vianey,*
l'Éloquence de Bossuet dans la prédication à la cour,
1929 ; V. Giraud, la Réputation oratoire de Bossuet,
dans le Figaro *(24 novembre 1929), et* Bossuet, prédicateur parisien, *dans le* Correspondant, *1930 ; Levesque,*
la Prédication de Bossuet à Meaux, *dans la* Revue
apologétique, *1927 ; Gandar,* Bossuet orateur, *1866.*

De très bonne heure, les circonstances révélèrent
Bossuet à lui-même, et l'orientèrent vers le ministère de
la prédication. Sans nous arrêter à la légende du sermon
qu'il aurait, âgé de seize ans, prêché à l'hôtel de Rambouillet, il est certain que, pendant son séjour au collège de
Navarre, il fut souvent chargé de porter la parole devant
ses condisciples, qu'au jour de la soutenance de sa thèse
théologique il déclama une vigoureuse plaidoirie contre
le jury de la Sorbonne, et qu'au jour où il reçut le bonnet
de docteur, le 9 avril 1652, il prononça, à Notre-Dame, un
magnifique discours. Mais à cette date, il a déjà prêché,
devant de grands auditoires, des sermons qui l'ont mis en
relief. Sa prédication s'affirmait d'emblée comme une
innovation. On en admirait la vigueur, la langue, le mouvement. On reconnaissait en ce jeune prêtre un remarquable tempérament d'orateur, qui créait, à son image,
un genre nouveau de prédication. Celui-ci se maintint
jusqu'aux environs de 1659.

Parce qu'il est docte et qu'il admire la dialectique comme
l'incomparable instrument de la démonstration, Bossuet
met dans ses sermons une préoccupation surtout dogmatique. Ils regorgent de doctrine, de science théologique et
se présentent comme de massives dissertations, hérissées de
textes. On dirait une citadelle entourée de fortins. Ce jeune
vicaire s'imagine que sa dextérité à découvrir les garants
de sa doctrine rend ses arguments irrésistibles.

Au reste, ces garants sont toujours chrétiens. Bossuet
méprise l'autorité des païens et des profanes. Il veut une
éloquence chrétienne. S'il lui arrive une ou deux fois de
citer Platon ou Aristote, il s'en excuse, comme d'une faute
contre la dignité de l'éloquence chrétienne. Que ses auditeurs aient peine à le suivre, ou « à goûter cette mystagogie »,
il s'en étonne et s'écrie : « En quelle école ont-ils été
élevés ? » Quant à lui, il suit « la pensée et le raisonnement »
de saint Paul et de saint Augustin, qu'il appelle ses « conducteurs », et les trois points de son sermon sont la docte
explication de leur doctrine. *(Pour le Samedi saint, 1652.)*
Cet amour des idées devait éloigner Bossuet de la prédication morale, de l'observation des besoins moraux réels de
ses auditeurs. Il ne montrait que peu de goût pour ces
détails, et se justifiait en affirmant que « la saine doctrine
est un excellent préparatif à la bonne vie » (1652). Longtemps encore, il édifia des constructions idéologiques,
« par des raisonnements invincibles », que soutenaien
« de solides raisons », et dont il prévenait qu'il « fallait
voir la liaison nécessaire » entre toutes leurs parties.

Puis cette ferveur scolastique se tempéra, et l'orateur
mit dans ses sermons moins de développements érudits
et plus d'attention aux conseils qu'il était opportun de
rappeler. Arrivé à Paris, en 1659, il apprend — avec
quelle docilité ! — de saint Vincent de Paul que l'éloquence véritable réside dans la simplicité, dans l'adaptation du discours à l'état moral des auditeurs, dans la
charité qui fait trouver les mots « qui frappent directement le cœur ». Il prêche donc pour toucher des âmes,

et non plus pour édifier des palais d'idées. Il entre en
contact avec les jeunes gens qu'il prépare aux ordina-
tions, avec les Dames de la charité et tous ceux qui s'intéressent aux déshérités de la vie, et s'il choisit encore à
leur intention de belles leçons doctrinales, il ne les développe plus pour elles-mêmes, mais pour tourner en charité
active « la démonstration de la vérité ». Ceci est surtout
manifeste dans les deux sermons *Sur l'honneur du monde*
(1660) et *Sur l'éminente dignité des pauvres* (1659). A
l'auditoire mondain du premier, il enseigne les raisons
théologiques du mépris de la gloire, mais c'est l'âme des
ambitieux, tels qu'il les a observés, qu'il poursuit et « jette
toute de son long » devant la Croix. A l'auditoire du
second, composé de personnes charitables, il rappelle sans
doute les fondements évangéliques de la charité, mais il
révèle surtout, en paroles familières et graves, le droit des
pauvres à être soulagés.

Jusqu'au jour où elle réalisa l'harmonieux équilibre
entre la prédication doctrinale et « la prédication réelle »,
riche d'observations morales et de leçons pratiques, l'éloquence de Bossuet trahit une sorte d'incertitude dans le
mouvement. Plénitude de la pensée, quand elle interprète
une doctrine, mais démarche hésitante quand elle s'applique
à la vie vécue, que l'orateur ne semble pas encore connaître avec la sûreté et l'acuité de vision d'un véritable
moraliste. Les sermons de l'année 1661, prêchés aux Carmélites, en fourniraient de frappants exemples, sans en
excepter le très beau discours *Sur la prédication* (que
d'autres intitulent à tort *Sur la parole de Dieu*), où la
splendeur des devoirs du prédicateur et de ses auditeurs
est trop souvent sacrifiée à la froide organisation d'une
« preuve », que l'orateur veut « concluante », tellement « il
a recherché le fond de ces pensées ».

Le *Carême du Louvre* (1662) fut pour Bossuet le terme
de son évolution, l'apogée de sa gloire. De la pieuse chapelle des Carmélites au fastueux auditoire du Louvre,
quel contraste ! Un roi enivré de gloire, insatiable de plaisirs, des courtisans pour qui le libertinage est de bon ton,
une Cour où règnent les vices les plus aimables, les passions et l'intérêt, qui se pique d'une extrême délicatesse et
supporte d'entendre les leçons d'un prédicateur pour la
beauté de sa parole, tout un monde à observer et à
connaître, afin de lui faire accepter les enseignements
capables de le toucher, voilà ce qui attend Bossuet, prédicateur de saintes filles et d'auditoires qui se disent chrétiens. Quel État, et quel état ! Et voici son angoisse : « O
Dieu, donnez-moi des paroles sages, des paroles efficaces,
puissantes ; donnez-moi la prudence, donnez-moi la force,
donnez-moi la circonspection, donnez-moi la simplicité...
Sire, c'est Dieu qui doit parler dans cette chaire, qu'il
fasse donc que l'homme n'y paraisse pas. » Ce furent là
précisément les qualités qui jetèrent dans l'admiration une
Cour presque blasée. Bossuet parla avec sagesse et force,
simplicité et grandeur, des devoirs des rois, des vices
régnants et des vertus absentes. Il n'a pas renoncé à exposer la doctrine, mais il la dépouille de son aspect scolastique et l'adapte aux faibles épaules de ces mondains.
Il multiplie surtout les investigations morales et les
leçons pratiques. Moins docteur, il s'affirme plus apostolique, on dirait même plus missionnaire. Il se garde bien
des portraits, mais il s'attache à fixer, dans leurs traits
essentiels, les visages contemporains des éternelles passions. La morgue des parvenus, la folie des grandeurs,
le luxe, la fureur du jeu, l'hypocrisie, l'indulgence pour les
égarements sensuels, le libertinage, le mépris de la justice,
l'orgueil de la vie qui repousse l'idée de la mort et supprime la Providence, l'obstination dans le mal qui s'achève
dans l'impénitence finale, tout est stigmatisé. Jamais hardiesses plus grandes, croquis plus réalistes, adjurations
plus pathétiques n'avaient été exprimés en une langue plus
magnifique. Bossuet ne fut jamais plus près de la beauté

parfaite qu'en ces sermons où il dit son mépris de l'éloquence. Jusqu'en 1670, sa parole conserve, avec une maîtrise souveraine, cette magnificence sans déclin.

A travers les transformations successives de la composition de ses sermons, Bossuet apparut toujours ce qu'il était : *une âme passionnée.* Émotif, d'une impressionnabilité extrême, mais qu'il dominait à force de raison et de vertu, l'orateur, même enfermé dans l'armure scolastique, ne savait pas résister à son imagination dramatique ni aux brusques élans de son cœur. La chaleur de son éloquence vient de là. L'idée ne reste jamais pour lui une froide abstraction. Il la sent vivre, il l'anime, il la dresse devant lui, il l'étreint, soit pour la combattre, soit pour l'attendrir. « Je ne puis assez exprimer combien grand, combien admirable est le spectacle que je vous prépare dans cette première partie » (*Panégyrique de saint Paul,* 1657). Spectacle en effet grandiose, que cette évocation de la vie active du grand apôtre, entrecoupée d'apostrophes passionnées, où l'orateur épanche son admiration et sa gratitude. D'autres spectacles, aussi dramatiques et aussi émouvants, animent les sermons de ce grand visionnaire; il voit le drame de la Passion; il appelle à son tribunal la fausse gloire : « Parais donc ici, ô honneur du monde... »; il gémit devant les misères de notre cœur : « Cœur humain, abîme infini... »; il s'en prend à l'Évangile : « Doctrine de l'Évangile, que tu es sévère !... »; il ouvre un tombeau; il adjure en paroles ardentes l'ambitieux; il fait, devant son auditoire haletant, surgir la figure de saint Jean : « Faisons paraître à la cour le prédicateur du désert. » Bossuet, pris à ses propres paroles, en ressentait, lui le premier, la force pathétique. Ces drames, où il jouait un rôle actif, exaltaient sa sensibilité. On le voyait, secoué par l'émotion, se débattre contre lui-même : « Je ne puis, chrétiens, vous dissimuler que je sens mon âme attendrie... » et de son cœur frappé par un mot de David montait un long gémissement : « J'entre dans la vie... »

C'est la force dramatique de cette imagination, c'est la résonance de ce lyrisme qui font encore aujourd'hui de Bossuet, pour ceux-là même qui ne trouvent plus d'intérêt dans les pages doctrinales de ses sermons, le plus grand des orateurs.

Nous n'insisterons pas sur les *Oraisons funèbres.* Tout ce que nous avons dit de Bossuet sermonnaire se retrouve dans ce genre, où l'emphase était cependant rendue presque nécessaire par la magnificence du décor qui accompagnait le discours. Bossuet y donne « de grandes et sublimes leçons » de doctrine chrétienne, et y concilie l'idéalisme du théologien avec le réalisme du moraliste. Il y trace aussi d'admirables portraits du défunt, et des événements qu'il raconte, il donne souvent de profondes explications. Cependant, Bossuet n'aimait pas cette éloquence d'apparat.

BOSSUET, PRÉCEPTEUR DU DAUPHIN (1670-1681)

Bossuet n'accepta cette charge qu'après avoir consulté quatre docteurs en théologie, qui l'encouragèrent. Alors il se résigne à cesser la prédication et des travaux de controverse déjà poussés assez avant, afin de se donner

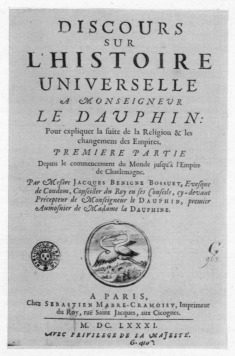

DISCOURS
SUR
L'HISTOIRE
UNIVERSELLE
A MONSEIGNEUR
LE DAUPHIN:
Pour expliquer la suite de la Religion & les changemens des Empires,
PREMIERE PARTIE
Depuis le commencement du Monde jusqu'à l'Empire de Charlemagne.
Par Messire JACQUES BENIGNE BOSSUET, Evesque de Condom, Conseiller du Roy en ses Conseils, cy-devant Précepteur de Monseigneur le DAUPHIN, premier Aumosnier de Madame la DAUPHINE.

A PARIS,
Chez SEBASTIEN MABRE-CRAMOISY, Imprimeur du Roy, ruë Saint Jacques, aux Cicognes.
M. DC. LXXXI.
AVEC PRIVILEGE DE SA MAJESTE.

PAGE DE TITRE de l'édition originale du « Discours sur l'histoire universelle » (1681). CL. LAROUSSE.

tout entier à sa mission. A quarante-cinq ans, il refait ses études classiques, et ce renouveau de sa culture, qu'il entreprend par devoir, enrichit par surcroît son génie qui, désormais, allie à la rigueur d'une formation scolastique, la force et la grâce de l'humanisme. Jusqu'en 1679, il reste totalement dévoué à son élève, pour qui il compose divers ouvrages. Le mariage du dauphin avec la princesse de Bavière (7 mars 1680) mit fin à son préceptorat. Il fut alors nommé aumônier de la dauphine, titre purement honorifique, qui lui permit surtout de prolonger son séjour à la Cour.

Textes : Histoire de France; Discours sur l'histoire universelle *(1681)* ; Traité de logique; Introduction à la philosophie *(écrite en 1677 et publiée en 1722, sous le titre* De la connaissance de Dieu et de soi-même, *d'après une copie destinée à Fénelon, puis en 1741, par le neveu de Bossuet, d'après une copie annotée par Bossuet, enfin en 1846, d'après le manuscrit même de Bossuet) ;* la Politique tirée des propres paroles de l'Écriture sainte *(commencée en 1678, revue en 1693, puis en 1700, laissée inachevée, et publiée par l'abbé Bossuet, en 1709).*

Consulter : Floquet, Bossuet, précepteur du dauphin, *1863 ; J. Nourrisson,* Métaphysique de Bossuet, ou Traité des causes, *1851 ; E. Rocheblave,* Bossuet, précepteur *(Débats, 30 octobre 1927) ; A. Chérel,* l'Esprit de charité dans la politique de Bossuet (Correspondant, *1927) ; G. de Courten,* les Variantes du « Discours sur l'histoire universelle » *(dans* Rassegna di studi francesi, *Bari, 1928) et, du même,* Note intorno alle fonti del Discours *(ibid., 1930) ; Urbain,* Documents inédits relatifs à la Connaissance de Dieu... *(Revue d'Histoire littéraire de la France, 1902).*

C'est sur la volonté expresse de Louis XIV que Bossuet fut choisi, préférablement à Huet ou Ménage, dont Montausier vantait au roi les mérites. Le Dauphin était un enfant apathique, sans vivacité d'esprit, mais doué d'un grand bon sens, sans curiosité, mais assez docile pour se laisser traîner vers les disciplines nécessaires. Or, Louis XIV demandait, avant tout, que son héritier ne fût pas un « roi fainéant ». Il s'en remit à Bossuet du soin de former le futur roi de France. Bossuet se donna tout entier à sa fonction et à son élève. Nous connaissons son plan d'éducation, par la lettre qu'il adressa, le 8 mars 1679, au pape Innocent XI, parrain du Dauphin. Bossuet assure d'abord la formation religieuse. Point de mesquineries ni de petites vues, mais l'étude directe de l'Évangile et de la Bible, commentés afin de convaincre ce fils de roi que « les princes ont de certains devoirs propres », contenus dans ces trois mots : Piété, Bonté, Justice, car un prince pieux sera bon aussi envers les hommes, auxquels il assurera la juste répartition des récompenses et des punitions. Le prince lit — et de fort près — quelques auteurs latins et français (il ignore le grec), que Bossuet lui explique, non pas par fragments détachés, mais dans la suite intégrale d'un ouvrage, car ceci lui permet de faire apprécier à son élève exactement « la valeur de l'ensemble et des détails », ou, en d'autres termes, la richesse du plan et la logique des développements. Formation d'humaniste plutôt que de philologue, qui assure un profit moral plutôt que des connaissances verbales. Surtout il enseigne au prince la géographie et l'histoire, « maîtresse de la vie humaine et de la politique ». Il lui fait lire « quelques auteurs de la nation », ayant réservé pour lui-même le soin de recourir « aux sources » et de dégager des événements ce qui peut faire comprendre « la suite des affaires ». Il lui offre des modèles, principalement Saint Louis, mais aussi Louis le Grand. En somme, il se sert du passé pour prévoir et préparer l'avenir.

Nul ne saurait dire si Bossuet avait réussi à dégager, dans ce jeune homme apathique, les vertus qui font les grands rois. Du moins, ces années d'enseignement ne furent pas stériles pour les lettres françaises. Nous leur devons trois grands livres, dont l'un au moins fut longtemps regardé comme un chef-d'œuvre. Mais Voltaire, puis Taine et Renan affectèrent de traiter dédaigneusement ces manuels « écrits pour un enfant », et dont « aucune partie ne tient debout dans l'état actuel des études historiques ». Étrange reproche, qui n'irait à rien de moins qu'à retrancher de notre littérature tous les ouvrages que la science actuelle déclare périmés. En réalité, ni le *Discours* ne fut simplement écrit pour un enfant, ni quelques-unes de ses substructions n'ont été sérieusement ébranlées par la science moderne. Rédigé primitivement pour l'instruction du Dauphin, le *Discours* ne tarda pas à perdre ce caractère pédagogique, lorsque Bossuet s'avisa de l'utiliser pour des fins polémiques. Le manuel se transforma donc en une arme de combat, dont la pointe était dirigée contre les juifs rationalistes et contre les libertins. Dans ce débat, Bossuet déploya toutes les ressources de la science, de la logique, de l'éloquence, et ce sont là, en effet, les traits dominants de cet ouvrage où nous ne voyons plus le souci du précepteur préoccupé d'abréger et, pour ainsi dire, de styliser les schémas de l'histoire du monde, mais le magistère du docteur, ardent à poursuivre ses adversaires et à remporter la victoire. Ceci est peu sensible dans la première partie, consacrée à résumer vivement, et comme par tableaux synchroniques, l'histoire du monde, des origines à Charlemagne. Ces divers chapitres n'ont aucune autre prétention que celle de ne point trop charger la mémoire d'un enfant. Bossuet établit ce synchronisme comme on le faisait de son temps. C'est la partie morte de l'ouvrage. Mais le second chapitre, *la Suite de la religion*, prit une importance de plus en plus grande : Bossuet ne se contente plus de raconter l'histoire du peuple de Dieu. Il sait que « les doctes » ont mis à l'épreuve le texte sacré afin d'en étaler « les erreurs ». L'autorité de la Bible est attaquée de toutes parts, « en toutes sortes de langues ». Qui sont ces doctes ? On a dit Spinoza. Il visait encore R. Simon, dont l'*Histoire critique du Vieux Testament* avait paru en 1678, et bien d'autres exégètes, allemands, anglais, protestants réfugiés, dont les ouvrages figurent dans sa bibliothèque. Il entreprend donc une discussion qui doit assurer l'origine divine du texte sacré et le caractère divin de sa conservation. La discussion manque, il faut le reconnaître, de l'érudition précise qu'un philologue aurait apportée à ces contestations de mots, de ponctuation, voire de signes. Bossuet raisonne plus qu'il ne réfute, et sa foi robuste ne s'embarrasse pas de « tous ces raffinements ». Il a des solutions « qui ne souffrent aucune réplique ! » Admirable candeur d'un historien qui n'a pas encore éprouvé le choc que produira sur lui, vers 1693, sa rencontre avec la nouvelle exégèse, qui a pris des forces et de l'arrogance.

A côté de ces « doctes » incrédules, il y a encore les « libertins », qui boudent l'Église, mais pour d'autres raisons, moins spéciales. Bossuet écrit, à leur intention, une véritable apologie du Christianisme, qui est, sans aucun doute, la partie la plus parfaite de ce second livre.

La beauté du style y soutient la grandeur des idées, la nouveauté des arguments. On a dit que ceux-ci étaient personnels à Bossuet, et l'abbé Ledieu raconte que, deux mois avant sa mort, Bossuet lui-même avouait que « c'était véritablement la pure production de son esprit, nouveaux arguments qui n'ont pas été traités par les saints Pères, et qui ont été faits pour répondre aux nouvelles objections des athées ». Ne mettons pas en cause la sincérité du grand évêque; mais pour qui rapproche la suite de ces arguments de celle que Pascal aurait développée dans son *Apologie*, le problème de leur dépendance ne peut pas ne pas se poser.

La troisième partie, consacrée aux « Empires », ne nous intéresse d'abord que par quelques éclairs de génie qui traversent des pages sans valeur historique. Ainsi toutes celles consacrées aux empires d'Orient. Mais quand il arrive aux Grecs, et surtout aux Romains, Bossuet est visiblement maître de son sujet; les développements sont plus assurés, les références plus précises, les observations plus pertinentes. Bossuet parle de peuples qu'il admire et qu'il aime. Qu'importe le récit de leurs actions ? C'est leur âme qui l'intéresse, et personne n'a, mieux que lui, compris les dissensions des cités grecques, les vertus du caractère romain, les causes de la grandeur et de la décadence de ces empires. Montesquieu s'épuisera à vouloir l'égaler.

Bossuet a donc dépassé les limites de l'histoire narrative, et créé, si son maître Polybe ne l'avait déjà fait, l'histoire philosophique. Polybe était un rationaliste à qui suffisaient les causes naturelles des événements. Bossuet est un évêque qui, par-delà, découvre l'action de la Providence : les hommes s'agitent, Dieu les mène. Les modernes lui ont surabondamment reproché de s'être ainsi élevé jusqu'à Dieu. Bien à tort. D'abord parce que cette explication théologique n'apparaît nulle part dans la première partie du *Discours;* ensuite, parce que, présente dans la troisième partie, elle n'empêche pas l'historien de scruter les causes naturelles de la grandeur et de la chute des empires. Bossuet convient et affirme que les événements s'enchaînent; qu'il faut déceler, dans la profondeur des temps, « ce qui prépare les changements », et que l'on retrouve dans l'étude « des inclinations, des mœurs et du caractère des peuples ». « Ne parlons plus de hasard ni de fortune. » Si les Perses *devaient* être vaincus, si Alexandre *devait* l'emporter sur Darius, si la Macédoine *devait* être soumise par Rome, si Carthage *devait* obéir à Rome, c'est que des causes étaient intervenues qui créaient la victoire, par un jeu naturel et nécessaire. Bossuet ne craint pas d'établir le déterminisme en histoire, parce que, au-dessus de ces causes secondes, il aperçoit l'action de la Providence. Mais celle-ci n'intervient dans aucune de ses enquêtes psychologiques ou sociales. Et refusera-t-on à Bossuet le droit de croire que, si les hommes font leur destin, la Providence n'est pas étrangère à ces mutations, alors que l'on accorde à Voltaire le droit d'imaginer que, si les hommes s'agitent, c'est à la façon de pantins bousculés par le hasard ?

Cependant, la Providence intervient à toutes les pages de la seconde partie. C'est que la matière est ici proprement biblique, et que la Bible affirme l'intervention de Dieu dans l'histoire d'Israël. Dieu même « révèle l'ordre de ses conseils », et Bossuet ne se croit point autorisé à substituer à l'explication divine de pauvres explications « naturelles ». Le théologien l'emporte donc sur l'historien. L'idée de la Providence n'est plus le port lointain où finalement aborde le voyageur attardé par l'observation des pays et des peuples qu'il a parcourus. Elle est le phare qui éclaire la route que l'on va prendre, la lumière divine.

Bossuet commença l'éducation politique du Dauphin en lui apprenant les devoirs des rois, de la bouche même de Dieu. Ce fut l'objet de sa *Politique tirée des propres paroles de l'Écriture sainte.* Ce précepteur ne pouvait guère parler que de la monarchie et des devoirs d'un monarque absolu, à celui qui devait être l'héritier de Louis XIV. Va-t-il étayer de textes sacrés une théorie absolutiste, comme Machiavel l'avait fait de considérations politiques et sociales ? Il est remarquable que si tout l'ouvrage tend à justifier, devant les sujets, la légitimité de la monarchie absolue, il vise encore plus à renforcer tous les rouages dont le rôle sera de refréner les excès de l'autorité.

Si le monarque n'est responsable que devant Dieu, « s'il n'y a point de force coactive contre le prince », il n'en reste pas moins que les coutumes doivent être respectées, que la conscience du prince reste soumise à la Raison et à la Loi de Dieu, que ses devoirs de roi doivent être dictés par la bonté, la justice et le respect de la puissance qui lui a été commise par Dieu. D'ailleurs, Bossuet reconnaît que tout autre gouvernement est légitime, dès qu'il s'appuie sur l'adhésion durable des citoyens. On a pu même y retrouver l'aveu de l'origine sociale — donc artificielle — du droit de propriété, de la notion d'autorité, de l'inégalité des conditions et des fortunes. « Le citoyen ne peut oublier le droit primitif de la nature. » Bossuet ne craint pas d'ouvrir cette voie aux justes revendications de sujets dont les droits naturels seraient bafoués. Assurément, ce n'est point dans la Bible, ni dans le régime théocratique des Hébreux, que Bossuet a puisé de telles leçons. Nous savons aujourd'hui qu'il avait dû compléter les enseignements bibliques par ceux de politiques profanes comme Aristote, Platon, et surtout Hobbes, et par la lecture du traité *De regimine principum* de saint Thomas. Contenir dans les limites de la justice et de la bonté un pouvoir dont il sait que la tendance est de renverser toutes les barrières, voilà à quoi s'attache surtout Bossuet. Il appuie la bienfaisance de cette monarchie sur la conscience du prince et sur sa piété. N'a-t-il pas aperçu la fragilité de cet appui, lui qui demandait aux rois d'écouter les « grandes leçons » que Dieu se plaisait à leur donner ?

Le *Traité de la connaissance de Dieu et de soi-même* est un livre de psychologie et de physiologie à la fois. Bossuet n'a pas réduit à un enseignement scolastique l'étude de la philosophie par laquelle s'achevait l'instruction du Dauphin. Descartes avait renouvelé bien des questions, séduit bien des esprits, et Bossuet venait précisément d'être sollicité, par un ami et un disciple de Descartes, d'examiner avec bienveillance cette philosophie nouvelle. Il fit mieux : il lui donna asile dans le *Traité* qu'il destinait à son royal élève. On peut, en effet, attribuer à ce désir de conciliation un grand nombre de pages. Son point de départ : « la connaissance de nous-mêmes nous doit élever à la connaissance de Dieu », rappelle l'itinéraire même que Descartes parcourut. L'analyse des idées, le rôle de l'intelligence et de la volonté dans la recherche du vrai, le volontarisme de cette morale, sont des adaptations du cartésianisme. Le traité lui-même de physiologie vise, à la manière de Descartes, à faire mieux distinguer les opérations intellectuelles de celles qui peuvent s'expliquer par le mécanisme.

Il ne faut pas, cependant, exagérer cette influence de la pensée cartésienne. En son fond, irréductiblement, la pensée de Bossuet reste attachée aux maîtres de sa jeunesse : Aristote, saint Thomas, saint Augustin. Le *Traité* juxtapose parfois ces sources disparates. Elle eût été remarquable, la tentative d'unifier, dans une synthèse vigoureuse, ces systèmes opposés. Elle eût révélé un philosophe. Mais Bossuet était-il un philosophe ?

VIGNETTE figurant en tête de l' « Histoire des variations des Églises protestantes » (1688). — CL. LAROUSSE.

BOSSUET CONTROVERSISTE

Bossuet a soutenu trois grandes controverses : la première, contre les protestants, qui l'a occupé pendant cinquante ans; la seconde, contre le quiétisme, qui a rempli les années 1694 à 1700; la troisième, contre « les nouveaux critiques », qui commence en 1678, mais tourne court, reprend en 1693, puis en 1701 jusqu'en 1704. A celles-là s'ajoutent quelques polémiques de moindre importance, qui furent violentes et brèves : celle contre le cartésianisme, celle contre les ultramontains et les partisans de la morale relâchée, particulièrement vive vers 1700, celle contre le jansénisme, qui réapparut à plusieurs reprises, mais fut liquidée à l'Assemblée du clergé de 1700.

BOSSUET CONTRE LES PROTESTANTS

Textes : Réfutation du catéchisme de Paul Ferri (*1655*)*; Exposition de la doctrine de l'Église catholique (*1671*)* [*une édition critique a été publiée par l'abbé A. Vogt, 1911*]; Relation de la Conférence avec le ministre Claude (*1678, mais fut publiée en 1682*)*; Traité de la communion sous les deux espèces (*1682*)*, attaqué par le pasteur Larroque et un anonyme, auxquels Bossuet réplique dans sa* Défense de la tradition de la communion sous une espèce (*publiée en 1708*)*; Histoire des variations des Églises protestantes (*1688*)*; à l'occasion de cette* Histoire, *Bossuet publie l'*Explication de l'Apocalypse (*1689*) contre Jurieu; les six* Avertissements aux protestants (*1689-1691*)*, et la* Défense de l'Histoire des variations (*1691*) contre Jurieu et Basnage; Deux Instructions pastorales sur les promesses faites par Jésus-Christ à son Église (*1700*) contre Basnage.*

A consulter : A. Rébelliau, Bossuet, historien du protestantisme, *1892 ;* abbé Levesque, Relation de la Conférence avec Claude (Revue Bossuet, *1904*), qui complète celles des deux adversaires ; L. Crouslé, Bossuet et le protestantisme, *1901*.

Au début même de son ministère, Bossuet a formé le dessein de ramener les protestants à l'Église catholique. Il connaît quelques-uns des défenseurs de la Réforme, théologiens solides, orateurs éloquents, et dont l'esprit d'offensive est encore exacerbé par les événements : Ferri, Claude, Daillé, Allix, Basnage, de Beauval, Jurieu. Il sait que la joute sera rude, et que le protestantisme se prépare à faire, contre ses adversaires, le suprême effort.

De quelles armes ce jeune prêtre dispose-t-il, qui lui inspirent une si belle confiance ?

Il y eut d'abord chez lui l'assurance, dont sa formation scolastique fut la grande responsable, que la dialectique était la souveraine des controverses. Il a donc forgé un raisonnement qu'il croit « invincible », et dont il accable ses premiers adversaires. Le protestantisme a rompu la tradition et introduit des principes *nouveaux*. Leur nouveauté est preuve de fausseté. Le jeune docteur se fait fort d'établir cette *nouveauté*, en confrontant chacun de ces principes avec la Tradition. Les réformés prétendent-ils que la Tradition est en leur faveur ? Bossuet les contraint, à ce stade, à reconnaître qu'il s'agit donc d'établir « la vraie intelligence du sens de la Tradition ». En appeler à l'interprétation individuelle ? C'est instaurer l'anarchie. La Réforme a précisément affirmé comme principe fondamental la liberté d'examen, et introduit en elle-même une source intarissable de conflits. L'Église catholique affirme, au contraire, la nécessité d'une autorité souveraine qui décide, tranche les difficultés, maintient la perpétuité de la Tradition, et sauvegarde l'unité de la foi. Unité, Autorité, Tradition, tels sont les trois garants de la Vérité. Or le protestantisme ne peut plus se réclamer d'aucun d'eux.

Ce raisonnement, dont Bossuet n'a cessé de renforcer, selon les circonstances, tel ou tel aspect, décida du caractère de ses controverses avec Paul Ferri, puis avec Claude, dans la conférence d'où Mlle de Duras sortit, gagnée par cette dialectique. Vers 1668, Bossuet songe cependant à remplacer la discussion par une méthode plus irénique. La Réforme, dit-il, a défiguré la foi catholique et continue d'entretenir l'équivoque. Restituons à celle-là son aspect véritable, en l'exposant avec loyauté, et l'équivoque tombera d'elle-même. Ainsi fut écrite l'*Exposition de la foi catholique* (1671), dont le retentissement fut immense. Déconcertés, les Réformés déclarèrent que Bossuet avait édulcoré le dogme catholique et s'était rapproché du protestantisme. Il fallut l'approbation de l'épiscopat et de Rome même pour faire tomber l'accusation. Alors Jurieu s'avisa de ruiner le crédit de ce traité alerte, avenant, habile, en usant de la tactique même de Bossuet. Celui-ci avait, en effet, signalé à plusieurs reprises les variations des protestants sur les points en litige et, par exemple, sur la pratique de la communion sous les deux espèces. Jurieu rétorqua que de semblables variations s'étaient produites dans la tradition catholique et prétendit en fournir la preuve. Ce fut un trait de lumière.

Ses contradicteurs cherchent des armes dans la Tradition ; Bossuet les suivra donc sur ce terrain qui lui est tellement familier, et il les convaincra *par l'histoire*. Il écrit aussitôt un savant *Traité de la communion sous les deux espèces* (1682), suivi d'une *Défense* encore plus érudite, où il établit l'immutabilité de la Tradition catholique. Il eut, ce jour-là, le sentiment très vif d'avoir atteint le point névralgique de la controverse. L'inquiétude de ses adversaires le persuada du caractère décisif de l'argument historique, et jusqu'en 1688 il s'acharna à relever minutieusement toutes les variations doctrinales de la Réforme en France, en Allemagne, en Angleterre. Elles révélaient le désarroi d'une pensée, la contradiction interne d'une Église, toujours en quête d'une définition de sa foi. Ainsi naquit l'*Histoire des variations* (1688).

La science de l'historien, l'art de l'écrivain, l'habileté du dialecticien soulevèrent une admiration générale. Les adversaires eux-mêmes de Bossuet ne purent s'en défendre, et l'on reconnut que jamais personne encore n'avait asséné sur la Réforme coup plus terrible, plus inattendu. Bossuet méritait cette gloire. D'une matière monotone, abstraite, pointilleuse, d'où l'ennui devait sortir, il fit jaillir un drame, celui d'une conscience qui se cherche, oscille entre les contradictions, s'abandonne aux impulsions d'entraîneurs, se raidit devant les catastrophes, erre de positions en positions, dans l'éternelle poursuite d'une impossible stabilité. A travers ce drame s'agitent des acteurs dont Bossuet pénètre l'âme inquiète : Luther, Calvin, Mélanchton, Cranmer et tant d'autres dont il a laissé des portraits d'un relief étonnant. Plus qu'aux événements dont il établit les circonstances les plus précises à l'aide des documents les plus sûrs, Bossuet s'intéresse aux causes profondes de la vie mouvante des croyances. Si telle variation apparaît soudain dans une confession de foi, c'est qu'elle fut préparée par des forces obscures qui agitaient l'âme des chefs, poussaient les foules, créaient des situations embarrassées. L'histoire des croyances est liée à la psychologie des peuples, à la découverte de ce monde invisible, non moins qu'à la recherche des documents. Bossuet apporte dans ces diverses investigations une souplesse, une sûreté, un souci de la vérité, qui le rangent parmi les très grands historiens.

Quand ils furent revenus de leur étourdissement, les apologistes de la Réforme s'efforcèrent de ruiner par le détail l'autorité de ce grand livre. Querelles mesquines de pédants sans largeur de vues, comme si quelques inadvertances, même démontrées, mettaient en péril la pensée maîtresse de l'ouvrage : la Réforme a été condamnée à varier par son principe même de la liberté d'examen, et les variations la condamnent à un émiettement de plus en plus rapide, à l'anarchie où, finalement, elle s'abîmera. Bossuet époussetait cependant les Réfutations de Basnage, de Jurieu, de Burnet, en affirmant sa maîtrise d'historien. Mais Jurieu déplaça soudain la controverse et, par-delà les mesquineries de l'érudition, fit surgir un argument redoutable. Loin de nier les variations de son Église, il s'en fit un titre de gloire. Une doctrine stabilisée, disait-il, est une doctrine figée dans la mort. La vie est mouvement et changement. Une doctrine qui varie est une doctrine vivante, qui suit les vicissitudes de l'existence. Le catholicisme se flatte en vain de la perpétuité immuable de sa foi ; devant cette Église morte, la Réforme maintient les droits de la vie. Bossuet fut un instant dérouté par tant de hardiesse. Que pouvait sa science historique contre un raisonnement qui renversait toutes les données du problème ? Jurieu triomphait : ses *Lettres pastorales* se faisaient de plus en plus arrogantes, et, transportant sur le terrain politique l'apologie de la liberté d'examen, dont il venait de révéler l'efficacité dans le domaine religieux, il montrait dans la Réforme la révolte de la conscience humaine contre toutes les tyrannies, celle des dogmes, représentée par une Église infaillible, celle des régimes politiques, représentée par la monarchie absolue.

Il fallut revenir à la controverse idéologique, examiner la valeur de cette argumentation nouvelle, en dévoiler la nocivité. Ce fut l'objet des six *Avertissements aux protestants*. Bossuet s'y efforce d'ébranler la position où vient de se réfugier la Réforme, en dénonçant les conséquences des principes de Jurieu. Ils entraîneront le protestantisme dans la tolérance universelle, et faciliteront les progrès de l'incrédulité. D'Église constituée, le protestantisme glissera vers l'individualisme, ce qui est la négation même de l'Église. Ils l'entraîneront, d'autre part, vers la rébellion et l'insurrection, puisque le peuple souverain a le droit naturel de se dresser contre ce qu'il lui plaît d'appeler tyrannie.

Cette dernière phase de la controverse mit en un jour encore plus lumineux la force de la dialectique de Bossuet. Prise de vertige devant l'avenir que lui annonçait son perspicace adversaire, la Réforme désavoua les principes de Jurieu ; Jurieu lui-même se désavoua. Bossuet put croire qu'il avait conduit son triomphe à son terme. Il avait obtenu de nombreuses conversions particulières : celles de Dangeau, de Turenne, du marquis de Lorges, de lord Perth, du Danois Winslow, de Mlle de Duras. Vers 1691 enfin, il affronte hardiment son grand projet de la réunion des Églises, d'abord par des tractations privées avec l'abbé luthérien de Lokkum, ensuite, vers 1699, avec Leibniz. En 1701, les pourparlers cessèrent brusquement : on sait aujourd'hui que les responsables de l'échec ne furent ni Bossuet ni Leibniz, mais certains princes luthériens qui appréhendaient de perdre, par la réunion des Églises, les bénéfices que leur avait valus le principe du luthéranisme : *Cujus regio, hujus religio*.

Nous n'avons pas à juger ici ce que ces diverses méthodes de la controverse instituée par Bossuet ont d'imparfait pour nos consciences modernes. Il nous suffira de dire que, de tous les adversaires du protestantisme, Bossuet fut peutêtre le plus redoutable, et assurément le plus généreux.

LES AUTRES CONTROVERSES

Textes : la Tradition des nouveaux mystiques *(1695)* ; les États d'oraison *(1697)* ; Mémoires à M. de Cambrai *(1697)* ; Réponse à quatre lettres de M. de Cambrai *(1698)* ; Relation sur le quiétisme *(1698)* ; Remarques sur la réponse de M. de Cambrai à la Relation *(1698)*.

Défense de la Tradition et des saints Pères contre R. Simon *(écrite en 1692-1693)* ; Deux Instructions sur la version du Nouveau Testament de R. Simon *(1702 et 1703)*.

Lettre aux religieuses de Port-Royal *(1665)* ; Avertissement sur le livre des Réflexions morales du P. Quesnel *(publié en 1710)* ; De l'autorité des jugements ecclésiastiques *(écrit en 1703 et inachevé)*.

A consulter : L. *Crouslé*, Bossuet et Fénelon, 2 vol., *1895* ; H. *Bremond*, Apologie pour Fénelon, *1910* ; H. *Bremond*, Bossuet, maître d'oraison *(dans la* Vie spirituelle, t. XXV*)* ; *du même*, le Duel Bossuet-Fénelon *(dans la* Revue de France, *1926)* ; *Margival*, Richard Simon ; *Ingold*, Bossuet et le jansénisme, *1904*, *et la* Polémique Urbain-Delmont *(dans* Revue du clergé français, *1899-1901)* ; *Rébelliau*, Bossuet et le jansénisme, *1898*.

La controverse contre les protestants occupa cinquante ans de la vie de Bossuet ; les autres polémiques furent des incidents assez brefs et violents. Dans la première, l'évêque fit preuve non seulement d'une science étendue et rarement prise en défaut, mais encore d'une bienveillance extrême à l'égard de ses adversaires ; dans les suivantes, d'une rudesse de ton, d'une violence de manières, d'un acharnement à poursuivre et à écraser, qui nous paraissent encore aujourd'hui révéler une tendance de plus en plus ferme vers l'intolérance, et qui semblaient à ses adversaires mal dissimuler l'embarras d'un esprit peu familier avec ces problèmes nouveaux.

Dans la querelle du quiétisme, Bossuet s'ingénie trop souvent à confondre les sentiments de Fénelon avec ceux de mystiques dévoyés que Fénelon répudiait fortement. Il a cru pouvoir écraser de sarcasmes son adversaire qui tâchait de prouver que sa « méthode d'oraison » avait été admise à toutes les époques, jusqu'à celle de la Gnose, et que, s'il suffisait de se rattacher à une tradition aussi ancienne que l'Église pour éviter la note infamante de « novateur », il était en droit d'invoquer une antiquité aussi

PIERRE JURIEU, un des plus fougueux adversaires de Bossuet. — CL. LAROUSSE.

vénérable que celle de toute autre doctrine mystique. Il rappelait, avec raison, que le mystique Jean de la Croix, béatifié par Rome, avait cependant été persécuté pour sa doctrine *nouvelle*, et qu'ainsi la *nouveauté* ne devait point tellement effaroucher Bossuet.

De même, dans la querelle qu'il fit à l'exégèse, Bossuet montra une véritable méconnaissance des services que pouvait rendre à la religion même une science qui ne faisait que de naître, et une passion peu charitable à dénoncer chez les nouveaux exégètes la « duplicité », la malice des intentions, le désir inavoué de promouvoir le libertinage. Ce sont là procédés contraires à la discussion scientifique ; ouvrir un procès de tendance n'est pas démontrer une erreur.

Cependant, bien des raisons militent en faveur du grand polémiste, jusque dans ses accès de violence. Les livres des « nouveaux mystiques » infestaient les couvents, se répandaient jusque parmi les fidèles, et Bossuet déclarait que le mal avait pris des racines si profondes « qu'il y allait de toute la religion » à l'extirper ou à l'autoriser. Fénelon, d'autre part, bien que très attentif à distinguer ses idées de celles des autres faux mystiques, apportait dans la controverse une sagacité et une subtilité qui rendaient vaines toutes les réfutations que Bossuet s'épuisait à faire de ses diverses propositions. Le bon sens un peu gros et la logique lourdement scolastique de l'un s'irritaient sans cesse de se voir tenus en échec par un esprit assez délié pour échapper à tous les raisonnements dans lesquels on prétendait l'enfermer.

Le cas de Richard Simon est encore plus clair. Il n'y a pas, dans l'hostilité de Bossuet, que la faiblesse d'une intelligence pour qui l'exégèse se réduit « à des chicanes, à des pointillés de grammaire », et à préférer « le grec et l'hébreu » à l'étude des Pères. Bossuet admet l'utilité de la philologie : il l'a lui-même parfois pratiquée. Mais il s'aperçoit, vers 1700, que les « nouveaux critiques » tendent (Bossuet dit : volontairement, malicieusement) à renforcer la position des libertins et des protestants. Ceux-ci s'évertuent à réfuter l'*Histoire des variations* en invoquant les variations du dogme catholique. Or le prêtre Richard Simon prétend établir, avec un ton de moquerie, que l'Église a introduit dans plusieurs de ses dogmes des *nouveautés* proposées par saint Augustin. La Tradition, dont se réclame Bossuet, est donc un vain mot : la variation est dans toutes les Églises. Elle n'est point signe d'erreur. Voilà ce qui met Bossuet hors des gonds. « On ne peut pas nier que ce prêtre ne soutienne les sentiments des protestants. » Qu'on accorde à ces critiques leur point de départ, et « il en faudra venir à la tolérance ». La tolérance ! Mot exécrable, puisqu'il couvre le triomphe des libertins, la défaite de la vérité, la déchéance de l'Église. Irrité de voir qu' « il se trouve des catholiques » pour fortifier la tactique des protestants, Bossuet écrit la *Défense de la Tradition*, et nous comprenons ainsi quelle passion sacrée l'a soulevé et dans quelle amertume il a trempé sa plume vengeresse.

Auprès de ces polémiques épuisantes, celles qu'il soutint contre les ultramontains, les cartésiens, les jansénistes et les moralistes relâchés, apparaissent comme de simples escarmouches. Les ultramontains essayèrent, en 1695, une offensive par la voie de l'archevêque de Valence, Roccaberti, qui s'en prit violemment aux articles de 1682. Bossuet s'anime aussitôt, écrit un « Mémoire au roi », et · s'offre à « pulvériser » l'ouvrage de l'archevêque, « fatras, disait-il, d'ignorantes citations entassées sans jugement ». L'affaire tourna court, mais, en 1702, l'université de Louvain se déclare favorable à l'ultramontanisme. La souffrance et la maladie ont, à ce moment, réduit Bossuet presque à l'inaction. Il s'offre cependant à reprendre la lutte, et n'y renonce que parce que Louis XIV ne se soucie pas de provoquer un nouvel incident avec Rome.

Plus rapide encore fut son corps à corps avec le cartésianisme. Vers 1677, il l'accueille, presque comme un allié; en 1683, il le dénonce brutalement dans l'*Oraison funèbre de Marie-Thérèse*, et cherche à l'envelopper dans la ruine qu'il médite du spinozisme. Que s'est-il passé? En 1680, Malebranche a publié le *Traité de la nature et de la grâce*, malgré ses conseils et ses menaces. Il s'agit d'extirper ce rejeton de la philosophie cartésienne, et, l'ayant dénoncé du haut de la chaire, Bossuet pousse Arnauld, puis l'abbé Fénelon à réfuter ce traité. Il lit l'ouvrage de Fénelon, le corrige, l'approuve : cependant, celui-ci ne parut pas.

Restent les jansénistes. Le « jansénisme de Bossuet » est l'un de ces faux problèmes qu'il faut éliminer définitivement. Bossuet entretint des relations d'estime — même d'amitié — avec quelques chefs jansénistes, Nicole, Arnauld, de Saci. Saint Vincent de Paul n'a-t-il pas été, assez longtemps, l'ami de Saint-Cyran ? Il est, comme eux, sans illusions sur la misère de notre nature, mais il réprouve leur doctrine de la grâce, déclare juste la condamnation des cinq propositions, légitime le décret de l'Église qui impose la signature du formulaire, désapprouve la distinction du fait et du droit qui autorise à signer tout en rejetant les termes du formulaire, et ne sépare pas, dans sa désapprobation, les casuistes de Port-Royal de ceux des *Provinciales*. Là-dessus, il n'a jamais varié. L'incident des *Réflexions morales* de Quesnel, dont on se réclame pour lui attribuer des sympathies doctrinales jansénistes révèle, au contraire, que Bossuet envisagea, plutôt que de laisser réimprimer cet ouvrage dont il avait exigé des corrections nombreuses, d'affronter l'autorité même du cardinal de Noailles. Il resta intraitable. En 1700, alors que le roi, les évêques de l'Assemblée, le cardinal de Paris, se déclarent pour des demi-mesures contre le jansénisme, la morale relâchée, le quiétisme, Bossuet parle de plus en plus fortement, blâme les tièdes, et, par son action passionnée, enlève la condamnation de toutes ces erreurs. Plus encore, il veut, en 1703, frapper la secte dans son dernier refuge, et, surmontant ses terribles souffrances, il se hâte de rédiger un traité, où il justifiera l'action de l'Église à l'égard des jansénistes. La mort le surprit avant qu'il eût terminé ce suprême témoignage de son anti-jansénisme.

BOSSUET, ÉVÊQUE DE MEAUX (1681-1704)

Nommé à l'évêché de Meaux le 2 mai 1681, Bossuet en prit possession le 7 février 1682. Ce retard était dû à l'obligation où il se trouvait de défendre, à l'Assemblée du clergé, les droits de la couronne et ceux de l'Église gallicane à la fois contre les ultramontains et les prélats d'un gallicanisme excessif. Situation épineuse, d'où il sortit, non sans peine, mais triomphalement, après son prodigieux discours Sur l'unité de l'Église *(9 novembre 1681). A Meaux, Bossuet fit preuve d'une activité pastorale où se retrouvait le disciple de Vincent de Paul, l'ouvrier courageux de la Contre-Réformation. Visites pastorales, réformes introduites dans les couvents suspects de relâchement, conférences à ses prêtres, sermons homélitiques au peuple des campagnes, redressement de la discipline ecclésiastique, publication d'un catéchisme, Bossuet mettait*

en tout cela sa vigueur et sa foi. Il fut, pendant dix ans, un évêque fidèle à la résidence, qui ne se montrait, malgré sa charge d'aumônier de la Dauphine, que rarement à Versailles. C'est lui, cependant, que la Cour veut entendre, pour les Oraisons funèbres *de la reine (1683), de la princesse Palatine (1685), de Le Tellier (1686), de Condé (1687).*

*Dans sa solitude aimée de Germiny, il mûrit de vastes projets, dont le principal est la reprise de contact avec les protestants, afin d'assurer le succès de la réunion des Églises. Après quelques escarmouches, d'ailleurs assez vives (1682-1686), il assène brusquement le coup qu'il espérait décisif : il publie l'*Histoire des variations *(1688), dont il soutient et prolonge l'action profonde par de grands ouvrages qui se suivent jusqu'en 1691.*

A partir de cette date, Bossuet se trouve entraîné comme dans un tourbillon de polémiques. En 1691, affaire Ellies Du Pin, suivie, en 1693, de l'affaire Richard Simon, deux prêtres que Bossuet accuse de favoriser le socinianisme. En 1694, affaire Caffaro, théatin naïf qui compromet, par son apologie du théâtre, le redressement de la morale évangélique, pour laquelle Bossuet a si durement bataillé. En 1695, affaire de l'archevêque de Valence, qui attaque les articles de 1682. En 1697, affaire des mystiques espagnols, dont les livres se propagent en France et redoublent l'acuité de la lutte qui est déjà, depuis 1695, engagée contre le quiétisme, c'est-à-dire contre Fénelon. A cela s'ajoute l'affaire Sfondrati, cardinal italien, qu'il faut poursuivre, en dépit des feuillants d'Italie et de certaines personnalités considérables du Saint-Office. En 1698, affaire des Nouveaux Convertis du midi de la France, contre lesquels se dessine une politique de rigueur, tandis que Bossuet s'acharne à faire prévaloir une politique de clémence. En 1699, affaire Basnage, qui, en s'efforçant de ruiner la tactique de Bossuet contre le protestantisme, risque de rejeter les nouveaux catholiques dans leur ancienne erreur. De là les deux Instructions *sur les promesses de Jésus-Christ à son Église. Cette même année, reprise des pourparlers pour la réunion des luthériens d'Allemagne, non plus avec l'abbé de Lokkum, mais avec Leibniz, dont la subtilité constamment fuyante déroute Bossuet. En 1700, affaire de l'Assemblée du clergé, où Bossuet joue un rôle décisif pour la condamnation du quiétisme, de la morale relâchée, du jansénisme renaissant. Il est, de plus, appelé à examiner la querelle des « cérémonies chinoises » qui divise les grands ordres de missionnaires français. De 1700 à 1704, l'irritante affaire de Richard Simon, contre lequel il écrit deux* Instructions *et l'admirable* Défense de la Tradition et des saints Pères *(publiée en 1753), mais qui se joue de ces éclats, trouve des complices dans le clergé même, et un protecteur inattendu dans le chancelier Pontchartrain. Avec celui-ci, Bossuet entame une discussion pénible dont il ne sort victorieux qu'en faisant intervenir le roi lui-même. En 1703, offensives simultanées contre les partisans du probabilisme, contre les jansénistes, contre les sociniens, qu'il découvre avec horreur à l'origine des hardiesses de Richard Simon, contre Grotius qu'il représente comme un libertin, contre Launoy, prêtre érudit qu'il accuse de donner des armes au libertinage. Ses derniers efforts se tournent contre les libertins, dont il pressent l'offensive prochaine. Il se propose donc de renforcer son* Apologie de la religion chrétienne *qu'il a jadis insérée dans l'*Histoire universelle, *de mettre au point sa* Politique, *ses ouvrages de piété comme les* Méditations sur les Évangiles *et les* Élévations sur les mystères, *surtout sa* Défense de la Tradition, *et quand il meurt, dans la nuit du 12 avril 1704, il n'a ni renoncé à la lutte ni perdu la certitude de la victoire. La mort a arraché de ses mains les armes qu'il fourbissait encore.*

Textes : Maximes et réflexions sur la comédie, *édition critique, p. p.* Urbain-Levesque *sous ce titre :* l'Église et le théâtre, *1930;* Traité de la concupiscence, *édition critique, par les mêmes, 1930.*

POMPE FUNÈBRE DU PRINCE DE CONDÉ, le 10 mars 1687, où Bossuet prononça sa dernière oraison funèbre. Gravure de Juan Dolivar, d'après Jean Bérain. — CL. LAROUSSE.

Consulter : Abbé Ledieu, Mémoires et journal, p. p. Urbain et Levesque, sous ce titre : les Dernières Années de Bossuet, 2 vol., 1928-1929; Joseph de Maistre, De l'Église gallicane, 1821, et A. Gérin, Recherches sur l'Assemblée de 1681, 1869 ; Correspondance de Bossuet, édition Urbain-Levesque, t. XIV ; Philippe Bertault, Bossuet intime, 1927 ; Ch. Baussan, les Amitiés de Bossuet (dans le Correspondant, 1936) ; Mgr Hébert, ancien curé de Versailles, Mémoires, p. p. G. Girard, 1925, et H. Bremond, le Duel Bossuet-Fénelon (dans la Revue de France, 1926) ; Henri Druon, Bossuet à Meaux, 1900 ; Urbain, Notes sur l'histoire de la « Défense de la déclaration de 1682 » (ouvrage posthume de Bossuet), 1902 ; Paul Hazard, la Crise de la conscience européenne, 3 vol., 1935 ; Th. Demon, l'Église et le théâtre (critique des Maximes et réflexions) dans la Vie intellectuelle, 1930, et du même, Sur le traité de la concupiscence, dans la Vie intellectuelle, 1931.

Est-ce donc là la période la plus glorieuse d'une vie qui n'a connu que la gloire ? De nos jours, on a plutôt tendance à juger sévèrement l'activité de Bossuet de 1690 à 1703, sa polémique, l'efficacité de son œuvre. Jusqu'alors, Bossuet orateur, controversiste, docteur de l'Église de France impose l'admiration, même à ses adversaires. Il domine les événements, dirige avec maîtrise les polémiques, ordonne à sa guise les solutions qu'il propose et défend avec une immuable sérénité. A partir de 1691, les événements semblent le dominer, l'entraîner malgré lui, et dans cette course précipitée Bossuet se laisse envahir par l'impatience. Il est dur pour ses adversaires qu'il considère de plus en plus comme des obstacles qu'il faut éliminer, non comme des égarés qu'il faut ramener par la douceur. Comme le lui reprochait Fénelon, « on ne trouve plus dans ses ouvrages trace de cette modération qu'on avait louée dans ses écrits contre les ministres protestants ». Vaine-

ment, Fénelon, Caffaro, Malebranche, Richard Simon ou Launoy lui offrent-ils de se soumettre, de corriger leurs ouvrages ainsi qu'il l'entendra. Bossuet exige davantage, poursuit leur condamnation publique, suprême humiliation qui les discréditera devant l'opinion. Dans cet acharnement, il arrive que la conscience même de Bossuet — cette conscience dont l'inflexible rectitude avait fait l'admiration d'une cour libertine — ne distingue plus l'indélicatesse de certains procédés. Fénelon lui reprocha d'avoir abusé de ses confidences; et nous pourrions lui faire grief de ses placets, ses mémoires, ses visites à Mme de Maintenon ou au roi lui-même, afin d'assurer par leur autorité le succès de ses controverses les plus pénibles.

N'a-t-il donc plus confiance en la force de sa vérité ? A-t-il éprouvé de l'effroi devant le débordement de l'esprit nouveau qui, depuis 1690, s'affirme dans tous les domaines de la pensée? Peut-être, en effet, s'est-il repenti d'avoir été, si longtemps, magnanime et libéral à l'égard des erreurs. Il avait essayé d'un compromis avec la philosophie, et le cartésianisme développe aujourd'hui les conséquences antichrétiennes qu'il enveloppait. Il avait ménagé les « critiques nouveaux », et leurs dernières manifestations mettent en un grave péril la Tradition, cette Tradition que Bossuet regarde comme l'une des assises de l'Église. Il n'est que temps de renoncer à la pitié ou au libéralisme, et de recourir à la rigueur.

Déçu et irrité, Bossuet ne conserve plus ce « juste milieu », où il se faisait gloire de se maintenir en tout. Il court aux extrêmes. Il juge toutes choses avec pessimisme. Il condamne la joie, la science, le rire, la tendresse humaine, la curiosité du savant, l'effort du moraliste : tout est corrompu; tout est concupiscence et orgueil de la vie. Alors, dans une heure de révolte contre ce monde qui brise les digues dont il avait contribué à assurer la solidité, Bossuet écrit les *Maximes et réflexions sur la comédie* (1694) et un *Traité de la concupiscence* (1694), dont l'essentiel est enfermé dans une brève et impérieuse sentence : « La foi et l'humilité sont les seuls guides qu'il faut suivre. »

Cependant, cet impitoyable censeur ne s'aperçoit pas que lui-même donne de plus en plus prise à la critique maligne. Évêque résident et fort attentif à ses devoirs de pasteur, il adopte, vers 1694, une ligne de conduite différente. On le voit plus souvent à Versailles qu'à Meaux. Il est assidu au petit lever du roi, assidu à la petite cour de Mme de Maintenon, et un étranger comme Spanheim le traite d'intrigant. Il sollicite en effet un évêché pour son neveu, et l'on s'en gausse. Malade, il donne le spectacle affligeant de ses infirmités dont ses amis s'attristent et les autres se moquent. Il s'éloigne de la Cour à la dernière extrémité et, n'ayant plus la force d'arriver jusqu'à Meaux, vient mourir à Paris, loin de son siège qu'il avait promis de ne point quitter.

A trop insister sur ces faiblesses, la critique moderne risque de fausser le véritable caractère du grand évêque vieilli. Vieilli, mais d'une dignité toujours vénérée, et d'une foi plus que jamais sûre de son triomphe. Il a, certes, aperçu la gravité des problèmes qui se posaient brusquement : il n'en a redouté aucun, certain de les dominer et de les résoudre. Il aurait voulu épargner Fénelon, et ne s'est décidé à écrire la terrible *Relation* que parce que M. de Cambrai « le demande avec tant d'insistance », et « veut qu'on lui réponde si précisément sur ses demandes ». Il a été dur pour Richard Simon, après qu'il eut découvert — avec quelle horreur ! — que ce prêtre puisait ses arguments dans les ouvrages du pasteur Du Moulin (l'odieux auteur du *Bouclier de la foi*) et des sociniens de Hollande. Il l'a convaincu, non seulement d'emprunts, mais d'erreurs et d'ignorance, « dans les matières mêmes où il s'imaginait exceller ». Il attend sa défaite : « Il faudra bien que ce novateur tombe comme les autres aux pieds de l'Église. Son terme est court. » Il considère avec pitié les derniers sursauts des défenseurs de la Réforme et proclame qu'il peut « les réduire en poudre ». Jusqu'à la fin, il se sent appuyé par la confiance et l'admiration de toute l'Église de France. L'Assemblée du clergé de 1700 fut l'éclatante consécration de sa gloire. Bossuet y fit acclamer tous ses décrets contre les jansénistes, les quiétistes et la morale relâchée, et son rapport « fut estimé digne des saints Pères ». Jusqu'en 1703, la faveur du roi ne lui a jamais manqué. Louis XIV l'admire sincèrement, et dans sa protection soutenue on peut discerner un autre sentiment plus intime que le respect.

Quel motif aurait eu ce vainqueur de désespérer de l'avenir, et de sombrer dans le pessimisme ? Est-ce à celui-ci qu'il faut recourir pour expliquer les *Maximes sur la comédie* et le *Traité de la concupiscence* ? Sa véhémence contre le théâtre est d'un disciple de saint Augustin et d'un psychologue. A celui-là il a pris les sombres tableaux des dangers moraux provoqués par les spectacles; à celui-ci il doit son admirable analyse de la contagion de la passion. Analyse qui détermine sa dialectique rigoureuse et hautaine, mais dont nous pouvons aujourd'hui desserrer l'étreinte, s'il est vrai que Bossuet n'a point vu que l'homme possède en lui des puissances de jeu qui s'enchantent au spectacle d'un monde idéalisé, de la fantasmagorie et de l'illusion, mais dont l'action ne dépasse pas ces limites. L'illusion dissipée, ces puissances de jeu s'assoupissent, apaisées, et la vie — celle des réalités — reprend ses droits. Au reste, Bossuet ne se faisait pas faute lui-même, en sa vieillesse que l'on dit morose, d'assister à des tragédies qu'il faisait jouer jusque dans son palais épiscopal, et auxquelles il prenait, disait-il, un vif plaisir. Il excusait et tolérait les divertissements — les masques même — qu'organisait jusque dans les salons de l'évêché sa frivole famille. Pour le *Traité de la concupiscence*, l'on ne saurait plus lui donner pour origine ce prétendu déses-

poir, depuis que M. Levesque a suggéré et presque établi (1935) qu'il fut écrit à la demande du maréchal de Bellefonds, qui, très pieux, visait à la perfection chrétienne. Bossuet développe, à son intention, les conseils les plus austères du renoncement à tout ce qui est le monde et n'est pas Jésus-Christ. Le traité fut achevé entre septembre et décembre 1694, mais le 5 décembre le maréchal mourut, et Bossuet renferma dans ses cartons une méditation qu'il ne destinait pas au public.

Cependant, cette activité tumultueuse ne l'empêchait pas d'entreprendre d'autres travaux, où pouvait se dilater son cœur. Depuis son arrivée à Meaux, il s'était attaché à diriger quelques âmes d'élite, réfugiées dans les abbayes de son diocèse : Mme de La Maisonfort, Mme Cornuau, Mlle d'Albert, Mme de Luynes. Cette direction l'absorba de plus en plus, et fut pour lui-même la source de grandes joies surnaturelles. Ses lettres ne sauraient être comparées à celles d'un François de Sales ou d'un Fénelon; celui-là élevant les âmes, presque à leur insu, jusqu'aux limites de l'héroïsme chrétien, à travers des sentiers fleuris où la fatigue semblait s'évanouir; celui-ci s'insinuant dans les âmes par une sorte de charme subtil qui, après avoir amolli les résistances et assoupli les volontés, devient autorité impérieuse, tyrannique. Bossuet, loin de vouloir s'imposer, s'efforce de tremper les volontés. Il parle des choses divines simplement, rondement, avec candeur et une foi profonde. Il évite tous les raffinements d'une piété scrupuleuse. Il conseille d'aller à Dieu bonnement, mais de tout son cœur. Sa direction ne tend pas à l'héroïsme, mais développe dans les âmes le sentiment de l'amour de Dieu, de l'abandon total à sa volonté, de l'union intime avec Jésus, où, la prière expirant sur les lèvres, le silence est prière. En somme, la piété même de Bossuet, telle qu'il l'exprimait précisément alors dans ses *Méditations sur l'Évangile* et ses *Élévations sur les mystères*.

Qui n'a pas pénétré la force, la suavité et le lyrisme de ces deux livres ne connaît pas Bossuet. Il s'y révèle tout entier; il y découvre le fond de sa nature, qui est la tendresse dirigée par la raison. Écrits vers 1695 pour les ursulines de Meaux, auxquelles il voulait fournir un aliment pour leur quart d'heure de méditation du matin et du soir, ces deux opuscules sont, en réalité, le fruit de la dévotion de Bossuet. Dans les *Méditations* il veut faire goûter la douceur de l'enseignement de Jésus, à l'occasion du Sermon sur la montagne, et des divers discours que le Christ prononça la semaine qui précéda sa mort. Dans les *Élévations*, il veut rendre sensible à l'intelligence et au cœur la grandeur des mystères chrétiens.

Bossuet n'a rien écrit de plus tendre, de plus simple à la fois et de plus haut, rien où la poésie se répande en nappes plus larges. Éperdu d'amour et de reconnaissance pour son Sauveur, il trouve les mots les plus profonds, les accents les plus émouvants. L'oraison devient véritablement un élan du cœur : « Je frémis, je sèche, Seigneur, je suis saisi de frayeur et d'étonnement, mon cœur se pâme, se flétrit, quand je vous vois en butte aux contradictions... » Mais quels cris d'exaltation et de ravissement, quand il voit la bonté du Seigneur et les merveilles que l'Écriture offre à sa foi candide ! Cette ardeur qui ne se contient plus jette sur son style une sorte de coloris romantique, et lui imprime un frémissement que l'on ne retrouverait sans doute à cette date chez aucun des plus grands classiques.

LA VALEUR DE CETTE ŒUVRE

Consulter : Willemot, Bossuet et notre temps, *Dijon, 1928.*

Cette œuvre immense, comment la jugeons-nous aujourd'hui, et qu'en demeure-t-il ? Unanimement, nous mettons hors de cause sa valeur littéraire, le prix de la

JACOBUS BENIGNUS   BOSSUET EPISCOPUS

Meldensis Comes Consistorianus, antea Serenissimi Delphini   præceptor, et primus Serenissimæ Ducis Burgundiæ Œcono
synarius, natus 27ª Septembris an 1627. obiit 12ª Aprilis 1704.

Hanc Effigiem, æterni amoris ac venerationis monumentum incidi curavit   *Jacobus Benignus Bossuet Episcopus Trecensis ejusdem nepos*

JACQUES-BÉNIGNE BOSSUET, ÉVÊQUE DE MEAUX.

Gravure de Pierre Drevet, d'après la peinture d'Hyacinthe Rigaud. — CL. LAROUSSE.

langue et du style : Bossuet est le plus parfait et peut-être le plus grand écrivain de la France. Cette perfection de la forme tient à sa précision et à sa netteté (que Bossuet regardait comme les sources du beau style); elle provient aussi de la force du raisonnement, serré, prompt à s'élancer, magnifique dans son déroulement, qui accroche et entraîne après lui, malgré que l'on en ait. De cet élément de beauté littéraire, Bossuet était aussi pleinement conscient, lui qui avouait « que c'était là sa gloire, que personne ne lui pouvait ravir, et son fort, où personne ne pouvait atteindre ni le suivre ». C'était dans la dialectique qu'il reconnaissait la « sublimité », et toute la magnificence de ses phrases ne devait, pensait-il, que faire mieux valoir la suite rigoureuse d'une forte pensée. Merveilleuse unité de ce style, où la raison triomphe, où le goût le plus délicat et le plus sûr décide de l'emploi des mots, du mécanisme de la syntaxe, du rythme même de la période, où l'imagination réalise en formes concrètes, en visions dramatiques, en images somptueuses les idées les plus abstraites, où une sensibilité frémissante fait passer le frisson de la passion.

S'il s'agit de sa valeur humaine, les oppositions sont profondes. Brunetière vantait la « modernité de Bossuet », Baumann avoue que Bossuet «fut un prophète du passé, fort peu un voyant des choses futures ». Paul Valéry déclare enfin que cette pensée, tournée vers le passé, ne peut plus exciter nos esprits, qu'elle s'est exténuée avec les événements qui la provoquèrent, qu'elle est inconcevable à nos contemporains, tellement elle a été dépassée. Étrange reproche qui nie ce qu'il y a d'universel, d'actuel, d'humain dans l'œuvre de ce grand lutteur. Nous lui devons, en effet, de perspicaces analyses de l'âme humaine, de nos passions, de nos misères. Une bonne partie de son œuvre oratoire est d'un moraliste. Et Montaigne, Pascal, La Rochefoucauld ne vivent-ils pas encore pour avoir ainsi scruté l'énigme humaine ? Nous lui devons d'avoir mis dans nos discordes religieuses plus de sérénité, le souci de multiplier les points de rencontre où les esprits s'accordent, et l'art de réduire les causes de dissidence. La recherche de l'*unité* dans les Églises chrétiennes n'est-elle pas plus vivace aujourd'hui qu'au temps de Leibniz ? Nous lui devons d'avoir mieux prévu et mieux souligné que personne les conséquences de la liberté d'examen dans les questions religieuses, et de la souveraineté populaire dans les questions politiques. Nous lui devons d'avoir lié, en histoire, la recherche des documents à la psychologie des peuples. Et c'est une assez belle gloire que d'avoir, par ces intuitions de génie, devancé Montesquieu, prophétisé Rousseau, pressenti Voltaire et Renan.

BOURDALOUE

Né à Bourges en 1632, Bourdaloue entra, en 1649, dans la Compagnie de Jésus. Jusqu'en 1669, il fut professeur en divers collèges de province, et de cette longue pratique de l'enseignement, il a conservé le goût des exposés clairs, équilibrés, didactiques. Il restera toujours un professeur. En 1669, il commence à prêcher à Paris, et le succès est immédiat. Il ne se démentira plus jamais. En 1671, il prêche le carême à la Cour, où il revient, à peu près régulièrement, tous les deux ans. Dans l'intervalle, il est l'orateur le plus populaire de Paris, appelé en

BOURDALOUE. Portrait par Jouvenet (Pinacothèque de Munich). — CL. LAROUSSE.

toutes les grandes églises et que les chapelles se disputent. Il prêche, confesse, dirige de nombreuses consciences, ne quitte sa petite cellule de religieux que pour répondre aux appels de ses nombreux admirateurs, grâce à quoi il prend une connaissance approfondie des divers milieux de la société. « Sa sublime éloquence, disait son ami Lamoignon, venait surtout de la parfaite connaissance qu'il avait du monde. » Il mourut en 1704.

Sermons, publiés par Bretonneau, 6 vol. in-8°, 1707-1734. La fidélité de ce texte est aujourd'hui fort contestée. A l'aide de l'édition subreptice de 1692, faite d'après des copies de sermons (et désavouée par Bourdaloue), l'abbé Griselle a entrepris une édition critique. Deux volumes seulement ont paru (1919).

Consulter : E. Griselle, Histoire critique de la prédication de Bourdaloue, 2 vol., 1901 ; Louis Dimier, Bourdaloue, Sermons choisis, 1936.

« Quand Bourdaloue eut paru dans les chaires de Paris, dit Voltaire, Bossuet ne passa plus pour le premier prédicateur de son temps. » Lamartine, fidèle écho de Voltaire, recherchait « la raison de cette préférence d'une argumentation froide sur une éloquence sublime ». Au vrai, quand Bourdaloue paraît dans les chaires de Paris, Bossuet ne parle plus que rarement en public : les mêmes auditeurs n'ont pu les comparer l'un à l'autre. Du moins, assez peu nombreux devaient être ceux qui avaient conservé le souvenir de l'action oratoire de Bossuet, de l'impression que produisait sa forte parole, et qui pouvaient juger de son efficacité en opposant la valeur des auditoires de 1660 à celle des auditoires de Bourdaloue.

Les deux orateurs comprenaient, en effet, l'éloquence sacrée différemment, y appliquaient des facultés et des moyens dissemblables, et travaillaient à un but sans doute identique, l'enrichissement de la vie religieuse chez leurs auditeurs, mais tâchaient de l'atteindre, l'un en fortifiant leurs convictions rationnelles, ce qui, disait-il, entraînerait leur réforme, l'autre en secouant leur torpeur, en les révélant à eux-mêmes, en les persuadant de mépriser leur misère et de tendre aux cimes chrétiennes. Bossuet reste sans égal dans l'exposé doctrinal, et Bourdaloue n'a pas essayé de le continuer, mais il apporte dans ses analyses morales des qualités d'observation et de pénétration qui font de ses sermons des guides extraordinairement informés du cœur humain. L'analyse relève d'une méthode minutieuse et patiente : elle décèle les réalités obscures, les vices latents, les tendances encore informes. Elle est œuvre d'observation, si l'on ose dire, scientifique. Elle se défie des entraînements de l'imagination et du cœur. Elle veut rendre visible ce que la passion, l'illusion ou l'ignorance empêchent de voir. Voilà, en effet, le dessein de Bourdaloue, que personne n'a plus clairement formé ni plus magnifiquement rempli. Dans un sermon sur la Passion, il précise : « On vous a cent fois touchés et attendris, et je veux, moi, vous instruire. Les discours pathétiques et affectueux qu'on vous a faits ont souvent ému vos entrailles... Mon dessein est de convaincre votre raison. »

Il emploie donc les méthodes propres à produire la conviction. Son discours est nettement composé : le plan est clair, bien que souvent complexe ; l'idée générale est divisée en deux ou trois points, en chacun desquels on retrouve un aspect de la doctrine, que suit l'analyse de la conduite des fidèles par rapport à cette doctrine, et de la pratique du chrétien véritable. En tout cela, une attention extrême à la justesse et à la force de l'expression. Peu d'images, peu d'élans du cœur; une marche tranquille et froide vers la clarté de la démonstration. Les auditeurs de ce terrible analyste restaient, raconte-t-on, figés en une sorte d'attente inquiète; l'orateur allait-il dévoiler l'état de leur âme, les secrets de leur vie profonde? Il allait, en effet, frappant sur les uns et les autres, rappelant des scènes vécues où s'agitaient des personnes vivantes, dont il faisait tomber le masque, mettant en pleine lumière les démarches les plus secrètes. Il frappait comme un sourd. «Attention, Messieurs, voici l'ennemi!» s'écriait un jour le Grand Condé en voyant le prédicateur monter en chaire.

FLÉCHIER. Gravure d'Edelinck, d'après Rigaud. — CL. LAROUSSE.

C'est que Bourdaloue avait jeté sur la société et l'âme humaine un regard désabusé. Que d'âmes lui ont confié leurs secrets suprêmes! Il connaît les grands, mais aussi les humbles. Il traduit à son tribunal ceux qui médisent et enseignent l'art de la médisance, et tout le monde reconnut Arnauld et Pascal; ceux qui favorisent le libertinage, et l'on pensa à Molière; ceux dont la conversion est d'autant plus singulière qu'elle est tardive, et l'on nommait Tréville. Il y eut donc des clefs, comme il y en aura pour les *Caractères* de La Bruyère; mais contre l'intention de l'orateur qui, plongeant au plus profond du cœur humain, se trouvait toucher un cas réel actuel, bien que hors de sa perspective. Ainsi passent sous nos regards tous les états, toutes les conditions d'une société dont les apparences étaient chrétiennes, et l'envers tout rongé de paganisme.

Contre celui-ci, Bourdaloue entame une guerre implacable, au nom d'une morale exigeante. On a pu le dire avec justesse : c'est la morale la plus janséniste que jamais jésuite ait professée. Son rigorisme n'accable cependant ni ne désespère. Massillon inspirera à ses auditeurs l'effroi devant un Dieu qui s'est choisi un petit nombre d'élus. Bourdaloue produit la confiance, car il croit à leur volonté, à leur puissance de redressement. On a pu l'appeler un La Rochefoucauld optimiste, et la définition est exacte. Il adjure ses auditeurs, parfois d'un ton pathétique, quoi qu'on ait pu dire de la froideur de sa diction. C'est qu'il les croit capables, en dépit de leur misère, de perfection. En ces mouvements où l'adjuration se fait pressante, Bourdaloue ne maîtrise plus son émotion; elle vibre, et si ce n'est pas le lyrisme de Bossuet, c'est assurément le cri, le geste, la passion d'une âme d'apôtre qui fait oublier un instant la froide rigueur du dialecticien et de l'anatomiste.

FLÉCHIER

Esprit Fléchier, né en 1632, à Pernes, dans le Comtat, entre, dès l'âge de quinze ans, dans la Congrégation des doctrinaires. Il y reste douze ans, puis s'en évade et vient à Paris. Il y fréquente les salons à la mode, l'hôtel de Rambouillet. Il acquiert une certaine réputation de bel esprit. Cependant Bossuet s'intéresse à lui : il le fait entrer au « petit concile », à Saint-Germain-en-Laye, où l'on étudie les Pères et l'Écriture sainte. En 1662, il entre, comme précepteur, chez M. de Caumartin, dont il accompagne le fils, en 1665, aux Grands Jours de Clermont.

Cela nous a valu les Mémoires sur les Grands Jours d'Auvergne, dont le tour est si éloigné de la charité et de la réserve que l'on a, récemment, émis l'hypothèse que ces Mémoires sont de Caumartin, non de Fléchier. Nommé lecteur du Dauphin, puis aumônier de la Dauphine, il prêche à la cour, et y est goûté. Son Avent de 1682 avait fait sensation. De nombreuses oraisons funèbres avaient remporté un très grand succès : celles de la duchesse de Montausier (Julie d'Angennes), en 1672, de la duchesse d'Aiguillon (1675), de Turenne (1676), de Lamoignon (1679), de Marie-Thérèse (1683), de Le Tellier (1686), de la Dauphine (1690), du duc de Montausier (1690).

Cette carrière oratoire mit en relief moins le « bel esprit », que nous goûtons peu aujourd'hui, que l'efficacité de cette parole insinuante et charmeuse. Fléchier fut ainsi choisi avec Fénelon et Bourdaloue pour prêcher des missions auprès des protestants. Il réussit : neuf cents protestants abjurèrent entre ses mains. Le roi le nomma, en novembre 1685, à l'évêché de Lavaur, puis, en 1687, à Nîmes. Son activité, son habileté, sa douceur l'y rendirent populaire, plus encore chez les protestants qui, au temps des Camisards, préféraient sa médiation à toute autre, que chez les catholiques dont cependant il ne cessait d'élever la vie religieuse par de remarquables lettres pastorales. Il mourut en 1710. Saint-Simon écrivait qu'il était « célèbre par son savoir, ses ouvrages et ses mœurs, par une vie très épiscopale ».

Œuvres complètes, publiées par l'abbé Ducreux, 10 vol. Nîmes, 1782; Mémoires sur les Grands Jours d'Auvergne, édition Chéruel, 1856; Lettres à Mme et Mlle Deshoulières, publiées par A. Fabre, 1871; Lettres à Mlle de La Vigne, publiées par Taschereau.

Consulter : A. Fabre, la Jeunesse de Fléchier, 3 vol., 1836 ; Mgr Grente, Fléchier, 1934 ; E. Lacombe, Fléchier à Nîmes (Mémoires de l'Académie de Nîmes, 1932).

Fléchier n'est pas un orateur que soulève et emporte l'émotion; c'est un écrivain, attentif à choisir les mots, les expressions, les tours de phrase, non en vue de faire briller son « bel esprit », mais de mieux exprimer les délicatesses et les finesses de la psychologie où il se complaît, et qui est, en effet, plus subtile, plus imprévue que celle de ses devanciers. Mais la recherche, et avec trop d'ingéniosité, la « douceur », l' « élégance » qu'il a peut-être le tort de regarder comme les sources de la persuasion. Il croit s'insinuer dans l'esprit de ses auditeurs, mais ceux-ci se défient d'une parole aussi apprêtée. Henri Bremond estimait que ce style était presque parfait.

Cependant, Fléchier prêche une doctrine grave, une morale qui ne sacrifie rien au relâchement du monde. Force et gravité qui ont le tort d'emprunter, pour se faire valoir, toutes les grâces de la rhétorique, tous les artifices de la diction. Fléchier annonce déjà La Bruyère et Massillon; mais c'est lui surtout qui confond l'art du style avec la poursuite de procédés raffinés, en affectant une certaine indifférence pour le contenu de la pensée.

MASSILLON

Né à Hyères en 1663; élève des oratoriens, oratorien lui-même en 1681. Ayant prononcé, avec un vif succès, les oraisons funèbres de Mgr Villeroy, archevêque de

Lyon, puis de Mgr de Villars, ar-
chevêque de Vienne, Massillon, que
ses supérieurs destinent à la chaire, se
réfugie soudain au monastère de
Septfonds, où il prend même l'habit
des trappistes, mais le cardinal de
Noailles enjoint au jeune novice de
rentrer à l'Oratoire. Il le nomme,
en 1696, directeur du séminaire de
Saint-Magloire, à Paris. Massillon
y adressait à ses élèves de beaux dis-
cours, qui firent sa réputation. Ils
sont aujourd'hui réunis sous le titre
de Conférences. En 1699, la Cour
désira l'entendre et le prédicateur y
remporta un éclatant succès. Il fut
rappelé à Versailles pour le Carême
de 1704, et Louis XIV apprécia
tellement cette prédication, de la-
quelle, disait-il, il sortait chaque fois
« mécontent de lui-même » qu'il dé-
clara à l'orateur : « Je veux désor-
mais vous entendre tous les deux ans. »

MASSILLON (B. N., Cab. des Estampes).
CL. LAROUSSE.

Cependant, Massillon ne fut jamais plus rappelé à la
Cour, jusqu'à la mort du grand roi. Il semble qu'une cabale
puissante ait agi contre l'orateur, qui ressentit cette sorte
de disgrâce bien qu'il ait été chargé de prononcer l'oraison
funèbre du Dauphin, puis celle de Louis XIV.

Le Régent le nomma, en novembre 1717, à l'évêché de
Clermont et lui demanda de prêcher le Carême de 1718
devant Louis XV, alors âgé de neuf ans. Ce fut le Petit
Carême, qui mit le comble à la gloire de Massillon :
cette même année, l'Académie française lui ouvre ses portes.
Bientôt après, Massillon partit pour Clermont, d'où il ne
revenait à Paris que rarement, tout entier dévoué à son
diocèse. Il ne prenait plus la parole que devant ses curés,
mais il distribuait sa fortune aux indigents de son pauvre
diocèse. Il meurt en 1742.

Œuvres complètes, publiées par l'abbé Massillon,
15 vol. in-12, 1745-1748 ; édition Blampignon, 4 vol.
in-8°, 1886.

Consulter : Blampignon, Massillon, 2 vol. 1879-1884;
A. Chérel, Massillon, 1944.

Voltaire admirait le *Petit Carême*, qu'il avait sur sa table
de travail, avec le théâtre de Racine; Brunetière a traité
avec dureté toute l'œuvre oratoire de Massillon. L'un y
goûtait le charme d'un style fluide, d'une élégance soutenue et un peu molle; il n'était surtout pas fâché d'entendre
la parole d'un prêtre qui, s'éloignant de plus en plus des
sources scripturaires de l'éloquence, se rapprochait des
manières de raisonner profanes, laïques, « philosophes ».
L'autre, que dominait l'admiration pour la parole
drue, fortement religieuse, essentiellement biblique et
puissamment raisonnée de son maître Bossuet, était
déconcerté — et choqué — par une éloquence qui dédaignait les sources chrétiennes, la force convaincante de la
dialectique et de la composition, et accordait à la sensibilité
toute l'importance que Bossuet donnait à la raison.

On ne saurait juger équitablement le genre inauguré
par Massillon, si des arrière-pensées, même aussi différentes que celles de ces deux critiques, viennent sans cesse
trahir les intentions de l'orateur. Massillon, au début de
sa carrière, avait pris soin de fixer sa position. « Je ne prê-
cherai pas comme eux », disait-il de ceux qui étaient alors
regardés comme les maîtres de la chaire. Bien des choses
avaient changé, en effet; l'esprit de foi s'était affaibli
même dans les auditoires de bons chrétiens; l'esprit d'incrédulité avait grandi, et, contenu par un roi dont la rigidité religieuse s'affirmait avec la vieillesse, il se répandait
sourdement en attendant d'éclater avec fracas au temps

de la Régence; les esprits se détour-
naient d'une éloquence de controversistes et de docteurs, acharnés à
démontrer, ardents à convaincre; on
ne supportait plus ces lourdes compositions, solidement charpentées et
massives. Massillon prétendit mettre
un terme à cette éloquence doctri-
naire et raisonneuse. Au premier plan,
il poussa l'élégance de la forme, la
liberté un peu lâche du mouvement,
l'épanchement de la sensibilité, l'émotion du cœur, une manière enfin de
raisonnement qui s'adresse à l'honnête
homme, s'appuie sur des motifs
humains, envisage le bien des sociétés, le bonheur terrestre, dont la
religion semble être le plus sûr garant.
Il voulait s'adapter à son auditoire,
être la voix que l'on reconnaît, que
l'on aime et que l'on suit. « Ce sont
les auditeurs qui font les prédicateurs », avait déjà proclamé Bossuet.

Ferons-nous grief à Massillon d'avoir été le prédicateur
exigé par son temps ? Il ne fut guère théologien. Il tissait
son texte moins avec les sentences de l'Écriture qu'avec
des considérations de moraliste subtil et mondain. Il
recherchait l'élégance, le rythme, la musique des mots : il
savait que son auditoire frivole était sensible à ce charme
insinuant. Il fut, pour tout cela, admiré par une génération qui n'aimait plus que la mousse des idées, l'émoi
des sens, ce qu'il y a de physique dans l'art de bien dire.

Ces qualités et ces défauts — qui furent ceux d'une
époque avant d'être ceux de Massillon — apparaissent
surtout dans les *jolis* sermons du *Petit Carême*. Il y a là,
sous une forme délicieuse, des conseils d'une sagesse qui
découle, non de l'*Écriture sainte*, mais du *Télémaque*.

Cependant, bien plus souvent qu'on ne le croit, l'orateur
a regimbé contre les exigences de son auditoire. Le Sermon
pour le premier dimanche de Carême, qui traite « de la
parole de Dieu », est une émouvante confession d'un apôtre
dont on a fait un rhéteur. « Nous n'osons presque parler
de certains désordres... », etc. « Que nous importe de
vous plaire, si nous ne vous changeons pas ? » Cet évêque a
donc essayé d'être égal à sa mission : il a donné de dures
leçons au roi, fustigé hardiment des courtisans qui trans-
formaient « les railleries du maître en blasphèmes impies »,
condamné, non seulement les vices, mais encore les amu-
sements d'une société « lascive », parlé du théâtre avec une
véhémence égale à celle de Bossuet, et prêché une morale,
qui, sous des dehors agréables, cachait une réalité sévère,
profondément triste et presque désespérée devant « l'horreur de notre état ».

Bossuet goûta son sermon sur la Samaritaine, mais avait
déclaré, en une autre occasion, « que cet orateur, bien
éloigné du sublime, n'y parviendrait jamais ». Il avait
reconnu dans cette grâce de l'élocution et cette politesse
du discours l'affadissement des fortes vertus de l'orateur
sacré. Massillon est, en effet, le premier signe considérable de la décadence de l'éloquence religieuse.

III. — LE JANSÉNISME APRÈS 1660

L'histoire mouvementée de Port-Royal sous le règne de
Louis XIV comprend trois étapes : au lendemain de
l'accession du roi au pouvoir personnel, une violente persécution provoquée par le « formulaire » que les jansénistes
répugnent à signer (1661-1668); dix ans de calme à la
suite de l'intervention du pape Clément IX (1668-1679);
enfin une nouvelle phase critique, laquelle ne s'achèvera

que par l'expulsion des religieuses et la destruction de l'abbaye (1709-1710).

Jamais d'ailleurs plus que pendant cette période le jansénisme n'a été au premier plan de l'histoire des idées. On le rencontre à tous les carrefours de la pensée. Il occupe ou inquiète la plupart des grands esprits : La Rochefoucauld, Boileau, Racine, Mme de Sévigné, Bossuet, La Fontaine même.

Dans le domaine des créations littéraires, la date capitale pour le jansénisme est assurément celle de la première édition des *Pensées* de Pascal (1670). Mais, parmi les écrivains vivants de Port-Royal, le plus lu est alors Pierre Nicole.

PIERRE NICOLE

Fils d'un avocat au parlement, Pierre Nicole est né à Chartres en 1625. Il fait sa philosophie au collège d'Harcourt, puis sa théologie. Homme « de vaste et curieuse lecture » (Sainte-Beuve), il devient un des maîtres des Petites Écoles de Port-Royal. Il se lie avec Arnauld, qu'il assiste dans la composition de la fameuse Logique (la part de collaboration de Nicole à bon nombre d'ouvrages jansénistes est certaine, mais difficile à préciser). Il voyage en 1658-1659 en Flandre et dans les pays du Rhin, écrit une traduction en latin des Provinciales de Pascal sous le pseudonyme de Wendrock (1658). De retour à Paris, il vit dans l'intimité d'Arnauld, partage sa vie inquiète de persécuté.

La « Paix de l'Église » ouvre pour lui une période de grande activité. Il voyage encore (à Angers, à Aleth). Il écrit surtout. Il compose les dix lettres dites Imaginaires et les huit Visionnaires (1664-1667), rédige sans doute en grande partie un gros ouvrage sur la Perpétuité de la Foi (1669-1676), mène des controverses contre les protestants, contre les jésuites. Les Essais de morale et instructions théologiques commencent à paraître en 1671 et finiront par former vingt-cinq volumes dans les éditions complétées du XVIIIe siècle.

La reprise des persécutions le décide à partir pour Bruxelles (1679). Arnauld, qui l'a rejoint, consent à l'exil et veut gagner la Hollande. Mais Nicole, excédé de toutes ces luttes, obtient de l'archevêque de Paris, au grand scandale des jansénistes militants, son retour à Chartres, puis à Paris (1683).

Il compose encore des mémoires sur des questions théologiques, polémique contre le quiétisme, et meurt en 1695.

Consulter : Sainte-Beuve, Port-Royal, t. IV, ch. VI et VII.

« Nature seconde » : le jugement porté par Sainte-Beuve sur Nicole paraît sans appel. Éducateur, polémiste, controversiste, moraliste, il reste au-dessous d'Arnauld, à plus forte raison de Pascal et de Bossuet. Son tempérament n'était pas celui d'un lutteur, moins peut-être par goût profond de la paix et de la conciliation, comme on l'a dit, que parce que son caractère était sans ressort et sujet à de brusques défaillances. Mais sa « douceur » tant vantée fut toute relative. Sainte-Beuve l'a bien noté : il eut, jusque dans ses écrits, des moments d'âpreté assez déplaisants. On connaît de lui des jugements sévères, à l'adresse de Pascal par exemple. Il avait, semble-t-il, l'esprit fort critique. Et l'on sait que le trait lancé

PIERRE NICOLE. Gravure de Habert.
CL. LAROUSSE.

dans les *Visionnaires* contre les « faiseurs de romans et poètes de théâtre, empoisonneurs publics non des corps, mais des âmes », fut assez vif pour mettre hors de lui Racine, qui n'était pas directement en cause.

Les *Imaginaires* et les *Visionnaires* sont trop évidemment inspirées des *Provinciales*. Pour prouver dans les premières que l'hérésie reprochée aux jansénistes n'existe que dans l'imagination de leurs adversaires, pour riposter dans les secondes à Desmarets de Saint-Sorlin, auteur de la comédie *les Visionnaires*, et devenu l'ennemi de Port-Royal, Nicole s'essaye à l'ironie pascalienne. Mais il lui manque la fougue, l'accent, le rythme.

Les *Essais de morale* valent mieux. Sans briller par le style, ces petits traités sur *la faiblesse de l'homme, la manière d'étudier chrétiennement, la connaissance de soi-même, les moyens de conserver la paix parmi les hommes*, etc., offraient aux contemporains, sous un aspect qu'ils aimaient — opuscules, lettres, entretiens — toutes sortes de vues raisonnables et perspicaces. Les *Essais* furent très admirés. Ils découvraient ce que les esprits moins déliés ne savaient pas « démêler » : ainsi jugeait Mme de Sévigné, qui a tant fait pour que le nom de Nicole ne périsse pas, et pour que nous le mettions encore à une place honorable parmi ces psychologues moralistes qui apportèrent tant de minutie, de bon sens et d'ingéniosité clairvoyante dans leur enquête sur l'homme.

IV. — MALEBRANCHE

Il manque à la moins incomplète des éditions modernes de Malebranche, celle de Genoude et Lourdoueix (1837, 2 vol. in-4°), gâtée d'ailleurs par d'innombrables fautes, plus d'un quart de l'œuvre totale. Jules Simon a publié quelques ouvrages de Malebranche en les mutilant (1842, 2 vol. ; 1871, 4 vol.). Les éditions anciennes restent donc indispensables. Dans l'énumération qui suit, la première date est celle de l'édition originale, la seconde celle de l'édition à préférer ; nous indiquons ensuite, quand il y a lieu, les réimpressions modernes utilisables.

La Recherche de la vérité, 1674-1675, 2 vol. ; 1712, 4 vol. ; Lyon, 1829, 4 vol. ; Francisque Bouillier, 1880, 2 vol. Conversations chrétiennes (1676, 1702). Méditations pour se disposer à l'humilité et à la pénitence (1677, 1715 ; P. Ingold, 1915). Traité de la nature et de la grâce (Amsterdam, 1680 ; Rotterdam, 1712). Traité de morale (Rotterdam, 1684 ; Lyon, 1707 ; Henri Joly, 1882). Méditations chrétiennes (Cologne, 1683 ; Lyon, 1707). Entretiens sur la métaphysique et la religion (Rotterdam, 1688, 1711, 2 vol. ; P. Fontana, 1922). Traité de l'amour de Dieu (Lyon, 1697 ; Lyon, 1707 ; D. Roustan, 1923). Recueil de toutes les réponses à M. Arnauld (1709, 4 vol.). Entretien d'un philosophe chrétien avec un philosophe chinois (1708). Réflexions sur la prémotion physique (1715).

Consulter : le P. André, Vie de Malebranche, publiée par le P. Ingold, 1886 ; Fénelon, Réfutation du système du P. Malebranche sur la nature et la grâce, et Lettres au P. Lamy sur la grâce et la prédestination; Fontenelle, Éloge du P. Malebranche, 1715 ; Blampignon, Étude sur Malebranche, 1862 ; Francisque Bouillier, Histoire de la philosophie cartésienne, *3ᵉ édition, 1866 (t. II)*; *Sainte-Beuve*, Port-Royal *(t. V)* ; *Ollé-Laprune*, la Philosophie de Malebranche, *1870, 2 vol.* ; *Pillon*, l'Évolution de l'idéalisme *dans l'Année philosophique, 1892, 1893, 1894*; *Gaonach*, la Théorie des idées dans la philosophie de Malebranche, *Brest, 1908* ; *le numéro de la* Revue de métaphysique et de morale *publié à l'occasion du deuxième centenaire de la mort de Malebranche, janvier 1916* ; *H. Gouhier*, la Philosophie de Malebranche et son expérience religieuse; la Vocation de Malebranche, *1926*.

Dans un opuscule de Malebranche, dont un seul exemplaire nous a été conservé, nous lisons : « Ne souffrons jamais volontairement que l'esprit des autres hommes se tourne vers nous, ni que leur cœur s'arrête sur nous; nous ne sommes ni leur lumière ni leur bien » *(Considérations de piété)*. Les biographes de Malebranche nous apprennent qu'il pratiqua sévèrement cette maxime. « Mais, ajoute l'un d'eux pour nous consoler, il s'est peint lui-même dans ses ouvrages, et en les lisant dans la vue de l'y trouver ou du moins ses vrais sentiments, il ne sera pas difficile de le tirer d'après nature. » En effet, le philosophe a répandu son âme dans ses écrits. Les souvenirs du marquis d'Allemans, du P. Lelong, du conseiller Chauvin, du P. André, de Fontenelle nous aident à l'y découvrir.

LA VIE DE MALEBRANCHE ET L'HISTOIRE DE SON ESPRIT

Nicolas Malebranche est né à Paris le 6 août 1638. Son père, trésorier des cinq grosses fermes à l'époque de Richelieu, devint secrétaire du roi en 1658. Sa mère, Catherine de Lauzon, originaire du Poitou, comme la mère de Descartes, était apparentée à Mᵐᵉ Acarie, qui a introduit en France le Carmel de sainte Thérèse et dirigé plusieurs grands spirituels de son temps. Dernier de dix enfants, selon le P. Adry, ou de treize, selon le P. André, le jeune Malebranche semblait fort chétif. Il fut élevé à la maison, « travaillant sous un précepteur qui revenait l'enseigner après avoir conduit ses frères en classe ». A l'âge de seize ans, sa santé s'étant un peu raffermie, il suivit les cours du collège de La Marche, où le fameux péripatéticien Rouillard enseignait la philosophie. Cette initiation le déçut. Il prit cependant son « degré » de « maître ès arts en l'université de Stagyre » (1656).

Se promettant plus de satisfaction de la théologie, il vint passer trois années à la Sorbonne, mais éprouva une seconde désillusion et acheva de se dégoûter de l'école. Il perdit sa mère, qui s'était appliquée particulièrement à le former (18 avril 1658), et, peu de jours après, son père (5 mai). Son goût de la retraite et la faiblesse de sa complexion l'éloignaient du monde. Un de ses oncles lui proposa un canonicat à Notre-Dame, qu'il refusa. A l'âge de vingt et un ans, il prit le parti d'entrer à l'Oratoire (18 janvier 1660). « La nature et la grâce, note Fontenelle, l'appelaient également vers l'état ecclésiastique. »

Après une année de noviciat dans la maison spéciale de l'Oratoire appelée l'Institution (aujourd'hui l'hospice des Enfants assistés), non à Saint-Magloire (aujourd'hui l'établissement des Sourds-Muets), comme l'indiquent à tort plusieurs historiens, et un bref séjour à Notre-Dame des Ardilliers, près de Saumur, Malebranche entre à l'Oratoire de la rue Saint-Honoré à la fin d'octobre 1661. Le P. Lecointe essaie de l'initier à l'histoire ecclésiastique, Richard Simon à l'hébreu et à la littérature rabbinique, les PP. Chancelier et Fauconnier à la théologie augustinienne.

Il est ordonné prêtre le 20 septembre 1664, mais il n'exercera aucune fonction paroissiale ou d'enseignement. Quelque temps bibliothécaire de son ordre, à un autre moment maître de cérémonies dans l'église de la rue Saint-

Honoré, il se défit dès qu'il le put de ces charges (Correspondance inédite, p. 10) pour se consacrer pleinement à la méditation. Il avait abandonné ses biens « à ses frères du monde », c'est-à-dire à l'hôpital général, ne se réservant qu'un revenu viager de 1 600 livres qui suffisait à ses besoins. Il mourut le 13 octobre 1715.

Ce que révèlent bien des passages des œuvres de Malebranche, c'est son goût pour la méditation. Toute sa curiosité se dirigeait vers la vie intérieure, car il avait conscience de consulter une raison débordant infiniment sa personnalité, quand il rentrait en lui-même. Sa doctrine nous avertit que nous apercevons les idées dans l'Entendement divin et que s'interroger sincèrement, en sachant écarter les prestiges des sens et de l'imagination, c'est être instruit par la Sagesse éternelle. Méditatif par tempérament, il l'était donc encore par système. Pour mieux écouter le maître qui parlait en lui, il renonçait à la société des hommes, se retirait à la campagne, recherchait le silence et l'obscurité de la cellule. Il a défini l'attention « une prière naturelle par laquelle nous obtenons que la raison nous éclaire ».

Mais ce dont témoignent aussi ses ouvrages avec une égale évidence, c'est qu'il n'obtenait pas sans effort et sans lutte cette concentration d'esprit. On ne peut, assure-t-il, s'unir à la raison « sans une espèce de travail fort désolant ». Il dit à son « unique Maître » : « Vous nous parlez dans le plus secret de nous-même, mais nos sens, de leur côté, crient si haut !... Je sens encore que j'ai de l'attachement pour ces objets que votre lumière me fait mépriser; je sens que je les aime » (*Cinquième Méditation chrétienne*, § 19). Il écrit tout un livre, de la *Recherche de la vérité*, contre l'imagination, et l'on y devine l'effet d'une rancune contre les séductions de l'enchanteresse.

Il n'a nul goût pour l'érudition. Il n'envie point le savoir d'un Lecointe, d'un Launoy ou d'un Richard Simon. Bien plutôt, il partage la répugnance de son premier supérieur général, le P. Bourgoing, contre la science des faits. Celui-ci disait, pour désigner un esprit médiocre : « C'est un historien. » Malebranche demanda un jour à un érudit : « Monsieur, Adam était-il bien habile dans le paradis terrestre ? » Ce docte lui ayant répondu assurément qu'oui, puisqu'il avait eu toutes les sciences infuses : « Eh bien ! lui dit le P. Malebranche, cet homme, qui savait tout, ne savait pourtant ni histoire ni chronologie. » (Le P. André, *ouvrage cité*, p. 10.)

L'Oratoire de Jésus était avant tout le foyer d'une dévotion très ardente à laquelle le fondateur de l'ordre, le cardinal de Bérulle, avait donné sa nuance propre. De Bérulle avait voulu réagir contre cette sorte de dispersion de la piété que risquait de réaliser le culte des saints, développé au point de faire concurrence au culte de celui que les saints ont entendu servir, et il avait composé un *Office de Jésus* dont la célébration était imposée dans la congrégation de l'Oratoire, afin de ramener la faveur des fidèles vers le véritable « instituteur et fondateur de la religion ». Le même souci se manifeste dans toute l'œuvre de Bérulle, particulièrement dans son fameux *Discours de l'état et des grandeurs de Jésus* : « Rien ne devrait partir de notre esprit qui n'aspire à Jésus, rien ne devrait entrer dans notre esprit qui ne sentît l'esprit et l'odeur de Jésus. Et comme, épris de son amour, nous ne devrions voir que Jésus, rien ne nous devrait contenter que Jésus. Tout en lui et par lui nous devrait agréer; rien sans lui et hors de lui ne nous devrait satisfaire. » Le lecteur des *Méditations chrétiennes* ne saurait étudier la religion de Malebranche sans y découvrir à chaque page la marque de l'influence bérullienne.

En philosophie, tandis que les jésuites restaient attachés à l'aristotélisme, les oratoriens s'appliquaient à retrouver Platon à travers saint Augustin. En 1655, le P. Fournenc avait publié un cours dans lequel il se vantait d'améliorer l'enseignement philosophique par ses emprunts à Platon. Il n'est pas assuré que Malebranche l'ait utilisé; mais nous savons qu'il a tenu en grande estime un exposé très fidèle de la philosophie augustinienne, paru dès 1656 et très rapidement devenu classique, la *Philosophie chrétienne* d'Ambrosius Victor (pseudonyme du P. André Martin). Les oratoriens travaillaient en même temps à la diffusion du cartésianisme, dont plusieurs penseurs, comme Ambrosius Victor, le P. Poisson, et, hors de l'Oratoire, le médecin Louis de La Forge (*Traité de l'esprit de l'homme*, 1666), estimaient la conciliation facile et nécessaire avec les idées de saint Augustin. De Bérulle avait approuvé les desseins du jeune Descartes; son successeur, le P. de Condren, avait conseillé au P. Gibieuf et au P. de La Barde d'enseigner et de commenter la philosophie nouvelle. Aucune synthèse du cartésianisme et de l'augustinisme ne sera plus profonde, plus intime et plus puissante que le système de Malebranche. Ainsi, dans la mesure où le milieu prépare l'éclosion d'une grande doctrine, Malebranche doit à l'Oratoire sa formation.

Le marquis d'Allemans, le P. André, Fontenelle, tous ses biographes, racontent que la lecture fortuite de *l'Homme*, de Descartes, lui révéla sa vocation philosophique. Ce récit nous inspire quelque défiance. Malebranche nous affirme qu'il a connu Descartes avant saint Augustin. Il est fort peu croyable qu'en 1664, après trois années de Sorbonne, au lendemain de la condamnation d'Arnauld, et après trois ans de séjour à l'Oratoire, Malebranche n'eût encore pris directement contact avec aucun des deux génies les plus admirés autour de lui. Au surplus, on a décrit, il y a quelque cinquante ans, un exemplaire des *Principes de la philosophie*, de Descartes, édition de 1659, portant de nombreuses notes manuscrites de Malebranche, et l'une d'elles établirait qu'elles étaient de l'année même où le livre a paru. Si *l'Homme*, de Descartes, a spécialement frappé Malebranche en 1664, c'est qu'une explication du corps humain, considéré comme une machine, répondait sans doute à sa curiosité précise vers cette date. Il est remarquable qu'il n'ait pas été d'abord conquis par la métaphysique de Descartes, par l'ensemble du système. L'admiration de Malebranche ne va pas à l'édifice total, mais dans cet édifice il aperçoit une pierre qui manque à sa propre construction.

Tandis qu'il médite sur Descartes et sur saint Augustin, paraissent les *Pensées* de Pascal (1670). Louis et Blaise Perier conseillent à leur mère de n'envoyer ce livre « qu'aux amis particuliers ». Ils citent une vingtaine de noms, parmi lesquels nous lisons celui de Malebranche voisinant avec ceux de jansénistes notoires : Arnauld, Nicole, de Tréville, Des Billettes, Filleau de La Chaise, Quesnel. Notons que Malebranche n'a encore rien produit, que cet hommage ne s'adresse donc pas à un illustre philosophe. Il reste qu'il s'adresse à un jeune ecclésiastique de distinction, bien vu du groupe port-royaliste. Malebranche avait pourtant signé le Formulaire d'Alexandre VII, le 24 novembre 1661. Si, vers 1670, les éditeurs des *Pensées* ne lui tiennent pas rigueur, c'est que sans doute ils sont fixés sur la véritable signification de cette soumission. La rétractation datée du 15 juillet 1673, dans laquelle Malebranche reconnaît qu'il a attesté « des faits fort incertains » par obéissance aveugle à ses supérieurs, n'a pas dû les surprendre. On a souvent contesté l'authenticité de cette rétractation, en donnant pour argument que Malebranche a déclaré n'avoir jamais été janséniste et qu'il a expressément désapprouvé les opinions de Jansénius et d'Arnauld sur la grâce — ce qui est exact —. Mais désapprouver une opinion théologique ou certifier que des propositions se trouvent dans un livre qu'on n'a pas lu (« ... quoique alors je n'eusse jamais rien vu de son livre intitulé *Augustinus* », dit la rétractation), c'étaient deux choses pour lui.

NICOLAS MALEBRANCHE. Gravure d'Édelinck, d'après J.-B. Santerre (B. N., Cabinet des Estampes). — CL. LAROUSSE.

Il avait trop de confiance dans la raison pour soustraire à sa juridiction une question de fait. La rétractation de 1673 ne constitue pas une adhésion au jansénisme; elle n'est qu'une revendication de provisoire neutralité.

En fait, aucune trace ne subsiste d'une profonde influence exercée sur Malebranche par les *Pensées* de Pascal. Mais une page de la *Recherche de la vérité* (livre IV, chap. VI, § 2) reproduit presque littéralement la *Préface sur le Traité du vide*, non publiée à cette époque, communiquée peut-être par les Perier. De même que Malebranche a d'abord admiré chez Descartes sa méthode et sa physique plus que sa philosophie générale, de même il s'inspire des vues de Pascal sur la science plus que de ses hautes spéculations sur la condition de l'homme. Il interroge ces grands penseurs profanes avec une curiosité de savant.

Ce grand méditatif répugnait à la dispute. Il passa cependant la plus grande partie de sa vie les armes à la main. Il eut à se défendre d'abord contre Foucher, chanoine de Dijon, puis contre le P. Louis Le Valois, jésuite, qui le dénonça comme sectateur de Calvin. Son *Traité de la nature et de la grâce* lui valut une apostrophe hautaine de Bossuet dans l'oraison funèbre de Marie-Thérèse : « Que je méprise ces philosophes qui, mesurant les desseins de Dieu à leurs pensées, ne le font auteur que d'un certain ordre général d'où le reste se développe comme il peut ! Comme s'il avait, à notre manière, des vues générales et confuses, et comme si la souveraine intelligence pouvait ne pas comprendre dans ses desseins les choses particulières, qui seules subsistent véritablement ! »

Mais le plus tenace adversaire de Malebranche fut Arnauld. Un certain P. Levassor, que Malebranche avait dirigé dans l'étude de saint Augustin et qui professait au séminaire de Saint-Magloire, déclara publiquement que Jansénius avait lu saint Augustin avec les lunettes de Calvin. Par ce mot resté célèbre du disciple, les jansénistes apprirent que le maître ne les suivait pas. Une conférence qui réunit, chez le marquis de Saint-Preuil, Arnauld et Malebranche, en présence de Quesnel et d'un homme de cour théologien, M. de Tréville, ne modifia les opinions de personne. Malebranche promit d'expliquer par écrit ses sentiments, Arnauld de les examiner avec une attention sérieuse. « C'était, dit Fontenelle, se promettre la guerre. » Les hostilités se prolongèrent, peut-on dire, au-delà de la mort d'Arnauld (1694), puisque Malebranche ne publia qu'en 1704 sa dernière réponse, suivie du très ironique écrit *Contre la prévention*.

Malebranche soutint encore des controverses avec Régis, le bénédictin François Lamy, le jeune savant spinoziste Dortous de Mairan, l'abbé Boursier. Il s'était vu bassement outragé par le méprisable Faydit; on lui annonçait encore les attaques d'un jésuite, le P. Dutertre : « Qu'ils triomphent, s'écria-t-il, je ne leur envie point cet honneur, pourvu que la vérité triomphe avec eux ! »

Si Malebranche fut si vivement combattu, il convient de remarquer aussi, avec Fontenelle, que « jamais philosophe n'a eu des disciples plus persuadés ». Le marquis d'Allemans, le marquis de L'Hôpital, auteur de l'*Analyse des infiniment petits ;* le duc de Chevreuse, dont le père, le duc de Luynes, avait traduit Descartes et conduit Pascal à Port-Royal; Prestet, ce domestique devenu grâce à lui prêtre de l'Oratoire et mathématicien de distinction; Carré, qu'il initia pareillement aux sciences; le P. André, nombre d'humbles religieux, de savants, de personnages considérables lui restèrent attachés toute leur vie. Leibniz et la princesse Élisabeth furent ses correspondants pleins d'admiration. On pourrait affirmer que dès son vivant Malebranche jouit de la gloire la plus éclatante, bien que la plus contestée, s'il n'était plus exact d'écrire que sa modestie souffrit de tant d'hommages et son amour de la vérité de tant de prévention.

LES GRANDES IDÉES DU SYSTÈME

Quoi qu'il doive à Descartes et si porté qu'il soit à reconnaître sa dette, parfois même à l'exagérer, Malebranche n'a pas philosophé avec les mêmes préoccupations ni pour le même objet. Sans doute un lecteur de Descartes croit encore entendre une voix familière quand il ouvre la *Recherche de la vérité* ou les *Entretiens sur la métaphysique :* il y retrouve le doute méthodique, le moyen d'échapper à ce doute en prenant conscience de sa propre pensée, la preuve de Dieu par l'idée même de Dieu, le principe de la véracité des idées claires et distinctes, la réduction de toute réalité à deux substances radicalement distinctes : la pensée et l'étendue, une physique mécaniste fondée sur une conception métaphysique de la matière. Mais tant d'analogies l'égarent, si elles lui dissimulent l'originalité du système de Malebranche, son orientation particulière et ce qu'un pénétrant historien de cette philosophie a pu nommer son anti-cartésianisme.

Le point d'où procède l'opposition latente des deux grands métaphysiciens est celui-ci : « Tandis que Descartes, sous de prudentes apparences et aussi à travers les sincères désirs de sa foi, cherche dans la connaissance de Dieu, de nous-même et du monde un moyen d'obtenir, de justifier, d'assurer, d'étendre l'emprise de l'homme sur la nature, un moyen donc d'améliorer ou même de prolonger notre existence terrestre et de conquérir l'avenir, Malebranche, lui, ne considère la vie présente, la science humaine, la philosophie que comme les échelons de notre réintégration en Dieu, comme la préparation et l'anticipation ébauchée de l'autre vie, comme le moyen de conquérir, ou, si ce mot évoque une idée d'activité qui répugne à sa doctrine, d'accueillir l'éternité. » (Maurice Blondel, *l'Anti-cartésianisme de Malebranche, Revue de métaphysique et de morale*, 1916.)

Une formule de saint Augustin pourrait servir d'épigraphe à son système : « L'homme n'est pas à lui-même sa propre lumière. » La Raison qui éclaire l'homme n'appartient pas à l'homme. Elle est le Verbe et la Sagesse de Dieu : « Je suis certain que Dieu voit précisément la même chose que je vois; l'esprit voit en un sens la vérité comme Dieu la voit. » (*VIIe Entretien sur la métaphysique.*)

De ce principe se déduit une certaine conception des rapports de la raison avec la foi. Il ne saurait y avoir désaccord entre elles, Malebranche l'affirme avec une hardiesse qui surprend : « L'intelligence est préférable à la foi. Car la foi passera, mais l'intelligence subsistera éternellement. » (*Traité de morale*, 1re partie, chap. II, § 11.) Ne nous méprenons pas sur ce rationalisme : ce n'est point notre raison qui est préférable à la foi, car la raison n'est point nôtre. Et ce n'est pas dans la vie présente que la foi passera, mais dans la vie glorieuse où l'acceptation de la vérité révélée fera place à la parfaite intellection de ce qui reste aujourd'hui, toujours à quelque degré, mystérieux. Mais assurés qu'un jour le dogme nous apparaîtra pleinement rationnel, pourquoi refuserions-nous de lui emprunter dès à présent notre point d'appui? « Que les philosophes sont obligés à la religion ! Pour moi, je l'avoue, je me trouve à court à tout moment, lorsque je prétends philosopher sans le secours de la foi. » (*IVe Entretien sur la métaphysique.*) Descartes avait sécularisé la philosophie. Malebranche s'emploie de toute son âme et de toute son éloquence à proclamer que « la religion, c'est la vraie philosophie ».

Dieu est au centre de tout le système, non point un Dieu aux desseins insondables, aux volontés déconcertantes et capricieuses, mais un Dieu soumis à l'ordre. Malebranche a conçu tout autrement que Descartes le rapport de Dieu aux vérités logiques, mathématiques, métaphysiques et morales. Suivant Descartes, Dieu crée librement ces vérités : il aurait pu en créer d'autres. Il eût pu faire que la somme des angles d'un triangle fût plus grande ou plus petite que deux angles droits, nous imposer d'autres règles de conduite, préférer un monde éternel à un monde qui a son commencement dans le temps. Malebranche réfute cette thèse (*Xe Éclaircissement*). La raison est immuable et nécessaire. « Nous la concevons en un sens plus indépendante que Dieu même », car il faut qu'il la consulte et qu'il la suive. Or Dieu ne consulte que lui-même; cette raison ne se distingue donc pas de lui. Ainsi point de « décret » pour instituer les vérités éternelles : elles ne sont pas des « créatures », elles sont Dieu.

En méditant sur l'union naturelle de l'esprit de l'homme avec la raison universelle, Malebranche se trouve conduit à proposer de très originales solutions aux difficultés que le génie de Descartes lui-même n'avait pu vaincre. Deux problèmes ardus subsistaient, relatifs à l'action des corps sur les esprits et à celle des esprits sur les corps. Comment les objets matériels, simples portions d'étendue géométrique, peuvent-ils modifier notre pensée, engendrer des perceptions et des idées? Comment notre volonté, qui n'est en rien matérielle, peut-elle modifier les mouvements de l'univers? Et, plus généralement, comment une réalité, matérielle ou spirituelle, peut-elle agir sur une autre réalité, celle-ci fût-elle du même ordre, comment se représenter la relation entre une cause et son effet? A ces questions répondent les deux célèbres théories sur la *vision en Dieu* et sur les *causes occasionnelles*.

Il ne faut pas expliquer l'action des corps sur les esprits, il faut la nier. D'où viendront alors les idées des corps ? De la source commune d'où jaillissent toutes les idées, aussi bien les vérités éternelles de la géométrie que les notions les plus humbles de l'expérience, que l'idée d'un arbre ou d'une pierre. Cette source est Dieu.

Pour établir cette conclusion si éloignée de nos croyances instinctives, Malebranche, dans la *Recherche de la vérité* (IIIe livre, IIe partie), a tenté le dénombrement de toutes les hypothèses qu'on pourrait imaginer pour expliquer comment nous voyons des objets hors de nous. Ses critiques, qui visent saint Thomas, Arnauld, Louis de La Forge, Avicenne, Descartes, ne laissent subsister qu'une solution, la plus compatible avec la sagesse du Créateur et la dépendance des créatures, c'est que « nous voyons toutes choses en Dieu ».

Dans sa préface de 1696 aux *Entretiens sur la métaphysique*, Malebranche a prétendu montrer la conformité de cette théorie avec la doctrine augustinienne. Saint Augustin a loué Platon d'avoir affirmé l'existence d'idées immuables, éternelles, indépendantes de tel ou tel esprit particulier, exemplaires et archétypes des créatures. Plus nettement que Platon, le docteur chrétien a situé ces idées en Dieu, car il n'est pas concevable que Dieu ait regardé hors de lui le modèle sur lequel il a formé les créatures. Il a cru que ces idées étaient la lumière des intelligences et saint Thomas a partagé ce sentiment. Mais les deux grands théologiens ne pouvaient aller plus loin, car ils croyaient qu'on voit les objets eux-mêmes et que les couleurs sont répandues sur leur surface. Il leur manquait en somme de connaître la théorie cartésienne des qualités secondes. Que l'on rapproche l'un de l'autre Descartes et saint Augustin, et l'on sera obligé de dire que c'est en Dieu qu'on voit les corps.

De toutes les objections qui assaillirent Malebranche, la plus fréquemment développée et la plus attendue fut l'accusation de mettre les choses particulières en Dieu et d'instaurer par suite un véritable panthéisme, analogue à celui qui fit scandale quand parut, en 1677, l'*Éthique* de Spinoza. La théorie cartésienne de la matière, adoptée par Malebranche, semblait préparer cette conclusion, car si les corps ne sont point autre chose que de l'étendue et si l'esprit humain ne peut apercevoir cette étendue qu'en Dieu, Arnauld et Régis ont raison, il faut situer en Dieu « les moucherons, les crapauds et les puces ». Malebranche a vu le danger et a cru l'éviter en introduisant dans son système une distinction que lui inspire l'idéalisme platonicien et augustinien, celle de l'étendue intelligible et de l'étendue matérielle. « Dieu, demande-t-il, ne connaît-il pas l'étendue qu'il a faite, avant de l'avoir faite ? Ce serait une impiété que de le nier. Dieu a donc en lui-même l'idée de l'étendue; or c'est cette idée de l'étendue, c'est cela que j'appelle étendue intelligible. » Ce qui est en Dieu, c'est donc l'idée de l'étendue, préexistant à la création du monde matériel, éternelle, alors que ce monde a commencé et peut être anéanti; infinie, alors que la matière a des bornes. Il n'est point nécessaire de reconnaître à la nature l'immensité du Créateur, ni de supposer chez le Créateur le morcellement de la nature.

Nous sommes ici fort loin de Spinoza, mais aussi fort loin de Descartes. Pour Descartes, les qualités secondes, les saveurs, les odeurs, les couleurs, les sons, ne sont pas produits par les corps; mais les qualités primaires le sont. Pour Malebranche, qualités primaires et qualités secondes sont engendrées par Dieu. Dieu nous découvre les idées des corps en nous admettant à considérer telle ou telle limitation de l'étendue intelligible et il fait naître en nous les sensations par l'efficace de ces mêmes idées. Sans doute il ne connaît point ces sensations comme nous les connaissons, il répugne par sa nature à tout ce qui est sensible.

DE LA RECHERCHE DE LA VÉRITÉ.
Frontispice de l'édition originale (1674).
CL. LAROUSSE.

Mais il connaît ses volontés, qui ont donné l'être à toutes les réalités et à toutes leurs modifications. Il ne perçoit pas en lui-même « des moucherons, des crapauds et des puces », mais il connaît ces êtres dans sa puissance, car il lui a plu que telle portion d'étendue fût disposée comme ils sont disposés. Il sait donc qu'ils existent, sans les voir comme nous « colorés et puants », apparences qui sont uniquement en nous par l'effet de l'action que Dieu exerce sur notre âme à l'occasion de leur présence. (*Réponse à Arnauld*, VI.)

Partis de Platon, nous nous trouvons ici très proches de Berkeley, car l'existence des corps devient singulièrement problématique. Rien dans notre esprit ne provient de l'action d'une nature extérieure. Dieu seul agit sur nous et l'idée ne suppose plus un être matériel dont elle serait la représentation. C'est l'idée de la main qui fait souffrir le manchot, puisque sa main n'est plus; c'est l'idée d'un spectre qui effraye un fou, sans qu'aucune réalité corresponde aux fantaisies de son imagination malade. « Quand je n'aurais point de corps, dit Malebranche, et qu'il n'y aurait rien de créé que mon âme, Dieu, par ses idées efficaces, pourrait me faire voir et sentir comme je vois et je sens » (*VIIIe lettre à Dortous de Mairan*). De la vision en Dieu à l'immatérialisme anglais du XVIIIe siècle, il n'y a qu'un pas. Mais ce pas, Malebranche refuse de le franchir : la révélation lui enseigne qu'il y a des corps. « Chez le commun des philosophes chrétiens, remarque d'Alembert, c'est la raison qui défend la foi; ici, c'est la foi de Malebranche qui a mis à couvert sa raison et qui lui a épargné l'absurdité la plus insoutenable. » Maupertuis a dit : « Ce ne fut que parce qu'il lisait la Bible qu'il crut qu'il y avait des livres. » Pillon rectifie : « Ce ne fut que parce qu'il lisait la Bible qu'il crut que les livres étaient des corps. » (*Année philosophique*, 1893, p. 125.)

Le même besoin d'installer Dieu au centre de son système et de chaque théorie de son système conduisit Malebranche à concevoir la doctrine des *causes occasionnelles*. Si l'action des corps sur les esprits est incompréhensible, celle des esprits sur les corps, celle des esprits sur les esprits, celle des corps sur les corps ne le sont pas moins. Dieu seul est cause. C'est l'erreur la plus pernicieuse des anciens philosophes que d'avoir admis, dans la nature, des forces, des facultés, des vertus, capables par elles-mêmes d'exercer quelque action. Saint Thomas reconnaissait, au-dessous de la puissance divine, cause suprême, des causes secondes, sans lesquelles, pensait-il, le monde eût été moins parfait. La philosophie de l'École admettait, sans en préciser la nature, une influence, un *influx* de ces causes sur les êtres ou objets qu'elles modifiaient. Descartes, ayant réduit toute réalité à la pensée et à l'étendue, obligea les philosophes à s'interroger sur la nature de cette influence. On ne pouvait la concevoir ni comme un transfert de particules matérielles ni comme le passage d'un élément spirituel dans une autre substance. Les analyses de Malebranche firent apparaître le caractère purement verbal et l'obscurité foncière de l'explication traditionnelle. Le plus vigoureux esprit, remarque-t-il, serait impuissant à prédire ce qui va se passer quand une boule heurte une autre boule, s'il ne disposait des leçons de l'expérience. La première boule va-t-elle s'arrêter, rétrograder, contourner la seconde ? Celle-ci va-t-elle se mettre en mouvement ou rester immobile ? La logique n'a rien ici à nous apprendre. Il n'existe aucune relation intelligible entre le mouvement de la première boule et le mouvement de la seconde après le choc. Malebranche conclut que le mouvement de la première et le choc ne sont que l'*occasion* du mouvement de la seconde et que l'action divine s'intercale entre les deux mouvements. Non que Dieu ait besoin d'intervenir par une volonté particulière. Il a institué, une fois pour toutes, les lois, peu nombreuses et très simples, de la communication des mouvements et sa puissance assure l'exécution régulière de ces lois, même si tel effet particulier déconcerte notre conception de sa Providence. Il pleut sur la mer et sur le sable du rivage en conséquence de lois générales qui président à des milliers d'événements plus rationnellement justifiés. Le Dieu de Malebranche, n'agissant que pour sa gloire, est comme prisonnier de son esthétique.

Nos désirs sont de même l'occasion seulement, non la cause véritable, des mouvements de notre corps et, par ceux-ci, de divers autres mouvements dans l'univers. A toutes les créatures, spirituelles ou matérielles, Malebranche refuse la « dignité de la causalité ».

La théorie de la vision en Dieu et la théorie des causes occasionnelles affirment une si perpétuelle et si directe intervention de Dieu dans les moindres événements de ce monde que la créature paraît d'abord écrasée. L'homme ne peut se proposer de lever le bras ou de déplacer un objet que l'action divine ne soit requise pour conférer l'efficace à cette volonté inopérante par elle-même. Il ne conçoit la plus simple figure géométrique, ne perçoit le moindre son, la moindre couleur, que si Dieu lui découvre d'abord quelque chose de sa propre substance. La même tendance à diminuer le rôle de la créature se remarque en d'autres théories du système, par exemple dans la conception de la volonté humaine et de la morale. La volonté est, avant toute réflexion, invinciblement orientée vers un certain objet qui est notre félicité : « Ne me demandez pas pourquoi je veux être heureux, demandez-le à celui qui m'a fait, car cela ne dépend nullement de moi. » La morale malebranchienne nous invite à prendre conscience des rapports de perfection que Dieu conçoit, et que nous apercevons en lui quand nous imposons silence à nos passions, par conséquent à consulter un ordre qu'en aucune manière nous ne créons. Ainsi tout vient de Dieu, tout passe par Dieu, tout revient à Dieu.

Telle est du moins la formule dont un lecteur superficiel se satisfait pour résumer ce grand système. Elle le trahit, et ce qu'elle sacrifie de la pensée de Malebranche n'est pas moins essentiel que ce sur quoi elle met l'accent. Chaque fois que le système glisse vers le panthéisme, Malebranche se retient, non par artifice et pour rester dans l'orthodoxie au moyen des expédients que la subtile imagination des théologiens a toujours suggérés en foule, mais par conviction et parce qu'en lui un admirable sens du réel proteste contre les conséquences extrêmes de certaines conceptions métaphysiques. De ces redressements de la doctrine malebranchienne, les théories de la liberté, de l'âme, de l'amour de Dieu, de la vertu, fourniraient des exemples significatifs.

Ainsi la théorie des causes occasionnelles semble consacrer notre impuissance : c'est pure apparence, puisque aussi bien elle met à notre service toute la puissance de Dieu. Que nous importe de n'être plus la cause des événements de l'univers, puisque nous demeurons l'occasion qui, en vertu des lois immuables de la communication des mouvements ou de l'union de l'âme et du corps, déclenchera nécessairement l'action efficace de Dieu ? La volonté de l'assassin oblige Dieu à frapper sa victime, comme les paroles du prêtre l'obligent à descendre dans l'hostie, même si cette hostie doit être profanée. — Entre deux biens l'esprit choisit toujours celui dont il attend le plus

grand bonheur. On croirait que Malebranche nie le libre arbitre. Il le sauve tout au contraire en distinguant volonté et liberté, en reconnaissant à l'homme un vrai pouvoir de suspendre son consentement. Une très originale théorie du consentement est esquissée dans les *Réflexions sur la prémotion physique*. — La théorie de la vision en Dieu semble autoriser chez le psychologue l'ambition de procéder déductivement, comme a fait Spinoza : si nous atteignons en Dieu l'idée de l'âme, nous en apercevrons en même temps les facultés et les lois, nous en pourrons traiter comme s'il s'agissait de lignes, de plans et de solides. Espérance chimérique : Malebranche, fermement opposé sur ce point à Descartes, déclare que l'âme est moins aisée à connaître que le corps, que nous n'en avons point l' « idée », mais seulement le « sentiment ». Aucune psychologie métaphysique n'est possible, puisque nous ignorons en somme ce qu'est l'âme; on ne peut qu'en décrire les états. — La plus haute vertu est l'amour de Dieu. Mais si elle nous rendait indifférent à notre propre salut, elle nous ferait désobéir aux intentions les plus certaines de la Divinité. La sévérité de Malebranche à l'égard du quiétisme égale celle de Bossuet. (Voir le *Traité de l'amour de Dieu*.) — La moralité est avant tout respect de l'ordre. Mais pour apercevoir l'ordre, ce n'est pas trop de toute notre force d'esprit : « Faire usage de sa liberté, autant qu'on le peut, c'est le principe essentiel et indispensable de la Logique et de la Morale. »

Telle est cette doctrine à plusieurs faces, qu'on défigure plus qu'aucune autre quand on la simplifie. Qui l'étudie en admire d'abord l'architecture savamment ordonnée, puis s'afflige de penser qu'aucun de ces grands édifices métaphysiques ne résiste au temps. Alors il s'interroge sur la solidité de la pierre et du marbre que la postérité tentera d'en extraire. Cette remarque d'H. Bergson peut le rassurer : « Il y a, chez Malebranche, toute une psychologie et toute une morale qui conservent leur valeur, même si on ne se rallie pas à sa métaphysique. Là est une des marques de la philosophie française : si elle consent parfois à devenir systématique, elle ne fait pas de sacrifice à l'esprit de système; elle ne déforme pas à tel point les éléments de la réalité qu'on ne puisse utiliser les matériaux de la construction en dehors de la construction même. Les morceaux en sont bons. »

V. — LA POÉSIE. LA FONTAINE
TENDANCES GÉNÉRALES. POÈTES DIVERS

Consulter : Sainte-Beuve, Portraits de femmes, Une ruelle poétique sous Louis XIV; Lundis, *I (Chaulieu)*, *X (La Fare)*, *XI (Chapelle)* ; Nouveaux Lundis, *VIII (La Fare)*, *X (Maucroix)*, *XII (Santeul)* ; *É. Faguet*, Histoire de la poésie française, de la Renaissance au Romantisme, *1927-1938*, tomes II, III, VI; *D. Mornet*, Histoire de la littérature française classique, *1940 (Voir les chapitres sur les* Victimes de la régularité *et sur l'*Art de plaire*). Une étude nouvelle est annoncée sous le titre :* la Poésie au XVIIᵉ siècle (1630-1700) *par A. Cart, dans la collection du* Livre de l'Étudiant *(Boivin)*.

La gloire proprement poétique du règne de Louis XIV — en dehors du théâtre et de la critique — se résume pour nous dans l'œuvre de La Fontaine.

Il n'est pas seul pourtant; autour de lui les poètes abondent. L'époque, comme la précédente, a le goût de la poésie. Le roi lui-même, au témoignage de Mᵐᵉ de Sévigné (1664), aime les vers, au point que la fantaisie le prend d'en composer. Les seigneurs de la Cour — dont Oronte du *Misanthrope* sera le type immortel — ne dédaignent pas de rimer un sonnet, un madrigal. Fouquet, déchu et emprisonné, présentera à La Fontaine, en amateur délicat, quelques appréciations critiques sur l'ode que son protégé vient d'écrire pour tenter d'apaiser le roi. Érudits et mondains rivalisent dans les discussions et les querelles poétiques.

Quels sont les genres en faveur après 1660 ? Le flot insipide de la poésie épique n'est pas épuisé, et se nourrit toujours d'une triple inspiration : l'antiquité biblique et ses prolongements chrétiens, l'histoire ancienne, l'histoire nationale. Au *Moïse sauvé* de Saint-Amant (1653) succède le *Jonas* de Coras (1665), suivi d'un *Josué*, d'un *Samson*, d'un *David ;* à la *Rome vaincue* de Scudéry (1654) le *Saint Paulin* de Charles Perrault (1675); au *Clovis* de Desmarets de Saint-Sorlin (1657), apologiste et théoricien du genre héroïque, aux douze premiers chants de *la Pucelle* de Chapelain, fruit sans saveur d'années laborieuses, Carel de Sainte-Garde ajoutera un *Childebrand ou les Sarrasins chassés de France* (1666); Le Laboureur, un *Charlemagne* (1664), dans l'espoir de créer enfin la grande épopée nationale attendue.

Le goût pour la poésie antique s'affirme encore dans les traductions en vers de poèmes grecs et latins. Après que Brébeuf (1618-1661) eut rendu la *Pharsale* de Lucain « chère aux provinces », Mme Dacier traduit Anacréon et Sapho (1684); Thomas Corneille, les *Métamorphoses* d'Ovide (1669-1677), Longepierre, les *Idylles* de Théocrite (1688), Segrais, l'*Énéide* (1668-1681), mais pour cette seule adaptation Voltaire l'expulsera du Temple du Goût ! Claude Le Petit se risquera à mettre en vers français les plus belles pensées de saint Augustin, et « l'histoire romaine mise en madrigaux » de Mascarille n'empêche pas Bensserade de traduire en rondeaux (1676) les *Métamorphoses*. On compose des poésies latines : Fléchier s'y essaya; le P. Rapin donna, en 1665, ses quatre livres de *Jardins (Hortorum libri IV) ;* Jean de Santeul excelle dans le genre et ses *Hymni sacri et novi* (1689) eurent leur heure de gloire.

Poèmes moraux, poèmes pieux (tels ceux de Racine et de La Fontaine), pièces de circonstance — ainsi les *Odes* de Racine, l'*Églogue royale* de Charpentier (1663) : autant de genres qui restent à l'honneur. Ailleurs, c'est la chanson satirique ou l'épigramme, à l'occasion des disputes littéraires, ardentes et discourtoises : Racine y sera maître. Mais le genre qui les prime tous, parce qu'il est inséparable de l'élégance et de la distinction mondaines, c'est le genre aimable, la poésie galante ou badine.

Comment choisir entre ces « petits poètes », ceux que Voltaire appelle « poètes négligés » du règne de Louis XIV ? Ils forment aux yeux un groupe confus et chatoyant, gens du monde ou amuseurs des gens du monde, bourgeois et abbés, femmes d'esprit ou bas-bleus, souvent amusants, au moins par leurs caractères et leurs aventures. C'est un original que Chapelle (1626-1686), fils naturel du maître des comptes L'Huillier, qui eut le privilège d'approcher de près Boileau, Molière, La Fontaine, d'être parfois leur confident, et qui glissa peu à peu des grands rêves poétiques — Lucrèce revu par Gassendi — aux badinages faciles et aux plaisirs de la bonne chère. Originaux, cet Emmanuel de Coulanges (1633-1716), cousin de Mme de Sévigné, maître des requêtes au parlement, qui suit le duc de Chaulnes dans son ambassade en Italie, et

FRONTISPICE du « Recueil de poésies chrétiennes et diverses » publié en 1671 par Loménie de Brienne. — CL. LAROUSSE.

se fait une notoriété de chansonnier mondain; Rambouillet de La Sablière (1624-1679), mari fort volage de la protectrice de La Fontaine; Vergier (1655-1720), compagnon de fredaines du fabuliste; Jean Regnault de Segrais (1624-1700), secrétaire de la duchesse de Montpensier, collaborateur de Mme de La Fayette, traducteur, poète pastoral. Beaucoup de bons vivants parmi eux, de ces épicuriens dont Sainte-Beuve dit que seuls la jeunesse et le départ sont intéressants, l'âge mûr et la vieillesse sombrant dans la sensualité, la gourmandise ou pis. C'est pourquoi la place d'honneur lui semble revenir à ce couple si typique : Amfrye, abbé de Chaulieu (1639-1720), Normand du Vexin, qui accompagna en Pologne l'envoyé extraordinaire, M. de Béthune, y compromit sa fortune politique en y gagnant une douce philosophie, pour devenir ensuite le familier des Vendôme, nature plantureuse, rabelaisienne, — et son inséparable, le marquis de La Fare (1644-1712).

Leur originalité est, dans leur vie, plus pittoresque que leur œuvre. A les lire, ils se ressemblent; parfois l'attribution même de leurs vers est incertaine. Beaucoup d'entre eux ont conscience de ce qui les unit, puisqu'ils publient dans ces ouvrages collectifs, dont M. Mornet a souligné l'importance. Au célèbre recueil Conrart, succéderont ainsi : le *Recueil de poésies chrétiennes et diverses* publié par Loménie de Brienne (1671), le *Recueil des pièces galantes en prose et en vers* de la comtesse de La Suze, de Pellisson et de divers auteurs, publié en plusieurs éditions à partir de 1664.

Les genres où ils s'essaient sont les mêmes, ceux que Vadius et Trissotin énumèrent dans leur assaut de compliments, depuis les genres traditionnels : odes, rondeaux, sonnets, stances, églogues, madrigaux, jusqu'aux impromptus, énigmes, chansons, bouts-rimés, divertissements de salon, qui sont à peine ou ne sont plus de la littérature. C'est tout juste si parfois un auteur se fait un renom dans un genre exclusif : Coulanges et Sainte-Aulaire sont chansonniers; Mathieu de Montreuil (1620-1672), madrigaliste; Pelletier, sonnettiste. Quand les deux recueils de La Fontaine seront parus, la fable redeviendra de mode. Mme de Villedieu, Desmay, dans son *Ésope du temps* (1677), Furetière, se risqueront dans le genre qui venait de se hausser jusqu'à la grande poésie, et le ramèneront sans effort à sa platitude première.

Sainte-Beuve a finement parlé de ce groupe de rimeurs, « ruelle poétique », comme il aimait à dire, qui court parallèlement à la grande avenue. Ainsi vont-ils, l'un plus spirituel, l'autre plus tendre, l'un plus fleuri, l'autre plus net : Saint-Pavin (1590-1672), survivant de l'époque de Voiture, Le Pays (1636-1690) avec ses *Amitiés, amours, et amourettes*, Bonnecorse et sa *Montre d'amour*, qui figure au combat burlesque du *Lutrin*, Pavillon (1632-1705), neveu de l'évêque d'Alet.

Boileau a désigné parmi eux ses victimes, et durement secoué plusieurs de ces néo-précieux; Molière a marqué l'un d'eux d'un ridicule écrasant. Mais si l'abbé de Pure (1634-1680), et surtout l'abbé Cotin (1604-1682) les incarnent encore à nos yeux, tous ne furent pas des sots, ni des importuns; on peut choisir parmi eux deux ou trois noms qu'un bonheur d'expression moins éphémère, une touche un peu plus vive, ont un jour tirés de l'élégante médiocrité

Nous retrouvons ici Bensserade (1612-1691), survivant d'une époque antérieure, qui témoigne précisément de la vitalité du genre. Il est le type même de poète qui convenait aux amateurs de « bon air ».

On ne doit pas trop en vouloir à Mme Deshoulières (1638-1694) d'avoir cabalé contre Racine dans le cercle de la duchesse de Bouillon, d'avoir écrit sur *Phèdre* un sonnet épigrammatique — d'une verve assez savoureuse — non plus que d'avoir commis une tragédie de *Genséric*. Sainte-Beuve découvre en elle une pointe de philosophie, un esprit ami du vrai et du positif qui la révèle digne contemporaine de La Rochefoucauld. Surtout, comme il arrive, elle a trouvé dans les déceptions et les souffrances de sa vie, torturée de bonne heure par les affres d'une lente agonie, une source de mélancolie sincère. Quelques accents annoncent de loin les poétesses modernes. Des vers tels que ceux-ci sur le destin de l'homme :

> Il commence à mourir longtemps avant qu'il meure,
> Il périt en détail imperceptiblement.
> Le nom de mort qu'on donne à notre dernière heure
> N'en est que l'accomplissement

valent mieux, après tout, que les bergeries, dont les « chères brebis » ont paré le nom de Mme Deshoulières d'une espèce d'immortalité rosâtre et enrubannée.

Maucroix (1619-1708) a bien aimé La Fontaine, il a dit de lui des choses exquises : ce sont titres à ne pas l'oublier. Cet avocat indolent, entré à vingt-huit ans dans les ordres, ce chanoine de Reims devenu secrétaire à l'Assemblée du Clergé de 1682, cet indépendant qui ne prétendait pas sacrifier sa liberté aux honneurs, ce traducteur érudit de grec et de latin, ce sensuel, apparaît quelquefois dans ses poèmes comme une réplique affaiblie de l'incomparable ami dont il sut reconnaître le génie et définir l'originalité.

On a parlé de lyrisme à propos de ces poètes. Il faut s'entendre. Le courant de grand, d'authentique lyrisme, a été détourné par Malherbe, dont l'œuvre fut complétée sur ce point et achevée par les précieux. Il ne reparaîtra, pour s'amplifier avec magnificence, qu'au temps du romantisme. Disons seulement que l'on trouve chez les versificateurs du XVIIe siècle un mode d'expression des sentiments communs qui survivra, par endroits, même au XIXe siècle, à la révolution de la langue et du style.

Beaucoup des poètes de ce temps ont été réimprimés ou n'ont été publiés que sous la Régence et plus tard. Insensiblement, ils se confondront avec les poètes légers du XVIIIe siècle, qu'ils annoncent, et qui les éclipsent. A ceux-ci la curiosité érudite, le plaisir des bibliophiles et des amateurs de gravures à feuilleter les jolies éditions des écrivains qu'on ne lit plus.

Par toute une partie de son œuvre, La Fontaine ne se distingue guère du groupe dont nous venons de parler. Lorsque l'on cherche aujourd'hui des échantillons de cette poésie gracieuse, c'est encore à lui que l'on s'adresse. Mais avouons que beaucoup de ses vers badins ou galants retomberaient sans peine dans la masse commune. Des recherches récentes ont même obligé les éditeurs de La Fontaine à quelques restitutions.

S'il l'emporte sur tous les autres, ce n'est donc pas pour avoir mené à sa perfection cette poésie légère qui, à vrai dire, ne comporte même pas de perfection véritable. C'est pour avoir, en marge de tous les genres mondains, rendu vie à des genres qui pouvaient se réclamer eux aussi d'une longue tradition, le conte et la fable, et pour les avoir faits absolument siens. Exemple typique d'un écrivain, non pas si différent, à bien des égards, de son époque, mais capable, au-delà du cercle restreint, qui d'ailleurs le comprend et l'applaudit, de s'adresser à un public infiniment plus vaste, celui de son temps et de tout l'avenir par surcroît.

LA FONTAINE

Il naît à Château-Thierry (Chaûry, comme on dit alors) en juillet 1621, de Charles de La Fontaine, maître des eaux et forêts et capitaine des chasses, et de Françoise Pidoux, issue d'une famille bourgeoise originaire du Poitou. Nous savons très peu de choses sur ses premières années (il perd sa mère de bonne heure), très peu sur ses études, sur sa jeunesse. La Fontaine entre à l'Oratoire en avril 1641, puis au séminaire de Saint-Magloire. Il est élève du P. Desmares, défenseur des jansénistes. Cette période s'achève en octobre 1642. La Fontaine est avocat au parlement en 1649, et partage son existence entre la province et Paris. Il se lie avec des gens cultivés, des écrivains : Maucroix, ami d'enfance, Tallemant des Réaux, Furetière, Bensserade, Chapelain, Pellisson.

Le 11 novembre 1647, il signe son contrat de mariage avec la fille du lieutenant-criminel de La Ferté-Milon, Marie Héricart, âgée de quatorze ans et demi. La Fontaine devient, par son mariage, neveu de Jannart, substitut de Fouquet, procureur général au parlement de Paris. Un fils naîtra, en 1653. Le ménage de La Fontaine se dénouera graduellement jusqu'à la séparation de biens (1658). La Fontaine se trouve bientôt engagé dans des difficultés financières, qui aboutiront à des ventes successives de domaines, et réduiront la fortune familiale, déjà entamée par son père.

Il est devenu maître des eaux et forêts (vers 1652). Son office lui sera racheté et, après de laborieuses négociations pour obtenir le paiement, il quittera sa charge en 1671.

L'adaptation d'une comédie de Térence, l'Eunuque (1654), a marqué son entrée dans la vie littéraire. Vers 1657, La Fontaine est présenté au surintendant Fouquet, soit par l'oncle de sa femme, Jannart, soit par son ami Pellisson. Il ne s'installe pas à demeure chez Fouquet, mais y fait de fréquents séjours. Il est pensionné, travaille, écrit, s'assure de belles relations, tant au château de Vaux que chez Conrart à Paris. L'arrestation de Fouquet, en septembre 1661, rompt cette existence fastueuse.

Un moment désemparé, souffrant, engagé dans un procès pour usurpation de titre de noblesse — le titre d'« écuyer » — La Fontaine se retire à Château-Thierry, revient à Paris au printemps de 1662, et part pour le Limousin, en août 1663, accompagnant Jannart, exilé par ordre du roi à la suite de l'affaire Fouquet. A l'automne, il est de retour. Il est alors protégé par le duc de Bouillon et sa toute jeune femme, née Mancini, nièce de Mazarin. En juillet 1664, il obtient un brevet de gentilhomme servant chez la douairière d'Orléans, veuve de Monsieur, frère du roi, au Luxembourg.

Alors commence — il approche de quarante-cinq ans — la grande période littéraire : les Contes, et surtout les Fables, obtiennent un succès éclatant (elles seront éditées trente-sept fois en vingt-cinq ans) et consacrent sa réputation.

Relations mondaines et littéraires s'élargissent. Dans le milieu protestant des Bouillon, il rencontre Turenne ; il voit, rue de Vaugirard, Mme de La Fayette, Mme de Sévigné, La Rochefoucauld. C'est l'époque de ses relations avec Boileau, Molière, Racine. L'intimité semble avoir été grande surtout avec Racine, qui lui était apparenté depuis son mariage, et qui, de près de vingt ans plus jeune que lui, sera pour sa vieillesse un compagnon très fidèle.

La douairière d'Orléans meurt en 1672. La Fontaine est recueilli rue Neuve-des-Petits-Champs, puis rue Saint-Honoré, par Mme de La Sablière, protestante, mondaine très brillante, séparée de son mari. Il vit là dans une société passionnée de science et de philosophie autant que de poésie; il connaît Barrillon, François de Bonrepaus, Bernier surtout, voyageur, médecin, gassendiste. Il trouve enfin le milieu favorable à l'épanouissement complet de son talent. En 1678 (à cinquante-sept ans), La Fontaine donne le second recueil des Fables.

Mᵐᵉ de La Sablière, convertie au catholicisme, s'adonne à la dévotion. La Fontaine se lie avec les grands, les Conti, les Vendôme, sans négliger pourtant le milieu des comédiens, Champmeslé et sa femme. En 1683, il est candidat à l'Académie à la succession de Colbert. On lui oppose Boileau. La Fontaine est élu, mais l'opposition du roi, qui goûte peu les Contes, et n'a peut-être pour leur auteur même qu'une sympathie médiocre, l'oblige à marquer le pas jusqu'à l'élection de Boileau à un autre fauteuil, le 17 avril. L'élection de La Fontaine est alors confirmée (24 avril). La Fontaine est fort bon académicien. Il sera chancelier et directeur de l'Assemblée.

La vieillesse est venue, vigoureuse, non toujours sage. Mᵐᵉ de La Sablière s'étant retirée comme garde-malade à l'hospice des Incurables, La Fontaine fréquente chez M. d'Herwart, conseiller au parlement de Paris, maître des requêtes au Conseil du roi, et chez sa charmante jeune femme. Il est hébergé par eux, rue Plâtrière, ou dans leur domaine de Bois-le-Vicomte. Assez troubles, ses relations avec une aventurière, Mᵐᵉ Ulrich. Il fait des avances à Condé, est présenté au duc de Bourgogne, auquel il dédiera son dernier livre de Fables (1694). La maladie atteint cette robuste nature. Alors, La Fontaine connaît l'effroi, le repentir. Un prêtre, l'abbé Pouget, l'assiste dans ce retour aux pratiques religieuses. La mort de Mᵐᵉ de La Sablière est un avertissement (janvier 1693). Le 12 février, devant ses confrères de l'Académie, La Fontaine fait une manière d'amende honorable, et désavoue solennellement ses Contes. Guéri, il reprend son activité. Des amis cherchent à l'attirer en Angleterre : il connaît bien l'ambassadeur, lord Montaigu, et sa sœur, lady Harvey. Mais la maladie frappe de nouveau et sans rémission. La Fontaine découvre la terreur de la mort et les transes de l'au-delà. Il meurt en chrétien, en pénitent, le 13 avril 1695.

Pas d'éditions d'œuvres complètes du vivant de La Fontaine (cf. Rochambeau, Bibliographie des Œuvres de La Fontaine, 1911). Les éditions collectives sont du XIXᵉ siècle : Walckenaër (1826-1827), Marty-Laveaux (1857-1877), surtout H. Régnier et P. Mesnard (1883-1893) dans la collection des Grands Écrivains de la France.

Consulter : Chamfort, Éloge de La Fontaine, 1774; Sainte-Beuve, Portraits littéraires, I; Lundis, XIII; Taine, La Fontaine et ses fables, 1853 (remanié en 1860); L. Roche, la Vie de Jean de La Fontaine, 1913; G. Michaut, La Fontaine, 1915; A. Hallays, Jean de La Fontaine, 1922; É. Faguet, Histoire de la poésie française, tome IV, 1930; A. Bailly, La Fontaine, 1937; J. Giraudoux, les Cinq Tentations de La Fontaine, 1938; P. Clarac, La Fontaine, 1947.

Sur la langue, le style et la versification : Marty-Laveaux, Essai sur la langue de La Fontaine, 1853; Anatole France, Remarques sur la langue de La Fontaine (dans le Génie latin, 1913); F. Gohin, l'Art de La Fontaine dans ses fables, 1937.

JEAN DE LA FONTAINE. Portrait par Rigaud. - CL. BRAUN.

L'HOMME : CARACTÈRE ET ESPRIT

Doit-on parler des incertitudes de la vie de La Fontaine ? On est surpris de voir combien elle présente encore de points obscurs. Dans quelles conditions était-il entré à l'Oratoire ? pourquoi au juste en est-il sorti ? Fut-il exilé à Limoges ? y suivit-il bénévolement l'oncle Jannart ? Quand a-t-il commencé à écrire ? Quelles furent ses relations avec les écrivains du temps ? avec le roi ? Fut-il autant qu'on l'a dit l'ami de Boileau ? de Molière ? Combien de faits mal établis, d'hypothèses, de suggestions appuyées sur de minces présomptions !

Les critiques contemporains remettraient volontiers en question tout ce qui paraissait acquis. A l'aide, non de découvertes véritables, mais de témoignages négligés, remis en valeur et ingénieusement groupés, ils nous décrivent parfois un La Fontaine imprévu, paradoxal. Cet homme de la nature, cet amant de la solitude, fut, en fait, un bourgeois de province et un mondain de Paris, adorant la société, les relations flatteuses. Cet indépendant, en qui nous nous plaisions à voir une exception éclatante dans un siècle de règle, d'ordre, de décorum, a mené, somme toute, la vie de beaucoup de poètes, attachés à la maison des grands ou des riches bourgeois en un temps où ce parasitisme n'avait rien de choquant ni d'exceptionnel. Il a écrit bon nombre de vers de courtisan, qui pourraient bien exhaler un léger parfum de flagornerie. « Apparence de liberté » disait déjà Michelet. Son existence est loin d'avoir la richesse généreuse de celle de Molière; elle contient bien moins de dessous, de mystères que celle de Racine, moins de tourments et de larmes. Ce nonchalant, sans respect pour ses devoirs, pouvait se tromper sur le nombre des enfants de Fouquet, donner du Sérénissime à un cardinal, au lieu d'Éminentissime, paraître fort négligent pour tout ce qui touche à la vie sociale. Il n'en était pas moins habile à se pousser, candidat très obstiné à l'Académie, puis, quand l'ami Furetière entra en conflit avec la Compagnie, fidèle à l'esprit de corps; ambitieux aussi, fort passionné de gloire littéraire, à l'occasion furieusement auteur, bonhomme au caractère facile, pourvu qu'on le laissât en paix goûter ses loisirs, mais à la dent assez dure, et n'ayant, dans les querelles, rien d'un « ange », ainsi qu'il le dit à Mᵐᵉ de Thianges, pour faire une jolie rime.

Faut-il renoncer à parler de sa candeur ? en rabattre sur cet égoïsme quasi enfantin, désarmant et sympathique à force de naïveté ? Ne serait-il plus l'être absolument sincère que Maucroix nous avait appris à aimer ? Devons-nous imaginer, comme nous y invite M. A. Bailly, un La Fontaine « faussement naïf », qui « cultivait sa réputation de distrait », un « inconscient volontaire », expert à mettre sur le compte de la fantaisie tout le ménage d'une vie savamment composée ? un La Fontaine attaché à ses intérêts, moins dupe qu'il ne l'a prétendu, pas si maladroit dans les questions d'argent, sachant son fait, entêté, capable d'esprit de suite, de ténacité, et à l'occasion de vaillance ? La vaillance de La Fontaine... Nous nous rappelons sa fidélité à Fouquet, cette ode au roi assez imprudente. Preuve d'inconscience, disait-on. Et si c'était tout simplement du courage ?

Car ces retouches ne sont pas toutes défavorables à l'homme, même sur le chapitre de la morale où il semblait qu'il n'y eût plus rien à dire. Les critiques modernes ne sont pas tous amis de Mlle de La Fontaine, bas-bleu de province, négligeant son intérieur, incapable de retenir au foyer un mari désireux (pourquoi l'en blâmer ?) d'une vie douillette et confortable. Sur les escapades amoureuses, nous avons des aveux, des témoignages, soit. Mais telles réflexions de vieillard, franchement déplaisantes, sur l'emploi qu'il fait de son argent — Voltaire s'en offusque ! — ne seraient-elles pas simples boutades de celui qui montrait, en d'autres occasions, tant de délicatesse, n'employait pas devant les dames un mot qui pût choquer, et s'indignait de telles hardiesses de Molière autant que les renchéris de *la Critique de l'École des femmes* ?

Qui nous dit que La Fontaine, sur le chapitre de la religion, n'ait pas concilié, bien avant son retour à des pratiques plus rigoureuses, une vie ardente et des convictions fermes ? Où trouvons-nous la preuve qu'il n'ait pas gardé la foi ? Il s'est moqué des esprits forts, du plébéien Garo aussi bien que de plus hautes puissances. Il a fait l'éloge des Jansénistes « pleins d'esprit et bons disputeurs » encore que leurs leçons lui « semblent un peu tristes ». Entre la vocation de l'adolescence et le cilice des derniers jours, la continuité serait-elle moins rompue que nous ne l'avions pensé ?

A quel point il est illusoire de prétendre fixer en quelques traits un caractère : le grand mérite de ces suggestions sur La Fontaine est de nous le rappeler. Elles nous font douter des apparences trop complaisamment dessinées. La Fontaine fut probablement, comme tous les hommes — et plus que beaucoup d'entre eux — divers, contradictoire, tour à tour sérieux et léger, attentif et négligent. Il reste pourtant dans sa vie assez de traits authentiques pour nous garder du paradoxe et nous permettre de le voir, dans les grandes lignes, tel à peu près qu'on nous l'a si souvent dépeint. Il s'est dit avec trop d'insistance « inquiet », inconstant, pour qu'il n'y eût pas là au moins un des aspects dominants de sa nature, car il est peu d'écrivains qui se soient plus volontiers jugés et confiés. Le jour où ses confrères — passablement surpris, on le suppose — entendirent le nouvel académicien faire sa confession publique d'homme et de poète, et s'avouer tout uniment, en pleine séance de réception, « volage en vers comme en amours », ce jour-là, il fut bien le sincère, l'homme aux aveux candides, dont l'image nous est familière. S'agit-il du rêveur, du distrait, et aussi bien de l'homme de plaisir : révoquerons-nous en doute l'anecdote qu'il conte en détail à l'abbé Vergier ? A soixante-cinq ans, séduit pendant un dîner chez les d'Herwart par les quinze ans éblouissants de Mlle de Beaulieu, le voilà qui y songe toute la soirée ; il s'égare « comme un idiot » en rentrant à cheval à Bois-le-Vicomte, et consume « trois ou quatre jours en distractions et en rêveries, dont on fait des contes par tout Paris ».

Malgré la part de l'exagération, du jeu littéraire, il y a dans ces témoignages, et dans bien d'autres trop connus pour qu'il soit besoin de les citer encore, un accent de vérité qui ne trompe pas. Il faut en dire autant de sa paresse. Si l'on a eu raison de ne pas prendre tout à fait à la lettre ses hymnes à l'indolence et au sommeil, si nous voulons croire, avec Paul Valéry, que la réussite des *Fables* exclut tout soupçon de facilité et de nonchalance, bornons-nous à remarquer que La Fontaine, venu tardivement à la littérature, excellera dans le genre court, et que l'effort de composition qu'exige un conte ou une fable n'est tout de même pas comparable à l'énorme dépense de volonté et d'énergie que suppose l'élaboration d'un poème épique ou d'une tragédie.

Ne transfigurons donc pas l'image traditionnelle de La Fontaine ; gardons la seulement plus nuancée, plus floue sur ses contours, sans la pousser à la caricature. Voyons-le, Champenois sensuel, robuste, capable, après le premier assaut de la maladie, de rebondir, de repartir de plus belle ; ami du plaisir, faible contre les tentations, peu disposé à y sacrifier quoi que ce fût ; mordant à la vie avec ardeur ; convaincu, comme Molière (il l'a dit dans *les Filles de Minée*), que les passions sont bonnes ; amoureux jusqu'à l'obsession du charme féminin ; nature mobile, très susceptible de suivre un dessein, mais toujours près de s'échapper, de s'évader, de suivre l'impulsion de la fantaisie, l'impression d'un instant, insoucieux alors du passé et de l'avenir ; apte, d'ailleurs, à s'absorber dans cette impression, à l'approfondir, à s'y concentrer au point de négliger le reste ; passant par des phases de profonde songerie, coupées d'imprévisibles écarts. Telle fut sans doute la nature véritable de ses distractions, de ses bizarreries qui amusèrent tant ses amis et ses hôtes, de ses contradictions qui nous déroutent encore. Elles aident à expliquer ses dons originaux de créateur, l'inspiration intense, mais courte, qui convient à de petites pièces, dont chacune pose un problème, jamais le même, d'invention, d'équilibre et de rythme, et pour lesquelles l'effort peut se renouveler à loisir.

Il reste assez d'autres traits de sa nature qui ne sont guère, ceux-là, sujets à contestation, et qui méritent de retenir davantage.

La sensibilité d'abord, si sympathique aux êtres et aux choses, créatrice d'émotions jusqu'à le rendre dupe de son cœur, jusqu'à ouvrir cette source de tristesse qu'un de ses plus récents biographes décèle dans plus d'un vers. L'intelligence, une des plus belles du siècle assurément, souple, aérée, primesautière. La Fontaine comprend vite, et, de toute nouveauté, saisit la fleur. Il a aimé le jeu de la pensée ; ce trait est moins net chez Boileau ou chez Racine. A mille détails, semés çà et là, on devine l'amateur d'idées. Le système de La Rochefoucauld, le jansénisme, le gassendisme, la pensée anglaise, autant de sujets de méditation qui ont trouvé son esprit accessible. Son œuvre, à certains égards, nous semble moins riche que sa personnalité ; elle laisse deviner plus qu'elle n'exprime.

Nullement fermé à la vie agitée de son temps — les quelques aperçus semés dans les *Fables* sont d'une saisissante vigueur — La Fontaine est de ceux « qui des affaires publiques parlent toujours en politiques, réglant ceci, jugeant cela ». Il s'affirme partisan opiniâtre de la politique religieuse du roi, aussi bien contre les protestants que contre le pape ; et, dans l'épître à Turenne, il se pique de science militaire.

Avec sa curiosité sans cesse à l'affût, il est de ces gens qui somnolent lorsque la conversation est ennuyeuse, mais se réveillent au bon moment. Dormeur en éveil, étonné de tout, les yeux ouverts sur le monde, il découvre idées, hommes et livres. Voilà sa véritable « naïveté », celle des esprits supérieurs, toujours disponibles, toujours accueillants.

Du provincial lettré, Paris a fait un humaniste. Anciens et modernes, étrangers et français, écrivains et artistes, rien ne le laisse indifférent. Dans quelle mesure cette culture l'a-t-elle aidé à dégager sa personnalité ? C'est le secret de la composition littéraire. Réceptif, il le fut assurément. Sa poésie est nourrie de lectures ; sa vocation s'est révélée à l'âge où les livres pouvaient lui venir en aide. Mais quels prolongements, quelles harmoniques, un esprit comme le sien ne tire-t-il pas d'un mot lu au passage, entendu au hasard, plus décisif que toutes les influences ? Personne ne sut aussi bien que lui rester lui-même, prompt à se ressaisir, à se séparer sans violence de quiconque « pensa le gâter ». « Il ne prit de tout cela que ce qui lui plut » : ainsi Polyphile comprenait la collaboration littéraire. Telle est, au sens vrai, l' « indé-pendance » de La Fontaine, non du tout celle d'un révolté, d'un réfractaire à l'égard de son temps. A l'extérieur, il est tout respect, il admire les modèles consacrés, Malherbe, Racan, Voiture, mais il sauvegarde sa liberté profonde d'artiste. Le but est de plaire, dit-il dans la préface de *Psyché*, et le voici tout disposé à sacrifier aux goûts du lecteur. Mais s'agit-il du tour à donner à la pensée, du style, du rythme ? son originalité se joue dans ces marges disponibles ; là, il est juge et maître. Patru le verra bien, lorsqu'il lui conseillera d'écrire les *Fables* en prose.

C'est qu'il a passionnément aimé et respecté son art. Il « mourrait d'ennui », à soixante-dix ans passés, s'il ne composait pas ; lorsqu'une fable est « sur le chantier » — comme ce mot est révélateur ! — il n'a point de cesse qu'elle ne soit achevée.

Dans un passage peu connu, noyé au milieu de l'intrigue des *Misérables*, V. Hugo oppose l'art utilitaire à l'art satisfait de lui-même ; il parle de ces « magnifiques égoïstes de l'infini » parmi lesquels il désigne Horace, Goethe et se risque à glisser le nom de La Fontaine. Ce n'est pas mal vu. Comme sa naïveté fut une « faculté d'émerveillement devant les spectacles de la nature et de l'esprit » (P. Sou-day), son égoïsme fut bien celui d'un poète.

Si La Fontaine a vécu pour les plaisirs matériels, pour les joies d'une vie délicate, pour tous les attraits de la conversation avec des hommes d'esprit et de charmantes femmes, il a au moins autant vécu pour les plus hautes satisfactions de l'esprit créateur.

LES DÉBUTS ET LA PÉRIODE DE VAUX

Une adaptation de l'Eunuque de Térence est publiée (non jouée) en 1654. — La Fontaine compose pour Fouquet, en 1658, le poème d'Adonis qui sera publié, après d'importantes retouches, en 1669, à la suite des Amours de Psyché et de Cupidon. La comédie de Clymène, écrite aussi pendant la période de Vaux, et les quatre Élégies amoureuses, adressées à Clymène, sont insérées, en 1671, dans les Fables nouvelles et autres poésies. Le Songe de Vaux restera inachevé et paraîtra en neuf fragments : le fragment IX en 1665 avec les Contes, les fragments I, II, III en 1671 avec les Fables nouvelles, le reste en 1729. L'Élégie qui suivit l'arresta-tion de Fouquet (septembre 1661) fut publiée aussitôt sous ce titre, reparut dans divers recueils (1667, 1671) sous des titres variés, mais jamais sous celui d' « Élégie aux nymphes de Vaux ». L'Ode au roi en faveur de Fouquet prisonnier (1663) met fin à cette période.

Consulter : P. Valéry, Variété I, 1924 (étude sur Adonis), et le commentaire de P. Souday sur cette étude dans son Paul Valéry, 1927, chap. III.

La Fontaine s'est fait connaître comme poète par une traduction : cas fréquent au XVIIᵉ siècle. « Médiocre copie d'un excellent original », dit-il dans l'Avertissement au lecteur de *l'Eunuque*. « Excellent » paraît excessif : l'engoue-ment de l'époque classique pour Térence nous surprend toujours un peu. « Médiocre » est trop sévère. Mais rien de saillant, il est vrai. Le plus intéressant est de suivre l'effort de La Fontaine pour rester près du modèle, et de l'entendre louer « le sujet simple, point embarrassé d'inci-dents confus, point chargé d'ornements inutiles », la « bienséance et la médiocrité » qui s'y rencontrent partout, la nature qui « instruit tous les personnages et ne manque jamais de leur suggérer ce qu'ils ont à faire et à dire ». Cela avant Molière et Racine. Goût pour le naturel, délicatesse dans la transposition des scènes scabreuses, solide tech-nique de l'alexandrin, c'est tout ce qu'il faut retenir de La Fontaine traducteur de Térence.

Il y a mieux à dire des poèmes composés pour Fouquet.

ADONIS PLEURÉ PAR VÉNUS. Camaïeu de François Chauveau ornant un manuscrit de l'« Adonis ». Ce manuscrit, exécuté pour Fouquet, est de la main du célèbre calligraphe Jarry ; la reliure en est de Le Gascon (Petit Palais, collection Dutuit).
CL. LAROUSSE.

Nous ne pouvons plus lire *Adonis* sans que s'interpose le commentaire si ingénieusement admiratif de Paul Valéry. Il convient d'ailleurs d'en rabattre. Vrai poème pour surintendant fastueux, tout paré de mythologie, selon le goût du temps, traité avec une sorte de limpidité fluide. Mais il faut franchir bien des longueurs avant d'arriver aux plaintes de Vénus, pré-raciniennes, et, si l'on veut, pré-valéryennes, où se condense le meilleur de l'ouvrage.

Clymène est très supérieure, de ton plus vif, plus spon-tanée ; type de comédie faite pour l'imagination — « la scène est au Parnasse » — elle figurerait parmi les créations les plus charmantes d'un « théâtre en liberté » ; on songe à Musset, à Verlaine (*les Uns et les Autres*). Nulle part on ne saisit mieux le passage de la préciosité galante au badi-nage spirituel. Entraînées par un Apollon critique et esthète qui cite Marot, Malherbe et Voiture, les Muses chantent tour à tour, sur tous les tons possibles, de la ballade à l'églogue, de l'églogue à l'élégie, la beauté de Clymène et l'amour d'Acanthe ; une fine griserie sensuelle pétille çà et là.

Les *Élégies* amoureuses en sont inséparables. La galan-terie y retombe parfois à la fadeur. Mais, de temps à autre, les échappées sont délicieuses.

Ne nous hâtons pas de qualifier de « pensum » *le Songe de Vaux*. Certes, ce devait être le grand poème, la « machine » lyrique, allégorique, consacrée à la gloire d'Oronte. La Fontaine y travailla trois ans sans en venir à bout ; une fatalité s'acharnait sur *le Songe*, comme si l'on pressentait le réveil brutal.

La Fontaine, dans l'Avertissement, nous explique pour-quoi, entre les trois moyens qui devaient lui permettre d'évoquer les splendeurs futures d'un domaine encore inachevé : l'enchantement, la prophétie et le songe, il a choisi ce dernier. Pour égayer son poème, il entremêlera aux descriptions historiques des épisodes d'un caractère « galant » : « l'aventure d'un écureuil, celle d'un cygne prêt à mourir, celle d'un saumon et d'un esturgeon qui avaient été présentés vifs à Oronte ». Ce sont gentillesses à la mode.

On le sent à lire ces neuf « échantillons » mêlés de vers et de prose. Les visites d'Acanthe au palais du sommeil, les discussions entre les fées de l'Architecture, de la Peinture, du Jardinage et de la Poésie : Palatiane, Apellanire, Hortésie et Calliopée, nous laisseraient bien froids, si nous ne saisissions La Fontaine en plein travail, assouplissant son vers, tâchant de se plier à tous les styles, irrésistiblement attiré vers les jeux d'esprit, mais contraint par le genre à hausser le ton, à découvrir ses qualités d'éloquence, à prendre de l'ampleur et du souffle. Il y a de fort beaux mouvements dans le débat des quatre fées; le plaidoyer d'Apellanire a fière allure; La Fontaine sait discourir en alexandrins, et décrire. La Nuit, peinte par Le Brun au plafond du cabinet de Fouquet, lui inspire une des premières transpositions d'art de notre littérature. Au rythme allègre de la danse (VI) succèdent les stances amoureuses (VII); le vers libre, le futur vers des *Fables*, fait entendre, dans l'épisode du cygne et dans celui des poissons, ses premières cadences gracieuses ou malicieuses (III et IV).

Décidément, à composer ce songe laborieux, La Fontaine n'avait pas perdu sa peine; s'il soupirait qu'il n'avait « encore rien fait », il s'était du moins exercé à cette diversité dont il fera sa devise, et qui sera un des charmes de son art, à l'époque de la pleine maturité.

Le malheur de son protecteur allait même lui permettre d'ajouter une note nouvelle : l'émotion; et cette fois, malgré l'indiscrète mythologie, ces vers étaient promis à la mémoire :

> Remplissez l'air de cris en vos grottes profondes;
> Pleurez, nymphes de Vaux, faites croître vos ondes...

LES CONTES

Au début de 1665, La Fontaine lance, à titre d'essai, deux nouvelles en vers tirées de Boccace et de l'Arioste, et précédées d'un Avertissement : le Cocu battu et content,

LES GROTTES DE VAUX. Peinture de J.-B. Martin (château de Vaux). — CL. LAROUSSE.

et Joconde ou l'Infidélité des femmes, qui reçoit de vifs éloges dans une Dissertation, attribuée communément à Boileau (elle circulera en manuscrit et ne sera publiée qu'en 1669). Bientôt après, paraît l'édition du premier recueil des Contes et nouvelles en vers (avec huit contes nouveaux), précédée d'une préface. La deuxième partie est publiée en 1666, avec une nouvelle préface. En 1669, troisième édition de cette seconde partie avec trois pièces nouvelles.

Suivent une troisième (1671) et une quatrième partie (1674). Plus de recueils séparés de Contes après cette date, mais, en 1682, la Matrone d'Éphèse et Belphégor paraissent en même temps que le poème du Quinquina. Cinq contes inédits figureront encore dans les Ouvrages de prose et de poésie de 1685 ; un dans les Œuvres posthumes de 1696.

Consulter l'édition des Contes et nouvelles, 2 vol., par P. Clarac (Collection des Textes français, les Belles Lettres, 1934).

« Le plus agréable faiseur de contes qu'il y ait en France », dit Bussy-Rabutin. Et Mme de Sévigné : « Il ne faut point qu'il sorte du talent qu'il a de conter. » Ces deux mondains ont défini à merveille ce que La Fontaine découvrit vers la quarantaine — pour se soumettre au goût du siècle et à la mode, si l'on en croit sa préface — lorsqu'il se décida à donner, timidement d'abord, ce premier recueil que, malgré des promesses réitérées, il ne cessa pas d'enrichir.

Conter en vers. La Fontaine révéla dès *Joconde* qu'il avait toutes les qualités qu'exige le genre : art de filer un développement, de décrire ou de suggérer, de piquer l'attention ou de lancer une pointe ; promptitude ou savantes lenteurs, entrain, gaieté, souplesse du style, souplesse du rythme, car d'instinct c'est au vers libre qu'il s'était adressé.

Que le sujet ne lui appartienne pas, qu'importe ? « Il faut manger, dit-il, de plus d'un pain. » Il pratiquera donc sans hésiter le pillage; il refera, à sa manière, Italiens et Français, Boccace, l'Arioste, Machiavel, Rabelais, la reine de Navarre, les *Cent Nouvelles nouvelles;* il « contaminera » des sources diverses sans se priver d'emprunter au vieux fonds populaire, jamais à court d'histoires pittoresques ou de récits grivois.

Car c'est une des lois du genre : avec quelle aisance La Fontaine s'y est plié ! L'amour exigeant et roué, tous les jeux d'esprit qu'il anime, toute la gamme des facéties, depuis l'énormité rabelaisienne jusqu'au sourire en coin, voilà la matière des *Contes*.

Il ne faudrait pas dire que les contemporains ne s'en sont pas choqués. Beaucoup furent indulgents, pas tous. Le pouvoir s'en mêla : une sentence de police interdit l'ouvrage en 1675; et, le jour de sa réception à l'Académie, il fallut bien que La Fontaine subît sur ce chapitre un sermon de l'abbé de La Chambre. Depuis, cette réputation n'a fait que se confirmer, jusqu'à l'exagération; il est admis que les *Contes* sont le recueil licencieux par excellence. Certes, ils supportent difficilement une lecture prolongée : trop de nonnains et de servantes, trop de guimpes et de mouchoirs, trop de jaloux, de complaisants et de commères. La Fontaine a beau prétendre que tout est voilé de gaze, on se prend à regretter parfois qu'il ait si bien écrit, si bien rimé des fadaises d'intérêt médiocre, surtout — c'est cela qui est grave — quand le trait, le comique ne « sortent » pas. C'est alors que la polissonnerie s'alourdit jusqu'à la gravelure, et qu'on pourrait parler de platitude. Toute la gaillardise latente dans les premières œuvres, facile à discerner dans les poèmes de Vaux, se donne ici libre champ; très conforme au tempérament de La Fontaine, elle était justifiée par le genre et par les modèles qu'il a suivis.

Nous sommes devenus plus difficiles pour la substance du conte. Nous y cherchons plus de fantaisie, de gratuité, plus de dessous et de mystères. Sur ce point, La Fontaine ne nous gâte pas. Quiconque, à lire ces beaux titres : *la Coupe enchantée, Féronde ou le Purgatoire, le Fleuve Scamandre, la Fiancée du roi de Garbe, Belphégor*, s'attendrait à de subtiles allégories, à un arrière-plan de féerie, à une ébauche de symbolisme, serait bien déçu. La Fontaine avait dû y songer vers 1660; il semblait sur la voie avec *Clymène*. Il joue maintenant franc jeu; il ne cherche pas à renouveler la matière en découvrant des sens cachés aux inventions de ses prédécesseurs.

LA GAGEURE DES TROIS COMMÈRES.

LA COUPE ENCHANTÉE.

Dessins de Charles Eisen pour l'édition des « Contes », dite des Fermiers généraux (1762). — CL. NEURDEIN.

Une bonne et grasse histoire, copieusement réaliste, s'étale sous un titre inspirateur de rêves. Rien qui annonce même le conte allégorique ou philosophique, tel que le pratiquera le XVIIIe siècle, à moins que l'on ne veuille découvrir à tout prix une philosophie ironique et désabusée de la vie dans ces incessantes ruses de femmes et rouéries amoureuses.

Et pourtant, négliger les *Contes*, ce serait méconnaître la source du génie de La Fontaine. Même après les *Fables*, il y reste beaucoup à aimer.

A vrai dire, c'est un recueil très inégal. Un choix s'impose. La Fontaine semble l'avoir prévu par la diversité même qu'il y a introduite, au moins dans l'expression et le rythme, si les thèmes ne varient guère. Voici des récits relativement longs (plusieurs centaines de vers), et voici de rapides esquisses, contes épigrammatiques, comme l'on disait alors. Voici, auprès des vers libres de *Joconde*, du *Roi Candaule*, du *Petit Chien*, de la *Matrone d'Éphèse*, les octosyllabes, les décasyllabes réguliers, jusqu'aux sept syllabes chantantes de l'*Amour mouillé*, souvenir de la Pléiade dans une note plus moderne. La langue même unit à des trouvailles personnelles les expressions des vieux récits, les tours du XVIe siècle. Les archaïsmes savoureux, les pastiches délicats et spirituels abondent dans les *Contes*.

A l'intérieur d'une même pièce, l'intérêt languit et soudain se réveille. *Le Roi Candaule*, bien laborieux au début, s'achève sur un rythme plus allègre. En revanche, un poème bien lancé — l'éloge charmant de la vieille cité champenoise au début des *Rémois* — conduit à un récit inutilement scabreux, sans vraie gaieté. Les débuts, les attaques sont, en général, particulièrement heureux, soit que La Fontaine s'excuse des libertés qu'il prend avec la morale, comme dans le préambule des *Oies de frère Philippe*, soit qu'il adresse une dédicace, un madrigal — ainsi la présentation de *Belphégor* à la Champmeslé —, soit qu'il brode des variations sur un refrain d'une sonorité joyeuse : « Or, devinez comment ce jeu s'appelle ? » *(Comment l'esprit vient aux filles)* ; « Diversité, c'est ma devise » *(Pâté d'anguille)* et tout ce début de *la Coupe*, paraphrase du

thème gaulois dont Chrysalde rebat, dans *l'École des femmes*, les oreilles inquiètes d'Arnolphe.

Ce sont aussi les dons d'observation de La Fontaine qui relèvent à chaque instant le conte. Ces paysans, ces rustauds, engagés dans des aventures saugrenues, sont pris sur le vif. Un trait de mœurs, une notation juste, un fragment de dialogue, et la scène la plus risquée s'affine. Avec l'observation, la poésie s'insinue, surgit à un détour, parmi ces récits de larcins amoureux et de farces pendables; tantôt ce sont des strophes sur la puissance de l'amour, comme dans *la Courtisane amoureuse*, tantôt des coins de paysage, comme le paradis mahométan de *Féronde*. A chaque instant, les vers s'associent en distiques, en quatrains, en sixains, pour créer de charmants ensembles.

L'allusion personnelle, l'aveu souriant, le regret malicieux animent le début de *la Clochette*, la fin des *Aveux indiscrets*.

Enfin, trop rarement peut-être, la sensibilité, la tendresse, viennent tempérer le rire, supplanter la sensualité. Toutes intrigues d'amour n'ont pas d'emblée une issue libertine; un amant peut se ruiner en cadeaux pour sa belle, et se faire éconduire; celle-ci, devenue veuve, voyant son fils près de mourir, viendra supplier le soupirant jadis évincé de lui consentir un ultime présent, pour apaiser les dernières exigences de l'enfant agonisant. Avec quelle délicatesse de sentiment La Fontaine a rythmé la requête plaintive, hésitante, mêlée de remords, de l'amante intraitable, aujourd'hui mère désolée :

> Souffrez, sans plus, que cette triste mère,
> Aimant d'amour la chose la plus chère
> Que jamais femme au monde puisse avoir,
> Un fils unique, une unique espérance,
> S'en vienne au moins s'acquitter du devoir
> De la nature, et pour toute allégeance
> En votre sein décharger sa douleur.
> Vous savez bien par votre expérience
> Que c'est d'aimer; *vous le savez, seigneur.*

> *(Le Faucon.)*

Comment de pareils traits ne sauveraient-ils pas le reste ?

LES ŒUVRES DIVERSES EN VERS ET EN PROSE

En 1671, le recueil des Poésies chrétiennes et diverses, *offert par l'oratorien Loménie de Brienne au prince de Conti, renferme, avec quelques pièces, une préface, dont l'attribution à La Fontaine, revendiquée par P.-P. Plan (Mercure de France, 1903) a été depuis discutée. En 1671, le recueil des* Fables nouvelles et autres poésies *contient la plupart des pièces détachées écrites depuis 1657. — La* Captivité de saint Malc *paraît en 1673, le poème du* Quinquina *en 1682, la satire du Florentin en 1686. Les* Ouvrages de prose et de poésie des sieurs de Maucroix et de La Fontaine *(1685), précédés de l'*Épître à monseigneur le Procureur général au parlement *(Harlay) et d'une étude sur les dialogues de Platon, comprennent entre autres, avec le* Remercîment à l'Académie, *le* Discours à Mme de La Sablière, *prononcé par le nouvel élu le jour de sa réception (2 mai 1684), ainsi que les poèmes de* Philémon et Baucis *et des* Filles de Minée. *— L'*Épître à monseigneur l'Évêque de Soissons *(Huet) paraît en 1685. — Les recueils posthumes (celui de Mme Ulrich en 1696, celui de 1729) donneront encore un certain nombre de fragments isolés.*

Parmi les opuscules en prose, la Comparaison d'Alexandre, de César et de M. le Prince, *dédiée au prince de Conti, figure dans les œuvres posthumes de 1696. La correspondance comprend : la* Relation d'un voyage de Paris au Limousin, *six lettres écrites par La Fontaine à sa femme, en 1663, et publiées, les quatre premières dans l'édition posthume des* Œuvres diverses *(1729), les deux dernières parmi les inédits procurés par Monmerqué (1820). Les autres lettres, relativement peu nombreuses, ont été recueillies à des dates et dans des ouvrages très différents : un certain nombre en 1696 (dont la lettre à Saint-Évremond) et en 1729 (notamment le dernier billet à Maucroix).*

Enfin, La Fontaine participa à des traductions d'ouvrages latins (la Cité de Dieu, *1665, par L. Giry ; les* Lettres de Sénèque, *1681, par Pintrel) pour transposer en vers français des citations de poètes.*

Consulter : La Fontaine, Œuvres diverses, *édition P. Clarac, la Pléiade, 1942 (importante pour l'attribution d'un certain nombre de poèmes contestés).*

On a paru croire longtemps qu'en dehors des *Contes* et des *Fables*, La Fontaine n'existait pas ; ou encore, qu'ayant atteint ces sommets, il s'en était tenu là. La vérité est tout autre. Le recueil des *Fables*, par sa dimension, ne constitue qu'une part de son bagage littéraire ; même s'il eut conscience d'avoir réalisé là son chef-d'œuvre, il n'en continua pas moins, avant, pendant et après sa composition, à écrire bon nombre de pièces isolées. Cette partie très disparate de son œuvre est loin de mériter l'oubli. C'est une poussière d'ouvrages, répartis sur près de quarante années. Joints aux poèmes de Vaux, ils forment la matière d'un volume. Il y a de tout dans ces pages. D'abord un groupe de petites pièces. La Fontaine, à la suite de Marot, son modèle, de Voiture, qu'il imita plus librement, a rimé chansons et rondeaux ; il a composé des madrigaux, des vers pour des portraits, des épitaphes (la sienne et celle de Molière, toutes deux célèbres), de menus badinages ; il a aiguisé à l'occasion l'épigramme, contre Colbert, contre Furetière ; composé aussi quelques odes, en souvenir de son admiration pour Malherbe, quelques paraphrases de textes d'Église. — Un *Dies irae* entre autres ; peu sonnettiste, il a tourné d'agréables ballades.

Les pièces supérieures sont celles où il se laisse aller non à la manière d'autrui, mais à la sienne, si franche, si directe, si naturelle : reflets d'impressions sur sa vie et son temps, confidences sur ses préférences et ses amitiés. Il réussit particulièrement bien dans l'épître. Quoi de plus spirituel, dans son irrévérence, que l'*Épître à Mme de Coucy*,

abbesse de Mouzon ? Saurions-nous, sans l'*Épître à Nyert*, les goûts de La Fontaine en musique ? Saurions-nous que ce contempteur de l'Opéra, ami de la mélodie, de la voix humaine, raillait la machinerie des décors en précurseur de Saint-Preux, et, anti-romantique par avance, n'excusait le déchaînement d'un orchestre que pour rappeler aux oreilles du roi le tumulte des champs de bataille ?

La critique contemporaine a réhabilité *la Captivité de saint Malc*, poème chrétien en alexandrins, dont l'intérêt est de souligner les rapports entre le poète et Port-Royal. Car il faut avouer que la pieuse histoire du chaste mariage qui unit saint Malc et sa compagne, réfugiés dans l'antre d'une lionne, ne servait guère l'auteur des *Contes*. Quant aux vers libres du *Quinquina*, poème scientifique et médical, ils nous donnent l'amusement de voir La Fontaine s'escrimer à décrire la fièvre, le battement du pouls, les remèdes, à pourfendre les théories de l'École et à vanter les innovations en médecine.

C'est une bien amusante satire en vers libres que le *Florentin*, portrait de Lulli, « mâtin qui tout dévore » et qui vient à bout du Champenois sans malice.

Le long poème de *Philémon et Baucis*, celui des *Filles de Minée*, qui marquent un retour au genre héroïque, un peu guindés dans leur ensemble, inspirés d'Ovide et de Virgile, traduisent ou transposent parfois les deux poètes latins avec bonheur ; c'est toujours au moment où il passe du vers épique à la notation réaliste ou légère que La Fontaine découvre ses plus délicates harmonies.

Et voici les authentiques chefs-d'œuvre du groupe : d'abord, le second *Discours à Mme de La Sablière*. Ces cent vers sont une des confidences les plus touchantes qu'un poète ait jamais épanchées. A sa protectrice, La Fontaine a réservé le ton soutenu : prélude d'une mélancolie musicale ; leçons pleines de souriante sagesse adressées à lui-même ; regrets du temps perdu ; description platonicienne de son génie ; conclusion teintée d'une lumière d'automne, empreinte d'une nostalgie enchanteresse.

Enfin, sans tapage, sans pédantisme, sur le ton d'une conversation aisée, toujours poétique, l'*Épître à Huet*, « en lui donnant le Quintilien de la traduction d'Horatio Toscanella », offre une adhésion ferme, libérale, intelligente, aux partisans des Anciens, dans la grande Querelle, et en même temps l'une des définitions les plus précises de l'imitation. Confidence, non plus d'homme, mais de compositeur, presque de technicien, aussi solide que le *Discours à Mme de La Sablière* était émouvant, et qui montre assez la souplesse de ce génie, la largeur de son goût et sur quel fonds de culture, de sérieuse et profonde pensée, s'appuyait un art si spontané. « Mon imitation n'est pas un esclavage » : la formule et tout l'exposé qui suit éclairent pour nous le classicisme, et vaudront jusqu'à Chénier.

La Fontaine n'est pas moins excellent prosateur. Qui sait mieux que lui présenter un ouvrage ? Abondant préfacier, ses dédicaces, ses introductions aux *Contes*, aux *Fables* sont des modèles d'exposés limpides, mesurés ; la *Vie d'Ésope le Phrygien*, un chef-d'œuvre de narration vive et élégante. L'éloge de Platon, qui sert d'avertissement au recueil de 1685, apparente une fois de plus La Fontaine au philosophe-poète dont il s'est souvent réclamé. On souhaiterait pouvoir lui attribuer à coup sûr l'introduction au *Recueil des poésies chrétiennes et diverses* de 1671 : profession de foi d'indépendance à l'égard des règles « qui ont toujours quelque chose de sombre et de mort », elle contient un éloge de la critique intuitive (un recueil de bons vers est « le meilleur art poétique qu'on puisse imaginer »), et surtout une des plus solides analyses que nous ayons du goût littéraire, tel qu'on le concevait à l'époque classique. Ce très remarquable morceau mériterait d'être mieux connu.

Quant à sa correspondance, peu abondante, elle est de premier ordre. Les six lettres écrites à Mlle de La Fontaine

LA GROTTE DE THÉTIS, à Versailles, où Polyphile s'attarde à lire à ses amis son récit des « Amours de Psyché et de Cupidon »
Gravure de Lepautre (B. N., Cabinet des Estampes). — CL. LAROUSSE.

pendant le voyage au Limousin sont célèbres. La Fontaine note au passage, prestement, les paysages, les villes; pas de vastes compositions; des esquisses, des touches aussi justes que promptes : Blois et son « amphithéâtre » que chantera plus tard Hugo, la perspective d'Amboise sur la Loire, la Beauce ennuyeuse, la Sologne divertissante, les châteaux, les églises, Montlhéry et Cléry. « Les mauvais chemins et l'odeur des aulx » : c'est le Limousin. Il se montre curieux de tout, ravi d'un incident de route, d'un vieux domestique — le guide éternel — qui fait visiter le château, d'un parent de province, d'une conversation, pourvu qu'on ne le pousse pas trop sur les « matières spirituelles »; amateur d'art, satisfait, devant les *Captifs* de Michel-Ange, que leurs formes ne soient pas tout à fait achevées; satirique au passage, lançant une épigramme sur le compte de Louis XI ou de Richelieu, quitte à passer ensuite une belle soirée, au fond d'un parc, au coucher du soleil, pour composer des vers à la gloire du « grand Armand »; voyageur du goût le plus libre qui pût être.

Ces charmantes impressions ne doivent pas faire oublier le reste de la correspondance : les lettres mêlées de prose et de vers à Maucroix sur les fêtes de Vaux, à la duchesse de Bouillon, à Saint-Évremond (18 décembre 1687), où il définit son tour d'esprit, ses goûts littéraires, sa philosophie raisonnable, et non pas toujours badine ou frivole. Comme on suit, à mesure que les années passent, dans ces réflexions sur la paix et la guerre, l'inquiétude grandissante qui succède aux belles années du règne! Chez cet insouciant, combien de remarques pénétrantes et qui vont loin! « Vous autres héros, écrit-il au prince de Conti, seriez bien fâchés qu'on vous laissât vivre tranquillement. *Comme si la vie n'était rien, et que sans elle la gloire fût quelque chose!* » L'accent pathétique ne manquera même pas, pour finir. Avons-nous dans le siècle document plus poignant que la dernière lettre à Maucroix (10 février 1695) : « O mon cher! mourir n'est rien; mais songes-tu que je vais comparaître devant Dieu? Tu sais comme j'ai vécu. Avant que tu reçoives ce billet, les portes de l'Éternité seront peut-être ouvertes pour moi. »

LA FONTAINE ROMANCIER : PSYCHÉ

Les Amours de Psyché et de Cupidon, *en deux livres, imités d'Apulée, parurent en 1669, précédés d'une préface. Les études de G. Michaut (ouv. cité) et surtout de J. Demeure (Mercure de France, 15 janvier 1928; Revue d'histoire littéraire, 1929) ont prouvé, par des arguments inégaux en valeur, mais dont l'ensemble fait foi, que les « quatre amis » du Prologue ne pouvaient être La Fontaine, Racine, Boileau et Molière (ou Chapelle). Si Polyphile est bien La Fontaine, Ariste, Acanthe et Gélaste seraient d'anciennes relations de l'entourage de Fouquet (dont Maucroix et Pellisson) ou peut-être trois autres incarnations de La Fontaine. Cette découverte est une de celles qui ont le plus profondément renouvelé l'histoire de la période classique, en rendant contestable toute collaboration entre les quatre écrivains pour formuler la « doctrine » d'une « école ».*

Deux morceaux encadrent *Psyché*, tous deux parfaits : la promenade des amis au début; à la fin du second livre, l'Hymne à la Volupté, un des plus beaux mouvements lyriques de La Fontaine, et le coucher de soleil, « ce gris de lin, ... cet orangé, et surtout ce pourpre » qui éclaire la dernière page. Au cours de la narration, les entretiens sur le rire et la pitié, la tragédie et la comédie; la description des jardins de Versailles, la première que nous possédions de la « cité des eaux », interrompent le récit et évitent la monotonie.

Et le roman lui-même? La Fontaine ne se pique d'aucune originalité ni dans le choix du sujet ni même — malgré quelques épisodes nouveaux — dans la manière de le traiter. Il reprend l'histoire des aventures de Psyché, beauté accomplie, aimée du dieu Amour, mais trop curieuse de déceler la personnalité de son amant, et condamnée par son indiscrétion à mille épreuves. La Fontaine ne cherche pas dans la belle légende matière à symboles, sinon à ceux qu'elle apportait déjà de l'antiquité avec elle. Sa préface ne tient compte que des détails d'exécution;

il a simplement conduit avec une extrême élégance ce récit où il y a des monstres, des dragons sans malice, de méchantes princesses, des monts et des palais, des zéphyrs qui enlèvent les beautés sur leurs ailes et les transportent au séjour des dieux. Nulle part il ne donne l'impression de lourdeur dans cette prose qui lui a coûté tant de peine. Une grâce surannée, un nostalgique parfum d'antiquité, le prestige des tableaux et des poèmes symphoniques qui, depuis, ont interprété à leur tour l'immortelle aventure, le goût de mythologie poétique affiné par tant d'auteurs modernes, de Chénier à Valéry, tout cela a certainement ajouté pour nous aux enchantements de *Psyché*, à ces scènes évocatrices d'un style d'époque, tantôt décoratif et « plafonnant », tantôt d'une préciosité souriante comme le discours de Psyché au dragon, qui ravissait Jean Giraudoux.

Car il fallait mêler la « plaisanterie » au « galant », le « galant » à l' « héroïque », et, sans compromettre l'unité de ton, trouver l'harmonieux équilibre. Les lourdes parodies d'Apulée s'allègent ici en fine irrévérence; l'ironie se joue au milieu des épisodes fantastiques. Ces héroïnes, La Fontaine les ramène sur la terre. Psyché se regarde au miroir comme une fille de la campagne au matin de ses noces. Elle s'entend expliquer pourquoi c'est un grand bien en amour que l'incertitude. Épigrammes sur les coquettes et les auteurs, les femmes de la cour, les maîtresses des rois; ruses, coquetteries, curiosités... La sœur jalouse est une jeune veuve toute proche de celle des *Fables*. La comédie mêle son accompagnement à l'affabulation mythologique. Tout le séjour chez le vieillard et les deux bergères est de l'invention de La Fontaine. Lorsque le philosophe détourne l'héroïne de se donner la mort, on croirait lire du Voltaire, avec moins de nerf et de mordant, plus de souplesse et de grâce enjouée.

Partout, la tendresse, l'allusion discrète, la gaieté s'expriment en petits morceaux poétiques enchâssés dans le récit : l'élégie que Psyché compose dans la forêt, les vers sur les fourmis, sur les Enfers. La Fontaine est toujours présent, se révélant par un mot, par un tour de phrase. Quand nous lisons à propos de Psyché endormie : « J'ai toujours cru, et le crois encore, que le sommeil est une chose invincible »; quand Polyphile, après avoir lu ces lignes : « Amants heureux, il n'y a que vous qui connaissiez le plaisir », laisse tomber l'écrit, « tout transporté », tandis qu'Acanthe exhale un soupir, il suffit : le romancier s'est fait reconnaître.

LES ESSAIS DRAMATIQUES

La fantaisie-ballet des Rieurs du Beau-Richard, *écrite probablement en 1659, publiée seulement en 1827 par Walckenaër ; le livret d'un opéra de Daphné, qui fut cause de la querelle avec Lulli, en 1674 (une Proserpine de Quinault lui fut préférée), et ne parut qu'en 1682, en même temps que Galatée, opéra inachevé ; Astrée, mise en musique par Colasse, gendre de Lulli, jouée et publiée en 1691 ; Achille, deux actes d'une tragédie inachevée, manuscrit découvert au XVIIIᵉ siècle, publié en 1785 ; le Rendez-vous, joué quatre fois en 1683 à la Comédie-Française, non imprimé : voilà ce qu'en matière de théâtre on peut attribuer en toute certitude à La Fontaine.*

Faut-il y ajouter, comme ayant au moins reçu de La Fontaine une part de collaboration, les comédies jouées sous le nom de l'acteur Champmeslé : Ragotin, *en 1684 ;* le Florentin *(sans aucun rapport avec la satire citée plus haut), en 1685 ;* la Coupe enchantée *(en prose), en 1688 ;* le Veau perdu, *en 1689, et l'anonyme* Je vous prends sans verd, *en 1693 ?*

Consulter : F. Gohin, *les* Comédies attribuées à La Fontaine *(Garnier), 1934 ; l'*Introduction *au* Théâtre de La Fontaine, *par* E. Pilon *et* F. Dauphin *(Garnier), 1925 ;* P. Clarac, *La Fontaine, ch. IX.*

La Fontaine auteur dramatique : problème que le XVIIᵉ siècle offre encore à la patience des érudits. Il est fâcheux que les pièces les plus intéressantes soient justement celles dont l'attribution lui est le plus contestée. Les arguments tirés du style et de l'intérêt esthétique des œuvres valent peu : ni la faiblesse d'une comédie ne prouve qu'elle n'est pas de La Fontaine, ni sa valeur qu'il y a mis la main. Champmeslé a pu avoir d'heureux moments, et La Fontaine n'est pas toujours égal à lui-même. La discussion reste ouverte.

La Fontaine eut, à n'en pas douter, le goût du théâtre. En eut-il le don ? c'est moins certain. Il n'y a franchement rien à tirer des deux actes d'*Achille* : la tragédie n'était pas son fort. La fantaisie des *Rieurs du Beau-Richard* (du nom d'un carrefour de Château-Thierry), sorte de revue locale, en octosyllabes, faite pour être jouée par les beaux esprits du lieu, où défilent marchands, savetiers, notaire du pays, un meunier et même un âne émancipé, parent de celui des *Fables*, est amusante, mais ce n'est qu'une piécette. *Daphné, Astrée, Galatée* ne sont pas sans mérite. La Fontaine, sans être dupe des sortilèges encombrants et illusoires de la mise en scène, ne dédaignait pas le genre du livret d'opéra où excella Quinault; à travers les galanteries, la mythologie doucereuse, les inventions champêtres, il sait glisser l'ironie et l'esprit.

Mais la veine est infiniment plus riche dans les comédies jouées sous le nom de Champmeslé. Le jeune Lélie de *la Coupe enchantée* est une première esquisse de Chérubin. *Le Florentin* imite les deux *Écoles* de Molière. Hortense est une nouvelle Agnès ; Harpajème un tuteur bouffon, que sa mère Agathe chapitre en bonne commère.

La meilleure de ces comédies est assurément *Ragotin*, tirée du *Roman comique* de Scarron. Les mésaventures du héros, les jeux de La Rancune et de Destin sont narrés dans des tirades d'une versification si hardie qu'elle a inspiré toute une étude de Grammont *(Ragotin et le vers romantique)*. La scène où l'on joue sur le théâtre la comédie de M. de La Baguenaudière est une plaisante parodie, un « à la manière de » la tragédie classique, sur le sujet d'Antoine et Cléopâtre, et l'on regrette de ne pouvoir insister davantage, n'osant pas mettre au compte de La Fontaine ces morceaux d'une bonne frappe comique et d'une réelle saveur.

LES FABLES

Les Fables choisies mises en vers *paraissent en 1668 — deux parties de trois livres chacune, précédées de l'*Épître à monseigneur le Dauphin, *à qui elles sont dédiées (il avait six ans et demi), d'une longue* Préface *et de la* Vie d'Ésope le Phrygien. *Huit nouvelles fables dans le recueil de 1671 des* Fables nouvelles et autres poésies. *En 1678-1679, paraît une édition en quatre volumes, comprenant le premier recueil en six livres et cinq livres nouveaux, qui constituent le second recueil de* Fables, *précédé d'une préface. Au livre IX, s'ajoute le* Discours à Mᵐᵉ de La Sablière. *Dix fables nouvelles sont insérées en 1685 dans les* Ouvrages de prose et de poésie. *D'autres paraissent dans le* Mercure. *En 1692-1694, nouvelle édition, comprenant le livre XII, et dédiée au duc de Bourgogne. C'est l'édition définitive publiée du vivant de La Fontaine. Sept fables figurent encore dans les* Œuvres posthumes de 1696.

Consulter l'édition des Fables, *en 2 volumes, de* F. Gohin *(*Collection des Textes français, les Belles Lettres*), 1929 ;* R. Bray, *les* Fables de La Fontaine *(*Collection des Grands Événements littéraires, Malfère*), 1934 ;* R. Jasinski, *Sur la philosophie de La Fontaine (*Revue d'histoire de la philosophie, *15 décembre 1933-15 juillet 1934).*

Quand La Fontaine a-t-il écrit sa première fable ? A-t-il senti tout de suite qu'il abordait le genre où il

LE REPAS DE PSYCHÉ. Tapisserie des Gobelins, XVIIᵉ siècle (musée National, à Florence). — CL. ARCH. PHOT.

donnerait son chef-d'œuvre ? S'y est-il porté de son propre mouvement ou l'idée lui fut-elle inspirée ? Les classiques sont très prodigues dans leurs Préfaces de réflexions sur leur art, mais ils ne font pas de confidences sur l'histoire de leur inspiration.

Tout laisse penser que La Fontaine est venu aux *Fables* spontanément. On a vu qu'elles ne l'ont pas détourné des autres genres; il devait lui arriver plus d'une fois de quitter Ésope « pour être tout à Boccace ». La fable, à l'origine — on l'oublie trop —, ne se distingue guère du conte. La Fontaine, en passant de l'un à l'autre, changeait de maître, revenait à l'antiquité, puisait à pleines mains dans cette « somme » que constituait « la Mythologie ésopique » de Nevelet, parue au début du siècle, en attendant de s'adresser, pour son second recueil, aux fables hindoues de Pilpay, et de cueillir encore des sujets çà et là, dans les conversations ou dans les livres. Mais il s'agissait toujours de conter; la méthode, en apparence, restait la même : indifférence à la matière, soins minutieux apportés à l'exécution, à la forme. Bien des commentaires sur la morale de La Fontaine tomberaient d'eux-mêmes, si l'on prenait garde que bon nombre de ses moralités viennent, en droite ligne, de ses sources.

Et pourtant, du conte à la fable, comment nier que son inspiration ait subi des transformations essentielles ? Les fables lui ont rendu un premier service : elles l'ont délivré de l'obsession des sujets scabreux. Ni le genre ni les modèles suivis n'en comportent; et le premier recueil s'adressait à un enfant royal. Quand l'esprit des *Contes* reparaît, il est surveillé, épuré, filtré : ce n'est plus que l'ironie malicieuse, la très légère touche sensuelle de *la Fille*, de *la Jeune Veuve*.

Les *Fables* ont, du même coup, paré à la menace qui pesait sur l'inspiration des *Contes* : la monotonie. Elles ont élargi l'horizon en jetant le poète au cœur de cette comédie animale, où le décor et les acteurs changent à tout moment. Pour l'amateur de diversité, quoi de plus varié que ce monde et le cadre où il s'anime ? D'où cette impression de perpétuelle naissance, d'éveil matinal, de fraîcheur renouvelée que laisse la lecture des *Fables*, et qui recrée pour nous le souvenir du premier étonnement de l'enfant au contact de l'univers : la présence des bêtes.

La fantasmagorie des mille caricatures que l'animal, déguisé en être humain, présente de nos défauts et de nos vices est une transposition vieille comme le monde. Tout art qui s'en inspire, si raffiné qu'il soit, revient aux sources populaires. La Fontaine s'affranchissait de ces « tentations » dont a parlé Giraudoux, de la préciosité quintessenciée aussi bien que de la gauloiserie agressive. Il se portait, plus loin qu'il n'avait jamais été, vers ce naturel auquel tendait son génie, vers ce que Voltaire, classique étroit, nommera, à propos de la fable du *Héron*, « le bas, le négligé, le trivial » ! En racontant ces « histoires d'animaux qui parlent », comme dit dédaigneusement Lamartine, La Fontaine atteignait l'audience enfantine et populaire qui, depuis, ne lui a jamais manqué (fût-ce au prix de quelques contresens). Il est le seul parmi les écrivains de qui l'on puisse se demander, sans être sûr de sa réponse, si telle phrase, tel proverbe sont de son invention ou s'il les a puisés dans le trésor commun d'une vieille sagesse. La forme qu'il

a donnée à ces remarques de bon sens a si heureusement résonné aux oreilles françaises que les *Fables* ont constitué, très vite, une sorte de répertoire, de poésie gnomique, dont les formules viennent spontanément aux lèvres, au hasard des mille incidents de la vie courante. La Fontaine est l'auteur le plus souvent cité en France sans que son nom soit prononcé, ni même évoqué.

Et pourtant ce délicat ne renonçait pas à plaire à ses lecteurs mondains. Dans un genre sans règles fixes, tout pouvait servir; on pouvait garder beaucoup des tentatives antérieures. L'expérience de la poésie mythologique, galante, badine, héroïque, permettait mille enrichissements; il n'était pas inutile d'avoir écrit *Adonis* ou *le Songe de Vaux* pour composer *le Chêne et le Roseau*, *Phébus et Borée*. Ainsi pouvait se manifester cette « gaieté » qu'il définit dans sa première préface « un certain charme, un air agréable qu'on peut donner à toutes sortes de sujets, même les plus sérieux ». Pas de moyen plus sûr qu'un mélange des tons, plus facile à réaliser dans la poésie, qui harmonise toutes choses, que dans la prose (la préface de *Psyché* ne nous en laisse pas douter). Du passage constant de la langue épique à la langue familière on sait que La Fontaine a tiré des effets inépuisables.

Cet élargissement de son inspiration, La Fontaine l'a voulu; il en a eu parfaitement conscience. Tout ce qu'en ont dit depuis les critiques ne l'eût pas surpris : il l'avait déjà exprimé par avance. N'a-t-on pas même interprété trop strictement certaines de ses formules ? « *Une ample comédie aux cent actes divers et dont la scène est l'univers* » : cela ne signifie pas que les fables sont organisées, ainsi qu'on l'a répété, comme d'authentiques comédies. L'esthétique du conte n'est pas celle du théâtre; et si l'on veut dire que la fable comporte une série d' « actes » où se retrouve un mouvement propre au genre tragique ou comique, la remarque, à la réflexion, est d'une évidence un peu naïve, et vaudrait pour n'importe quel récit. La Fontaine définit moins ici la valeur dramatique des *Fables* qu'une conception proprement épique. La fable est l'envers de l'épopée. Dans ce siècle où l'on a tant rêvé du grand genre, où le poème héroï-comique, voire burlesque, était encore un hommage à lui rendu, La Fontaine a vu dans cette épopée multiple, fragmentaire, qu'est la fable, où chaque poème vaut par lui-même et s'intègre pourtant dans un ensemble, la réalisation tardive et efficace d'un projet qui l'avait toujours obsédé.

La lecture du second recueil de *Fables* confirme cette impression. On y voit La Fontaine, plus souvent que dans le premier recueil, s'essayer à joindre deux fables commandées par une même idée : *le Héron et la Fille; la Laitière et le pot au lait, le Curé et le mort;* ou même grouper dans une seule fable deux ou trois récits dont la conclusion porte même sens : *le Loup et le Chasseur, l'Homme et la Couleuvre, les Lapins*. Le modèle sera le *Discours à Mme de La Sablière*, qui achève le livre IX. Après une présentation sous forme de madrigal et un exposé de philosophie, cinq fables, aussi variées de rythme que de ton, se succèdent, puis le développement reprend, s'amplifie en méditation : grand poème, constitué d'une série de morceaux guidés par un thème central.

A un autre point de vue, le *Discours à Mme de La Sablière* nous donne une des clefs de la

LE LOUP ET L'AGNEAU. Illustration dessinée vers 1630 par J.-B. Oudry. — CL. LAROUSSE.

réussite des *Fables*, en nous prouvant que La Fontaine s'est engagé à fond dans son sujet, avec une entière sincérité; disons d'un mot : qu'il y a cru. La place de l'animal dans l'univers, les rapports de son instinct avec l'intelligence humaine étaient alors questions « dans l'air ». Or, la théorie cartésienne de l'animal-machine a choqué La Fontaine. Dans *Psyché*, il s'attendrira encore sur les passions des animaux. Il aime ses modèles et jusqu'aux plus humbles; ce don de sympathie donne aux *Fables* un caractère d'authenticité, auquel notre époque est moins insensible que toute autre. Et de même qu'il ne consentait pas à refuser à l'animal toute part d'intelligence ou de sensibilité, il ne lui déplaisait pas que La Rochefoucauld rabaissât la raison humaine au niveau des bêtes, et lui soufflât le sujet des *Lapins* : l'esprit des *Maximes* court à travers les *Fables*.

C'est ainsi que, peu à peu, tout ce que La Fontaine avait à dire, tout ce que sa vive intelligence avait recueilli des courants qui traversaient le siècle est passé dans les *Fables*. Sa curiosité universelle y trouvait naturellement son emploi. Il est si aisé, lorsqu'on tient un récit suggéré par un autre, de le colorer, de l'étoffer (sans l'étouffer), de lui donner la chair qui manque si cruellement aux apologues d'Ésope. L'invention est alors de passage et à tout moment renouvelée. Il s'agit d'utiliser les multiples occasions qu'offre la narration; au fur et à mesure que le récit marche, l'idée naît; et c'est tantôt une prompte remarque, tantôt une observation profonde.

Mais tout cela par suggestions, par traits rapides. La loi du genre reste la brièveté, la vivacité. La Fontaine peut bien nous dire qu'il s'est trouvé dans l'impossibilité d'égaler Phèdre sur ce point; il a respecté en fait le principe, beaucoup plus que dans les *Contes*, où les longueurs ne sont pas rares.

Ainsi procède-t-il pour les images de la vie sociale. Ce n'est pas servir la gloire de La Fontaine que de l'accabler sous une comparaison avec Molière, Saint-Simon ou Balzac : quelle commune mesure entre les quelques dizaines de vers d'une fable, et les cinq actes d'une comédie, les centaines de pages de mémoires ou de romans où l'auteur a tout loisir d'analyser passions et caractères? Ce qu'il faut admirer chez La Fontaine, ce n'est pas l'ampleur de ce qu'on a voulu appeler la peinture d'une société. C'est la justesse, la précision du trait qui fixe attitudes, gestes, paroles.

Tel est l'art du raccourci qui campe les personnages : le savetier devant le financier, le jardinier en face de son seigneur, ou qui dessine ces postures d'animaux saisis dans leur fonction humaine. Peinture sociale? Non, mais esquisse puissante. Ainsi des impressions de nature : non pas tableaux, mais sensations, notations cueillies au vol, dont plusieurs sont passées du récit de voyage en Limousin aux *Fables* :

Lorsque n'étant plus nuit, il n'est pas encor jour...

Ainsi des confidences personnelles qui ont fait parler du lyrisme de La Fontaine : touches rapides, émoi d'un instant, question qui reste sans réponse; présence qui se révèle à un mot, à une parenthèse, à une incidente. Ainsi des réflexions de toutes sortes, sur la politique, la guerre et le pouvoir, sur l'homme et ses destinées,

LE CORBEAU ET LE RENARD. Illustration de J.-B. Oudry. — CL. LAROUSSE.

sur la vie et la mort, qui dépassent de beaucoup la morale un peu facile, bonhomme et complaisante, sceptique et tolérante, dont on a fait de La Fontaine le héraut. Ces réflexions sont assez riches pour nous révéler une pensée pleine de substance; elles n'en donnent pas moins l'impression que leur auteur se contient, s'observe, garde la mesure. Pourtant, la tentation dut être forte en lui de profiter des *Fables* pour se livrer pleinement au jeu des idées, et c'est encore en ce domaine qu'il s'est laissé entraîner davantage. Le livre XII, parfois négligé, mérite une étude à part pour l'ampleur relative que La Fontaine y donne à ses méditations. Il contient, dans *le Philosophe scythe* (XX), une apologie anti-stoïcienne des passions et de la vie intense; dans *le Juge arbitre, l'hospitalier et le solitaire* (XXVII) des considérations sur le problème de l'activité sociale et sur la retraite à l'écart du monde, qui sentent la fin du siècle et l'approche de temps nouveaux. Et le *Discours à Mᵐᵉ de La Sablière*, auquel il faut toujours se reporter, nous offre, sous la forme la plus aérée, la plus subtile qui soit, un admirable essai dans un genre souvent bien ingrat : le poème à thèse.

Ce sont là pourtant des exceptions. Si le monde se reflète dans les *Fables*, c'est dans un miroir aux dimensions modestes; chaque poème représente un tour de force de concision. Et cela doit permettre de porter sur l'art de La Fontaine — art de discrétion, art de suggestion — un jugement qui en reconnaisse les limites.

Ce que les contemporains du fabuliste avaient apprécié surtout en lui, c'est le goût, apte à réaliser toute une série de conciliations : naturel et culture, art de plaire, de séduire, et respect suffisant des règles, indépendance du génie et soumission à un code de bienséances et de bon ton, vigueur et mesure. Ainsi La Fontaine est « un original, dit Bussy-Rabutin, qui, à la naïveté de Marot, a joint mille fois plus de politesse ». Les époques suivantes ont été plus sensibles tour à tour à son enjouement, à son humeur, à sa grâce spirituelle, à son ironie teintée d'émotion et de tendresse. Sainte-Beuve a goûté dans les *Fables* l'universalité, le mélange des tons et des genres; Taine a choisi La Fontaine comme un «cas» pour confirmer ses doctrines. D'autres (Anatole France, notamment, dans un article de *la Vie littéraire*) ont admiré en lui une des incarnations du « génie latin », l'héritier de la double tradition qui part de Platon et de Virgile, l'humaniste, capable de soupeser la valeur d'un mot, de lui donner toute sa force étymologique, toute sa résonance; le connaisseur en matière de langage, l'artiste accompli. Enfin, sauf de rares exceptions, parmi lesquelles encore Lamartine rechignant devant ces vers « boiteux, disloqués », le XIXᵉ siècle admirait cette mélodie affranchie, ce vers libre, dira-t-on, avant que des études précises (celles de M. Gohin) aient rectifié une vue un peu sommaire en montrant que La Fontaine usait essentiellement des deux vers de base, alexandrin et octosyllabe, et que l'art de sa versification résidait surtout dans le jeu des rythmes intérieurs, des coupes et des accents.

Et notre époque? C'est à l'artiste encore que va l'admiration des maîtres. Les qualités que nos contemporains, Valéry, André Gide, apprécient au premier rang chez La Fontaine, c'est la maîtrise dans la limitation, l'économie des moyens, l'« érosion des contours », l'« adéquation » absolue des moyens d'expression à l'effet que l'on veut obtenir, l'art de rester toujours « en deçà ».

Et c'est sur ce point qu'une légère idolâtrie a quelque peu faussé l'image que nous nous faisons de son génie. En sa faveur, comme en faveur de tous les grands classiques, la réaction anti-romantique a joué à plein. Le dédain de l'enflure et de l'emphase, le goût de la sobriété nous ont engagés à passer la mesure. A en croire certains, toute la poésie serait renfermée dans les *Fables* et les *Œuvres diverses* de La Fontaine. Il y a là une évidente exagération. L'injustice de Lamartine ne doit pas nous rendre, à notre tour, aussi exclusifs. Non, tout le lyrisme oratoire, philosophique, épique n'est pas contenu dans *les Deux Pigeons*, dans *le Paysan du Danube* ni même dans le *Discours à Mme de La Sablière*. Il nous en coûterait de sacrifier, comme on semble nous y inviter parfois, *le Lac* ou *Tristesse d'Olympio* au *Songe d'un habitant du Mogol*, cette exquise transposition de Virgile. Si nos grands romantiques sont plus abondants, ce n'est pas toujours le fait d'un art redondant ou emphatique, c'est parce qu'ils ont eu plus à dire et, pour reprendre une expression de Flaubert, parce que chez eux l'ouverture du compas est plus large. Ni pour les descriptions de la nature ni pour l'expression des sentiments humains, les *Fables* n'éclipsent les *Méditations*, les *Destinées*, les *Contemplations*, non plus que les *Odes*, les *Amours* et les *Discours* de Ronsard. La Fontaine est le plus grand lyrique d'un siècle peu lyrique; il l'est par échappées délicieuses; ce n'est pas le grand torrent. Mais, dans la mesure où la poésie est faite pour raconter avec toutes les nuances que l'imagination et la sensibilité peuvent apporter au récit, il est le premier, à coup sûr. Ne serait-ce pas encore ici Mme de Sévigné qui a donné la note juste ? « Faites-vous envoyer promptement les *Fables* de La Fontaine », écrivait-elle à Bussy (20 juillet 1679) au lendemain de la publication du second recueil, « elles sont divines. On croit d'abord en distinguer quelques-unes et à force de les relire on les trouve toutes bonnes. *C'est une manière de narrer et un style à quoi l'on ne s'accoutume pas.* »

VI. — LA COMÉDIE. MOLIÈRE

Pour l'histoire générale du théâtre et son organisation matérielle, consulter : Pierre Mélèse, le Théâtre et le public à Paris sous Louis XIV, 1934 ; Daniel Mornet, Histoire de la littérature française classique, 1940.

Le théâtre va connaître pendant le règne de Louis XIV une prospérité remarquable. Il constituera à la cour le divertissement par excellence. On jouera à Versailles, aux Tuileries, où fonctionne un théâtre à machines, pendant les déplacements à Chambord, à Villers-Cotterêts, chez Monsieur. Les grands suivront l'exemple du roi : les comédiens viendront fréquemment en « visites » chez Condé, chez Conti, etc. On joue à Saint-Cyr. On joue dans les collèges de Jésuites. Quant à la ville, pour ne parler que de Paris, elle possède plusieurs théâtres, d'abord ceux de la période précédente : le Marais, l'Hôtel de Bourgogne, réservé à la troupe royale, fière de ses prérogatives et gardienne des traditions. Les Italiens attirent le public dans la salle du Petit-Bourbon. La troupe de Molière, à partir de 1658, va bouleverser le jeu, comme telles de nos troupes d'avant-garde. Bientôt naîtra une grande concurrence : l'Académie royale de musique, fondée en 1669 par l'abbé Perrin, et presque aussitôt (1672) prise en main par Lulli. Mais l'Opéra ne tuera pas le théâtre dramatique. De grands noms d'acteurs et d'actrices vont se révéler au cours de ces années : Madeleine et Armande Béjart, la De Brie, la Du Parc, la Champmeslé, Baron, Molière lui-même; et le théâtre bravera les attaques toujours ardentes menées contre lui au nom de la religion et de la morale.

LA COMÉDIE AVANT MOLIÈRE

Consulter : V. Fournel, les Contemporains de Molière, 1863-1875, 3 vol. ; H. Parigot, Théâtre choisi des auteurs comiques du XVIIe et du XVIIIe siècle, 1904 ; E. Rigal, De Jodelle à Molière, 1911.

Un critique contemporain écrit, après une longue enquête sur l'histoire du théâtre comique : « Avant Molière, il n'y avait rien. » Entendons que, depuis Corneille, il n'y avait pas eu d'œuvre d'ensemble, mais des velléités et des pauvretés.

Ce n'est pas que l'histoire de la comédie soit vide; mais elle est très confuse. D'abord, les auteurs, pour la plupart, ne se spécialisent pas. Ils s'occupent alternativement de tragédie et de comédie. Ainsi Rotrou, Thomas Corneille et Quinault. Le genre même est hésitant, incertain. Il est tiraillé entre les procédés de la tragi-comédie, ceux de la farce et ceux de la *commedia dell' arte*. Car la comédie a peine à se nationaliser. Elle emprunte aux Italiens, aux Espagnols.

Là même où se dessine l'ébauche d'une étude de mœurs ou de caractères, quand nous aurons discerné l'esquisse d'une Bélise, d'un Trissotin ou d'un Vadius, nous aurons tout dit. Les *Académistes* de Saint-Évremond (1643), *les Visionnaires* de Desmarets de Saint-Sorlin (1637), *le Berger extravagant*, pastorale burlesque de Sorel (1653), *la Sœur* de Rotrou (1645), *le Jodelet ou le Maître valet* (1645) et le *Don Japhet d'Arménie* (1653) de Scarron, le *Don Bertrand de Cigaral* (1653) et *le Geôlier de soi-même* (1655) de Thomas Corneille, *l'Amant indiscret ou le Maître étourdi* de Quinault (1654), *la Belle Plaideuse* de Bois-Robert (1654), *le Pédant joué* de Cyrano de Bergerac (1654) sont autant de pièces qui auraient sombré dans l'oubli, malgré d'heureux détails, si Molière, usant de la permission que lui laissaient les mœurs littéraires du temps, ne leur avait emprunté souvent une situation, une idée de théâtre, parfois une scène entière.

Les dernières pièces citées nous mènent jusqu'au seuil de l'œuvre de Molière. Mais d'aucune on ne pourrait dire qu'elle annonce et prépare sa venue.

MOLIÈRE

Nous ne manquons pas de renseignements sur l'existence de Molière. Mais, dès le XVIIe siècle, les pamphlets avaient altéré sur bien des points la vérité. Depuis ses premiers biographes (son ancien acteur, La Grange, en tête de l'édition de 1682 ; Grimarest, dans sa Vie de Molière, 1705) jusqu'à notre temps, l'admiration, l'animosité, la fantaisie ont pris soin d'interpréter les faits et de les déformer.

Jean-Baptiste Poquelin, Parisien, est baptisé à Saint-Eustache, le 15 janvier 1622. On discute encore et sur sa date de naissance et sur sa maison natale. Il est fils de Jean Poquelin, tapissier, un bourgeois en voie d'ascension sociale, qui obtiendra, en 1631, la charge de « tapissier ordinaire de la maison du roi », avec le titre de valet de chambre, puis, en 1647, deviendra « juré et garde de la communauté des marchands tapissiers de Paris ». Sa mère est née Marie Cressé, fille d'un tapissier. Elle mourra en 1632. Jean Poquelin, remarié avec Catherine Fleurette (morte à son tour en 1636), vivra jusqu'en 1669. Les rapprochements que l'on a tentés entre les personnages de Molière et les souvenirs qu'il avait pu garder de son père, de sa mère, de sa belle-mère, les hypothèses sur l'influence de son grand-père maternel, Louis Cressé, se révèlent, à l'examen, très aventurés.

J.-B. Poquelin fait ses humanités au collège de Clermont, rue Saint-Jacques (lycée Louis-le-Grand), de 1636 à 1641; il étudie la philosophie et se mêle (peut-être) au

FARCEURS FRANÇAIS ET ITALIENS AYANT APPARTENU AUX THÉATRES ROYAUX

Molière. Jodelet. Poisson. Turlupin. Le Capitan. Matamore. Arlequin. Guillot Gorju. Guillot Gorju. Gros Guillaume. Gaultier-Garguille. Le Docteur Gratian Baloard. polichinelle. Pantalon. Scaramouche. Brighella. Trivelin. Philippin.

Ce tableau, peint en 1670, réunit les plus célèbres « farceurs » de la première moitié du XVIIᵉ siècle. Parmi eux figure Molière, en Arnolphe de « l'École des femmes ». L'original appartient à la Comédie-Française.

petit groupe de disciples (Chapelle, Bernier, Cyrano) qui entoure l'épicurien Gassendi, groupe dont l'existence et l'activité au cours de ces années ont été confirmées par la thèse de M. R. Pintard : le Libertinage érudit dans la première moitié du XVIIᵉ siècle (1943). Poquelin étudie probablement le droit à Orléans. En 1643, se produit l'acte capital qui engage son existence : il renonce à la survivance de la charge de son père, et se fait comédien. Il s'associe avec Madeleine Béjart, actrice comme ses frère et sœur (Joseph, Geneviève), et quelques autres; il fonde, le 30 juin 1643, l'Illustre Théâtre, qui débute à Rouen, puis s'installe à Paris (janvier 1644) dans la salle du Jeu de paume des Mestayers, près de la porte de Nesle. J.-B. Poquelin prend alors (du nom d'un romancier mort vingt ans auparavant?) un pseudonyme de théâtre : Molière.

L'Illustre Théâtre change plusieurs fois de salle, sans réussir à forcer la chance. Molière va à la prison du Châtelet pour dettes, en août 1645. La troupe dispersée, Molière et les Béjart s'associent avec Charles Du Fresne, directeur d'une troupe protégée par le duc d'Épernon.

La vie de province commence. Les étapes n'en sont pas tout à fait précisées : Toulouse, Albi, Carcassonne (1647), Nantes (1648), Poitiers, Toulouse, Narbonne (1649), Agen (1650), Pézenas, où Molière joue à l'occasion de la réunion des États du Languedoc, et reviendra plusieurs fois au cours des années suivantes. Peut-être à ce moment commence-t-il à diriger la troupe. Lyon devient son centre d'action en 1652. En 1653, il est protégé par le prince de Conti, frère du Grand Condé, et la troupe prend le nom de ce haut personnage (qui, plus tard, dévot et repenti, laissera, avant sa mort survenue en pleine querelle du Tartuffe [10 février 1666], un Traité de la comédie, et des spectacles selon la tradition de l'Église). Molière s'adjoint, en 1653, deux bonnes actrices : Mˡˡᵉˢ De Brie et Du Parc; il parcourt le Midi, de 1654 à 1657 (Montpellier, Pézenas, Narbonne), jouant tragédies, tragi-comédies, comédies. Quand commence-t-il à écrire? On l'ignore. Il débute vraisemblablement par des farces mettant en scène les grotesques traditionnels. Nous avons conservé, avec un certain nombre de titres, une Jalousie du Barbouillé et un Médecin volant, qui doivent lui appartenir.

Il débute dans la grande comédie avec l'Étourdi (1653 ou 1655), cinq actes en vers, adaptés de l'Italien Beltrame, puis le Dépit amoureux (à Béziers, 1656), cinq actes en vers, imités aussi de l'italien.

En avril 1658, Molière joue à Rouen (il y rencontre Corneille) et, en octobre, à Paris. Protégé par Monsieur, frère du roi, il représente, le 24 octobre 1658, dans la salle des gardes du Vieux Louvre, devant Louis XIV, Nicomède de Corneille, suivi de la farce : le Docteur amoureux. Il obtient alors de jouer dans la salle dite du Petit-Bourbon (entre le Louvre et Saint-Germain-l'Auxerrois), en alternant avec la troupe italienne de Scaramouche. Il y débute, le 2 novembre 1658, et y donne, le 18 novembre 1659, les Précieuses ridicules, un acte en prose, et le 28 mai 1660, Sganarelle, un acte en vers. Nous suivons désormais l'histoire de la troupe de Molière, grâce au registre tenu par un de ses acteurs, La Grange.

La démolition du Petit-Bourbon, l'installation de Molière,

FRONTISPICES de François Chauveau pour l'édition de 1666 des « Œuvres » de Molière. On reconnaît Mascarille et Sganarelle, Agnès et Arnolphe. — CL. LAROUSSE.

grâce à la protection active de Monsieur, dans une salle construite par Richelieu au Palais-Royal, sont les événements de l'année 1660. Le 20 janvier 1661, Molière joue Dom Garcie de Navarre, comédie héroïque, qui échoue. Mais l'École des maris (24 juin 1661) obtient un vif succès. Molière commence sa carrière d'organisateur de fêtes chez le surintendant Fouquet ; le 17 août, il présente à Vaux la comédie des Fâcheux, la première de ses comédies-ballets, dont une scène rajoutée (la scène du chasseur) est suggérée à Molière par le roi lui-même.

Molière épouse, le 13 janvier 1662, Armande Béjart, âgée de vingt ans, sœur de Madeleine. Son existence devient très active. Il joue sur son théâtre, à la cour, en visite chez les grands, tragédies et comédies d'auteurs divers ou de son cru.

L'École des femmes (26 décembre 1662), en cinq actes et en vers, est un très grand succès. Molière, pensionné par le roi, lui adresse un Remerciement poétique (1663). Mais la pièce est violemment critiquée par Donneau de Visé dans ses Nouvelles nouvelles; Molière riposte par un acte en prose, la Critique de l'École des femmes (où Armande fait ses débuts sur la scène) [1ᵉʳ juin 1663]. Une polémique confuse s'ensuit : Donneau de Visé compose Zélinde ou la Véritable critique de l'École des femmes et la Critique de la critique. Molière publie, en librairie, sa Critique dédiée à Anne d'Autriche, reine mère. Boursault lance, en octobre 1663, le Portrait du peintre, joué à l'Hôtel de Bourgogne. Molière réplique par l'Impromptu de Versailles (octobre 1663) ; Montfleury, fils de l'acteur, écrit l'Impromptu de l'hôtel de Condé; Donneau de Visé récidive par la Réponse à l'Impromptu de Versailles ou la Vengeance des marquis; Robinet donne le Panégyrique de l'École des femmes, ou Conversation comique sur les œuvres de Molière; enfin, Philippe de La Croix, dans la Guerre comique ou la Défense de l'École des femmes, prend le parti de Molière, et la querelle semble s'éteindre. La comédie-ballet du Mariage forcé, jouée au Louvre (29 janvier 1664), marque un intermède. Molière a un fils, Louis, dont le roi est le parrain (et qui mourra dans l'année).

Des fêtes somptueuses s'organisent à Versailles au printemps : les Plaisirs de l'île enchantée. *Le second jour (8 mai), Molière donne la* Princesse d'Élide, *en cinq actes, prose et vers mêlés ; le lundi 12,* Tartuffe, *en trois actes (inachevé ? complet sous cette forme ? on en discute encore).*

Devant les protestations déchaînées par le Tartuffe, *le roi, bon gré mal gré, en interdit la représentation publique. Molière joue, le 20 juin 1664, la pièce de début de Racine, la* Thébaïde, *et lit le* Tartuffe *au légat du pape, qui l'approuve. Furieusement attaqué par un curé parisien, Pierre Roullé, il adresse un placet au roi et multiplie les lectures privées de la pièce, maintenant complète en cinq actes, notamment devant le prince de Condé (29 novembre).*

Dom Juan ou le Festin de Pierre, *cinq actes en prose (15 février 1665), éclate au milieu de ces luttes comme un défi ; après des adoucissements nombreux, des suppressions, et quinze représentations, Molière, sans recevoir positivement d'interdiction, renonce à la pièce (qui ne sera imprimée qu'en 1682). Sa troupe prend le nom de Troupe du roi (l'Hôtel de Bourgogne demeurant : troupe royale). Molière remercie Louis XIV par l'*Amour médecin, *joué à Versailles (14 septembre) avec musique de Lulli. Une fille lui naît, Esprit-Madeleine (août 1665), qui lui survivra et deviendra M*ᵐᵉ *de Montalant. Le* Tartuffe *est encore donné le 8 novembre, en cinq actes, chez la princesse Palatine, par ordre du Grand Condé.*

*Molière s'est lié avec La Fontaine, Boileau (qui a écrit des stances élogieuses sur l'*École des femmes). *Mais Racine, dont, après la* Thébaïde, *il a joué l'*Alexandre *(4 décembre 1665), lui retire sa pièce pour la porter à l'Hôtel de Bourgogne.*

1665 semble être l'année où le délabrement de la santé de Molière prend des proportions inquiétantes : il fait relâche pendant deux mois.

Le 4 juin 1666, paraît le Misanthrope *(dont le succès est mitigé), suivi du* Médecin malgré lui *(6 août).*

Pendant l'hiver, Molière participe au divertissement de la cour organisé par Bensserade, avec Mélicerte *(2 décembre 1666), la* Pastorale comique *(5 janvier 1667), le* Sicilien ou l'Amour peintre *(1ᵉʳ février 1667). Il se risque, le 5 août, à donner* Le Tartuffe *sous le titre l'*Imposteur, *en nommant son héros Panulphe et en apportant des modifications dont nous ignorons l'étendue. Le premier président du parlement, Lamoignon, interdit la pièce dès le lendemain. Un second placet, présenté au nom de Molière par deux de ses comédiens, est reçu par Louis XIV, alors en Flandre, mais ne lui vaut que de bonnes paroles. Le 20 août, paraît la* Lettre sur la comédie de l'Imposteur, *plaidoyer inspiré (sinon écrit) par Molière, qui s'est retiré à Auteuil. En 1668, il joue coup sur coup* Amphitryon *(13 janvier),* George Dandin *(18 juillet) inséré dans un divertissement présenté à la cour, l'*Avare *(9 septembre). Le* Tartuffe, *de nouveau remanié, est enfin autorisé ; la première représentation est du 5 février 1669. Le succès est considérable. C'est le seul état que nous ayons de la pièce ; nous ne saurons jamais avec exactitude les différences qui la séparent des* Tartuffe *de 1664, 1665, 1667. Molière triomphant adresse à Louis XIV un troisième placet. La même année, en l'honneur de son ami le peintre Mignard, il compose un poème sur la* Gloire du dôme du Val-de-Grâce. *Le 6 octobre,* Monsieur de Pourceaugnac *est joué à Chambord, avec musique de Lulli.*

La période militante est passée, bien que Le Boulanger de Chalussay *publie encore, en 1670, un pamphlet :* Élomire hypocondre. *Mais Molière est usé — physiquement parlant, car son génie reste aussi actif — ; le 4 février 1670, il insère les* Amants magnifiques *dans le* Divertissement royal *donné à Saint-Germain ; le 14 octobre, il joue à Chambord le* Bourgeois gentilhomme. *Sur le théâtre à machines des Tuileries, paraît, le 17 janvier 1671,* Psyché, *tragédie-*

ballet en trois actes, inspirée du roman de La Fontaine, à laquelle ont collaboré, avec Molière (auteur du prologue, du Iᵉʳ acte, de la scène I du IIᵉ et de la scène I du IIIᵉ), Corneille, Quinault et Lulli. Les Fourberies de Scapin *sont du 24 mai 1671. A l'occasion du mariage de Monsieur avec la princesse de Bavière, une sorte de pot-pourri de ballets est donné à Saint-Germain et Molière y glisse un acte en prose :* la Comtesse d'Escarbagnas *(2 décembre 1671).*

La mort frappe Madeleine Béjart (17 février 1672) et un second fils de Molière, qui n'a vécu que quelques jours (10 octobre). Molière a donné les Femmes savantes, *le 11 mars, au Palais-Royal. Les intrigues de Lulli lui disputent la faveur de Louis XIV. Ce n'est pas devant le roi qu'il donnera sa dernière pièce destinée pourtant à la cour, le* Malade imaginaire *(10 février 1673). A la quatrième représentation (17 février 1673), il est frappé, pendant la dernière scène, d'une convulsion. Rentré à son domicile, rue de Richelieu, il succombe à dix heures du soir. Il faut lire dans Grimarest l'admirable récit de cette dernière journée et de cette mort. A la suite des supplications de sa veuve auprès du roi, Molière, quoique comédien, peut être enseveli au cimetière Saint-Joseph, le mardi 21 février, à neuf heures du soir, sous « un peu de terre obtenue par prière » (Boileau). — Il n'est pas sûr que le monument qui s'élève aujourd'hui au Père-Lachaise abrite les restes de Molière (il y eut une exhumation en 1792).*

Principales éditions : 1673 (Barbin, 7 vol.) ; 1682 (par La Grange et Vivot) ; Despois et Mesnard (Grands Écrivains de la France), 1873-1900, 13 vol.

Consulter : M. Donnay, Molière, 1911 ; G. Michaut, la Jeunesse de Molière, les Débuts de Molière à Paris, les Luttes de Molière, 1923-1926 ; P. Brisson, Molière, sa vie dans ses œuvres, 1942 ; D. Mornet, Molière, 1943.

Un jeune Parisien, fou de théâtre, admirablement doué à la fois pour jouer et pour écrire ; un bourgeois qui heurta les préjugés de son milieu en se jetant dans un métier décrié : tel nous apparaît d'abord le créateur de la grande comédie en France.

LE TEMPÉRAMENT

Molière a fait éprouver à ses contemporains les sentiments les plus divers. Il a été très admiré et tout de suite, dès son arrivée à Paris. Il n'a pas eu à lutter laborieusement pour imposer son art. Il a connu, avec quelques mécomptes, d'éclatants succès. Mais il a eu à livrer un autre genre de batailles. Haï, insulté dans sa vie privée, dans son honneur d'homme, accusé d'obscénité, d'inceste, traité de démon habillé de chair, voué au bûcher de son vivant par le curé de Saint-Barthélemy, et à la damnation par Bossuet vingt ans après sa mort, il était de ceux qui attirent les sentiments extrêmes, dont on se sépare avec violence ou qui incitent aux réconciliations. Il a vu s'éloigner des amis de jeunesse, comme le prince de Conti, frère du grand Condé ; il a rallié des ennemis de la veille, tel Donneau de Visé, qui avait combattu l'*École des femmes*, et qui écrira trois ans plus tard une lettre enthousiaste sur le *Misanthrope*. Il a été certainement adoré de la plupart de ses acteurs : c'est un témoignage de prix. Surtout, il a provoqué la surprise, par un des tempéraments d'écrivain, par une des carrières d'artiste les plus attachants que l'on connaisse.

Molière arrive de province à trente-six ans ; il a dans son bagage, avec l'expérience d'une quinzaine d'années, et quelques farces, deux bonnes comédies : l'*Étourdi*, le *Dépit amoureux*, qui prouvent une indéniable facilité de style, mais sentent l'imitation. Avec l'acte en prose des *Précieuses ridicules*, en 1659, il s'oriente vers la peinture facétieuse des mœurs. A partir de ce moment — il lui reste treize ans à vivre — il accumule les œuvres avec une fécondité extraordinaire. On dirait que Paris lui permet l'épanouissement, qu'un flot d'idées lentement amassé se donne soudain carrière. Boileau, son cadet d'une quinzaine d'années, et, à tant d'égards, son disciple, restera ébahi devant cette facilité, et aussi cette joie de composer, un des traits dominants de sa nature, un de ceux qui ont assuré à son œuvre une si rare faculté de survie. Molière écrit de verve, avec bonheur. Faut-il bâcler une pièce ? Il saura la trousser lestement, coudre vaille que vaille quelques scènes, leur donner, par un détail, par une réplique, par un mot, un tour absolument personnel et inimitable. « C'est une chose, je crois, toute nouvelle », lit-on dans l'Avis au lecteur en tête des *Fâcheux*, « qu'une comédie ait été conçue, faite, apprise et représentée en quinze jours ». Il n'en faudra que huit pour *l'Impromptu de Versailles*, où il se met lui-même en scène au milieu de ses comédiens, nerveux, surmené, grondant, furieux, et joyeux — joyeux de jouer, joyeux de distribuer des rôles, de parodier les rivaux —, se délectant à l'idée de l'immense tâche à accomplir, dressant la liste des sujets vacants en quête d'auteur.

Il existe plusieurs portraits de Molière ; on s'est attendri devant ce visage triste et pensif. Mais il y a un autre Molière, à la narine sensuelle, aux lèvres gonflées, à la bouche fortement dessinée, aux yeux rayonnants de génie, tendu vers la création et l'action : ce portrait n'est-il pas plus authentique ? Après tout, ce contraste, c'est son être même. Car il est avide de vivre ; il a le goût de l'existence large, du luxe, des belles choses ; il est homme de plaisir, mettant de la passion en tout, dans l'amitié, dans l'amour, dans son jeu, dans son art ; et, avec tout cela, trahi par un corps misérable.

MOLIÈRE EN CÉSAR. Peinture de Pierre Mignard conservée à la Comédie-Française.

Fut-il neurasthénique, « hypocondre », comme l'affirma Le Boulanger de Chalussay, rongé de chagrins domestiques, trompé et jaloux ? Il faut bien l'avouer, toute une partie de l'homme nous échappe faute de témoignage digne de foi (aucune note, aucune lettre). Sous les coups des critiques, bien des légendes du « ménage de Molière » sont parties en lambeaux. Mais qu'il ait été physiquement malade, et malade conscient de sa misère, cela nous le savons. Nous possédons une confidence directe, dérogation à l'« impersonnalité » rigoureuse, dont on a fait — un peu arbitrairement — la loi absolue des œuvres classiques. Comment omettre un document aussi pathétique que ce dialogue du *Malade imaginaire* (acte III, sc. III), cette prescience de la mort prochaine jetée par l'écrivain en plein théâtre ?

Molière a aimé la lutte, toute sa vie en témoigne. Il a affronté ses adversaires, non sans manifester un goût de la bravade qui l'incitait à redoubler les coups, et qui l'a fait parfois taxer de maladresse. Il n'est pas sûr du tout qu'il ait souffert de l'activité que lui imposaient les caprices du roi ni des remous de sa carrière d'auteur et d'acteur. Dans l'affaire du *Tartuffe*, il met une sorte d'allégresse à mener le jeu. Ces cinq années (1664-1669) l'engagent dans un véritable tourbillon, qui aurait brisé un tempérament de fer. Là fut son drame : l'amour de la vie dans une enveloppe rebelle, sans cesse torturée, rabrouée par la nature. Le bonheur, il ne put ainsi le trouver que dans le travail et la création. C'est ce qui explique pourquoi, dans ses grandes œuvres, il s'est engagé tout entier.

LA CARRIÈRE LITTÉRAIRE

Il serait pourtant risqué de retracer l'histoire de son théâtre en la rattachant de trop près aux vicissitudes de son existence. Trop de détails nous manquent, et nous ne sommes pas sûrs d'interpréter correctement ceux qui nous sont connus.

Il serait plus vain encore de prétendre découvrir dans la carrière littéraire de Molière une sorte d'évolution interne qui l'aurait conduit, par un mouvement continu, de l'imitation à l'originalité, des thèmes rebattus aux sujets neufs, de la farce à la grande comédie. Avant *les Précieuses*, tout ce que l'on pourrait appeler sa formation reste assez obscur. On devine une solide culture acquise pendant les années de collège ; puis, au cours de la vie de province, un intense exercice de la mémoire d'acteur, une série d'essais, où une virtuosité précoce se révèle à elle-même, se nourrit et s'affine au contact d'œuvres du répertoire, françaises et étrangères. *L'Étourdi* et *le Dépit amoureux* sont les témoignages de cette période. A partir des *Précieuses*, ce qui frappe dans la succession des œuvres, c'est la diversité, parfois l'inattendu. Jusqu'à *l'École des femmes*, on saisit bien, à la rigueur, les tâtonnements, les expériences qui conduisent à ce premier grand chef-d'œuvre. Si *les Précieuses* établissaient fermement la comédie dans son domaine : la peinture des ridicules du siècle, et, par-delà, d'un travers profondément humain, *Sganarelle* nous ramène l'année suivante à la farce traditionnelle, agrémentée d'un type nouveau. A l'année 1661 appartiennent *Dom Garcie*, essai dans la comédie héroïque, et *l'École des maris*, la première pièce où un débat d'idées sérieux soit engagé. D'autre part, à ne se placer qu'au point de vue du style, *l'École des femmes* marque assurément un progrès, un bond vers la grande comédie. Elle semble couronner toute cette première période. De même, on peut soutenir que les années qui voient paraître *le Tartuffe, Dom Juan, le Misanthrope* (1664-1669) sont les grandes années de Molière. Mais, à regarder de près, nous constatons que *Dom Juan* est suivi de *l'Amour médecin* ; le *Misanthrope* du *Médecin malgré lui*, et de *Mélicerte*. *L'Avare*, grande comédie aussi, revient pourtant à l'imitation de Plaute, comme, dans un tout autre genre, *Amphitryon*, et ces deux œuvres encadrent, en 1668, *George Dandin. Monsieur de Pourceaugnac*, qui ne prétend pas à la haute comédie de mœurs et de caractère, suit à quelques mois, en 1669, la première représentation du *Tartuffe* définitif. Et voici, en 1671, un retour aux personnages consacrés avec *les Fourberies de Scapin*, où Molière, après avoir affirmé les années précédentes une si éclatante originalité, ne se fait pas faute de piller Cyrano de Bergerac. Du reste, si l'on veut que les années 1664-1669 marquent un point culminant, il n'en serait pas moins faux de parler ensuite d'un déclin. *Le Bourgeois gentilhomme* (1670) ne le cède en fraîcheur, en jaillissement, à aucune autre composition. *Les Femmes savantes* (1672) sont encore un grand sujet, une œuvre à tous égards considérable. Quant au *Malade imaginaire*, s'il marque un retour aux plaisanteries et aux attaques contre la médecine, il les porte à un degré dont ni *le Médecin malgré lui*, ni *l'Amour médecin* ne nous donnaient l'équivalent. Le rideau tombe à la fois sur l'intronisation burlesque d'Argan dans le corps médical, et sur la vie de Molière, terrassé en pleine force de création dramatique. Rien ne nous laisse deviner dans quel sens aurait pu se porter son génie d'invention. Il avait dressé une liste de sujets dans *l'Impromptu de Versailles*, une sorte de plan de travail. On ne peut dire qu'il l'ait suivi à la lettre. Y serait-il revenu pour combler les vides ? Aurait-il appliqué à des domaines tout différents son art de transposition comique ?

En fait, sa carrière d'auteur dramatique fut soumise à certaines conditions qui en expliquent le tracé sinueux et les caprices. Au premier rang, les exigences royales. Ce sont elles qui lui commandent ces pièces improvisées, ces divertissements, et qui donnent à la comédie-ballet tant d'importance dans son œuvre. Il excelle, d'ailleurs, à faire de nécessité vertu. Ce fut le cas pour *les Fâcheux*, pour *le Bourgeois gentilhomme*, où toute une comédie de mœurs s'est organisé autour de la cérémonie turque. Tenons compte aussi des obligations qui s'imposent à tout directeur de troupe. Nul doute que *Dom Juan*, sujet à la mode, ne soit né des circonstances, après l'interdiction du *Tartuffe* : et Molière en tire une de ses œuvres les plus personnelles. D'un bout à l'autre de sa carrière, on le voit ainsi concilier les ouvrages de commande et les suggestions directes de son génie. Et l'on ne sait ce qu'il faut le plus admirer : qu'il ait trouvé le temps de composer des ouvrages issus d'une inspiration spontanée, ou qu'il soit resté assez maître de son art pour se montrer original et grand, là même où de pressantes contraintes lui imposaient sa matière.

Dans le choix même des sujets où il fut libre d'inventer, il semble que Molière ait obéi aux mouvements d'une imagination très vive, prompte à s'enflammer au hasard d'un souvenir, d'une rencontre, à profiter d'une conversation, d'une lecture. Qui sait si *le Misanthrope* n'est pas sorti d'une boutade de Boileau, ou des propos de quelque original ? Nous voyons aussi Molière repenser, pour les approfondir ou les renouveler, des sujets déjà traités par lui-même. A *l'École des maris* succédera *l'École des femmes*; le couple Sganarelle-Ariste se métamorphosera pour engager le duo Alceste-Philinte, d'une autre envergure, et les tirades de *Dom Garcie*, qui avaient laissé le public froid en 1661, feront merveille, cinq ans plus tard, dans *le Misanthrope*.

Ainsi s'est déroulée l'œuvre de Molière, passant de la prose à la poésie, du divertissement en un acte à la grande comédie en cinq actes et en vers, de la comédie-ballet à la farce, combinant parfois tous ces éléments. Une étude de son génie fondée sur la seule chronologie exposerait à des redites, à des perspectives trompeuses, à de faux éclairages. C'est une œuvre qu'il faut envisager dans son ensemble, pour essayer d'en saisir l'unité sous tant de formes diverses, et d'en discerner les éléments créateurs.

LA CONCEPTION DE L'ART : LA PRIMAUTÉ DU RIRE

Molière a affirmé un parti pris simple, qui est de faire rire les hommes. Qu'il ait connu, lui qui avait joué tant de tragédies, la tentation tragique, c'est possible. Mais la gaieté essentielle, voulue, de son théâtre a frappé tous les contemporains, et, après tant d'inutiles débats, c'est là un aspect de son génie qui ne se discute plus sérieusement aujourd'hui.

Molière s'est exprimé sur ses intentions avec une parfaite lucidité. *La Critique de l'École des femmes* (1663), complétée par quelques passages de *l'Impromptu de Versailles*, est un très sérieux, très complet et très vivant exposé de doctrine. Il y faut toujours revenir pour avoir idée de l'esthétique de Molière; sans compter que, par sa date, *la Critique de l'École des femmes* occupe dans l'évolution littéraire une place de choix. Si l'on veut à tout prix chercher un « manifeste classique » pour les années 1660, le voilà. La tragédie de Racine (*Andromaque* est de 1667) et l'œuvre de Boileau — deux jeunes, à côté de Molière, leur aîné de dix-sept et quatorze ans — s'y dessinent autant que sa propre comédie.

Qu'affirmait donc Molière ? En trois ou quatre tirades, Dorante, son porte-parole, affrontait les pédants, les marquis, les précieux réunis dans le salon de Climène, et posait d'abord la comédie comme un genre indépendant et privilégié. Il condamnait la tragédie emphatique et guindée — non sans égratigner Corneille au passage — et, du même coup, fixait le domaine de son genre préféré. « Entrer comme il faut dans le ridicule des hommes »; « rendre agréablement sur le théâtre les défauts de tout le monde »; « peindre d'après nature »; « faire connaître les gens de votre siècle » : autant de formules-manifestes qui définissaient la comédie de mœurs, de caractères, d'observation. *L'Impromptu de Versailles* insiste : « L'affaire de la comédie est de représenter, en général, tous les défauts des hommes, et principalement des hommes de notre siècle. »

La tragédie avait trouvé en Corneille une intelligence supérieure pour la fonder en raison et fixer ses lois (les *Examens* sont de 1660). Pour la première fois en France, une intelligence organisatrice dominait maintenant tout le champ de la comédie, et, là où il n'y avait eu jusqu'alors qu'ébauches confuses et contradictoires, éclairait d'une clarté décisive les buts, les moyens, les ressources.

Molière n'oubliait pas l'essentiel : le rire. « Dans les pièces sérieuses (entendez : tragédies), il suffit, écrivait-il, pour n'être point blâmé, de dire des choses qui soient de bon sens et bien écrites; mais ce n'est pas assez dans les autres, il y faut plaisanter, et c'est une étrange entreprise que celle de faire rire les honnêtes gens. » Dépassant les règles, rabaissées au rang de simples « observations aisées », il faisait appel, au bénéfice de la comédie, à ce goût du plaisir, à cette sorte d'instinct qui prend « par les entrailles ».

Étrange entreprise, surtout si l'on songe que les honnêtes gens ne constituaient pas à ses yeux, comme on pourrait croire, un cercle restreint. On a trop dit que Molière voulait plaire au parterre, aux spectateurs « à quinze sols ». S'il fait leur éloge dans *la Critique de l'École des femmes*, il ne néglige pas l'arrêt des courtisans. « La grande épreuve de toutes les comédies, c'est le jugement de la cour ;... il n'y a point de lieu où les décisions soient si justes. » Le bourgeois parisien d'une part, tout proche du peuple, et, d'autre part, ces gens de goût, ces « délicats », dont les appréciations spontanées, nourries par l'usage du monde, surpassent tout le savoir « enrouillé » des docteurs, voilà l'auditoire de Molière. Il a le sens des nuances, et voit les meilleures têtes de Versailles aussi différentes des marquis ridicules que peut l'être le bourgeois vaniteux Jourdain de sa femme ou de Cléonte.

Il cherche donc à provoquer dans ce large public le rire, réflexe capricieux, si facile à déchaîner, mais aussi, à d'autres moments, si rebelle, si vite lassé, si avide de renouvellements. Il n'en est pas l'inventeur. Il y avait eu le rire d'Aristophane, fantaisie ailée des chœurs, caricatures des gens en place, parodies et obscénités : Molière n'y prendra à peu près rien. Ménandre avait fait connaître, au IVe siècle, le rire plus discret qui naît de la peinture des caractères observés dans la vie quotidienne. Chez les Latins, Plaute, par la richesse d'imagination, par l'abondance verbale, invitait au rire franc, lourd, puissant. Puis était venu Térence, le Ménandre latin, Térence, la plus haute autorité pour toute notre époque classique et pour le XVIII⁰ siècle, où Diderot le désignera comme l'ancêtre du drame bourgeois, de la comédie « sérieuse ». Quand Molière donne *les Fâcheux* au château de Vaux, c'est le nom de Térence, que La Fontaine, traducteur de *l'Eunuque*, choisit spontanément pour l'encenser; Boileau le joindra à celui de Plaute sur l'épitaphe composée pour son ami. C'était pourtant bien autre chose que Térence. Les ennemis de Molière ne se faisaient pas faute de murmurer d'autres noms, dont aurait dû se réclamer, disaient-ils, l'auteur de tant de plaisanteries faites pour rebuter les oreilles sensibles : Scaramouche, et derrière lui toute la comédie italienne, ses déguisements, ses lazzi; la farce française, avec ses victimes consacrées, lourdauds, femmes, médecins; Tabarin même et ses parades du Pont-Neuf. Ils n'avaient pas tout à fait tort. Molière, dès ses débuts, s'est donné de l'espace; il sait que, dans le domaine du rire, il est bon de ne pas être exclusif. Il ne proscrira, dans *la Critique* et *l'Impromptu*, que la « turlupinade », la bouffonnerie de mots énorme et laborieuse. Hors de là, Molière est accueillant à toutes les formes de la comédie, et l'une des originalités les moins contestées de son génie est précisément d'avoir fait la synthèse, d'avoir parcouru avec une virtuosité éblouissante tous les registres du rire.

GRAVURES tirées de l'édition de 1682 des « Œuvres » de Molière. — CL. LAROUSSE.

LA COMÉDIE SÉRIEUSE ET LA COMÉDIE AIMABLE

Pour un disciple exclusif de Térence, amuser les honnêtes gens, ç'aurait été leur offrir des cas « intéressants », émouvants même, tirés de la vie simple; les faire sourire plutôt que rire; leur permettre d'écouter des conversations enjouées, spirituelles; les divertir par le spectacle d'intrigues embrouillées et heureusement dénouées. Sur ces chemins, Molière rencontrait la tradition de la comédie cornélienne. Il n'a pas dédaigné ce genre de comique apaisé, tempéré, allant du « sérieux » à l'« aimable », le moins éclatant dans la gamme. Il a filé des scènes de dépit amoureux, non pas seulement dans la pièce qui porte le titre, mais encore dans *le Tartuffe*, dans *le Bourgeois gentilhomme*. Ce curieux *Dom Garcie*, pour lequel il dut avoir toujours une secrète tendresse, présentait le cas du jaloux (un des grands caractères dramatiques du XVII⁰ siècle), mais d'un jaloux qui n'est ni ridicule ni terrible — ni Arnolphe ou Sganarelle, ni Mithridate; de là cette impression d'agréable divertissement que nous ressentons à nous trouver sans cesse aux confins du tragique et du rire. Ainsi, dans les pièces composées pour les fêtes royales, Molière nous peindra des princesses rebelles à l'amour, des cruelles que l'on attendrit, des galants mis à deux pas du tombeau. Les bergers de *la Pastorale comique* soupirent ce distique :

Mais hélas! quand l'âge nous glace,
Nos beaux jours ne reviennent jamais!

et M⁰ᵉ de Sévigné le cite dans une de ses lettres, pour bercer sa mélancolie. C'était là le ton élégiaque au goût du siècle. Pour quelques répliques de *la Princesse d'Élide*,

de *Mélicerte* et des *Amants magnifiques*, on donnait récemment encore Molière pour un précurseur de Marivaux. On n'oublie pas non plus qu'il a fait sa partie dans *Psyché*, tragédie héroïque. Sur les deux scènes qui lui appartiennent, si l'une est familière, l'autre est pathétique : les adieux du roi à sa fille reproduisent parfois textuellement les vers de l'admirable sonnet que Molière avait adressé à La Mothe Le Vayer pour la mort de son fils. Cornélien dans la scène où don Louis reproche à don Juan ses méfaits, Molière annonce Racine quand Elvire vient éprouver la dureté méprisante de son ancien amant; et dans ces deux moments de l'action, les impertinences du libertin jettent un comique glacé d'un caractère très original. S'il a donné tant de gravité à la scène du pauvre dans *Dom Juan*, à la prière de Marianne dans *le Tartuffe*, au dénouement du *Misanthrope*, s'il a préparé le drame moderne au moins autant que Diderot, c'est qu'il ne renfermait pas la comédie dans d'étroites limites. Il a écrit aussi des passages entiers sur ce ton d'enjouement aisé, qui caractérisa la « comédie moyenne » des Grecs. Molière sait sourire, lorsqu'il fait dialoguer Horace et Agnès, Valère et Élise, Clitandre et Henriette, Éliante et Philinte. C'est avec cette part de son génie qu'il a dessiné la remarquable figure d'Elmire, calme, honnête, belle, élégante, coquette, belle-mère idéale, et assez femme, assez habile pour se mesurer avec Tartuffe, et pour l'abattre.

Il y a peu d'affirmations absolues sur Molière qu'au moins un trait de ses comédies ne vienne contredire. On a soutenu que son rire n'était pas proprement spirituel. Soit, si l'on entend par là certain jeu subtil sur les mots. Mais que dire du prologue d'*Amphitryon*, ou du *Sicilien*? Amabilité, grâce, fantaisie, esprit sont aussi du domaine de Molière.

LA COMÉDIE-SPECTACLE

Divertir les honnêtes gens — et le roi, premier honnête homme du royaume — c'était encore leur présenter un spectacle attrayant, ordonner pour eux tout ce que les artifices du théâtre peuvent offrir de séduisant aux oreilles et aux yeux. On a vu que Molière mit en scène *Psyché*, jouée sur le théâtre des Tuileries, puis sur celui du Palais-Royal, et dont la représentation fut un des moments éclatants du siècle : mythologie somptueuse drapant une belle légende, décors et machines, mélange d'émotion, de familiarité, de poésie. Mais *Psyché* est une tragédie-ballet et une œuvre de collaboration. On saisit mieux le génie propre de Molière organisateur de spectacles à la lecture — trop souvent négligée — des entrées, intermèdes, divertissements de ces quatorze comédies-ballets, où le roi, les premières années, figurait parmi les danseurs. Il y a bien de la verve dans ces livrets, qui tiennent de la clownerie, de la « revue », et récréent l'esprit par l'agitation joyeuse. Que l'on relise seulement les consultations de Sganarelle dans *le Mariage forcé*, la scène du vendeur de programmes dans le ballet du *Bourgeois gentilhomme*, celle de Polichinelle au premier intermède du *Malade imaginaire*. Il semble que, d'année en année, Molière ait senti davantage le parti qu'il pouvait tirer de cette union de la musique, de la danse, de la pantomime et du rire.

Dans ses dernières pièces il élargira les ensembles : turqueries du *Bourgeois gentilhomme*, réception d'Argan dans le corps des médecins. Avec ses moments successifs, rythmés, gradués, et calqués d'ailleurs sur la réalité du temps, avec son latin burlesque aux drôleries calculées, ses chœurs aux refrains entêtés, cantate de la sottise prétentieuse et du pédantisme triomphant, *Clysterium donare, Bene bene respondere*, couronnés par l'apothéose : *Vivat, vivat, cent fois vivat !* la cérémonie finale du *Malade* est, en son genre, un chef-d'œuvre. La bouffonnerie y atteint une ampleur épique. Il n'est pas interdit de penser que Molière, si la mort ne l'avait surpris, aurait exploité de plus en plus ce comique de spectacle, qui parle directement aux sens et soulève le spectateur par une espèce de griserie musicale, d'allégresse symphonique.

LA COMÉDIE-FARCE

La farce nous éloigne davantage encore de la comédie sérieuse ou en demi-teinte : on sait quelle place elle peut revendiquer dans la comédie de Molière. Les honnêtes gens n'y étaient pas rebelles, dans un siècle où les marquis s'égayaient à peu de frais, et, d'ailleurs, les honnêtes gens de tous les siècles ne témoignent-ils pas une complaisance inlassable au genre de rire qu'elle excite ? Toutes les traditions — farce du moyen âge, tabarinades, lazzi d'Italie, burlesque espagnol — apportent à la comédie de Molière leur inépuisable fonds d'attitudes et de mouvements : révérences ironiques, poursuites à travers la scène, soufflets appliqués, manqués ou qui se trompent d'adresse, chutes, bastonnades. Avec le comique des gestes, le grotesque du langage : bégaiements, bredouillements, lapsus, sentences citées de travers, compliments entrecoupés, discours traînards ou courant la poste, charabia, jargons médical, paysan, latin, suisse, limousin, picard, sabir, qui chevauchent les uns sur les autres et rebattent les oreilles. Effets faciles, mais dont Molière garde le contrôle, s'arrêtant là où commenceraient la fatigue et le dégoût. Ce n'est pas chez lui rire grimaçant ni grossier, parce qu'il a la main délicate et le sens de la mesure. C'est du moins un rire franc et sans réticences.

LE BOURGEOIS GENTILHOMME. Gravure de l'édition de 1682. — CL. LAROUSSE.

On en dirait autant d'une espèce de plaisanteries qu'il faut bien relever au passage. Une atmosphère d'alerte, de pétillante gauloiserie enveloppe la plupart des comédies de Molière. Du « le... » d'Agnès aux situations scabreuses d'*Amphitryon* et à certains moments du *Tartuffe*, tout est mis en œuvre pour animer à point nommé la belle humeur des Français. Les fureurs de Bossuet contre ces « équivoques » coupables d' « infecter » les oreilles chrétiennes peuvent faire sourire : comment ne pas avouer que, de son point de vue, il avait entièrement raison ? Molière nous la baille bonne, quand il rejette la faute sur l'auditeur d'esprit mal tourné qui comprend les mots tout de travers et voit à sa guise des sous-entendus ; en donnant cette excuse, il ne se prenait pas lui-même au sérieux. Sur ce point comme sur bien d'autres, il hérite du XVIᵉ siècle. Plus encore que dans *Gargantua* ou dans *Pantagruel*, on dirait qu'il a puisé sa verve dans les chapitres gaillards des *Essais* de Montaigne, qui lui a légué, avec une grande part de sa sagesse, le goût des propos libres et de la verdeur.

La pitrerie de gestes ou de langage, la grosse et grasse plaisanterie, Molière ne les cantonne pas dans les farces, comme dans un genre séparé. Hardiment, il les jette au milieu des scènes de haute comédie : la couardise déjà ubuesque de Moron traverse l'intrigue galante et un peu compassée de *la Princesse d'Élide* ; la présence d'Orgon sous la table, au IVᵉ acte du *Tartuffe*, rend supportable une des scènes les plus audacieuses qu'il y ait au théâtre. On a dit que Molière cherchait ainsi à détendre l'esprit, à bien souligner, même après les épisodes touchant au tragique, qu'il restait dans la comédie. Soit ; mais n'a-t-il pas surtout conçu la farce comme un élément inséparable de la peinture des ridicules humains ? On remarquera qu'il ne conserve pas seulement les types traditionnels d'amuseurs : valets peureux et importuns, campagnards rustauds, victimes des maîtres fourbes. Il nous laisse deviner que chacun de nous peut devenir acteur de la pantomime. Si la farce moliéresque a fini par faire oublier la plupart des autres, c'est qu'avec sa gaieté débordante elle reste humaine. Elle manque assurément du grain de folie, de la fantaisie débridée, qui sont la marque de la farce anglaise. Mais elle garde pour elle ce caractère unique de caricature à peine outrée, qui dessine les contorsions de la marionnette humaine. C'est par des nuances presque insensibles que Molière nous fait passer du burlesque des gestes et du langage aux formes supérieures de la comédie.

LES FORMES SUPÉRIEURES DU RIRE

Non plus le sourire, non plus le rire de la farce, mais le rire tout court, le vrai rire de l'honnête homme.

Une posture grotesque d'un acteur amuse. Dans quelles postures la vie nous laisse-t-elle surprendre tous les jours ? A un critique qui lui reprochait d'avoir présenté Arnolphe ridicule aux pieds d'Agnès, Molière réplique dans *la Critique de l'École des femmes* par la voix de Dorante « que c'est faire là la satire des amoureux, *et que nous-mêmes...* » Les situations piteuses que nous inflige journellement l'existence sont telles que nous ne cessons de jouer la comédie pour les autres, et, quand nous sommes sincères, pour nous-mêmes. Quiproquos, malentendus, rencontres imprévues sont du nombre. Molière ne les néglige pas. Mais il ne se contente pas des moyens éprouvés qui sont la ressource du comique dit « d'intrigue » ou « de situation. » Au début de sa carrière, il avait écrit, et presque traduit de l'italien, l'Étourdi, son Menteur à lui : une tête légère, qui ruine par ses maladresses tout ce qu'un valet rusé invente pour lui assurer le succès, cela vaut bien un imposteur qui s'embarrasse dans ses propres mensonges. Victimes toutes désignées, auxquelles il faut bien revenir de temps à autre, que les tuteurs bernés par leurs pupilles et les maris infortunés. Mais il ne s'en tient pas là. L'homme, en tous ses états, fait rire l'homme. Il suffit de bien placer le miroir et de bien concentrer l'éclairage. Tel est le sens, de cette comédie qu'on pourrait appeler totale, puisqu'elle ne comporte en principe aucune limitation dans le choix des sujets. Il faut pourtant, dans le champ immense des situations comiques, se borner à quelques-unes et les exploiter à fond. Mais il n'est pas douteux que, comme plus tard Balzac, Molière a vu très grand ; d'où l'avidité avec laquelle il s'est emparé des possibilités à portée de sa main.

La tentation était de regarder d'abord autour de soi, dans la société du temps, d'autant plus que Molière est extrêmement sensible à ce genre de ridicules qu'imposent à chacun de nous les déformations du métier, les scléroses de la profession, du milieu, de l'éducation. A défaut de la satire politique, absente de son œuvre (si l'on excepte une curieuse allusion, dans les Fâcheux, aux questions financières et économiques du temps), la satire sociale s'installe largement avec lui dans la comédie. Il faut qu'elle soit bien pénétrante pour s'être si peu démodée. Il nous arrive de rire à contresens parce que les mœurs ont changé ; souvent, nous nous contentons de transposer, en changeant simplement les noms. Nous lisons : snobisme, là où il dit : préciosité ; nous dépouillons le médecin de sa défroque et, pour le reste, rien n'a vieilli. La canaillerie gouailleuse du bûcheron ivrogne Sganarelle, rehaussée d'un vernis «primaire», s'épanouit encore dans cent villages de France, aussi bien que la vanité gourmée de l'homme de lettres Trissotin ou de l'helléniste Vadius dans les cercles littéraires et les sociétés de « spécialistes ». Les métiers parisiens sont croqués avec une justesse infaillible : les professeurs de M. Jourdain, l'entremetteuse Frosine, maître Jacques, le « chef » typique de grande maison bourgeoise. Le porteur de Mascarille qui appuie sa demande de pourboire d'une mimique menaçante (et aussitôt efficace) est un précurseur. Molière obtient, par des moyens à lui, cette netteté de traits dans la peinture des conditions sociales qui caractérise les Fables de La Fontaine.

L'homme, l'homme toujours, en dehors même de sa profession, de son état, dans son comportement quotidien. Le gibier ordinaire : entêtés, ahuris, radoteurs, pédants, barbons, ne suffit plus à Molière. Son rire se joue dans ce domaine qui est celui même de nos passions, de nos tempéraments, de nos caractères. Le personnage tout d'une pièce, risible de la tête aux pieds, Diafoirus, Purgon ou Bélise, ne se rencontre pas fréquemment à l'état pur. Le ridicule presque toujours se mêle à d'autres éléments. Combien de fois ne nous est-il pas

arrivé, séduits d'abord par l'extérieur d'un homme, et même par les qualités réelles de son esprit et de son cœur, de découvrir en lui une région interdite, un mur qui résonne sous le pic, et qui est, selon les cas, préjugé endurci, sentiment racorni ou vice invétéré ? Molière est incomparable pour ce diagnostic. Chez Orgon, parfait honnête homme, le mur, c'est la foi en Tartuffe ; Arnolphe est intelligent, a « de l'esprit » (pourquoi ne pas écouter Molière qui nous le dit, dans la Critique, en propres termes ?), mais est perdu par sa crainte d'une infortune conjugale ; chez Philaminte, femme de tête, femme supérieure à tant d'égards, c'est l'engouement pour la science qui déchaîne la déraison. Et l'homme est ainsi fait que ce point de corruption gâte tout ; cette tare unique jette le personnage, à la vue de tous, mais à son insu, dans des contradictions énormes, et, en même temps, avec une terrible logique, le pousse à l'entêtement, à l'obstination, en dégage un monstre d'inconscience, d'égoïsme ou de cynisme, menaçant, comme Jourdain, de casser la tête à sa femme, sacrifiant, comme Philaminte, sa fille, ou, comme Orgon, tous les siens : êtres désarmants par les mots qui révèlent, avec une parfaite candeur, l'impossibilité où ils sont tombés d'exercer sur eux-mêmes le moindre sens critique. Quand Harpagon aura regardé les mains de La Flèche, dans sa hâte fiévreuse frénétique, de découvrir le vol, il criera : « Les autres ! » (et non, comme chez Plaute, « la troisième ») ; Fénelon n'a pas voulu sentir la différence). Orgon, la première fois qu'il a vu Tartuffe, misérablement vêtu, si humble, si modeste, a pensé en lui-même : « le pauvre homme ! ». Il continuera à le dire imperturbablement, malgré le teint vermeil, l'appétit aiguisé et la donation acceptée.

Ceux qui ont reproché à Molière ses outrances, ou ne les ont expliquées que par les nécessités de la scène, par l' « optique du théâtre », n'ont jamais regardé ni écouté les hommes, à commencer par eux-mêmes. Car de ce rire nous sommes tous justiciables ; ni privilèges ni exceptions. Un jour, dans cette série humaine, Molière a imaginé Alceste. Il s'est avisé que le comique serait d'autant plus sensible qu'on le découvrirait non pas chez un grotesque,

LE MÉDECIN MALGRÉ LUI. Gravure de l'édition de 1682. — CL. LAROUSSE.

non pas même chez un individu moyen, mais dans un monde raffiné, chez un être d'élite. Il est évident que Molière a multiplié les précautions pour nous présenter Alceste comme un homme de premier ordre. Rousseau l'a très bien vu. Tout le monde l'estime, tout le monde l'admire ; il n'aurait qu'un mot à dire pour faire fortune à la cour. Son originalité même ne serait pas un obstacle à une brillante carrière. Toutes les femmes raffolent de lui ; il est, c'est trop clair, le préféré de Célimène. A-t-on remarqué que jamais on ne rit de lui hors de sa présence ? L'occasion ne manquerait pourtant ni aux marquis, ni à Philinte, ni à Oronte, ni à Célimène. Or, on n'exprime à son égard, derrière son dos, que sentiments qui lui font honneur. Oronte est jaloux de lui. Éliante le juge noble, héroïque ; Célimène n'envisage pas sans dépit le jeu d'Arsinoé :

Et même pour Alceste elle a tendresse d'âme.
Ce qu'il me rend de soins outrage ses attraits.
Elle veut que ce soit un vol que je lui fais.

Parlerait-elle ainsi — devant Acaste et Clitandre — si elle se moquait d'Alceste et dédaignait son amour ? Et pourtant, cet homme supérieur, ce privilégié de l'esprit a aussi son défaut, si honorable au reste : une vertu trop rigoriste ; un excès dans les affirmations, dans les gestes ; bien peu de chose parfois, une dissonance très légère ; et cela suffit pour que la vie le châtie, pour qu'il s'empêtre à son tour dans les contradictions, les petites tricheries, les petites capitulations : « Je ne dis pas cela. » « Vous me trompez sans doute avec des mots si doux... Mais il n'importe... ! ». Quand il offre son cœur à Éliante, ou le rend à Célimène, il est sublime —, avec une pointe de ridicule dans l'expression :

> Oui je voudrais qu'aucun ne vous trouvât aimable...

Déclaration d'amour ardente, passionnée. Mais Célimène y a déjà saisi un trait d'exagération comique :

> C'est me vouloir du bien d'une étrange manière...

et cette simple nuance d'ironie les sépare plus que toutes les trahisons. Dans la scène finale, où, entraîné par son sujet, Molière montre Alceste à la fois si clairvoyant et si noble, qu'est-ce qui ramène le sourire, sinon encore une faute de ton, et, chez ce grand sincère, un soupçon d'attitude théâtrale ?

> Trahi de toutes parts, accablé d'injustices,
> Je vais sortir d'un gouffre où triomphent les vices...

LE MÉTIER

Par le caractère universel et la diversité du rire qu'il provoque, Molière avait ouvert des perspectives infinies. Après lui, la transformation de la société, l'évolution de la psychologie permettront de découvrir d'autres sources de comique. Mais trouver des idées de comédie n'est qu'une moitié de la tâche. La maîtrise de Molière s'affirme au moins autant par la qualité du métier que par le génie d'invention. Sur ce point, tout le théâtre, dans les genres les plus différents, a profité de ses expériences.

Art de théâtre, au premier chef. Molière auteur pense, écrit, compose pour l'acteur. On put s'en apercevoir dès la représentation des *Précieuses*, et c'est par là sans doute que la pièce conquit d'emblée le public. Sitôt que Mascarille est entré, tout harnaché et pomponné, apostrophant les porteurs, agitant ses rubans, il s'installe et s'impose avec une autorité souveraine. Et qu'est-ce que la présence scénique d'un Mascarille, comparée à celle d'un Tartuffe, d'un Alceste, d'un don Juan ! Non moins forte l'impression d'authenticité. C'est du théâtre, et c'est la vie, tout juste transposée : journée chez Célimène, visites chez don Juan ; Harpagon distribuant le travail à ses valets ; la matinée de M. Jourdain ; l'affolement de la famille d'Orgon au Vᵉ acte du *Tartuffe*. C'est à peine si l'on sent le besoin du décor que nos théâtres contemporains ont recréé pour les scènes d'intérieur.

Justesse et vérité : tout est là pour Molière. Seule une analyse détaillée rendrait compte de l'exactitude des nuances dans les grandes scènes et aussi bien dans de courts fragments de dialogues, dans une simple réplique. Quand Jourdain veut parler ce qu'il croit être la langue turque, ses lapsus, ses bévues sont très précisément ceux d'un ignorant qui s'évertue à employer un langage inconnu. Nicole pouffe devant son maître : les soubresauts de sa crise expriment avec un naturel parfait l'évolution physiologique d'un fou rire.

Art vrai ; art intense. L'exploitation totale des ressources est un des principes de Molière. Les personnages ridicules ne le sont pas à demi ; ils s'épanouissent dans leur aveuglement ou leur sottise. Molière ne craint ni de renforcer ni de redoubler les coups. L'aveuglement d'Orgon est immense, monumental ; lorsque nous croyons son effet comique épuisé, le ridicule retombe d'un bloc sur Mᵐᵉ Pernelle et fait partir une nouvelle gerbe d'étincelles.

L'explication parodique et l'exécution du sonnet de Trissotin-Cotin ont quelque chose d'implacable, d'assommant, eût dit Saint-Simon. Ce n'est pas à une ou deux reprises, mais jusqu'à neuf fois (neuf monologues) qu'Arnolphe dissèque, analyse, remâche et rumine sa déconfiture.

Molière a montré par une foule d'exemples que le grand artiste est celui qui ne recule pas devant ses créations, qui va jusqu'au bout de sa pensée et de ses audaces. Il triomphe dans ces moments où, entraînés par la logique de leur caractère ou des circonstances, les personnages, comme dans la vie réelle, laissent spontanément jaillir du plus profond d'eux-mêmes les traits révélateurs. Alors, parfois, la fièvre monte, le rire franc fait place au malaise ; des dessous fangeux ou navrants se découvrent ; des gestes, des attitudes accusent une situation brutale. Il s'agit de bien autre chose que d'un mot cru ou d'une bonne gauloiserie. Arnolphe, aux genoux d'Agnès, à bout d'arguments et de prières, finit par lui promettre, en termes voilés mais suffisamment explicites, d'être pour elle un mari complaisant. Don Juan, pour faire jurer le pauvre et se donner le spectacle de son humiliation, lui passe sous le nez un louis d'or : « Prends, prends donc », et finit par le lui jeter avec cette phrase : « Va, va, je te le donne pour l'amour de l'humanité », dont on a discuté le sens, mais où il est bien difficile de ne pas voir simplement une pirouette cynique, un suprême sarcasme ; le même don Juan, qui a congédié Elvire, est repris d'un âcre désir devant son costume négligé et ses larmes. Trissotin, un sourire calme et glacé aux lèvres, dit en face à Henriette qu'il l'aura malgré elle ; et Henriette, la voix vibrante de rage et de mépris, lui décrit le sort qu'en revanche elle lui réserve. On a cité la réplique de l'*Avare*, à qui Frosine promet qu'il vivra cent ans et enterrera ses enfants : « Tant mieux ! » Dans une autre scène moins célèbre, Frosine prodigue à Marianne, convoitée par Harpagon, à peu près les mêmes conseils que le notaire Bourdon des *Corbeaux* donnera à Marie Vigneron, promise au vieillard Tessier. Elle dépeint à la jeune fille la chance d'être bientôt délivrée du vieux mari, d'en prendre un autre « qui réparera toutes choses » ; et que répond la douce Marianne ? que ce calcul lui répugne ? Non pas : « C'est une étrange affaire, lorsque, pour être heureux, il faut souhaiter ou attendre le trépas de quelqu'un, *et la mort ne suit pas tous les projets que nous faisons*. » Becque et Mirbeau ne diront pas mieux. Ces hardiesses, où nous aimons à voir apparaître le tréfonds humain, et dont Lesage usera dans *Turcaret*, avant que s'en emparent le théâtre et le roman réalistes, c'est à coup sûr Molière qui le premier les a fait entendre sur la scène française. Il n'a trouvé ni les moins mordantes, ni surtout les moins naturelles.

L'écueil d'un art aussi puissant pourrait être la lourdeur. Mais si Molière a la force, il ne possède pas moins l'esprit critique, le goût qui surveille, contrôle, prévient l'excès. Il pratique l'économie des moyens, la modération dans l'énergie : talent particulièrement efficace dans les scènes de farce, où il est si facile de passer la mesure. Il abrège, allège, simplifie ; pour que le trait porte, il l'aiguise, il l'affine ; sa manière à lui est toute de prestesse et d'alerte vigueur.

C'est que mouvement et rythme sont essentiels à son théâtre. Rien de traînant ni de convulsif : le rire s'installe, s'étend par des moyens éprouvés, maniés d'une main experte — contrastes, parallélismes, *crescendo* —, nous plongeant dans un état d'euphorie joyeuse. D'acte en acte, les sottises s'accusent, s'enrichissent. Ce qui est vrai de l'ensemble d'une pièce l'est aussi de scènes prises à part. Nous ne ressentons pour ainsi dire jamais l'impression d'un ralentissement (sinon calculé) ni d'un accrochage. Les passages de gros effets attestent un métier aussi sûr que les moments supérieurs. C'est un train d'enfer, un feu roulant, mais presque mathématiquement réglé. Voici une des scènes les plus critiquées de Molière, une des moins originales pour l'invention, disons une des plus grossières : Scapin rouant de coups Géronte enfermé dans le sac. Pour faire croire à une agression, Scapin contrefait la voix d'un Provençal, puis la voix d'un Suisse, puis la voix de cinq, dix ennemis à la fois ; il s'enivre de férocité, il devient un virtuose de la vengeance ; et la scène, qui sans cela serait pesante, ignoble si l'on veut, prend un caractère d'art par le rythme magistral.

On a vivement discuté la composition des comédies de Molière. A-t-on assez répété qu'il ne se souciait pas de l'intrigue et qu'il bâclait les dénouements ? Il n'en est pas moins vrai qu'après ses premiers essais, il ne se contentera plus de la comédie « à tiroirs » ; il s'excuse même d'en avoir usé, dans la préface des *Fâcheux*.

« Diversité, c'est ma devise » : le mot de La Fontaine pourrait être de lui. Autant de pièces, autant de constructions différentes. Il en est dans le nombre de fort savantes. *L'École des femmes* met en mouvement un mécanisme impeccable : Arnolphe se débat, se raccroche à une espérance, se hisse au bord du trou pour retomber chaque fois un peu plus bas. Dans *Dom Juan*, le héros mène l'action d'un bout à l'autre, confronté successivement avec les autres personnages. L'amoureux, l'impie, le gentilhomme, l'hypocrite se dégagent tour à tour, et le IVe acte, l'acte des visites, apparaît, dans cette pièce réputée décousue, comme un chef-d'œuvre de structure. La *Lettre sur l'Imposteur* ne nous laisse pas méconnaître les habiletés calculées de l'intrigue du *Tartuffe*, ni les raisons qui ont incité Molière à repousser jusqu'au IIIe acte l'entrée du protagoniste. Dans *les Femmes savantes*, c'est le système des deux groupes qui assure l'équilibre de la pièce : le groupe des fous contre le groupe des sages, chacun des personnages apportant sa nuance personnelle. L'intrigue du *Misanthrope* se résout peu à peu en un grand duo ; et si Molière conclut parfois à la diable, est-il pourtant dénouement plus satisfaisant pour l'esprit que celui de cette comédie ?

La même prudence s'impose pour juger son style. Les ratiocinations de Fénelon, de Schérer sont un bel exemple de critique étroite. Leurs observations vétilleuses ont négligé les qualités éminentes de Molière écrivain : énergie et mouvement. Ce n'est pas assez de dire que Molière s'efface derrière ses personnages, que ce sont eux, et non lui, qui parlent. On ne saurait trop dire, chez les poètes comme chez les prosateurs, l'importance de la phrase, élément organique du style, et, dans la phrase, celle du rythme, qui révèle si bien la nature propre de l'artiste. Or Molière, qui s'était exercé dans ses débuts aux morceaux de bravoure (la tirade de Mascarille, du *Dépit amoureux*), en est arrivé progressivement à élaborer la période, si caractéristique de son art, à la fois ample et drue, de syntaxe irréprochable, équilibrée et lancée en même temps à toute allure, la période qui, dans *l'École des femmes*, commence à occuper quinze, vingt vers d'affilée. Cette phrase, avec les variantes et les transpositions qu'imposeront les situations et les sentiments, on la réentendra, en prose ou en vers, dans la bouche de Cléante dénonçant le jeu des hypocrites, de Don Louis apostrophant son fils, de Clitandre pourfendant Trissotin, de Don Juan expliquant à Sganarelle ses roueries amoureuses, de Tartuffe cherchant à séduire Elmire ou de

LE MISANTROPE — L'AVARE

ILLUSTRATIONS de P. Brissart ornant l'édition de 1682. — CL. LAROUSSE.

Diafoirus présentant son fils Thomas, et d'un bout à l'autre dans le rôle d'Alceste. Entre ces morceaux si différents, il existe une parenté indiscutable. Molière a pu faire parler les personnages selon leur condition et selon les circonstances. Il leur a aussi imposé un style, un rythme reconnaissables entre tous, parce qu'ils sont « de l'homme même ».

Il importe peu après cela de relever quelques chevilles ! L'excellence de la forme chez Molière, qui doit tant à Rabelais, à Montaigne, et se situe, pour la franchise du trait, à côté de ses contemporains, Mme de Sévigné et La Fontaine, est une qualité frappante à la lecture, éclatante au théâtre. Si son œuvre s'est maintenue constamment sur la scène française, c'est bien parce qu'elle a offert aux acteurs de tous les temps un tremplin merveilleux et donné au public l'impression qu'elle n'avait pas une ride. Justesse, intensité, mesure, tout se résume ici encore en un mot : la maîtrise.

LES GRANDES PERSPECTIVES

Molière est partout Molière. Dans les moindres de ses œuvres, un dialogue enlevé, une constante vivacité de plume font reconnaître sa main. Des esprits raffinés sont restés sensibles à ses farces ; Taine n'y découvrait pas moins de philosophie que dans les grandes comédies. Mais non sans paradoxe. C'est nier une hiérarchie qui saute aux yeux. Boileau n'avait pas tort de mesurer la distance qui sépare Scapin d'Alceste. Quatre ou cinq fois, Molière donne l'impression de s'être surpassé ; sans faire preuve d'un métier plus sûr, il a exprimé plus fortement, visé plus haut. Sganarelle, Jourdain, Harpagon ont des limites ; on en fait aisément le tour. D'autres personnages offrent plus de résistance, posent plus de problèmes ; ils attirent davantage par la richesse de pensée que leur conception suppose. Par là, *l'École des femmes* l'emporte sur *l'École des maris*, *les Femmes savantes* sur *les Précieuses*, *le Malade imaginaire* sur *le Médecin malgré lui* ; *Dom Juan*, *le Tartuffe* et *le Misanthrope* sur *l'Avare* ou *le Bourgeois gentilhomme*, et sur tout le reste. Molière, dans ces quelques chefs-d'œuvre, affirme une vue du monde, ou du moins une attitude en présence des grandes questions humaines.

On éprouve quelque peine à débrouiller les sources de la pensée de Molière. Balzac, dans *les Illusions perdues*, dit de son héros d'Arthez qu'il ne voulait se mettre à écrire pour le théâtre qu'après avoir fait, comme Molière, de profondes études philosophiques. Mais quel témoignage nous assure que le poète comique ait été, au sens propre du mot, un philosophe ? Qu'il soit au courant des questions posées dans les écoles de son temps, ce n'est pas une preuve. Autant vaudrait supposer qu'il avait fait ses études de médecine parce qu'il évoque les théories sur la circulation du sang, ou qu'il était philologue parce qu'il a transposé le manuel de Cordemoy.

Contentons-nous de ce que son théâtre nous révèle : un humaniste, à coup sûr. Molière, comme la plupart de ses contemporains, a puisé dans l'Antiquité cette connaissance de l'homme clairvoyante, désabusée, sympathique pourtant, à laquelle contribuent les livres et la vie. Or, un siècle auparavant, les *Essais* avaient filtré la masse d'expériences humaines qui vient des Anciens. Montaigne est cité tout au long dans *l'Amour médecin*, et, par allusions, dans mainte autre pièce. N'est-ce pas de lui que procède cette conception de la nature, dont le prestige fut certainement très grand sur l'esprit de Molière ?

Nature : ce n'est pas seulement pour lui ce goût du « naturel » à la mode après 1660, naturel dans le jeu de l'acteur — Molière, chef de troupe d'avant-garde, optera contre l'emphase, prétendant jouer simplement, humainement, même la tragédie —; naturel dans l'art littéraire. Nature, c'est un ensemble de forces auxquelles le chapitre *De l'expérience*, au livre III des *Essais*, recommandait d'accorder confiance. Mathurin Régnier, autre précurseur, avait fait de cette notion la substance philosophique de ses *Satires*. Il ne paraît pas douteux que Molière l'a transportée sur le théâtre. De quoi d'autre pourrait-il être question dans *le Malade imaginaire* ? « La nature, d'elle-même, quand nous la laissons faire, se tire doucement du désordre où elle est tombée. C'est notre inquiétude, c'est notre impatience qui gâte tout. » Par la voix de Béralde, s'exprime ainsi *in extremis* une sorte d'optimisme naturiste, qui fait écho aux indulgences de Philinte; car de cette nature il faut connaître la puissance, mais aussi les limites. « Je doute qu'une si grande perfection soit dans les forces de la nature humaine; et je ne sais s'il n'est pas mieux de travailler à rectifier et adoucir les passions des hommes que de vouloir les retrancher entièrement. » Ces lignes sont tirées de la préface du *Tartuffe* : théorie des passions bien raisonnable à nos yeux, mais qui, en présence de certaines positions traditionnelles, pouvait paraître hardie, scandaleuse, et dont les conséquences extrêmes séduiront beaucoup d'esprits au siècle suivant. Acceptation lucide, qui n'exclut pas un contrôle ni une volonté de redressement, mais qui prend d'abord les choses telles qu'elles sont, sans se fier aux idéaux trop ambitieux ; vues critiques d'un esprit qui ne sera rebelle à aucune expérience, et se dressera en ennemi seulement contre les vices, les sottises et les opinions immobiles : tout cela se nomme sagesse. Sagesse à la mesure humaine. « Sagesse gaie », disait Montaigne; ce n'est pas Molière qui y contredit, lui qui met justement l'accent sur la valeur morale, tonique, libératrice, du rire.

D'autre part, Molière appartient à un siècle où la vie de société a trop d'importance pour que la sagesse n'y trouve pas son domaine privilégié. Stendhal l'a bien remarqué et déjà Voltaire : « Molière a fondé l'école de la vie civile. » Leçon adaptée à la comédie, certes, mais très constante, très fermement soutenue, jusque dans ses préjugés et ses étroitesses ; car ce bourgeois en rupture de ban, loin de faire figure de révolté, exprime un idéal de vie sociale que son horreur des affectations et des excès cantonne trop, au gré de certains, dans une médiocrité raisonneuse et satisfaite.

Un mélange donc de prudence et d'audace, de bon sens terre à terre et de jugement hardi, qui a fait considérer Molière (ici partisan des nouveautés, là traditionaliste) tour à tour, et aussi arbitrairement, comme un défenseur des idées les plus conservatrices et comme un apôtre de la pensée libre : il y avait là de quoi nourrir des comédies à thèse. Heureusement, Molière est avant tout créateur de types humains. On se rappelle l'admirable définition que Balzac donnera de ses propres héros dans l'Avant-propos de *la Comédie humaine* : « Conçus dans les entrailles de leur siècle, tout le cœur humain se remue sous leur enveloppe : *il s'y cache souvent toute une philosophie.* » La formule convient à Molière. Chez lui aussi, c'est moins le raisonneur que le créateur d'âmes nuancées et vivantes qui se révèle philosophe authentique.

D'abord dans *l'École des femmes*, « l'œuvre la plus personnelle », dira Michelet, « qui soit sortie de son génie ». Un thème gaulois rebattu, mais quel couple original! Arnolphe, l'homme de quarante ans, cultivé, capable de ratiociner lui aussi en lecteur des *Essais*, mais trop calculateur, trop égoïste, trop entêté dans ses idées pour que la vie ne lui inflige pas un châtiment; Agnès, l'ingénue aux naïvetés profondes, qui devient la jeune fille ravie de découvrir l'amour, conquérant avec lui l'intelligence, le jugement, la force de défendre son bonheur ; bientôt dominatrice à l'égard d'Horace et, devant le quadragénaire effondré à ses pieds, révoltée ou froidement méprisante ; image éternelle de l'amour jeune, implacable.

Après d'innombrables gloses, *le Tartuffe* demeure à bien des égards une œuvre chargée de mystère. Molière s'y déchaîne contre un vice, l'hypocrisie, qu'il a détesté de tout son cœur, comme le prouvent *Dom Juan* et *le Misanthrope*. Mais la rencontre avec la religion complique singulièrement le problème. Les précautions de Molière (après quelles audaces supprimées ou tempérées ?) n'ont rien ôté à ce qui frappe les spectateurs depuis trois siècles : la présence continuelle, dans une comédie, de l'idée religieuse ; le langage et les gestes de la piété mêlés à des effets comiques ; la peinture d'êtres sincèrement croyants qui n'en sont pas moins ridicules ou funestes.

Certes, l'attitude de Molière en présence de la religion doit être étudiée, comme le fut récemment celle de Rabelais, avec une extrême prudence, et sans oublier que certaines positions auraient été inconcevables à l'époque. Nous admettons volontiers, en suivant les plus récents commentateurs, que, d'accord avec beaucoup d'esprits de son temps, Molière n'a déclaré son hostilité qu'à une conception rigoriste et tyrannique. Pourtant, que la piété, la vraie

L'ÉCOLE DES FEMMES. Frontispice de Fr. Chauveau pour l'édition originale (1663).
CL. LAROUSSE.

piété, sorte intacte de l'intrigue du *Tartuffe*, n'est-ce pas difficile à soutenir ? Comment oublier non seulement la rage des dévots contre Molière, mais l'animosité tenace d'un Bossuet, qui date évidemment de ces années-là ? Est-il possible de croire que Molière ne s'est pas représenté exactement la portée de ses audaces, lui si lucide, si maître de sa pensée, et assurément si intelligent ? Tout au contraire, nous retrouvons ici cette loyauté, ce sérieux qui le poussaient à aller au fond des choses, à embrasser toute l'étendue d'un sujet. Racine avait noté que les jansénistes envoyaient les jésuites au *Tartuffe*, tandis que les jésuites se réjouissaient d'y voir confondre les jansénistes. Il s'agissait là de factions rivales entre lesquelles les croyants n'étaient pas forcés de choisir. Mais l'objectivité de Molière en ces matières ne témoigne-t-elle pas déjà d'une grande indépendance de pensée ? Il se défend, dans sa préface, d'avoir imité les farces du temps, où l'on ne se faisait pas faute de bouffonner sur la religion : *Scaramouche ermite*, entre autres. Sa manière à lui, pénétrante et profonde, ne risquait-elle pas d'inquiéter davantage ? Marquer le partage, non seulement entre la vraie et la fausse dévotion, mais aussi — et c'est bien plus délicat — entre la dévotion sage et la dévotion outrée ; prêcher la mesure, la raison, le juste milieu en cet ordre d'idées sont tâches autrement périlleuses que lorsqu'il s'agit des convenances dans le mariage ou de l'éducation des femmes. Après tout, « la puce tuée avec colère » dont Cléante invite tout le public à se gausser, c'est un trait dont on trouverait la source dans la *Vie des saints*. Le jeu, à cette limite, devient scabreux, et peut-être révélateur.

Toutes les grandes comédies de Molière posent des questions analogues, mais *le Tartuffe* d'une manière bien plus pressante. La critique de Rousseau dans la *Lettre à d'Alembert*, moins paradoxale qu'on ne l'a prétendu, prend ici toute sa force, bien qu'il n'ait pas appuyé sa démonstration sur *le Tartuffe*. N'est-il pas vrai qu'on sort du *Misanthrope* tout disposé à trouver fort incommodes les sermons d'une vertu irréprochable ? N'est-il pas vrai qu'après *les Femmes savantes*, tout homme parlant de grec et de latin, fût-il savant authentique, sera suspect, même à un faible degré, de pédantisme et de cuistrerie ? C'est le risque d'un comique aussi ample, d'une conscience des ridicules humains aussi aiguë. N'oublions pas que Molière s'est attaqué d'abord (disait-il) à la « mauvaise médecine », à la médecine mal comprise, pour finir par rompre en visière, sans voiles ni ménagements, à la médecine tout court. L'aveuglement d'Orgon, dans *le Tartuffe*, qui va jusqu'à le rendre grotesque et odieux, n'est pas le fait d'une imbécillité foncière (la belle idée qu'aurait eue Molière de traiter comme un imbécile un bourgeois fidèle à la cause royale !) C'est une certaine conception de la piété qui a rendu l'honnête homme vulnérable, et qui repose sur une foi profonde, parfaitement sincère. Comment un pareil portrait ne laisserait-il pas, en dépit de tout, quelques doutes sur l'arrière-pensée de Molière ?

Que signifie, d'autre part, l'atmosphère singulière où se meut l'action ? Quel besoin non seulement de rappeler les services rendus par Orgon pendant la Fronde, souvenir tenace, on le sait, pour Louis XIV, mais d'imaginer cette histoire de cassette recélée par bonté d'âme, de secrets

LE TARTUFFE. Frontispice de l'édition originale (1669). — CL. LAROUSSE.

politiques, de criminel d'État, pour figurer enfin en Tartuffe, d'une façon assez inattendue, un bandit déjà recherché sous d'autres noms, artisan d'affaires louches et d' « actions toutes noires » ? Molière ne s'était pas refusé, dans ses premières comédies, quelques allusions à l'actualité, à tel édit royal par exemple. Ici, la police d'État, la justice, l'autorité du souverain sont au premier plan. Le moins qu'on puisse en dire est que *le Tartuffe* se rattache sans doute plus étroitement que nous ne le pensons aux incidents de la politique intérieure de Louis XIV durant les premières années du règne.

On en discutera longtemps encore. Du moins, l'accord est fait sur l'énergie de la peinture. Confit en dévotion, mais resplendissant de santé et de gourmandise ; tout à la fois scandaleusement contradictoire et logique, comme la vie même ; poète éloquent, avec des accents presque modernes de mysticisme sensuel, dans la déclaration à Elmire ; cynique, rusé, comédien consommé, et pourtant égaré par une passion terriblement sincère au point de perdre toute prudence (il a bien regardé partout, mais n'a pas songé à soulever le tapis de la table...) ; puis, une fois démasqué, effrayant de haine, moins enragé, soyons-en sûrs, contre Orgon, que contre cette femme convoitée, dont il a pu croire qu'elle allait lui céder, et qui l'a joué comme un enfant ; dès lors, se jetant de folie en folie, parce qu'il n'aspire plus qu'à la vengeance ; courant tête baissée à sa perte, pourvu qu'il ait détruit d'abord cette famille abhorrée, Tartuffe est une figure d'un relief extraordinaire. Et lorsque Elmire consent à jouer le grand jeu pour le démasquer, la scène où elle feint la vertu mourante, où elle déploie, avec un mélange de gaucherie et de virtuosité, toutes les ressources de l'astuce féminine, et où elle risque d'ailleurs le pire, n'ayant assez mesuré ni la longanimité de son mari ni la brutalité de l'autre, cette scène est un des sommets du théâtre.

Dom Juan ou la vie d'un athée... On a tout dit sur l'originalité de cette création, l'œuvre préférée de ceux qui, depuis le Romantisme, trouvent toujours qu'il manque à Molière un « je ne sais quoi » pour qu'on l'égale à Shakespeare. Un de ses aspects les plus frappants, c'est que le héros, monstre de vices, n'est à aucun moment ridicule. Il mène le jeu avec une assurance intrépide. Choisi par Molière pour bafouer ses vieilles ennemies : la médecine et l'hypocrisie (avec quelle véhémence dans la grande tirade du Ve acte !), il a des moments de hautain défi, de courage et de bravade qui le mettent bien au-dessus d'un Tartuffe ; presque admirable lorsqu'il tend sans broncher sa main au spectre : « La voilà... » Pas un trait qui ne révèle le grand seigneur, jusqu'au détail le plus insignifiant en apparence. La première fois qu'il revoit Elvire : « Est-elle folle de n'avoir pas changé d'habit et de venir en ce lieu-ci avec son équipage de campagne ? » Qui, à ce réflexe, ne reconnaîtrait le mondain ?

C'est une des pièces où Molière a dû exploiter le plus de choses vues ou entendues (la scène du pauvre pourrait bien être du nombre), une de celles aussi où il a le moins reculé devant le développement logique de son héros. Il est difficile de ne pas prendre au sérieux les affirmations d'athéisme de don Juan. Soutenir que la simple croyance populaire sort victorieuse de la grande dispute «philosophique» du IIIe acte entre Sganarelle et son maître, c'est méconnaître la gravité des propos du libertin, soulignée par le ton, par l'apostrophe même : « Je crois que deux et deux sont quatre, Sganarelle, et que quatre et quatre sont huit. » Molière ne prend pas le parti de don Juan, c'est possible, mais il n'a pas triché avec le personnage; et il est troublant que, dans une scène aussi poussée, il lui ait donné le beau rôle.

Si le Tartuffe l'emporte par la vigueur farouche du portrait, Dom Juan par la fantaisie et l'audace, Molière a traité dans le Misanthrope le grand sujet de son temps, et de deux siècles de vie française. Avec la plus intelligente impartialité, il distribue ses coups de pointe. Car si Alceste fait sourire, on ne peut nier que la peinture du salon de Célimène constitue une satire de la haute société : la lettre de Donneau de Visé ne permet pas d'en douter. Au milieu d'une existence mondaine codifiée, raffinée, c'est un coup de génie d'avoir jeté cet indépendant, ce non-conformiste que tout le monde supplie de jouer le jeu auquel

DOM JUAN. Gravure de l'édition de 1682.
CL. LAROUSSE.

lui seul se refuse, furieux contre une humanité qui ne cessera de lui fournir (de siècle en siècle...) des raisons pertinentes d'enrager, et prenant pourtant l'univers à témoin de ses mésaventures. Rousseau restera stupéfait d'avoir été presque deviné et dépeint d'avance par Molière. Célimène, déjà esquissée dans l'Orphise des Fâcheux et l'Elvire de Dom Garcie, n'est pas une création moins accomplie : nullement intrigante, ni coquette sans vergogne (il lui serait si facile, dans sa débâcle, d'accepter l'offre d'Alceste, quitte à le rendre plus tard ridicule!); incertaine d'elle-même; peut-être au fond impuissante à aimer; émouvante, après tant d'éclatantes saillies d'esprit, quand elle s'avoue vaincue et qu'elle répond par un cri instinctif au pardon un peu écrasant d'Alceste :

...La solitude effraye une âme de vingt ans...

Il y a plus de raideur dans les Femmes savantes. Nulle part, en revanche, l'idéal de sagesse tempérée, ce compromis rêvé par Molière entre la bourgeoisie raisonnable et les éléments sains de la cour ne s'est affirmé plus clairement que dans les tirades de Clitandre. Nulle part le rire ne dissout, d'une manière plus franche, des sottises qui sont de tous les temps, et ne fait triompher avec tant d'autorité le bon sens sur la déraison.

Enfin, si le Malade imaginaire n'est pas, comme le veut André Gide, le chef-d'œuvre de Molière, c'est en tout cas son plus grand acte de courage. Faire rire avec un des sentiments les plus âpres qui soient, la panique devant la maladie, devant la mort, et cela au moment même où maladie et mort le tenaient à la gorge : rien ne prouve mieux à quel point Molière s'était engagé dans sa tâche d'artiste. Comme il arrive à la fin de leur carrière aux grands créateurs, Balzac, Flaubert, il crée des personnages symboliques, simples de lignes et typiques. L'éternel obscurantisme, joint à l'éternelle illusion des pères jugeant leurs fils, s'étale dans la tirade de Diafoirus; et Purgon, en face de l'humanité pantelante d'Argan, dresse toute l'Importance en émoi.

A ce degré, le comique ordinaire est dépassé; la distinction des genres n'a plus guère de sens. On s'en était

parfaitement avisé dès le XVIIe siècle. On avait trouvé du tragique dans l'École des femmes. La Lettre sur l'Imposteur soulignait que Tartuffe lui-même « ferait quelque pitié ». Farces? comédies? fragments de drame? C'est du théâtre, voilà tout, avec prédominance évidente du rire. Les genres qui se sont affirmés depuis, tragédie racinienne, comédie du XVIIIe siècle, drame moderne, sont plus ou moins redevables à ce modèle original et unique : la pièce de Molière.

Ainsi, pour avoir été fidèle à lui-même, Molière avait pleinement réalisé ce qu'il voulait. Son théâtre constitue une de ces réussites totales dont les lettres offrent peu d'exemples. Un caractère humain, la plupart du temps, est chose très difficile à définir; de quel homme ne peut-on dire qu'il est multiple, tour à tour ou presque simultanément clairvoyant et aveugle, généreux et égoïste, accueillant et fermé, courageux et timoré? De même pour l'impression que nous laisse l'existence. C'est un truisme de répéter que le comique et le bouffon s'y mêlent à tout instant au drame. Montaigne l'avait dit; Molière en est convaincu. Mais quelle difficulté de rendre tant de diversité sensible aux spectateurs, sans les dérouter! Quand on songe aux simplifications que l'art — surtout l'art du théâtre — exige d'un auteur, on reste étonné que Molière, tout en mettant l'accent sur le rire, ait su traduire cette complexité sans sacrifier la rigueur de la construction dramatique. Car tout cela est saisi dans un tissu serré. Pas de discontinu, pas de ces heurts violents que les Romantiques reprendront, ou croiront reprendre à Shakespeare. L'œuvre de Molière reste profondément marquée de l'esprit de son temps; elle s'accommode d'une structure satisfaisante pour la raison, soumise au contrôle critique. Et cette logique de théâtre, à tout prendre, exprime bien la logique même de nos existences, malgré leur désordre apparent et leurs contradictions. On se rappelle la boutade de l'amateur de paysages pour qui la nature « imite » l'œuvre des grands peintres. Il nous arrive de croire que la vie, tous les jours, sous nos yeux, fait un pastiche de Molière.

AUTOUR DE MOLIÈRE

Les comédies plus ou moins faussement attribuées à La Fontaine — dont nous avons parlé — et les Plaideurs de Racine (1668) sont, autour de Molière, les manifestations les plus considérables du genre.

Faut-il regretter, avec Jules Lemaitre, que Racine n'ait pas écrit d'autre comédie que les Plaideurs? C'est un incident dans sa carrière théâtrale que ces trois actes, suggérés par la lecture des Guêpes d'Aristophane, et, peut-être, par les souvenirs d'un procès perdu. Racine, imitant le plus vigoureux, mais aussi le moins « réglé » des comiques de l'Antiquité, a soin d'avertir dans sa préface qu'il aurait été tenté d' « imiter la régularité de Ménandre et de Térence » plutôt que « la liberté de Plaute et d'Aristophane ». Il traite avec dédain ces facéties dignes de « la gravité de Scaramouche », et, tout en se louant d'avoir fait rire, se sait bon gré de n'avoir pas laissé échapper « une seule de ces sales équivoques et de ces malhonnêtes plaisanteries qui coûtent maintenant si peu à la plupart de nos écrivains ». Il n'est pas certain que l'allusion ne vise pas Molière. Racine prend parti en tout cas pour un comique très surveillé, qui doit, par sa tenue, trancher sur le fond caricatural du sujet. Aussi les traits qu'il emprunte à Aristophane ou à l'épisode des Chicanous de Rabelais sont-ils adoucis. Dans cette comédie, Racine manifeste ses qualités habituelles : distinction, tact, goût, élégance de la forme.

La profondeur n'est pas la qualité dominante des *Plaideurs*. Sauf une allusion à l'humeur gauloise du juge, prêt à condamner n'importe qui pour les beaux yeux d'Isabelle, et empressé à lui donner le spectacle d'une séance de torture — plaisanterie qui va assez loin —, la pièce ne présente que de bons fantoches, que leur manie soit celle de juger comme chez Dandin, ou celle de plaider, comme chez Mme de Pimbêche et Chicaneau.

Le rire de Racine est surtout spirituel. Il n'a pas cette verve mordante qui emporte le morceau. Il excelle dans la parodie, parodie des vers de Corneille, des termes de justice, des plaidoyers verbeux et sonores. Il fait des mots, souvent très heureux. L'inévitable intrigue d'amour lui inspire une ou deux scènes charmantes. La versification, comparable à celle de *Ragotin*, est beaucoup plus hardie que la versification de Molière. Elle abonde en rejets, enjambements, effets de vers disloqués, de rythmes rompus, que l'on retrouvera dans le drame romantique. Mais elle n'a ni l'ampleur ni la sonorité des vers de l'*École des femmes* ou du *Tartuffe*. Rien ne montre mieux qu'une comparaison avec *les Plaideurs* comment c'est le travail du style en pleine pâte, le souffle, l'élan qui font l'originalité de Molière, et toute la différence qui sépare un art d'exquise finesse d'un art puissant. Par un curieux paradoxe, ce sont les tragédies de Racine qui s'apparentent davantage aux comédies de Molière.

En dehors des *Plaideurs*, toujours le même morcellement, la même confusion, la même médiocrité, honnête ou plate, qu'avant Molière. On a retenu les noms des comédies qui prirent rang dans la « guerre comique » déchaînée par l'*École des femmes*, moins pour leur valeur, bien qu'il y ait dans *le Portrait du peintre* de Boursault des scènes assez adroites, que pour les documents qu'elles nous apportent sur Molière « jugé par ceux qui l'ont vu ». Parmi les adversaires de Molière à cette date, Antoine Montfleury, le fils du comédien, l'imite dans l'*École des jaloux* (1664) ou l'*École des filles* (1666), sans avoir, à beaucoup près, ni sa mesure ni sa force dans la plaisanterie. Boursault (1638-1701) composera encore une bonne satire, sans plus, des mœurs du journalisme commençant : *le Mercure galant* (1683). La comédie de caractères peut revendiquer *la Mère coquette* de Quinault, contemporaine du premier *Tartuffe* (1664) — sans doute la meilleure pièce de cet ensemble —, et, plus tard (1686), l'*Homme à bonnes fortunes* de Baron (1653-1729), acteur-auteur qui avait fait ses débuts dans la troupe de Molière, interprète de l'Amour dans *Psyché*, et peut-être rival du grand homme auprès d'Armande. On cite Dorimon et Villiers, à cause des deux tragi-comédies inspirées par la légende de don Juan, qu'ils donnèrent en 1659 et 1660, et qui purent fournir quelques idées à Molière. Mais qui se soucie

encore du *Mari sans femme* ou de l'*Apothicaire dévalisé* ? Il y a dans l'*Intrigue des carrosses à cinq sous* (1663) de Chevalier quelques touches de comédie parisienne qui rappellent *la Place Royale* ou *la Galerie du Palais* de Corneille ; il y aura dans *la Devineresse* (1679) de Visé une allusion à la chronique des empoisonneuses, et certains traits de comique de mœurs dans l'*Académie des femmes* (1671) de Chappuzeau, auteur d'un *Théâtre français* (1674) d'intérêt documentaire. Pour trouver des successeurs de Molière qui soient des tempéraments originaux, il faut attendre Regnard (né en 1655) et Dancourt (né en 1661). C'est déjà une autre génération.

Le plus grand événement de ces années concerne l'histoire générale du théâtre. Expulsée, après la mort de son chef, du Palais-Royal, que Lulli guettait depuis longtemps, la troupe de Molière, dirigée par sa veuve, s'installe rue Guénégaud. Le 13 juin 1673, la troupe du Marais fusionne avec elle. Le 18 août 1680, le roi leur adjoint l'Hôtel de Bourgogne, déjà déserté par la Champmeslé au profit de la nouvelle troupe, et fonde ainsi la Comédie-Française. La veuve de Molière, « la fameuse comédienne », comme l'appelait un célèbre pamphlet de 1668, remariée en 1677 avec le comédien Guérin d'Estriché, ne quittera le théâtre qu'en 1694.

L'esprit simplificateur et unificateur de Louis XIV avait marché de pair avec l'esprit de celui qui l'avait tant amusé. Dans le domaine de la vie matérielle du théâtre, Molière avait donc également triomphé. Tandis que son œuvre demeurait intacte, d'une éclatante fraîcheur, et incontestée à travers les siècles, le succès de sa troupe créait une tradition dont, malgré bien des luttes, le prestige, après deux siècles et demi, n'est pas encore effacé.

VII. — RACINE ET LA TRAGÉDIE DE 1660 A 1690

La tragédie, après la crise passagère qu'elle a traversée au milieu du siècle, reprend son évolution. L'abbé d'Aubignac en a donné la théorie dans sa *Pratique du théâtre* (1657). Une génération nouvelle entre en scène. Mais la réapparition de Corneille prolonge en plein règne de Louis XIV une esthétique déjà dépassée.

LES DERNIÈRES ŒUVRES DE CORNEILLE

Corneille, après sept ans d'abstention, revient à la tragédie avec Œdipe, *joué à l'Hôtel de Bourgogne, en janvier 1659. En 1660, paraissent, avec les* Examens *de ses tragédies, trois Discours sur le poème dramatique. Viennent ensuite :* la Toison d'or *(1660),* Sertorius *(1662),* Sophonisbe *(1663),* Othon *(1664),* Agésilas *(1666) ;* Attila *(1667),* Tite et Bérénice *(1670). Il collabore avec Molière et Quinault à la composition de* Psyché *(1671). Après* Pulchérie *(1672) et* Suréna *(1674), il abandonne définitivement la scène. Louis XIV lui accorde, en 1663, une gratification, et fait organiser à Versailles, en 1676, une série de représentations de* Cinna, Pompée, Horace, Sertorius, Œdipe, Rodogune. *Corneille lui adresse un remerciement en vers, suprême affirmation de sa fierté d'auteur. Il avait encore donné des poèmes pieux :* les Louanges de la

LES PLAIDEURS. Gravure de François Chauveau pour l'édition de 1676 des « Œuvres » de Racine. — CL. LAROUSSE.

sainte Vierge *(1665)*, l'*Office de la sainte Vierge*, traduit en français, avec sept Psaumes, vêpres et complies et tous les hymnes du bréviaire romain *(1670)*. *Il meurt en 1684.*

Corneille, par ses *Discours* et ses *Examens* de 1660, a présenté une longue justification critique de son théâtre. Mais il répugne à n'être plus qu'un théoricien. Il veut créer encore et créer du neuf. Jusqu'au bout, il reste l'inventeur, le défricheur de sujets dramatiques. Le souci d'originalité l'obsède. Il travaille plus que jamais, refaisant jusqu'à trois fois un acte d'*Othon*. S'il reprend des thèmes traités avant lui, il s'acharne à les renouveler, fût-ce au prix de la vraisemblance et de la clarté. Ainsi dans *Sophonisbe*, où, pour ne pas paraître imiter Mairet, il développe le rôle d'Eryxe, amoureuse de Massinisse et jalouse de Sophonisbe. Il puise à de nouvelles sources. Il abandonne Tite-Live pour emprunter *Othon* à Tacite ; il songe aux Grecs, qu'il avait à peu près délaissés jusquelà, et aborde le redoutable sujet d'*Œdipe*, pour le rendre d'ailleurs méconnaissable. *Agésilas* vient de Plutarque ; Corneille se flatte d'y avoir introduit une manière « qui n'a point d'exemple ». Car *Agésilas* est en vers libres, comme sont les *Fables* de La Fontaine, comme sera l'*Amphitryon* de Molière. *Attila* est déjà presque une tragédie moderne, nationale ; *Suréna* nous ramène à Plutarque et à Appien, transposés par une faculté d'invention qui ne veut pas vieillir.

En même temps, Corneille s'inquiète de ce qu'on écrit autour de lui, des rivaux qui montent, Quinault et bientôt Racine. Son seul théâtre suffirait à nous rendre sensible le changement qui s'opère dans les goûts du public. Il sait bien que la mode est à la tragédie amoureuse et galante, héritage de l'esprit précieux. Il se soumet, au risque de gâter de magnifiques sujets, jetant la fade intrigue de Thésée et de Dircé au milieu de l'histoire terrible d'Œdipe, corsant l'action (comme dans ses premières comédies) par la présence de deux couples amoureux : Domitie et Domitian auprès de Tite et Bérénice ; Pacorus et Palmis auprès d'Eurydice et de Suréna. Chaînes d'amour traversées, contrariées... Racine, converti à un art plus sobre, se moquera durement, dans la première préface de *Britannicus*, des évasions romanesques du rival.

Mais, au fond, Corneille enrage contre la « docte et sublime complaisance au goût de nos délicats qui veulent de l'amour partout » (« Au lecteur », en tête de *Sophonisbe*). Parfois, il regimbe ; vieux lutteur, il se retranche dans son système à lui, le système des chefs-d'œuvre. Il redevient le Corneille des beaux jours. Alors reparaissent les longs débats où se construit l'histoire, les intrigues politiques, la soumission de l'amour à la gloire, les héroïnes insensibles et raisonneuses, la volonté irrésistible. Il force les traits ; la sclérose s'accuse ; les personnages se déshumanisent ; les héros se dressent, entêtés, tout d'une pièce, tel ce Suréna que notre époque a réhabilité ; les concessions aux modes nouvelles n'en ressortent que davantage, et les contrastes s'accentuent jusqu'à la parodie. Attila pousse le couplet langoureux, puis il se raidit au dernier acte et laisse reparaître le monstre d'énergie, le beau criminel.

Œdipe, en proie aux catastrophes, demeure imperturbable. Parmi les exagérations, les redites, de grands moments encore. Lorsque Corneille rivalise avec Racine, dans *Tite et Bérénice*, il sait, au dénouement, se montrer tout à fait lui-même. La *Bérénice* de Racine puise dans un élan d'amour la force de consentir à l'inévitable départ ; elle se résigne plutôt à l'arrachement, et reste douloureuse jusqu'au suprême « Hélas ! » d'Antiochus. Corneille ne la voit pas ainsi. Il faut d'abord que tout plie devant elle : plus d'obstacles à son bonheur ; le sénat, Rome entière à ses pieds, accordant l'union avec Titus ; l'empereur implorant son assentiment. Alors, victorieuse, elle refuse sa victoire ; par un acte souverain d'absolue générosité, elle part en triomphatrice. Dénouement aussi cornélien que l'autre est de pur Racine.

C'est ce Corneille fidèle à lui-même qui cristallise autour de son déclin les nostalgies, certaines rancunes aussi de la génération qui l'avait aimé : Saint-Évremond, Mme de Sévigné. D'autant plus qu'il retrouve, par brusques élans, la flamme, l'accent qui ne sont qu'à lui. Même la souplesse de main qui lui avait permis de conduire le duo d'amour entre Chimène et Rodrigue, il la reconquiert, à soixante-cinq ans, pour écrire les vers tendres, passionnés, sans fausse élégance, de *Psyché*, ou l'admirable : « Non, je ne pleure pas, Madame, mais je meurs » d'Eurydice dans *Suréna*. Du reste, le public hésite : *Œdipe*, *Sertorius* sont encore des succès. C'est seulement après les deux dernières tragédies que Corneille sent l'abandon ; le remerciement au roi de 1676 est l'émouvant témoignage d'un sursaut de candide orgueil suivi de renoncement mélancolique :

PIERRE CORNEILLE DANS SES DERNIÈRES ANNÉES.
Gravure de L. Cossin d'après la peinture de F. Sicre (B. N., Cab. des Estampes). - CL. LAROUSSE.

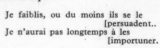

Je faiblis, ou du moins ils se le
[persuadent..
Je n'aurai pas longtemps à les
[importuner.

L'ÉVOLUTION DE LA TRAGÉDIE

Thomas Corneille, frère cadet de Pierre, est né à Rouen, en 1625. Il débute au théâtre par une adaptation de Calderon : les Engagements du hasard *(1647), et donnera encore plusieurs comédies imitées de l'espagnol :* Don Bertrand de Cigarral *(1653),* le Geôlier de soi-même *(1655). Il compose une série de tragédies :* Timocrate *(1656), qui est un très grand succès,* Laodice *(1668),* la Mort d'Hannibal *(1669),* Ariane *(1672),* le Comte d'Essex *(1678). Il met en vers le* Festin de Pierre *de Molière (1677). Après avoir remplacé son frère à l'Académie, en 1685, il s'éloigne du théâtre pour se consacrer à des travaux d'érudition : nouvelle édition des* Remarques sur la langue française *de Vaugelas (1687),* Dictionnaire des arts et des sciences *(1694), traduction des* Métamorphoses *d'Ovide (1669-1697),* Observations de l'Académie sur les Remarques de Vaugelas *(1704),* Dictionnaire historique et géographique *(1708). Il meurt en 1709.*

Philippe Quinault est né à Paris en 1635. Il entra au service de Tristan L'Hermite, qui le forma à la poésie. Après sa première comédie, les Rivales *(1653), il donna, entre autres tragédies :* la Mort de Cyrus *(1656),* Amalasonte *(1658),* Stratonice *(1660),* Agrippa *(1660),*

Astrate *(1663)*, Pausanias *(1668)* ; — *dans la comédie :* la Mère coquette *(1665)*. *Il écrivit pour Psyché (1671), composée en colla-boration avec Corneille et Molière, les paroles destinées à être mises en musique par Lulli. A partir de 1673, il devient le « fournisseur » habituel du musicien. Il com-posera la plupart des livrets de ses opéras :* Cadmus et Hermione *(1673),* Alceste *(1674),* Atys *(1676),* Pro-serpine *(1680),* Amadis *(1684),* Roland *(1685),* Armide *(1686). Valet de chambre du roi, auditeur à la Cour des comptes, Qui-nault entre à l'Académie en 1670. Il meurt un an après Lulli, en 1688. Il l'avait quitté dès 1686, et, par scrupule dévot, il avait com-mencé la composition de poèmes religieux pour expier les leçons de « morale lubri-que » (comme dit Boileau) que dispensait l'Opéra.*

Autour de Thomas Corneille, de Quinault (et de Racine), on peut citer encore : Magnon, *auteur d'une* Zénobie *(1659) et d'un* Tite *(1660) ; l'abbé Boyer (1618-1698) ; les rivaux de Racine :* Leclerc *et* Coras, *auteurs d'une* Iphigénie *(1675),* Pradon *(1632-1698) avec* Phèdre et Hippolyte *(1677) ;* Boursault *(1638-1702) avec* Germanicus. *Après Racine,* Campistron *(1656-1723), auteur de* Tiridate *(1690) ; la* Médée *(1694) de* Longepierre *(1659-1721) ; l'*Amasis *(1701) de* La Grange-Chancel *(1677-1758), le* Manlius *(1698) de* La Fosse *(1653-1708),* Téléphonte et Cléopâtre *de* La Chapelle *(1655-1723),* Pénélope *de l'abbé* Genest *(1639-1719),* Coriolan *de l'abbé* Abeille *(1648-1718). Des noms, des titres, parmi beaucoup d'autres ; des docu-ments tout au plus : aucune œuvre qui compte.*

Consulter : G. Lanson, *Esquisse d'une histoire de la tragédie française, 1920 ;* G. Reynier, *Thomas Cor-neille, sa vie et son théâtre, 1893 ;* Romain Rolland, *Musiciens d'autrefois, 1908 (pp. 107 et suivantes) ;* E. Gros, *Philippe Quinault, sa vie et son œuvre, 1926 ;* J. B. A. Buijtendorp, *Philippe Quinault, sa vie, ses tragédies et ses tragi-comédies, 1928 ;* D. Mornet, *Histoire de la littérature française classique, 1940, et Introduction à l'édition d'*Andromaque *(les Grands auteurs français), Mellottée, 1933.*

Thomas Corneille et Quinault forment un couple indis-soluble : ce sont les deux témoins les plus importants qui nous aident à comprendre, dans cette histoire complexe de la tragédie, l'évolution de Corneille, et l'originalité de Racine. Ils débutèrent en même temps, une dizaine d'années avant *Andromaque*. Ils eurent des traits communs de caractère : tous deux fort « honnêtes gens », modestes, conscients, semble-t-il, du rôle effacé qu'ils eurent à jouer, l'un à la suite d'un frère illustre, l'autre auprès d'un musicien de génie. Tous deux artistes estimables à leur rang.

Boileau, qui fut si dur pour Quinault auteur tragique, lui a rendu somme toute justice dans les *Réflexions critiques sur Longin* : « Il avait, je l'avoue, beaucoup d'esprit, et un talent tout particulier pour faire de vers bons à mettre en chant ; mais ces vers n'étaient pas d'une grande force, ni d'une grande élévation, et c'était leur faiblesse même

THOMAS CORNEILLE. Gravure de S. Thomassin, d'après Paul Mignard. — CL. LAROUSSE.

PHILIPPE QUINAULT. Gravure d'Edelinck. CL. LAROUSSE.

qui les rendait d'autant plus propres pour le musicien. » Cet esprit souple et facile trouva, en effet, la voie à laquelle le destinait « cette douceur, cette complaisance, qui devait faire de lui l'instrument docile d'une volonté forte » (R. Rolland), celle de Lulli. Sans se laisser rebuter par les exigences d'un maître impérieux, il aida au développement du genre musical qui allait faire concur-rence à la tragédie ; il produisit avec une régularité sans défaillance les vers élégants de ses livrets, qui enchanteront Voltaire au point qu'il traita de Zoïle le Boileau des *Satires*. Mais le premier Quinault, celui des tragédies, méritait amplement les railleries : on se souvient du rustre de la Satire III, qui encense l'auteur d'*Astrate* sur le dos de Racine :

> Je ne sais pas pourquoi l'on vante l'*Alexandre*.
> Ce n'est qu'un glorieux qui ne dit rien de tendre
> Les héros chez Quinault parlent bien autrement
> Et jusqu'à « Je vous haïs », tout s'y dit tendrement.

Juger l'*Alexandre* de Racine insuffisamment tendre, c'était définir du même coup la psychologie de Quinault. La pointe de Boileau n'est pas seulement amusante ; elle touche juste. Car on se dit volontiers : « Je vous hais » chez Quinault, et chez d'autres auteurs tragiques du temps, plus oubliés que lui. Les situations passionnées, les esquisses de violences n'y sont pas rares, assez pour laisser pressentir, comme l'a prouvé M. Mornet, quelques-unes des scènes les plus fortes de Racine. Mais une certaine fadeur élégante émousse tous les traits ou les noie dans une laborieuse rhétorique. Il suffit, pour s'en rendre compte, de lire une tragédie où Quinault s'est fait à son tour imitateur de Racine. Son *Pausanias* (1668) délaye et amollit une partie de l'intrigue d'*Andromaque*.

> Et chaque acte en sa pièce est une pièce entière.

Ici encore Boileau a bien visé. Rien n'est plus fastidieux qu'une analyse des tragédies de Quinault ou de ses émules. Ce sont imbroglios où s'entremêlent les noms des héros et des héroïnes, et auxquels on ne saisit rien à la lecture. Il faudrait le spectacle pour les débrouiller, si on les jouait encore.

Thomas Corneille est plus varié ; comme son frère — on sait quelle affection les unissait — il fut partagé entre des tendances contradictoires. Il donna lui aussi dans le genre héroïque : on en saisit l'inspiration dans *le Comte* d'Essex, tragédie moderne, empruntée à l'histoire d'Élisabeth d'Angleterre. C'est pourtant dans le genre romanesque qu'il obtint son plus grand succès, *Timocrate*, histoire d'un prince amoureux et aimé, sous un autre nom, de celle qui doit être son ennemie mortelle. On songe à Tancrède et Clorinde du Tasse, plus encore à La Calprenède et au *Grand Cyrus*.

Personnages qui jouent un double rôle, qui doivent parler contre leur propre cause pour voiler leur jeu; procédés par avance mélodramatiques : l'anneau royal d'*Astrate*, la vengeance de Démarate dans *Pausanias* (une rivale que l'on fait tuer par celui qu'elle aime et dont l'obscurité de la nuit a égaré la main); situations paradoxales et complications sentimentales à l'infini, tels sont les sujets où se complaît le théâtre de Thomas Corneille, celui de Quinault et de bien d'autres contemporains. « Quelle gentille société », dit J. Lemaître — à propos précisément de *Timocrate* — « que celle qui adorait de tels rêves ! » En fait, la mode remontait en arrière, jusqu'à l'époque de la préciosité et des romans chevaleresques, par-delà les rudes disciplines de l'héroïsme cornélien. Le romanesque, poussé jusqu'à l'extravagance, a été, d'un bout à l'autre, la tentation du siècle.

Comme œuvres d'art, ces pièces sont médiocres; mais il est important de noter qu'une évolution, sensible déjà dans le théâtre de Pierre Corneille, entraîne la tragédie loin des conflits politiques et moraux, loin des drames de la volonté, vers la peinture des passions de l'amour, étudiées pour elles-mêmes, dans leur développement, leurs contradictions, leurs tourments et leurs luttes. « Le type de l'amante insensée et jalouse jusqu'au crime, écrit D. Mornet, est, entre 1650 et 1667, une banalité dramatique. » Et aussi le cas de celui qui dissimule pour ne pas éveiller la colère de celle qui a tout pouvoir sur sa vie et qui l'aime d'un amour non partagé : tel, plus tard, Bajazet.

Que restait-il à faire ? A les présenter, ces passions, en état de crise, à les observer dans des situations relativement simples, où la seule complication vînt de leur jeu interne; à les suivre jusqu'à l'extrémité de leurs violences, sans timidité ni complaisance; à leur prêter un langage naturel. Il fallait renouveler, en somme, sous une autre forme, ce que Corneille avait réalisé une première fois trente ans auparavant, lorsqu'il avait tiré du chaos de la tragi-comédie des intrigues cohérentes, mis au point et traité dans leur ampleur les sujets ébauchés par Hardy et Mairet, créé un style de théâtre et des héros de chair.

RACINE

Jean Racine est né à La Ferté-Milon, le 21 décembre 1639. Son père était contrôleur du grenier à sel ; sa mère, Jeanne Sconin, appartenait à une famille où les tempéraments étaient violents, passionnés, autoritaires. Racine perdit sa mère en 1641, son père en 1643. Il fut confié à sa grand-mère Marie des Moulins, qui, janséniste, se retira à Port-Royal, en 1650, avec sa fille Agnès. A douze ans, Racine est mis au collège, à Beauvais. En 1655, il vient à Port-Royal et y demeure jusqu'en 1658 ; il y reçoit les leçons de Nicole, Le Maître, Hamon et surtout de l'helléniste Lancelot. Il y compose une élégie latine : Ad Christum, et sept odes en vers libres consacrées au paysage, les Promenades de Port-Royal. De 1658 à 1660, il poursuit ses études (philosophie) à Paris, au collège d'Harcourt. En 1660, il est chez son oncle Vitart, intendant du duc de Luynes. Il écrit la Nymphe de la Seine, ode pour le mariage du roi, et obtient de Colbert, sur la recommandation de Chapelain, une gratification de cent louis. Il se lie avec l'abbé Le Vasseur, avec La Fontaine, et semble avoir mené en leur compagnie une vie

assez libre. Il écrit Amasie, tragédie qui est refusée au théâtre du Marais ; il commence une autre pièce sur le thème des Amours d'Ovide. Port-Royal s'inquiète de ces dispositions, et l'envoie à Uzès, auprès d'un oncle, le vicaire général Sconin, dans l'espoir de lui faire obtenir un bénéfice ecclésiastique. Nous possédons les lettres que l' « exilé » écrit d'Uzès à Vitart, à La Fontaine, à Le Vasseur. Il étudie là-bas concurremment grec et théologie, s'occupe de poésie fort profane (les Bains de Vénus, Stances à Parthénice) et se montre sensible à la lumière éclatante du midi, aux mœurs ardentes du pays, surtout aux amours. Il revient à la fin de 1662, sans avoir précisé du tout sa vocation. Il écrit, en 1663, une Ode sur la convalescence du roi, obtient une gratification de 600 livres et compose en remerciement la Renommée aux Muses. C'est alors qu'il entre en relation avec Molière et Boileau. Il fait jouer, le 20 juin 1664, au Palais-Royal, par la troupe de Molière, la Thébaïde ou les Frères ennemis, commencée à Uzès. Le 4 décembre 1665, Alexandre paraît sur la même scène, mais, sous prétexte d'une interprétation insuffisante, Racine porte le 18 décembre sa pièce à l'Hôtel de Bourgogne. Molière, justement irrité, renonce à la jouer sur son propre théâtre. Alexandre connaît un vif succès, et la critique commence à s'occuper du jeune poète débutant.

Sur ces entrefaites, Racine rompt avec Port-Royal, à propos des deux séries de lettres dites : Sur l'Hérésie imaginaire (décembre 1665) et Visionnaires (1666), adressées à l'écrivain repenti Desmarets de Saint-Sorlin, et où Nicole critique vivement le théâtre et les auteurs. Racine, sans avoir été directement visé, réplique par une Lettre satirique où il crible ses anciens maîtres et le jansénisme de railleries (janvier 1666). A la suite d'une riposte de Du Bois et Barbier d'Aucour, amis de Port-Royal, il écrit une seconde lettre, datée du 10 mai 1666, non moins mordante, que, sur les conseils de ses amis, et surtout de Boileau, il ne publiera pas. Elle ne sera connue qu'en 1722.

Dans les années qui suivent, années de grand labeur, Racine compose presque sans interruption et donne coup sur coup : Andromaque (17 novembre 1667), les Plaideurs (1668), Britannicus (13 décembre 1669), Bérénice (21 novembre 1670), Bajazet (janvier 1672), Mithridate (janvier 1673), Iphigénie (18 août 1674), Phèdre (1er janvier 1677). Plusieurs de ces pièces sont jouées à Versailles avant de paraître à l'Hôtel de Bourgogne. Le succès est grand pour plusieurs d'entre elles (Andromaque, Bajazet, Mithridate, Iphigénie), mais toujours mêlé d'âpres critiques ; Subligny écrit une parodie d'Andromaque, qui est jouée sur le théâtre de Molière, la Folle Querelle (25 mai 1668); Britannicus ne désarme pas les partisans de Corneille ; huit jours après la Bérénice de Racine, Tite et Bérénice de Corneille est jouée sur le théâtre du Palais-Royal (28 novembre). On n'a pu encore débrouiller la question de savoir si les deux poètes avaient été mis en concurrence à leur insu par Henriette d'Angleterre, duchesse d'Orléans, ou s'ils avaient sciemment rivalisé autour du même sujet, cas fréquent à l'époque. Leclerc et Coras composent une Iphigénie rivale de celle de Racine (mai 1675), sans succès du reste ; Phèdre est victime de toute une cabale, qui eut son centre chez la duchesse de Bouillon, et qui engagea un poète dramatique, Pradon, à faire jouer, à l'hôtel Guénégaud, le surlendemain de la première de Phèdre, une pièce concurrente : Phèdre et Hippolyte. Une querelle injurieuse s'ensuivit.

La vie intime de Racine pendant cette période si féconde nous est mal connue. Des indiscrétions du temps en font deviner les intrigues : l'amour pour Mlle Du Parc, que Racine fait passer de la troupe de Molière à l'Hôtel de Bourgogne, et qui meurt en 1668 ; puis pour Mlle Champmeslé, interprète de ses grands rôles. On en soupçonnera aussi les orages en se rappelant que, beaucoup plus tard, le nom de Racine sera prononcé, à propos des révélations rétrospectives sur la mort de Mlle Du Parc, lors de l'Affaire des poisons (1679).

Après Phèdre, Racine abandonne le théâtre. On a

épilogué et on épiloguera longtemps encore sur les vrais motifs (sans doute complexes) de cette « retraite », qui ne paraît pas avoir surpris ses contemporains. Sa vie se transforme, en tout cas, très vite et radicalement. La même année 1677 voit sa réconciliation avec Port-Royal (dont il écrira partiellement l'histoire, à une époque que l'on ne peut préciser). Après quelques velléités de claustration monacale, il épouse, le 1er juin 1677, Catherine de Romanet, fille d'un trésorier au bureau des finances d'Amiens; il aura cinq filles (dont trois seront religieuses) et deux fils : Jean-Baptiste et Louis, le futur auteur de poèmes édifiants : la Grâce, la Religion, et pieux mémorialiste de son père. La même année 1677, Racine devient, en collaboration avec Boileau, historiographe de Louis XIV, et suivra plusieurs des campagnes du roi.

Racine est bon courtisan, jusqu'à donner prise aux envieux, qui l'accuseraient volontiers d'officiosité et de dévotion politique. Non moins excellent liseur que causeur, il charme les loisirs du roi. Il mène une vie d' « honnête homme » bien en cour, attentif à ses intérêts, fort à son aise dans sa vie privée (surtout depuis l'installation, en 1692, dans l'hôtel de la rue Visconti). Il renie une partie de son passé, mais beaucoup moins qu'on ne l'a dit son passé d'auteur; ses lettres, épigrammes, discours académiques le montrent toujours préoccupé de questions littéraires; il ne dédaignerait pas de supplanter Quinault auprès de Lulli (cf. R. Rolland, ouv. cité, p. 131). Mme de Maintenon lui offre d'écrire pour les demoiselles de Saint-Cyr, qui avaient, à son gré, trop bien joué Andromaque, un « poème moral et historique dont l'amour fût entièrement banni ». Esther, tragédie en trois actes précédés d'un prologue, est donnée avec un grand succès à Saint-Cyr, le 26 janvier 1689 ; Athalie, tragédie en cinq actes, lui fait suite, le 5 janvier 1691, mais dans l'intimité et sans aucun faste. La pièce, publiée en librairie (elle ne sera jouée devant le grand public que le 31 mars 1716), obtient peu de succès, et Racine constate que ses ennemis littéraires n'ont nullement désarmé. Ulcéré, et cette fois bien « dégoûté de la poésie », il renonce définitivement.

Ses dernières années sont consacrées à sa vie de famille, à sa vie religieuse, à ses amitiés (Valincour, La Fontaine, Boileau), à ses relations avec le roi, gâtées vers la fin pour des motifs obscurs (peut-être l'attachement repentant et obstiné du poète à la cause des jansénistes). Atteint d'un abcès au foie, Racine meurt, après de cruelles souffrances, le 21 avril 1699. Il est inhumé, conformément à son testament, à Port-Royal, d'où ses restes seront ramenés, en 1711, à l'église Saint-Étienne-du-Mont, auprès de Pascal.

En dehors de ses tragédies et des Plaideurs, l'œuvre de Racine comprend : les poèmes de jeunesse, dont nous avons parlé ; — un certain nombre de pièces de circonstance écrites pour la cour (cf. P. Moreau, Racine, p. 49) ; — les Hymnes traduites du bréviaire romain, commencées à Port-Royal, publiées en 1688 dans un recueil d'œuvres pieuses de divers poètes ; — une paraphrase du Psaume XVII sous forme d'ode ; — quatre Cantiques spirituels (1694), auxquels il faut peut-être ajouter dix sonnets religieux découverts à Saint-Pétersbourg (cf. P. Moreau, Racine, p. 56) ; — des Épitaphes, des Épigrammes — très mordantes — contre ses rivaux de théâtre et une contre Mme de Maintenon, qui lui est attribuée ; — une Idylle de la Paix, dont Lulli a composé la musique (1685) ; en prose : les deux lettres contre Port-Royal ; — l'Abrégé de l'histoire de Port-Royal, qui ne parut qu'au XVIIIe siècle (la première partie en 1742, l'ensemble en 1767) ; — les importantes Préfaces

PORTRAITS DE JEAN RACINE, esquissés par son fils aîné sur les plats d'un exemplaire d' « Horace » (B. N., Impr. Rés. Yc 558). — CL. DIDIER.

de ses tragédies ; — les Discours académiques (non pas son propre discours de réception que nous ne possédons pas, mais les réponses prononcées à la réception de Jacques-Nicole Colbert (30 octobre 1678), et à celle de Thomas Corneille et de Bergeret (2 janvier 1685) ; — la Correspondance (qui comprend les lettres écrites d'Uzès, en 1661-1662 ; la correspondance avec Boileau, de 1687 à 1699, avec sa sœur Mlle Rivière et son fils Jean-Baptiste). — Quant à l'œuvre de Racine historiographe, nous n'en connaissons que des fragments, ses manuscrits ayant été anéantis dans un incendie en 1726. — Nous savons, enfin, qu'il avait esquissé (vers 1673-1674) et peut-être en partie rédigé deux tragédies : Iphigénie en Tauride et Alceste. Il en reste une ébauche de plan pour la première, et quatre vers de la seconde insérés dans la préface d'Iphigénie.

La première édition collective des œuvres de Racine est de 1676 ; la première édition complète parue de son vivant, de 1697.

Éditions modernes : P. Mesnard (Grands Écrivains de la France), Hachette, 1865-1873 ; G. Truc, les Belles-Lettres, 1929-1936, 6 vol. (Théâtre, 4 vol. ; écrits sur Port-Royal, 1 vol. ; Poésies, 1 vol.).

Consulter : François Mauriac, la Vie de Jean Racine, 1928 ; Jean Giraudoux, Racine, 1927, recueilli dans Littérature, 1941 ; Thierry Maulnier, Racine, 1935 ; P. Moreau, Racine, 1943 ; D. Mornet, Jean Racine, 1943.

Aucun des grands écrivains du XVIIe siècle, pas même Molière, n'a été plus étudié que Racine au XXe siècle. La critique s'est avisée qu'il y avait encore beaucoup à faire pour placer son œuvre sous un juste éclairage; elle en a repris l'histoire, à la fois du dedans et du dehors, en tenant compte de l'entourage, de l'atmosphère littéraire de l'époque; elle a tenté de corriger les interprétations hâtives et traditionnelles. En même temps, de subtiles exégèses analysaient les mystères réels ou supposés de la personnalité de Racine, de sa poétique, de l'idée qu'il s'est faite de son art, de la signification même de ses tragédies.

LA FORMATION ET LE TEMPÉRAMENT LITTÉRAIRES

Racine a d'abord été, au sens plein du mot, un remarquable élève. Il fit d'excellentes humanités, à l'âge où s'éveillait son goût poétique : ce sont les études que nous appellerions aujourd'hui les études secondaires qui l'ont marqué le plus fortement, avant la philosophie, contrairement à ce qui s'est produit peut-être pour Molière. Jeune clerc, à l'ombre de la « charmille janséniste » dont parlera un jour Ernest Renan, il étudia le latin, surtout le grec, de seize à dix-huit ans, sous la direction de maîtres très méthodiques. Par eux, il fut initié à la lecture lente et approfondie, au commentaire continu, nous dirions : à l'explication de textes. Des témoignages nous sont restés : les exemplaires annotés de sa main, les cahiers d'observations dont il conservera la pratique pendant son séjour à Uzès. Nous connaissons ainsi ses auteurs : Homère, surtout l'*Odyssée*, dont il apprécie avec tant de justesse la couleur franche et le réalisme; parmi les tragiques, Sophocle et Euripide, plutôt qu'Eschyle, trop abrupt, et qui ne sera vraiment compris qu'au XIXe siècle. Ajoutons Pindare et ses *Olympiques*. Racine, de sa belle écriture soignée, fait des résumés de scènes; il étudie, en bon rhétoricien, la structure, le plan d'un passage, d'une tirade; il juge sobrement les beautés, les faiblesses aussi que sa critique aiguë lui révèle. Il s'essaye, en marge, à traduire un vers ou un fragment de vers; il ébauche des cadences françaises pour rendre le rythme antique. Il dut apprendre et savoir par cœur une foule de pages. Il s'exalta aussi, nous le savons, pour un des premiers romans d'aventures amoureuses dont l'histoire littéraire fasse mention : la *Théagène et Chariclée* d'Héliodore. Si cette première éducation n'explique pas tout son art, elle a bien tenu dans sa formation une place essentielle. Ce que Racine doit aux Anciens est considérable. Après l'avoir trop dit, on tendrait parfois à l'oublier. Lui ne l'a jamais caché : il n'aurait pas admis qu'en le lisant on fût ingrat, comme il nous arrive d'être, pour les modèles cités dans ses préfaces. Ce ne sont pas seulement des idées, des situations, des personnages qu'il leur emprunte, mais des tours de phrases et des images. Beaucoup de ses vers et non des moindres sont des traductions ou des adaptations, admirables au reste d'intelligence, d'exactitude, de couleur. Il faut lire *Britannicus*, un Tacite sous les yeux, pour voir avec quel goût Racine a utilisé ses sources, déplaçant certains effets, complétant telles suggestions. Rien qui trahisse un travail de mosaïque; il transpose en connaisseur qui s'est assimilé toute la substance du texte. Là même où il ne suit pas directement un modèle, des souvenirs multiples passent dans ses vers : la Sophonisbe de Tite-Live lui donne quelques traits pour Monime; Sapho pour Phèdre. Il a pris aux Anciens une manière d'observer et de peindre les passions qu'il lui suffira d'approfondir; quand il les dépassera, il restera leur disciple. En composant ses tragédies bibliques, c'est encore à la tragédie grecque qu'il pensera (il le dit dans la préface d'*Esther*), à l'intervention des chœurs, à la fusion de la musique et de la poésie. Le désir de retrouver, dans une note plus moderne, l'habileté des poètes d'Ionie et des tragiques d'Athènes à faire vivre et parler les héros fut, à n'en pas douter, un des grands stimulants de son génie.

Racine appartient, d'autre part, à une génération qui succède, qui hérite. Ses vers d'adolescent, de jeune homme, sont d'un lecteur de Théophile et de La Fontaine. En devenant auteur tragique, il se consacrait à un genre très évolué, trituré, pourrait-on dire, par un demi-siècle de production et de discussions théoriques. On peut chercher et trouver déjà Racine dans *la Thébaïde* et dans *Alexandre;* mais on ne peut à coup sûr y méconnaître ni Corneille ni Quinault; là par le choix du « grand sujet », « le plus tragique de l'antiquité », les dialogues pressants, les discussions, l'éloquence; ici par la complexité de la triple intrigue amoureuse : Porus et Taxile amoureux d'Axiane; Axiane amoureuse de Porus; Cléofile, sœur de Taxile, aimée d'Alexandre; par les coups de surprise de l'action et la galanterie des conquérants. On a renoncé, d'ailleurs, à

maintenir entre Corneille et Racine cette opposition qui fut longtemps le lieu commun de la critique. L'immense labeur du précurseur avait opéré dans tous les domaines : invention, conduite de l'intrigue, création de caractères. Des esquisses de sentiments « raciniens », et jusqu'à des délicatesses de style « raciniennes » sont perceptibles dans les tragédies de Corneille, même antérieures à 1650.

Quant aux traditions et aux goûts régnants, Racine se gardera d'y faire violence. Il montra de la modestie, de la souplesse, presque de la docilité. Il fit des concessions, insuffisantes au gré de certains de ses contemporains, à nos yeux parfois excessives. Il a pris la tragédie avec ses lois, ses règles, ses conventions. Pour respecter les emplois et distribuer les rôles, il crée des contrastes, ménage de savants équilibres : personnages violents et personnages tendres, Iphigénie-Ériphile, Phèdre-Aricie. Il se conforme strictement aux bienséances. Il suit les leçons aristotéliciennes, la conception des héros qui ne sont « ni tout à fait bons ni tout à fait méchants ». Il garde le préjugé du personnage « noble » et du personnage « de basse condition » : sommes-nous entièrement satisfaits d'entendre Phèdre, dans sa confession finale, se disculper en accablant Œnone, sa suivante, avec une telle insistance ? Dans l'expression même, il conserve, lui l'admirateur des hardiesses homériques, des élégances, des pointes précieuses, dont les Romantiques tireront argument pour dénigrer le reste. Il en est de célèbres : « Brûlé de plus de feux que je n'en allumai », dit Pyrrhus. Il en est que la beauté du contexte fait passer; mais que penserions-nous de ce soleil qui « peut-être rougit » du trouble où il voit Phèdre — dans la phrase si musicale de l'adieu à la vie — si nous le rencontrions chez Quinault ou chez Théophile ?

Même pour les parties supérieures de son œuvre, il ne sera pas partout inventeur. L'évolution du théâtre dans le sens de la simplicité, de la vérité, pressentie, nous l'avons dit, par La Fontaine, dès la préface de *l'Eunuque,* c'est Molière qui l'a opérée en 1662-1663, lorsqu'il a exigé le naturel dans l'art et surtout en a donné d'éclatants modèles (car beaucoup le prêchaient en théorie sans le faire passer dans leurs œuvres). L'action chargée de peu de matière, dont parlera la préface de *Bérénice* (1670), l'intrigue logiquement construite, c'est déjà celle de *l'École des femmes* (1662), du *Misanthrope* (1666). Les premiers beaux cris de passion, c'est Molière qui les a fait entendre lorsqu'il a poussé jusqu'au bord du drame ces personnages de comédie : Arnolphe, Agnès, don Garcie, type du prince jaloux. L'imprécation d'Elvire abandonnée, au premier acte de *Dom Juan* (1665), ce passage si marqué de l'ironie concentrée à l'explosion de rage, dessine d'avance la courbe de la grande scène de l'acte IV d'*Andromaque* entre Pyrrhus et Hermione. C'est peut-être une simple rencontre : elle mérite d'être signalée au même titre que les rapprochements entre Racine et Quinault. En 1666, l'année qui précède *Andromaque*, les duos d'Alceste et de Célimène ont fourni des modèles de dialogues pathétiques entre des héros vrais, vivants, dans un style ardent, ferme, direct. Molière a pu enseigner à Racine les faibles limites qui séparent comédie et tragédie : nous lui devons peut-être les naïvetés juvéniles de Pyrrhus, le ton mutin de Junie jouant pour un instant à Britannicus une scène de dépit amoureux, les caprices de Bérénice qui éclaireront d'un sourire l'intrigue tragique.

Le goût que Racine a témoigné dans le choix des éléments déjà brassés par ses prédécesseurs, son aptitude à les faire siens sont des traits à retenir pour définir son tempérament d'artiste.

Tempérament difficile à connaître, difficile à juger, d'autant plus qu'à s'en tenir aux apparences l'homme a beaucoup évolué. Ce que nous révèlent ses lettres est fragmentaire; les témoignages du temps et les témoignages posthumes sont incomplets ou suspects; quant aux secrets que contiendraient les tragédies mêmes, on sait ce qu'il faut penser de ce genre de confidences. Restent les actes, les gestes, tout ce qui permet de reconstruire à distance une personnalité. Louis Racine a dit l'amour passionné de son père pour la gloire; nous devinons cette griserie du théâtre, ce désir d'y atteindre son idéal, qui l'animait au temps où il dictait, vers par vers, à la Champmeslé, les intonations souhaitées, et qu'il ressentira encore en faisant répéter *Esther* aux pensionnaires de Saint-Cyr. Sur son extrême sensibilité, tout le monde est d'accord, sensibilité à double versant, pourrait-on dire; et cela signifie d'un côté l'ardeur des passions (poussée peut-être jusqu'à l'extrême violence), l'impatience d'humeur, l'irritabilité capable de raffinement dans la riposte et dans la vengeance, tout ce qui compose le Racine « méchant » dont Diderot a donné, dans *le Neveu de Rameau*, un portrait sans complaisance; de l'autre, le don des larmes, la promptitude du repentir, les mouvements d'affection pour ses amis, pour les siens, tout ce qui constitue l'image d'un Racine « attendrissant ». Mais dans quelle mesure ces dernières dispositions l'ont-elles emporté dans la seconde partie de sa vie (après la quarantaine), c'est ce que ses récents biographes n'avancent qu'avec réserves. Parfait « honnête homme » certes, comme Saint-Simon nous le dépeint, avec une dignité sans hauteur qui le met à part, une noblesse d'allure aussi authentique que celle dont il appréciait le témoignage sur ses armoiries; mais fut-il le modèle de toutes les vertus que nous dépeint son fils, c'est plus discutable. Quelques traits d'ironie acerbe, quelque raideur dans la réprobation de tous ceux qui n'ont pas renoncé comme lui (telle la Champmeslé qui meurt « très repentante de sa vie passée, mais surtout très affligée de mourir ») laissent paraître encore le vieil homme, du moins jusqu'aux derniers temps de sa vie, où l'épuration complète de l'âme — peut-être sous l'effet d'ultimes déceptions — semble bien s'être consommée.

L'intelligence fut certainement très vive, fine et rigoureuse en même temps, critique, excellente pour percer à jour, pour mettre au point, pour achever, non pas sans doute aussi large ni curieuse d'idées que celle de Molière ou même celle de La Fontaine. Notre époque a fait beaucoup servir la philosophie à l'interprétation de Racine, qui paraît avoir été peu philosophe. Est-ce parce que la religion lui apportait les solutions suffisantes? On peut le croire, pour ses vingt dernières années. Mais avant? L'adolescence exceptée, il ne semble pas que le chrétien, le janséniste se soient affirmés en lui pendant la période d'intense création littéraire, même au temps de la composition de *Phèdre* : les intentions morales de la préface peuvent simplement atténuer, au profit des bienséances, la hardiesse d'un sujet scabreux; et la simple transposition du *fatum* antique y explique tant de choses, sans qu'il soit nécessaire de faire appel à la théorie de la grâce! C'est plutôt l'humaniste, décrit par André Bellessort, qui nous offre la figure la plus authentique du Racine des dix grandes années. Il fallait, c'est possible, un sensuel, un passionné, pour écrire ces tragédies où l'amour tient tant de place; mais c'est bien surtout l'homme de culture supérieure, c'est le critique si scrupuleux, comme le montrera encore la correspondance avec Boileau, sur le choix d'un terme, sur le mouvement d'une phrase, c'est le poète-né enfin, à la fois délicat et fort, qui pouvait discerner, à vingt-cinq ans, ce qui restait à faire dans un

FRONTISPICE de la première édition collective des « Œuvres » de Racine (1676). CL. LAROUSSE.

FRONTISPICE de l'édition elzévirienne des « Œuvres » de Racine (1678). CL. LAROUSSE.

genre où ses prédécesseurs antiques et modernes avaient déjà tant travaillé.

LA TRAGÉDIE SELON RACINE

Le jour de la réception de Thomas Corneille, élu au fauteuil de son frère, à l'Académie française (2 janvier 1685), Racine prononça un discours qui ne fut pas seulement un acte de révérence et de réparation à l'égard du vieux rival disparu, mais une page de haute critique, une synthèse de l'histoire de la tragédie au XVIIᵉ siècle, et, à tout prendre, bien qu'il se soit gardé d'un exposé personnel, une explication de sa propre esthétique. « Votre illustre frère, disait-il, après avoir quelque temps cherché le bon chemin, et lutté, si j'ose ainsi dire, contre le mauvais goût de son siècle, enfin inspiré d'un génie extraordinaire et aidé de la lecture des Anciens, *fit voir sur la scène la raison, mais la raison accompagnée de toute la pompe, de tous les ornements dont notre langue est capable, accorda heureusement le vraisemblable et le merveilleux...* » Cette simple phrase mettait le point final à un demi-siècle de débats littéraires. Elle rendait justice à Corneille comme à l'initiateur de la tragédie telle que Racine devait, après lui, la comprendre; pour des oreilles averties, elle ne manquait pas de rappeler certains souvenirs et renfermait une discrète mais persistante restriction. Racine pouvait-il être convaincu que cet accord du « vraisemblable » et du « merveilleux », entendons : de l'extraordinaire, avait toujours été heureux chez Corneille? On sait comment celui-ci avait revendiqué, dans ses *Discours*, le droit pour le poète dramatique de peindre l'exceptionnel, et résolu la difficulté par sa théorie subtile de l'invraisemblable vrai, des situations hors de l'ordre commun jusqu'à l'extravagance, mais fournies par l'histoire ou la légende, donc justifiées. Or, ce goût pour l'extraordinaire, Molière l'avait dénoncé le premier dans *la Critique de l'École des femmes*, en raillant précisément cette imagination « qui se donne l'essor et qui souvent laisse le vrai pour attraper le merveilleux »; Racine, à son tour, lui avait dit son fait dans la cruelle préface de *Britannicus* que, sur les conseils de Boileau, il avait remplacée en 1676 par une seconde préface plus anodine. L'éloge académique accentue en apparence la concession et ne trahit la critique que par une touche très légère. La tragédie de Corneille, c'était la raison, « la raison, mais… ». Pour Racine, ce fut la raison tout court. Nuance qui rend compte, au moins pour une bonne part, de son originalité.

La Raison. Rien, bien entendu, dans ce mot, qui s'oppose à sensibilité. Si un théâtre a voulu émouvoir jusqu'aux larmes, c'est assurément celui de Racine. D'ailleurs, le XVIIe siècle n'a pas conçu autrement le plaisir tragique. On veut être touché jusqu'au fond, on veut pleurer. Boileau ne dira pas autre chose. Encore moins cette « raison » est-elle antagoniste de la « passion ». Faire voir la raison sur la scène, c'était, au contraire, y montrer les passions dans leur réalité, sans recherches alambiquées ni pompe superflue. C'était guider la sensibilité, et faire couler de vraies larmes par la vérité des peintures. *Andromaque* offrit pour la première fois — et au gré de beaucoup d'auditeurs, aujourd'hui encore, de la manière la plus parfaite — ce type de tragédie dépouillée (ou presque) d'ornements factices, où le romanesque, s'il en reste, paraît du moins un élément secondaire, subordonné à un idéal de simplicité et de raison. Il est « raisonnable » que Pyrrhus, rebuté par sa captive, décide, contre son amour, mais conformément à ses promesses, d'épouser Hermione; qu'Hermione délaissée, exaspérée, donne à Oreste l'ordre de tuer Pyrrhus; qu'Oreste, aveuglé par son propre amour, exécute l'ordre, malgré tous les scrupules d'un honnête homme et d'un ambassadeur; qu'Hermione, reprise tout entière par sa passion, lui reproche son crime, l'abandonne, se tue sur le corps de Pyrrhus; et il est raisonnable, enfin, qu'après avoir donné tant de signes d'exaltation, Oreste, après ce dernier coup, sombre dans la folie. La raison, autrement dit, c'est la vraisemblance et la logique des sentiments et des passions.

Des passions surtout. Certains sentiments — religieux, patriotiques — peuvent aller jusqu'au merveilleux, au surhumain. Les fureurs même des frères ennemis de *la Thébaïde*, Étéocle et Polynice, ont quelque chose qui dépasse l'entendement. Mais les passions normales, l'ambition, l'amour, l'amour jaloux surtout, voilà le domaine où l'on peut observer une foule de comportements, contradictoires pour un jugement superficiel, parfaitement liés et conditionnés à la réflexion, sans jamais sortir du vraisemblable, ou, pour mieux dire, de la vérité humaine. Logique qui ne nuit pas à l'intensité, tout au contraire, le propre de la passion étant de pousser ses déductions à la limite, jusqu'au crime et à la frénésie. D'où le mot fameux de la préface de *Phèdre*, qui a retenu tant de commentateurs, à propos du caractère de l'héroïne : « Ce que j'ai peut-être mis de plus *raisonnable* sur le théâtre. » Le sujet de *Phèdre* est, en effet, plus raisonnable en ce sens que celui de *Mithridate*, par exemple, où le dénouement n'est pas la conséquence directe du mouvement des passions, plus même que celui d'*Iphigénie*, malgré l'invention, si caractéristique, du suicide providentiel d'Ériphile, emportée par son désespoir jaloux. La passion de Phèdre et de Phèdre seule, en même temps qu'elle développe jusqu'au bout sa progression interne, suffit à pousser

l'action vers sa conclusion logique. Elle réalise totalement l'idéal de Racine, et sa préférence est justifiée.

Mais cet idéal exige que toutes les inflexions de l'âme passionnée soient exactement, minutieusement décrites. A cette condition, on pourra s'affranchir des sujets compliqués, ne pas se laisser obséder par la recherche à tout prix du thème nouveau, original; sur une matière déjà élaborée, il y aura toujours à dire. Racine se limite beaucoup plus que Corneille, et trouve sa force dans cette limitation. De même, il ne sera pas besoin d'intrigues surchargées. Au contraire, un sujet très mince, comme celui de *Bérénice*, laissera tout le temps (comme dans un roman) d'étudier les plus fines nuances, et meublera aisément cinq actes. Si le jeu se joue, comme dans *Andromaque*, à quatre personnages, on substituera aux intrigues parallèles de deux couples d'amants une intrigue unique qui rivera les quatre protagonistes à la même chaîne et fera retentir le moindre mouvement de chacun d'eux sur tous les autres. Avant de parvenir à la catastrophe qui est l'aboutissement inévitable, la mort dans *Andromaque*, *Britannicus*, *Bajazet* et *Phèdre*, le départ dans *Bérénice*, il y aura des hésitations, deux ou trois grandes oscillations, peut-on dire, qui emporteront les personnages dans une direction, puis dans une autre, avec un mouvement de *crescendo*. Ainsi les offres successives, de plus en plus impérieuses, de Roxane à Bajazet. Car la passion constante crée la volonté incertaine, jusqu'à la décision irrémédiable, où s'affirme la fidélité à soi du personnage; et, dans le détail, ce sont encore de multiples petites oscillations qui régleront la marche des scènes et du dialogue.

La tragédie se soumet par là, plus encore que chez Corneille, à une discipline d'extrême rigueur. Pour rendre perceptible, acceptable et finalement émouvant cet effort lent et continu de la passion vers son terme, l'auteur tragique s'oblige à être impeccablement juste, à ne pas tolérer une faille dans la structure. D'abord il présentera tout ce qui est utile et ne présentera rien que l'utile : plus de scènes adventices, le minimum d'événements extérieurs

(*Andromaque*, *Britannicus* et *Bérénice* représentent sur ce point la perfection). Il faut ensuite que les scènes se placent juste au moment où elles produiront tout leur effet, qu'elles apportent ce qu'on doit raisonnablement en attendre, ni plus ni moins; qu'elles ne ralentissent pas l'action ni ne la précipitent à l'excès; il faut que, même lorsqu'elles paraissent reproduire un mouvement précédemment esquissé, elles procurent chaque fois un élément nouveau, et réfutent par avance l'argument d'Alfred de Vigny contre la tragédie classique : « faux retardements » suivis d'une hâte factice. Il faut que tout soit expliqué, de manière que jamais le spectateur ne doive se dire : « Pourquoi tel personnage n'a-t-il pas prévu telle objection? Pourquoi n'a-t-il pas pensé à telle solution? » Lucide dans son exaltation, il y a songé, si l'on regarde de près; il a répondu d'avance. D'où les fortes articulations du discours, les liaisons logiques (« Car enfin… ») et l'abondance des préparations. Si le lecteur ou l'auditeur sont surpris à un moment donné, c'est qu'ils ont été distraits; un mot, un tour de phrase, un sous-entendu auraient dû les avertir, le modèle du genre étant

ANDROMAQUE. Gravure de Chauveau pour l'édition de 1676. — CL. LAROUSSE.

l'*Œdipe roi* de Sophocle, cet *Œdipe* que Racine lisait à haute voix avec tant d'expression qu'il bouleversait ses auditeurs.

La tragédie devient avec Racine — dans ses meilleures réussites — un ensemble parfaitement lié, on oserait dire : une mathématique absolument satisfaisante pour l'esprit, au moment même où elle touche le cœur. Car il y a dans ce mécanisme qui ne laisse pas de repos une source d'émotion puissante que le théâtre et le roman ont tant de fois cherché à recréer.

Art d'intensité; art de plénitude. Dans ce cadre en apparence étroit, tout doit être exprimé, le sujet épuisé; *Britannicus*, c'est la lutte entière entre Agrippine et son fils; *Phèdre*, un roman en raccourci. C'est par là que Racine, disciple des Anciens, les dépasse, comme il dépasse ses contemporains. S'ils lui ont fourni des sujets, il les enrichit de tout un apport moderne et personnel. Voici le caractère d'Hermione, « dont la jalousie et les emportements, dit Racine dans sa préface, sont assez marqués dans l'*Andromaque* d'Euripide ». Ce qu'Euripide ne lui a pas donné, ce sont les nuances d'un rôle où il n'est pour ainsi dire pas un mot, pas une exclamation qui soit inutile pour exprimer la complexité du personnage : une amoureuse trahie, mais aussi une jeune vierge exaspérée dans son orgueil et dans son attente, vraie fille d'Hélène, une Grecque hautaine en face d'une Troyenne, une femme de sang royal pleine de mépris pour une captive. On a dit : Racine ne dépeint qu'une crise; il prend le sujet aussi près que possible du dénouement. Sans doute; mais qu'on y prenne garde : si nous voyons les héros au moment d'un paroxysme, nous n'ignorons rien du long cheminement qui les y a conduits. Ils nous retracent les étapes de leurs passions; ils en décèlent les sources dans le passé; dans la limite des vingt-quatre heures, ils traversent toutes les phases d'une longue histoire. D'où ces récits, récit d'Oreste, récit d'Antiochus dans *Bérénice*. L'exemple le plus parfait est encore celui de *Phèdre*. Non qu'il faille omettre ce que Racine doit à Euripide, à Sénèque, à Robert Garnier même, peut-être à La Pinelière et à Gilbert. La scène de l'aveu à la nourrice — avec quelques détails supprimés par souci de bienséance — est en grande partie traduite du poète grec. Mais une fois lancé le « C'est toi qui l'as nommé! », là où Euripide s'arrête, Racine poursuit; il compose la longue confession : « Mon mal vient de plus loin... » La déclaration directe à Hippolyte est une idée du poète latin; en revanche, Racine invente ce troisième acte qu'on pourrait appeler l'acte de la double tentation. Après la scène qui aurait dû trop prouver à Phèdre qu'elle n'avait rien à attendre, c'est une trouvaille d'une singulière hardiesse (« raisonnable » pourtant à la réflexion) que de nous la montrer, au contraire, saisie d'une paradoxale espérance. Hippolyte l'a repoussée avec horreur; mais, pour avoir osé lui déclarer sa passion, elle a créé entre eux une sorte de complicité, un irréparable qui les a rapprochés l'un de l'autre; et elle supplie Œnone d'aller le trouver en messagère d'amour. Nous comprendrons ainsi que la nouvelle foudroyante du retour de Thésée, surprenant Phèdre à ce moment d'exaltation nouvelle, l'accable d'autant plus, et la

PHÈDRE et HIPPOLYTE

PHÈDRE. Gravure de S. Le Clerc, d'après Ch. Le Brun, pour l'édition de 1680 des « Œuvres » de Racine. — CL. LAROUSSE.

rende déjà consentante à la calomnie et à la dénonciation que la crise de jalousie rendra inévitables. Si c'est la nécessité de remplir l'action qui a inspiré à Racine ces mouvements, la contrainte fut heureuse. Jamais âme ne s'était tant débattue, dans des liens aussi fortement tissus, avant d'arriver au dénouement prévisible dès les premiers pas de Phèdre sur le théâtre.

Telle est la part de l'invention dans la tragédie racinienne. L'auteur nous invite à repasser par toutes les étapes que son personnage a dû parcourir; à nous représenter toutes les formes que la passion a dû revêtir. Les Anciens n'ont pas connu tout le cœur humain; Racine, au temps où il les annotait, signalait bien leurs lacunes, leurs faiblesses. Mais nulle part il ne nous a dit ni laissé entendre dans quelles proportions ses observations sur lui-même, ses expériences, les crises devinées chez les autres, les confidences, les aveux, la connaissance qu'il a eue des mœurs de son temps avaient aidé son imagination à aller plus loin que ses maîtres. Tout ce que la critique a pu trouver à dire sur ce point n'est guère que conjecture : en particulier pour le rapport qui unit la tragédie de Racine à la vie de son siècle, il y a longtemps que l'on a suggéré que la présence à la cour d'un roi jeune, brillant et amoureux, à peu près du même âge que le poète, avait pu lui permettre de concevoir un Pyrrhus, un Titus et même un Néron différents de ceux de la tradition. Le souvenir d'Henriette de France n'est peut-être pas absent d'*Andromaque;* ni de *Bérénice* celui de Marie Mancini. Avouons qu'il nous intéresserait bien davantage encore de savoir ce qui est passé de l'âme même de Racine dans celle de ses créatures.

Ainsi s'est construit, en une dizaine d'années, ce théâtre si différent finalement, dans ses intentions profondes, de ce qui l'avait précédé. Corneille avait composé un véritable théâtre d'idées; la théorie de la générosité, l'amour fondé sur l'estime donnaient à ses héros une armature idéologique. Rien ne permet de penser que Racine se soit forgé par avance (ni même après coup) la philosophie pessimiste que l'on a voulu parfois tirer de son œuvre. Cette « tristesse majestueuse » dont il parle dans la préface de *Bérénice* et qui fait « tout le plaisir » de la tragédie, c'est une impression d'art, non un système philosophique. Le souci même de moraliser apparaît bien tardivement, dans la préface de *Phèdre*. D'œuvre en œuvre, et, semble-t-il, avec le seul souci de bien peindre, il a approfondi son analyse des passions. Il est bien vrai que la passion la mieux adaptée à cette technique c'est la forme d'amour qui reste sa création la plus forte : l'amour cruel, égoïste, injuste, implacable, féroce, voisin de la haine, qui, même dans le remords, regrette encore de n'être pas satisfait. Mais Racine n'a pas négligé d'autres formes plus tendres, plus aimables, plus consolantes, enfantines et naïves à l'occasion dans leurs manifestations, l'amour de Junie et de Britannicus; l'amour dont l'abbé de Villars affectait de mépriser, dans *Bérénice*, la peinture à son gré trop fade et doucereuse, sans vouloir se rendre compte que l'originalité de Racine était de l'avoir traité non pas, à la manière de Quinault, sous forme de discours galants (il lui est arrivé de le faire pour Xipharès, Hippolyte et Néron lui-même), mais, selon sa technique habituelle, dans un mouvement logique et dramatique. Il montrait ainsi que les phases d'un amour menacé seulement par les circonstances extérieures pouvaient être aussi pathétiques à suivre que celles de la passion jalouse et forcenée. L'ambition (chez Acomat, Agamemnon), la haine à l'état pur (chez Narcisse), l'amour maternel, simple et naturel chez Andromaque, furieux chez Clytemnestre, vicié chez Agrippine par l'appétit du pouvoir : autant de sentiments ou de passions qui ne sont pas étudiés avec un souci moindre d'exactitude et de vraisemblance, bien que l'amour proprement dit reste toujours au premier plan. Même un personnage de confident comme Pylade dessine une figure authentique de l'amitié. Tous ces êtres sont aussi véritables que les grands passionnés, et Racine, en les empruntant aux Anciens, les a enrichis aussi de nuances modernes.

Fut-il tenté d'accentuer encore cette variété? Eut-il l'idée que les sujets inspirés par l'amour n'étaient pas inépuisables? A dater d'*Andromaque*, la carrière littéraire de Racine paraît se développer, suivant l'esthétique qu'il vient d'affirmer, par une production régulière d'ouvrages. A regarder de près, il fut attentif à tout ce qui pouvait éviter la monotonie; il surveilla les critiques, les concurrents, les rivaux. Il avait, les années précédentes, devancé de justesse une *Thébaïde* et un *Alexandre* de Boyer. Le désir de faire taire les partisans obstinés de Corneille fut peut-être pour moins qu'on ne l'a dit, mais pour quelque chose dans le choix du sujet de *Britannicus* qui comportait toute une part d'étude historique. *Bérénice* présentera une forme extrême, la tragédie presque sans matière. *Bajazet* sera un essai pour traiter un sujet exotique et moderne selon les procédés éprouvés dans les tragédies inspirées des Anciens. *Iphigénie* évoque le cadre des légendes, et dépeint largement les sentiments familiaux : un père, une mère, un fiancé, une fille. *Mithridate*, en traitant le cas un peu exceptionnel du vieillard amoureux, nous ramène aux grands intérêts politiques, à l'histoire. *Phèdre* indique un retour décisif à l'inspiration grecque, à l'étude de la passion, poussée à la limite par la prédominance d'un caractère sur toute l'intrigue. Ici se situe dans la carrière de Racine cette cassure, cet abandon du théâtre dont les motifs ont été tant discutés. Dégoût d'écrivain susceptible, en proie à la hargne et aux cabales? Crise morale de la quarantaine, avec brusque résurgence du passé janséniste? Recul épouvanté devant les créations réalisées, surtout devant celle de Phèdre, réputée d'autant plus dangereuse qu'elle appelait sur elle la compassion? On se rappelle les brillantes digressions de Jules Lemaitre. Plus simplement, comme on l'a récemment suggéré, la nécessité de remplir sa charge nouvelle d'historiographe du roi allait-elle absorber tout entier Racine et l'obliger à choisir en même temps l'existence paisible et rangée d'un homme investi d'une mission de cour? Oserait-on ajouter que, du point de vue de l'art, Racine parvenait aussi à une crise? Avec *Phèdre*, un sommet semblait atteint. Il nous reste un témoignage de ses projets littéraires : il avait songé à écrire une *Iphigénie en Tauride* et une *Alceste*. Or, *Iphigénie en Tauride*, c'est la tragédie de l'amour fraternel; *Alceste*, celle de l'amour conjugal. Si l'amour-passion pouvait, à la rigueur, se mêler encore au sujet de la première pièce et compliquer l'intrigue de la reconnaissance entre le frère et la sœur, comme on le verra par l'*Iphigénie* de Gœthe, et comme le plan tracé par Racine le laisse supposer, on ne voit pas très bien quel rôle il aurait joué dans un sujet comme celui d'*Alceste*. Racine rêvait-il donc d'une simple transposition d'Euripide, d'une œuvre aux lignes sereines et grandioses, comme celle que Gluck réalisera dans son opéra? S'engageait-il vers la « tragédie sans amour », à laquelle tout le

siècle a pensé, et dont Fénelon fera l'éloge, en 1714, dans la *Lettre à l'Académie*, sans paraître se douter que Racine, emporté par les circonstances, en avait déjà donné un admirable modèle?

Car cette évasion hors du théâtre d'amour, la requête de Mme de Maintenon allait, douze ans après *Phèdre*, lui en ouvrir la perspective. Ce n'est d'ailleurs pas un Racine très différent que nous révéleront *Esther* et surtout *Athalie*. Il avait, du reste, si peu renié littérairement son théâtre profane que, dans une lettre à Boileau du 3 octobre 1694, où il lui demande conseil pour le texte d'un de ses *Cantiques spirituels*, il s'applaudira encore de certaines trouvailles, comme le « Misérable! » de *Phèdre* dans la scène de la jalousie. Sans doute, il réduit *Esther* à trois actes, suffisants pour l'étroitesse relative de l'intrigue. Mais, dans *Athalie*, il verra plus grand; il aura trouvé un sujet susceptible d'une analyse aussi minutieuse que ceux d'autrefois : la lutte de deux fanatismes, l'un servi par la volonté farouche d'un prêtre conducteur d'hommes, l'autre trahi par la volonté défaillante d'une femme criminelle et « superbe », dont il étudie la nature complexe, les impulsions contrariées, les hésitations, les maladresses, les mouvements de pitié, avec la même sûreté de main qu'il avait apportée autrefois à la peinture de ses passionnés. La raison souveraine domine d'un bout à l'autre son théâtre; elle règne encore sur l'intrigue d'*Athalie*, où la présence du vrai Dieu ne rend pourtant pas nécessaire un miracle. La conception tragique de Racine n'a pas changé; elle s'est montrée assez forte pour s'adapter à un objet nouveau.

L'ART DE RACINE

Quand on quitte une tragédie de Thomas Corneille ou de Quinault pour une tragédie de Racine, ce n'est pas essentiellement la nature des sentiments qui change; il s'agit toujours bien d'amour. C'est (le style mis à part) la richesse de l'analyse, la valeur humaine des personnages. On n'en peut dire autant lorsqu'on passe de Corneille à Racine. Les héros de Corneille manifestent eux aussi une présence extraordinaire. Ce qui change, c'est quelque chose de plus subtil : l'atmosphère, le climat de la tragédie. Entre les deux poètes, l'exécution marque la différence; avec Racine, s'affirme un art déraidi, moins abstrait.

D'abord, comme Molière, Racine possède au plus haut degré le sens scénique. Il a vu ses tragédies s'organiser en spectacle destiné aux yeux autant qu'à l'esprit. C'est évident pour les pièces bibliques. Lui-même nous dit dans la préface d'*Esther* comment, « pour rendre ce divertissement plus agréable à des enfants, en jetant quelque variété dans les décorations », il a transigé avec la règle de l'unité de lieu et ne l'a pas observée avec la même rigueur que dans les tragédies profanes. En fait, il sut toujours tirer parti pour son décor des possibilités, même modestes, que lui offrait la convention des unités, notamment l'unité de temps. L'attente d'Agrippine devant la porte de Néron est une scène de petit jour; de même le réveil d'Agamemnon au début d'*Iphigénie*, où Arcas décrit, en un vers, le silence de l'aube : « Mais tout dort, et l'armée, et les vents, et Neptune »; ainsi, dans *Athalie*, le premier entretien entre Joad et Abner : « Et du temple déjà l'aube blanchit le faîte. » Dans *Iphigénie* encore, l'orage, qui éclate en fin de journée au moment du sacrifice, accompagne les vers retentissants de Clytemnestre :

> C'est le pur sang du Dieu qui lance le tonnerre...
> J'entends gronder la foudre, et sens trembler la terre.
> Un Dieu vengeur, un Dieu fait retentir ces coups... »

La folie d'Oreste, la tuerie finale de Bajazet, la rencontre d'Agrippine et de son fils après le meurtre de Britannicus sont baignées de crépuscule. La lumière, l'implacable lumière inonde tout le martyre de Phèdre, ce soleil dont

BÉRÉNICE.   BRITANNICUS.   BAJAZET.

Gravures extraites de l'édition de 1676 des « Œuvres » de Racine. — CL. LAROUSSE.

elle ne peut soutenir l'éclat, ce ciel clair et serein comme un perpétuel reproche, jusqu'à l'instant où la mort de la réprouvée rend au jour « toute sa pureté ».

Notations brèves, mais précises. Racine, une fois de plus, s'inspirait de la tragédie grecque : il avait dû admirer le veilleur sur la terrasse du palais dans l'*Agamemnon* d'Eschyle, contemplant l'assemblée nocturne des étoiles, épiant le flambeau annonciateur; ou encore Ion d'Euripide, le jeune catéchumène, si proche de Joas-Éliacin, balayant au matin le parvis du temple de Delphes, tandis que le soleil commence à toucher les cimes du Parnasse.

Un souci de mise en scène, de figuration, apparaît plus souvent qu'on ne l'a dit dans la tragédie racinienne. Tous les tableaux ne sont pas transposés en récits. Dans *Britannicus*, sous l'influence du « plus grand peintre de l'Antiquité », Racine propose des indications scéniques dont les adaptateurs modernes n'auront qu'à s'inspirer pour créer d'intenses visions : la promenade agitée d'Agrippine au début du premier acte; Néron caché pour observer l'entretien de Britannicus et de Junie; au Ve acte, l'adieu de Britannicus à Junie anxieuse, l'attente lourde d'inquiétude qui suit, le tumulte des voix, Burrhus traversant la scène... *Athalie* marque la transfiguration décisive de la tragédie en grand spectacle. L'entrée de la reine au premier acte, entourée d'Abner et de Mathan, dans le temple déserté à son approche, surtout la scène finale, l'irruption d'Athalie, l'apparition de Joas caché derrière le rideau, la ruée des lévites en armes composent pour la première fois des ensembles pittoresques, qui annoncent la tragédie de Voltaire et le drame. Il n'est d'ailleurs pas impossible que l'opéra naissant ait servi dans ce dernier cas de modèle à la tragédie : on le croirait à voir la scène de Joad prophétisant, où poésie, figuration et musique s'unissent en une ample harmonie. C'est un épanouissement, mais que les pièces antérieures laissaient pressentir.

Racine n'avait pas attaché moins d'importance aux attitudes, aux gestes, aux entrées et aux sorties des personnages. C'est avec lui que le rôle de l'interprète, de l'acteur (et surtout de l'actrice) devient essentiel. Au premier acte

d'*Andromaque*, alors que Phoenix presse Pyrrhus de lui expliquer ses intentions, Pyrrhus l'interrompt :

> Une autre fois je t'ouvrirai mon âme;
> Andromaque paraît.

Suspension calculée pour attirer les yeux sur cette entrée, pour lui conférer d'avance la majesté que le port, la démarche, le drapé du vêtement devront souligner. On verra un effet analogue dans la sortie d'Agrippine, après l'entrevue avec Néron : « Gardes, qu'on obéisse aux ordres de ma mère. » L'interprète chargée du rôle de Phèdre n'a qu'à suivre les indications du texte, les coupes mêmes et les accents des vers, pour composer, comme faisait Sarah Bernhardt, une fresque d'attitudes sculpturales : l'entrée défaillante, les mouvements dans la scène de la déclaration, la main qui saisit l'épée, la fin, où le corps s'incline tandis que la voix s'éteint peu à peu, jusqu'au vers final qui passe dans un souffle : mort traduite en spectacle harmonieux. Tout différent était le dénouement d'*Andromaque*, mais aussi expressive la crise d'Oreste, où, après les gestes déments, le dernier vers de la tirade accompagne si bien la chute du corps à la fois frénétique et brisé :

> Et je lui porte enfin mon cœur à dévorer.

Ces êtres vivent, palpitent; leur simple présence, leur mimique crée en nous terreur, pitié, angoisse. Leur action immédiate sur nos yeux, plus efficace que celle des héros de Corneille, explique en partie la survivance de la tragédie racinienne. Ce n'est pas un des caractères les moins originaux de ce théâtre que d'unir à la rigueur de l'intrigue un art qui touche les sens.

A ces effets directs, sobres et mesurés du reste, il faut joindre les appels fréquents que le texte adresse à notre imagination. Racine dit bien dans la préface de *Phèdre* qu'il n'avait voulu « rien perdre des ornements de la fable, qui fournit extrêmement à la poésie ». Vigny, dans une phrase un peu sibylline du *Journal d'un poète*, considère que le théâtre de Racine est encore « tout épique » et qu'il faudrait représenter ses héros en demi-dieux.

L'appréciation n'est que partiellement juste, appliquée aux personnages qui ont, certes, la dignité tragique, qui appartiennent à un monde de grandeur et de majesté royale, mais qui, à tant d'égards aussi, ne sont pas si loin de nous. Elle est très exacte, au contraire, si l'on veut caractériser le halo poétique qui enveloppe la tragédie. Corneille avait eu le goût, la compréhension de l'histoire; Racine a déjà cette sensibilité particulière à la couleur des temps éloignés, au prestige des dieux et des légendes auxquels on ne croit plus, ce qu'on pourrait appeler la sensation du passé comme tel, sensation très moderne qu'après lui Chénier, Chateaubriand, la poésie romantique et parnassienne développeront de la manière que l'on sait. Il est encore sur ce point guidé par ses modèles, Homère, Euripide, Virgile, Tacite, la Bible.

Les noms mêmes de la légende et de l'histoire, parmi lesquels le spectateur d'aujourd'hui, moins humaniste que celui du XVIIᵉ siècle, risque parfois de s'embrouiller, prennent dans les vers de Racine une valeur évocatrice. On a remarqué souvent combien était curieux, notamment dans *Phèdre*, ce rappel des plus singulières légendes uni à une étude d'âme aussi nuancée. On a voulu donner à cette évocation une valeur philosophique, qui modifiait et approfondissait le sens de la tragédie. Mieux vaut y voir ce que nous dit Racine : un ornement; mieux vaut penser qu'il a juxtaposé, sans y chercher tant de mystère, la poésie mythologique et l'intrigue passionnelle.

Le sens poétique, dans une tragédie où la marche de l'action est strictement contrôlée, ne pouvait jaillir en effusions, en couplets d'auteur; il devait être incorporé à l'âme des personnages et s'exprimer par leur voix, sans ralentir ni suspendre le mouvement. C'est ainsi que Racine a fait de beaucoup d'entre eux des imaginatifs, des poètes. Certes, aucun de leurs accents ne laisse oublier le récit de Rodrigue dans *le Cid*, véritable fragment d'épopée. Mais Corneille n'avait pas abusé des effets de ce genre; ses héros, même dans les stances, sont plutôt raisonneurs, et ses récits (que l'on songe à la scène du bris des idoles dans *Polyeucte*) manquent parfois de couleur. Combien plus visionnaires sont les héros de Racine! Ils ne décrivent pas seulement les scènes grandioses et terribles, comme Andromaque retraçant la dernière nuit de Troie. Ils savent nous peindre aussi de courts tableaux, des impressions vivement ressenties : le suicide d'Hermione, l'empoisonnement de Britannicus. Néron esquisse un saisissant tableau de genre (qui n'est pas chez Tacite) avec Junie prisonnière, dont les yeux brillent « au milieu des flambeaux et des armes », ces yeux mouillés de larmes que Britannicus, à l'instant des adieux, décrira aussi en élégiaque. Surtout les deux grandes tragédies grecques (avec *Andromaque*), *Iphigénie* et *Phèdre*, abondent en descriptions, dont certaines, toutes sobres qu'elles sont, peuvent paraître étrangères aux nécessités de l'intrigue et empreintes de quelque gratuité. Arcas est poète quand il décrit le sommeil universel des flots et des vents, Ulysse lorsqu'il dépeint la rive « blanchissante d'écume ». Clytemnestre a l'imagination la

ESTHER. Gravure de S. Le Clerc, d'après Ch. Le Brun, pour l'édition in-4º de 1689.
CL. LAROUSSE.

plus ardente. Tout est vision pour elle : le sacrificateur frappant Iphigénie, le cœur palpitant sous le couteau, son retour de mère désespérée après le sacrifice :

> Je verrai les chemins encor tout parfumés
> Des fleurs dont sous ses pas on les avait semés!

Toute la misère des imaginatifs qui envisagent à l'avance une sensation de douleur est passée dans ces deux vers lyriques. Car les héros ne se contentent pas de peindre les spectacles qui ont frappé leurs yeux; ils décrivent leurs propres sensations, leurs pressentiments, leurs souvenirs dans ce qu'ils ont de plus aigu. Phèdre est une hallucinée dont l'esprit est traversé d'images obsédantes : un char qui s'enfuit, des ombres errant au bord du fleuve des morts, parfois une vision gracieuse comme celle du vaisseau d'Hippolyte prêt à partir :

> Et la voile flottait aux vents abandonnée.

Nul n'a su mieux qu'elle décrire ses frissons de fièvre, et jusqu'à l'angoisse de la mort mêlée d'on ne sait quel apaisement, lorsqu'elle sent la glace du poison rafraîchir ses veines brûlantes.

Enfin, quand Racine abordera les sujets bibliques, rien ne retiendra plus l'élan poétique qui fera corps avec le drame dans le dialogue ou s'épanouira dans les chœurs. Tout à fait indépendante et plus originale encore, la prophétie de Joad forme à elle seule, à l'intérieur du IVᵉ acte, une sorte de poème où le lyrisme s'unit à l'épopée.

La tragédie-spectacle et la tragédie-poème ne pouvaient être pleinement réalisées que par un écrivain sûr de ses moyens. Dans le domaine de l'expression, Racine était tenu par un souci de noblesse, d'élégance, dont la préface de *Bérénice* nous dit bien qu'il constituait à ses yeux une des exigences du genre. D'autre part, sa conception de l'œuvre raisonnable, l'exemple de Molière, et peut-être celui de Boileau, l'engageaient à préférer le style «vrai ». Nous savons par ses réflexions de jeunesse sur *l'Odyssée*, par ses lettres, par la prose de son *Abrégé de l'histoire de Port-Royal*, que Racine était naturellement porté vers la simplicité et la vérité. Mais, dès qu'il écrit en vers, dans ses *Odes* d'adolescent, dans ses premiers poèmes, apparaissent le legs de la préciosité, les procédés à la mode de Quinault. Ils ne disparaîtront pas des tragédies, et il est fort probable que Racine a jugé possible la conciliation entre l'élégance et le naturel — c'est la formule même du « goût » — sans voir des disparates qui nous sont devenus sensibles. Il y a deux styles de Racine qui ont vieilli : ce style fleuri, parfois pompeux, qui faisait dire à Hugo dans un jour de mauvaise humeur paradoxale que, pour la simplicité et la propriété des termes, Pradon l'emportait sur Racine! — et, à l'autre extrémité, dans quelques scènes mineures, une fluidité un peu molle, un rythme détendu et lâché, chose rare chez lui. Ce sont les défaillances propres à son expression. Ainsi l'écueil pour Corneille avait été de devenir confus, abrupt et rocailleux.

Entre les deux, s'affirme le grand style de Racine, approprié à l'objet, fait d'énergique précision et de délicatesse, intense sans emphase, et, par-dessus tout, musical. Romain Rolland a montré comment la mélodie de Lulli nous présentait une image fidèle de ce que dut être la « déclamation racinienne », modèle de l'opéra du temps. L'harmonie n'était pas absente des tragédies de Corneille (qu'on se rappelle *le Cid* et *Polyeucte*), encore moins des poésies de La Fontaine. Elle devient essentielle aux vers de Racine, dans chaque alexandrin pris à part et dans les ensembles. Voltaire a noté « cet art de rompre la mesure..., cet heureux mélange de syllabes longues et brèves et de consonnes suivies de voyelles qui font couler un vers avec tant de mollesse ». Quant aux groupes rythmiques, à la phrase poétique, ils constituent, comme chez Molière, l'originalité propre au poète. Les plus grands vers de Racine, les plus souvent cités, ne valent pas seulement par leur sens, par leurs sonorités internes, leurs accents, les rimes qui en prolongent la suggestion, mais par leur place dans un mouvement qui les prépare et qu'ils achèvent.

ATHALIE CHASSÉE DU TEMPLE. Peinture d'A. Coypel (musée du Louvre). — CL. LAROUSSE.

Musique très variée, toute en force et en éclat dans les imprécations d'Agrippine, de Joad et d'Athalie, large dans les évocations, adaptée à la tendresse ou à la violence des personnages, insinuante dans la déclaration de Phèdre à Hippolyte, qui s'achève sur une note si moderne, la coupe et la syllabe finale accentuant l'ambiguïté inquiétante du vers :

Se serait avec vous retrouvée *ou perdue.*

Même lorsqu'elle démontre, lorsqu'elle plaide, aussi habile et parfois aussi retorse que celle de Corneille (ainsi Oreste demandant tout à Pyrrhus « pour ne rien obtenir »), cette poésie reste un chant, à plus forte raison lorsqu'elle exprime l'amour ou la douleur. Les sinuosités de la phrase, une vibration particulière mettent une touche de sensibilité jusque dans les passages de raisonnement; et, quand le style prend un apprêt un peu guindé, c'est encore la souplesse harmonieuse des vers qui le sauve.

La structure de scènes entières, de rôles entiers est fondée sur une parfaite entente des rythmes, des possibilités vocales de l'interprète, de la tonalité d'ensemble. La folie d'Oreste, avec son *crescendo* si calculé, si maîtrisé, n'est pas seulement logique et charpentée, elle est notée avec un sens remarquable de l'effet sonore. Les plaintes de Phèdre se scandent en quatrains, en strophes, qui épousent tous les mouvements d'exaltation, d'épuisement, de souffrance. Par-delà l'élégie du XVIIIᵉ siècle, cette forme s'imposera encore au lyrisme du XIXᵉ siècle. On sait que le chant même de certaines phrases est passé directement du récit d'Antiochus, dans *Bérénice*, aux *Méditations* de Lamartine et au *Souvenir* de Musset. La technique racinienne a poussé ses prolongements jusque chez Moréas et chez Valéry.

Partout où cette harmonie s'unit à la densité de l'expression, Racine atteint une des perfections du style français. Autant que le spectacle, son théâtre appelle la déclamation. Seule, elle permet de sentir combien cette musique, loin de se substituer au sens, le soutient, l'anime,

en accentuant ce qui est dit, en suggérant ce qui n'est pas exprimé.

Il ne serait pas tout à fait juste de dire que Racine, venant à son heure, a tenté la « fusion » de tout ce qui avait été fait avant lui. En tenant compte des œuvres antérieures, il a travaillé dans son domaine, plus restreint que celui de Corneille, dont la création tragique offre, elle aussi, à sa manière, un ensemble parfait. Dans un cadre relativement étroit, Racine a réalisé une synthèse qui satisfait à la fois l'esprit, le cœur, les sens. Synthèse très personnelle, fragile, difficilement transmissible. Il ne résume pas toute l'histoire de la tragédie, mais il est bien vrai qu'il en achève l'évolution; après lui, tout se défait. S'il est important, pour préciser son originalité, de voir ce qui l'a précédé, il devient inutile de s'arrêter à ce qui l'a immédiatement suivi. Héros et héroïnes de légendes fournissent à l'envi des titres à des tragédies dont le contenu est mort. Longepierre, le plus doué de ces successeurs, a beau posséder, au dire de Voltaire, toutes les beautés de la langue grecque, « mérite très rare en ce temps-ci », traduire Anacréon et s'essayer à la tragédie sans amour, il ne pourra s'approcher du modèle. Et plus tard, Voltaire, avec tout son talent et son immense effort, n'y réussira qu'à demi.

La physionomie de Racine s'est modifiée, enrichie au cours du temps. Jules Lemaitre, suivant l'indication de Chateaubriand, avait dégagé fortement l'image de Racine chrétien. Au XXᵉ siècle, la tragédie racinienne a paru justifier quelques-unes des thèses favorites de notre époque : philosophiques, psychologiques, esthétiques. On a vu dans cette conception de l'art tragique la marque d'idées fort subtiles, alors qu'elle représentait surtout une conciliation originale entre les modèles grecs, les conventions de l'époque et le système cornélien poussé jusqu'à ses extrêmes conséquences. La poésie pure s'est réclamée de Racine : il ne sépare pourtant jamais le son du sens. Quant au public, il lui est resté fidèle d'instinct, comme à celui qui a traité pour la dernière fois en grand artiste une forme d'art dramatique dont le prestige n'a pas été compromis. Depuis qu'on a pu lui comparer ses successeurs immédiats, Voltaire ensuite, puis le théâtre romantique qui l'a renié, puis le théâtre néo-classique qui se réclamait de lui, Racine a paru réaliser une perfection unique, ce que ses contemporains, même ceux de sa taille (à l'exception de Boileau peut-être), n'avaient, en somme, que partiellement entrevu.

VIII. — BOILEAU ET LA CRITIQUE

La critique des œuvres littéraires, très féconde au cours de cette période, est souvent décisionnaire et partiale. Les polémiques prennent facilement un ton discourtois, voire injurieux; on se bat à coups d'épigrammes, de parodies, de satires. D'autre part, les écrivains s'expliquent longuement dans leurs préfaces. Les correspondances du temps sont remplies de conversations grammaticales et littéraires, d'observations critiques sur des points de style. Les ouvrages théoriques, traités et dissertations abondent. On discute sur les genres littéraires et sur leurs lois; on compare entre eux les auteurs, ceux surtout de l'Antiquité; on cherche à établir « la manière de bien penser sur les ouvrages de l'esprit » : c'est le titre d'un livre du P. Bouhours (1687). Saint-Évremond écrit : *De la tragédie ancienne et moderne* (1672); Desmarets de Saint-Sorlin, une *Défense de la poésie et de la langue française* (1675); Lamy une *Rhétorique* (1675). Deux jésuites, le P. Bouhours (1628-1702), déjà cité, et le P. Rapin (1621-1687), représentent avec talent la critique savante, allégée par la délicatesse du goût. Ces rapprochements permettent de mieux situer Boileau. Il n'apparaît plus comme un isolé ni, en tous points, comme un novateur, mais comme un tempérament original d'écrivain et d'artiste, qui, en s'adonnant à la critique, l'a placée au premier rang, à côté des genres déjà consacrés par un long usage.

BOILEAU

Nicolas Boileau-Despréaux est né le 1er novembre 1636 à Paris, dans une maison toute proche de la Sainte-Chapelle. Il tire son surnom de Despréaux d'un petit domaine que sa famille possédait à Crosne, près de Villeneuve-Saint-Georges. Son père, Gilles Boileau, était greffier de grand-chambre au parlement de Paris ; sa mère, Anne de Niellé, qu'il perdit tout enfant, était fille d'un procureur. « Fils d'un père greffier, né d'aïeux avocats », il pouvait se dire (Lettre à Brossette du 9 mai 1699) « noble de quatre cents ans », car un de ses ancêtres, Jean Boileau, avait été anobli en 1271 comme notaire royal.

Il commença ses études au collège d'Harcourt ; il subit à onze ans l'opération de la taille, dont il se ressentit toute sa vie. En 1648, il fut mis au collège de Beauvais. En 1652, il commença des études de théologie, presque aussitôt abandonnées. Il apprit le droit, s'employa chez un de ses beaux-frères, M. Dongois, greffier au parlement, et, reçu avocat en 1656, plaida en 1657 sa première cause. Elle fut aussi la dernière, car cette même année son père mourut, qui laissait une grande fortune : Despréaux, bien qu'il ait dû la partager avec treize ou quatorze frères et sœurs, se vit assuré d'une large aisance pour le restant de ses jours. Il en profita pour renoncer au métier d'avocat et pour suivre sa vocation, qui était de rimer.

FRONTISPICE de l'édition des « Satires du sieur D*** » parue en 1666. — CL. LAROUSSE.

Il rima plusieurs années « sans songer, dit l'un de ses plus anciens biographes, Pierre Le Verrier, à publier ses ouvrages : il se contentait de les lire à quelques-uns de ses amis particuliers, à Molière, à Chapelle, à Racine, au duc de Vivonne, au duc de Lesdiguière, au comte de Fiesque, au duc de La Rochefoucauld, à M. Le Prince ; tout cela se passait d'ordinaire au cabaret,... surtout à la Croix-Blanche, fameux cabaret du cimetière Saint-Jean, où s'assemblaient les beaux esprits ». Ses satires, colportées de la sorte (Boileau lisait admirablement), étaient déjà célèbres quand il se décida, en 1666, à en publier sept, accompagnées du Discours au roi. La huitième et la neuvième, précédées d'un Discours sur la satire, ne virent le jour que deux ans plus tard. En 1669, le duc de Vivonne le présenta au roi, qui l'écouta lire sa première Épître et le gratifia d'une pension de deux mille livres.

Les dix ou douze années qui suivirent sont celles de sa plus grande activité. Le recueil de ses Œuvres diverses, publié chez L. Billaine, en 1674, contient, outre ses ouvrages antérieurs, cinq épîtres (I-V), l'Art poétique, les quatre premiers chants du Lutrin et le Traité du sublime, traduit de Longin. L'édition qui paraît, en 1683, chez la veuve Billaine ajoute à ces ouvrages les épîtres VI-IX et les chants V et VI du Lutrin. Dans l'entre-temps, en 1677, le roi a attribué à Boileau, ainsi qu'à Racine, la charge, ou la sinécure, d'historiographe de France. En 1684, il lui donne une nouvelle marque de sa faveur : il force la main à l'Académie, qui avait jusqu'alors tenu rigueur, et pour cause, à l'auteur des Satires.

L'année suivante, Boileau, qui avait toujours habité son quartier du vieux Paris, émigre du Cloître-Notre-Dame : il passera dans sa maison d'Auteuil vingt années, peu fécondes en œuvres. Des infirmités précoces le tourmentaient, à commencer par la maladie de gorge qui le mena, en 1687, aux eaux de Bourbon-l'Archambault et qui nous a valu sa correspondance avec Racine, si cérémonieuse et si tendre. Son Ode sur la prise de Namur (1693), les quelques pièces de sa polémique avec Perrault, et notamment ses Réflexions sur Longin (1694), trois épîtres (X-XII),

trois satires (X-XII), une vingtaine d'épigrammes : il mit plus d'un quart de siècle à produire ces seuls ouvrages. Il employa surtout ce temps à réviser ses écrits antérieurs, à les annoter pour la postérité, à fournir à de jeunes confidents, Brossette, Le Verrier, en vue d'éditions futures, les éléments de leurs enthousiastes commentaires.

La mort de Racine, survenue en 1699, fut sans doute l'événement le plus douloureux de sa vie. « Les onze années qu'il survécut à mon père, écrit Louis Racine, furent onze années d'infirmités et de retraite. Il les passa tantôt à Paris, tantôt à Auteuil, où il ne recevait plus les visites que d'un très petit nombre d'amis. Il voulait bien y recevoir quelquefois la mienne et s'amusait même à jouer avec moi aux quilles... « Il faut avouer, disait-il, que j'ai deux grands talents, aussi utiles l'un que l'autre à la société et à un État : l'un de bien jouer aux quilles, l'autre de bien faire des vers. » En 1705, il vendit à son ami Le Verrier sa maison d'Auteuil et regagna le quartier du Cloître Notre-Dame. C'est là qu'il mourut, à soixante-quatorze ans, le 11 mars 1711.

Sept ans plus tard, en 1718, son

*fidèle ami Brossette publiait à Amsterdam une excel-
lente édition de ses Œuvres complètes. Les éditions
complètes qui ont paru par la suite sont dues à Lefèvre
de Saint-Marc (1747), à Daunou (1809), à Berriat
Saint-Prix (1830), à Ch. Gidel (1873); plus récemment,
P. Clarac a donné un choix (1937); Ch.-H. Boudhors
(les Belles-Lettres, 1934-1943, éd. inachevée, 3 vol.).
Quant aux éditions partielles, il en existait en 1832,
quand Berriat Saint-Prix en dressa la liste, au moins
trois cent cinquante : le nombre s'en est depuis très
fortement accru. A signaler notamment : les Premières
Satires de Boileau, éd. crit., par A. Adam, 1941; Satires,
éd. crit., par A. Cahen, 1932; Épistres, éd. crit., par
A. Cahen, 1937.*

*Consulter : G. Lanson, Boileau, 1892; F. Lachèvre,
les Satires de Boileau commentées par lui-même,
reproduction du commentaire de L. Le Verrier, avec
les corrections autographes de Despréaux, 1906;
M. Hervier, l'Art poétique de Boileau (Chefs-d'œuvre
de la littérature expliqués, Mellottée), 1938; D. Mornet, Nicolas Boileau, 1941; R. Bray, Boileau, 1942.*

Le lecteur a sous les yeux (page 472) l'image qui sert de
frontispice à l'édition des *Satires du sieur D**** (Despréaux)
publiée en 1666, chez Barbin. Un monstre odieux, l'Hypocrisie humaine, siégeait, paisible, sur un trône. La Satire
s'est attaquée à lui : elle vient de lui arracher sa perruque et
son masque; elle le force à lâcher ses dés pipés, ses cartes
biseautées. Victorieuse, la Muse se détourne avec dégoût
de l'adversaire; mais un petit chèvre-pied le regarde en
face, le nargue d'une nasarde, le menace de sa torche,
tandis que trois autres de ces petits dieux cornus et ven-
trus, effrontés, s'acharnent sur de méchants livres et de
leurs feuillets arrachés se font des buccins où ils soufflent
à cœur joie.

Veuille maintenant notre lecteur regarder une autre
illustration : la planche publiée ci-contre. C'est, gravé
de la main de Bernard Picart, le Triomphe de Boileau,
qui orne la magnifique édition de ses *Œuvres complètes*,
procurée par Brossette en 1718. Brossette a joint à cette
gravure une légende explicative, harmonieuse comme
elle et non moins majestueuse : « Le portrait de Boileau
Despréaux est apporté sur le Parnasse par la Poésie
satirique, représentée par une femme accompagnée d'un
petit satyre. Elle a un air moqueur et tient un sifflet. Elle
présente le portrait à Apollon, qui tend les bras pour le
recevoir. Calliope, qui préside aux poèmes héroïques, est
appuyée sur les poèmes de *l'Iliade*, de *l'Odyssée* et de
l'Énéide. Cette Muse et Polymnie lui préparent des
couronnes de laurier. L'Amour accompagne Érato; on
remarque sur son visage qu'elle ne peut dissimuler le
chagrin qu'elle a conservé contre ce poète, ennemi des
poésies tendres... » Les autres Muses participent à la
solennité « ... dans la joie et dans l'admiration, et il n'y a
pas jusqu'au cheval Pégase qui ne semble s'applaudir
d'avoir été monté par un si habile maître ».

Entre ces deux gravures, l'une brutale, vulgaire presque,
l'autre si noble, quel contraste ! Mais aussi quelle distance
du sieur D*** des premières Satires au Législateur du
Parnasse, héros, cinquante ans plus tard, de cette apothéose !

Quand il commence, tout jeune, à hanter « les rives du
Permesse », le sieur Despréaux ressemble fort à l'un quelconque de ses aînés, les libres poètes du temps de
Louis XIII. Hardi comme eux et comme eux pittoresque,
il s'abandonne tout entier à sa verve sarcastique, à sa
gaieté robuste et sonore. Qu'on se rappelle ses violentes
épigrammes à l'adresse de Chapelain, ses caricatures,
hautes en couleur, de provinciaux braillards et de poètes
sans linge, de faquins et de fripons; qu'on se rappelle les

LE TRIOMPHE DE BOILEAU. Frontispice, gravé par Bernard
Picart, de l'édition in-folio des « Œuvres de Boileau » publiée
par Brossette à Amsterdam, en 1718. — CL. LAROUSSE.

grotesques, les magots, eût dit Louis XIV, qu'il met
en scène dans *les Embarras de Paris* ou dans *le Repas
ridicule* :

> ...J'avalais au hasard
> Quelque aile de poulet dont j'arrachais le lard.
> Cependant, mon hâbleur, avec une voix haute,
> Porte à mes campagnards la santé de notre hôte,
> Qui, tous deux pleins de joie, en jetant un grand cri,
> Avec un rouge-bord acceptent son défi.
> Un si galant exploit réveillant tout le monde,
> On a porté partout des verres à la ronde,
> Où les doigts des laquais, dans la crasse tracés,
> Témoignaient par écrit qu'on les avait rincés,
> Quand un des conviés, d'un ton mélancolique,
> Lamentant tristement une chanson bachique,
> Tous mes sots à la fois, ravis de l'écouter,
> Détonnant de concert, se mettent à chanter.
> La musique sans doute était rare et charmante !
> L'un traîne en longs fredons une voix glapissante,
> Et l'autre, l'appuyant de son aigre fausset,
> Semble un violon faux qui jure sous l'archet.

Ces premiers ouvrages annonçaient un nouveau Mathurin Régnier : et d'ailleurs Mathurin Régnier restera pour
Boileau, jusqu'au terme de sa carrière, le maître dont on
peut s'écarter, mais qu'on ne renie pas. Quand, parvenu
au faîte de la gloire, il compose, en 1695, cette Épître X
où il raconte ses débuts : « J'allai, dit-il fièrement,

> J'allai d'un pas hardi, par moi-même guidé,
> Et de mon seul génie en marchant secondé,
> Studieux amateur et de Perse et d'Horace,
> Assez près de Régnier m'asseoir sur le Parnasse.

Mais sur le Parnasse il avait rencontré d'autres fils de
Régnier, Théophile et Saint-Amant, Cyrano et Scarron,
voire Faret et Colletet, « crotté jusqu'à l'échine ». Il semble
avoir souffert de leur voisinage comme d'une promiscuité;

sans doute parce qu'il reconnaissait entre eux et lui de redoutables affinités natives, il voulut s'écarter de leur bande, et bientôt, détestant leur « extravagance aisée », il discerna entre ses premiers maîtres et ce fut à Horace qu'il s'attacha pour toujours.

Des Satires, des Épîtres, des Odes, un Art poétique : Boileau traite les mêmes genres et ceux-là seulement qu'Horace a traités. Non pas tous, il est vrai, puisqu'il ne s'est presque jamais aventuré à parler d'amour. S'il en parle, c'est pour affirmer que « l'amour est un caractère affecté à la comédie, parce qu'au fond il n'y a rien de si ridicule qu'un amant et que cette passion fait tomber le héros dans une espèce d'enfance »; et le seul personnage féminin de son œuvre qui soit plaisant à regarder, la joyeuse commère du *Lutrin*, ne prétend point rappeler Lydie ni Glycère, ni Lalagé au doux rire, au doux parler. De plus, il est trop clair que certains dons horatiens manquaient à cet émule d'Horace, l'abandon, le nonchaloir épicurien, la grâce. Cela dit, il n'en reste pas moins que par son souci constant d' « épurer ses vers aux rayons du bon sens », par ses scrupules infinis de bon ouvrier épris de son métier, par son amour des vers faciles difficilement faits, par son respect de ces limites fermes hors desquelles ne saurait subsister le vrai, Boileau a soutenu très dignement la haute gageure : il a voulu être l'Horace français; il y a réussi.

Il est par tempérament, il restera un satirique, mais qui de bonne heure se met en garde contre les périls du « burlesque effronté ». Il est par tempérament, il restera un poète réaliste, mais qui redoute les brutalités du réalisme et s'efforce d' « élever ses poétiques ailes » jusqu'aux plus hautes régions d'un classicisme qu'il saura définir; et cette aspiration vers un idéal toujours plus harmonieux d'ordre, de mesure, de sagesse, représente le mouvement même de sa vie et de son œuvre.

Pour tâcher d'interpréter les satires morales et les épîtres morales de Boileau, observons-le, tandis que la querelle du jansénisme divise autour de lui les esprits. Longtemps il affecte de n'y rien comprendre; est-il un théologien, après tout? « Je n'ai point pris de parti, écrit-il, sur le démêlé de la grâce et je regarde la querelle que les jésuites ont avec M. Arnauld sur Jansénius comme une simple querelle de mots. » Longtemps, il répète à ses amis jansénistes, Arnauld et Nicole; à ses amis molinistes, le P. Rapin, le P. de La Chaise, qu'il est, lui, un molino-janséniste : ami de tout le monde! Un jour vient pourtant, quand il est vieux déjà, vers l'an 1693, où il se déclare enfin : il se déclare, et très courageusement, pour les jansénistes persécutés, contre le roi. Alors des mots de lui courent, propres à ruiner son crédit à Versailles. « Le roi, dit quelqu'un devant lui, fait rechercher M. Nicole. — Le roi, répond-il, n'aura pas le malheur de le trouver. » Cet autre lui dit : « On va traiter durement les religieuses de Port-Royal. » Il riposte : « Les traitera-t-on plus durement qu'elles se traitent elles-mêmes? » Il persévère dans cette attitude hostile au pouvoir, et il écrit enfin, en 1705, c'est l'un de ses derniers ouvrages, cette satire *Sur l'Équivoque*, dont le roi irrité

interdira la publication, où il ose parler des hérésies, de la casuistique, des guerres de religion, de la Saint-Barthélemy, avec quelle vigueur !

> Cent mille faux zélés, le fer en main courants,
> Allèrent attaquer leurs amis, leurs parents,
> Et sans distinction, dans tout sein hérétique,
> Pleins de joie, enfoncer un poignard catholique.

Pourquoi donc s'était-il si longtemps dissimulé à lui-même la gravité de la crise? Et pourquoi, dans aucune des autres querelles religieuses ou civiles qui agitèrent de son temps les consciences, n'a-t-il jamais éprouvé le besoin de prendre parti?

LE MORALISTE

A cette question, on peut répondre ainsi : Boileau, confiné d'abord dans son milieu familial de greffiers et de procureurs et dans la société composite des rimeurs et des gentilshommes beaux esprits qui hantaient les cabarets du Mouton-Blanc, de la Croix de Lorraine et de la Pomme de Pin, avait connu de bonne heure l'attirance de cercles plus raffinés. Grâce à la bienveillance des Vivonne et des Dangeau, il avait entrevu, de loin d'abord, la cour. Il y fut admis enfin. Dès longtemps il aimait le jeune roi, et cet amour explique tout.

Son *Discours au roi*, son épître *Sur le passage du Rhin*, son ode *Sur la prise de Namur* montrent assez son ardeur à le louer. Mais laissons ces panégyriques, qui représentent comme la liturgie publique d'un culte officiel. Voici, empruntés à des lettres intimes de Boileau, des témoignages de sa dévotion plus secrets, donc plus sûrs. Un jour, à Bourbon-l'Archambault, où il soigne sa maladie de la gorge, il reçoit une lettre de Racine : le roi a daigné s'informer de sa santé et du traitement qu'il suit. Transporté de joie, presque guéri déjà, il répond à Racine : « Il ne saurait guère rien arriver de plus glorieux, je ne dis pas à un misérable comme moi, mais à tout ce qu'il y a de gens plus considérables à la cour, et je gage qu'il y en a plus de vingt d'entre eux, qui, à l'heure qu'il est, envient ma bonne fortune, et qui voudraient avoir perdu la voix et même la parole à ce prix... Je suis persuadé qu'il fait bon suivre les ordonnances du roi, même en fait de médecine. J'accepte l'augure qu'il m'a donné que la voix me reviendrait lorsque j'y penserais le moins : un prince qui a ordonné tant de choses miraculeuses est vraisemblablement inspiré du ciel et toutes les choses qu'il dit sont des oracles. » Douze ans plus tard, alors qu'il pleure Racine, mort de la veille, il écrit à son confident Brossette : « Sa Majesté m'a parlé de M. Racine d'une manière à donner envie aux courtisans de mourir, s'ils croyaient qu'elle parlât d'eux de la sorte après leur mort. »

Sans doute un tel langage nous est devenu étrange, et pour le bien entendre, pour n'être pas tentés d'en sourire, il nous faut le transposer et nous redire que l'amour du roi, chez Boileau comme chez tant de ses contemporains, c'était à peu près ce qu'une âme bien née appelle aujourd'hui l'amour de la patrie.

FRONTISPICE des « Œuvres diverses » de Boileau (édition de 1674). — CL. LAROUSSE.

Quoi qu'il en soit, à surprendre de pareils propos, qui pourrait douter de leur candide sincérité ?

Ajoutons cette simple remarque, que Boileau a composé à peu près toute son œuvre dans les vingt années qui se sont écoulées de 1660 à 1680 et que cette courte période fut la plus heureuse et la plus éclatante du siècle. « Ah ! dit-il au roi,

> « Ah ! que si je vivais sous les règnes sinistres !...
> Mais toujours sous ton règne il faut se récrier ;
> Toujours, les yeux au ciel, il faut remercier ;
> Sans cesse à t'admirer ma critique forcée
> N'a plus en écrivant de maligne pensée,
> Et mes chagrins sans fiel et presque évanouis
> Font grâce à tout le siècle en faveur de Louis. »

Comme il se connaît bien ! Ces vingt années, il les a vécues dans l'éblouissement qui lui venait du Roi Soleil. Ce qu'il aimait en Louis, croyant n'aimer que Louis, c'était la paix et l'ordre institués par tout le royaume, et c'était l'honneur des victoires françaises ; c'était Colbert et Condé. Splendeur de Versailles, joie d'y être accueilli et quelquefois de sentir que « sa vue à Colbert inspirait l'allégresse » ; délices de l'hôtel de Pomponne, où Mᵐᵉ de Sévigné l'écoutait, ravie, lire son *Art poétique ;* gaieté des soupers chez la Champmeslé ; charme des aimables ombrages de Bâville où il conversait avec « le plus grand des magistrats », Lamoignon, avec Bossuet, avec Maucroix, avec « celui des illustres qu'il admira le plus et qui l'aima le mieux », Bourdaloue : il a joui de toutes ces jouissances ; il a vécu sa jeunesse en plein bonheur.

Dès lors que pouvait-il subsister de son premier dessein d' « ôter le masque aux vices de son temps » ? Moraliste tout pénétré d'optimisme, satirique sans colère, il laisse à d'autres, à La Rochefoucauld, à Saint-Évremond, à Bourdaloue, la dure tâche d'observer, de pénétrer, de juger le temps présent. Il s'en tiendra, lui, à railler, d'un ton d'ailleurs bourru, quelques-uns de ses travers, les plus inoffensifs. Il ne lui reste donc, puisqu' « il a fait grâce à tout le siècle », qu'à développer en ses satires morales, en ses épîtres morales, les lieux communs d'une sagesse moyenne, héritée, toute traditionnelle. Il ne lui reste qu'à s'efforcer de relier artificiellement les unes aux autres (les transitions, à l'en croire, seraient « le plus difficile chef-d'œuvre de la poésie ») de petites remarques de détail, dispersées, fragmentaires, sur *la Fausse Honte*, sur *la Noblesse*, sur *l'Homme*, sur *l'Honneur*. L'honneur, quel est-il ?

> Quel est-il, Valincour ? Pourras-tu me le dire ?
> L'ambitieux le met souvent à tout brûler ;
> L'avare, à voir chez lui le Pactole rouler ;
> Un faux brave, à vanter sa prouesse frivole ;
> Un vrai fourbe, à jamais ne garder sa parole ;
> Ce poète, à noircir d'insipides papiers ;
> Ce marquis, à savoir frauder ses créanciers ;
> Un libertin, à rompre et jeûnes et carême ;
> Un fou perdu d'honneur, à braver l'honneur même ;

et puisque, enfin, tout bien considéré, tout bien pesé, l'honneur requiert d'abord l'honnêteté,

> Concluons qu'ici-bas le seul honneur solide,
> C'est de prendre toujours la vérité pour guide !

Qui le contredira, même quand il donne à ces vérités éternelles l'apparence d'audacieux paradoxes ?

> De tous les animaux qui s'élèvent dans l'air,
> Qui marchent sur la terre ou nagent dans la mer,
> De Paris au Pérou, du Japon jusqu'à Rome,
> Le plus sot animal, à mon avis, c'est l'homme.
> Quoi ! dira-t-on d'abord, un ver, une fourmi...

On se rappelle le vers de Voltaire :

> Boileau, correct auteur de quelques bons écrits...

S'il ne nous avait légué que son œuvre de moraliste, Boileau ne devrait-il pas se contenter de cette louange glaciale ?

LE SATIRIQUE

Mais il nous a légué, heureusement pour sa gloire, d'autres ouvrages. Il n'aura vécu, en somme, que pour les lettres, sans autres idées, sans autres passions que des

LE TRIOMPHE DE LOUIS XIV. Bas-relief de Coysevox, décorant le Salon de la Guerre (musée de Versailles). — CL. GIRAUDON.

idées littéraires et des passions littéraires : et l'on peut donc le tenir quitte du reste. Tout au long de ses jours, sa Muse la plus chère fut celle qui lui avait « inspiré dès quinze ans la haine d'un sot livre », celle qui lui avait dicté, au temps où il fréquentait encore chez Chapelle et chez Furetière, ses parodies du style de Chapelain :

> Maudit soit l'auteur dur, dont l'âpre et rude verve,
> Son cerveau tenaillant, rima malgré Minerve,
> Et, de son lourd marteau martelant le bon sens,
> Rima de méchants vers douze fois douze cents !

C'est elle qui l'assiste en son dur et sournois labeur, quand il forge lentement, lime, polit, aiguise les dards cruels qu'à l'improviste, l'instant venu, il lancera :

> Que tout, jusqu'à Pinchêne, et m'insulte et m'accable !

> Perrin a de ses vers obtenu le pardon
> Et la scène française est en proie à Pradon !

> Eh ! qu'importe à mes vers que Perrin les admire,
> Que l'auteur du *Jonas* s'enferme pour les lire,
> Qu'ils charment de Senlis le poète idiot
> Ou le sec traducteur du français d'Amyot ?

> Si je pense parler d'un galant de notre âge,
> Ma plume, pour rimer, rencontrera Ménage ;
> Si je veux exprimer un auteur sans défaut,
> La raison dit Virgile et la rime Quinaut.

Quelle précision dans chacun de ces coups, et quelle science ! Chaque fois qu'il s'agit de fouailler un ennemi littéraire, il trouve à son gré le mouvement oratoire, et l'élan lyrique, et le nombre et le rythme ; alors il ne songe plus à se plaindre de la difficulté des transitions ; alors il se connaît poète ; alors ses vers « coulent comme un torrent » :

> De choquer un auteur qui choque le bon sens,
> De railler un plaisant qui ne sait pas nous plaire,
> C'est ce que tout lecteur a toujours droit de faire :
> Tous les jours à la cour un sot de qualité
> Peut juger de travers avec impunité,
> A Malherbe, à Racan, préférer Théophile
> Et le clinquant du Tasse à tout l'or de Virgile ;
> Un clerc, pour quinze sous, sans craindre le holà,
> Peut aller au parterre attaquer *Attila*,

Et, si le roi des Huns ne lui charme l'oreille,
Traiter de visigoths tous les vers de Corneille ;
Il n'est valet d'auteur ni copiste à Paris
Qui, la balance en main, ne pèse les écrits...
Et je serai le seul qui ne pourrai rien dire !
On sera ridicule et je n'oserai rire !
Et qu'ont produit mes vers de si pernicieux
Pour armer contre moi tant d'auteurs furieux ?
Loin de les décrier, je les ai fait paraître,
Et souvent, sans mes vers qui les ont fait connaître,
Leur talent dans l'oubli demeurerait caché :
Et qui saurait sans moi que Cotin a prêché ?

Dans *le Lutrin*, à l'instant où sa fantaisie conduit vers la boutique de Barbin les deux troupes ennemies, il découvre soudain la beauté héroï-comique d'un thème de satire littéraire ; il en oublie presque ses héros, les chantres et les chanoines, le trésorier, le perruquier et le sous-marguillier, et l'enjeu de leur conflit ; il ne voit plus que ses propres ennemis, les méchants auteurs ; et quel autre épisode de l'ingénieux poème pourrait-on égaler à la Bataille des livres ?

Chacun s'arme au hasard du livre qu'il rencontre :
L'un tient *le Nœud d'amour*, l'autre en saisit *la Montre* ;
L'un prend le seul *Jonas* qu'on ait vu relié,
L'autre un *Tasse français*, en naissant oublié ;...
Là, près d'un Guarini, Térence tombe à terre,
Là, Xénophon dans l'air heurte contre un La Serre.
Oh ! que d'écrits obscurs, de livres ignorés
Furent en ce grand jour de la poudre tirés !
Vous en fûtes tirés, *Almerinde et Simandre*,
Et toi, rebut du peuple, inconnu *Caloandre* :
Dans ton repos, dit-on, saisi par Guillerbois,
Tu vis le jour alors pour la première fois !

De même, dans son *Art poétique*, il a beau se surveiller, s'imposer la gravité du ton didactique et l'impassibilité sereine du législateur, son tempérament de satirique regimbe : il ne peut s'empêcher, s'il nomme Térence, de railler Montfleury ; s'il nomme *l'Énéide*, de dauber sur *Alaric* ; s'il nomme *l'Iliade*, de lui donner pour repoussoir *Childebrand*.

De même encore, son ode *Sur la prise de Namur* a pu vieillir : une strophe en survit, immortelle, parce que, dans l'instant même où il invoquait son majestueux modèle, Pindare, le narquois Despréaux des *Satires* s'y est ressouvenu de sa vraie vocation :

Un torrent dans les prairies
Roule à flots précipités ;
Malherbe dans ses furies
Marche à pas trop concertés ;
J'aime mieux, nouvel Icare,
Dans les airs suivant Pindare,
Tomber du ciel le plus haut
Que, loué de Fontenelle,
Raser, timide hirondelle,
La terre, comme Perrault.

Quel lettré se lassera d'admirer cette strophe pour sa violence aisée et joyeuse et pour l'imprévu, merveilleusement calculé, de sa chute implacable ?

Qu'un satirique aussi terriblement doué ait souvent traité ses ennemis littéraires avec un excès de rigueur, on ne saurait s'en étonner : par une fatalité impérieuse, Boileau suivait son génie. Mais s'il a pu, sans nécessité évidente, rouler dans la fange l'abbé de Pure, s'il a peu généreusement accablé de son mépris de poète bien renté quelques pauvres confrères, ce Colletet qui attendait pour dîner le succès d'un sonnet, ce Saint-Amant dont un lit et deux placets composaient tout le bien, s'il

s'est trop complu au jeu des épigrammes infamantes, il convient de se rappeler que les mœurs littéraires du temps, conformément à une tradition héritée des burlesques de la génération antérieure, autorisaient la brutalité de telles polémiques et que, d'ailleurs, les adversaires de Boileau avaient, comme lui, bec et ongles. En prose et en vers, par des libelles sans nombre, les Coras et les Boursault, les Desmarets de Saint-Sorlin, les Carel de Sainte-Garde et les Cotin ripostèrent et surent berner le satirique qui les bernait. Plusieurs disposaient de protecteurs puissants. Courageusement, Despréaux s'était exposé à leurs représailles : et ce courage à endurer les coups excuse la violence de ceux que lui-même a portés.

Justifié de sa violence et de sa dureté dans la bataille, Boileau peut-il l'être aussi aisément de son obstination, de son acharnement à combattre dix ans, vingt ans, toute sa vie les mêmes ennemis, alors même qu'ils faisaient figure de vaincus ? Ce qui surprend le plus dans les controverses littéraires qu'il soutient, c'en est le caractère volontiers rétrospectif et comme archaïsant. Par exemple, dans sa dixième satire, *Contre les femmes*, il met en scène une dame qui « maintient la secte façonnière » des Précieuses et il la drape comme voici :

C'est chez elle toujours que les fades auteurs
S'en vont se consoler du mépris des lecteurs.
Elle reçoit leur plainte et sa docte demeure
Aux Perrins, aux Coras, est ouverte à toute heure.
Là du faux bel esprit se tiennent les bureaux ;
Là tous les vers sont bons, pourvu qu'ils soient nouveaux :
Au mauvais goût public la belle y fait la guerre,
Plaint Pradon opprimé des sifflets du parterre,
Rit des vains amateurs du grec et du latin,
Dans la balance met Aristote et Cotin,
Puis, d'une main encor plus fine et plus habile,
Pèse sans passion Chapelain et Virgile.

Qui est cette Précieuse ? L'un des familiers de Boileau, Pierre Le Verrier, qui écrivait sous sa dictée, nous renseigne en ces termes : « Notre auteur peint ici Mlle Du Pré, et sous ce masque coiffé attaque Perrault l'académicien, qui est fort ami et fort admiré de cette fille. » Qu'il s'agisse, en effet, de cette fille, Mlle Du Pré, dite « la cartésienne », ou plutôt, comme le veut Brossette, de Mme Deshoulières, toujours est-il que la date de ces vers est certaine. Bien que Boileau eût ébauché dès sa jeunesse sa dixième Satire, son petit *quadro* de la Précieuse n'a pu être peint que tardivement : le poète y prend contre la belle la défense des « amateurs de grec et de latin » : nous sommes donc en pleine querelle des Anciens et des Modernes. Plus précisément, comme on voit par une lettre de Boileau à Racine, du 7 octobre 1692, et par la date de l'édition princeps de la Satire, c'est en 1692 au plus tôt que ces vers furent composés, en 1694 au plus tard. Quelle n'est donc pas notre surprise de constater que la « docte demeure » qu'ils décrivent est une maison hantée ! Elle ne s'ouvre guère qu'à des revenants. Car en 1693 Cotin est mort depuis dix ans, Perrin depuis douze ans, Coras depuis quinze ans, Chapelain depuis dix-neuf ans. Seul des hôtes de ce bureau d'esprit, Pra-

LE LUTRIN. Gravure de Bernard Picart ornant l'édition in-folio de 1718. — CL. LAROUSSE.

don survit; mais la cabale de *Phèdre* remonte à seize ans en arrière. Pourquoi Boileau prive-t-il les mânes de ses victimes

du commun avantage
D'être cachés dans la foule des morts?

Pourquoi persiste-t-il à « remuer leurs cendres », dès longtemps refroidies?

C'est sans doute qu'aux approches de la soixantaine il se reporte volontiers dans le passé; il aime à revivre ses batailles d'autrefois.

Avaient-elles été réelles et dures? A la vérité on serait tenté de croire que non, quand on lit ses premières satires et qu'on se réfère aux notes dont lui-même, sur le tard, les a illustrées. A la date où paraît son premier recueil, en 1666, ses principaux ennemis, il faut l'avouer, ont déjà presque achevé chacun sa tâche : le *Moïse* de Saint-Amant, le *Clovis* de Desmarets de Saint-Sorlin, la *Pharsale* de Brébeuf, l'*Alaric* de Scudéry, la *Clélie* de Mlle de Scudéry sont alors des ouvrages vieux déjà de dix, de douze ou de treize ans. Faut-il croire pourtant que le succès ne s'en était pas encore épuisé et que leurs auteurs restaient les favoris de la cour et de la ville? A écouter Boileau lui-même, il n'en serait rien. La *Pharsale* de Brébeuf, quand il l'attaqua, n'était plus chère qu' « aux provinces », affirme-t-il, et, quant à la vogue de Chapelain, « cet auteur, c'est Boileau lui-même qui l'atteste, avant que *la Pucelle* fût imprimée, passait pour le premier poète de son temps : l'impression gâta tout ». Or, *la Pucelle* fut imprimée en 1656 : dix ans avant le recueil des *Satires*. Et Boileau a répété sur tous les tons que ce n'est pas lui seul, ni lui le premier, mais « tout Paris » qui a « joué » Chapelain.

Il en va de même de la plupart des autres poètes héroïques, des autres romanciers censurés par Boileau. A l'en croire, leur compte s'est réglé sans lui : leurs livres « n'ont fait que de chez Sercy qu'un saut chez l'épicier ». Que sont le *Jonas*, le *David*, le *Moïse*? Boileau répond par cette note : « Ce sont des poèmes héroïques qui n'ont point été vendus. » Qui est La Serre? Boileau répond : « Un écrivain célèbre par son galimatias. » Qui est Le Pays? Boileau répond : « Un écrivain estimé chez les provinciaux. »

Surprenantes assertions! Boileau n'aurait-il donc, comme il semble le dire, même dans sa jeunesse, combattu que des ombres? Les contemporains ne l'ont point pensé et ils avaient sur nous l'avantage de mieux connaître les adversaires. La vérité est que, dans les passages que nous venons de citer, Boileau use d'un moyen d'attaque souvent employé : il consiste à crier victoire avant la victoire, et au moment même où on redoute le plus d'être défait. Même dans ses notes dédaigneuses, Boileau est encore un polémiste. Au plus fort de la querelle des Anciens et des Modernes, il recourt au même procédé : il assure de la façon la plus hautaine et la plus tranchante que personne ne lit les *Parallèles* de Perrault; mais, dans le même temps où il l'assure, il s'applique à composer contre lesdits *Parallèles* un très compact volume de critiques, qui eussent été bien inutiles s'il avait dit vrai. Laissons donc là son témoignage et regardons les dates de plus près.

Ce n'est pas en 1666 que Boileau entre dans la bataille. A cette date, il est déjà un combattant éprouvé. Selon Le Verrier, la première Satire date de 1657 : on peut en tout cas en faire remonter certains passages à 1659. L'abbé de Pure dénonce Despréaux comme un satirique hardi et sans scrupule dès 1661 ou 1662. La Fontaine entend lire des vers de la Satire II en 1664. La Satire V, commencée en 1663, est achevée l'année suivante. Bref, les sept premières satires n'ont pas été écrites à quelques semaines d'intervalle pour être rapidement livrées à l'impression. Elles se répartissent sur une période de six années, au cours desquelles Boileau les a colportées et large-

BOILEAU. Portrait peint par Hyacinthe Rigaud (musée de Versailles). — CL. BRAUN.

ment propagées. Quand ce n'était pas lui qui les lisait, un autre se chargeait de la tâche. Dangeau lit la Satire V au roi, et Montausier lui-même la trouve belle, « car il a toujours fort approuvé les ouvrages de l'auteur, quoiqu'il le blâmât d'avoir attaqué Chapelain et les autres » ? Notons cette réserve du sévère gentilhomme : le jeune satirique avait bien du talent, mais pourquoi mordait-il d'une dent si dure « Chapelain et les autres »? Que signifie ce blâme discret, sinon que « Chapelain et les autres » étaient encore des « illustres », les seuls illustres, et qu'à s'en prendre à eux on faisait besogne de briseur d'idoles? *La Pucelle* se lisait peu, nous assure-t-on. On peut le croire, mais Chapelain n'en restait pas moins le prince des poètes et le distributeur dans Paris des faveurs royales. Et si son étoile et l'étoile des autres pâlissaient, qui donc pouvait-on leur opposer? Molière avait donné *les Précieuses ridicules* en 1659, mais bien peu de spectateurs y avaient vu autre chose qu'une excellente farce; l'*École des femmes*, en 1662, soulevait contre lui un monde d'ennemis. *Le Misanthrope* ne sera joué qu'en 1666; *le Tartuffe*, qu'en 1669. Le premier recueil des *Fables* de La Fontaine ne verra le jour qu'en 1668; l'*Andromaque* de Racine date de 1667. Une école n'est vraiment vaincue que du jour où elle est remplacée. A partir de 1667, Molière, Racine, La Fontaine, rejetteront dans l'ombre tout ce qui les a précédés : en 1660 Chapelain reste le maître du chœur. C'est Boileau qui l'a jeté bas, et avec lui il a jeté bas « les autres », la suite de ses disciples. Il débarrasse le terrain pour ceux qui vont venir et qu'il sait reconnaître pour des maîtres dès leur coup d'essai.

Car ce satirique, impitoyable pour les gloires usurpées, a été l'ami le plus précocement clairvoyant, le plus chaud des grands hommes de la nouvelle génération. Dès janvier 1663 (l'*École des femmes* a été jouée pour la

première fois le 26 décembre 1662), alors que Molière
est attaqué de toutes parts, il lui adresse ces Stances :

> En vain mille jaloux esprits,
> Molière, osent avec mépris
> Censurer ton plus bel ouvrage :
> Sa charmante naïveté
> S'en va pour jamais d'âge en âge
> Divertir la postérité...
> Laisse gronder tes envieux !
> Ils ont beau crier en tous lieux
> Qu'en vain tu charmes le vulgaire,
> Que tes vers n'ont rien de plaisant :
> Si tu savais un peu moins plaire,
> Tu ne leur déplairais pas tant.

Jamais étrennes plus généreuses n'arrivèrent mieux à
point. Dès le mois de décembre 1663, Boileau fait tenir à
Racine, par l'abbé Le Vasseur, une « grande et belle
lettre » de remarques sur la Renommée aux Muses, et
le jeune poète, surpris et charmé, souhaite sur-le-champ
faire la connaissance de son critique. Au début de 1665,
le même Boileau écrit en faveur de La Fontaine cette
charmante dissertation sur Joconde, pétillante d'esprit, de
malice et de jeunesse, où il apprécie avec tant de précision
le talent de son ami, où il administre une si vive correction au piètre auteur que quelques-uns avaient osé lui
préférer.

En 1666, ayant fait accepter déjà ses Satires à tout
ce qui comptait dans Paris, il pouvait certes les publier.
Rien d'étonnant que Boileau soit resté toute sa vie imprégné du souvenir de cette lutte brève, mais dure, et qu'en
ramenant sans cesse dans ses vers les noms de ses victimes, il ait voulu goûter jusqu'à la fin la saveur de son
antique victoire.

Mais il avait trop de bon sens, et trop de choses encore
à dire, pour s'en tenir là. La victoire acquise, il se préoc-
cupa de l'organiser.

LE LÉGISLATEUR DU PARNASSE

Lui qui n'avait jugé d'abord les ouvrages de l'esprit
que par instinct, selon son humeur, il voulut rechercher
quelles lois secrètes régissaient ses haines de satirique.
Le roi lui avait enseigné le prix de la règle et de la discipline. A l'heure la plus harmonieuse du grand siècle, il
rêva de collaborer, à sa manière, à l'œuvre de Mansard,
de Le Nôtre, de Lebrun, de Colbert. Il tâchera d'établir
le code de la poésie; il enseignera comment on peut
« réduire la Muse aux règles du devoir ».

La doctrine que développent son Art poétique et ses
Réflexions sur Longin peut se résumer ainsi.

Nous attaquons, dit-il, les précieux, la suite de Marino,
Cotin et ses Iris en l'air », Ménage, « fidèle à sa pointe encor
plus qu'à ses belles », Quinault et « ses sottises champêtres »,
les poètes de ruelle, ceux qui cherchent « le fin, le grand fin,
le fin du fin », ceux qui fardent et affadissent la nature.

Nous attaquons encore, sous les noms de Chapelain
et de Brébeuf, de Scudéry et de Desmarets, les emphatiques, ceux qui chargent la nature du solennel et lourd
manteau d'une fausse majesté.

Et nous attaquons enfin, de Théophile à Scarron, les
burlesques, ceux qui, par leurs bouffonneries libertines et
leurs turlupinades, font grimacer la nature et l'avilissent.

Précieux, emphatiques et burlesques se ressemblent en
ceci qu'ils offensent la nature :

> Que la nature donc soit votre étude unique !

L'étudier en sa vérité, c'est le principe et la condition
de tout art et de toute poésie :

> Le faux est toujours fade, ennuyeux, languissant,
> Mais la nature est vraie et d'abord on la sent,
> C'est elle seule en tout qu'on admire et qu'on aime.

> Rien n'est beau que le vrai, le vrai seul est aimable.

> Rien n'est beau, je reviens, que par la vérité :
> C'est par elle qu'on plaît et qu'on peut longtemps plaire.

Mais encore, comment distinguer le vrai du faux,
puisque aussi bien se rencontrent dans la nature toutes
les singularités, toutes les anomalies, tant de « monstres
odieux » ? Par un effort de notre raison, qui nous permettra
de discerner en quels cas la nature se conforme elle-
même à son propre plan, se montre elle-même raisonnable :

> Aimez donc la raison : que toujours vos écrits
> Empruntent d'elle seule et leur lustre et leur prix !

> Aux dépens du bon sens gardez de plaisanter :
> Jamais de la nature il ne faut s'écarter.

Étude scrupuleuse de la nature (entendez du cœur
humain observé dans la vérité de ses sentiments et de ses
passions), appel constant au contrôle de la raison, du bon
sens ou, comme on lit dans le Discours sur la satire, du
« sens commun » : tous ces termes conspirent à exprimer
l'idée que l'écrivain doit tendre à peindre les sentiments
et les passions en ce qu'elles ont de plus universellement
intelligible. Et l'écrivain saura s'il a plus ou moins réussi
dans son effort, selon qu'il aura établi entre son ouvrage
et les modèles que lui ont proposés les Grecs et les Romains
plus ou moins de conformité. « C'est à l'imitation des
Anciens, dit Boileau dans sa Lettre à Perrault, que nos
plus grands poètes sont redevables du succès de leurs
écrits. » Et encore, dans la septième de ses Réflexions sur
Longin : « Il n'y a que l'approbation de la postérité qui
puisse établir le vrai mérite des ouvrages... Nous en avons
un bel exemple dans Ronsard et dans des imitateurs
comme Du Bellay, Du Bartas, Desportes, qui, dans le
siècle précédent, ont été l'admiration de tout le monde,
et qui, aujourd'hui, ne trouvent pas même de lecteurs...
Mais lorsque des écrivains ont été admirés durant un fort
grand nombre de siècles et n'ont été méprisés que par
quelques gens de goût fort bizarre, car il se trouve toujours des goûts dépravés, alors non seulement il y a de la
témérité, mais il y a de la folie à douter du mérite de ces
écrivains... L'antiquité d'un écrivain n'est pas un titre
certain de son mérite; mais l'antique et constante admiration qu'on a toujours eue pour ses ouvrages est une preuve
sûre et infaillible qu'on les doit admirer. » En d'autres
termes, la persistance des générations sans nombre à
admirer un Homère prouve que « le bon sens et la raison
sont les mêmes dans tous les siècles », et que les règles
que nous pouvons tirer de l'étude des ouvrages grecs et
latins sont fondées en raison, immuables, éternellement
valables : à imiter les Anciens, nous sommes certains
d'imiter encore la nature.

Quand une doctrine invoque pour témoins un Racine,
un Molière et un La Fontaine, qui pourrait refuser de lui
donner les mains ? Mais il n'est peut-être pas tout à fait
assuré qu'elle soit aussi universellement valable que le
croyait Boileau. Les Anciens ont-ils déterminé un canon
de beauté qui doive, pour toujours, s'imposer à tous ?
Selon Boileau, quiconque a modifié ce canon ou tentera
de le modifier a offensé ou offensera les Muses. Qu'en
savait-il ? Son information sur l'histoire des lettres était
si limitée !

Ce n'est pas qu'il ait ignoré les exemples étrangers, mais
il les a jugés de bien haut. S'il mentionne Don Quichotte
en homme qui s'y est plu, il est sévère pour les aventures
« extravagantes » de Buscon et de Lazarille. Il a bien de la
peine à goûter le Tasse et son « clinquant ». L'Arioste
l'attire davantage, il vante « son élégance, sa netteté, sa
brièveté inimitable », mais il lui en veut de sa fantaisie.
Volontiers il revient à « nos Français ». Au moins, les connaît-il bien ? Il a loué les écrivains du temps de Henri IV
et de Louis XIII, Malherbe, Régnier, Desportes, Bertaut,
Racan, Balzac. Il a même lu, à l'occasion, quelques pages
de Marot et de Villon. Il n'est pas remonté plus haut :
au-delà c'était une langue étrangère, pour lui comme pour
tous les lettrés de son temps, de l'avis même de La Fon-

taine, pourtant grand amateur d'antiquailles. Même le français du XVIe siècle faisait un peu l'effet d'un jargon aux contemporains du grand roi. « Amyot, mais c'est du gaulois », se récriait Louis XIV un jour que Racine voulait lui lire les *Vies des grands hommes*. On peut regretter toutefois que Boileau n'y ait pas regardé de plus près. Sur la foi de Malherbe, il semble avoir pris en dégoût les écrivains de la Renaissance, sans les avoir beaucoup pratiqués. Il est bien de son temps, et son sobre génie, amoureux de mesure et de clarté, se détourne de cette ivresse érudite, de cette abondance trouble des Ronsard et des Du Bartas. Était-ce le rôle d'un grand critique de suivre en cela le goût du public, au lieu de le redresser et de l'élargir ? Fallait-il de toute nécessité renier un siècle d'une haute et grande littérature, sans laquelle l'*Art poétique* n'aurait jamais été écrit ? Si Boileau avait mieux lu Ronsard et Du Bellay, n'aurait-il pas mieux compris La Fontaine ? Lui qui l'avait si vaillamment et si spirituellement défendu aux alentours de 1665, pourquoi l'a-t-il oublié dans son *Art poétique* ? Sa revue, pourtant si complète, des genres poétiques omet la fable, et le nom du « bonhomme » n'y est pas prononcé.

Bien plus, cette sévérité de doctrine, cette incuriosité voulue ont risqué de fausser en lui le pouvoir de comprendre et de sentir ces chefs-d'œuvre mêmes de l'Antiquité qu'il proposait à l'imitation de tous les poètes futurs. Est-il bien sûr, par exemple, que ses raisons d'admirer Homère doivent s'imposer à tous ? Dans le *Traité du sublime*, Boileau produit la description que voici du char de Neptune :

> Il attelle son char et monte fièrement,
> Lui fait fendre les flots de l'humide élément.
> Dès qu'on le voit marcher sur ces liquides plaines,
> D'aise on entend sauter les pesantes baleines.
> L'eau frémit sous le dieu qui lui donne la loi
> Et semble avec plaisir reconnaître son roi.
> Cependant le char vole...

Seraient-ce des vers de Brébeuf ? ou de Chapelain, peut-être ? Non, mais, au dire de Boileau, des vers d'Homère qui se liraient au chant XIII de *l'Iliade* et qu'il a traduits, lui Boileau, avec fidélité. Chénier, pourtant, les eût rendus autrement. Boileau a surtout célébré en Homère la « pompe » de son style, et quelle ne fut pas sa fureur quand Perrault prétendit remontrer qu'il y avait des « termes bas » dans *l'Odyssée* ? Il ne pouvait y en avoir, répliquait Boileau, puisqu'un Ancien, Longin, assurait qu'il n'y en avait pas. Et cet argument lui parut invincible jusqu'au jour où Racine, son malicieux ami, lui communiqua un texte d'un autre Ancien : Denys d'Halicarnasse avait déclaré en propres termes, tout comme Perrault, que *l'Odyssée* admet des « mots très vils et bas »...

Pareillement, comment expliquer, sinon par une intelligence imparfaite de *l'Iliade*, de *l'Odyssée* et de *l'Énéide*, la théorie que Boileau défend sur le poème épique ? Il veut imposer à jamais aux poètes l'emploi du merveilleux païen et s'indigne contre les insolents qui osaient prédire qu'un jour les machines de l'antique mythologie finiraient par se démoder. Bientôt, s'écrie-t-il indigné,

> Bientôt ils défendront de peindre la Prudence,
> De donner à Thémis ni bandeau ni balance,
> De figurer aux yeux la Guerre au front d'airain,
> Ou le Temps qui s'enfuit, une horloge à la main !

Comprendre et sentir l'art homérique et l'art virgilien, n'aurait-ce pas été plutôt encourager les poètes du XVIIe siècle à rechercher, à l'exemple d'Homère et de Virgile, des thèmes d'inspiration dans l'histoire nationale et dans la religion nationale ?

Pareillement encore, quand Boileau compose son ode *Sur la prise de Namur*, « pleine (c'est lui-même qui l'assure) de mouvements et de transports, où l'esprit paraît plutôt entraîné du démon de la poésie que guidé par la raison », est-il bien sûr qu'il ait tout à fait compris l'enseignement

L'ACADÉMIE FRANÇAISE à la veille de la publication de l' « Art poétique ». Cette estampe, gravée par Gantrel d'après Sevin, commémore l'acceptation par le roi, à la mort de Séguier, en 1672, du titre de protecteur de l'Académie. — CL. LAROUSSE.

qui nous vient des poètes lyriques de la Grèce et de Rome ? Il n'a jamais conçu la haute poésie que comme un pastiche de l'ode pindarique, revue et corrigée, et refroidie, par Malherbe.

Ce qu'il appelle le vrai, qui seul est beau, qui seul est aimable, ne serait-ce pas, en somme, un idéal peu conforme au goût de Périclès, un idéal de régularité solennelle, de noblesse, de pompe ?

En vérité, c'est le goût de sa génération, d'une partie au moins de sa génération qu'il a formulé avec une force de conviction entraînante. Cet idéal, il ne l'a pas inventé de toutes pièces. D'autres critiques contemporains l'avaient déjà défini, peut-être avec plus de nuances et plus de cohésion que lui-même : Bouhours dans ses *Entretiens d'Ariste et d'Eugène* (1671), Rapin dans ses *Réflexions sur la poétique d'Aristote* (1674). Depuis les études récentes qui lui ont été consacrées, Boileau ne peut passer non plus pour avoir été le guide toujours écouté — et redouté — d'une « école » de poètes. S'il a encouragé, conseillé Molière et Racine, rien ne permet d'affirmer qu'il ait agi d'une manière décisive sur leur orientation, et il est fort probable que, dans ces échanges d'égal à égal, il a reçu au moins autant qu'il a donné. Boileau n'a pas rédigé le programme d'une littérature qui n'avait pas eu besoin de ses leçons pour s'affirmer. Il n'a pas imposé à l'opinion, en maître tout-puissant, son jugement sur des artistes qui avaient fait leur chemin avant lui (La Fontaine et Molière sont ses aînés de quinze et quatorze ans) ou qui resteront, malgré lui, très discutés (Racine). Son mérite est autre, et du reste considérable : il a su d'abord, nous l'avons dit, reconnaître et désigner, sans partage, à l'admiration, ce groupe d'écrivains qui ont paru ensuite dominer de très haut tout le reste, et qui furent incontestablement les meilleurs. Il a dégagé, d'autre part, en termes clairs et péremptoires, avec une rare puissance d'affirmation, l'esprit de leurs ouvrages, et défini une esthétique qui s'accordait avec ses préférences. Ainsi, avec le recul du temps, l'auteur de l'*Art poétique* a fait figure de héraut, de zélateur, de champion intrépide; son livre a conquis le prestige d'un code universellement respecté, d'un grand manifeste : vue contestable à bien des égards, et qui comporte pourtant une part de vérité, si l'on songe à la qualité de l'œuvre, à ses trouvailles de style, à la vigueur expressive des vers.

L'infortune de Boileau fut de survivre trop longtemps, comme le roi lui-même, à cette belle génération qui était la leur et qu'il avait uniquement aimée. Dans la préface qu'il avait mise à son édition de 1701, heureux de sa renommée, il avait écrit : « Je ne saurais attribuer un si heureux succès qu'au soin que j'ai pris de me conformer toujours aux sentiments du public et d'attraper, autant qu'il m'a été possible, son goût en toutes choses. » Hélas ! à l'heure où il écrivait ces lignes, un autre public s'était déjà formé, dont il ne savait plus guère « attraper le goût ». D'autres « jeunes » élevaient la voix, sévères à leur tour à l'égard de leurs aînés; après Perrault, Fontenelle. Ils commençaient à révoquer en doute certaines des lois promulguées dans l'*Art poétique*, à contester que notre langue et notre poésie eussent nécessairement atteint au temps de la jeunesse de Boileau leur point de perfection à jamais immuable; ils aimaient les lettres françaises dans leur mystérieux devenir. Ils annonçaient ceux qui viendront en effet, ceux qui chercheront à s'évader de la tradition gréco-latine, et ceux qui assigneront à l'écrivain un autre rôle dans l'État que celui du joueur de quilles et railleront « les siècles pusillanimes du goût ». Boileau a senti se multiplier autour de lui ces symptômes, qui furent pénibles à ses vieux jours, de l'« esprit nouveau ».

Du moins avait-il eu la joie de publier, en 1701, cette *Lettre à M. Perrault* où il résume ses raisons d'égaler au siècle d'Auguste le siècle de Louis. Au terme de notre revue des gloires du grand règne, il est juste et bon que nous laissions à Boileau le soin de les célébrer en son langage si mesuré, si ferme et si fier :

« Votre dessein, dit-il à Perrault, est de montrer que, pour la connaissance surtout des beaux-arts et pour le mérite des belles-lettres, notre siècle, ou pour mieux parler le siècle de Louis le Grand, est non seulement comparable, mais supérieur à tous les plus fameux siècles de l'Antiquité, et même au siècle d'Auguste. Vous allez donc être bien étonné quand je vous dirai que je suis sur cela entièrement de votre avis et que même, si mes infirmités et mes emplois m'en laissaient le loisir, je m'offrirais vo-

lontiers de prouver, comme vous, cette proposition, la plume à la main... Je commencerais par avouer sincèrement que nous n'avons point de poètes héroïques ni d'orateurs que nous puissions comparer aux Virgile et aux Cicéron; je conviendrais que nos plus habiles historiens sont petits devant les Tite-Live et les Salluste; je passerais condamnation sur la satire et sur l'élégie, quoiqu'il y ait des satires de Régnier admirables et des élégies de Voiture, de Sarasin, de la comtesse de La Suze d'un agrément infini. Mais en même temps je ferais voir que pour la tragédie nous sommes beaucoup supérieurs aux Latins... Je ferais voir que, bien loin qu'ils aient eu dans ce siècle-là des poètes comiques meilleurs que les nôtres, ils n'en ont pas eu un seul dont le nom ait mérité qu'on s'en souvînt, les Plaute, les Cecilius et les Térence étant morts dans le siècle précédent. Je montrerais que si pour l'ode nous n'avons point d'auteurs si parfaits qu'Horace, qui est leur seul poète lyrique, nous en avons néanmoins un assez grand nombre qui ne lui sont guère inférieurs en délicatesse de langue et en justesse d'expression et dont tous les ouvrages, mis ensemble, ne feraient peut-être pas dans la balance un poids de mérite moins considérable que les cinq livres d'odes qui nous restent de ce grand poète. Je montrerais qu'il y a des genres de poésie où non seulement les Latins ne nous ont point surpassés, mais qu'ils n'ont pas même connus : comme par exemple ces poèmes en prose que nous appelons Romans, et dont nous avons chez nous des modèles qu'on ne saurait trop estimer... Je soutiendrais hardiment qu'à prendre le siècle d'Auguste dans sa plus grande étendue, c'est-à-dire depuis Cicéron jusqu'à Corneille Tacite, on ne saurait pas trouver parmi les Latins un seul philosophe qu'on puisse mettre, pour la physique, en parallèle avec Descartes, ni même avec Gassendi. Je prouverais que pour le grand savoir et la multiplicité de connaissances, leurs Varron et leurs Pline, qui sont leurs plus doctes écrivains, paraîtraient de médiocres savants devant nos Bignon, nos Scaliger, nos Saumaise, nos Père Simon et nos Père Pétaud. Je triompherais avec vous du peu d'étendue de leurs lumières sur l'astronomie, sur la géographie et sur la navigation. Je les défierais de me citer, à l'exception du seul Vitruve, un seul habile architecte, un seul habile sculpteur, un seul habile peintre..., au lieu que toute la terre aujourd'hui est pleine de la réputation et des ouvrages de nos Poussin, de nos Lebrun, de nos Girardon et de nos Mansart... Que si de la comparaison des gens de lettres et des illustres artisans il fallait passer à celle des héros et des grands princes, peut-être sortirais-je encore d'affaire avec plus de succès. Je suis bien sûr, au moins, que je ne serais pas fort embarrassé à montrer que l'Auguste des Latins ne l'emporte pas sur l'Auguste des Français. »

CUL-DE-LAMPE de la Satire VIII dans l'édition in-folio des « Œuvres » de Boileau (1718). — CL. LAROUSSE.

Le Ciel en sa faueur forma tant de grands hommes

LE SIÈCLE DE LOUIS LE GRAND. Frontispice gravé par Édelinck pour les « Éloges des hommes illustres » de Charles Perrault (1696-1701). — CL. LAROUSSE.

LA FRANCE ET L'ÉTRANGER
DANS LA SECONDE MOITIÉ DU XVIIᵉ SIÈCLE

Entre deux périodes où les influences extérieures furent très sensibles, l'époque classique paraît peu redevable à l'étranger.

Non que la prépondérance politique et militaire de la France soit cause d'un dédain systématique pour les langues étrangères. Ni l'anglais, ni l'allemand, ni surtout les langues méridionales ne sont ignorés. L'élite cultivée continue à apprendre de préférence l'italien, et, à un moindre degré, l'espagnol ; cela est aussi vrai pour Mᵐᵉ de Sévigné que pour Racine, « particulièrement accueillant pour les langues étrangères » (Baldensperger).

Mais nos grands classiques sont plutôt des sédentaires, et même, au moins dans leur âge mûr, des Parisiens exclusifs : c'est le cas de Molière — de Racine et de Boileau, en dehors des excursions où les entraîne leur office d'historiographes. Ils ne sont pas tentés par le voyage, comme le fut Montaigne, comme le seront Montesquieu et Voltaire. La Fontaine aura bien quelques velléités, vers la fin de sa vie, de passer en Angleterre ; elles n'aboutiront pas.

Fait important : les traductions d'ouvrages étrangers, au cours de cette période, sont relativement rares. On peut signaler des traductions de Machiavel (1664, 1681, 1683), le Don Quichotte de Filleau de Saint-Martin (1677-1678). Mais l'action immédiate des œuvres littéraires remarquables qui voient le jour en Europe est insaisissable. Pourtant, en Angleterre, après la mort de Shakespeare (1616), de Bacon (1626), Milton (1608-1674) donne son Paradis perdu en 1667, l'année d'Andromaque ; Dryden (1631-1700) écrit des tragédies contemporaines de celles de Racine, et son Essai sur la poésie dramatique est de 1668.

C'est toujours le Midi qui nous transmet quelques influences ; mais elles proviennent pour la plupart d'auteurs déjà exploités, et elles vont en s'amortissant. Mᵐᵉ de Sévigné lit Le Tasse, Davila, Bonarelli della Rovere. La Fontaine chérit l'Arioste, Machiavel, Boccace, et s'en souvient dans ses Contes : ce n'est pas là de l'inédit. Les Fables le ramènent aux Anciens ; ou bien il se fournit de sujets, sans souci de couleur locale, dans le Livre des Lumières ou la Conduite des rois (traduit en 1644), recueil de récits hindous. — Molière et les Comiques empruntent, de leur côté, des traits bien traditionnels à la comédie italienne et espagnole. Rien dans tout cela qui soit capable de créer un mouvement d'ensemble, de déterminer des courants. L'influence la plus proche et la

plus directe pourrait bien avoir été celle du jésuite espagnol Balthazar Gracian (1584-1658), théoricien de la morale mondaine, et inspirateur probable de plusieurs maximes de La Rochefoucauld. Mais le cas reste isolé.

Bien plus, ces grands écrivains du passé sont fortement discutés par la critique classique. Boileau, qui nomme si peu d'étrangers, ne fait grâce qu'au Don Quichotte. Le Tasse dit-il, ne présente que « clinquant » ; l'Arioste est « follement idolâtre et païen » ; tous deux lui paraissent responsables des excès de la préciosité, au même titre que les Marini et les Guarini, qu'il exécute dans le Lutrin.

L'imitation des Anciens prime les influences étrangères. C'est elle qui renforce chez nous l'évolution naturelle des lettres, et contribue à l'enrichissement de l'art littéraire français, lequel, à son tour, rayonnera bientôt sur l'Europe.

Ce que l'on commence à discerner plutôt, c'est un apport moins de la littérature proprement dite que de la pensée étrangère. Des écrivains et des philosophes français vivent, sous le règne de Louis XIV, en Angleterre et en Hollande. Ce sont des exilés, soit pour indiscipline, comme Saint-Évremond (à partir de 1661), soit à cause de leurs convictions protestantes : Bayle à Genève (1670), puis en Hollande (1680), Jurieu à Rotterdam (1681). Ces deux derniers surtout seront à l'affût de toutes les idées qui permettront de combattre en France la tradition et l'autorité. Justement, quelques-uns des grands initiateurs de l'esprit nouveau commencent à se manifester. Spinoza a donné son Traité théologico-politique en 1670, l'année même de la première édition des Pensées de Pascal ; l'Éthique est de 1677. Leibniz vient à Paris, en 1672 ; on a vu ses relations avec Bossuet. Quand La Fontaine parle de l'Angleterre, c'est la philosophie qui l'attire : « Les Anglais pensent profondément », écrit-il dans la Fable XXIII du livre XII, et il les voit, « creusant dans les sujets et forts d'expériences », étendre partout l'« empire des sciences ».

Le livre XII est de 1694. En 1690, Locke avait publié son Essai sur l'entendement humain. Newton, né en 1642, venait de formuler, en 1687, les premiers axiomes de sa théorie de l'attraction. Tandis que l'influence littéraire du Midi s'épuise, des influences scientifiques et philosophiques commencent à prendre la succession, et dessinent, en pleine période classique, les premiers symptômes de la « crise de conscience » qui s'annonce.

Une traduction française de l' « Oraculo manual y arte de prudencia », de Balthazar Gracian. Cet ouvrage, paru en 1637, connut en France un très grand succès, attesté par les emprunts que lui firent, entre autres, La Rochefoucauld et La Bruyère, et par les nombreuses éditions qui en furent faites à la fin du XVIIᵉ siècle.

CL. LAROUSSE.

TABLE DES MATIÈRES

LISTE DES COLLABORATEURS IV

AVANT-PROPOS V

LE MOYEN AGE

PREMIÈRE PARTIE

DES ORIGINES A LA QUATRIÈME CROISADE (1202)

Cette partie a été traitée par M. Edmond FARAL.

L'évolution politique et sociale au moyen âge 2

I. — LES ORIGINES 3

LITTÉRATURE EN LANGUE LATINE ET LITTÉRA-
TURE EN LANGUE VULGAIRE 3

LE FRANÇAIS, LANGUE LITTÉRAIRE. UNITÉ DE LA
LITTÉRATURE FRANÇAISE 5

LES PUBLICS ET LES AUTEURS 6

II. — LES POÈMES BIBLIQUES ET ÉVANGÉ-
LIQUES, ET LES VIES DE SAINTS 7

III. — LES CHANSONS DE GESTE 11

LE PROBLÈME DE L'ORIGINE DES CHANSONS DE
GESTE 11

LES TROIS GRANDES « GESTES » 13
La geste du Roi, 13. — La geste de Garin de
Monglane, 17. — La geste de Doon de Mayence. 19

IV. — LES ROMANS COURTOIS 21

Définition du genre 21

Sous quelles influences le genre s'est constitué . . . 22

LES ROMANS IMITÉS DE L'ANTIQUITÉ 22
Le cycle d'Alexandre le Grand, 23. — Les romans de Thèbes, d'Eneas, de Troie 24

LES ROMANS BRETONS 25
Chrétien de Troyes et les romans arthuriens, 25.
— Thomas et Béroul : la légende de Tristan et
Iseut, 30. — Marie de France : les lais 32

LES ROMANS GRECS ET BYZANTINS 33

V. — LA POÉSIE LYRIQUE 35

VI. — LES FABLES
ET LE ROMAN DE RENART 39

Les fables, 39. — Le Roman de Renart 40

VII. — LES PLUS ANCIENS CHRONIQUEURS. 45

DEUXIÈME PARTIE

DE LA QUATRIÈME CROISADE
AU DÉBUT DE LA GUERRE DE CENT ANS (1202-1337)

*Cette partie a été traitée par M. Edmond FARAL, à l'exception du chapitre IX, qui a été traité
par M. Joseph BÉDIER et dont la partie bio-bibliographique a été mise à jour par M. FARAL.*

I. — TRANSFORMATIONS
DES CHANSONS DE GESTE 47

Le cycle de la croisade, 47. — La décadence des
chansons de geste 48

II. — LE DÉVELOPPEMENT
DES ROMANS COURTOIS 51

LES ROMANS DE LA TABLE RONDE 51
Méraugis de Portlesguez, 52. — Guinglain ou
le Bel Inconnu, 52. — Le cycle du Saint-Graal. 53

LES ROMANS D'AVENTURE 56
Floire et Blancheflor, 58. — Aucassin et Nico-
lette, 58. — Les romans de Jean Renart, 59. —
La Châtelaine de Vergy, 60. — Le Châtelain de
Coucy 60

III. — LA POÉSIE LYRIQUE.......... 60

LA CHANSON COURTOISE 60
La doctrine, 61. — Les poètes............. 62

GENRES DIVERS 65
Chansons de croisade et serventois, 65. —
Chansons à danser, 65. — Chansons à person-
nages, 67. — Chansons de toile............ 68

RUTEBEUF 69

IV. — LES TRANSFORMATIONS
DU ROMAN DE RENART....... 69

Le Couronnement de Renart, 70. — Renart le
Nouvel, 71. — Renart le Contrefait........ 74

V. — LES CONTES........... 74

LES CONTES PIEUX ET MORAUX............. 74
Les miracles de la Vierge, 74. — Autres contes. 76
LES FABLIAUX 76

VI. — LE THÉÂTRE........... 80

LE THÉÂTRE RELIGIEUX................... 80
LE THÉÂTRE COMIQUE 82

VII. — LA LITTÉRATURE DIDACTIQUE.. 83

LA LITTÉRATURE SCIENTIFIQUE 83

LITTÉRATURE RELIGIEUSE ET MORALE 86
Littérature de caractère religieux, 86. — Littérature morale de caractère profane.......... 88

VIII. — LA LITTÉRATURE ALLÉGORIQUE
ET LE « ROMAN DE LA ROSE »..... 90

Le poème de Guillaume de Lorris, 91. — Le poème
de Jean de Meung.................... 95

IX. — LES HISTORIENS
ET LES CHRONIQUEURS....... 99

LES DERNIERS HISTORIENS ANGLO-NORMANDS.... 99
L'HISTORIOGRAPHIE EN FRANCE 99
Les premiers essais d'histoire de France en
français, 99. — Les « Grandes Chroniques de
France », 100. — Autour des « Grandes Chro-
niques », 101. — Histoires des Grecs et des Ro-
mains................................ 101
LES HISTORIENS ET LES CHRONIQUEURS DES CROI-
SADES ET DE L'ORIENT LATIN............. 102
Geoffroy de Villehardouin, 102. — Robert de
Clary, 106. — Henri de Valenciennes, 106.
— La Chronique d'Ernoul, 106. — Le Livre
de la Terre sainte, 107. — Philippe de Novare
et les « Gestes des Chiprois », 107. — La
Chronique de Morée.................... 108
JEAN DE JOINVILLE...................... 108
CHRONIQUES EN VERS DU DÉBUT DU XIVᵉ SIÈCLE.. 112

TROISIÈME PARTIE

DU DÉBUT DE LA GUERRE DE CENT ANS (1337)
A LA FIN DU XVᵉ SIÈCLE

Cette partie a été traitée par M. Lucien FOULET, à l'exception des pages sur la France et l'étranger
au moyen âge, écrites par M. Edmond FARAL.

I. — LA POÉSIE
PENDANT LA GUERRE DE CENT ANS.. 113

Guillaume de Machaut, 114. — Les Cent Ballades, 115. — Les poésies de Jean Froissart,
116. — Eustache Deschamps, dit Morel, 117. —
Christine de Pisan, 118. — Alain Chartier, 119.
— Martin le Franc, 120. — Charles d'Orléans. 121

II. — LA PROSE
PENDANT LA GUERRE DE CENT ANS.. 124

OUVRAGES DIDACTIQUES 124
HISTORIENS ET CHRONIQUEURS 125
Jean le Bel, 125. — Jean Froissart, 125. —
Autres chroniqueurs 128
LA QUERELLE DU ROMAN DE LA ROSE. GERSON ET
NOS PREMIERS « HUMANISTES »............ 129

III. — LE THÉÂTRE
AU XIVᵉ ET AU XVᵉ SIÈCLE....... 131

LES MIRACLES 131
LES MYSTÈRES 132
LE THÉÂTRE COMIQUE 138

IV. — LES CONTEURS DU XVᵉ SIÈCLE.. 140

Les Quinze Joyes de mariage, 142. — Le Petit
Jehan de Saintré, 142. — Les Cent Nouvelles
nouvelles, 142. — Le Livre des Faits de Jacques de Lalaing, 143. — Le Jouvencel, 144. —
Le Roman de Jean de Paris 144

V. — FRANÇOIS VILLON ET LA POÉSIE
DANS LE ROYAUME DE FRANCE
APRÈS LA GUERRE DE CENT ANS... 144

FRANÇOIS VILLON...................... 144
LES IMITATEURS DE VILLON............... 154
Guillaume Coquillart, 154. — Henri Baude... 154
LA CHANSON POPULAIRE 155

VI. — PHILIPPE DE COMMYNES..... 155

VII. — LES LETTRES
A LA COUR DE BOURGOGNE.
LES GRANDS RHÉTORIQUEURS..... 159

La France et l'étranger au moyen âge 163

LE SEIZIÈME SIÈCLE

PREMIÈRE PARTIE

DE LOUIS XII A LA MORT DE FRANÇOIS Iᵉʳ (1498-1547)

Cette partie a été primitivement traitée par M. Jean PLATTARD ; M. Pierre JOURDA a mis à jour le chapitre V et refondu les autres chapitres.

Les grands faits politiques et sociaux de 1498 à 1547.............................. 166

I. — SURVIVANCES MÉDIÉVALES... 167

Les derniers rhétoriqueurs 167
Jean Marot......................... 168
Poésie populaire 168
Pierre Gringore, 168. — Roger de Collerye... 169
Un isolé : Jean Lemaire de Belges........ 169

II. — RENAISSANCE ET HUMANISME.. 170

Ce qu'on entend par Renaissance......... 170
L'humanisme et l'Université de Paris....... 170
L'humanisme dans la noblesse de robe et la haute bourgeoisie : Guillaume Budé..... 172
L'humanisme a la Cour 173
Institution du Collège de France........ 174
L'humanisme et la Réforme.............. 175
Erudits et poètes néo-latins.............. 176

III. — TRADITIONS FRANÇAISES 176

La poésie de cour. Clément Marot.......... 176
Marot disciple des rhétoriqueurs, 178.— Marot poète de cour, 178. — L'humanisme de Marot, 179. — L'évangélisme de Marot, 179. — Le talent de Marot....................... 180
L'école marotique. La Cour et la province.. 182
Conteurs gaulois. 184
Bonaventure Des Périers, 184.— Noël Du Fail. 185

IV. — COURANTS D'IDÉES NOUVEAUX : ITALIANISME, PLATONISME, RATIONALISME............. 187

V. — LA RÉFORME : JEAN CALVIN... 189

Caractère de Calvin, 190. — Sa correspondance, 191. — Ses pamphlets, 192. — L'Institution de la religion chrétienne..................... 192

VI. — L'ÉVEIL DE LA POÉSIE PERSONNELLE : MARGUERITE DE NAVARRE....... 195

VII. — CONTEURS ET ROMANCIERS... 196

L'Heptaméron. 196
Les romanciers : les Amadis; Hélisenne de Crenne................................. 200

VIII. — FRANÇOIS RABELAIS...... 201

L'homme et l'écrivain, 202. — Pantagruel, 204. — Gargantua, 206.— Le Tiers Livre des faictz et dictz héroïques du noble Pantagruel, 207. — Le Quart Livre des faictz et dictz héroïques du noble Pantagruel, 208. — Le Cinquième Livre, 209. — Rabelais peintre de la société de son temps, 209. — Rabelais humaniste, 212. — Le naturalisme de Rabelais, 214. — L'art de Rabelais, 216. — Le comique de Rabelais, 217. — Influence et réputation de l'œuvre de Rabelais. 218

IX. — LA PREMIÈRE RENAISSANCE... 218

DEUXIÈME PARTIE

DE HENRI II A HENRI IV (1547-1594)

M. Jean BAILLOU a traité les chapitres I et II ; M. Raymond LEBÈGUE, le chapitre III, et, dans le chapitre IV, tout ce qui concerne la poésie. Le reste de ce chapitre et le chapitre V, traités primitivement par M. Pierre VILLEY, ont été mis à jour par M. LEBÈGUE et M. BAILLOU.

Les grands faits politiques et sociaux de 1547 à 1594 220

I. — LA SECONDE GÉNÉRATION DE L'HUMANISME 221

II. — LA PLÉIADE 228

Les poètes lyonnais 228

La formation de la Pléiade............... 231
La doctrine de la Pléiade 234
Les hommes et les œuvres 236
Pierre de Ronsard, 236. — La lignée de Coqueret : Joachim Du Bellay, Jean-Antoine de Baïf, 246. — La lignée de Boncourt : Jodelle, La Péruse, Belleau, 251. — Les attardés et les ralliés : Peletier, Tyard, Des Autels, 253. — Autour de la Pléiade 255

486 — *TABLE DES MATIÈRES*

III. — LE THÉATRE............ 256

LE DÉCLIN DES GENRES MÉDIÉVAUX ET L'APPA-
RITION DU THÉÂTRE À L'ANTIQUE.......... 256
Le théâtre scolaire.................... 257
LE THÉÂTRE PROTESTANT................ 258
LA TRAGÉDIE À L'ANTIQUE.............. 258
Robert Garnier, 260. — Montchrestien..... 260
LA COMÉDIE........................ 261
LES AUTRES GENRES.................. 263

IV. — LA LITTÉRATURE
PENDANT LES GUERRES DE RELIGION. 264

LA POÉSIE......................... 264
Agrippa d'Aubigné, 265. — Du Bartas, 267. —
Desportes, 267. — Jean de Sponde......... 269
PRÉDICATION, CONTROVERSE, PAMPHLETS...... 269
LA SATIRE MÉNIPPÉE.................. 270

ECRITS POLITIQUES..................... 272
MÉMOIRES ET OUVRAGES D'HISTOIRE.......... 274
OUVRAGES CONSACRÉS À LA TECHNIQUE DES MÉ-
TIERS ET DES ARTS..................... 276

V. — MONTAIGNE........... 277

Son enfance et sa jeunesse, 277. — Sa retraite,
279. — Le premier dessein de Montaigne. Son
attitude stoïque dans les plus anciens « Essais »,
280. — Sa crise de scepticisme, 282. — Montaigne peint par lui-même, 284. — Sincérité de
la peinture du Moi. Le journal de voyage, 285.
— Montaigne et la politique, 286. — Montaigne
et la religion, 288. — Le sage et la morale individuelle, 288. — Montaigne honnête homme.
Sa pédagogie et sa sagesse, 289. — Montaigne
écrivain, 290. — Son influence............. 291

*La France et l'étranger dans la seconde moitié
du XVIᵉ siècle*......................... 294

LE DIX-SEPTIÈME SIÈCLE

PREMIÈRE PARTIE

LA LITTÉRATURE SOUS LE RÈGNE DE HENRI IV ET PENDANT LA RÉGENCE DE MARIE DE MÉDICIS

Le chapitre Iᵉʳ a été traité par M. Raymond LEBÈGUE, à l'exception des pages sur les Disciples de Malherbe et sur Jean de Lingendes, écrites par M. Jacques LAVAUD. Dans le chapitre II, les pages sur Camus et Bérulle ont été écrites par M. LAVAUD ; le reste du chapitre, primitivement traité par M. Joseph VIANEY, a été refondu par M. LEBÈGUE, à l'exception des pages sur saint François de Sales, refondues par M. LAVAUD. Les chapitres III à V ont été traités par M. LEBÈGUE, à l'exception des pages sur « les Serées » et sur Sorel, écrites par M. Joseph VIANEY et M. André BEAUNIER, qui ont été mises à jour par M. LAVAUD et M. LEBÈGUE.

*Les grands faits politiques et sociaux de 1594
à 1630*............................. 296
LES SCIENCES ET LES LETTRES.............. 297

I. — LA POÉSIE............ 298

BERTAUT ET DU PERRON................ 298
MALHERBE......................... 298
LES DISCIPLES DE MALHERBE.............. 300
Mainard, 300. — Racan................ 300
JEAN DE LINGENDES.................... 302
RÉGNIER ET LES POÈTES SATIRIQUES.......... 302
THÉOPHILE DE VIAU................... 303

II. — LA PHILOSOPHIE ET LA RELIGION. 304

Guillaume Du Vair, 304. — Pierre Charron, 306.

— Saint François de Sales, 307. — Jean-Pierre
Camus, 309. — Pierre de Bérulle........... 310

III. — LES LETTRES D'HENRI IV..... 310

IV. — LE ROMAN.......... 311

LE ROMAN RÉALISTE.................... 311
Les Serées, 311. — Le Moyen de parvenir, 311.
— Charles Sorel...................... 312
LE ROMAN SENTIMENTAL................. 313
L'Astrée.......................... 314

V. — LE THÉÂTRE.......... 316

LA VIE DRAMATIQUE................... 316
ALEXANDRE HARDY.................... 318

DEUXIÈME PARTIE

LE TEMPS DE RICHELIEU ET DE MAZARIN (1630-1661)

Cette partie a été traitée par M. René PINTARD, à l'exception du chapitre III, primitivement traité par M. Henry BIDOU, qui a été refondu par M. PINTARD, et des pages sur Descartes et Pascal, écrites par M. Désiré ROUSTAN, qui ont été remaniées par M. PINTARD.

Les grands faits politiques et sociaux de 1630 à 1661 320

I. — L'ÉVOLUTION LITTÉRAIRE..... 321

L'ÉTABLISSEMENT DES DISCIPLINES............ 321
Vaugelas et l'épuration de la langue, 321. — Balzac, ou l'art de la prose, 322. — La doctrine des règles : Chapelain, 324. — L'Académie française................................. 326

L'AFFINEMENT DU GOÛT.................... 329
L'Hôtel de Rambouillet, 329. — Les « Samedis » de Sapho et la querelle des « précieuses ». 331

II. — POÉSIE, BAGATELLES ET ROMAN. 334

LE ROMAN ET LA POÉSIE HÉROÏQUES............ 334
La vogue du roman héroïque, 334. — Vers le roman psychologique : Madeleine de Scudéry, 335. — L'épopée........................ 337

LA LITTÉRATURE GALANTE................. 338
Du lyrisme à la galanterie, 338. — Voiture et l'école du badinage.................... 340

LE BURLESQUE........................... 343
Du baroque au burlesque : Saint-Amant, 343. — Scarron et la frénésie burlesque......... 344

LA POÉSIE RELIGIEUSE.................... 347

III. — LE THÉATRE........... 348

LA CONQUÊTE DU THÉATRE PAR LA DOCTRINE DES RÈGLES................................ 349

CORNEILLE.............................. 353
La jeunesse de Pierre Corneille, 353. — D' « Horace » à « la Suite du Menteur », 356. — De « Rodogune » à « Pertharite ». Le génie cornélien............................... 359

LE DÉVELOPPEMENT DU THÉATRE DE 1637 À 1660. 362

IV. — LES COURANTS D'IDÉES..... 364

L'IDÉAL DE L' « HONNÊTE HOMME »........... 364

LE LIBERTINAGE........................ 365

DESCARTES.............................. 367
Le « grand livre du monde » et l'étude de soi-même, 367. — La méthode, 370. — La métaphysique, 372. — La physique, 373. — La morale, 375. — L'originalité de Descartes..... 376

LA PENSÉE RELIGIEUSE.................... 376

V. — PORT-ROYAL ET PASCAL..... 379

LES ÉCRIVAINS DE PORT-ROYAL.............. 379

PASCAL................................. 381
La jeunesse de Pascal (1623-1646), 381. — Première conversion. Les victoires du savant (1646-1651) et l'expérience du monde (1652-1654), 384. — La conversion définitive. Les « Provinciales ». Les écrits sur la grâce (1654-1658), 386. — L'Apologie de la religion chrétienne, 390. — La fin de Pascal (1658-1662). Le rayonnement et le style des « Pensées ».... 394

La France et l'étranger dans la première moitié du XVIIᵉ siècle 396

TROISIÈME PARTIE

LE RÈGNE DE LOUIS XIV

Cette partie a été traitée par M. Jean BOUDOUT, à l'exception du chapitre II, qui a été traité par M. Joseph DEDIEU, du chapitre IV, traité par M. Désiré ROUSTAN, et des pages sur Boileau, écrites par M. Joseph BÉDIER, dont la partie bio-bibliographique a été mise à jour par M. BOUDOUT.

Les grands faits politiques et sociaux de 1661 à 1685 398

I. — LES ÉCRIVAINS GENS DU MONDE. 399

LA ROCHEFOUCAULD...................... 399

MÉMORIALISTES : LE CARDINAL DE RETZ...... 402

LE ROMAN. MADAME DE LA FAYETTE.......... 403
Romanciers divers. Furetière, 403. — Madame de La Fayette....................... 404

LA LITTÉRATURE ÉPISTOLAIRE. MADAME DE SÉVIGNÉ............................... 407
Madame de Sévigné 407

II. — L'ÉLOQUENCE RELIGIEUSE.... 412

Bossuet. 412
Les années de préparation, 413. —Bossuet orateur, 413. — Bossuet précepteur du Dauphin (1670-1681), 415. — Bossuet controversiste, 417. — Bossuet évêque de Meaux (1681-1704), 420. — La valeur de cette œuvre........... 422

Bourdaloue......................... 424

Fléchier............................ 425

Massillon 425

III. — LE JANSÉNISME APRÈS 1660... 426

Pierre Nicole 426

IV. — MALEBRANCHE........ 428

La vie de Malebranche et l'histoire de son esprit, 428. — Les grandes idées du système....... 430

V. — LA POÉSIE. LA FONTAINE.... 432

Tendances générales. Poètes divers........ 432

La Fontaine........................ 434
L'homme : caractère et esprit, 435. — Les débuts et la période de Vaux, 437. — Les Contes, 438. — Les œuvres diverses en vers et en prose, 440. — La Fontaine romancier : Psyché, 441. —Les essais dramatiques, 442. — Les Fables.. 442

VI. — LA COMÉDIE. MOLIÈRE..... 446

La comédie avant Molière................. 446

Molière 446
Le tempérament, 448. — La carrière littéraire, 449. — La conception de l'art : la primauté du rire, 450. — La comédie sérieuse et la comédie aimable, 451. — La comédie-spectacle, 451. — La comédie-farce, 452. — Les formes supérieures du rire, 452. — Le métier, 454. — Les grandes perspectives..................... 455

Autour de Molière...................... 458

VII. — RACINE ET LA TRAGÉDIE DE 1660 A 1690 .. 459

Les dernières œuvres de Corneille........ 459

L'évolution de la tragédie.............. 460

Racine 462
La formation et le tempérament littéraires, 463. — La tragédie selon Racine, 465. — L'art de Racine................................. 468

VIII. — BOILEAU ET LA CRITIQUE ... 472

Boileau............................. 472
Le moraliste, 474. — Le satirique, 475. — Le législateur du Parnasse................... 478

La France et l'étranger dans la seconde moitié du XVIIe siècle.......................... 482

PLANCHES HORS TEXTE EN COULEURS

Partie supérieure du vitrail de Charlemagne, à la cathédrale de Chartres.................. 16

Présentation des « Grandes Chroniques de France » au roi Philippe le Hardi. Miniature du XIVe siècle 100

Une représentation d'un Mystère au XVe siècle. Miniature de Jean Fouquet.................. 136

Dame Rhétorique décernant le prix du Tournoi. Tapisserie du XVIe siècle.................... 168

François Ier écoute la lecture de Diodore de Sicile. Peinture anonyme...................... 174

Farceurs français et italiens ayant appartenu aux Théâtres royaux. Peinture anonyme........ 446

Imprimerie Larousse, 1 à 9, rue d'Arcueil, Montrouge (Seine). — Novembre 1948. — Dépôt légal, 1948-4e. — No 1013
No de série Éditeur 717. — IMPRIMÉ EN FRANCE *(Printed in France)* 136-11-1948.